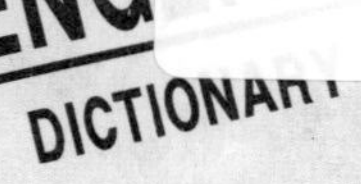
POCKET
ENGLISH
DICTIONARY

POCKET
ENGLISH
DICTIONARY
ENGLISH • MODERN GREEK
MODERN GREEK • ENGLISH
EFSTATHIADIS
GROUP

EFSTATHIADIS GROUP S.A.
14, Valtetsiou Str.
106 80 Athens
Tel: (01) 5154650, 6450113
Fax: (01) 5154657
GREECE

edited by George A. Magazis

ISBN 960 226 246 X

Printed and bound in Greece

CONTENTS

ΠΕΡΙΕΧΟΜΕΝΑ

GUIDE TO THE DICTIONARY
ΟΔΗΓΙΕΣ ΓΙΑ ΤΗ ΧΡΗΣΗ ΤΟΥ ΛΕΞΙΚΟΥ

§1 **Entry Word:** The entry word is sometimes separated into two parts by means of a thin dash e.g. **starv-ation.** This separation **DOES NOT** mean syllabication. It is used to save space. Thus, derivatives, combining forms and compounds can be included in the same entry, e.g.

§1 **Κύριο Λήμμα:** Το κύριο λήμμα χωρίζεται μερικές φορές σε δύο μέρη με μια παύλα, π.χ. starv-ation. Ο χωρισμός αυτός ΔΕΝ σημαίνει συλλαβισμό. Χρησιμοποιείται μόνο και μόνο για οικονομία χώρου. Μ' αυτόν τον τρόπο, παράγωγες και σύνθετες λέξεις μπορούν να συμπεριληφθούν στο κύριο λήμμα,

starv-ation (sta:r´veiʃən): *(n)* πείνα, λιμός, ασιτία || ~ **e** [-d]: *(v)* λιμοκτονώ || πεθαίνω από ασιτία || πεινώ υπερβολικά, πεθαίνω από την πείνα || ~ **eling:** (n) πεθαμένος από πείνα || ~**ing:** (adj) πεθαίνων από πείνα, πεινασμένος

§2 **Labels and Symbols:** The following information is given by means of labels and symbols:

a) **The label "Id"** signifies that the word or expression is colloquial, slang or non-standard.
b) **Parts of speech:** see § 5
c) **Plural:** see § 5
d) **Feminine:** if different from the masculine
e) **Different meaning of the same word:** The symbol || is used to separate the different meaning of the same word or a derivative or compound that is formed by adding a new ending.

f) **Pronunciation:** The pronunciation of each word is given in parentheses,

§2 **Ενδείξεις και Σύμβολα:** Οι ακόλουθες ενδείξεις και σύμβολα χρησιμοποιούνται για διευκόλυνση αυτού που θα χρησιμοποιήσει το λεξικό:
α) **Η ένδειξη "Id"** σημαίνει ότι η λέξη ή έκφραση είναι λαϊκή, ιδιωματική ή αργκό
β) **Μέρη του λόγου:** βλ. § 5
γ) **Πληθυντικός:** βλ. § 5
δ) **Θηλυκό:** Δίνεται, αν είναι διαφορετικό από το αρσενικό.
ε) **Διαφορετική σημασία της ίδιας λέξης:** Το σύμβολο || χρησιμοποιείται για να χωρίσει τις διαφορετικές σημασίες της ίδιας λέξης ή τα παράγωγα και σύνθετα που σχηματίζονται με την προσθήκη νέας κατάληξης.
στ) **Προφορά:** Η προφορά κάθε λέξης δίνεται μέσα σε παρένθεση, π.χ.

e.g. **work** (wə:rk)

g) **Avoidance of repetition:** The symbol ~ replaces the part of the word preceding the dash (see §1) or the whole word, if it is not split by the dash.

h) **Principal parts of verbs:** The principal parts of the verbs are given in square brackets immediately following the pronunciation. If the verb is regular, only the ending -ed, or -d is given, e.g.

ζ) **Αποφυγή επανάληψης:** Το σύμβολο ~ αντικαθιστά το μέρος της λέξης που προηγείται της παύλας (βλ. § 1) ή ολόκληρη τη λέξη, αν δεν χωρίζεται από την κατακόρυφη γραμμή
η) **Κύρια μέρη του ρήματος:** Τα κύρια μέρη του ρήματος δίνονται σε αγκύλες αμέσως μετά την προφορά. Αν το ρήμα είναι ομαλό, δίνεται μόνο η κατάληξη -ed ή -d, π.χ.

work (wə:rk) [-ed]

If the verb is irregular, all the principal parts are given, e.g.

Αν το ρήμα είναι ανώμαλο, τότε δίνονται όλα τα κύρια μέρη του, π.χ.

take (´teik) [took, taken]

i) **Accent:** The accent is marked by an accent mark placed on the left of the accented syllable, e.g.

θ) **Τονισμός:** Ο τονισμός της λέξης σημειώνεται με ένα σημείο τόνου στο αριστερό της τονιζόμενης συλλαβής, π.χ.

starvation (sta:r´veijən)

§3 **Alphabetical order:** The entries are generally given in alphabetical order. However, to save space, derivatives, compounds and combining forms are often given with the entry word. Thus, the word WINDPIPE is given under WIND and not after WINDOW. Nevertheless, after the word WINDOW, the word WINDPIPE is given with the remark: see WIND

§3 **Αλφαβητική κατάταξη:** Τα λήμματα έχουν γενικά τοποθετηθεί σε αλφαβητική σειρά. Για οικονομία όμως χώρου, τα παράγωγα και τα σύνθετα δίνονται συχνά μαζί με το κύριο λήμμα. Έτσι η λέξη WINDPIPE δίνεται κάτω από το λήμμα WIND και όχι μετά τη λέξη WINDOW. Μετά, όμως, από τη λέξη WINDOW, για τη λέξη WINDPIPE γίνεται η παρατήρηση, βλ. wind.

§4 **Pronunciation Key:** The following phonetic symbols are used:

§4 **Κλειδί Προφοράς:** Για την προφορά, χρησιμοποιούνται τα εξής σύμβολα:

æ	ήχος μεταξύ α και ε (pat, hat)
ei	εϊ (μονοσύλλαβο) (take, lake)
eə	εα (κλειστό) (bear, there)
a:	α παρατεταμένο (μακρό) (arm, farm)
e	ε (set, jet)
i:	ι παρατεταμένο (μακρό) (see, bee)
i	ι βραχύ (sit, bit)
ai	αϊ (μονοσύλλαβο) (eye, buy)
iə	ιε (κλειστό) (ear, dear)
ɔ	βραχύ ο με ήχο που κλίνει προς το α (lot, pot)
ou	οου (nose, pose)
ɔ:	ο παρατεταμένο (μακρό) (bought, taught)
au	αου (μονοσύλλαβο) (mouth, south)
u	ου βραχύ (put, push)
u:	ου παρατεταμένο (μακρό) (loot, hoot)
ʌ	βραχύς ήχος μεταξύ α και ο (but, thumb)
ə:	ήχος μεταξύ ε και ο (γαλλικό eu) (third, bird)
i̥	άτονο ε βραχύ (linen, garland)
ʃ	παχύ σ (όπως το γαλλικό ch) (she, dish)
tʃ	παχύ τσ (chalk, cheese)
g	γκ (game, gag)
dz	παχύ τζ (giant, gist)
ŋ	όπως ο ήχος ν στή λέξη σάλπιγξ (ring, sing)
th	θ (theme, anthem)
δ	δ (the, them)
j	υγρό ι που εκφέρεται σαν ένας ήχος με το επόμενο φωνήεν. Όταν είναι στην αρχή της λέξης έχει απήχηση γ πριν απ'αυτό (duty, yes)

§5 **Abbreviations:** The following abbreviations are used.

§5 **Συντομογραφίες:** Χρησιμοποιούνται οι ακόλουθες συντομογραφίες.

adj.	=	adjective
adv.	=	adverb
anat.	=	anatomy
chem.	=	chemistry
conj.	=	conjunction
interj.	=	interjection
math.	=	mathematics
n.	=	noun
phys.	=	physics
pl.	=	plural
prep.	=	preposition
pron.	=	pronoun
sing.	=	singular
tech	=	technical
v.	=	verb

English - Greek
Αγγλο - Ελληνικό

A

a (ə, ei): *(ind. art.)* ένας, μία, ένα, κάποιος, κάποια, κάποιο || *(prep)* ανά, κάθε
aback (ə´bæk): πίσω, προς τα πίσω || **taken ~**: ξαφνιασμένος, έκπληκτος, σαστισμένος
abandon (ə´bændən) [-ed]: *(v)* εγκαταλείπω, αφήνω || **~ed**: *(adj)* εγκαταλειμμένος || δύστυχος, φουκαράς || ξεδιάντροπος
abate (ə´beit) [-d]: *(v)* ελαττώνω, μετριάζω || καταπαύω, εξασθενίζω || ελαττώνομαι, κοπάζω, εξασθενώ, μετριάζομαι || αφαιρώ, εκπίπτω || (leg) ακυρώνομαι
abbey (´æbi): *(n)* μοναστήρι || αβαείο
abbreviat-e (ə´bri:vieit) [-d]: *(v)* συντομεύω || **~ion**: *(n)* συντόμευση, συντομία, βραχυγραφία || συγκεκομμένη λέξη
abdicat-e (´æbdikeit) [-d]: *(v)* παραιτούμαι από αξίωμα ή θέση || **~ion**: *(n)* παραίτηση
abdom-en (æb´domən): *(n)* υπογάστριο || κοιλιά
abduct (æb´dʌkt) [-ed]: *(v)* απάγω || **~ion**: *(n)* απαγωγή || **~or**: *(n)* απαγωγέας
abet (ə´bet) [-ted]: *(v)* ενθαρρύνω, παρακινώ, υποκινώ **~ter** ή **~tor**: *(n)* υποκινητής, συνένοχος
abeyance (ə´beiəns): *(n)* αναβολή || εκκρεμότητα
abhor (əb´hər) [-red]: *(v)* σιχαίνομαι, αποστρέφομαι, απεχθάνομαι || απορρίπτω || **~rence**: *(n)*: απέχθεια, αποστροφή || απόρριψη || **~rent**: *(adj)* σιχαμερός, απεχθής
abide (ə´baid) [-d ή abode]: *(v)* μένω, διαμένω, κατοικώ || περιμένω, καρτερώ || υπομένω, αντιστέκομαι || υφίσταμαι || συμμορφώνομαι
ability (ə´biliti): *(n)* ικανότητα, επιδεξιότητα
able (´eibl): *(adj)* ικανός
abnormal (æb´nərməl): *(adj)* ανώμαλος, ακανόνιστος || **~ity**: *(n)* ανωμαλία
aboard (ə´bo:rd): *(adv)* επάνω ή μέσα σε πλοίο ή άλλο συγκ. μέσο
abode (a´boud): βλ. abide || *(n)* κατοικία, διαμονή
abolish (ə´bɔliʃ) [-ed]: *(v)* καταργώ, ακυρώνω, διαγράφω || **~ment** (ή **abolition**): *(n)* κατάργηση, ακύρωση, διαγραφή
abolition: βλ. abolishment
A-bomb (ei´-bɔm): *(n)* ατομική βόμβα
abomina-ble (ə´bominəbl) *(adj)*: απαίσιος, απεχθής, βδελυρός, αποτρόπαιος
abominate (ə´bomineit) [-d]: *(v)* απεχθάνομαι || **~ion**: *(n)* βδελυγμία, απέχθεια || βδελυρό πρόσωπο ή πράγμα
aboriginal (æbə´ridzinəl): *(adj)* ιθαγενής || πρωτόγονος
aborigines (æbə´ridzini:z): *(n)* ιθαγενείς, γηγενείς, αυτόχθονες
abort (ə´bo:rt) [-ed]: *(v)* κάνω έκτρωση || διακόπτω, σταματώ, ματαιώνω || προκαλώ αποτυχία || ματαιώνομαι, αποτυχαίνω || **~ion**: *(n)* έκτρωση, αποβολή || έκτρωμα || **~ive**: *(adj)* εκτρωματικός || αποτυχημένος || πρόωρος
abound (ə´baund) [-ed]: *(v)* αφθονώ, βρίθω || έχω σε αφθονία || είμαι εφοδιασμένος
about (ə´baut): *(adv)* σχεδόν, περίπου || χωρίς κατεύθυνση || σχετικά προς || έτοιμος για || *(prep)* γύρω, ολόγυρα, κοντά
above (ə´bʌv): *(adj)* από πάνω, ψηλά, σε ψηλότερο επίπεδο || *(prep)* από πάνω, ψηλότερα || **~board**: τίμιος, ειλικρινής, τίμια, με ειλικρίνεια
abreast (ə´brest): *(adv)* δίπλα, κοντά-κοντά
abridge (ə´bridz) [-d]: *(v)* συντομεύω, περικόβω || **~d**: *(adj)*: σύντομος, περιληπτικός
abroad (ə´bro:d): *(adv)* στο εξωτερικό, σε άλλη χώρα || έξω από το σπίτι, έξω από το κλειστό χώρο || σε κυκλοφορία, ελεύθερος || έξω

από το στόχο || *(n)* ξενιτιά, εξωτερικό
abrupt (ə´brʌpt): *(adj)* απότομος || τραχύς || αιφνίδιος, απροσδόκητος, αναπάντεχος
absen-ce (´æbsəns): *(n)* απουσία || έλλειψη || **~t**: *(adj)* απών || ανύπαρκτος || **~t-minded**: *(adj)* αφηρημένος
absent (æb´sent) [-ed]: *(v)* απουσιάζω || απών, απουσιάζων || **~ee**: απών
absolut-e (´æbsəlu:t): *(adj)* απόλυτος || τέλειος, πλήρης || αγνός, ανόθευτος || τελειωτικός *(leg)* || **~eness**: *(n)* απόλυτη εξουσία, απολυταρχία || το απόλυτο || **~ism**: *(n)* απολυταρχία, απολυταρχικό πολίτευμα || **~ist**: *(n & adj)* απολυταρχικός
absolution (æbsə´luʃən): *(n)* άφεση αμαρτιών
absolve (əb´səlv) [-d]: *(v)* αθωώνω, απαλλάσσω || δίνω άφεση αμαρτιών, συγχωρώ
absorb (əb´sərb) [-ed]: *(v)* απορροφώ || **~ent**: *(adj)* απορροφητικός || *(n)* μέσο απορρόφησης
absorpt-ion (əb´sərpʃən): *(n)* απορρόφηση || **~ive**: *(adj)* απορροφητικός
abstain (əb´stein) [-ed]: *(v)* απέχω, κάνω αποχή, αποφεύγω
abstention (æb´stenʃən): *(n)* αποχή, αποφυγή κατάχρησης ποτών || εγκράτεια, λιτότητα
abstinence (´æbstinəns): *(n)* αποχή, εγκράτεια || (θρησκ.) νηστεία
abstract (´æbstrækt): *(adj)* αφηρημένος, μη συγκεκριμένος || θεωρητικός, μη εφαρμόσιμος || δυσκολονόητος || *(n)* σύνοψη || περιληπτική έκθεση ή αναφορά || (æb´strækt) [-ed]: *(v)* περικόβω, αφαιρώ || υπεξαιρώ *(leg)* || συνοψίζω, εκθέτω περιληπτικά || **~ion**: *(n)* αποκοπή, περικοπή || αφηρημένη ιδέα || έργο αφηρημένης τέχνης
absurd (əb´sə:rd): *(adj)* παράλογος || **~ity** ή **~ness**: *(n)* παραλογισμός, ανοησία
abundan-ce (ə´bʌndəns) [και **abundancy**]: *(n)* αφθονία || πληρότητα, πληθώρα || **~t**: *(adj)* άφθονος, πληθωρικός
abus-e (ə´bju:z) [-d]: *(v)* προσβάλλω, βρίζω || καταχρώμαι || κακομεταχειρίζομαι || χρησιμοποιώ κακώς || (ə´bju:s): *(n)* προσβολή, ύβρη || κακομεταχείριση || σφαλερή ή κακή χρήση || **~ive**: *(adj)* προσβλητικός, υβριστικός
abut (ə´bʌt) [-ted]: *(v)* συνορεύω || αγγίζω, εφάπτομαι || **~ment**: *(n)* επαφή, σημείο επαφής
abysm (ə´bizəm) (βλ. και **abyss**): *(n)* μεγάλο βάθος || άβυσσος || **~al**: *(adj)* βαθύς, αβυσσαλέος
abyss (ə´bis): *(n)* άβυσσος, μεγάλο βάθος
academic (ækə´demik): *(adj)* ακαδημαϊκός || σχετικός με ανώτατη σχολή || θεωρητικός, μη πρακτικός || τυπικός, συμβατικός || *(n)* μέλος μορφωτικής ή πανεπιστημιακής εταιρείας || φοιτητής ή καθηγητής **~ian**: *(n)* ακαδημαϊκός, μέλος ακαδημίας
academy (ə´kædemi): *(n)* ακαδημία || ανώτατη σχολή
accelerat-e (æk´selereit) [-d]: *(v)* επιταχύνω || επισπεύδω || επιταχύνομαι, αυξάνω ταχύτητα || **~ion**: *(n)* επιτάχυνση || επίσπευση
accent (´æksənt): *(n)* τονισμός, τόνος || τρόπος ομιλίας, προφορά (κυρίως ξενική) || διακεκριμένο χαρακτηριστικό ή ποιότητα || (æk´sent) [-ed]: *(v)* τονίζω || δίνω έμφαση
accentuate (æk´sentʃueit) [-d]: *(v)* τονίζω, προφέρω με έντονο τονισμό || δίνω έμφαση
accept (ək´sept) [-ed]: *(v)* δέχομαι, παραδέχομαι || **~able**: *(adj)* δεκτός, αποδεκτός || παραδεκτός, αναγνωρισμένος || **~ance**: *(n)* αποδοχή, παραδοχή || **~ed**: *(adj)* δεκτός, παραδεκτός, αναγνωρισμένος
access (´ækses): *(n)* προσέγγιση, μέσο προσέγγισης ή εισόδου || είσοδος, διέλευση || δικαίωμα εισόδου ή χρήσης || προσιτότητα || **~ible**: *(adj)* ευπρόσιτος, προσιτός
accessory (æk´sesəri): *(n)* συμπλήρωμα, προσθήκη || συνένοχος, συνεργός || εξάρτημα, ανταλλακτικό, βοηθητικό κομμάτι || *(adj)* δευτερεύων, συμπληρωματικός
accident (´æksidənt): *(n)* δυστύχημα, ατύχημα || απροσδόκητο ή τυχαίο περιστατικό || **~al**: *(adj)* τυχαίος
acclaim (ə´kleim) [-ed]: *(v)* επευφη-

μώ, ζητωκραυγάζω ‖ επιδοκιμάζω έντονα ‖ *(n)* επευφημία, ζητωκραυγή ‖ ενθουσιώδης επιδοκιμασία
acclamation (əklə΄meiʃən): *(n)* επευφημία, ζητωκραυγή ‖ ψήφος δια βοής ‖ επιδοκιμασία
acclimat-e (΄ækləmeit) ή **acclimatiz-e** (ə΄klaimətaiz) [-d]: *(v)* εγκλιματίζω, εγκλιματίζομαι ‖ εξοικειώνω ‖ **~ion**: *(n)* εγκλιματισμός, εξοικείωση
accommodat-e (ə΄kəmədeit) [-d]: *(v)* εξυπηρετώ, κάνω χάρη ‖ διευκολύνω ‖ παρέχω ‖ διευθετώ ‖ εξοικονομώ ‖ παρέχω ή διαθέτω στέγη ή χώρο ‖ **~ion**: *(n)* εξυπηρέτηση, διευκόλυνση ‖ στέγαση, παροχή χώρου ‖ συμβιβασμός ‖
accompan-iment (ə΄kʌmpənimənt): *(n)* συνοδεία ‖ συμπλήρωμα ‖**~y** *(-ied)*: *(n)* συνοδεύω ‖ συμπληρώνω, προσθέτω
accomplice (ə΄kəmplis): *(n)* συνένοχος, συνεργός
accomplish (ə΄kəmpliʃ) [-ed]: *(v)* συμπληρώνω, τελειώνω ‖ κατορθώνω, πετυχαίνω ‖ **~ed**: *(adj)* τέλειος ‖ με ταλέντο, ταλαντούχος ‖ **~ment**: *(n)* επίτευγμα, κατόρθωμα, ‖ συμπλήρωση ‖ αξία, προσόν, ταλέντο
accord (ə΄kə:rd) [-ed]: *(v)* χορηγώ, παρέχω ‖ συμφωνώ ‖ *(n)* συμφωνία ‖ αρμονία ‖ **~ance**: *(n)* συμφωνία, αρμονία ‖ **~ant**: *(adj)* σύμφωνος, αρμονικός, σε αρμονία ‖ **~ing**: *(adv)* σύμφωνα ‖ **~ingly** *(adv)*: συνεπώς, κατά συνέπεια
accordion (ə΄kə:rdiən): *(n)* αρμόνικα (ακορντεόν)
accost (ə΄kəst) [-ed]: *(v)* αποτείνομαι, απευθύνω το λόγο ‖ πλησιάζω, ''πλευρίζω''
account (ə΄kaunt) [-ed]: *(v)* θεωρώ ‖ δίνω λογαριασμό ή λόγο ‖ *(n)* λογαριασμός, έκθεση ‖ αφήγηση ‖ αξία ‖ κέρδος, πλεονέκτημα ‖ **~able**: *(adj)* υπόλογος, υπεύθυνος ‖ **~ancy**: *(n)* λογιστική ‖ **~ant**: *(n)* λογιστής
accumulat-e (ə΄ku:muleit) [-d]: *(v)* συσσωρεύω, συσσωρεύομαι ‖ **~ion**: *(n)* συσσώρευση‖ **~or**: *(n)* συσσωρευτής
accura-cy (΄ækjurəsi): *(n)* ακρίβεια ‖ ορθότητα, πιστότητα ‖ **~te**: *(adj)* ακριβής, σωστός, πιστός
accursed (ə΄kə:rsid): *(adj)* καταραμένος
accusable (ə΄kju:zəbl): κατηγορητέος, αξιοκατάκριτος
accusat-ion (ækju:΄zeiʃən): *(n)* κατηγορία ‖ **~ive**: *(n)* αιτιατική
accuse (ə΄kju:z) [-d]: *(v)* κατηγορώ ‖**~d**: κατηγορούμενος ‖ **~r**: *(n)* μηνυτής, κατήγορος
accustom (ə΄kʌstəm) [-ed]: *(v)* εθίζω, εξοικειώνω ‖ **~ed**: *(adj)* συνηθισμένος
ace (eis) *(n)* άσος
acetate (΄æsitit): οξικό αλάτι
acetic: (ə΄si:tik): οξικός
ach-e (eik) [-d]: *(v)* πονώ ‖ *(n)* πόνος ‖ **~ing**: *(adj)* πονεμένος
achieve (ə΄tʃi:v) [-d]: *(v)* κατορθώνω, πετυχαίνω ‖ εκτελώ, πραγματοποιώ ‖ **~ment**: *(n)* επίτευγμα, κατόρθωμα
acid (΄æsid): *(n)* οξύ ‖ *(adj)* οξύς, δριμύς ‖ **~ify** [-ied]: *(v)* οξοποιώ ‖ **~ity** ‹ **~ness**: *(n)* οξύτητα
acknowledge (ə΄knəlidz) [-d]: *(v)* αναγνωρίζω, παραδέχομαι ‖ γνωρίζω λήψη ‖ ανταποδίδω χαιρετισμό ‖ **~ment**: *(n)* παραδοχή, αναγνώριση ‖ *(pl)* ευχαριστίες
acme (΄ækmi): *(n)* ακμή
acne (΄ækni): *(n)* ακμή, εξάνθημα νεότητος
acorn (΄eiko:rn): *(n)* βαλανίδι
acoustic (ə΄kustik): *(adj)* ακουστικός ‖ **~al**: ακουστικός ‖ **~s**: ακουστική *(n)*
acquaint (ə΄kweint) [-ed]: *(v)* κάνω γνωστό, γνωστοποιώ ‖ **~ance**: *(n)* γνωριμία ‖ γνωστός, γνώριμος ‖ **~ed**: γνώστης, γνώριμος, πληροφορημένος
acquire (ə΄kwaiər) [-d]: *(v)* αποκτώ, πετυχαίνω ‖ **~d**: *(adj)* επίκτητος ‖**~ment**: *(n)* απόκτημα, προσόν
acquisiti-on (ækwi΄ziʃən): *(n)* απόκτηση, απόκτημα ‖ **~ve**: *(adj)* αρπακτικός ‖ επιδεκτικός μάθησης
acquit (ə΄kwit) [-ted]: *(v)* αθωώνω, απαλλάσσω από κατηγορία ή υποχρέωση ή καθήκον ‖ ξεπληρώνω υποχρέωση ‖ **~tal**: *(n)* αθώωση, απαλλαγή ‖ απαλλακτικό βούλευμα
acre (΄eikər): *(n)* εκτάριο (=4000 τετρ. μέτρα ‖ ~ **age**: *(n)* έκταση ή εμβαδό σε εκτάρια ‖ ~ **age**: *(n)* κτηματική περιουσία

acrid (ˊækrid): *(adj)* δριμύς, δηκτικός, τσουχτερός
acrimon-ious (ækriˊməniəs): *(adj)* πικρός, δύστροπος
acrobat (ˊækrobat): *(n)* ακροβάτης ‖ **~ic**: *(adj)* ακροβατικός ‖ **~ics**: *(n)* ακροβασίες, ακροβατικά
across (əˊkros): *(adv)*: εγκάρσια, κατά πλάτος ‖ διά μέσου ‖ απέναντι
act (ˊækt) [-ed]: *(v)* υποκρίνομαι ‖ υποδύομαι, παριστάνω ‖ εκτελώ, ενεργώ ‖ αντικαθιστώ ‖ *(n)*: πράξη, ενέργεια ‖ πράξη θεατρικού έργου ‖ νομοθέτημα ‖ προσποίηση, προσποιητό ύφος ‖ **~ing**: *(adj)* αντικαταστάτης, αναπληρωματικός
action (ˊækʃən): *(n)* πράξη, ενέργεια ‖ πολεμική δράση ‖ μήνυση, αγωγή
activ-ate (ˊæktiveit) [-d]: *(v)* βάζω σε ενέργεια ‖ οργανώνω ‖ βάζω σε ενεργό υπηρεσία ‖ επιταχύνω αντίδραση ‖ **~e**: *(adj)* ενεργητικός, δραστήριος, ζωηρός ‖ **~ity**: *(v)* ενεργητικότητα, δραστηριότητα ‖ δράση, εκδήλωση
act-or (ˊæktər): *(n)* ο ηθοποιός ‖ **~ress**: *(n)* η ηθοποιός
actual (ˊæktjuəl): *(adj)* πραγματικός, υπάρχων ‖ **~ly**: *(adv)* πράγματι, πραγματικά
actuat-e (ˊæktjueit) [-d]: *(v)* βάζω σε κίνηση ή ενέργεια ‖ παρακινώ, εξωθώ
acuity (æˊkjuiti): οξύτητα ‖ αιχμηρότητα
acumen (əˊkju:men): *(n)* οξύνοια ‖ ταχύτητα σκέψης και κρίσης
acupuncture (əkjuˊpʌŋktʃər): *(n)* βελονισμός
acute (əˊkju:t): *(adj)* αιχμηρός, μυτερός ‖ οξύς ‖ οξύνους, έξυπνος ‖ ευαίσθητος ‖ σπουδαίος ‖ διαπεραστικός, δριμύς
adamant (ˊædəmənt): *(n)* αδαμαντίνη ‖ *(adj)* άκαμπτος, ανένδοτος, αμετάπειστος
Adam's apple (ˊædəmz ˊæpəl): *(n)* μήλο του Αδάμ, το ''καρύδι''
adapt (əˊdæpt) [-ed]: *(v)* προσαρμόζω, προσαρμόζομαι ‖ διασκευάζω ‖ **~ability**: *(n)* προσαρμοστικότητα ‖ **~able**: *(adj)* προσαρμόσιμος, διασκευάσιμος
add (æd) [-ed]: *(v)* προσθέτω ‖ **~er**: *(n)* αθροιστική μηχανή ‖ **~ up**: *(n)* αθροίζω ‖ εννοώ, σημαίνω, δείχνω ‖ **~ition**: *(n)* πρόσθεση ‖ **~itional**: *(adj)* επιπρόσθετος
adder (ˊædər): *(n)* οχιά, έχιδνα
addict (əˊdikt) [-ed]: *(v)* αφοσιώνομαι σε κάτι, συνηθίζω σε κάτι ‖ (ˊədikt): *(n)* επιρρεπής, συνηθισμένος σε κάτι ‖ **~ion**: *(n)* έξη, εθισμός
addition (əˊdiʃən): πρόθεση ‖ άθροισμα ‖ προσθήκη, συμπλήρωμα
addle (ˊædl) [-d]: *(v)* συγχύζω ‖ κλουβιαίνω, χαλώ ‖ συγχύζομαι, τα χάνω ‖ *(adj)* κλούβιος, χαλασμένος
address (əˊdres) [-ed]: *(v)* απευθύνω, απευθύνομαι, ‖ προσαγορεύω, προσφωνώ ‖ κατευθύνω προσπάθεια ‖ *(n)* διεύθυνση ‖ προσφώνηση ‖ **~ee**: *(n)* παραλήπτης ‖ **~er** ή **~or**: *(n)* αποστολέας
adept (əˊdept): *(adj)* ικανός, έμπειρος
adequacy (ˊædikwəsi): *(n)* επάρκεια
adequate (ˊædikwit): *(adj)* επαρκής, αρκετός
adhere (ədˊhier) [-d]: *(v)* προσκολλώμαι ‖ εμμένω, μένω πιστός ‖ **~nce**: *(n)* προσκόλληση ‖ αφοσίωση, εμμονή ‖ **~nt**: *(adj)* κολλητικός ‖ υποστηρικτής, οπαδός
adhesi-on (ədˊhi:zən): *(n)* προσκόλληση ‖ συγκόλληση ‖ αφοσίωση, υποστήριξη ‖ **~ve**: *(adj)* κολλητικός, συγκολλητικός ‖ *(n)* μέσο συγκόλλησης
adit (ˊædit): είσοδος ορυχείου
adjacen-cy (əˊdzeisensi): *(n)* γειτνίαση ‖ γειτόνεμα ‖ **~t**: *(adj)* γειτονικός, διπλανός ‖ προσκείμενος
adjective (ˊædzektiv): *(n)* επίθετο
adjoin (əˊdzoin) [-ed]: *(v)* συνορεύω ‖ ενώνω
adjourn (əˊdzə:rn) [-ed]: *(v)* αναβάλλω, αναβάλλομαι ‖ διακόπτω, κάνω διάλειμμα ‖ μετακινούμαι, πηγαίνω ‖ **~ment**: *(n)* αναβολή, διακοπή
adjust (əˊdzʌst) [-ed]: *(v)* διευθετώ, κανονίζω, ρυθμίζω ‖ προσαρμόζω, προσαρμόζομαι ‖ διορθώνω ‖ **~able**: *(adj)* ρυθμιζόμενος, προσαρμοζόμενος ‖ **~ment**: *(n)* διευθέτηση, ρύθμιση, προσαρμογή, διόρθωση
adjutant (ˊædzutənt): *(n)* υπασπιστής

ad lib (æd lib) [-bed]: *(v)* αυτοσχεδιάζω || *(n)* πρόχειρο κατασκεύασμα, αυτοσχεδιασμός || *(adj)* αυτοσχεδιασμένος, πρόχειρος
administer (əd´minister) [-ed]: *(v)* παρέχω, δίνω, αποδίδω || διαχειρίζομαι, εκτελώ || απονέμω
administrat-e (əd´ministreit) [-d]: *(v)* διευθύνω || διαχειρίζομαι, επιτροπεύω || **~ion**: *(n)* διεύθυνση, διοίκηση || κυβέρνηση ή προεδρία χώρας || διαχείριση, επιτροπεία
admirabl-e (´ædmərəbl): *(adj)* θαυμάσιος, εξαιρετικός || **~y**: *(adv)* θαυμάσια, έξοχα
admiral (´ædmirəl): *(n)* ναύαρχος || ναυαρχίδα || **~ty**: *(n)* ναυαρχείο
admiration (ædmi´reiʃən): *(n)* θαυμασμός, λατρεία || αντικείμενο θαυμασμού
admire (əd´maiər) [-d]: *(v)* θαυμάζω || **~r**: *(n)* θαυμαστής
admissible (əd´misibəl): *(adj)* δεκτός, παραδεκτός, αποδεκτός || επιτρεπτός
admission (əd´miʃən): *(n)* αποδοχή, παραδοχή || ομολογία || παραχώρηση || είσοδος || τιμή ή εισιτήριο εισόδου
admit (əd´mit) [-ted]: *(v)* ομολογώ, παραδέχομαι || επιτρέπω είσοδο || χωρώ, έχω χώρο για || δέχομαι, αποδέχομαι || **~tance**: *(n)* είσοδος, άδεια εισόδου || **~ted**: *(adj)* παραδεκτός, δεκτός
admon-ish (əd´məniʃ) [-ed]: *(v)* εφιστώ την προσοχή, νουθετώ || επιπλήττω ελαφρά || θυμίζω καθήκον ή υποχρέωση || **~itory**: *(adj)* προειδοποιητικός, παραινετικός
adolescen-ce (ædo´lesəns): *(n)* εφηβεία, εφηβική ηλικία || **~t**: *(n)* έφηβος
adopt (ədəpt) [-ed]: υιοθετώ || ασπάζομαι, αποδέχομαι
ador-able (ə´də:rəbəl): *(adj)* αξιολάτρευτος, γοητευτικός, αξιαγάπητος || **~ation** (ædə´reiʃən): *(n)* λατρεία, αγάπη, σεβασμός || **~e** (ə´də:r) [-d]: *(v)* λατρεύω || **~er**: *(n)* λάτρης
adorn (ə´də:rn) [-ed]: στολίζω, κοσμώ || **~ment**: *(n)* στολίδι
adult (æ´dʌlt): *(n. & adj)*: ενήλικος, ώριμος
adulter-ant (ə´dʌltərənt): *(n)* μέσο νόθευσης || *(adj)* νοθευτικός || **~ate** [-d]: *(v)* νοθεύω, αλλοιώνω || *(adj)* νοθευμένος || **~er**: *(n)* μοιχός || **~ess**: *(n)* μοιχαλίδα || **~y**: *(n)* μοιχεία
advance (əd´va:ns) [-d]: *(v)* προχωρώ, προελαύνω || προτείνω || προάγω, || επιταχύνω || προκαταβάλλω || ανέρχομαι, προάγομαι || *(n)* προέλαση, || πρόοδος || προκαταβολή || **~d**: *(adj)* προχωρημένος, σε ανώτερο επίπεδο || ηλικιωμένος || **~s**: *(n)* προσπάθεια για απόκτηση εύνοιας, προσέγγιση
advantage (əd´va:ntidz): *(n)* πλεονέκτημα || όφελος, κέρδος || **~ous**: *(adj)*: επωφελής, ευνοϊκός
adventur-e (əd´ventʃər): *(n)* περιπέτεια || επικίνδυνο τόλμημα ή επιχείρηση || **~er**: *(n)* τυχοδιώκτης || τολμηρός επιχειρηματίας || **~ous**: *(adj)* τυχοδιωκτικός, περιπετειώδης
adverb (´ædvə:rb): *(n)* επίρρημα
advers-ary (´ædvərsəri): *(n)* αντίπαλος, ανταγωνιστής, εχθρός || *(adj)* αντίθετος, ενάντιος, || δυσμενής, αντίξοος || **~ity**: *(n)* αντιξοότητα, αναποδιά || εναντιότητα
advertis-e (´ædvərtaiz) [-d]: *(v)* διαφημίζω || δημοσιεύω αγγελία || **~ing**: *(n)* διαφήμιση || *(adj)* διαφημιστικός || **~ement** (ædvər´taizment ‹ əd´vərtizment) [abbr.: ad]: *(n)* διαφήμιση || αγγελία
advice (əd´vais): *(n)* συμβουλή
advis-ability (ədvaisə´biliti): *(n)* ωφελιμότητα, σκοπιμότητα, το συμβουλεύσιμο ή σκόπιμο || **~able** (əd´vaizəbl): *(adj)*: σκόπιμος, συμβουλεύσιμος || **~e** (əd´vaiz) [-d]: *(n)* συμβουλεύω, συνιστώ, προτείνω || πληροφορώ || **~er** ‹ **~or**: *(n)* σύμβουλος || **~ory**: συμβουλευτικός
advoca-cy (´ædvəkəsi): *(n)* συνηγορία || υποστήριξη || **~te** (´ædvəkeit) [-ed]: *(v)* συνηγορώ, υποστηρίζω || (´ædvəkət): *(n)* συνήγορος, υποστηρικτής
adz ‹ **adze** (ædz): *(n)* σκεπάρνι
aerial (´eəriəl): *(adj)* εναέριος, αέριος || αέρινος, ανάλαφρος || *(n)* κεραία || εναέριος αγωγός || **~ist**: σχοινοβάτης
aerie ‹ **eyrie** (´eəri): *(n)* αετοφωλιά
aerodynamic (eəroudai´næmik): *(adj)* αεροδυναμικός || **~s**: *(n)* αεροδυναμική

aesthet-e (΄i:sθi:t) ή **esthete**: *(n)* αισθητικός || **~ic** ή **ical**: *(adj)* αισθητικός || **~ics**: *(n)* αισθητική
afar (ə΄fa:r): *(adv)* μακριά
affable (΄æfəbl): *(adj)* προσιτός, ευπροσήγορος || καλόκαρδος || ~ **affability**: *(n)* ευπροσηγορία
affair (ə΄feər): *(n)* υπόθεση || γεγονός, συμβάν || ερωτικός δεσμός || **~s**: προσωπικά είδη
affect (ə΄fekt) [-ed]: *(v)* επηρεάζω, επιδρώ || συγκινώ || προσποιούμαι, κάνω || **~ation**: *(n)* προσποίηση || **~ed**: *(adj)* προσποιητός || επηρεασμένος || προσβλημένος από ασθένεια ή πάθηση
affect-ion (ə΄fekʃən): *(n)* τρυφερότητα, στοργή || αίσθημα, συγκίνηση || πάθηση || επίδραση || **~ionate**: *(adj)* τρυφερός, στοργικός, αφοσιωμένος || **~ionately**: *(adv)* στοργικά, τρυφερά, με αφοσίωση
affidavit (æfi΄deivit): *(n)* ένορκη βεβαίωση ή κατάθεση
affiliat-e (ə΄filieit) [-d]: *(v)* υιοθετώ || παίρνω συνεργάτη ή συνεταίρο || **~ion**: *(n)* υιοθέτηση || συνεταιρισμός, προσεταιρισμός συνεργάτη
affinity (ə΄finiti): *(n)* φυσική έλξη || χημική συγγένεια || τάση για ένωση
affirm (ə΄fərm) [-ed]: *(v)* βεβαιώνω || επιβεβαιώνω, επικυρώνω || **~ation**: *(n)* κατάφαση || επιβεβαίωση, επικύρωση || **~ative**: *(adj)* καταφατικός || επιβεβαιωτικός || *(n)* κατάφαση
affix (ə΄fiks) [-ed]: *(v)* επισυνάπτω || προσαρτώ || επικολλώ
afflict (ə΄flikt) [-ed]: *(v)* πικραίνω, || βασανίζω, προκαλώ πόνο || **~ion** *(n)* βάσανο, λύπη || συμφορά, πάθημα
affluen-ce (΄æfluəns): *(n)* αφθονία, || **~t**: *(adj)* άφθονος, πλούσιος || *(n)* παραπόταμος
afford (ə΄fərd) [-ed]: *(v)* παρέχω, δίνω || έχω τα μέσα, μπορώ || μου περισσεύει || **~able**: *(adj)* προσιτός
affront (ə΄frʌnt) [-ed]: *(v)* προσβάλλω || εξευτελίζω || αντιμετωπίζω προκλητικά || *(n)* προσβολή
afraid (ə΄freid): *(adj)* φοβισμένος || **be** ~ : *(v)* φοβούμαι
afresh (ə΄freʃ): *(adv)* από την αρχή, και πάλι, εκ νέου
aft (a:ft): *(adv)* προς την πρύμνη, προς τα πίσω
after (΄a:ftər): *(prep)* μετά, έπειτα || πίσω, στα οπίσθια || *(adj)* επόμενος || ~ **math**: *(n)* επακόλουθο || **~noon**: *(n)* απόγευμα || ~ **thought**: *(n)* μεταγενέστερη σκέψη, δεύτερη σκέψη || **~ward** ‹ **~wards**: *(adv)* ύστερα, μετέπειτα
again (ə΄gein): *(adv)* πάλι, ξανά || επιπλέον
against (ə΄geinst): *(adv)* εναντίον, κατά || σε αντίθεση || για λογαριασμό, έναντι (λογαριασμού) || αντικριστά
agape (ə΄geip): *(adv)* με ανοιχτό στόμα
agave (ə΄geivi:): *(n)* αλόη (φυτό)
age (eidz): *(n)* ηλικία || εποχή, περίοδος || ενηλικίωση || γερατειά, || μεγάλο χρονικό διάστημα || [-d]: *(v)* γερνώ, || **~d**: *(adj)* ηλικιωμένος || ηλικίας, ετών || **~less**: *(adj)* αγέραστος || αιωνόβιος
agen-cy (΄eidzənsi): *(n)* μέσο, παράγοντας || ενέργεια || αντιπροσωπία, πρακτορείο || υπηρεσία || **~t**: *(n)* μέσο || συντελεστής || αντιπρόσωπος,
agenda (ə΄dzendə): [sing: agendum]: *(n)* πινάκιο υποθέσεων || ημερησία διάταξη
aggravat-e (΄ægrəveit) [-d]: *(v)* επιδεινώνω || εξοργίζω, εξερεθίζω || επιβαρύνω || **~ion**: *(n)* επιδείνωση || ερεθισμός || επιβάρυνση
aggregat-e (΄ægrigeit) [-d]: *(v)* συναθροίζω || (΄ægrigit): *(n)* άθροισμα, σύνολο || **~ion**: *(n)* άθροιση || συσσωμάτωση, πρόσμειξη
aggress (ə΄gres) [-ed]: *(v)* επιτίθεμαι || **~ion**: *(n)* επίθεση, επιθετική διάθεση || **~ive**: *(adj)* επιθετικός || ενεργητικός, δραστήριος || **~or**: *(n)* επιτιθέμενος, επιδρομέας
aggrieve (ə΄gri:v) [-d]: *(v)* προκαλώ λύπη ή αδικία || **~d**: *(adj)* θλιμένος, λυπημένος
aghast (ə΄ga:st): *(adj)* εμβρόντητος || τρομοκρατημένος
agil-e (΄ædzail ή ΄ædzəl): *(adj)* ευκίνητος || εύστροφος ||] **ity**: *(n)* ευκινησία || ευστροφία
agitat-e (΄ædziteit) [-d]: *(v)* ταράζω, αναταράζω || διαταράζω, προκαλώ ανησυχία || **~ion**: *(n)* ταραχή,

αναταραχή || διατάραξη || **~or**: *(n)* ταραξίας, ταραχοποιός
agnail (΄ægneil): *(n)* παρανυχίδα
ago (ə΄gou): *(adj)* περασμένος, παρελθόντας || *(adv)* πριν, στο παρελθόν
agog (ə΄gog): *(adv)* σε έξαψη, συνεπαρμένος || ανυπόμονος
agoniz-e (΄ægənaiz) [-d]: *(v)* προκαλώ πόνο ή αγωνία || αγωνιώ, πονάω || **~ing**: *(adj)* βασανιστικός || αγωνιώδης
agony (΄ægəni): *(n)* αγωνία || βάσανο, μεγάλος πόνος
agree (ə΄gri:) [-d]: *(v)* συμφωνώ || ταιριάζω, είμαι κατάλληλος || **~able**: *(adj)* σύμφωνος || ευχάριστος || **~d**: *(adj)* συμφωνημένος || **~ment**: *(n)* συμφωνία, σύμβαση
agricultur-e (΄ægrikʌltʃər): *(n)* γεωργία || γεωπονία || **~al**: *(adj)* γεωργικός || **~ist** ή **~alist**: *(n)* γεωπόνος
aground (ə΄graund): *(adv)* στην ξηρά || στα ρηχά νερά || **run ~**: *(v)* εξοκέλλω
ahead (ə΄hed): *(adv)* εμπρός || προς τα εμπρός || **get ~**: *(v)* πετυχαίνω, πάω μπροστά
aid (eid) [-ed]: *(v)* βοηθώ || *(n)* βοήθεια, συνδρομή || βοηθός || υπασπιστής
AIDS (eidz): *(abbr.)* acquired immunity deficiency syndrome: η ασθένεια AIDS (έϊντς)
ail (eil) [-ed]: *(v)* πονώ, υποφέρω, πάσχω || προκαλώ πόνο ή ασθένεια || **~ing**: άρρωστος || **~ment**: *(n)* ασθένεια
aim (eim) [-ed]: *(v)* σκοπεύω, έχω πρόθεση || σημαδεύω, σκοπεύω || *(n)* σκοπός, τελικός στόχος || σκόπευση || **~less**: *(adj)* άσκοπος
air (eər) [-ed]: *(v)* αερίζω || ανακοινώνω || *(n)* αέρας || αύρα, αεράκι || παρουσιαστικό, εμφάνιση || μουσικός σκοπός, μελωδία || **~borne**: μεταφερόμενος από τον αέρα, με αεροπλάνο || **~conditioning**: *(n)* τεχνητός κλιματισμός || **~craft**: αεροσκάφος || **~craft carrier**: αεροπλανοφόρο **~line**: αεροπορική γραμμή ή εταιρεία ||**~liner**: επιβατικό αεροπλάνο || **~plane**: αεροπλάνο || **~port**: αερολιμένας || **~proof**: *(adj)* αεροστεγής || **~pump**: *(n)* αεραντλία || **~raid**: αεροπορική επιδρομή || **~s**: ύφος, ψευτοπερηφάνεια || **~tight**: *(adj)* αεροστεγής || αναντίρρητος, αδιάψευστος
aisle (ail): *(n)* διάδρομος μεταξύ καθισμάτων ή πάγκων || πτέρυγα ναού
ajar (ə΄dzar): *(adv)* μισάνοιχτος
akimbo (ə΄kimbou): *(adj)* με τα χέρια στη μέση
akin (ə΄kin): *(adj)* συγγενικός || όμοιος, ανάλογος
alarm (ə΄la:rm) [-ed]: *(v)* εκφοβίζω, τρομάζω || δίνω σύνθημα συναγερμού || *(n)* τρόμος, φόβος || συναγερμός || ηλεκτρικό σύστημα κινδύνου || κλήση στα όπλα || **~ clock**: ξυπνητήρι || **~ing**: *(adj)* ανησυχαστικός || **~ist**: *(n)* διαδοσίας ανησυχαστικών ειδήσεων
alas (ə΄la:s): *(interj)* αλίμονο!
album (΄ælbəm): *(n)* άλμπουμ, λεύκωμα
alcohol (΄ælkəhəl): *(n)* οινόπνευμα, αλκοόλ || **~ic**: *(adj)* οινοπνευματώδης, αλκοολικός || **~ism**: *(n)* αλκοολισμός
alcove (΄ælkouv): *(n)* εσοχή, κοιλότητα || σηκός
alder (΄ɔ:ldər): *(n)* κλήθρα, σκλέθρος, σκλήθρα
ale (eil): *(n)* είδος μπίρας
aleatory (΄eiliətəri): τυχαίος, αβέβαιος || χαρτοπαικτικός, τυχερός
alert (ə΄lə:rt) [-ed]: *(v)* δίνω συναγερμό, ξεσηκώνω || *(adj)* άγρυπνος, έτοιμος, || έξυπνος, || *(n)* σήμα ή σύνθημα συναγερμού || κατάσταση συναγερμού || **~ness**: *(n)* επαγρύπνηση, ετοιμότητα || δραστηριότητα, εξυπνάδα, ευστροφία
alga (΄ælga) [pl.: algae (΄ældzi)]: *(n)* άλγας, φύκι
algebra (΄ældzibrə): *(n)* άλγεβρα || **~ic**: *(adj)* αλγεβρικός
algorism (΄əlgorizəm): δεκαδικό σύστημα
alias (΄eiliæs): *(n)* ψευδώνυμο, ψεύτικο όνομα || *(adv)* αλλιώς
alibi (΄ælibai) [-ed]: *(v)* δικαιολογώ, δικαιολογούμαι || υποστηρίζω το άλλοθι || *(n)* άλλοθι || δικαιολογία
alien (΄eiliən): *(n)* αλλοδαπός || ξένος, ασυνήθιστος, || **~ate** [-d]: *(v)* αποξενώνω || απαλλοτριώνω || **~ation**: *(n)* αποξένωση, αλλοτρίωση
alight (ə΄lait) [-ed]: *(v)* κατεβαίνω,

ξεζεύω ‖ *(adj)* αναμμένος
align (ə΄lain) [-ed]: *(v)* ευθυγραμμίζω ‖ ευθυγραμμίζομαι ‖ **~ment**: *(n)* ευθυγράμμιση
alike (ə΄laik): *(adj)* όμοιος, ίδιος ‖ *(adv)* όμοια, παρόμοια
alimony (΄æliməni): *(n)* διατροφή; επίδομα διατροφής
alive (ə΄laiv): *(adj)* ζωντανός ‖ ζωηρός ‖ ~ **with**: γεμάτος, βρίθων
alkali (΄ælkəlai): *(n)* αλκάλιο ‖ **~ne**: *(adj)* αλκαλικός
all (ɔ:l): *(adj)* όλος, όλοι, οι πάντες ‖ *(n)* ολότητα, το σύνολο ‖ *(adv)*: ολότελα, εντελώς ‖ **after** ~: στο κάτω-κάτω ‖ ~ **in**: κατάκοπος, εξαντλημένος ‖ ~ **out**: πλήρης, με όλες τις δυνάμεις ‖ **~right**: εντάξει, σωστός
allay (ə΄lei) [-ed]: *(v)* ανακουφίζω, ‖ καθησυχάζω
allegation (ælə΄geiʃən): *(n)* υπαινιγμός ‖ ισχυρισμός
allege (ə΄ledz) [-d]: *(v)* ισχυρίζομαι ‖ υπαινίσσομαι ‖ **~d**: *(adj)* υποτιθέμενος ‖ **~dly**: *(adv)*: δήθεν
allegiance (ə΄li:dzəns): *(n)* νομιμοφροσύνη ‖ πίστη, αφοσίωση
allegor-y (΄æligəri): *(n)* αλληγορία ‖ **~ic (~ical)**: *(adj)* αλληγορικός
allerg-ic (ə΄lərdzik): *(adj)* αλλεργικός ‖ **~y** (΄ælərdzi): *(n)* αλλεργία ‖ αναφυλαξία
alleviat-e (ə΄li:vieit) [-d]: *(v)* ανακουφίζω, καταπραΰνω ‖ **~ion**: *(n)* ανακούφιση
alley (΄æli:): *(n)* στενωπός, δρομάκι ‖ δρομάκι κήπου, αλέα
alli-ance (ə΄laiəns): *(n)* συμμαχία ‖ συνεργασία ‖ **~ed**: *(adj)* συμμαχικός, σύμμαχος
alligator (΄æligeitər): *(n)* αλλιγάτωρ (είδος κροκοδείλου)
allocat-e (΄ælokeit) [-d]: *(v)* κατανέμω, διανέμω ‖ **~ion**: *(n)* κατανομή, διανομή
allot (ə΄lət) [-ted]: *(v)* παραχωρώ, διαθέτω ‖ **~ment**: *(n)* κλήρος, μερίδιο ‖ διάθεση, κατανομή
allow (ə΄lau) [-ed]: *(v)* επιτρέπω ‖ παραδέχομαι ‖ χορηγώ, παρέχω ‖ **~able**: *(adj)* επιτρεπόμενος ‖ **~ance**: *(n)* ανοχή ‖ επίδομα, χορήγηση
alloy (΄æloi): κράμα ‖ [-ed]: *(n)* αναμειγνύω, συντήκω ‖ νοθεύω μέταλλο
allude (ə΄lu:d) [-d]: *(v)* υπαινίσσομαι ‖ υπονοώ, αναφέρομαι έμμεσα
allur-e (ə΄lu:ər) [-d]: *(v)* δελεάζω ‖ γοητεύω, σαγηνεύω ‖ *(n)* γοητεία, θέλγητρο, σαγήνη (also: **~ement**) ‖ **~ing**: *(adj)* δελεαστικός, γοητευτικός
allusi-on (ə΄lu:zən): *(n)* υπαινιγμός ‖ νύξη, έμμεση παραπομπή
alluvi-um (ə΄lu:viəm): *(n)* πρόσχωση ‖ **~al**: *(adj)* προσχωματικός
ally (ə΄lai) [-ied]: *(v)* συμμαχώ, κάνω συμμαχία ‖ συνδέω, συνδέομαι ‖ *(n)* σύμμαχος ‖ στενός συνεργάτης
almanac (΄ɔ:lmənæk): *(n)* πανδέκτης
almighty (ɔ:l΄maiti): *(adj)* παντοδύναμος
almond (΄a:mənd): *(n)* αμύγδαλο ‖ αμυγδαλιά ‖ *(adj)* αμυγδαλωτός, αμυγδαλοειδής
almost (΄ɔ:lmoust): *(adv)* σχεδόν, περίπου
alms (a:mz): *(n)* ελεημοσύνη
alone (ə΄loun): *(adj)* μόνος
along (ə΄ləŋ): *(adv)* κατά μήκος ‖ προς τα εμπρός ‖ **all** ~: πάντα ‖ από την αρχή ‖ **~side**: δίπλα, στο πλάι
aloud (ə΄laud): *(adv)* μεγαλόφωνα, δυνατά
alphabet (΄ælfəbet): *(n)* αλφάβητο ‖ **~ic** (or: **~ical**): *(adj)* αλφαβητικός
already (ɔ:l΄redi): *(adv)* ήδη, κιόλας
also (ɔ:lsou): *(adv)* επίσης
altar (΄əltər): *(n)* βωμός, θυσιαστήριο ‖ Αγία Τράπεζα
alter (΄əltər) [-ed]: *(v)* αλλάζω, μεταβάλλω ‖ μεταβάλλομαι ‖ μεταποιώ, τροποποιώ ‖ **~ation**: *(n)* αλλαγή, μεταβολή, ‖ μεταποίηση
alternat-e (΄ɔ:ltərneit) [-d]: *(v)* εναλλάσσω, εναλλάσσομαι ‖ (΄ɔ:ltərnit): *(adj)* εναλλασσόμενος, αλληλοδιάδοχος ‖ **~ely**: *(adv)* εναλλακτικά, αλληλοδιαδόχως ‖ **~ive** (əl΄tərnətiv): εκλογή, διέξοδος
although (ɔ:l΄ðou): *(conj)* καίτοι, μολονότι, αν και
alti-meter (æl΄timitər): *(n)* μετρητής ύψους ‖ **~tude** (΄æltitju:d): *(n)* ύψος, υψόμετρο ‖ υψηλή θέση
altogether (ɔ:ltə΄geðər): *(adv)* εντελώς, ολότελα ‖ συνολικά
altruis-m (΄æltru:izəm): *(n)* αλτρουϊσμός, φιλαλληλία ‖ **~t**: *(n)* αλ-

τρουϊστής
aluminium (ælju´miniəm) or **aluminum** (æl´ju:minəm): *(n)* αργίλιο, αλουμίνιο
always (´ɔ:lwez): *(adv)* πάντοτε, παντοτεινά
am (æm): *(v)* είμαι (see: be)
amalgam (ə´mælgəm): *(n)* αμάλγαμα ‖ **~ate** [-d]: *(v)* συγχωνεύω, συγχωνεύομαι ‖ **~ation**: *(n)* συγχώνευση
amass (ə´mæs) [-ed]: *(v)* συσσωρεύω
amateur (´æmətju:r or ´æmətə:r): *(n)* ερασιτέχνης ‖ **~ish**: *(adj)* ερασιτεχνικός
amaz-e (ə´meiz) [-d]: *(v)* εκπλήσσω, καταπλήσσω ‖ **~ed**: *(adj)* έκθαμβος, κατάπληκτος ‖ **~ement**: *(n)* κατάπληξη ‖ **~ing**: *(adj)* καταπληκτικός
ambassad-or (æm´bæsədər): *(n)* πρέσβης, πρεσβευτής ‖ **~ress**: πρέσβειρα
amber (´æmbər): *(n)* ήλεκτρο, κεχριμπάρι
ambidext-er (æmbi´dekstər) or: **~rous**: (*n* & *adj*) αμφιδέξιος
ambigu-ity (æmbi´gju:iti): *(n)* ασάφεια, διφορούμενη έννοια, το διφορούμενο ‖ **~ous**: *(adj)* ασαφής, διφορούμενος
ambiti-on (æm´biʃən): *(n)* φιλοδοξία ‖ **~ous**: *(adj)* φιλόδοξος
amble (´æmbəl) [-d]:‖ βαδίζω σιγάσιγά
ambul-ance (´æmbjuləns): *(n)* ασθενοφόρο, αυτοκίνητο πρώτων βοηθειών
ambuscade (´æmbəskeid) [-d] or: **ambush** (´æmbuʃ) [-ed]: *(v)* επιτίθεμαι από ενέδρα, χτυπώ ξαφνικά ‖ στήνω ενέδρα ‖ *(n)* ενέδρα
ameliorat-e (ə´mi:liəreit) [-d]: *(v)* βελτιώνω ‖ βελτιώνομαι ‖ **~ion**: *(n)* βελτίωση
amen (ei´men): *(interj)* αμήν
amenab-ility (əmi:nə´biliti): *(n)* ευθύνη, το υπόλογο ‖ υπακοή ‖ **~le**: *(adj)* υπόλογος, υπεύθυνος ‖ υπάκουος
amend (ə´mend) [-ed]: *(v)* διορθώνω, τροποποιώ ‖ βελτιώνομαι ‖ **~ment**: *(n)* βελτίωση ‖ διόρθωση, τροποποίηση ‖ **~s**: *(n)* επανόρθωση, αποζημίωση
amenity (ə´mi:niti): *(n)* αβρότητα, φιλοφροσύνη
America (ə´merikə): *(n)* Αμερική ‖ **~n**: Αμερικανός ‖ αμερικανικός ‖ αμερικανική γλώσσα
amiable (´eimiəbəl): *(adj)* καλόκαρδος, ευχάριστος ‖ προσηνής
amicab-ility (æmikə´biliti): *(n)* εγκαρδιότητα ‖ **~le**: *(adj)* φιλικός, εγκάρδιος
amid (ə´mid) or: **~st** (ə´midst): *(prep)* ανάμεσα, στο μέσο, μεταξύ
ammunition (æmju:´niʃən): *(n)* πολεμοφόδια, πυρομαχικά
amnesia (æm´ni:ziə): *(n)* αμνησία
amnesty (´æmnesti) [-ied]: *(v)* αμνηστεύω ‖ *(n)* αμνηστία
among (ə´mʌŋ) or **~st** (ə´mʌŋst): *(prep)* μεταξύ, ανάμεσα
amorous (´æmərəs): *(adj)* ερωτύλος, ερωτόληπτος ‖ ερωτικός
amount (ə´maunt) [-ed]: *(v)* ανέρχομαι, συμποσούμαι ‖ *(n)* ποσό, ποσότητα ‖ σύνολο
amphibi-an (æm´fibiən): *(n)* αμφίβιο ‖ αμφίβιο όχημα ‖ **~ous**: *(adj)* αμφίβιος
amphitheat-er (´æmfiθiətər): *(n)* αμφιθέατρο
amphora (´æmfərə): *(n)* αμφορέας
ample (´æmpəl): *(adj)* άφθονος ‖ επαρκής, αρκετός ‖ ευρύχωρος
amplif-y (´æmplifai) [-ied]: *(v)* μεγεθύνω, δυναμώνω ‖ ενισχύω ‖ **~ication**: (əmplifi´keiʃən): *(n)* ενίσχυση ‖ επέκταση, επεξήγηση ‖ **~ier**: *(n)* ενισχυτής
amputat-e (´æmpju:teit) [-d]: *(v)* ακρωτηριάζω ‖ **~ion**: *(n)* ακρωτηριασμός
amtrac (´æmtrak): *(n)* αποβατικό αμφίβιο όχημα
amuck (ə´mʌk): *(adv)* σε έξαλλη κατάσταση, αμόκ
amus-e (ə´mju:z) [-d]: *(v)* διασκεδάζω ‖ προκαλώ ευθυμία ‖ **~ement**: *(n)* διασκέδαση, αναψυχή ‖ ευθυμία ‖ **~ing**: *(adj)* διασκεδαστικός
an (æn): see a (ind. art.)
anachronis-m (ə´nækrənizəm): *(n)* αναχρονισμός ‖ **~tic**: *(adj)* αναχρονιστικός
anaesthe-sia or anesthesia (æni:s´-θi:ziə): *(n)* αναισθησία ‖ **~tic**: *(n)* αναισθητικό
analgesi-a (ænæl´dzi:ziə): *(n)* αναλγησία ‖ **~c**: *(adj)* αναλγητικός, παυσίπονος

analog-ous (ə΄nælәgәs): *(adj)* ανάλογος || **~y** (ə΄nælәdzi): *(n)* αναλογία
analy-sis (ə΄nælәsis): *(n)* ανάλυση || **~st** (΄ænәlist): *(n)* αναλυτής || **~tic** (әnæ΄litik) or **~tical**: *(adj)* αναλυτικός || **~ze** [-d]: *(n)* αναλύω
anarch-ism (΄ænәrkizәm): *(n)* αναρχισμός || **~ist**: *(n)* αναρχικός || **~y**: *(n)* αναρχία
anatom-ical (ænә΄tәmikәl): *(adj)* ανατομικός || **~y** (ә΄nætәmi): *(n)* ανατομία
ancest-or (΄ænsistәr): *(n)* πρόγονος || **~ral** (æn΄sestrәl): *(adj)* προγονικός || **~ry**: *(n)* οι πρόγονοι || καταγωγή, γενεαλογία
anchor (΄æŋkәr) [-ed]: *(v)* αγκυροβολώ || αγκυροβολώ, στερεώνω με αγκύρωση || *(n)* άγκυρα || **~age** (΄æŋkә-ridz): *(n)* αγκυροβόλιο || στερέωση με αγκύρωση
anchovy (΄æntʃәvi): *(n)* σαρδέλα
ancient (΄einʃәnt): *(adj)* αρχαίος || πολύ παλιός || γέρος, αιωνόβιος
and (ænd): *(conj)* και
andiron (΄ændaiәrn): *(n)* πυροστιά
anecdote (΄ænikdout): *(n)* ανέκδοτο
anemia: see anaemia
anemone (ә΄nemәni): *(n)* ανεμώνα
anew (ә΄nju:): *(adv)* πάλι, εκ νέου || με καινούριο τρόπο
angel (΄eindzәl): *(n)* άγγελος || **~ic** or **~ical**: *(adj)* αγγελικός
anger (΄æŋgәr) [-ed]: *(v)* θυμώνω, εξοργίζω || οργίζομαι || *(n)* θυμός, οργή
angle (΄æŋgәl) [-d]: *(v)* σχηματίζω γωνία || ψαρεύω με πετονιά || *(n)* γωνία || *(n)* άποψη, πλευρά || *(n)* μηχανορραφία, ''μηχανή''
angr-y (΄æŋgri): *(adj)* θυμωμένος || απειλητικός || ερεθισμένος
anguish (΄æŋgwiʃ) [-ed]: *(v)* προκαλώ αγωνία, βασανίζω || νιώθω αγωνία, βασανίζομαι || *(n)* αγωνία, οδύνη
angular (΄æŋgju:lәr): *(adj)* γωνιώδης || γωνιακός || κοκαλιάρης
animal (΄ænәmәl): *(n)* ζώο || *(adj)* ζωικός, ζωώδης
animat-e (΄ænәmeit) [-d]: *(v)* δίνω ζωή, ζωοποιώ || ζωογονώ || εμψυχώνω || δίνω κίνηση || *(adj)* ζωντανός, ζωικός || ζωηρός || **~ed**: *(adj)* ζωντανός, ζωηρός || κινούμενος, με κινούμενα σχέδια || **~ion**: *(n)* ζωντάνια, ζωηρότητα || κινούμενο σχέδιο
animosity (ænә΄mәsәti): *(n)* μεγάλη έχθρα, ανοιχτή εχθρότητα
anise (΄ænis): *(n)* άνισο || **~ed**: *(n)* γλυκάνισο
ankle (΄æŋkәl): *(n)* αστράγαλος
annals (΄ænәlz): *(n)* χρονικά
annex (ә΄neks) [-ed]: *(v)* προσαρτώ || ενσωματώνω || (΄æneks): *(n)* παράρτημα
annihilat-e (ә΄naiәleit) [-d]: *(v)* εκμηδενίζω, εξουθενώνω || καταστρέφω ολότελα || **~ion**: *(n)* εκμηδένιση, καταστροφή
anniversary (ænә΄vә:rsәri): *(n)* επέτειος
annotat-e (΄ænouteit) [-d]: *(v)* σχολιάζω, επεξηγώ || **~ion**: *(n)* σχόλιο, επεξήγηση
announce (ә΄nauns) [-d]: *(v)* αγγέλλω, ανακοινώνω || δημοσιεύω ειδοποίηση ή αγγελία || **~ment**: *(n)* αγγελία, ειδοποίηση, ανακοίνωση || **~r**: *(n)* εκφωνητής
annoy (ә΄nәi) [-ed]: *(v)* ενοχλώ, ανησυχώ || **~ance**: *(n)* ενόχληση || ερεθισμός
annual (΄ænjuәl): *(adj)* ετήσιος || μονοετής
annuity (ә΄njuiti): *(n)* ετήσια πρόσοδος || ετήσιο μέρισμα
annul (ә΄nʌl) [-led]: *(v)* ακυρώνω || καταργώ, διαλύω || **~ment**: *(n)* ακύρωση, κατάργηση
annunciat-e (ә΄nʌnʃieit) [-d]: *(v)* διακηρύσσω, αγγέλλω || **~ion**: *(n)* Ευαγγελισμός
anoint (ә΄nәint) [-ed]: *(v)* χρίζω, μυρώνω
anomal-ous (ә΄nәmәlәs): *(adj)* ανώμαλος || **~y**: *(n)* ανωμαλία
anonym-ity (ænә΄nimәti:): *(n)* ανωνυμία || **~ous** (ә΄nәnәmәs): *(adj)* ανώνυμος
another (ә΄nʌðәr): *(adj)* άλλος, ακόμη ένας
answer (΄a:nsәr) [-ed]: *(v)* απαντώ || είμαι υπόλογος || *(n)* απάντηση || **~able**: *(adj)* υπεύθυνος, υπόλογος
ant (ænt): *(n)* μυρμήγκι
antagon-ism (æn΄tægәnizәm): *(n)* ανταγωνισμός || αντιζηλία, εχθρότητα || **~ist**: *(n)* ανταγωνιστής || **~ize** (æn΄tægәnaiz) [-d]: *(v)* φέρομαι εχθρικά ή επιθετικά

antarctic (ænt΄a:rktik): *(adj)* ανταρκτικός ‖ *(n)* Ανταρκτική
anteceden-ce (ænti΄si:dəns): *(n)* προτεραιότητα ‖ **~t**: *(adj)* προηγούμενος ‖ *(n)* το προηγούμενο
antelope (΄æntiloup): *(n)* αντιλόπη
antemeridian (æntimə΄ridiən): *(adj)* προμεσημβρινός, πρωινός
antenna (æn΄tenə): *(n)* κεραία, αντένα
anthem (΄ænθəm): *(n)* ύμνος
anthology (æn΄θələdzi): *(n)* ανθολογία
anthrax (΄ænθræks): *(n)* άνθρακας
anthropolog-y (ænθro΄pələdzi): *(n)* ανθρωπολογία ‖ **~ist**: ανθρωπολόγος
antiaircraft (ænti΄əarkraft): *(adj)* αντιαεροπορικός ‖ *(n)* αντιαεροπορικό
antibio-sis (æntibai΄əsis): *(n)* αντιβίωση ‖ **~tic**: *(adj & n)* αντιβιοτικό
antic (΄æntik): *(n)* φάρσα, αστείο φέρσιμο ‖ **~s**: *(n)* καμώματα
anticipat-e (æn΄tisipeit) [-d]: *(v)* προβλέπω ‖ προσδοκώ, περιμένω ‖ **~ion**: *(n)* πρόβλεψη ‖ προσδοκία ‖ προαίσθημα
anticlimax (anti΄klaimæks): *(n)* αντικλίμακα ‖ πτώση
anticonstitutional (æntikənsti΄tu:ʃənəl): *(adj)* αντισυνταγματικός
antidote (΄æntidout): *(n)* αντίδοτο
antifreeze (ænti΄fri:z): αντιπηκτικό ‖ αντιψυκτικό
antipath-y (æn΄tipəθi): *(n)* αντιπάθεια ‖ **~etic**: *(adj)* αντιπαθητικός
antiperspirant (ænti΄pə:rspərənt): *(adj)* ανθιδρωτικός ‖ αποσμητικό
antiqu-arian (ænti΄kweəriən): αρχαιοδίφης ‖ αρχαιοπώλης, παλαιοπώλης ‖ **~ated**: *(adj)* παλιός, ξεπερασμένος ‖ **~e** (æn΄ti:k): *(adj)* παλιός, περασμένης μόδας ‖ *(n)* αντίκα ‖ **~ity** (æntikwiti): *(n)* αρχαιότητα, τα αρχαία χρόνια
antisemit-e (ænti΄semait): *(n)* αντισημίτης ‖ **~ic**: *(adj)* αντισημιτικός ‖ **~ism**: *(n)* αντισημιτισμός
antiseptic (ænti΄septik): *(adj & n)* αντισηπτικό
antisocial (ænti΄souʃəl): *(adj)* αντικοινωνικός
antler (΄æntlər): *(n)* κέρατο ελαφιού
anvil (΄ænvil): *(n)* αμόνι ‖ άκμων *(anat)*
anxi-ety (æŋ΄zaiəti): *(n)* ανησυχία ‖ ανυπομονησία ‖ **~ous** (΄æŋkʃəs): *(adj)* ανήσυχος ‖ ανυπόμονος
any (΄eni): *(adj)* μερικοί ‖ οποιοσδήποτε, ένας ‖ καθένας ‖ *(adv)* καθόλου ‖ **~body**: *(pron)* οποιοσδήποτε, καθένας ‖ **~how**: *(adv)* οπωσδήποτε, με κάθε τρόπο ‖ εν πάσει περιπτώσει ‖ **~one**: *(pron)* οποιοσδήποτε, καθένας ‖ **~thing**: *(pron)* οτιδήποτε, κάτι ‖ **~way**: *(adv)* οπωσδήποτε, με κάθε τρόπο ‖ **~where**: *(adv)* οπουδήποτε
apart (ə΄pa:rt): *(adv)* σε τμήματα, κομματιαστά ‖ χωριστά ‖ κατά μέρος ‖ ανεξάρτητα, ξεχωριστά ‖ ~ **from**: επιπλέον, εκτός του ότι
apartheid (ə΄pa:rthait): *(n)* φυλετική διάκριση
apartment (ə΄pa:rtmənt): *(n)* διαμέρισμα
apath-etic (æpə΄θetik): *(adj)* απαθής, αδιάφορος ‖ **~y** (΄æpəθi): *(n)* απάθεια, αδιαφορία
ape (΄eip): *(n)* πίθηκος ‖ μιμητής ‖ [-d]: *(v)* μιμούμαι, πιθηκίζω
aperitif (ə΄peritif): *(n)* ποτό πριν από το φαγητό, ορεκτικό, απεριτίφ
aperture (΄æpərtʃuər): *(n)* οπή, άνοιγμα ‖ θυρίδα
apex (΄eipeks): *(n)* κορυφή ‖ αιχμή ‖ αποκορύφωμα
apiece (ə΄pi:s): *(adv)* στον ή για τον καθένα
aplomb (æ΄pləm): *(n)* αυτοπεποίθηση
apogee (΄æpədzi): *(n)* απόγειο ‖ αποκορύφωμα, κολοφώνας
apolog-etic (əpələ΄dzetik): *(adj)* απολογητικός, επεξηγηματικός ‖ **~ize** (ə΄pələdzaiz) [-d]: *(v)* ζητώ συγγνώμη ‖ δίνω εξηγήσεις ‖ **~y** (ə΄pələdzi): *(n)* συγνώμη
apople-ctic (æpə΄plektik): *(adj)* πάσχων από αποπληξία ‖ **~xy** (΄æpəpleksi): *(n)* αποπληξία
apostle (ə΄pəsəl): *(n)* απόστολος
apostrophe (ə΄pəstrəfi): *(n)* απόστροφος
apotheosis (æpəθi΄ousis): *(n)* αποθέωση
appall (ə΄pə:l) [-ed]: *(v)* φοβίζω, τρομάζω ‖ **~ing**: *(adj)* φοβερός, τρομακτικός
apparatus (æpə΄reitəs): *(n)* συσκευή
apparel (ə΄pærəl): *(n)* ένδυμα, ρούχα

apparent (ə΄pærənt): *(adj)* φανερός, προφανής || **~ly**: *(adv)* προφανώς
apparition (æpə΄riʃən): *(n)* οπτασία, φάντασμα
appeal (ə΄pi:l) [-ed]: *(v)* επικαλούμαι || προσφεύγω || βρίσκω απήχηση, τραβώ, γοητεύω || εφεσιβάλλω || *(n)* επίκληση || προσφυγή, έφεση || απήχηση, γοητεία
appear (ə΄piər) [-ed]: *(v)* εμφανίζομαι, φαίνομαι || **~ance**: *(n)* εμφάνιση, παρουσία || παρουσιαστικό, ύφος, όψη || πρόσχημα
appease (ə΄pi:z) [-d]: *(v)* κατευνάζω || ανακουφίζω, καταπραΰνω || ικανοποιώ
append (ə΄pend) [-ed]: *(v)* προσθέτω, προσαρτώ || συνάπτω, επισυνάπτω || **~age**: *(n)* παράρτημα, προσθήκη || απόφυση
appendicitis (əpendi΄saitis): *(n)* σκωληκοειδίτιδα
appendix (ə΄pendiks): *(n)* παράρτημα, προσθήκη || σκωληκοειδής απόφυση
appet-ite (΄æpitait): *(n)* όρεξη || **~izer** (΄æpitaizər): *(n)* ορεκτικό
applau-d (ə΄plə:d) [-ed]: *(v)* επευφημώ || χειροκροτώ || επιδοκιμάζω || **~se** (ə΄plə:z): *(n)* επευφημία || χειροκρότημα || επιδοκιμασία
apple (΄æpəl): *(n)* μήλο, μηλιά
appliance (ə΄plaiəns): *(n)* συσκευή || μηχάνημα, σύστημα
appli-cable (΄æplikəbəl): *(adj)* εφαρμόσιμος, πρακτικός || **~cant** (΄æplikənt): *(n)* ο αιτών, υποψήφιος || **~cation** (æpli΄keiʃən): *(n)* αίτηση || εφαρμογή, τοποθέτηση || επίθεμα || αφοσίωση, προσήλωση || **~ed** (ə΄plaid): *(adj)* εφαρμοσμένος || σε χρήση, πρακτικός
apply (ə΄plai) [-ied]: *(v)* εφαρμόζω || υποβάλλω αίτηση
appoint (ə΄pɔint) [-ed]: *(v)* ορίζω || διορίζω || εντέλλομαι || **~ment**: *(n)* διορισμός || αξίωμα, θέση || συνάντηση, συνέντευξη
apportion (ə΄pɔ:rʃən) [-ed]: *(v)* μοιράζω αναλογικά
apprais-al (ə΄preizəl): *(n)* εκτίμηση, διατίμηση || υπολογισμός || **~e** [-d]: *(v)* εκτιμώ, διατιμώ || υπολογίζω || **~ement**: *(n)* εκτίμηση, υπολογισμός
appreci-able (ə΄pri:ʃəbəl): *(adj)* || άξιος λόγου, υπολογίσιμος || **~ate** (ə΄pri:ʃieit) [-d]: *(v)* εκτιμώ, υπολογίζω || καταλαβαίνω τη σημασία || ανατιμώ, ανατιμούμαι || **~ation**: *(n)* εκτίμηση || κριτική || ανατίμηση
apprehen-d (æpri΄hend) [-ed]: *(v)* συλλαμβάνω, πιάνω || αντιλαμβάνομαι, καταλαβαίνω || **~sion**: *(n)* σύλληψη || φόβος, ζωηρή ανησυχία || κατανόηση || **~sive**: *(adj)* ανήσυχος, φοβισμένος || ευαίσθητος
apprentice (ə΄prentis) [-d]: *(v)* τοποθετώ ή παίρνω μαθητευόμενο || *(n)* μαθητευόμενος, δόκιμος || **~ship**: *(n)* μαθητεία
approach (ə΄proutʃ) [-ed]: *(v)* προσεγγίζω, πλησιάζω || ''διπλαρώνω'' || *(n)* προσέγγιση || δίοδος, είσοδος || **~able**: *(adj)* προσιτός, ευπρόσιτος
appropriat-e (ə΄prouprieit) [-d]: *(v)* οικειοποιούμαι, σφετερίζομαι || προορίζω || (ə΄proupriit): *(adj)* κατάλληλος, ταιριαστός || **~ion**: *(n)* οικειοποίηση || ειδικό κεφάλαιο, ''κοντύλι''
approv-al (ə΄pru:vəl): *(n)* επιδοκιμασία, έγκριση || **~e** (ə΄pru:v) [-d]: *(v)* επιδοκιμάζω, εγκρίνω
approximat-e (ə΄prəksəmeit) [-d]: *(v)* προσεγγίζω, πλησιάζω || υπολογίζω κατά προσέγγιση || (ə΄prəksəmit): *(adj)* ο κατά προσέγγιση, προσεγγίζων || **~ely**: *(adv)* κατά προσέγγιση, περίπου
apricot (΄eipricət): *(n)* βερίκοκο, βερικοκιά
April (΄eipril): *(n)* Απρίλιος || **~ Fools' Day**: Πρωταπριλιά
apron (΄eiprən): *(n)* ποδιά
apt (æpt): *(adj)* κατάλληλος || ικανός || επιρρεπής, υποκείμενος || **~itude**: *(n)* ικανότητα || τάση
aquarium (ə΄kweəriəm): *(n)* ενυδρείο
aquatic (ə΄kwætik): *(adj)* υδρόβιος, υδροχαρής
aqueduct (΄ækwədʌkt): *(n)* υδαταγωγός || υδραγωγείο
aquiline (΄ækwilain or ~lin): *(adj)* αετίσιος || κυρτός, γρυπός
Arab (΄ærəb): *(n)* Άραβας || *(adj)* αραβικός || **~ia**: *(n)* Αραβία || **~ian**: *(adj)* αραβικός || Άραβας || **~ic**: *(adj)* αραβικός || αραβική γλώσσα
arabesque (ærə΄besk): *(n)* αραβούργημα

arable (´ærəbəl): *(adj)* καλλιεργήσιμος
arbiter (´a:rbətər): *(n)* διαιτητής, κριτής
arbitrary (´a:rbətrəri): *(adj)* αυθαίρετος
arbitrat-e (´a:rbətreit) [-d]: *(v)* κρίνω || κάνω διαιτησία || **~ion**: *(n)* διαιτησία || **~or**: *(n)* διαιτητής, κριτής
arc (a:rk): *(n)* τόξο
arcade (a:r´keid): *(n)* στοά
arch (a:rtʃ) [-ed]: *(v)* κυρτώνω, σχηματίζω τόξο || γεφυρώνω || *(n)* τόξο, αψίδα || καμάρα του πέλματος
archaeolog-y or archeology (a:rki´ələdzi): *(n)* αρχαιολογία || **~ic** or **~ical**: *(adj)* αρχαιολογικός || **~ist**: *(n)* αρχαιολόγος
archangel (a:rk´eindzel): *(n)* αρχάγγελος
archbishop (a:rtʃ´biʃəp): *(n)* αρχιεπίσκοπος
archdiocese (a:rtʃ´daiəsi:s): *(n)* αρχιεπισκοπή
archduke (a:rtʃ´dju:k): *(n)* αρχιδούκας
archeology, etc: see archaeology
archer (´a:rtʃər): *(n)* τοξότης || **~y**: *(n)* τοξοβολία || σώμα τοξοτών
archetype (´a:rkətaip): *(n)* αρχέτυπο, πρωτότυπο
archipelago (arkə´peləgou): *(n)* αρχιπέλαγος
architect (´a:rkətekt): *(n)* αρχιτέκτονας || **~ural**: *(adj)* αρχιτεκτονικός || **~ure**: *(n)* αρχιτεκτονική
archiv-es (´a:rkaivz): *(n)* αρχείο
arctic (´a:rktik): *(adj)* αρκτικός
arden-cy or ardour (´a:rdənsi, ´a:rdər): *(n)* σφοδρή επιθυμία, διακαής πόθος || **~t**: *(adj)* διακαής, σφοδρός || φλογερός
ardour or ardor: see ardency
arduous (´a:rdjuəs): *(adj)* τραχύς || κοπιαστικός, δύσκολος
are: see be
area (´eəriə): *(n)* εμβαδόν, επιφάνεια || έκταση, περιοχή
arena (ə´ri:nə): *(n)* κονίστρα, αρένα || σφαίρα ή πεδίο δραστηριότητας ή σύγκρουσης
argue (´a:rgju:) [-d]: *(v)* φιλονικώ || προβάλλω επιχειρήματα ή αποδεικνύω με επιχειρήματα || **~ment**: *(n)* φιλονικία || επιχείρημα
aria (´a:riə): *(n)* μελωδία, άρια
arid (´ærid): *(adj)* άνυδρος || ξερός, καμένος || άτονος, νωθρός
arise (ə´raiz) [arose, arisen]: *(v)* σηκώνομαι || ανυψώνομαι, ανεβαίνω || προκύπτω
aristocra-cy (æris´təkrəsi): *(n)* αριστοκρατία || κυβέρνηση των ευγενών || **~t**: *(n)* αριστοκράτης
arithmetic (ə´riθmətik): *(n)* αριθμητική || (æriθ´metik) or: **~al**: *(adj)* αριθμητικός
ark (a:rk): *(n)* κιβωτός
arm (´a:rm) [-ed]: *(v)* οπλίζω, εξοπλίζω || οχυρώνω || *(n)* όπλο || όπλο, σώμα || βραχίονας, μπράτσο || κλάδος, τμήμα || **~ed**: *(adj)* ένοπλος || **~chair**: *(n)* πολυθρόνα || **~ful**: αγκαλιά, όσο χωρούν τα χέρια || **~pit**: *(n)* μασχάλη
armada (a:r´madə): *(n)* στόλος, αρμάδα
armament (´a:rməmənt): *(n)* οπλισμός, εξοπλισμός
armature (´a:rmət ʃər): *(n)* οπλισμός
armistice (´a:rmistis): *(n)* εκεχειρία, ανακωχή
armor or armour (´a:rmər): *(n)* θωράκιση || θώρακας || προστατευτικό κάλυμμα || [-ed]: *(v)* θωρακίζω || **~ed**: *(adj)* θωρακισμένος
army (´a:rmi): *(n)* στρατός || στρατιά || πλήθος
aroma (ə´roumə): *(n)* άρωμα || **~tic**: *(adj)* αρωματικός
around (ə´raund): *(adv)* γύρω, τριγύρω || περίπου
arouse (ə´rauz) [-d]: *(v)* αφυπνίζω, ξεσηκώνω || διεγείρομαι
arrange (ə´reindz) [-d]: *(v)* τακτοποιώ, διευθετώ || κανονίζω, σχεδιάζω || **~ment**: *(n)* διευθέτηση, τακτοποίηση
array (ə´rei) [-ed]: *(v)* παρατάσσω, βάζω σε θέση μάχης || στολίζω, ντύνω πλούσια || *(n)* παράταξη || θέση μάχης
arrears (ə´riərz): *(n)* καθυστερούμενη πληρωμή || ανεκπλήρωτη υποχρέωση
arrest (ə´rest) [-ed]: *(v)* συλλαμβάνω, πιάνω || αναχαιτίζω, βάζω κάτω από έλεγχο, ''κοντρολάρω'' || τραβώ την προσοχή ή το ενδιαφέρον || *(n)* σύλληψη || αναχαίτιση, έλεγχος
arriv-al (ə´raivəl): *(n)* άφιξη || **~e** [-d]: *(v)* φθάνω || καταλήγω

arrogan-ce (΄ærəgəns): *(n)* υπεροψία, αλαζονεία ‖ **~t**: *(adj)* υπερόπτης, αλαζόνας
arrow (΄ærou): *(n)* βέλος
arsenal (΄a:rsənəl): *(n)* οπλοστάσιο ‖ οπλαποθήκη
arsenic (΄a:rsənik): *(n)* αρσενικό
arson (΄a:rsən): *(n)* εμπρησμός ‖ **~ist**: εμπρηστής
art (΄a:rt): *(n)* τέχνη ‖ **~s**: κόλπα, στρατηγήματα ‖ **~ful**: *(adj)* επιδέξιος ‖ πονηρός ‖ **~isan**: *(n)* τεχνίτης ‖ **~ist**: καλλιτέχνης ‖ **~istic**: καλλιτεχνικός, καλαίσθητος ‖ **~less**: *(adj)* κακότεχνος ‖ απλός
arter-ial (a:r΄tiri:əl): *(adj)* αρτηριακός ‖ **~y** (΄a:rtəri): αρτηρία
artesian well (a:r΄ti:zjən wel): *(n)* αρτεσιανό φρέαρ
arthriti-s (a:r΄θraitis): *(n)* αρθρίτιδα ‖ **~c**: *(adj)* αρθριτικός
artichoke (΄a:rtitʃouk): *(n)* αγκινάρα
article (΄a:rtikəl): *(n)* κομμάτι, αντικείμενο, είδος ‖ άρθρο
articul-ar (a:r΄tikjulər): *(adj)* αρθρικός ‖ **~ate** (a:r΄tikjuleit) [-d]: *(v)* προφέρω ‖ είμαι έναρθρος ‖ αρθρώνω, συναρθρώνω ‖ αρθρώνομαι ‖ (a:r΄tikjulit): *(adj)* έναρθρος ‖ αρθρωτός ‖ **~ation**: *(n)* άρθρωση
artifact (΄a:rtəfækt): *(n)* κατασκεύασμα
artific-e (΄a:rtifis): *(n)* στρατήγημα, τέχνασμα ‖ **~ial** (a:rti΄fiʃəl): *(adj)* τεχνητός ‖ προσποιητός, εξεζητημένος
artillery (a:r΄tiləri): *(n)* πυροβολικό
as (æz): *(adv)* ως, όπως, καθώς ‖ αφού, επειδή
ascend (ə΄send) [-ed]: *(v)* ανεβαίνω ‖ ανηφορίζω ‖ **~ancy or ~ance**: *(n)* κυριαρχία, επικράτηση, ηγεμονία ‖ **~ant**: *(adj)* κυριαρχικός, επικρατέστερος ‖ ανηφορικός ‖ **~ing**: *(adj)* ανηφορικός, ανερχόμενος
ascen-sion (ə΄senʃən): *(n)* άνοδος ‖ ανάβαση ‖ Ανάληψη ‖ **~t** (ə΄sent): *(n)* άνοδος, ανάβαση ‖ ανωφέρεια
ascertain (æsər΄tein) [-ed]: *(v)* εξακριβώνω, διαπιστώνω
ascetic (ə΄setik): *(n)* ασκητής ‖ *(adj)* ασκητικός
ascribe (əs΄kraib) [-d]: *(v)* αποδίδω, προσάπτω
asep-sis (ei΄sepsis): *(n)* ασηψία ‖ **~tic**: *(adj)* ασηπτικός
ash (æʃ): *(n)* στάχτη ‖ μελία, φλαμουριά
ashamed (ə΄ʃeimd): *(adj)* ντροπιασμένος ‖ **be ~**: *(v)* ντρέπομαι
ashore (ə΄ʃɔ:r): *(adv)* προς τη στεριά ‖ στη στεριά ‖ **run ~**: *(v)* εξωκέλλω, πέφτω στη στεριά
Asia (΄eiʃə): *(n)* Ασία ‖ **~ Minor**: Μικρά Ασία ‖ **~n**: Ασιάτης ‖ **~tic**: *(adj)* ασιατικός ‖ Ασιάτης
aside (ə΄said): *(adv)* από τη μια πλευρά ‖ κατά μέρος, παράμερα ‖ **~ from**: εκτός από
ask (æsk) [-ed]: *(v)* ρωτώ ‖ ζητώ ‖ προσκαλώ
askance (əs΄ka:ns) or **askant** (əs΄kant): *(adv)* λοξά, με την άκρη του ματιού ‖ με δυσπιστία ή υποψία ή αποδοκιμασία ‖ **look ~**: *(v)* στραβοκοιτάζω
askew (əs΄kju:): *(adj)* λοξός, στραβός ‖ *(adv)* λοξά, στραβά
asleep (ə΄sli:p): *(adj)* κοιμισμένος ‖ αδρανής ‖ μουδιασμένος
asparagus (əs΄pærəgəs): *(n)* σπαράγγι
aspect (΄æspekt): *(n)* όψη, παρουσιαστικό ‖ άποψη, πλευρά ζητήματος ‖ θέα
asphalt (΄æsfəlt): *(n)* άσφαλτος ‖ *(adj)* ασφαλτόστρωτος
asphyxia (æs΄fiksi:ə): *(n)* ασφυξία ‖ **~te** (æs΄fiksieit) [-d]: *(v)* ασφυκτιώ, πνίγομαι ‖ προκαλώ ασφυξία ‖ **~tion**: *(n)* ασφυξία, θάνατος από ασφυξία
aspir-ant (΄æspərənt): *(n & adj)* φιλόδοξος ‖ **~ate** (΄æspəreit) [-d]: *(v)* δασύνω ‖ (΄æspərit): *(n)* δασεία ‖ **~ation** (æspəreiʃən): *(n)* φιλοδοξία, βλέψη ‖ **~e** (æs΄paiər) [-d]: *(v)* φιλοδοξώ, έχω βλέψεις
aspirin (΄æspirin): *(n)* ασπιρίνη
ass (æs): *(n)* όνος, γάιδαρος
assail (ə΄seil) [-ed]: *(v)* προσβάλλω, επιτίθεμαι ‖ **~ant**: *(n)* επιδρομέας
assassin (ə΄sæsin): *(n)* δολοφόνος ‖ **~ate** (ə΄sæsineit) [-d]: *(v)* δολοφονώ ‖ **~ation**: *(n)* δολοφονία
assault (ə΄sɔ:lt): *(n)* σφοδρή επίθεση ‖ έφοδος ‖ βιασμός ‖ [-ed]: *(v)* επιτίθεμαι, χτυπώ
assay (ə΄sei) [-ed]: *(v)* δοκιμάζω ‖ αναλύω, κάνω εκτίμηση ‖ *(n)* δοκιμή, τεστ
assembl-age (ə΄semblidz): *(n)* συ-

ναρμολόγηση ‖ ~**e** (ə´sembəl) [-d]: *(v)* συναρμολογώ ‖ συναθροίζω, συγκεντρώνω, συγκαλώ ‖ συναθροίζομαι, συγκεντρώνομαι ‖ ~**y** (ə´sembli): συναρμολόγηση ‖ συσκευή ‖ συγκρότημα ‖ συνάθροιση, συγκέντρωση, συνέλευση

assent (ə´sent) [-ed]: *(v)* συναινώ, συγκατατίθεμαι ‖ *(n)* συγκατάθεση, συναίνεση

assert (ə´se:rt) [-ed]: *(v)* υποστηρίζω ‖ δηλώνω κατηγορηματικά ‖ ισχυρίζομαι ‖ ~**ion**: *(n)* κατηγορηματική δήλωση ‖ ισχυρισμός ‖ ~**ive**: *(adj)* κατηγορηματικός

assess (ə´ses) [-ed]: *(v)* υπολογίζω, κάνω εκτίμηση ‖ καταλογίζω, επιβάλλω ‖ προσδιορίζω, κατανέμω ‖ ~**ment**: *(n)* υπολογισμός, εκτίμηση ‖ καταλογισμός, επιβολή ‖ καταλογισθέν ποσό ‖ φορολογία ‖ ~**or**: *(n)* εκτιμητής ‖ πάρεδρος, σύμβουλος

asset (´æsət): *(n)* προσόν, πλεονέκτημα, ''ατού'' ‖ το ενεργητικό ‖ ~**s**: περιουσιακά στοιχεία

assidu-ity (æsi´djuiti): *(n)* επιμονή, καρτερία ‖ προσήλωση, επιμέλεια ‖ ~**ous**: *(adj)* επίμονος, καρτερικός, προσηλωμένος

assign (ə´sain) [-ed]: *(v)* προσδιορίζω, ορίζω ‖ αναθέτω ‖ μεταβιβάζω, εκχωρώ ‖ αποσπώ, μετατάσσω ‖ ~**ment**: *(n)* ανάθεση ‖ ανατεθέν έργο ή καθήκον ‖ μεταβίβαση ‖ αποστολή

assimilat-e (ə´simileit) [-d]: *(v)* αφομοιώνω, εξομοιώνω ‖ αφομοιώνομαι ‖ ~**ion**: *(n)* αφομοίωση ‖ εξομοίωση

assist (ə´sist) [-ed]: *(v)* βοηθώ ‖ υποστηρίζω, συμπαρίσταμαι ‖ ~**ance**: *(n)* βοήθεια, συνδρομή ‖ συμπαράσταση ‖ ~**ant**: *(n)* βοηθός ‖ επικουρικός

associat-e (ə´souʃieit) [-d]: *(v)* συνδέω, συσχετίζω ‖ συνδέομαι, σχετίζομαι, συναναστρέφομαι ‖ συνεταιρίζω ‖ συνεταιρίζομαι ‖ (ə´souʃiət): *(n)* συνέταιρος, συνεργάτης ‖ δόκιμο μέλος ‖ παρεπόμενο ‖ ~**ion**: εταιρεία, συνεταιρισμός, σωματείο ‖ συναναστροφή, σύνδεσμος ‖ συσχετισμός

assort (ə´sɔ:rt) [-ed]: *(v)* ταξινομώ ‖ ταιριάζω ‖ ~**ed**: *(adj)* ταξινομημένος ‖ ποικίλος, σε ποικιλία ‖ ~**ment**: *(n)* ποικιλία ‖ ταξινόμηση

assua-ge (ə´sweidz) [-d]: *(v)* καταπραΰνω, κατευνάζω

assum-e (ə´sju:m) [-d]: *(v)* φορώ ‖ αναλαμβάνω ‖ υποθέτω, δέχομαι ‖ προσποιούμαι ‖ ~**ed**: *(adj)* υποθετικός ‖ προσποιητός, ψεύτικος ‖ ~**ption** (ə´sʌmpʃən): *(n)* υπόθεση ‖ προσποίηση ‖ Κοίμηση της Θεοτόκου

assur-e (ə´ʃuər) [-d]: βεβαιώνω, διαβεβαιώνω ‖ εξασφαλίζω ‖ ασφαλίζω ‖ ~**ance**: *(n)* βεβαίωση, διαβεβαίωση ‖ πεποίθηση ‖ ασφάλεια ‖ ~**ed**: *(adj)* βέβαιος, αναμφίβολος ‖ γεμάτος αυτοπεποίθηση

asterisk (´æstərisk): *(n)* αστερίσκος

astern (æs´tə:rn): *(adv)* προς την πρύμνη ‖ πίσω από το πλοίο ‖ προς τα πίσω

asthma (´æsmə): *(n)* άσθμα ‖ ~**tic**: *(adj)* ασθματικός

astigmatism (æ´stigmətizəm): *(n)* αστιγματισμός

astonish (əs´təniʃ) [-ed]: *(v)* εκπλήσσω, καταπλήσσω ‖ ~**ing**: *(adj)* καταπληκτικός, εκπληκτικός ‖ ~**ment**: *(n)* έκπληξη, κατάπληξη

astound (əs´taund) [-ed]: *(v)* καταπλήσσω, θαμπώνω ‖ αφήνω εμβρόντητο ‖ ~**ing**: *(adj)* καταπληκτικός

astraddle (əs´trædəl): *(adv)* καβαλικευτά, καβάλα

astray (əs´trei): *(adv)* έξω από το σωστό δρόμο ή κατεύθυνση ‖ έξω από το στόχο ‖ στον κακό δρόμο ‖ **go** ~: *(v)* χάνω το δρόμο, περιπλανιέμαι ‖ παίρνω τον κακό δρόμο ‖ **lead** ~: οδηγώ στον κακό δρόμο

astride (əs´traid): *(adv)* με ανοιχτά τα σκέλη ‖ καβαλικευτά

astringen-t (əs´trindzənt): *(adj)* στυφός ‖ στυπτικός

astrolog-er (əs´trələdzər): *(n)* αστρολόγος ‖ ~**y**: *(n)* αστρολογία

astronaut (´æstrənɔ:t): *(n)* αστροναύτης ‖~**ic, ~ical**: *(adj)* αστροναυτικός ‖~**ics**: αστροναυτική

astronom-er (əs´trənəmər): *(n)* αστρονόμος ‖ ~**ic, ~ical**: *(adj)* αστρονομικός ‖ ~**y**: *(n)* αστρονομία

astute (əs´tju:t): *(adj)* έξυπνος ‖ πονηρός

asunder (ə´sʌndər): *(adv)* χωριστά

asylum (ə´sailəm): *(n)* άσυλο

at (æt): *(prep)* εις, σε ‖ προς, για ‖

~ **all**: καθόλου || ~ **a loss**: σε αμηχανία || ~ **least**: τουλάχιστο || ~ **last**: επιτέλους || ~ **once**: αμέσως
ate (eit): see eat
atheis-m (΄eiθiizəm): *(n)* αθεϊσμός, αθεΐα || **~t**: άθεος
athlet-e (΄æθli:t): αθλητής || **~ic**: *(adj)* αθλητικός || **~ics**: *(n)* αθλητικά, αθλητισμός
Atlantic (ət΄læntik): Ατλαντικός
atlas (΄ætləs): *(n)* άτλας
atmospher-e (΄ætməsfiər): *(n)* ατμόσφαιρα || **~ic, ~ical**: *(adj)* ατμοσφαιρικός || **~ics**: *(n)* ατμοσφαιρικά παράσιτα
atoll (ə΄təl): *(n)* πεταλοειδής, κοραλλιογενής νήσος
atom (΄ætəm): *(n)* άτομο || **~ic**: *(adj)* ατομικός || ~ ή **~ic bomb**: ατομική βόμβα
atone (ə΄toun) [-d]: *(v)* συμβιβάζω || εξιλεώνω, εξιλεώνομαι || **~ment**: *(n)* εξιλέωση || αποζημίωση
atroci-ous (ə΄trouʃəs): *(adj)* τερατώδης, ωμός, || **~ty**: *(n)* ωμότητα, τερατούργημα
atrophy (΄ætrəfi) [-ied]: *(v)* κάνω ατροφικό || γίνομαι ατροφικός || *(n)* ατροφία
attach (ə΄tætʃ) [-ed]: *(v)* επισυνάπτω, προσαρτώ || αποσπώ || **~ment**: *(n)* προσάρτηση, επισύναψη || σύνδεσμος, στενή σχέση || **~e** (ə΄tæʃei): *(n)* διπλωματικός ακόλουθος
attack (ə΄tæk) [-ed]: *(v)* επιτίθεμαι, προσβάλλω || αρχίζω δουλειά με ζήλο, ''πέφτω με τα μούτρα'' || *(n)* επίθεση || προσβολή ασθένειας || **~er**: *(n)* επιτιθέμενος, επιδρομέας
attain (ə΄tein) [-ed]: *(v)* πετυχαίνω, κατορθώνω || αποκτώ || φθάνω || **~able**: *(adj)* κατορθωτός, εφικτός || **~ment**: *(n)* επίτευξη, επίτευγμα
attempt (ə΄tempt) [-ed]: *(v)* αποπειρώμαι || επιχειρώ || προσπαθώ || *(n)* απόπειρα || προσπάθεια
atten-d (ə΄tend) [-ed]: *(v)* είμαι παρών, παραβρίσκομαι, παρίσταμαι || παρακολουθώ || συνοδεύω || υπηρετώ, φροντίζω || νοσηλεύω || ακούω με προσοχή || **~dance**: *(n)* παρουσία || παρακολούθηση || συμμετοχή || σύνολο παρόντων, παρόντες || συνοδεία || **~dant**: *(n)* παραβρισκόμενος, παρών || συνοδός, ακόλουθος, συνοδεύων || υπηρέτης || **~tion** (ə΄tenʃən): *(n)* προσοχή || μέριμνα, φροντίδα || **~tive**: *(adj)* προσεχτικός || φιλοφρονητικός, περιποιητικός
attenuat-e (ə΄tenjueit) [-d]: *(v)* αμβλύνω || μετριάζω, εξασθενίζω || αραιώνω || ελαττώνομαι
attest (ə΄test) [-ed]: *(v)* επικυρώνω, επιβεβαιώνω || μαρτυρώ, φανερώνω || καταθέτω
attic (΄ætik): *(n)* σοφίτα
attire (ə΄taiər) [-d]: *(v)* ντύνω, ντύνομαι || *(n)* ιματισμός, ενδυμασία
attitude (΄ætitju:d): *(n)* στάση, διάθεση
attorney (ə΄tə:rni): *(n)* δικηγόρος || αντιπρόσωπος, πληρεξούσιος || ~ **at law**: δικηγόρος || **district** ~ (ή D.A): εισαγγελέας, κατήγορος || **power of** ~: πληρεξούσιο || πληρεξουσιότητα
attract (ə΄trækt) [-ed]: *(v)* έλκω || γοητεύω, προσελκύω || **~ion**: *(n)* έλξη || γοητεία, θέλγητρο || νούμερο, ''ατραξιόν'' || **~ive**: *(adj)* ελκυστικός, γοητευτικός
attribut-e (ə΄tribju:t) [-d]: *(v)* αποδίδω, καταλογίζω || (΄ætribju:t): *(n)* ιδιότητα, γνώρισμα, χαρακτηριστικό
attrition (ə΄triʃən): *(n)* φθορά || εκτριβή, φθορά από τριβή || συντριβή, βαθιά μετάνοια
auburn (΄ɔ:bərn): *(n)* καστανοκόκκινος
auction (΄ɔ:kʃən) [-ed]: *(v)* βγάζω σε δημοπρασία ή πλειστηριασμό || *(n)* δημοπρασία, πλειστηριασμός || **~eer**: *(n)* πλειστηριαστής, διευθύνων δημοπρασία
audaci-ous (ɔ:΄deiʃəs): *(adj)* άφοβος, τολμηρός || ιταμός, θρασύς || **~ty**: *(n)* τόλμη || ιταμότητα, θρασύτητα
audib-ility (ədə΄biliti): *(n)* ακουστικότητα, ευκρίνεια || **~le**: *(adj)* ευκρινής, ακουστός
audience (΄ɔ:diəns): *(n)* ακρόαση, ακροατήριο
audit (΄ɔ:dit) [-ed]: *(v)* ελέγχω λογιστικά βιβλία || εγγράφομαι ως ακροατής || *(n)* έλεγχος λογιστικών || **~ion**: *(n)* ακρόαση || δοκιμή || **~or**: *(n)* ελεγκτής λογιστικών || ακροατής σε σχολείο || **~orium** (ɔ:di΄tɔ:riəm): *(n)* αμφιθέατρο

σχολής ‖ αίθουσα θεάτρου
auger (΄ɔ:gər): *(n)* γεωτρύπανο
augment (ɔ:g΄ment) [-ed]: *(v)* αυξάνω ‖ αυξάνομαι
augur (΄ɔ:gər) [-ed]: *(v)* προμαντεύω, προλέγω ‖ οιωνοσκοπώ ‖ *(n)* μάντης, προφήτης ‖ **~y**: *(n)* οιωνός
august (ɔ:΄gʌst): *(adj)* μεγαλειώδης ‖ σεπτός
August (΄ɔ:gəst): *(n)* Αύγουστος
aunt (a:nt): *(n)* θεία ‖ **~ie, ~y**: θείτσα
aura (΄ɔ:rə): *(n)* πνοή, απόπνοια ‖ ύφος, αέρας ‖ αύρα
aurora (ɔ:΄rɔ:rə): *(n)* σέλας ‖**~ australis**: νότιο σέλας ‖**~ borealis**: βόρειο σέλας
auscultation (əskəl΄teiʃən): *(n)* ακρόαση διαγνωστική (med)
auspic-es (΄ɔ:spisiz): *(n)* αιγίδα, προστασία ‖ οιωνός, σημάδι ‖ **~ious**: *(adj)* ευοίωνος, ευνοϊκός
Australia (ɔ:s΄treiliə): *(n)* Αυστραλία ‖ **~n**: Αυστραλός
Austria (΄ɔ:striə): *(n)* Αυστρία ‖ **~n**: Αυστριακός
authentic (ɔ:΄θentik): *(adj)* αυθεντικός, γνήσιος ‖ **~ate** [-d]: *(v)* βεβαιώνω τη γνησιότητα ‖ επισημοποιώ, επικυρώνω ‖ **~icy** (ɔ:θen΄tisiti): *(n)* γνησιότητα
author (΄ɔ:θər): *(n)* συγγραφέας ‖ πρωταίτιος, πρωτουργός, δράστης ‖ **~itarian** (ɔ:θəri΄teəriən): *(adj)* αυταρχικός, δεσποτικός ‖ **~itative** (ɔ:΄θərəteitiv): *(adj)* επίσημος ‖ **~ity**: *(n)* αρχή, εξουσία ‖ εξουσιοδότηση, εντολή ‖ αυθεντία ‖ **~ize** (΄ɔ:θəraiz) [-d]: *(v)* εξουσιοδοτώ ‖ εγκρίνω, δίνω άδεια
auto (΄ɔ:tou): *(n)* αυτοκίνητο (abbr.)
autobiography (ɔ:toubai΄ɔgrəfi): *(n)* αυτοβιογραφία
autocra-cy (ɔ:΄təkrəsi): *(n)* απολυταρχία, δεσποτισμός ‖ **~t** (΄ɔ:təkræt): *(n)* απόλυτος κυρίαρχος ή μονάρχης ‖ δεσποτικός ‖ **~tic**: *(adj)* απολυταρχικός, δεσποτικός
autograph (΄ɔ:təgraf) [-ed]: *(v)* γράφω ιδιοχείρως ‖ δίνω αυτόγραφο ‖ *(n)* αυτόγραφο
automat: (ɔ:təmæt). ‖**~ic** (ɔ:tə΄mætik), ‖**~ical** (ɔ:təmætikəl): *(adj)* αυτόματος ‖ **~on**: *(n)* αυτόματο
automobile (΄ɔ:təməbil): *(n)* αυτοκίνητο
autonom-ous (ɔ:΄tɔnəməs): *(adj)* αυτόνομος ‖ **~y**: *(n)* αυτονομία
autopsy (΄ɔ:təpsi): *(n)* αυτοψία
autosuggestion (ɔ:tousə΄dzestʃən): *(n)* αυθυποβολή
autumn (΄ɔ:təm): *(n)* φθινόπωρο
auxiliary (ɔ:g΄ziliəri): *(adj)* βοηθητικός, επικουρικός
avail (ə΄veil) [-ed]: *(v)* δίνω πλεονέκτημα, ωφελώ ‖ *(n)* πλεονέκτημα, όφελος ‖ **~able**: *(adj)* διαθέσιμος ‖ πρόχειρος, προσιτός
avalanche (΄ævəla:ntʃ) [-ed]: *(v)* πέφτω ορμητικά, κατακλύζω ‖ συντρίβω, καταβάλλω ‖ κατολίσθηση
avant-garde (΄avaŋ ΄ga:rd): *(n)* πρωτοπορία ‖ *(adj)* πρωτοποριακός ‖ *(n)* προφυλακή
avaric-e (΄ævəris): *(n)* φιλαργυρία, τσιγκουνιά ‖ **~ious**: φιλάργυρος, τσιγκούνης
avenge (ə΄vendz) [-d]: *(v)* εκδικούμαι ‖ τιμωρώ ‖ **~er**: *(n)* εκδικητής, τιμωρός
avenue (΄ævənju:): *(n)* λεωφόρος
average (΄ævəridz) [-d]: *(v)* υπολογίζω τον μέσο όρο ‖ συγκεντρώνω κατά μέσο όρο ‖ *(n)* μέσος όρος ‖ μέσος, αντιπροσωπευτικός ‖ αβαρία, βλάβη του πλοίου ή του φορτίου
avers-e (ə΄və:rs): *(adj)* ενάντιος, αντίθετος ‖ αισθανόμενος αποστροφή ‖ **~ion**: *(n)* απέχθεια, αποστροφή
avert (ə΄ve:rt) [-ed]: *(v)* αποτρέπω, αποσοβώ ‖ αποστρέφω
aviary (΄eiviəri): *(n)* πτηνοτροφείο
aviat-ion (eivi΄eiʃən): *(n)* αεροπορία, αεροπλοΐα ‖ **~or**: *(n)* αεροπόρος
avid (΄ævid): *(adj)* ένθερμος, πρόθυμος ‖ άπληστος ‖ **~ly**: *(adv)* ένθερμα ‖ με απληστία
avoid (ə΄void) [-ed]: *(v)* αποφεύγω ‖ ακυρώνω
avow (ə΄vau) [-ed]: *(v)* αναγνωρίζω, παραδέχομαι ‖ **~al**: *(n)* αναγνώριση, ομολογία
await (ə΄weit) [-ed]: *(v)* αναμένω, περιμένω
awake (ə΄weik) [~d or awoke]: *(v)* ξυπνώ, αφυπνίζω ‖ αφυπνίζομαι ‖ *(adj)* ξυπνητός ‖ άγρυπνος ‖ **~n** [-ed]: *(v)* ξυπνώ ‖ **~ning**: *(n)* ξύπνημα
award (ə΄wɔ:rd) [-ed]: απονέμω ‖

επιδικάζω ‖ (n) βραβείο ‖ απόφαση

aware (əˊweər): *(adj)* ενήμερος, γνώστης ‖ ~**ness**: *(n)* γνώση ‖ συνείδηση

away (əˊwei): *(adv)* μακρυά ‖ προς άλλη κατεύθυνση ‖ συνεχώς, ασταμάτητα : ‖ **right** ~: αμέσως

awe (ɔ:) [-d]: *(v)* φοβίζω ‖ προκαλώ δέος ‖ *(n)* φόβος ‖ δέος, σεβασμός ‖ ~ **some**: *(adj)* φοβερός

awful (ˊɔ:fəl): *(adj)* τρομερός, φοβερός

awhile (əˊwail): *(adv)* για λίγο

awkward (ˊɔ:kwerd): *(adj)* άχαρος ‖ αδέξιος, άβολος ‖ οχληρός ‖ ~**ness**: *(n)* αδεξιότητα ‖ αμηχανία

awl (ˊɔ:l): *(n)* σουβλί, ''τσαγκαροσούβλι''

awning (ˊɔ:niŋ): *(n)* επιστέγασμα, στέγαστρο

awoke: see awake

awry (əˊrai): *(adv)* λοξά, στραβά ‖ λανθασμένα, άστοχα

ax or axe (æks): *(n)* πελέκι, τσεκούρι

axiom (ˊæksiəm): *(n)* αξίωμα ‖ ~**atic**: *(adj)* αξιωματικός, αποφθεγματικός ‖ προφανής, έκδηλος

axis (ˊæksis): *(n)* άξονας

axle (ˊæksəl): *(n)* άξονας τροχού

ay or aye (ai): *(n)* ψήφος υπέρ ‖ *(adv)* ναι, μάλιστα

azimuth (ˊæziməθ): *(n)* αζιμούθιο

azure (ˊæzər): *(adj)* γαλάζιος

B

babble (ˊbæbəl) [-d]: *(v)* μιλώ ασυνάρτητα ‖ φλυαρώ ‖ κελαρίζω ‖ *(n)* ασυνάρτητη ομιλία ‖ φλυαρία ‖ κελάρυσμα ρυακιού

babe (beib): *(n)* κοπέλα ‖ νήπιο

babel (ˊbeibəl): *(n)* οχλαγωγία, ''βαβυλωνία''

baby (ˊbeibi): *(n)* νήπιο, βρέφος ‖ κοπέλα, κοπελιά *(id)* ‖ *(adj)* νηπιακός ‖ ~ **carriage**: καροτσάκι μωρού ‖ ~**ish**: *(adj)* νηπιακός ‖ ~ **sit**: *(n)* προσέχω ένα νήπιο, κάνω ''μπέϊμπυσίτιν'' ‖ ~ **sitter**: ''μπεϊμπυσίτερ''

bachelor (ˊbætʃelər): *(n)* άγαμος, ''εργένης'' ‖ **B** ~ πτυχίο Πανεπιστημίου τετραετούς φοίτησης ‖ ~ **of Arts (B.A.)**: πτυχίο ή πτυχιούχος φιλοσοφικής Σχολής ‖ ~ **of Science (B.S., B.Sc.)**: πτυχίο ή πτυχιούχος θετικών επιστημών

back (bæk) [-ed]: *(v)* οπισθοχωρώ ‖ σπρώχνω πίσω ‖ υποστηρίζω ‖ οπισθογράφω ‖ *(n)* πλάτη ‖ σπονδυλική στήλη ‖ οπισθοφύλακας, ''μπακ'' ‖ *(adj)* οπίσθιος ‖ ~ **bone**: σπονδυλική στήλη ‖ καρίνα σκάφους ‖ κύριος παράγοντας ‖ αποφασιστικότητα, δύναμη χαρακτήρα ‖~ **breaking**: *(adj)* εξαντλητικός, κουραστικός ‖ ~**er**: *(n)* υποστηρικτής ‖ χρηματοδότης ‖ ~ **fire** [-d]: *(v)* αναφλέγομαι πρόωρα ‖ προκαλώ απροσδόκητο και δυσάρεστο αποτέλεσμα ‖ *(n)* πρόωρη έκρηξη ή ανάφλεξη ‖ ~**gammon**: *(n)* τάβλι ‖ ~**ground**: *(n)* βάθος, ''φόντο'' ‖ περιθώριο, θέση χωρίς σπουδαιότητα ‖ ~**hand** [-ed]: *(n)* χτυπώ με την ανάστροφη του χεριού ‖ *(n)* χτύπημα με την ανάστροφη ‖ ~ **slapper**: *(n)* εκδηλωτικός, εγκάρδιος ‖ ~ **stage**: *(adj)* παρασκηνιακός, κρυφός ‖ ~**ward**: *(adv)* προς τα πίσω ‖ προς το χειρότερο ‖ *(adj)* καθυστερημένος διανοητικά ‖ ~ **off**: υποχωρώ, αποσύρομαι ‖ ~ **number**: παλιό αντίτυπο ‖ ~ **out**: ανακαλώ υπόσχεση ή υποχρέωση ‖ ~ **talk**: αντιλογία, αντιμίλημα

bacon (ˊbeikən): *(n)* παστό ή καπνιστό χοιρινό, ''μπέικον''

bacteriolog-ist (bæktiri:ˊələdzist): *(n)* μικροβιολόγος ‖ ~**y**: *(n)* βακτηριολογία, μικροβιολογία

bacterium (bækˊtiəriəm): [pl. bacteria]: μικρόβιο, βακτηρίδιο

bad (bæd): *(adj)* κακός ‖ κλούβιος, χαλασμένος ‖ πλαστός, μη γνήσιος ‖ ‖ ~**ly off**: σε δυσχερή θέση ‖ ~ **tempered**: δύστροπος, σε κακά κέφια

badge (bædz): *(n)* έμβλημα, σήμα

badger (ˊbædzər) [-ed]: *(v)* παρενοχλώ, γίνομαι φόρτωμα ‖ *(n)* ασβός

baffl-e (΄bæfəl) [-d]: *(v)* προκαλώ αμηχανία || ματαιώνω, εμποδίζω
bag (bæg): *(n)* σάκος, σακί, τσουβάλι || τσάντα, βαλίτσα || ειδικότητα || [-ged]: *(v)* βάζω σε σάκο, ''τσουβαλιάζω'' || φουσκώνω σαν τσουβάλι || **~gy**: *(adj)* φουσκωμένος, σαν τσουβάλι || **~ pipe**: *(n)* άσκαυλος (γκάιντα)
baggage (΄bægidz): *(n)* αποσκευές
bail (beil) [-ed]: *(v)* απελευθερώνω με εγγύηση || βγάζω από δύσκολη θέση || αδειάζω τα νερά βάρκας || *(n)* εγγύηση || **~er**: εγγυητής
bailiff (΄beilif): *(n)* δικαστικός κλητήρας
bailiwick (΄beiliwik): *(n)* δικαιοδοσία
bait (beit) [-ed]: *(v)* δολώνω, βάζω δόλωμα || δελεάζω, στήνω παγίδα || *(n)* δόλωμα
bake (beik) [-d]: *(v)* ψήνω || ψήνομαι || ξεραίνω || **~r**: *(n)* αρτοποιός, ψητάς || **~r's dozen**: δεκατρία || **~ry**: *(n)* αρτοποιείο, αρτοπωλείο
balance (΄bæləns) [-d]: *(v)* ισορροπώ || σταθμίζω, αντισταθμίζω || ισολογίζω || εξοφλώ, πληρώνω υπόλοιπο || εξισώνω, εξισώνομαι || *(n)* ζυγαριά, πλάστιγγα || ισορροπία || αντιστάθμισμα || ισοζύγιο || υπόλοιπο
balcony (΄bælkəni): *(n)* εξώστης, μπαλκόνι
bald (bə:ld): *(adj)* φαλακρός || γυμνός, μαδημένος
bale (beil): *(n)* μπάλα, μεγάλο δέμα || **~ful**: *(adj)* κακός, γεμάτος κακία
balk (bə:k) [-ed]: *(v)* σταματώ απότομα || αρνούμαι, αποφεύγω επίμονα || ματαιώνω, παρεμποδίζω || *(n)* εμπόδιο, αναχαίτιση
Balkan (΄bəlkən): *(adj)* Βαλκανικός || **~s**: *(n)* Βαλκάνια, Βαλκανική
ball (bə:l): *(n)* σφαίρα, μπάλα || χορός, χοροεσπερίδα || **~ bearing**: *(n)* σφαιρικός τριβέας, ''ρουλεμάν'' || **~point pen**: μολύβι διαρκείας
ballad (΄bæləd): *(n)* μπαλάντα
ballast (΄bæləst): *(n)* έρμα, ''σαβούρα'' || σκύρο, σκυρόστρωμα
ballerina (bælə΄ri:nə): *(n)* μπαλαρίνα
ballet (bæ΄lei, ΄bælei): *(n)* μπαλέτο
balloon (bə΄lu:n): *(n)* αερόστατο || μπαλόνι
ballot (΄bælət): *(n)* ψηφοδέλτιο, ψήφος || δικαίωμα ψήφου || [-ed]: *(v)* ψηφίζω || τραβώ κλήρο
balm (ba:m): *(n)* βάλσαμο || καταπραϋντικό || **~y**: *(adj)* ευχάριστος, πραϋντικός
balust-er (΄bæləstər): *(n)* κιγκλίδα, κάγκελο || **~rade**: *(n)* κιγκλίδωμα
bamboo (bæm΄bu:): *(n)* ινδοκάλαμο, ''μπαμπού''
bamboozle (bæm΄bu:zəl) [-d]: *(v)* εξαπατώ || στήνω παγίδα
ban (bæn) [-ned]: *(v)* απαγορεύω με διάταγμα ή νόμο || *(n)* απαγόρευση
banal (bə΄na:l): *(adj)* κοινός, κοινότυπος, τριμμένος || **~ity**: *(n)* κοινοτοπία
banana (bə΄na:na): *(n)* μπανάνα
band (bænd) [-ed]: *(v)* δένω με ιμάντα || συγκεντρώνω, σχηματίζω ομάδα || συνασπίζομαι || *(n)* ιμάντας, λουρί || ζώνη || ομάδα || ορχήστρα, ''μπάντα''
bandage (΄bændidz) [-d]: *(v)* επιδένω || *(n)* επίδεσμος
bandit (΄bændit): *(n)* ληστής
bandoleer or **bandolier** (bændə΄li:r): *(n)* φυσιγγιοθήκη
bandy (΄bændi) [-ied]: *(v)* ανταλλάσσω || αναταράζω || συνομιλώ, κουβεντιάζω || *(adj)* κυρτός, καμπουριαστός || **~ legged**: στραβοπόδης
bang (bæŋg) [-ed]: *(v)* χτυπώ με θόρυβο, ''βροντάω'' || *(n)* βρόντος, δυνατό χτύπημα || ενθουσιασμός || **~s**: αφέλειες, ''φράντζα'' (είδος χτενίσματος)
banish (΄bæniʃ) [-ed]: *(v)* εκτοπίζω || διώχνω, απομακρύνω
banister (΄bænistər): *(n)* κάγκελο || **~s**: κιγκλίδωμα σκάλας
bank (bæŋk): *(n)* τράπεζα || κεφάλαιο χαρτοπαικτικής λέσχης, ''μπάνκα'' || όχθη || ανάχωμα || ύψωμα || [-ed]: *(v)* κατασκευάζω ανάχωμα, κρηπιδώνω || καταθέτω ή έχω δοσοληψίες με τράπεζα || **~er**: τραπεζίτης || **~note**: τραπεζογραμμάτιο || **~rupt** [-ed]: *(v)* χρεοκοπώ, πτωχεύω || *(n)* χρεοκοπημένος || **~ruptcy**: χρεοκοπία, πτώχευση
banner (΄bænər): *(n)* λάβαρο
banns (bænz): *(n)* αγγελία μέλλοντος γάμου
banquet (΄bæŋkwit): *(n)* συμπόσιο,

συνεστίαση
banter (΄bæntər) [-ed]: *(v)* πειράζω, αστειεύομαι || *(n)* πείραγμα, αστείο
bapti-sm (΄bæptizəm): *(n)* βάφτιση || **~st**: *(adj)* βαπτιστής || **~ze** (΄bæptaiz) [-d]: *(v)* βαφτίζω
bar (ba:r) [-red]: *(v)* εμποδίζω, φράζω || αποκλείω || *(n)* ράβδος, κάγκελο || Δικαστικό ή Δικηγορικό Σώμα || εμπόδιο || ποτοπωλείο, μπιραρία, ''μπαρ'' || πάγκος σερβιρίσματος ποτών || **~ keeper**: ιδιοκτήτης ή διευθυντής μπάρ || **~maid**: σερβιτόρα μπαρ || **~man** ή **~ tender**: σερβιτόρος στον πάγκο του μπαρ, ''μπάρμαν''
barb (ba:rb): *(n)* ακίδα, αιχμή
barbar-ian (ba:r΄beəriən): *(n)* βάρβαρος || **~ic**: *(adj)* βαρβαρικός, βάρβαρος || **~ism**: *(n)* βαρβαρισμός || **~ous**: *(adj)* βάρβαρος, σκληρός
barbecue (΄ba:rbikju:) [-d]: *(v)* ψήνω σε κάρβουνα || *(n)* ψητό σούβλας ή σχάρας || υπαίθρια ψησταριά
barbell (΄ba:rbel): *(n)* αλτήρας
barber (΄ba:rbər): *(n)* κουρέας
bare (beər) [-d]: *(v)* γυμνώνω || αποκαλύπτω || *(adj)* γυμνός || εκτεθειμένος, ακάλυπτος || μόλις αρκετός || **~ back**: χωρίς σέλα || **~ faced**: απροκάλυπτος, θρασύς || **~ly**: *(adv)* μόλις και μετά βίας
bargain (΄ba:rgin) [-ed]: *(v)* διαπραγματεύομαι || παζαρεύω || *(n)* διαπραγμάτευση, συμφωνία || συναλλαγή, παζάρι || ευκαιρία, ''κελεπούρι''
barge (ba:rdz) [-d]: *(v)* συγκρούομαι || *(n)* φορτηγίδα, ''μαούνα'' || **~ in(to)**: παρεμβαίνω, ''χώνομαι''
baritone (΄bærətoun): *(n)* βαρύτονος
bark (ba:rk) [-ed]: *(v)* γαβγίζω || ξεφλουδίζω || ξεγδέρνω || *(n)* γάβγισμα || φλοιός || βάρκα
barley (΄ba:rli): *(n)* κριθάρι
barn (ba:rn): *(n)* σιταποθήκη, αχυρώνα
baromet-er (bə΄rəmitər): *(n)* βαρόμετρο
baron (΄bærən): *(n)* βαρόνος || μεγιστάνας βιομηχανίας || **~ess**: βαρόνη
barracks (΄bærəks): *(n)* στρατώνας
barrage (bə΄ra:z): *(n)* καταιγισμός πυρός, ''μπαράζ'' || φράγμα πυρών || (΄bæridz): τεχνητό φράγμα ποταμού
barrel (΄bærəl): *(n)* κάννη όπλου || βυτίο, ''βαρέλι''
barren (΄bærən): *(adj)* στείρος, άγονος
barricade (΄bærikeid) [-d]: *(v)* φράζω || στήνω οδόφραγμα || *(n)* φραγμός, εμπόδιο || οδόφραγμα
barrier (΄bæriər): *(n)* φράγμα, εμπόδιο
barrister (΄bæristər): *(n)* δικηγόρος, ποινικολόγος
barrow (΄bærou): *(n)* χειράμαξα
barter (΄ba:rtər) [-ed]: *(v)* ανταλλάσσω || *(n)* ανταλλαγή
bas-e (beis): *(n)* βάση || *(adj)* ταπεινός, χυδαίος || κατώτερης ποιότητας || [-d]: *(v)* σχηματίζω βάση, βάζω σε βάση || θεμελιώνω, βασίζω || στηρίζω || **~eless**: *(adj)* αβάσιμος, αδικαιολόγητος, αστήρικτος || **~ement**: *(n)* υπόγειο || θεμελίωση || **~ic**: *(adj)* βασικός, θεμελιώδης || **~ically**: *(adv)* βασικά
bash (bæʃ) [-ed]: *(v)* χτυπώ δυνατά || σπάζω, τσακίζω || **~ful**: *(adj)* ντροπαλός || διστακτικός, αβέβαιος
basilica (bə΄zilikə): *(n)* βασιλική (ρυθμός)
basin (΄beisin): *(n)* λεκάνη || λουτήρας || λεκανοπέδιο
basis (΄beisis): *(n)* βάση || θεμελιώδης αρχή
bask (ba:sk) [-ed]: *(v)* χαίρομαι τη ζέστη, απολαμβάνω τη θαλπωρή || απολαμβάνω πλεονέκτημα
basket (΄ba:skit): *(n)* καλάθι || **~ball**: καλαθόσφαιρα
bas relief (ba:rili:f): *(n)* ανάγλυφο
bass (bæs): *(n)* πέρκη || (beis): βαθύφωνος, ''μπάσος''
bastard (΄bæstərd): *(n)* νόθος, ''μπάσταρδος''
baste (beist) [-d]: *(v)* ράβω πρόχειρα, ''τρυπώνω'' || βουτυρώνω ψητό || δέρνω || επιπλήττω
bastion (΄bæstiən): *(n)* προμαχώνας
bat (bæt): *(n)* ρόπαλο || νυχτερίδα
batch (bætʃ): *(n)* σύνολο, ομάδα || ποσότητα, ''φουρνιά''
bath (bæθ, ba:θ): *(n)* λουτρό || **~e** (beið) [-d]: *(v)* λούζω, πλένω || λούζομαι, κάνω μπάνιο || κολυμπώ || **~tub**: μπανιέρα
baton (΄bætən, bə΄ton): *(n)* ράβδος αρχιμουσικού, ''μπαγκέτα'' || ραβδί

battalion (bə΄tæliən): *(n)* τάγμα
batter (΄bætər) [-ed]: *(v)* χτυπώ δυνατά, συντρίβω || *(n)* φύραμα, μείγμα, "κουρκούτι"
battery (΄bætəri): *(n)* πυροβολαρχία || δυνατό χτύπημα || ηλεκτρική συστοιχία, "μπαταρία" || βιαιοπραγία
battle (΄bætl) [-d]: *(v)* μάχομαι, πολεμώ || *(n)* μάχη || ~ **cruiser**: καταδρομικό || ~**ment**: έπαλξη, πολεμίστρα || ~**ship**: θωρηκτό
bauble (΄bə:bəl): *(n)* ψευτοκόσμημα, "μπιχλιμπίδι"
bawd (bə:d): *(n)* διευθύντρια οίκου ανοχής, "μαντάμα" || ~**y**: *(adj)* ασελγής
bawl (bə:l) [-ed]: *(v)* φωνάζω δυνατά, ουρλιάζω || κλαίω δυνατά || *(n)* δυνατή κραυγή || ~ **out**: επιπλήττω μεγαλόφωνα
bay (bei) [-ed]: *(v)* γαβγίζω δυνατά || στριμώχνω, φέρνω σε δύσκολη θέση || *(n)* δυνατό γάβγισμα || δύσκολη θέση || κόλπος, όρμος || **at** ~: σε απελπιστική κατάσταση
bayonet (΄beiənit): *(n)* ξιφολόγχη
bazaar (bə΄za:r): *(n)* αγορά, "παζάρι"
bazooka (bə΄zu:kə): *(n)* αντιαρματικός εκτοξευτής, "μπαζούκα"
be (bi:) [was, been]: *(v)* είναι
beach (bi:tʃ): *(n)* ακροθαλασσιά, γιαλός || παραλία, "πλαζ" || [-e]: *(v)* προσαράσσω, τραβώ στη στεριά || ~**head**: προγεφύρωμα
beacon (΄bi:kən): *(n)* συνθηματική φωτιά || φάρος
bead (bi:d): *(n)* χάντρα
beak (bi:k): *(n)* ράμφος
beaker (΄bi:kər): *(n)* κύπελλο || δοκιμαστικός σωλήνας μεγάλης διαμέτρου
bean (bi:n): *(n)* φασόλι || κουκί || κόκκος καφέ
bear (beər) [bore, borne]: *(v)* υποστηρίζω, βαστάζω || φέρω, μεταφέρω || ανέχομαι, αντέχω || παράγω || [bore, born]: γεννώ || *(n)* αρκούδα || ~**able**: *(adj)* υποφερτός, ανεκτός
beard (΄biərd): *(n)* γένι, γενειάδα
beast (bi:st): *(n)* κτήνος, ζώο || ~**ly**: *(adj)* κτηνώδης || ~ **of burden**: *(n)* υποζύγιο
beat (bi:t) [beat, beaten or beat]: *(v)* χτυπώ επανειλημμένα, δέρνω || νικώ, καταβάλλω || πάλλω || *(n)* χρόνος, ρυθμός, σκοπός μουσικής || περιοχή βάρδιας ή σκοπιάς || ~ **about (around) the bush**: μιλώ με υπεκφυγές, καθυστερώ || ~**en**: *(adj)* πατημένος, πολυπατημένος || εξαντλημένος || ~**en path**: η πεπατημένη || ~**er**: χτυπητήρι (αυγών κλπ) || ξεσκονιστήρι
beatif-ic (bi:ə΄tifik): *(adj)* μακάριος
beatnik (΄bi:tnik): *(n)* εξεζητημένα ατημέλητος, υπαρξιστής
beaut-eous (΄bju:tiəs): *(adj)* όμορφος, ευπαρουσίαστος || ~**ician** (bju:΄tiʃən): *(n)* καλλωπιστής, ιδιοκτ. ή υπάλληλος ινστιτούτου καλλονής || ~**iful** (΄bju:tiful): *(adj)* όμορφος, ωραίος || ~**ify** (΄bju:tifai) [-ied]: *(v)* ομορφαίνω, εξωραΐζω, καλλωπίζω || ~**y**: *(n)* καλλονή, ομορφιά
beaver (΄bi:vər): *(n)* κάστορας || *(adj)* καστόρινος
becalm (bi΄ka:m) [-ed]: *(v)* κατευνάζω
became: see become
because (bi΄kəz): *(conj)* διότι, επειδή
beckon (΄bekən) [-ed]: *(v)* γνέφω, κάνω νόημα
becom-e (bi΄kʌm) [became, become]: *(v)* γίνομαι || αρμόζω, ταιριάζω || ~**ing**: *(adj)* κατάλληλος, ταιριαστός
bed (bed): *(n)* κρεβάτι || κοίτη || πρασιά || υπόστρωση || [-ded]: *(v)* δίνω στέγη, κοιμίζω || βάζω στο κρεβάτι || ~ **and board**: στέγη και τροφή || ~ **bug**: *(n)* κοριός || ~ **chamber, ~room**: υπνοδωμάτιο || ~ **clothes**: κλινοσκεπάσματα || ~**ding**: στρώμα, στρωσίδια || ~ **pan**: δοχείο νυκτός
bedlam (΄bedləm): *(n)* φρενοκομείο || μεγάλη φασαρία
bedraggle (bi΄drægəl) [-d]: *(v)* λασπώνω, λερώνω || ~**d**: *(adj)* βρωμερός και τρισάθλιος
bee (bi:): *(n)* μέλισσα || κοινωνική εκδήλωση και συνεργασία || συναγωνισμός, διαγωνισμός || ~**hive**: κυψέλη || ~**keeper**: μελισσοκόμος || ~**line**: ευθεία
beech (΄bi:tʃ): *(n)* οξιά
beef (bi:f): *(n)* βοδινό κρέας || βόδι ή γελάδα || ~**steak**: μπριζόλα, μπιφτέκι
been: see be
beer (biər): *(n)* ζύθος, μπίρα
beet (bi:t): *(n)* τεύτλο, παντζάρι || ~

root: κοκκινογούλι
beetle ('bi:tl): *(n)* σκαθάρι
befall (bi'fɔ:l) [-fell, -fallen]: *(v)* συμβαίνω, τυχαίνω
befit (bi'fit) [-ted]: *(v)* αρμόζω, ταιριάζω
before (bi'fɔ:r): *(adv & prep)* μπροστά, εμπρός, ενώπιον || πριν, προ
befriend (bi'frend) [-ed]: *(v)* ευνοώ, δείχνω φιλία || υποστηρίζω, παίρνω υπό την προστασία μου
beg (beg) [-ged]: *(v)* παρακαλώ || ζητιανεύω || **~gar**: *(n)* ζητιάνος
began: see begin
begin (bi'gin) [began, begun]: *(v)* αρχίζω, άρχομαι || **~ner**: *(n)* αρχάριος || **~ning**: *(n)* έναρξη, αρχή
begrudge (bi'grʌdz) [-d]: *(v)* φθονώ, μνησικακώ || παραχωρώ απρόθυμα
beguile (bi'gail) [-d]: *(v)* εξαπατώ || αφαιρώ δόλια || δελεάζω
begun: see begin
behalf (bi'ha:f): *(n)* ενδιαφέρον, όφελος || **in ~ of**: προς όφελος || **on ~ of**: εν ονόματι, για λογαριασμό, εκ μέρους
behav-e (bi'heiv) [-d]: *(v)* συμπεριφέρομαι, φέρομαι || φέρνομαι όπως πρέπει || **~ior**: *(n)* συμπεριφορά, διαγωγή
behead (bi'hed) [-ed]: *(v)* αποκεφαλίζω, καρατομώ
behind (bi'haind): *(adv & prep)* πίσω, από πίσω, προς τα πίσω || σε καθυστέρηση || *(n)* πισινός, οπίσθια
behold (bi'hould) [beheld, beheld]: *(v)* βλέπω, κοιτάζω
beige (beiz): *(adj)* μπεζ χρώμα
being ('bi:ŋ): *(n)* ον, ύπαρξη
belch (beltʃ) [-ed]: *(v)* ρεύομαι || *(n)* ρέψιμο
beleaguer (bi'li:gər) [-ed]: *(v)* πολιορκώ || παρενοχλώ
belfry ('belfri): *(n)* κωδωνοστάσιο, "καμπαναριό"
Belg-ian ('beldzən): *(n)* Βέλγος || *(adj)* βελγικός || **~ium**: *(n)* Βέλγιο
belie (bi'lai) [-d]: *(v)* διαψεύδω || διαστρέφω || δίνω ψεύτικη εντύπωση
belief (bi'li:f): *(n)* πίστη || δοξασία, πεποίθηση
believ-e (bi'li:v) [-d]: *(v)* πιστεύω || δέχομαι, παραδέχομαι || **~able** *(adj)* πιστευτός || **~er**: πιστός, οπαδός
belittle (bi'litəl) [-d]: *(v)* μικραίνω, ελαττώνω || υποβιβάζω, υποτιμώ || μιλώ περιφρονητικά
bell (bel): *(n)* κουδούνι || καμπάνα
bellicose ('belikous): *(adj)* επιθετικός || φιλοπόλεμος
belligeren-t (bi'lidzərənt): *(adj)* εμπόλεμος || φιλοπόλεμος, φίλερις || **~ce**: *(n)* επιθετικότητα || **~cy**: *(n)* εμπόλεμη κατάσταση
bellow ('belou) [-ed]: *(v)* μυκώμαι, μουγκρίζω || φωνάζω δυνατά || *(n)* μυκηθμός, μούγκρισμα || δυνατή φωνή || **~s**: φυσερό
belly ('beli): *(n)* κοιλιά
belong (bi'lɔŋ) [-ed]: *(v)* ανήκω || έχω θέση || **~ings**: *(n)* προσωπικά πράγματα, τα υπάρχοντα
beloved (bi'lʌvd): *(adj)* αγαπημένος
below (bi'lou): *(adv & prep)*: από κάτω, κάτω, σε κατώτερο επίπεδο
belt (belt): *(n)* ζωστήρας, ζώνη || δυνατό χτύπημα, γροθοκόπημα || ιμάντας, ταινία || [-ed]: *(n)* περιζώνω, ζώνω || χτυπώ με ζωστήρα || χτυπώ δυνατά, γροθοκοπώ
bench (bentʃ): *(n)* πάγκος || έδρα δικαστού || δικαστικό αξίωμα || **~mark**: *(n)* ορόσημο || **~ warrant**: ένταλμα σύλληψης
bend (bend) [bent, bent]: *(v)* κάμπτω, λυγίζω || σκύβω || αποφασίζω || κάμπτομαι, λυγίζω || υποχωρώ, ενδίδω || *(n)* καμπή, στροφή
beneath (bi'ni:θ): *(adv & prep)* από κάτω, κάτω, σε χαμηλότερο επίπεδο
benediction (beni'dikʃən): *(n)* ευλογία
benefact-ion (beni'fækʃən): *(n)* ευεργεσία || **~or**: *(n)* ευεργέτης
beneficia-l (beni'fiʃəl): *(adj)* ευεργετικός || **~ry**: *(n)* δικαιούχος
benefit ('benifit) [-ed]: *(v)* ωφελώ, ευεργετώ || επωφελούμαι, κερδίζω || *(n)* όφελος, κέρδος
benevolen-ce (bi'nevələns): *(n)* καλοκαγαθία || αγαθοεργία || **~t**: *(adj)* καλοκάγαθος || αγαθοεργός
benign (bi'nain): *(adj)* καλοκάγαθος || καλοήθης
bent (bent): see bend || *(adj)* κυρτός || αποφασισμένος || *(n)* κυρτότητα, λύγισμα || τάση, κλίση, ροπή
bequeath (bi'kwi:δ) [-ed]: *(v)* κληροδοτώ
bequest (bi'kwest): *(n)* κληροδότημα

bereave (biˊri:v) [-d]: *(v)* αποστερώ, αφαιρώ || **~d**: ο αποστερηθείς λόγω θανάτου, ο βαρυπενθών || **~ment**: *(n)* αποστέρηση, απώλεια λόγω θανάτου
beret (bəˊrei): *(n)* σκούφος, ''μπερέ''
berry (ˊberi): *(n)* μούρο
berserk (bərˊsə:rk): *(adj)* ξετρελαμένος, καταστρεπτικά βίαιος
berth (bə:rθ) [-ed]: *(v)* προσορμίζω || *(n)* όρμος, αγκυροβόλιο || κρεβάτι πλοίου ή κλινάμαξας
beseech (biˊsi:tʃ) [-ed or besought]: *(v)* ικετεύω, εκλιπαρώ
beset (biˊset) [beset]: *(v)* επιτίθεμαι απ' όλες τις πλευρές || κυκλώνω, περικυκλώνω
beside (biˊsaid): *(prep)* δίπλα, παρά || χωριστά || ~ **oneself**: εκτός εαυτού, έξω φρενών || **~s**: *(adv)* επιπρόσθετα, επίσης, επιπλέον || αλλιώς || εκτός από
besiege (biˊsi:dz) [-d]: *(v)* πολιορκώ
bespectacled (biˊspektəkəld): *(adj)* διοπτροφόρος, ''γυαλάκιας''
best (best): *(adj)* κάλλιστος, ο πιο καλός (superl. of good) || μέγιστος, ο μεγαλύτερος || [-ed]: *(v)* υπερισχύω, καταβάλλω || **at** ~: κατά το πλείστο || **~seller**: *(n)* βιβλίο μεγάλης κυκλοφορίας || **~man**: *(n)* παράνυμφος, ''κουμπάρος''
bestial (ˊbestʃəl): *(adj)* κτηνώδης || υπάνθρωπος || **~ity**: *(n)* κτηνωδία
bestow (biˊstou) [-ed]: *(v)* απονέμω, χορηγώ
bet (bet) [bet or ~ted]: *(v)* στοιχηματίζω || *(n)* στοίχημα || **you** ~: *(interj)* βεβαιότατα, σίγουρα!
betray (biˊtrei) [-ed]: *(v)* προδίδω || φανερώνω || **~al**: *(n)* προδοσία || **~er**: *(n)* προδότης
betroth (biˊtrouδ) [-ed]: *(v)* μνηστεύω, αρραβωνιάζω || **~al**: *(n)* μνηστεία || **~ed**: *(n)* αρραβωνιαστικός, αρραβωνιασμένος
better (ˊbetər): *(adj)* καλύτερος (comp. of good) || μεγαλύτερος || καλύτερα, πιο καλά || [-ed]: *(v)* βελτιώνω || υπερβαίνω || βελτιώνομαι || ~ **off**: σε καλύτερη κατάσταση || **had** ~: θα ήταν καλύτερα, θα έπρεπε
between (biˊtwi:n): *(prep)* ανάμεσα, μεταξύ || σε συνδυασμό, σε συνεργασία
bevel (ˊbevəl) [-ed]: *(v)* κόβω σε λοξή γωνία || *(n)* λοξή γωνία || λοξή τομή
beverage (ˊbevəridz): *(n)* αναψυκτικό, ποτό
bevy (ˊbevi): *(n)* σμήνος || ομάδα, πλήθος
beware (biˊweər) [-d]: *(v)* προσέχω, προφυλάγομαι
bewilder (biˊwildər) [-ed]: *(v)* συγχύζω, φέρνω σε αμηχανία
bewitch (biˊwitʃ) [-ed]: *(v)* γοητεύω, σαγηνεύω || **~ing**: *(adj)* γοητευτικός
beyond (biˊjond): *(prep)* πέρα, πιο πέρα || αργότερα, πέρα από || εκτός
bias (ˊbaiəs): *(n)* λοξότητα, διαγώνιος || προκατάληψη || πόλωση || **~ed, ~sed**: *(adj)* προκατειλημμένος
bib (bib)|| *(n)* σαλιαρίστρα μωρού || μπούστος φόρμας ή ποδιάς ||
Bible (ˊbaibəl): *(n)* Βίβλος, Αγ. Γραφή
biblio-graphy (bibliˊəgrəfi): *(n)* βιβλιογραφία
bicenten-ary (baisenˊtenəri): *(n)* δισεκατονταετηρίδα, διακοσοετηρίδα || *(adj)* διάρκειας 200 ετών || **~nial**: see bicentenary
biceps (ˊbaiseps): *(n)* δισχιδής ή δικέφαλος μυς || μυς του μπράτσου, ''ποντίκι''
bicker (ˊbikər) [-ed]: *(v)* φιλονικώ, λογομαχώ || *(n)* λογομαχία
bicuspid (baiˊkʌspid): *(n)* προγόμφιος
bicycle (ˊbaisikəl): *(n)* ποδήλατο || [-d]: *(v)* ποδηλατώ
bid (bid) [bade, bidden or bid]: *(v)* λέω, προφέρω || διατάζω, εντέλλομαι || καλώ || προσφέρω τιμή, παίρνω μέρος σε δημοπρασία || *(n)* προσφορά τιμής || πρόσκληση
bide (baid) [-d]: *(v)* αναμένω, περιμένω, καραδοκώ
bidet (biˊdei): *(n)* ''μπιντές''
bier (biər): *(n)* βάθρο φέρετρου
bifocal (baiˊfoukəl): *(adj)* διεστιακός
big (big): *(adj)* μεγάλος || μεγαλόσωμος || σπουδαίος || πομπώδης || **~shot, ~wheel**: σπουδαίο πρόσωπο, ''μεγάλος'' || ~ **wig**: σπουδαίος, επίσημος, ''μεγάλος''
bigam-ist (ˊbigəmist): *(n)* δίγαμος || **~ous**: *(adj)* δίγαμος || **~y**: *(n)* διγαμία

bigot (΄bigət): *(n)* στενοκέφαλος, φανατικός, μισαλλόδοξος ‖ **~ry**: *(n)* στενοκεφαλιά, φανατισμός, μισαλλοδοξία
bike: see bicycle
bilateral (bai΄lætərəl): *(adj)* δίπλευρος ‖ αμφίπλευρος
bil-e (bail): *(n)* χολή ‖ πίκρα, δυσθυμία ‖ **~ious** (΄biljəs): *(adj)* χολικός ‖ πικρόχολος
bilingual (bai΄liŋgwəl): *(adj)* δίγλωσσος
bill (bil): *(n)* λογαριασμός ‖ κατάλογος, λίστα ‖ αγγελία, αφίσα ‖ χαρτονόμισμα ‖ νομοσχέδιο ‖ γραμμάτιο ‖ τιμολόγιο ‖ ράμφος ‖ γείσο ‖ [-ed]: *(v)* καταλογίζω, χρεώνω ‖ ανακοινώνω, διαφημίζω ‖ ~ **board**: πίνακας ανακοινώσεων ‖ ~ **fold**: πορτοφόλι ‖ ~ **of fare**: τιμοκατάλογος, μενού ‖ ~ **of rights**: καταστατικός χάρτης ‖ ~ **of sale**: πωλητήριο
billet (΄billit) [-ed]: *(v)* στρατωνίζω, παρέχω κατάλυμα σε στρ. μονάδα ‖ επιτάσσω οίκημα ‖ καταλύω, διαμένω ‖ δουλειά, θέση ‖ καυσόξυλο
billiards (΄biljərdz): *(n)* σφαιριστήριο, μπιλιάρδο
billingsgate (΄biliŋzgeit): *(n)* βρισιά, βρομόλογο
billion (΄biljən): *(n)* δισεκατομμύριο ‖ **~aire**: *(n)* δισεκατομμυριούχος
billow (΄bilou) [-ed]: *(v)* φουσκώνω, εξογκώνομαι ‖ *(n)* μεγάλο κύμα
billy (΄bili): *(n)* ρόπαλο, κλομπ ‖ **~goat**: τράγος
bin (bin): *(n)* κιβώτιο, αποθήκη ‖ φρενοκομείο
bind (baind) [bound, bound]: *(v)* δένω, προσδένω ‖ επιδένω ‖ δεσμεύω, υποχρεώνω ‖ συνδέω, συγκολλώ ‖ *(adj)* δεσμευτικός ‖ *(n)* εξώφυλλο, δέσιμο
binocular (bi΄nəkjulər): *(adj)* διόφθαλμος, διοφθαλμικός ‖ **~s**: *(n)* διόπτρα, κιάλια
bio-chemistry (΄baiou΄kemistri): *(n)* βιοχημεία ‖ **~grapher** (bai΄əgrəfər): *(n)* βιογράφος ‖ **~graphic, ~graphical**: *(adj)* βιογραφικός ‖ **~graphy**: *(n)* βιογραφία ‖ **~logy** (bai΄ələdzi): *(n)* βιολογία ‖ **~logic, ~logical**: *(adj)* βιολογικός ‖ **~logist**: *(n)* βιολόγος
biped (΄baiped): *(n)* δίποδο
birch (bə:rtʃ): *(n)* κερκίδα (σημύδα) ‖ βέργα
bird (bə:rd): πουλί ‖ **~'s-eye view**: θέα ή άποψη από ψηλά
birth (bə:rθ): *(n)* γέννηση ‖ καταγωγή ‖ **~day**: γενέθλια ‖ ~ **right**: κληρονομικό δικαίωμα ‖ πρωτοτόκια
biscuit (΄biskit): *(n)* παξιμάδι, ''μπισκότο'', γαλέτα
bisect (bai΄sekt) [-ed]: *(v)* διχοτομώ
bishop (΄biʃəp): *(n)* επίσκοπος
bit (bit): *(n)* κομμάτι,‖ στιγμή, ‖ άκρη τρυπανιού ‖ στομίδα του χαλινού ‖ **see bite**
bitch (bitʃ): *(n)* σκύλα ‖ ''βρόμα'', παλιογυναίκα
bit-e (bait) [bit, bit or bitten]: *(v)* δαγκώνω ‖ *(n)* δάγκωμα, δαγκωματιά ‖ μπουκιά ‖ **~ing**: *(adj)* δηκτικός, τσουχτερός, καυστικός
bitter (΄bitər): *(adj)* πικρός ‖ δριμύς, τσουχτερός ‖ φαρμακερός, δηκτικός
bivouac (΄bivuæk) [-ked]: *(v)* κατασκηνώνω ή καταυλίζομαι προσωρινά ‖ *(n)* προσωρινός καταυλισμός ή στρατόπεδο
biweekly (bai΄wi:kli:): *(adj)* δεκαπενθήμερος
bizarre (bi΄za:r): *(adj)* παράξενος, αλλόκοτος, παράδοξος
blab (blæb) [-bed]: *(v)* φλυαρώ ‖ αποκαλύπτω μυστικό
black (blæk): *(adj)* μαύρος ‖ κατασκότεινος ‖ [-ed]: *(v)* μαυρίζω, βάφω μαύρο ‖ ~ **and blue**: μαυρισμένος από χτύπημα ‖ **~berry**: *(n)* βατόμουρο, βατομουριά ‖ **~bird**: *(n)* κότσυφας ‖ **~board**: *(n)* μαυροπίνακας ‖ **~en** [-ed]: *(v)* μαυρίζω ‖ συκοφαντώ, κηλιδώνω ‖ **~guard**: *(adj & n)* παλιάνθρωπος, αχρείος ‖ [-ed]: *(v)* βρίζω, κακολογώ ‖ **~mail** [-ed]: *(v)* εκβιάζω ‖ *(n)* εκβιασμός ‖ **~mailer**: *(n)* εκβιαστής ‖ ~ **out**: *(n)* συσκότιση ‖ σκοτοδίνη ‖ διακοπή ρεύματος ‖ *(v)* παθαίνω σκοτοδίνη ‖ **~smith**: *(n)* σιδηρουργός, πεταλωτής ‖ **boot ~**: *(n)* στιλβωτής, ''λούστρος''
bladder (΄blædər): *(n)* κύστη
blade (bleid): *(n)* λεπίδα ‖ λεπτό φύλλο ‖ κόκαλο της πλάτης ‖ πτερύγιο
blame (bleim) [-d]: *(v)* μέμφομαι, ψέγω, κατηγορώ, ρίχνω το βάρος

|| *(n)* μομφή, κατηγορία, φταίξιμο || **~less**: *(adj)* άμεμπτος, άψογος
blanch (bla:ntʃ) [-ed]: *(v)* χλομιάζω || λευκαίνω, ασπρίζω
bland (blænd): *(adj)* πράος, ήπιος
blank (blæŋk): *(adj)* κενός, άγραφος, λευκός || ανέκφραστος || *(n)* κενό || *(n)* άσφαιρο φυσίγγιο || **draw a ~**: δεν φέρνω αποτέλεσμα || **point ~**: από πολύ κοντά || απερίφραστα
blanket (΄blæŋkit): *(n)* κουβέρτα || κάλυμμα
blar-e (bleər) [-d]: *(v)* ωρύομαι, κραυγάζω || σαλπίζω || *(n)* δυνατός ήχος || **~ing**: *(adj)* εκκωφαντικός
blarney (΄bla:rni): *(n)* ψευτοκολακεία
blasé (bla:΄zei): *(adj)* προσποιητά αδιάφορος, ''μπλαζέ''
blasphem-e (blæs΄fi:m) [-d]: *(v)* βλαστημώ || **~er**: *(n)* βλάστημος || **~ous**: *(adj)* βλάστημος, ασεβής || **~y**: *(n)* βλαστημιά
blast (bla:st) [-ed]: *(v)* ανατινάζω || προκαλώ έκρηξη || καταστρέφω || *(n)* έκρηξη || δυνατή ριπή ανέμου
blatan-cy (΄bleitənsi): *(n)* βίαιη χυδαιότητα || **~t**: *(adj)* χυδαίος || κραυγαλέος
blaze (bleiz) [-d]: *(v)* καίω ή καίομαι με φλόγα || λαμποκοπώ, φεγγοβολώ || *(n)* ανάφλεξη || φεγγοβολία || ξαφνικό ξέσπασμα || **~r**: *(n)* σπορ σακάκι, μπλέιζερ
bleach (bli:tʃ) [-ed]: λευκαίνω || ξεβάφω || *(n)* λεύκανση, ξέβαμα || λευκαντικό
bleak (bli:k): *(adj)* εκτεθειμένος στα στοιχεία της φύσης || παγερός, κρύος || σκοτεινός, μελαγχολικός
blear (΄bliər) [-ed]: *(v)* θολώνω τα μάτια, βουρκώνω || **~y-eyed**: *(adj)* με θολά μάτια, βουρκωμένος
bleat (bli:t) [-ed]: *(v)* βελάζω || *(n)* βέλασμα
bleed (bli:d) [bled, bled]: *(v)* αιμορραγώ, ματώνω || κάνω αφαίμαξη
blemish (΄blemiʃ) [-ed]: *(v)* κηλιδώνω, σπιλώνω || *(n)* στίγμα, ελάττωμα, κηλίδα
blench (blentʃ) [-ed]: *(v)* μαζεύομαι από φόβο, ''τραβιέμαι πίσω''
blend (blend) [-ed]: *(v)* ανακατεύω, συγχωνεύω || συγχωνεύομαι, ανακατεύομαι || *(n)* μείγμα, ''χαρμάνι'' || μείξη, ανακάτωμα
bless (bles) [-ed]: *(v)* ευλογώ || δοξάζω || προικίζω με χάρες
blew: see blow
blight (blait) [-ed]: *(v)* φθείρω, καταστρέφω || ματαιώνω || *(n)* ασθένεια φυτών, ερυσίβη
blimey (΄blaimi): *(interj)* ανάθεμα! να πάρει η ευχή!
blind (blaind) [-ed]: *(v)* τυφλώνω || θαμπώνω || *(adj)* τυφλός || ακατάληπτος || αδιέξοδος, κλειστός || *(n)* παραπέτασμα παραθύρου, ''στόρι'' || **~ alley**: *(n)* αδιέξοδος δρόμος || αδιέξοδο, αποτυχία || **~ fold** [-ed]: δένω τα μάτια || *(n)* κάλυμμα των ματιών || **~man's buff**: *(n)* τυφλόμυγα (παιχνίδι)
blink (bliŋk) [-ed]: *(v)* ανοιγοκλείνω τα μάτια || κοιτάζω με μισόκλειστα μάτια || τρεμοσβήνω || δίνω φωτεινά σήματα || *(n)* ανοιγοκλείσιμο των ματιών || τρεμοσβήσιμο || **~ers**: *(n)* παρωπίδες
bliss (blis): *(n)* ευδαιμονία, μακαριότητα || **~ful**: *(adj)* μακάριος
blister (΄blistər) [-ed]: *(v)* προκαλώ φουσκάλα ή κάλους || βγάζω φουσκάλες ή κάλους || *(n)* φλύκταινα, φουσκάλα
blithe (blaið): *(adj)* εύθυμος, χαρωπός || ανέμελος
blitz (blits): *(n)* κεραυνοβόλος πόλεμος || αστραπιαία επίθεση
blizzard (΄blizərd): *(n)* χιονοθύελλα || χιονοστρόβιλος
bloat (blout) [-ed]: *(v)* φουσκώνω, πρήζομαι || **~ed**: *(adj)* φουσκωμένος, πρησμένος
blob (bləb): *(n)* άμορφη μάζα
bloc (blək): *(n)* συνασπισμός, ''μπλοκ''
block (blək) [-ed]: *(v)* εμποδίζω, αποκλείω, ''μπλοκάρω'' || σχηματίζω όγκους || *(n)* όγκος, κομμάτι || κυβόλιθος || οικοδομικό τετράγωνο || φραγμός, εμπόδιο || αποκλεισμός, ''μπλοκάρισμα'', ''μπλόκο'' || **~ade** [-d]: *(v)* αποκλείω || *(n)* αποκλεισμός || **~age**: *(n)* αποκλεισμός, φράξιμο || **~ head**: χοντροκέφαλος
bloke (blouk): *(n)* άνθρωπος, άτομο *(id)*
blond (blənd): *(adj)* ξανθός || **~e**: ξανθιά
blood (blʌd): *(n)* αίμα || συγγένεια ||

~**ed**: *(adj)* καθαρόαιμος || ~ **donor**: *(n)* αιμοδότης || ~ **hound**: *(n)* κυνηγετικό σκυλί || ~**shed**: *(n)* αιματοχυσία, σφαγή || ~ **shot**: *(adj)* κόκκινος και ερεθισμένος || ~**y**: *(adj)* αιματηρός, ματωμένος || αιμοχαρής || *(adj)* "παλιό ..." *(id)*
bloom (blu:m) [-ed]: *(v)* ανθίζω || λάμπω, λαμποκοπώ || ακμάζω || *(n)* ανθός, λουλούδι || ακμή, άνθηση
blossom (΄blɔsəm) [-ed]: *(v)* ανθίζω, ανθώ || *(n)* άνθος, λουλούδι
blot (blɔt) [-ted]: *(v)* κηλιδώνω, λεκιάζω || αναρροφώ, στουπώνω || *(n)* κηλίδα, λεκές || ~ **out**: *(v)* εξαφανίζω, αφανίζω || ~**ter**: *(n)* στουπόχαρτο || ~**ting paper**: *(n)* στουπόχαρτο
blotch (blɔtʃ) [-ed]: *(v)* ερυθραίνω, κοκκινίζω, βγάζω εξανθήματα || εξάνθημα, κόκκινο στίγμα || ~**ed,** ~**y**: *(adj)* γεμάτος κόκκινα εξανθήματα
blouse (blauz): *(n)* μπλούζα
blow (blou) [blew, blown]: *(v)* φυσώ || ξεφυσώ, λαχανιάζω || ανατινάζω || *(n)* χτύπημα || φύσημα || ~**er**: *(n)* φυσερό || ~ **out**: *(v)* σβήνω || καίομαι, τήκομαι || σκάζω, ''κλατάρω'' || *(n)* τήξη, κάψιμο ασφάλειας || σκάσιμο, ''κλατάρισμα'' || ~ **up**: *(v)* ξεσπάω || σκάζω, ανατινάζω || μεγεθύνω φωτογραφία || φουσκώνω || *(n)* μεγέθυνση || έκρηξη
blubber (΄blʌbər) [-ed]: *(v)* κλαίω δυνατά || *(n)* λίπος από θαλάσσια κήτη
bludgeon (΄blʌdʒən): *(n)* ρόπαλο, ''κλομπ'' || [-ed]: *(v)* χτυπώ με ρόπαλο
blue (blu:): *(adj)* γαλάζιος || ~ **bell**: *(n)* υάκινθος, ζουμπούλι || ~ **cheese**: *(n)* ροκφόρ || ~**collar**: *(n)* εργατοτεχνίτης || **print**: *(n)* κυανοτυπία || σχέδιο, μελέτη || ~**s**: *(n)* βαθιά μελαγχολία || είδος τζαζ, ''μπλουζ'' || ~**s**: *(n)* ναυτικό, ναυτική στολή
bluff (blʌf) [-ed]: *(v)* ''μπλοφάρω'' || *(n)* ''μπλόφα'' || *(n)* βραχώδης ακτή, απότομος βράχος || *(adj)* απότομος, τραχύς
bluish (΄blu:iʃ): *(adj)* γαλαζωπός, υπογάλανος
blunder (΄blʌndər) [-ed]: *(v)* κάνω χοντρό λάθος, κάνω ''γκάφα'' || *(n)* χοντρό λάθος, ''γκάφα''
blunt (blʌnt) [-ed]: *(v)* αμβλύνω, ''στομώνω'' || *(adj)* αμβλύς || απότομος, τραχύς
blur (blə:r) [-red]: *(v)* κηλιδώνω || θολώνω, κάνω θαμπό || *(n)* θολούρα, θαμπάδα
blurt (blə:rt) [-ed]: *(v)* μιλώ ξαφνικά, ''πετάγομαι'' || ~ **out**: *(v)* μιλώ χωρίς να το θέλω, μου ξεφεύγει
blush (blʌʃ) [-ed]: *(v)* κοκκινίζω, || *(n)* κοκκίνισμα
bluster (΄blʌstər) [-ed]: *(v)* φυσώ απότομα και δυνατά, || κομπάζω μεγαλόφωνα || *(n)* ανεμοθύελλα || κομπασμός, καυχησιολογία
boa (΄bouə): *(n)* βόας
boar (bɔ:r): *(n)* κάπρος, αρσεν. χοίρος
board (bɔ:rd) [-ed]: *(v)* σανιδώνω, βάζω σανίδες || σκεπάζω με σανίδωμα || παρέχω τροφή επί πληρωμή || τρώω σε οικοτροφείο || επιβιβάζομαι || *(n)* σανίδα || πίνακας, πινακίδα || φαγητά || συμβούλιο, μέλη συμβουλίου || ~ **and lodging**: τροφή και κατοικία || ~**er**: οικότροφος, ένοικος || ~**ing house**: πανσιόν, οικοτροφείο
boast (boust) [-ed]: *(v)* καυχιέμαι, περηφανεύομαι || είμαι περήφανος για κάτι || *(n)* καυχησιολογία || αντικείμενο περηφάνειας, ''καύχημα'' || ~**er,** ~**ful**: *(adj)* καυχησιάρης
boat (bout): *(n)* πλοίο || βάρκα || ~**swain**: *(n)* ναύκληρος
bob (bɔb) [-bed]: *(v)* κινώ πάνω-κάτω || ανεβοκατεβαίνω γρήγορα, || *(n)* γρήγορη κίνηση πάνω-κάτω || κοντά μαλλιά || ~**sled,** ~**sleigh**: *(n)* έλκηθρο
bobbin (΄bɔbin): *(n)* κουβαρίστρα, ''καρούλι''
bodice (΄bɔdis): *(n)* το επάνω μέρος φορέματος, ''μπούστος''
bodily (΄bɔdili): *(adj)* σωματικός || υλικός || *(adv)* προσωπικά, σωματικά
body (΄bɔdi): *(n)* σώμα || κορμός || σωματείο || ομάδα, πλήθος || αμάξωμα αυτοκινήτου || ~ **shop**: *(n)* συνεργείο επισκευής αμαξωμάτων
bog (bɔg): *(n)* έλος, τέλμα || βόρβορος
bogey (΄bougi): *(n)* ''μπαμπούλας''
boggle (΄bɔgəl) [-d]: *(v)* υποχωρώ ||

διστάζω
bogus (΄bougəs): *(adj)* κίβδηλος, ψεύτικος
boil (bɔil) [-ed]: *(v)* βράζω ‖ κοχλάζω ‖ βράζω από θυμό ‖ *(n)* βρασμός ‖ σπυρί, ''καλόγερος'' ‖ **~er**: *(n)* ατμοβέλητας
boisterous (΄bɔistərəs): *(adj)* θορυβώδης, φωνακλάδικος
bold (bould): *(adj)* τολμηρός ‖ θρασύς, αναιδής ‖ καθαρός, ευδιάκριτος ‖ **~ness**: *(n)* τόλμη ‖ θράσος
bole (boul): *(n)* κορμός δέντρου, ''κούτσουρο''
bolster (΄boulstər) [-ed]: *(v)* υποστηρίζω ‖ *(n)* μεγάλο μαξιλάρι
bolt (boult) [-ed]: *(v)* βάζω σύρτη, ''μανταλώνω'' ‖ καταπίνω λαίμαργα ‖ φεύγω γρήγορα ‖ *(n)* σύρτης, ''μάνταλο'' ‖ βλήτρο, ''μπουλόνι'' ‖ φυγή
bomb (bɔm) [-ed]: *(v)* βομβαρδίζω ‖ *(n)* βόμβα ‖ **~ard** [-ed]: *(v)* σφυροκοπώ, βομβαρδίζω ‖ **~er**: *(n)* βομβαρδιστής ‖ βομβαρδιστικό αεροπλάνο
bombast (΄bɔmbæst): *(n)* στόμφος, πομπώδες ύφος ‖ **~ic**: *(adj)* στομφώδης
bona fide (΄bounə΄faidi): καλή τη πίστει ‖ καλόπιστος
bond (΄bɔnd) [-ed]: *(v)* δεσμεύω ‖ βάζω υπό εγγύηση ‖ συνδέω, συγκολλώ ‖ *(n)* δεσμός, συνάφεια ‖ συγκολλητικό ‖ συμφωνητικό, σύμβαση ‖ εγγύηση ‖ ομολογία (econ) ‖ **~age** (΄bɔndidz): *(n)* δουλεία, δεσμά
bone (boun): *(n)* κόκαλο ‖ *(adj)* κοκάλινος
bonfire (΄bɔnfaiər): *(n)* υπαίθρια φωτιά
bonnet (΄bɔnit): *(n)* γυναικείο καπέλο με κορδέλα ‖ σκούφια ‖ ''καπώ'' αυτοκινήτου
bonus (΄bounəs): *(n)* έκτακτο βοήθημα, δώρο ‖ έκτακτο μέρισμα
bony (΄bouni): *(adj)* κοκαλιάρης ‖ κοκάλινος
boo (bu:) [-ed]: *(v)* αποδοκιμάζω μεγαλόφωνα, ''γιουχαΐζω'' ‖ *(n)* αποδοκιμασία. ''γιούχα''
book (buk) βιβλίο ‖ [-ed]: *(v)* καταγράφω, εγγράφω ‖ κλείνω δωμάτιο ή θέση ‖ βγάζω εισιτήριο ‖ **~case**: βιβλιοθήκη ‖ **~end**: *(n)* βιβλιοστάτης ‖ **~keeper**: *(n)* λογιστής ‖ **~let**: *(n)* βιβλιαράκι ‖ **~maker**: *(n)* μεσίτης στοιχημάτων ‖ **~shop, ~store**: *(n)* βιβλιοπωλείο ‖ **~stall**: *(n)* κιόσκι πωλήσεως βιβλίων, πάγκος βιβλίων ‖ **~worm**: *(n)* βιβλιόφιλος, βιβλιοφάγος
boom (bu:m) [-ed]: *(v)* βροντώ, πετυχαίνω απότομα ‖ υπερτιμώμαι ‖ *(n)* βροντή, βοή ‖ ξαφνική ευημερία, απότομο ''ανέβασμα''
boon (bu:n): *(n)* εύνοια, χάρη ‖ όφελος, ευεργέτημα
boor (buər): *(n)* ‖ άξεστος, ''χωριάτης'' ‖ **~ish**: *(adj)* αγροίκος, άξεστος
boost (bu:st) [-ed]: *(v)* ωθώ, δίνω ώθηση ‖ δυναμώνω, μεγαλώνω ‖ διαφημίζω κραυγαλέα ‖ *(n)* ώθηση ‖ δυνάμωμα
boot (bu:t): *(n)* μπότα, αρβύλα ‖ ''πορτ-μπαγκάζ'' ‖ κλοτσιά ‖ [-ed]: *(v)* κλοτσώ, πετάω με τις κλοτσιές ‖ **~black**: στιλβωτής, ''λούστρος''
booth (bu:θ): *(n)* θαλαμίσκος
booty (΄bu:ti): *(n)* λάφυρα ‖ κλοπιμαία
booze (bu:z) [-d]: *(v)* πίνω πολύ, ''τα κοπανάω'' ‖ *(n)* οινοπν. ποτό
border (΄bɔ:rdər) [-ed]: *(v)* συνορεύω ‖ βάζω σύνορα ‖ περιβάλλω με όρια ‖ βάζω ''μπορντούρα'' ‖ *(n)* σύνορο, όριο ‖ μεθόριος ‖ πλαίσιο, ''μπορντούρα''
bor-e (΄bɔ:r) [-d]: τρυπώ ‖ κάνω γεώτρηση ‖ προκαλώ ανία ‖ *(n)* οπή, άνοιγμα ‖ διαμέτρημα ‖ *(n)* πληκτικός άνθρωπος, ανιαρός ‖ see **bear** ‖ **~edom**: *(n)* πλήξη, ανία ‖ **~ing**: *(adj)* πληκτικός, ανιαρός ‖ *(n)* διάτρηση
born (bɔ:rn): *(adj)* γεννημένος
borne (bɔ:rn): μεταφερόμενος (see bear)
borough (΄bʌrə): *(n)* δήμος ‖ κοινότητα ‖ διοικητική περιφέρεια
borrow (΄bɔrou) [-ed]: *(v)* δανείζομαι
bosom (΄buzəm): *(n)* στήθος, ''κόρφος'' ‖ *(adj)* επιστήθιος
boss (΄bɔs) [-ed]: *(v)* επιβλέπω, εποπτεύω ‖ διευθύνω ‖ διευθύνω δικτατορικά ‖ *(n)* κύρτωμα, εξόγκωμα ‖ άξονας τροχού ‖ εργοδότης, ''αφεντικό'', προϊστάμενος ‖ **~y**: *(adj)* αυταρχικός
bosum: see boatswain
botan-ic (bo΄tænik) & **~ical**: *(adj)*

βοτανικός || ~**ist**: *(n)* βοτανολόγος || ~**y**: *(n)* βοτανική
botch (bɔtʃ) [-ed]: *(v)* επισκευάζω αδέξια ή πρόχειρα || καταστρέφω από αδεξιότητα || *(n)* κακοφτιαγμένη επισκευή
both (bouθ): *(adj)* αμφότεροι, και οι δύο || *(conj)* αλλά και, επίσης
bother (΄bɔδər) [-ed]: *(v)* ενοχλώ || ενοχλούμαι || μπαίνω στον κόπο, κάνω τον κόπο να ... || *(n)* ενόχληση, ''μπελάς''
bottle (΄bɔtəl): *(n)* φιάλη, μπουκάλι || [-d]: *(v)* εμφιαλώνω || ~**neck**: *(n)* λαιμός μπουκάλας || στενό πέρασμα || εμπόδιο, ''φρακάρισμα''
bottom (΄bɔtəm): *(n)* πυθμένας, βυθός || το κάτω μέρος || βάση || *(id)* πισινός || ~**less**: *(adj)* απύθμενος
bough (bau): *(n)* κλάδος, κλαρί
bought: see buy
boulder (΄bauldər): *(n)* ογκόλιθος, λιθάρι
boulevard (΄bu:ləva:rd): *(n)* λεωφόρος, ''βουλεβάρτο''
bounce (bauns) [-d]: *(v)* αναπηδώ || ορμώ, πετάγομαι || *(n)* πήδημα || ζωηράδα
bound (baund) [-ed]: *(v)* πηδώ, αναπηδώ || ορίζω, βάζω όρια || περιορίζω || *(adj)* προορισμένος || κατευθυνόμενος || **see bind** || *(n)* πήδημα, σκίρτημα || όριο, σύνορο || ~**ary**: *(n)* όριο || διαχωριστική γραμμή || ~**less**: *(adj)* απεριόριστος, απέραντος
bount-eous (΄bauntiəs), ~**iful** (΄bauntifəl): *(adj)* γενναιόδωρος || άφθονος, πλούσιος || ~**y**: *(n)* γενναιοδωρία || αμοιβή, δώρο
bouquet (΄bukei): *(n)* ανθοδέσμη
bourgeois (΄buərzwa:): *(n)* μεσαίας τάξης, αστός, μπουρζουά
bout (baut): *(n)* αγώνας, ''ματς'' || γύρος, περίοδος αγώνα
bow (bau) [-ed]: *(v)* κλίνω, υποκλίνομαι || σκύβω || υποκύπτω || *(n)* υπόκλιση, σκύψιμο || *(n)* πλώρη πλοίου
bow (bou) [-ed]: *(v)* κάμπτω, λυγίζω || *(n)* καμπή, κύρτωση || τόξο || δοξάρι || φιόγκος, θηλιά || ~ **legged**: *(adj)* στραβοπόδης || ~ **tie**: παπιγιόν || ~**string**: *(n)* χορδή τόξου
bowel (΄bauəl): *(n)* έντερο || ~**s**: *(n)* πεπτικό σύστημα, έντερα || σπλάχνα
bowl (boul): *(n)* ημισφαιρικό κύπελλο, ''μπολ'' || μικρή λεκάνη || η χοάνη της πίπας || το κοίλο μέρος κουταλιού
box (bɔks): *(n)* κουτί || κιβώτιο || θεωρείο || θαλαμίσκος || δύσκολη θέση, αμηχανία || χτύπημα, γροθιά || [-ed]: *(v)* βάζω σε κιβώτια || δίνω γροθιά || πυγμαχώ || ~**er**: *(n)* πυγμάχος || είδος σκύλου, ''μπόξερ'' || ~ **office**: *(n)* εκδοτήριο εισιτηρίων
boy (bɔi): *(n)* αγόρι || ~**ish**: *(adj)* παιδικός, αγορίστικος || ~**friend**: φίλος || ~**hood**: *(n)* παιδική ηλικία, παιδικά χρόνια
boycott (΄bɔikɔt) [-ed]: *(v)* αποφεύγω εκ προθέσεως να αγοράσω ή να χρησιμοποιήσω, ''μποϊκοτάρω'' || τορπιλίζω προσπάθεια || *(n)* ''μποϊκοτάζ''
bra: see brassiere
brace (breis) [-d]: *(v)* συνδέω || ενισχύω || στηρίζω, υποστηρίζω || δεσμός || υποστήριγμα || ζεύγος || ~**s**: τιράντες
bracelet (΄breislit): *(n)* βραχιόλι
bracket (΄brækit): *(n)* υποστήριγμα || αγκύλη (σημ. στίξης) || οικον. ταξινόμηση, οικον. κλίμακα || [-ed]: κλείνω σε αγκύλες ή παρενθέσεις
brackish (΄brækiʃ): *(adj)* υφάλμυρος || αηδιαστικός
brag (bræg) [-ged]: *(v)* καυχιέμαι || *(n)* καυχησιολογία || ~**gart**: *(n)* καυχησιάρης
braid (breid) [-ed]: *(v)* πλέκω, κάνω πλεξίδα || στολίζω με σειρήτι || *(n)* πλεξίδα || σειρήτι, κορδόνι
braille (breil): *(n)* σύστημα γραφής για τυφλούς, ''μπρέιγ''
brain (brein): *(n)* εγκέφαλος, μυαλό || εξυπνάδα, ''μυαλό'' || ~**less**: *(adj)* άμυαλος || ~**storm,** ~**wave**: *(n)* ξαφνική έμπνευση || ~**washing**: *(n)* πλύση εγκεφάλου
brake (breik) [-d]: *(v)* ''φρενάρω'' || *(n)* πέδηση, τροχοπέδη, φρένο || ~**man**: *(n)* τροχοπεδητής
bramble (΄bræmbəl): *(n)* βάτος
branch (bræntʃ, bra:ntʃ): *(n)* κλάδος, κλαρί || τμήμα, κλάδος || παράρτημα, υποκατάστημα || διακλάδωση || [-ed]: *(v)* βγάζω κλαδιά || διακλαδίζομαι
brand (brænd) [-ed]: *(v)* σημαδεύω, ''μαρκάρω'' || *(n)* σήμα, ''μάρκα''

|| ~**new**: *(adj)* κατακαίνουργος
brandish (΄brændiʃ) [**-ed**]: *(v)* κραδαίνω || κρατώ επιδεικτικά
brandy (΄brændi): *(n)* "μπράντυ", κονιάκ
brash (bræʃ): *(adj)* απερίσκεπτος || αναιδής
brass (bræs, bra:s): *(n)* ορείχαλκος, μπρούντζος || *(adj)* μπρούντζινος
brassiere (brə΄ziər): *(n)* στηθόδεσμος, "σουτιέν"
brat (bræt): *(n)* παλιόπαιδο, κακομαθημένο, αντιπαθητικό παιδί, "μπασταρδέλι"
bravado (brə΄va:dou): *(n)* ψευτοπαλικαριά || ψεύτικο κουράγιο
brave (breiv): *(adj)* ανδρείος, γενναίος || [-d]: *(v)* αψηφώ, αντιμετωπίζω θαρραλέα || ~**ry**: *(n)* γενναιότητα, ανδρεία
bravo (΄bra:vou): *(interj)* εύγε! μπράβο! || *(n)* πληρωμένος παλικαράς, "μπράβος"
brawl (brɔ:l) [-ed]: *(v)* συμπλέκομαι, τσακώνομαι || *(n)* θορυβώδης συμπλοκή || ~**er**: *(n)* καβγατζής, παλικαράς
brawn (brɔ:n): *(n)* αναπτυγμένο μυϊκό σύστημα || μυϊκή δύναμη || ~y: *(adj)* μυώδης, δυνατός
bray (brei) [-ed]: *(v)* ογκανίζω, "γκαρίζω" || *(n)* γκάρισμα
braze (breiz) [-d]: *(v)* συγκολλώ με τήξη || επιχαλκώνω || ~**n**: *(adj)* ορειχάλκινος, μπρούντζινος || αυθάδης
brazier (΄breiziər): *(n)* ορειχαλκουργός || μαγκάλι
Brazil (brə΄zil): *(n)* Βραζιλία || ~**ian**: *(adj & n)* Βραζιλιάνος
breach (bri:tʃ) [-ed]: *(v)* προκαλώ ρήγμα || *(n)* ρήξη, ρήγμα || αθέτηση, παράβαση, παραβίαση
bread (bred): *(n)* ψωμί
breadth (bredθ): *(n)* πλάτος
break (breik) [**broke, broken**]: *(v)* σπάζω || συντρίβω, || θραύομαι || υποχωρώ, || παραβαίνω, αθετώ || διακόπτω || τιθασεύω, δαμάζω || παθαίνω βλάβη || *(n)* σπάσιμο || τρέξιμο, απόπειρα διαφυγής || διάλειμμα || διακοπή || ~**able**: *(adj)* εύθραυστος || ~**away**: *(v)* αποσπώμαι || ξεφεύγω || ~**down**: *(n)* διακοπή, βλάβη || κατάρευση σωματική ή νευρική || ~**fast** (΄brekfəst): *(n)* πρωινό φαγητό || [-d]: *(v)* προγευματίζω || ~**in**: *(v)* κάνω διάρρηξη || επεμβαίνω || ~**neck**: *(adj)* ριψοκίνδυνος, παρακινδυνευμένος, παράτολμος || ~**water**: *(n)* κυματοθραύστης
breast (brest): *(n)* στήθος || μαστός || ~**bone**: *(n)* στέρνο || ~ **stroke**: *(n)* κολύμπι με απλωτές, απλωτή
breath (breθ): *(n)* αναπνοή || πνοή || ~**e** (bri:δ) [-d]: *(v)* αναπνέω || ψιθυρίζω σιγά || ~**less**: *(adj)* λαχανιασμένος || ~**taking**: *(adj)* καταπληκτικός, που κόβει την αναπνοή
bred: see breed
breech (bri:tʃ): *(n)* οπίσθια || ουραίο όπλου
breed (bri:d) [bred, bred]: *(v)* αναπαράγω, αναπαράγομαι || τρέφω, ανατρέφω || *(n)* γένος, γενιά || ~**ing**: *(n)* ανατροφή || αναπαραγωγή || καταγωγή
breez-e (bri:z): *(n)* αύρα, ελαφρό αεράκι
brevity (΄breviti): *(n)* συντομία
brew (bru:) [-ed]: *(v)* κατασκευάζω μπίρα || βράζω, βράζομαι || επίκειμαι, είμαι έτοιμος να ξεσπάσω || μηχανεύομαι || ~**ery**: *(n)* εργοστάσιο μπίρας
briar (΄braiər): *(n)* βάτος
bribe (braib) [-d]: *(v)* δωροδοκώ || εξαγοράζω || *(n)* δεκασμός, δωροδοκία || ~**ry**: *(n)* δωροδοκία
brick (brik): *(n)* πλίνθος, τούβλο || [-ed]: *(v)* κάνω πλινθοδομή || ~**layer**: *(n)* χτίστης
brid-e (braid): *(n)* νύφη || μνηστή, μελλόνυμφη || ~**al**: *(adj)* γαμήλιος, νυφικός || ~**e groom**: *(n)* γαμπρός || ~**es maid**: *(n)* παράνυμφος
bridge (bridz): *(n)* γέφυρα || γέφυρα πλοίου || κυρτό σημείο της μύτης || είδος χαρτοπαιγνίου, "μπρίτζ" || [-d]: *(v)* γεφυρώνω || ~**head**: *(n)* προγεφύρωμα
bridle (΄braidəl) [-d]: *(v)* χαλιναγωγώ, βάζω χαλινάρι || *(n)* χαλινός
brief (bri:f): *(adj)* βραχύς, σύντομος || περιληπτικός || δικογραφία || [-ed]: *(v)* συνοψίζω || ενημερώνω, καθοδηγώ || ~**case**: *(n)* χαρτοφύλακας
brigad-e (bri΄geid): *(n)* ταξιαρχία || ~**ier** (brigə΄diər), ~**ier general**: *(n)* ταξίαρχος
bright (brait): *(adj)* λαμπρός || φωτεινός || έξυπνος || χαρούμενος, εύθυμος || ~**en** [-ed]: *(v)* φωτίζομαι || λα-

μπρύνω ‖ φαιδρύνω, φαιδρύνομαι
brillian-ce (΄briljəns): *(n)* λαμπρότητα ‖ φωτεινότητα ‖ λάμψη ‖ εξυπνάδα, ιδιοφυΐα ‖ **~t**: *(adj)* λαμπερός ‖ φωτεινός ‖ πανέξυπνος, ευφυής
brim (brim): *(n)* χείλη δοχείου ‖ γύρος καπέλου, "μπορ" ‖ [-med]: *(v)* ξεχειλίζω, γεμίζω ως επάνω ‖ **~ful**: *(adj)* ξέχειλος, γεμάτος
brine (brain): άλμη, αλατόνερο
bring (briŋ) [brought, brought]: *(v)* φέρνω ‖ προκαλώ ‖ **~about**: *(v)* προκαλώ‖ **~off**: φέρνω σε πέρας, τελειώνω ‖ παράγω ‖ **~ round**: κάνω να συνέλθει, επαναφέρω ‖ **~ to**: επαναφέρω ‖ **~ up**: ανατρέφω ‖ αναφέρω, ανακινώ
brink (briŋk): *(n)* χείλος ‖ άκρη
brisk (brisk): *(adj)* ζωηρός, σβέλτος ‖ δροσερός, ζωογόνος
bristle (΄brisəl) [-d]: *(v)* ανατριχιάζω, φρίττω ‖ μου σηκώνονται οι τρίχες ‖ θυμώνω ‖ *(n)* σκληρή τρίχα ‖ **~ with**: *(v)* είμαι γεμάτος ή σκεπασμένος από...
Brit-ain (΄britən): *(n)* Βρετανία ‖ **~ish**: *(adj & n)* βρετανικός, Βρετανός ‖ **~on**: *(n)* Βρετανός
brittle (΄britəl): *(adj)* εύθραστος ‖ οξύθυμος, αψύς
broach (broutʃ) [-ed]: *(v)* θίγω θέμα
broad (brɔ:d): *(adj)* πλατύς ‖ κύριος, βασικός ‖ **~cast**: *(n)* εκπομπή ‖ *(v)* εκπέμπω, μεταδίδω ‖ **~en** [-d]: *(v)* ευρύνω, διαπλατύνω ‖ ευρύνομαι ‖ **~minded**: *(adj)* ευρείας αντίληψης ‖ **~side**: *(n)* ομοβροντία
brochure (brou΄ʃu:ər): *(n)* ενημερωτικό φυλλάδιο, "μπροσούρα"
broil (brɔil) [-ed]: *(v)* ψήνω σε ψησταριά ‖ καίγομαι ‖ *(n)* ψητό ‖ **~er**: *(n)* σχάρα, ψησταριά
broke (brouk): see break ‖ *(adj)* απένταρος ‖ **~n**: see break ‖ **~r**: *(n)* μεσίτης ‖ χρηματομεσίτης
bronch-itis (brɔŋ΄kaitis): *(n)* βρογχίτιδα
bronze (brɔnz): *(n)* ορείχαλκος, "μπρούντζος" ‖ *(adj)* ορειχάλκινος, μπρούντζινος
brooch (bru:tʃ): *(n)* πόρπη, καρφίτσα
brood (bru:d) [-ed]: *(v)* κλωσσώ ‖ είμαι κατσουφιασμένος, μελαγχολώ ‖ *(n)* γενιά, κοπάδι νεοσσών ‖ γενιά, βλαστάρια
brook (bruk) [-ed]:*(n)* ρυάκι
broom (brum): *(n)* σκούπα ‖ **~stick**: *(n)* σκουπόξυλο
broth (brɔθ): *(n)* ζωμός κρέατος
brothel (΄brɔðəl): *(n)* οίκος ανοχής, "μπορντέλο"
brother (΄brʌðər): *(n)* αδελφός ‖ **~hood**: *(n)* αδελφότητα ‖ αδελφοσύνη ‖ **~ in - law**: *(n)* κουνιάδος, γαμπρός από αδελφή
brought: see bring
brow (brau): *(n)* μέτωπο ‖ φρύδι ‖ παρυφή ‖ **~ beat**: *(v)* εκφοβίζω ‖ φέρομαι αυταρχικά
brown (braun): *(adj)* καστανός, καφέ χρώματος ‖ [-ed]: *(v)* σκουραίνω, μαυρίζω ‖ καβουρδίζω
browse (brauz) [-d]: *(v)* βόσκω ‖ κοιτάζω με την ησυχία μου, "χαζεύω"
bruise (bru:z) [-d]: *(v)* μωλωπίζω ‖ χτυπώ δυνατά ‖ *(n)* μώλωπας
brunch (brʌntʃ): *(n)* κολατσιό
brunet (bru:΄net): *(adj)* μελαχρινός ‖ **~te**: μελαχρινή
brunt (brʌnt): *(n)* ορμή ‖ βάρος χτυπήματος
brush (brʌʃ) [-ed]: *(v)* βουρτσίζω ‖ αγγίζω ελαφρά ‖ *(n)* βούρτσα ‖ βούρτσισμα ‖ άγγιγμα
brusque or brusk (brusk): *(adj)* απότομος, τραχύς
brut-al (΄bru:təl): *(adj)* κτηνώδης ‖ σκληρός ‖ **~ality**: *(n)* θηριωδία, κτηνωδία ‖ **~e**: *(n)* κτήνος ‖ **~ish**: *(adj)* κτηνώδης
bubble (΄bʌbəl): *(n)* φυσαλίδα ‖ [-d]: *(v)* σχηματίζω φυσαλίδες ‖ κελαρύζω ‖ κοχλάζω ‖ ξεχειλίζω από ενεργητικότητα ‖ **~ gum**: *(n)* μαστίχα που κάνει φούσκα ‖ **~ over**: *(v)* ξεχειλίζω
buck (bʌk): *(n)* αρσενικό ελάφι ‖ [-ed]: *(v)* σηκώνομαι στα πισινά (για τ' άλογα) ‖ αντιστέκομαι, αντιμετωπίζω ‖ **~ up**: *(v)* παίρνω θάρρος
bucket (΄bʌkit): *(n)* κουβάς
buckle (΄bʌkəl) [-d]: *(v)* συνδέω με πόρπη ‖ λυγίζω ‖ υποχωρώ ‖ πόρπη, "αγκράφα" ‖ κύρτωση, κάμψη ‖ υποχώρηση
buckshot (΄bʌkʃɔt): *(n)* σκάγια
bud (bʌd) [-ded]: *(v)* βγάζω μπουμπούκια ‖ θάλλω ‖ *(n)* μπουμπούκι ‖ **~dy**: *(n)* στενός φίλος, αχώριστος φίλος

budge (bʌdz) [-d]: *(v)* σαλεύω, μετακινούμαι λίγο || αλλάζω γνώμη ή στάση
budget (΄bʌdzit): *(n)* προϋπολογισμός || [-ed]: *(v)* ετοιμάζω προϋπολογισμό
buff (bʌf) [-ed]: *(v)* στιλβώνω || απορροφώ δόνηση || *(n)* δέρμα αιγάγρου, ''σαμουά'' || δερμάτινο σακάκι || φανατικός οπαδός *(id)* || **~er**: *(n)* αποσβεστήρας δονήσεως || προσκρουστήρας
buffalo (΄bʌfəlou): *(n)* βούβαλος
buffet (΄bʌfit) [-ed]: *(v)* χτυπώ επανειλημμένα, γροθοκοπώ || παλεύω || *(n)* χτύπημα || (bu΄fei): *(n)* μπουφές || φαγητό ''μπουφέ''
buffoon (bə΄fu:n): *(n)* γελωτοποιός, παλιάτσος || χαζός
bug (bʌg): *(n)* σκαθάρι || κατσαρίδα || [-ged]: *(v)* προεξέχω || **~gy**: *(n)* αμαξάκι
bugle (΄bju:gəl) [-d]: *(v)* σαλπίζω || σάλπιγγα || **~r**: *(n)* σαλπιγκτής
build (bild) [built, built]: *(v)* οικοδομώ, κατασκευάζω || δυναμώνω || *(n)* σωματική κατασκευή || **~er**: *(n)* οικοδόμος, κατασκευαστής || **~ing**: *(n)* οικοδομή, κατασκευή
built (bilt): see build || **~ in**: *(adj)* εντοιχισμένος || ενσωματωμένος || **~ up**: *(adj)* σύνθετος
bulb (bʌlb): *(n)* βολβός || λυχνία, λαμπτήρας
Bulgaria (bʌl΄geəriə): *(n)* Βουλγαρία || **~n**: *(n & adj)* Βούλγαρος, βουλγαρικός
bulge (bʌldz) [-d]: *(v)* εξογκώνομαι || φουσκώνω || κυρτώνομαι || *(n)* εξόγκωμα || διόγκωση || κύρτωση
bulk (bʌlk): *(n)* όγκος, μάζα || το κύριο μέρος, το μεγαλύτερο μέρος|| **~head**: *(n)* διαχώρισμα πλοίου || **~y**: *(adj)* ογκώδης
bull (bul): *(n)* ταύρος || αρσ. ελέφαντας|| **~dog**: *(n)* μπουλντόκ || **~dozer**: *(n)* εκσκαφέας, ''μπουλντόζα'' || **~ fight**: *(n)* ταυρομαχία || **~'s eye**: κέντρο στόχου, ''διάνα'' || **~y**: τρομοκράτης, ''νταής'' || *(v)* κάνω τον παλικαρά, τρομοκρατώ
bullet (΄bulit): *(n)* σφαίρα
bulletin (΄bulətin): *(n)* δελτίο
bullion (΄buljən): *(n)* όγκος ή ράβδοι χρυσού ή αργύρου
bullock (΄bulək): *(n)* μικρός ταύρος || ευνουχισμένος ταύρος
bulrush (΄bulrʌʃ): *(n)* βούρλο
bum (bʌm) [-med]: *(v)* αλητεύω || τεμπελιάζω || κάνω ''τράκα'', ''σελεμίζω'' || *(n)* αλήτης || τεμπέλης, άνεργος
bumble (΄bʌmbəl) [-d]: *(v)* βομβώ || **~ bee**: *(n)* μεγάλη μέλισσα, ''μπάμπουρας''
bump (bʌmp) [-ed]: *(v)* προσκρούω, πέφτω επάνω || *(n)* πρόσκρουση, ''τρακάρισμα''|| ανωμαλία δρόμου || κενό αέρος || **~er**: *(n)* προσκρουστήρας || προφυλακτήρας αυτοκ.
bumptious (΄bʌmpʃəs): *(adj)* ψευτοπερήφανος
bun (bʌn): *(n)* ψωμάκι || κότσος μαλλιών
bunch (bʌntʃ) [-ed]: *(v)* κάνω δέμα, κάνω ''μάτσο'' || σχηματίζω ομάδα || *(n)* δέσμη || δέμα, ''μάτσο'' || τσαμπί || ομάδα
bundle (΄bʌndəl) [-d]: *(v)* κάνω δέμα, τυλίγω || *(n)* δέμα, δέσμη
bung (bʌŋ) [-ed]: *(v)* βουλώνω || *(n)* βούλωμα
bungalow (΄bʌŋgəlou): *(n)* μονόροφο σπίτι, ''μπάγκαλοου''
bungle (΄bʌŋgəl) [-d]: *(v)* κάνω κάτι αδέξια || χαλάω τη δουλειά
bunion (΄bʌnjən): *(n)* κάλος
bunk (΄bʌŋk) || *(n)* κρεβάτι υπνωτηρίου || κρεβάτι πλοίου, ''κουκέτα''
bunker (΄bʌŋkər): *(n)* πρόχωμα, οχυρό || ανθρακαποθήκη
bunny (΄bʌni): *(n)* κουνελάκι
bunt (΄bʌnt) [-ed]: *(v)* χτυπώ με το μέτωπο, ''κουτουλώ''
bunting (΄bʌntiŋ): *(n)* σημαίες, σημαιοστολισμός
buoy (bɔi): *(n)* σημαντήρας, ''σημαδούρα'' || **~ancy**: *(n)* πλευστότητα || ζωηρότητα || **~ant**: *(adj)* επιπλέων || εύθυμος, φαιδρός, ζωηρός
bur (bə:r): *(n)* αγκάθι, ''κολλιτσίδα'' || ενοχλητικός, ''κολλιτσίδα'' || γλύφανο, περιστροφικό κοπίδι
burden (΄bə:rdn) [-ed]: *(v)* επιβαρύνω || φορτώνω || *(n)* φορτίο, βάρος
bureau (΄bjuərou): *(n)* γραφείο || υπηρεσία || **~cracy**: *(n)* γραφειοκρατία || **~crat**: *(n)* γραφειοκράτης || **~cratic**: *(adj)* γραφειοκρατικός
burglar (΄bə:rglər): *(n)* διαρρήκτης || **~ize** [-d]: *(v)* κάνω διάρρηξη ||

~y: *(n)* διάρρηξη
burgle: see burglarize
burial (΄beriəl): *(n)* ταφή ‖ κηδεία ‖ ~ **ground**: *(n)* νεκροταφείο
burlap (΄bə:rlæp): *(n)* χοντρόπανο, "λινάτσα"
burlesque (bə:r΄lesk): *(n)* παρωδία ‖ εύθυμη θεατρική επιθεώρηση
burly (΄bə:rli): *(adj)* μεγαλόσωμος και μυώδης
burn (bə:rn) [burnt, burnt]: *(v)* καίω ‖ καίομαι ‖ *(n)* έγκαυμα
burnish (΄bə:rniʃ) [-ed]: *(v)* στιλβώνω
burnt: see burn
burp (bə:rp) [-ed]: *(v)* ρεύομαι *(id)* ‖ *(n)* ρέψιμο
burrow (΄bʌrou) [-ed]: *(v)* ανοίγω τρύπα ή χώνομαι σε τρύπα ‖ *(n)* υπόγεια τρύπα, "λαγούμι"
bursar (΄bə:rsər): *(n)* ταμίας, θησαυροφύλακας
burst (΄bə:rst) [burst, burst]: *(v)* σκάω, εκρήγνυμαι ‖ προκαλώ έκρηξη ‖ ξεσπάω ‖ *(n)* έκρηξη ‖ ριπή
bury (΄beri) [-ied]: *(v)* θάβω ‖ τρυπώνω, χώνομαι
bus (bʌs): *(n)* λεωφορείο
bush (buʃ): *(n)* θάμνος ‖ λόχμη ‖ ~**y**: *(adj)* δασύς ‖ φουντωτός
bushel (΄buʃəl): *(n)* μονάδα όγκου "μπούσελ" (Αμερ. 2150,42 κυβ. ίντσες, Αγγλ. 2219,36 κ. ι)
busi-ly (΄bizili): *(adv)* δραστήρια, ενεργητικά ‖ ~**ness** (΄biznəs): *(n)* εργασία, ασχολία ‖ επιχείρηση ‖ υπόθεση ‖ ~**nessman**: *(n)* επιχειρηματίας ‖ ~**nesslike**: *(adj)* πρακτικός ‖ σαφής
buskin (΄bʌskin): *(n)* δετή μπότα
bust (bʌst) [-ed]: *(v)* σπάζω ‖ προκαλώ χρεοκοπία ‖ στήθος, "μπούστος" ‖ προτομή
bustl-e (΄bʌsəl) [-d]: *(v)* μετακινούμαι με θόρυβο ή φασαρία ‖ *(n)* φασαρία, ταραχή
busy (΄bizi) [-ied]: *(v)* ασχολούμαι, απασχολούμαι ‖ *(adj)* απασχολημένος ‖ πολυάσχολος
but (bʌt): *(conj)* αλλά, όμως ‖ μόνο, μόλις, παρά
butcher (΄butʃər): *(n)* σφαγέας ‖ κρεοπώλης, χασάπης ‖ [-ed]: *(v)* σφάζω ‖ κατακρεουργώ
butler (΄bʌtlər): *(n)* οικονόμος, επιστάτης, επικεφαλής υπηρετικού προσωπικού
butt (bʌt) [-ed]: *(v)* χτυπώ με το κεφάλι, "κουτουλώ" ‖ προεξέχω ‖ *(n)* άκρο ‖ υποκόπανος ‖ στόχος ‖ αποτσίγαρο *(id)*
butte (΄bjut): *(n)* ύψωμα, γήλοφος
butter (΄bʌtər): *(n)* βούτυρο ‖ [-ed]: *(v)* βουτυρώνω, αλείφω με βούτυρο ‖ ~**fly**: *(n)* πεταλούδα
buttock (΄bʌtək): *(n)* γλουτός
button (΄bʌtn) [-ed]: *(v)* κουμπώνω ‖ *(n)* κουμπί ‖ ~**hole**: *(n)* κομβιοδόχη, κουμπότρυπα
buttress (΄bʌtris): *(n)* αντέρεισμα ‖ [-ed]: *(v)* τοποθετώ αντέρεισμα ή αντηρίδες
buxom (΄bʌksəm): *(adj)* στρουμπουλή
buy (bai) [bought, bought]: *(v)* αγοράζω ‖ ~**er**: *(n)* αγοραστής ‖ ~ **off** *(v)* εξαγοράζω
buzz (bʌz) [-ed]: *(v)* βομβώ ‖ ειδοποιώ με βομβητή ‖ *(n)* βόμβος, βουητό ‖ ~**er**: *(n)* βομβητής
buzzard (΄bʌzərd): *(n)* γύπας, όρνι[ο] ‖ γεράκι ‖ αρπακτικός, αχόρταγος
by (bai): *(prep)* υπό, διά, κατά, απ[ό] ‖ *(adv)* κοντά ‖ ~ **election**: αναπληρωματική εκλογή ‖ ~ **far**: κατ[ά] πολύ ‖ ~ **gone**: περασμένος ‖ ~ **law**: τοπικός νόμος ‖ κανονισμό[ς] ‖ ~**pass**: παρακάμπτω ‖ παρακα[μ]μπτήριος ‖ ~ **product**: υποπροϊό[ν] ‖ ~**stander**: τυχαίος θεατής
bye (bai): ~ **bye**: γειά σου, αντίο

C

cabaret (΄kæbərei): *(n)* "καμπαρέ"
cabbage (΄kæbidz): *(n)* λάχανο, καρπολάχανο ‖ χρήματα, "μασούρι" *(id)*
cabin (΄kæbin): *(n)* καλύβα ‖ καμπί[ν]να ‖ ~ **cruiser**: *(n)* βενζινάκατος μ[ε] καμπίνα
cabinet (΄kæbinit): *(n)* ντουλάπα

υπουργικό συμβούλιο || ~ **maker**: *(n)* επιπλοποιός || ~ **minister**: *(n)* μέλος κυβέρνησης
cable (΄keibl): *(n)* καλώδιο || παλαμάρι || τηλεγράφημα || [-d]: *(v)* τηλεγραφώ || ~**gram**: *(n)* τηλεγράφημα
cacao (kə΄ka:ou): *(n)* κακαόδεντρο || κακάο
cache (kæʃ) [-d]: *(v)* κρύβω, βάζω στην "μπάντα" || *(n)* κρύπτη, κρυψώνα || κρυμμένα πράγματα
cackle (΄kækəl) [-d]: *(v)* κακαρίζω || *(n)* κακάρισμα
cactus (΄kæktəs): *(n)* κάκτος
cadaver (kə΄dævər): *(n)* πτώμα
cadet (kə΄det): *(n)* μαθητής στρατ. σχολής || υστερότοκος
cadge (kædz) [-d]: *(v)* ζητιανεύω, "κάνω τράκα"
Caesar (΄si:zər): *(n)* Καίσαρας || ~**ean**: *(adj)* καισαρικός || ~**ean section**: *(n)* καισαρική τομή
cafe (kæ΄fei): *(n)* εστιατόριο, καφεστιατόριο || ~**teria** (kæfə΄tiriə): *(n)* εστιατόριο "σελφ-σέρβις", καφετερία
cage (keidz) [-d]: *(v)* εγκλωβίζω || *(n)* κλουβί
cajole (kə΄dzoul) [-d]: *(v)* καλοπιάνω
cake (keik): *(n)* γλύκισμα, "κέικ" || πλάκα, κομμάτι
calamit-ous (kə΄læmitəs): *(adj)* ολέθριος || ~**y**: *(n)* όλεθρος, συμφορά
calcium (΄kalsiəm): *(n)* ασβέστιο
calculat-e (΄kælkjuleit) [-d]: *(v)* υπολογίζω || σκοπεύω, λογαριάζω || ~**ion**: *(n)* υπολογισμός || ~**or**: *(n)* υπολογιστική μηχανή, "καλκιουλέιτορ"
calculus (΄kælkjuləs): *(n)* λογισμός *(math)*
caldron or **cauldron** (΄kə:ldrən): *(n)* καζάνι
calendar (΄kæləndər): *(n)* ημερολόγιο
calf (ka:f): *(n)* μοσχάρι || μικρός ελέφαντας κλπ. || γάμπα
caliber (΄kælibər): *(n)* διαμέτρημα || ολκή, αξία
calibrate (΄kæləbreit) [-d]: *(v)* μετρώ διαμέτρημα
calisthenics or **callisthenics** (kæləs΄-θeniks): *(n)* γυμναστική
call (kə:l) [-ed]: *(v)* καλώ || φωνάζω || συγκαλώ || τηλεφωνώ || ονομάζω || επισκέπτομαι || *(n)* φωνή || κλήση || επίσκεψη || πρόσκληση || τηλεφώνημα || ~**er**: *(n)* επισκέπτης || ~**girl**: *(n)* πόρνη || ~ **on**: επισκέπτομαι || ~ **up**: *(v)* καλώ τηλ/κώς || καλώ κλάση
callous (΄kæləs): *(adj)* γεμάτος κάλους, σκληρυμμένος || αναίσθητος, πωρωμένος
calm (ka:m) [-ed]: *(v)* καταπραΰνω, καθησυχάζω || καθησυχάζω, ηρεμώ || *(n)* ηρεμία, γαλήνη || αταραξία
calorie (΄kæləri): *(n)* θερμίδα
calve (ka:v) [-d]: *(v)* γεννώ (επί ζώων)
camber (΄kæmbər): *(n)* κυρτότητα || εγκάρσια κλίση οδού
came: see come
camel (΄kæməl): *(n)* καμήλα
camera (΄kæmərə): *(n)* φωτογραφική μηχανή
camouflage (΄kæməfla:z) [-d]: *(v)* "καμουφλάρω" || *(n)* καμουφλάζ
camp (kæmp) [-ed]: *(v)* κατασκηνώνω || στρατοπεδεύω || *(n)* κατασκήνωση || στρατόπεδο
campaign (kæm΄pein) [-ed]: *(v)* εκστρατεύω || κάνω "καμπάνια" || *(n)* εκστρατεία || "καμπάνια"
campus (΄kæmpəs): *(n)* σχολείο με την περιοχή του
can (kæn) [could]: *(v)* μπορώ, είμαι σε θέση || κονσερβοποιώ || απολύω, διώχνω *(id)* || *(n)* κουτί, τενεκές || κονσέρβα || φυλακή *(id)* || αποχωρητήριο *(id)*
canal (kə΄næl): *(n)* διώρυγα, "κανάλι" || πόρος || αγωγός || [-ed]: *(v)* φτιάνω κανάλι
canary (kə΄neəri): *(n)* καναρίνι
cancel (΄kænsəl) [-ed, -led]: *(v)* ακυρώνω || διαγράφω || εξουδετερώνω, εξισώνω || εξαλείφω || απλοποιώ *(math)* || ~**lation**: *(n)* διαγραφή || ακύρωση
cancer (΄kænsər): *(n)* καρκίνος
candid (΄kændid): *(adj)* αμερόληπτος || ειλικρινής || αφελής, μη εξεζητημένος
candida-cy (΄kændədəsi): *(n)* υποψηφιότητα || ~**te** (΄kændədeit): *(n)* υποψήφιος
candle (΄kændəl): *(n)* κερί || ~**mas**: *(n)* Υπαπαντή
candor or **candour** (΄kændər): *(n)* αμεροληψία || ευθύτητα, ειλικρίνεια
candy (΄kændi): *(n)* ζαχαρωτό || καραμέλα

cane (kein): *(n)* καλάμι || ραβδί, μπαστούνι
canine (΄keinain): *(adj)* σκυλίσιος || *(n)* κυνόδους
canister (΄kænistər): *(n)* μεταλλικό κουτί, δοχείο ή κιβώτιο
cannibal (΄kænibəl): *(n)* ανθρωποφάγος, "κανίβαλος"
cannon (΄kænən) [-ed]: *(v)* κανονιοβολώ || *(n)* τηλεβόλο, πυροβόλο
cannot (΄kænət): can not (see can)
canny (΄kæni): *(adj)* επιδέξιος || πονηρός
canoe (kə΄nu:): *(n)* μονόκωνο, "κανό"
canon (΄kænən): *(n)* κανόνας, κώδικας || εκκλ. κανόνας || κριτήριο
canopy (΄kænəpi): *(n)* προστέγασμα || θόλος || σκιάδα
can't: see cannot
cantankerous (kən΄tæŋkərəs): *(adj)* κακότροπος, ανάποδος
canteen (kæn΄ti:n): *(n)* κέντρο ψυχαγωγίας οπλιτών || καντίνα || παγούρι
canter (΄kæntər) [-ed]: *(v)* τριποδίζω || *(n)* τριποδισμός
canvas (΄kænvəs): *(n)* καραβόπανο, "καναβάτσο" || πανιά ιστιοφόρου || μουσαμάς ζωγραφικής
canvass (΄kænvəs) [-ed]: *(v)* εξετάζω, ερευνώ || αγρεύω (ψήφους, γνώμη κλπ.) || σφυγμομετρώ γνώμη || *(n)* εξέταση, έρευνα || άγρα ψήφων, συνδρομών κλπ. || **~er**: *(n)* πλασιέ
cap (kæp): *(n)* κάλυμμα || πηλίκιο || κιονόκρανο || σκούφος || βούλωμα || [-ped]: *(v)* βουλώνω || καλύπτω || ξεπερνώ
capab-ility (keibə΄biliti): *(n)* ικανότητα || αξία || **~le** (΄keipəbəl): *(adj)* ικανός || άξιος
capaci-ous (kə΄peiʃəs): *(adj)* ευρύχωρος || **~ty** (kə΄pæsiti): *(n)* χωρητικότητα || απόδοση || ικανότητα || θέση, ιδιότητα
cape (keip): *(n)* ακρωτήριο || κάπα, "πελερίνα"
capital (΄kæpitəl): *(n)* πρωτεύουσα || κεφάλαιο || κεφαλαίο γράμμα || εξαίρετος, υπέροχος || κιονόκρανο || **~ism**: *(n)* κεφαλαιοκρατία, "καπιταλισμός" || **~ist**: *(n)* κεφαλαιοκράτης, "καπιταλιστής" || **~ize** (΄kæpitəlaiz) [-d]: *(v)* επωφελούμαι || γράφω με κεφαλαία || **~ punishment**: *(n)* θανατική ποινή
capitulat-e (kə΄pitjuleit) [-d]: *(v)* υποκύπτω || συνθηκολογώ
capric-e (kə΄pri:s): *(n)* ιδιοτροπία || **~ious**: *(adj)* ιδιότροπος
capsize (΄kæpsaiz) [-d]: *(v)* ανατρέπω
captain (΄kæptən): *(n)* αρχηγός || πλοίαρχος || λοχαγός
caption (΄kæpʃən): *(n)* επικεφαλίδα || επεξήγηση || υπότιτλος ταινίας || "λεζάντα" || [-ed]: *(v)* βάζω τίτλο ή λεζάντα
captivate (΄kæptiveit) [-d]: *(v)* σαγηνεύω, γοητεύω || τραβώ το ενδιαφέρον
capt-ive (΄kæptiv): *(n)* αιχμάλωτος || δέσμιος, σκλάβος || **~ivity**: *(n)* αιχμαλωσία || δεσμά || **~ure** (΄kæptʃər): *(n)* σύλληψη, αιχμαλωσία || κατάληψη, πόρθηση || [-d]: *(v)* αιχμαλωτίζω, συλλαμβάνω
car (ka:r): *(n)* αυτοκίνητο || βαγόνι || θαλαμίσκος ανελκυστήρα
carafe (kə΄ra:f): *(n)* φιάλη, "καράφα"
carat (΄kærət): *(n)* καράτι
caravan (΄kærəvæn): *(n)* καραβάνι || αυτοκίνητο "καραβάν"
carbine (΄kærbain): *(n)* καραμπίνα
carbon (΄karbən): *(n)* άνθρακας || **~ copy**: *(n)* αντίγραφο με καρμπόν || πανομοιότυπος, ολόϊδιος
carboy (΄ka:rbəi:): *(n)* δαμιτζάνα
carburetor or **carburettor** (΄kærbəretər): *(n)* αναμεικτήρας, "καρμπυρατέρ"
carcass (΄ka:rkəs): *(n)* πτώμα || απομεινάρια, σκελετός
card (ka:rd): *(n)* δελτάριο || επισκεπτήριο, κάρτα || τραπουλόχαρτο || **~board**: *(n)* χαρτόνι
cardiac: (΄ka:rdiæk): *(adj)* καρδιακός
cardigan (΄ka:rdigən): *(n)* πλεχτό γιλέκο
cardinal (΄ka:rdinəl): *(adj)* σπουδαίος, κυριότερος || *(n)* καρδινάλιος || **~ number**: *(n)* απόλυτο αριθμητικό
cardio-gram (΄ka:rdi:əgram): *(n)* καρδιογράφημα || **~logist** (ca:rdi΄alədjist): *(n)* καρδιολόγος
care (keər) [-d]: *(v)* ενδιαφέρομαι || φροντίζω, προσέχω || *(n)* μέριμνα, φροντίδα || σύνεση || **~free**: *(adj)*

αμέριμνος, ξένοιαστος || **~ful**: *(adj)* προσεκτικός || **~less**: *(adj)* απρόσεκτος
career (kəˊriər): *(n)* σταδιοδρομία, "καριέρα"
caress (kəˊres) [-ed]: *(v)* χαϊδεύω || *(n)* θωπεία, χάδι
cargo (ˊka:rgou): *(n)* φορτίο
caricature (ˊkærikətjuər): *(n)* γελοιογραφία || [-d]: *(v)* γελοιογραφώ, σατυρίζω
carnage (ˊka:rnidz): *(n)* σφαγή, "μακελειό"
carnal (ˊka:rnəl): *(adj)* σαρκικός
carnation (ka:rˊneiʃən): *(n)* γαρίφαλο
carnival (ˊka:rnivəl): *(n)* καρναβάλι
carnivor-e (ˊka:rnivəər): *(n)* σαρκοφάγο
carob (ˊkærəb): *(n)* χαρουπιά || χαρούπι
carol (ˊkærəl): *(n)* κάλαντα
carousel (ˊkærəˊsəl): *(n)* κούνιες, "αλογάκια" λούνα-παρκ
carp (ka:rp) [-ed]: *(v)* επικρίνω, βρίσκω σφάλματα || *(n)* κυπρίνος, "σαζάνι"
carpent-er (ˊka:rpəntər): *(n)* ξυλουργός || **~ry**: *(n)* ξυλουργική
carpet (ˊka:rpit): *(n)* χαλί
carriage (ˊkæridz): *(n)* άμαξα || όχημα, βαγόνι || μεταφορικά || στάση, συμπεριφορά
carrier (ˊkæriər): *(n)* φορέας || μεταφορέας || αεροπλανοφόρο || **~ pigeon**: *(n)* ταχυδρομικό περιστέρι
carrion (ˊkæriən): *(n)* νεκρό ζώο, "ψοφίμι"
carrot (ˊkærət): *(n)* καρότο
carry (ˊkæri) [-ied]: *(v)* φέρω, μεταφέρω || σηκώνω || φέρω ευθύνη || είμαι έγκυος || **~ away**: *(n)* παρασύρω || **~ out**: *(v)* εκτελώ || **~ over**: εκ μεταφοράς, εις μεταφοράν
cart (ka:rt) [-ed]: *(v)* μεταφέρω με άμαξα ή κάρο || κουβαλώ || κάρο
carte blanche (ka:rt bla:nʃ): εν λευκώ
cartilage (ˊka:rtilidz): *(n)* χόνδρος
carton (ˊka:rtən): *(n)* χαρτοκιβώτιο || κούτα
cartoon (ka:rˊtu:n): γελοιογραφία || ιστορία με σκίτσα || κινούμενη εικόνα || [-ed]: *(v)* γελοιογραφώ, σκιτσάρω || **~ist**: *(n)* σκιτσογράφος, γελοιογράφος
cartridge (ˊka:rtridz): *(n)* φυσίγγιο || πηνίο ταινίας, "κασέτα"
carv-e (ka:rv) [-d]: *(v)* λαξεύω || χαράζω, κόβω || **~ing**: *(n)* λάξευση, σκάλισμα || γλυπτό
cascade (kæsˊkeid) [-d]: *(v)* πέφτω σαν καταρράχτης || *(n)* καταρράχτης
case (keis): *(n)* υπόθεση || περίπτωση || θέμα, ζήτημα || πτώση γραμματικής || περίβλημα, θήκη || **~ment**: *(n)* πλαίσιο παράθυρου
cash (kæʃ) [-ed]: *(v)* εξαργυρώνω || *(n)* ρευστό χρήμα, μετρητά || **~ in**: *(v)* εξαργυρώνω || πεθαίνω *(id)* || **~ register**: *(n)* υπολογιστική μηχανή ταμείου || **~ier** (kæˊʃi:r): *(n)* ταμίας || **~ ier** [-ed]: αποτάσσω από στρατό
cask (ka:sk): *(n)* βαρέλι
casket (ˊka:skit): *(n)* κασετίνα || κοσμηματοθήκη || φέρετρο
casserole (ˊkæsəroul): *(n)* κατσαρόλα || φαγητό κατσαρόλας, "γιουβέτσι"
cassock (ˊkæsək): *(n)* ράσο
cast (kæst, ka:st) [cast, cast]: *(v)* εκσφενδονίζω || απορρίπτω || διανέμω ρόλους έργου || χύνω σε καλούπι || *(n)* ρίψη || χύσιμο || εκμαγείο || διανομή ρόλων || γύψος, επίδεσμος καταγμάτων || *(adj)* χυτός || **~ iron**: *(n)* χυτοσίδηρος
castanets (kæstəˊnets): *(n)* καστανιέτες
caste (ka:st): *(n)* κοινωνική τάξη
castigate (ˊkæstəgeit) [-d]: επικρίνω || τιμωρώ
castle (ˊkæsəl): *(n)* φρούριο || πύργος
castor (ˊkæstər): *(n)* καστόρινο καπέλο || **~ oil**: *(n)* ρετσινόλαδο
castrat-e (kæˊstreit) [-d]: *(v)* ευνουχίζω
casual (ˊkæzjuəl): *(adj)* τυχαίος, στην τύχη || απροσχεδίαστος || μη τυπικός || **~ty**: *(n)* δυστύχημα || νεκρός ή τραυματίας σε δυστύχημα ή πόλεμο
cat (kæt): *(n)* γάτα
catalogue, catalog (ˊkætələg): *(n)* κατάλογος || [-ed]: *(v)* φτιάνω ή γράφω σε κατάλογο
catalyst (ˊkætəlist): *(n)* καταλύτης
catapult (ˊkætəpʌlt) [-ed]: *(v)* εκσφενδονίζω || εκσφενδονίζομαι || *(n)* καταπέλτης || σφενδόνα

cataract (΄kætərækt): *(n)* καταρράχτης
catarrh (kə΄ta:r): *(n)* κατάρρους, καταρροή || **~al**: *(adj)* καταρροϊκός
catastroph-e (kə΄tæstrəfi): *(n)* καταστροφή
catch (kætʃ) [caught, caught]: *(v)* συλλαμβάνω || πιάνω, αρπάζω || *(n)* σύλληψη || άγκιστρο, αρπάγη || σύρτης || πιάσιμο φωνής || **~ing**: *(adj)* ελκυστικός || μεταδοτικός || **~ up with**: *(v)* προλαβαίνω
catech-ism (΄kætəkizəm): *(n)* κατήχηση
categor-ical (kæti΄gərikəl): *(adj)* κατηγορηματικός || **~ize** (΄kætigəraiz) [-d]: *(v)* κατατάσσω σε κατηγορίες || **~y** (΄kætəgəri): *(n)* κατηγορία, τάξη, κλάση
cater (΄keitər) [-ed]: *(v)* προμηθεύω || παρέχω τροφή και σερβίρισμα σε γεύμα || έχω σαν πελατεία
caterpillar (΄kætərpilər): *(n)* κάμπια || ερπύστρια
cathedral (kə΄θi:drəl): *(n)* καθεδρικός
catholic (΄kæθəlik): *(adj)* καθολικός, γενικός || **C~**: καθολικός
cattle (΄kætl): *(n)* βοοειδή || κοπάδι, όχλος
cauliflower (΄kəliflauər): *(n)* κουνουπίδι
caus-al (΄kə:zəl): *(adj)* αιτιολογικός || **~e** (kə:z) [-d]: *(v)* προκαλώ, επιφέρω, γίνομαι αιτία || *(n)* αιτία, λόγος
causeway (΄kə:zwei): *(n)* ανυψωμένος δρόμος
caustic (΄kə:stik): *(adj)* καυστικός || δηκτικός, καυστικός
cauteriz-e (΄kə:təraiz) [-d]: *(v)* καυτηριάζω
caut-ion (΄kə:ʃən) [-ed]: *(v)* προειδοποιώ, καθιστώ προσεκτικό || *(n)* προσοχή, προφύλαξη || σύνεση || **~ious**: *(adj)* προσεκτικός, συνετός
cavalcade (΄kævəlkeid): *(n)* παρέλαση ιππικού
cavalry (΄kævəlri): *(n)* ιππικό
cave (keiv): *(n)* σπηλιά || [-d]: *(v)* σκάβω, κοιλαίνω || **~ in**: *(v)* καταρρέω, υποχωρώ
cavern (΄kævərn): *(n)* μεγάλη σπηλιά
caviar (΄kævia:r): *(n)* χαβιάρι
cavity (΄kæviti): *(n)* κοίλωμα, λακούβα
cease (si:s) [-d]: *(v)* καταπαύω || σταματώ, τελειώνω || **~less**: *(adj)* ακατάπαυστος
cedar (΄si:dər): *(n)* κέδρος
cede (si:d) [-d]: *(v)* εκχωρώ || υποχωρώ, ενδίδω
ceiling (΄si:liŋ): *(n)* ταβάνι || ανώτατο όριο, μέγιστο ύψος
celebr-ant (΄seləbrənt): *(n)* εορταστής || **~ate** (΄seləbreit) [-d]: *(v)* εορτάζω || ιερουργώ, τελετουργώ || **~ated**: *(adj)* διάσημος || **~ity** (sə΄lebriti): *(n)* διασημότητα
celery (΄seləri): *(n)* σέλινο
celestial (si΄lestjəl): *(adj)* ουράνιος
celiba-cy (΄selibəsi): *(n)* αγαμία
cell (sel): *(n)* φατνίο || κελί || κύτταρο || ηλεκτρ. στοιχείο
cellar (΄selər): *(n)* υπόγειο
cell-ist (΄tʃelist): *(n)* παίκτης βιολοντσέλου || **~o**: *(n)* βιολοντσέλο
cellophane (seloufein): *(n)* κυτταρίνη, ''σελοφάν''
cement (si΄ment) [-ed]: *(v)* συγκολλώ ή επιστρώνω με τσιμέντο || στερεώνω με τσιμέντο || στερεώνω, συνδέω άρρηκτα || *(n)* κονίαμα, τσιμέντο
cemetery (΄semətəri): *(n)* νεκροταφείο
cense (sens) [-d]: *(v)* λιβανίζω, θυμιατίζω || **~r**: *(n)* θυμιατό
censor (΄sensər) [-ed]: *(v)* λογοκρίνω || *(n)* λογοκριτής || **~ship**: *(n)* λογοκρισία
censure (΄senʃər) [-d]: *(v)* επικρίνω, κατακρίνω || *(n)* μομφή, επίκριση
census (΄sensəs): *(n)* απογραφή
cent (sent): *(n)* 1/100 δολαρίου, ''σεντ'' || **per ~**: τοις εκατό
centaur (΄sentə:r): *(n)* κένταυρος
centennial (sen΄teni:əl): *(adj)* εκατονταετής
center, centre (΄sentər): *(n)* κέντρο || *(adj)* κεντρικός || [-ed]: *(v)* κεντρώ || μπαίνω σε κέντρο || βάζω σε κέντρο
centi-grade (΄sentigreid): *(adj)* εκατοντάβαθμος || **~meter** (΄sentimi:tər): *(n)* εκατοστόμετρο
centipede (΄sentipi:d): *(n)* σαρανταποδαρούσα
central (΄sentrəl): *(adj)* κεντρικός || **~ heating**: *(n)* κεντρική θέρμανση

centri-c (΄sentric): *(adj)* κεντρώος ‖ κεντρικός ‖ **~fugal** (sen΄trifjugəl): *(adj)* φυγόκεντρος ‖ **~petal** (sen΄tripitəl): *(adj)* κεντρομόλος
century (΄sentʃuri): *(n)* αιώνας
ceramic (se΄ræmik): *(adj)* κεραμικός ‖ **~s**: *(n)* κεραμική
cereal (΄siəriəl): *(n)* δημητριακά ‖ σπόρος σιτηρών
ceremon-ial (seri΄mouniəl): *(adj)* τελετουργικός ‖ *(n)* τελετουργία ‖ *(adj)* εθιμοτυπικός ‖ **~y** (΄seriməni): *(n)* τελετή ‖ εθιμοτυπία
certain (΄se:rtən): *(adj)* ορισμένος ‖ βέβαιος ‖ κάποιος, ένας ‖ **~ly**: *(adv)* βέβαια ‖ **~ty**: *(n)* βεβαιότητα
certif-icate (sər΄tifikit): *(n)* πιστοποιητικό ‖ βεβαίωση ‖ **~y** (΄sertifai) [-ied]: *(v)* πιστοποιώ ‖ βεβαιώνω ‖ επικυρώνω
cessation (se΄seiʃən): *(n)* κατάπαυση
chafe (tʃeif) [-d]: *(v)* τρίβω ‖ ερεθίζω ‖ ερεθίζομαι
chaff (tʃæf): *(n)* άχυρο
chaffinch (΄tʃæfintʃ): *(n)* σπίνος
chagrin (ʃæ΄grin) [-ed]: *(v)* πικραίνω ‖ πικρία, απογοήτευση
chain (tʃein): *(n)* αλυσίδα ‖ σειρά ‖ *(adj)* αλυσιδωτός ‖ [-ed]: *(v)* αλυσοδένω ‖ **~ smoke**: *(v)* καπνίζω συνεχώς
chair (tʃeər): *(n)* κάθισμα, καρέκλα ‖ έδρα ‖ [-ed]: *(n)* καθίζω ‖ εγκαθιστώ σε έδρα ‖ προεδρεύω ‖ **~man**: *(n)* πρόεδρος συμβουλίων, επιτροπής ή συνεδρίασης ‖ **~person**: *(n)* αρσ. ή θηλ. πρόεδρος
chalice (΄tʃælis): *(n)* δισκοπότηρο
chalk (tʃɔ:k): *(n)* κιμωλία ‖ ασβεστόλιθος
challeng-e (΄tʃæləndz) [-d]: *(v)* προκαλώ ‖ αμφισβητώ ‖ *(n)* πρόκληση ‖ αμφισβήτηση ‖ **~er**: *(n)* διεκδικητής
chamber (΄tʃeimbər): *(n)* δωμάτιο ‖ θαλάμη ‖ **~maid**: *(n)* καμαριέρα ‖ **~ of Commerce**: *(n)* εμπορικό επιμελητήριο ‖ **~pot**: *(n)* δοχείο νυκτός
chameleon (kə΄mi:ljən): *(n)* χαμαιλέων
chamomile (΄kæməmail): *(n)* χαμομήλι
champagne (ʃæm΄pein): *(n)* σαμπάνια
champion (΄tʃæmpiən): *(n)* πρωταθλητής ‖ πρόμαχος ‖ **~ship**: *(n)* πρωτάθλημα, τίτλος πρωταθλητού
chance (tʃæns, tʃa:ns): *(n)* τύχη, σύμπτωση ‖ ευκαιρία ‖ πιθανότητα ‖ διακινδύνευση ‖ [-d]: *(v)* τυχαίνω, συμβαίνω κατά τύχη ‖ διακινδυνεύω
chandelier (ʃændə΄liər): *(n)* πολύφωτο
chandler (΄tʃændlər): *(n)* προμηθευτής, τροφοδότης
chang-e (tʃeindz) [-d]: *(v)* αλλάζω, μεταβάλλω ‖ τροποποιώ, μετατρέπω ‖ ανταλλάσσω ‖ μεταβάλλομαι ‖ χαλώ νόμισμα ‖ *(n)* αλλαγή, μεταβολή ‖ τροποποίηση, μετατροπή ‖ ψιλά, ρέστα ‖ **~eable**: *(adj)* ευμετάβλητος, άστατος
channel (΄tʃænəl): *(n)* κοίτη ‖ βαθύ ή πλωτό τμήμα ποταμού ή κόλπου ‖ πορθμός ‖ δίαυλος ‖ διώρυγα ‖ αγωγός ‖ ζώνη συχνοτήτων, κανάλι ‖ τάφρος ‖ **C~**: *(n)* Μάγχη ‖ [-ed]: *(v)* κατασκευάζω διώρυγα ‖ κατευθύνω ‖ αυλακώνω
chant (tʃænt, tʃa:nt) [-ed]: *(v)* ψάλλω ‖ μιλώ μονότονα ‖ διαλαλώ ‖ *(n)* ψαλμός ‖ τραγουδάκι ‖ μονότονη ομιλία
chao-s (΄keiəs): *(n)* χάος ‖ **~tic**: *(adj)* χαώδης, συγκεχυμένος
chap (tʃæp) [-ped]: *(v)* ραγίζω το δέρμα, ''σκάω'' ‖ *(n)* ράγισμα δέρματος, ''σκάσιμο'' ‖ φίλος, άνθρωπος, τύπος *(id)*
chaparral (΄ʃæpə΄ral): *(n)* λόχμη
chapel (΄tʃæpəl): *(n)* παρεκκλήσι
chaperon (΄ʃæpəroun): *(n)* συνοδός κοριτσιού ‖ [-ed]: *(v)* συνοδεύω
chaplain (΄tʃæplin): *(n)* στρατιωτικός ιερέας ‖ εφημέριος
chapter (΄tʃæptər): *(n)* κεφάλαιο βιβλίου ‖ παράρτημα οργάνωσης ή συλλόγου
char (tʃa:r) [-red]: *(v)* καψαλίζω ‖ απανθρακώνω ‖ *(n)* μικροδουλειά
character (΄kæriktər): *(n)* χαρακτήρας ‖ ιδιότητα, χαρακτηριστικό ‖ τύπος, χαρακτηριστικός τύπος ‖ πρόσωπο έργου ‖ γράμμα, χαρακτήρας‖ **~istic**: *(adj)* χαρακτηριστικός ‖ *(n)* χαρακτηριστικό γνώρισμα‖ **~ize** [-d]: *(v)* χαρακτηρίζω
charade (ʃə΄reid, ʃə΄ra:d): *(n)* συλλαβόγριφος
charcoal (΄tʃa:rkoul): *(n)* ξυλοκάρ-

βουνο ‖ μολύβι-κάρβουνο σχεδιάσεως
charge (tʃa:rdz) [-d]: *(v)* φορτίζω ‖ επιφορτίζω, αναθέτω ‖ ρίχνω ευθύνη ή σφάλμα ‖ χρεώνω, καταλογίζω ‖ επιτίθεμαι ‖ *(n)* ευθύνη ‖ επίβλεψη, εποπτεία ‖ επιφόρτιση ‖ κατηγορία ‖ καταλογισμός ‖ τίμημα, αξία ‖ επίθεση, έφοδος ‖ φορτίο ‖ φόρτιση ‖ γόμωση
charit-able (΄tʃæritəbəl): *(adj)* φιλάνθρωπος, ελεήμονας ‖ επιεικής ‖ **~y**: *(n)* φιλανθρωπία, ελεημοσύνη ‖ φιλανθρ. ίδρυμα ‖ επιείκεια
charlatan (΄ʃa:rlətən): *(n)* αγύρτης, ''τσαρλατάνος''
charm (tʃa:rm) [-ed]: *(v)* θέλγω, γοητεύω ‖ μαγεύω ‖ *(n)* θέλγητρο, γοητεία ‖ φυλαχτό
chart (tʃa:rt) [-ed]: *(v)* κατασκευάζω διάγραμμα‖ *(n)* ναυτικός χάρτης ‖ διάγραμμα ‖ πίνακας ‖ γραφ. παράσταση
charter (΄tʃa:rtər) [-ed]: *(v)* ναυλώνω ‖ ναύλωση ‖ καταστατικός χάρτης
chase (tʃeis) [-d]: *(v)* καταδιώκω ‖ τρέχω από πίσω, κυνηγώ συστηματικά ‖ *(n)* καταδίωξη
chasm (΄kæzəm): *(n)* χάσμα, κενό
chassis (΄ʃæsi): *(n)* αμάξωμα, ''σασί'' ‖ σύστημα προσγείωσης
chast-e (tʃeist): *(adj)* αγνός ‖ **~ity**: *(n)* αγνότητα
chat (tʃæt) [-ted]: *(v)* κουβεντιάζω ‖ *(n)* κουβεντούλα, ''ψιλοκουβέντα''
chatter (΄tʃætər) [-ed]: *(v)* φλυαρώ ‖ κροταλίζω, χτυπώ (δόντια) ‖ *(n)* φλυαρία ‖ **~box**: *(n)* φλύαρος ‖ **~er**: *(n)* φλύαρος
chauffeur (΄ʃoufər, ʃou΄fer): *(n)* οδηγός, ''σοφέρ'' ‖ [-ed]: *(v)* κάνω το σοφέρ
cheap (tʃi:p): *(adj)* φτηνός ‖ ευτελής, κακής ποιότητας ‖ τσιγκούνης ‖ *(adv)* φτηνά ‖ **~en** [-d]: *(v)* υποτιμώ, φτηναίνω
cheat (tʃi:t) [-ed]: *(v)* εξαπατώ ‖ κλέβω σε διαγωνισμό, αντιγράφω ‖ *(n)* απατεώνας
check (tʃek) [-ed]: *(v)* αναχαιτίζω, ανακόπτω ‖ εμποδίζω ‖ ελέγχω, ''τσεκάρω'' ‖ αφήνω για φύλαξη ‖ κάνω ''ρουά'' στο σκάκι ‖ *(n)* τετραγωνικό σχέδιο, καρό ‖ αναχαίτιση ‖ εμπόδιο ‖ έλεγχος, επαλήθευση ‖ (**also**: **cheque**): επιταγή, τσεκ ‖ **~ers**: *(n)* ντάμα (παιχνίδι) ‖ **~ up**: *(n)* ιατρική εξέταση
cheek (tʃi:k): *(n)* μάγουλο ‖ αναίδεια, θράσος
cheer (tʃiər) [-ed]: *(v)* δίνω χαρά ‖ ευθυμώ ‖ επευφημώ, ζητωκραυγάζω ‖ *(n)* χαρά, ευθυμία ‖ επευφημία ‖ **~ful**: *(adj)* χαρούμενος, εύθυμος ‖ **~io**: *(int)* γειά σας
chees-e (tʃi:z): *(n)* τυρί
chef (ʃef): *(n)* αρχιμάγειρας
chemi-cal (΄kemikəl): *(adj)* χημικός ‖ **~st**: *(n)* χημικός ‖ φαρμακοποιός ‖ **~stry**: *(n)* χημεία
cherish (΄tʃeriʃ) [-ed]: *(v)* αγαπώ ‖ φέρομαι με τρυφερότητα ‖ τρέφω ελπίδες ‖ κρατώ προσφιλή ανάμνηση
cherry (΄tʃeri): *(n)* κερασιά ‖ κεράσι
chess (tʃes): *(n)* σκάκι ‖ **~board**: *(n)* σκακιέρα ‖ **~man**: *(n)* πιόνι
chest (tʃest): *(n)* στήθος ‖ κιβώτιο, μπαούλο ‖ ντουλάπα ‖ **~ of drawers**: *(n)* σιφονιέρα
chestnut (΄tʃesnʌt): *(n)* καστανιά ‖ κάστανο
chew (tsu:) [-ed]: *(v)* μασώ ‖ *(n)* μάσημα ‖ **~ing gum**: *(n)* μαστίχα
chick (tʃik): *(n)* νεοσσός ‖ κοτόπουλο ‖ **~en**: *(n)* κοτόπουλο ‖ **~en feed**: *(n)* πενταροδεκάρες *(id)* ‖ **~en pox**: *(n)* ανεμοβλογιά
chicory (΄tʃikəri): *(n)* ραδίκι ‖ αντίδι
chief (tʃi:f): *(n)* αρχηγός ‖ κύριος, πρωτεύων ‖ **~ly**: *(adv)* κυρίως
chilblain (΄tʃilblein): *(n)* χιονίστρα
child (΄tʃaild) [pl. children]: *(n)* παιδί ‖ **~birth**: *(n)* τοκετός ‖ **~hood**: *(n)* παιδική ηλικία ‖ **~ish**: *(adj)* παιδαριώδης, ανώριμος ‖ **~like**: *(adj)* παιδικός, αθώος
children: see child
chill (tʃil) [-ed]: *(v)* κρυώνω, παγώνω ‖ *(n)* ψύχος, ψύχρα ‖ ρίγος ‖ *(adj)* ψυχρός ‖ **~y**: *(adj)* ψυχρός, παγερός
chime (tʃaim) [-d]: *(v)* κουδουνίζω ‖ ηχώ αρμονικά ‖ *(n)* μουσική ή ρυθμική κωδωνοκρουσία
chimney (΄tʃimni): *(n)* καπνοδόχος ‖ λαμπογυάλι
chimpanzee (tʃimpən΄zi:): *(n)* χιμπαντζής
chin (tʃin): *(n)* σαγόνι

china (΄tʃainə): *(n)* πορσελάνη ‖ σκεύη από πορσελάνη
Chin-a (΄tʃainə): *(n)* Κίνα ‖ **~ese**: *(n & adj)* Κινέζος ‖ κινέζικος
chink (tʃink): *(n)* ρωγμή ‖ μεταλλικός ήχος
chintz (tʃints): *(n)* τσίτι
chip (tʃip) [-ped]: *(v)* κομματιάζω ‖ *(n)* θραύσμα ‖ τσιπ του πόκερ ‖ ~ **in**: *(v)* συνεισφέρω
chiropod-ist (ki΄rəpədist): *(n)* ποδίατρος, ειδικός των κάτω άκρων
chirp (tʃə:rp) [-ed]: *(v)* τερετίζω, τιτιβίζω ‖ *(n)* τερέτισμα, τιτίβισμα
chirrup (΄tʃə:rəp) [-ed]: *(v)* κελαηδώ, τιτιβίζω ‖ *(n)* κελάηδημα, τιτίβισμα
chisel (΄tʃizəl) [-ed]: *(v)* λαξεύω ‖ *(n)* σμίλη
chit (tʃit): *(n)* λογαριασμός ‖ σημείωμα ‖ ~ **chat**: *(n)* ψιλοκουβέντα ‖ *(v)* κουβεντιάζω
chivalr-ous (΄ʃivəlrəs): *(adj)* ιπποτικός
choice (tʃəis): *(n)* εκλογή, προτίμηση ‖ προαίρεση ‖ *(adj)* εκλεκτός
choir (kwaiər): *(n)* χορωδία
choke (tʃouk) [-d]: *(v)* πνίγω ‖ στραγγαλίζω ‖ πνίγομαι, ασφυκτιώ ‖ καταπνίγω ‖ φράζω, σταματώ
choler-a (΄kələrə): *(n)* χολέρα ‖ **~ic**: *(adj)* δύστροπος
cholesterol (kə΄lestərəl): *(n)* χοληστερίνη
choose (tʃu:z) [chose, chosen]: *(v)* διαλέγω ‖ προτιμώ
chop (tʃəp) [-ped]: *(v)* τεμαχίζω ‖ κόβω, πελεκώ ‖ χτυπώ δυνατά ‖ *(n)* μπριζόλα, παϊδάκι ‖ δυνατό χτύπημα
chord (kə:rd): *(n)* χορδή
chore (tʃəər): *(n)* μικροδουλειά
choreograph-er (kəri΄əgrəfər): *(n)* χορογράφος ‖ **~y**: *(n)* χορογραφία
chortle (΄tʃə:rtl) [-d]: *(v)* καγχάζω
chorus (΄kə:rəs): *(n)* χορός, ομάδα τραγουδιστών ‖ ομάδα χορευτριών ή τραγουδιστριών του καμπαρέ
chrism (΄krizəm): *(n)* μύρο ‖ χρίσμα
Christ (kraist): *(n)* Χριστός ‖ **~ian** (΄kristjən): *(adj)* Χριστιανός ‖ **~endom** (΄krisəndəm): Χριστιανοσύνη, οι Χριστιανοί ‖ **~ianity** (kris΄tʃiænəti): *(n)* Χριστιανισμός ‖ **~mas** (΄krisməs): *(n)* Χριστούγεννα
christen (΄krisən) [-ed]: *(v)* βαφτίζω ‖ **~ing**: *(n)* βάφτιση
chrom-ate (΄kromeit): *(n)* χρωμικό άλας ‖ **~e**: (kroum): *(n)* χρώμιο ‖ *(adj)* χρωμιούχος ‖ **~ium** (΄kroumiəm): *(n)* χρώμιο ‖ **~ium plating**: *(n)* επιχρωμίωση
chronic, ~al (΄krənik): *(adj)* χρόνιος ‖ **~ally**: *(adv)* χρονίως
chronicle (΄krənikəl): *(n)* χρονικό
chronolog-ical (krənə΄lodzikəl): *(adj)* χρονολογικός ‖ **~y** (krə΄nələdzi): *(n)* χρονολογία
chronometer (krə΄nəmitər): *(n)* χρονόμετρο
chrysanthemum (kri΄sænθiməm): *(n)* χρυσάνθεμο
chubb-iness (΄tʃʌbinis): *(n)* πάχος ‖ **~y**: *(adj)* στρουμπουλός
chuckle (΄tʃʌkəl) [-d]: *(v)* γελώ αθόρυβα ‖ *(n)* αθόρυβος καγχασμός
church (tʃə:rtʃ): *(n)* ναός, εκκλησία
churl (tʃə:rl): *(n)* αγροίκος, άξεστος ‖ **~ish**: *(adj)* αγροίκος, άξεστος
churn (tʃə:rn) [-ed]: *(v)* χτυπώ γάλα ή βούτυρο ‖ *(n)* βυτίο βουτύρου
chute (ʃu:t): *(n)* κατακόρυφος ή κεκλιμένος αγωγός ‖ κατηφορικό αυλάκι ‖ αλεξίπτωτο *(id)*
cicada (si΄keidə, si΄ka:da): *(n)* τζίτζικας
cider (΄saidər): *(n)* χυμός μήλων ‖ μηλίτης
cigar (si΄ga:r): *(n)* πούρο ‖ **~ette** (΄sigəret): *(n)* τσιγάρο
cinder (΄sindər): *(n)* ανθρακιά ‖ **~s**: *(n)* στάχτη
cinema (΄sinəmə): *(n)* κινηματογράφος ‖ **~tograph** (sinə΄mætəgræf): *(n)* κινηματογραφική μηχανή ‖ **~tography**: *(n)* τεχνική κινηματογράφου, κινηματογραφία
cinnamon (΄sinəmən): *(n)* κανέλα
cipher (΄saifər) [-ed]: *(n)* κρυπτογραφώ ‖ *(n)* κρυπτογράφηση ‖ γρίφος ‖ μηδέν
circle (΄sə:rkl): *(n)* κύκλος ‖ ομήγυρη ‖ [-d]: *(v)* κυκλώνω ‖ κάνω κύκλο
circuit (΄sə:rkit): ‖ περιστροφική διαδρομή ‖ κύκλωμα ‖ **~ous**: *(adj)* όχι κατ' ευθείαν, έμμεσος
circul-ar (΄se:rkjulər): *(adj)* κυκλικός ‖ κυκλωτερής ‖ *(n)* εγκύκλιος

|| **~ate** (΄sə:rkjuleit) [-d]: *(v)* κυκλοφορώ || είμαι σε κυκλοφορία
circumcis-e (΄sə:rkəmsaiz) [-d]: *(n)* κάνω περιτομή || **~ion**: *(n)* περιτομή
circumference (sə:r΄kʌmfərəns): *(n)* περιφέρεια
circumflex (΄sə:rkəmfləks): *(n)* περισπωμένη
circumscribe (΄sə:rkəmskraib) [-d]: περιγράφω
circumspect (΄se:rkəmspekt): *(adj)* φρόνιμος, προσεκτικός
circumstan-ce (΄sə:rkəmstəns): *(n)* περίσταση || συνθήκη || τυπικότητα
circumvent (΄sə:rkəm΄vent) [-ed]: *(v)* παρακάμπτω || καταστρατηγώ
circus (΄sə:rkəs): *(n)* τσίρκο
cistern (΄sistərn): *(n)* δεξαμενή
citadel (΄sitədəl): *(n)* ακρόπολη || προμαχώνας
cit-e (sait) [-d]: *(v)* μνημονεύω || προτείνω για έπαινο ή βραβείο || κλητεύω
citizen (΄sitizən): *(n)* πολίτης || **~ship**: *(n)* ιδιότητα πολίτου || πολιτικά δικαιώματα
city (΄siti): *(n)* πόλη || ~ **hall**: *(n)* δημαρχείο
civic (΄sivik): *(n)* αστικός
civil (΄sivəl): *(adj)* πολιτικός || ευγενικός || ~ **engineer**: *(n)* πολ. μηχανικός || **~ian** (sə΄viljən): *(n)* πολίτης, όχι στρατιωτικός || **~ity**: *(n)* ευγένεια || **~ization** (sivələ΄zeiʃən): *(n)* πολιτισμός || **~ize** (΄sivəlaiz) [-d]: *(v)* εκπολιτίζω || ~ **law**: *(n)* αστικό δίκαιο || ~ **servant**: *(n)* δημόσιος υπάλληλος || ~ **war**: *(n)* εμφύλιος πόλεμος
claim (kleim) [-ed]: *(v)* απαιτώ, αξιώνω || διεκδικώ || ισχυρίζομαι || *(n)* απαίτηση, αξίωση || διεκδίκηση || ισχυρισμός || **~ant**: *(n)* διεκδικητής || ενάγων
clam (klæm): *(n)* αχιβάδα
clamber (΄klæmbər) [-ed]: *(v)* σκαρφαλώνω με δυσκολία ή αδεξιότητα
clammy (΄klæmi): *(adj)* μουσκεμένος, κολλημένος από ιδρώτα
clamor (΄klæmər) [-ed]: *(v)* φωνασκώ || κάνω φασαρία || *(n)* φωνασκίες, φασαρία
clamp (klæmp) [-ed]: *(v)* συσφίγγω || *(n)* σφιγκτήρας
clan (klæn): *(n)* φυλή || πατριά
clandestine (klæn΄destin): *(adj)* μυστικός
clang (klæŋ) [-ed]: *(v)* κροτώ ή αντηχώ μεταλλικά || *(n)* κλαγγή
clap (klæp) [-ped]: *(v)* χτυπώ, κροτώ || χειροκροτώ || *(n)* χτύπος || χαστούκι || **~ping**: *(n)* χειροκρότημα
claret (΄klæret): *(n)* μαύρο μπρούσικο κρασί (μπορντό)
clari-fication (klærifi΄keiʃən): *(n)* διευκρίνιση || καθάρισμα || **~fy** (΄klærifai) [-ied]: *(v)* διευκρινίζω || καθαρίζω || καθαρίζομαι, γίνομαι διαυγής || **~ty** (΄klærity): *(n)* διαύγεια, σαφήνεια
clarinet (klæri΄net): *(n)* κλαρίνο
clash (klæʃ): *(v)* συγκρούομαι || χτυπώ, συγκρούω || έρχομαι σε σύγκρουση ή αντίθεση || *(n)* σύγκρουση || αντίθεση
clasp (klæsp) [-ed]: *(v)* συνδέω με πόρπη ή συνδετήρα || αγκαλιάζω, σφίγγω || *(n)* πόρπη || συνδετήρας || αγκάλιασμα, σφίξιμο
class (klæs): *(n)* τάξη || κλάση, κατηγορία || [-ed]: *(v)* ταξινομώ || **~ic, ~ical**: *(adj)* κλασικός || **~icism**: *(n)* κλασικισμός || **~ification** (klæsifi΄keiʃən): *(n)* ταξινόμηση || **~ify** (΄klæsifai) [-ied]: *(v)* κατατάσσω σε κλάσεις || **~room**: *(n)* αίθουσα διδασκαλίας
clatter (΄klætər) [-ed]: *(v)* κροτώ, κροταλίζω || κάνω θόρυβο || *(n)* κρότος, θόρυβος || δυνατή φασαρία
clause (klə:z): *(n)* όρος, ρήτρα || απλή πρόταση (gram)
claustrophobia (klə:strə΄foubiə): *(n)* φόβος κλειστών χώρων, κλειστοφοβία
claw (klə:): *(n)* νύχι ζώου || αρπάγη || δαγκάνα || [-ed]: *(v)* αρπάζω ή σκαλίζω με τα νύχια
clay (klei): *(n)* άργιλος || πηλός
clean (kli:n) [-ed]: *(v)* καθαρίζω || *(adj)* καθαρός || **~liness, ~ness**: *(n)* καθαριότητα || **~se** (klenz) [-d]: *(v)* καθαρίζω || εξαγνίζω || **~ser**: *(n)* απορρυπαντικό
clear (kliər): *(adj)* καθαρός || διαυγής || σαφής || ελεύθερος, χωρίς εμπόδια|| [-ed]: *(v)* καθαρίζω || ελευθερώνω, ανοίγω || διευκρινίζω || απαλάσσω από ενοχή ή μομφή || βγάζω καθαρό κέρδος || **~ance**: *(n)* ξεκα-

θάρισμα ‖ ξεπούλημα ‖ όριο, ύψος, περιθώριο ‖ ~**ing**: *(n)* καθάρισμα ‖ κλήριγκ ‖ ξέφωτο δάσους
cleav-age (΄kli:vidz): *(n)* σχίσιμο ‖ ρωγμή
clef (klef): κλειδί (music)
cleft (kleft): *(n)* σχισμή
clematis (΄klemətis): *(n)* κληματίδα
clemen-cy (΄klemənsi): *(n)* επιείκεια ‖ ~**t**: *(adj)* επιεικής ‖ ήπιος
clench (klentʃ) [-ed]: *(v)* σφίγγω ‖ σφίγγομαι
clergy (΄klə:rdzi): *(n)* κλήρος, κληρικοί ‖ ~**man**: *(n)* κληρικός
clerical (΄klerikəl): *(adj)* γραφειακός, υπαλληλικός ‖ κληρικός
clerk (klə:rk): *(n)* υπάλληλος
cliché (kli:΄ʃei): *(n)* κοινοτοπία ‖ στερεότυπο, κλισέ
click (klik) [-ed]: *(v)* κροταλίζω ‖ πλαταγίζω ‖ *(n)* κρότος
client (΄klaiənt): *(n)* πελάτης ‖ ~**ele** (΄klaiən΄tel): *(n)* πελατεία
cliff (klif): *(n)* ψηλός απότομος βράχος
climate (΄klaimit): *(n)* κλίμα
climax (΄klaimæks): *(n)* αποκορύφωμα
climb (klaim) [-ed]: *(v)* σκαρφαλώνω ‖ ανεβαίνω κοινωνικά ή σε βαθμό ‖ γίνομαι ανηφορικός ‖ *(n)* αναρρίχηση
clinch (klintʃ) [-ed]: *(v)* στερεώνω ‖ κάνω τελική συμφωνία, ''κλείνω''
cling (kliŋ) [clung, clung]: *(n)* προσκολλώμαι ‖ πιάνομαι σταθερά ‖ εμμένω
clinic (΄klinik): *(n)* κλινική ‖ ~**al**: *(adj)* κλινικός
clink (kliŋk) [-ed]: *(v)* κουδουνίζω ‖ τσουγκρίζω ποτήρια
clip (klip) [-ped]: *(v)* ψαλιδίζω ‖ κόβω κοντά ‖ φορτώνω λογαριασμό *(id)* ‖ *(n)* γρήγορο βάδισμα ‖ συνδετήρας ‖ φυσιγγιοθήκη πιστολιού ‖ ~**pers**: μηχανή κουρέματος ‖ ~**ping**: *(n)* απόκομμα ‖ **nail ~pers**: νυχοκόπτης
cloak (klouk): *(n)* μανδύας ‖ σκέπασμα
clock (klək): *(n)* ρολόι τοίχου ή επιτραπέζιο
clog (kləg) [-ged]: *(v)* φράζω, ''στουπώνω'' ‖ *(n)* φράξιμο ‖ ξυλοπάπουτσο
close (klous) [-d]: *(v)* κλείνω ‖ φέρω εις πέρας ‖ *(adj)* κοντινός ‖ σφιχτός, στενός ‖ κλειστός ‖ πνιγηρός ‖ *(adv)* κοντά ‖ ~ **down**: *(v)* σταματώ ολότελα
closet (΄kləzit): *(n)* δωματιάκι ‖ αποθηκούλα ‖ ντουλάπα
closure (΄klouzhər): *(n)* κλείσιμο
clot (klət) [-ted]: *(v)* θρομβώνομαι, κάνω θρόμβο ‖ *(n)* θρόμβος
cloth (kləθ): *(n)* ύφασμα ‖ ~**e** (klouδ) [-d]: *(v)* ντύνω, περιβάλλω
cloud (klaud) [-ed]: *(v)* συννεφιάζω ‖ σκεπάζω, σκεπάζομαι ‖ *(n)* σύννεφο ‖ ~**less**: *(adj)* ξάστερος ‖ ~**y**: *(adj)* συννεφιασμένος
clout (klaut) [-ed]: *(v)* γροθοκοπώ ‖ *(n)* γροθιά, γροθοκόπημα
clover (΄klouvər): *(n)* τριφύλλι
clown (klaun) [-ed]: *(v)* κάνω τον παλιάτσο, ''σαχλαμαρίζω'' ‖ *(n)* παλιάτσος, ''κλόουν''
club (klʌb) [-bed]: *(v)* χτυπώ με ρόπαλο ‖ συνεταιρίζομαι, κάνω σύλλογο ‖ *(n)* ρόπαλο ‖ μπαστούνι γκολφ ή χόκεϊ ‖ σπαθί της τράπουλας ‖ λέσχη, σύλλογος, εντευκτήριο
cluck (klʌk) [-ed]: *(v)* κακαρίζω ‖ *(n)* κακάρισμα
clue (klu:) [-d]: *(n)* κάνω νύξη, δίνω ενδείξεις ‖ *(n)* ένδειξη ‖ στοιχείο ‖ υπαινιγμός
clump (klʌmp): *(n)* όγκος ‖ σωρός ‖ συστάδα
clumsy (΄klʌmzi): *(adj)* αδέξιος ‖ άχαρος
cluster (΄klʌstər) [-ed]: *(v)* σχηματίζω ομάδα ή συστάδα ‖ *(n)* ομάδα ‖ συστάδα ‖ δέσμη, ''τσαμπί''
clutch (klʌtʃ) [-ed]: *(v)* αρπάζω ‖ σφίγγω ‖ *(n)* αρπάγη ‖ άρπαγμα, πιάσιμο ‖ λαβή, σφίξιμο ‖ συμπλέκτης
clutter (΄klʌtər) [-ed]: *(v)* παραγεμίζω ‖ γεμίζω άτακτα ‖ *(n)* ακαταστασία
coach (coutʃ) [-ed]: *(v)* προγυμνάζω ‖ προπονώ ‖ *(n)* προπονητής ‖ προγυμναστής ‖ άμαξα ‖ όχημα ‖ λεωφορείο
coagulat-e (kou΄ægjuleit) [-d]: *(v)* πήζω
coal (koul): *(n)* κάρβουνο
coalition (kouə΄liʃən): *(n)* συνασπισμός
coarse (kə:rs): *(adj)* τραχύς ‖ ακα-

τέργαστος || άξεστος, χοντροκομμένος || κατώτερης ποιότητας
coast (koust): *(n)* ακτή || [-ed]: *(v)* προχωρώ αργά || πλέω γύρω από την ακτή
coat (kout): *(n)* σακάκι || παλτό || επίχρισμα || [-ed]: *(v)* επιχρίζω || **~ing**: *(n)* επίχρισμα
coax (kouks) [-ed]: *(v)* καλοπιάνω || προσπαθώ να καταφέρω
cobble (΄kɔbəl): *(n)*, **~ stone**: πλάκα λιθόστρωσης || **~r**: *(n)* παπουτσής, τσαγκάρης
cobra (΄koubrə): *(n)* κόμπρα
cobweb (΄kɔbweb): *(n)* ιστός αράχνης
cocaine (ko΄kein): *(n)* κοκαΐνη
cock (kɔk): *(n)* κόκορας || αρσενικό πουλιών || κρουνός || βαλβίδα || λύκος όπλου, "κόκορας" || [-ed]: *(v)* σηκώνω τον κόκορα του όπλου || **~erel**: *(n)* πετεινάρι || **~eyed**: *(adj)* αλλήθωρος || λοξός || **~ sure**: απόλυτα βέβαιος
cockle (΄kɔkəl): *(n)* κοχύλι
cockpit (΄kɔkpit): *(n)* διαμέρισμα πιλότου αεροπλάνου, θάλαμος χειρισμού
cockroach (΄kɔkroutʃ): *(n)* κατσαρίδα
cocktail (΄kɔkteil): *(n)* ανακατωμένο οιν. ποτό, "κοκτέιλ"
cocoa (΄koukou): *(n)* κακάο
coconut (΄koukənʌt): *(n)* ινδοκάρυδο
cocoon (kə΄ku:n): *(n)* κουκούλι
cod (kɔd), **~ fish**: *(n)* μουρούνα || **~ liver oil**: *(n)* μουρουνόλαδο
cod-e (koud) [-d]: *(v)* γράφω σε κώδικα, κρυπτογραφώ || κώδικας || **~ify** (΄koudifai) [-ied]: *(v)* κωδικοποιώ
coed (΄koued): *(n)* φοιτήτρια μεικτού σχολείου || **~ ucational** (΄kouedju΄keiʃənəl): *(adj)* μεικτής εκπαίδευσης
coefficient (koui΄fiʃənt): *(n)* συντελεστής
coerc-e (kou΄ə:rs) [-d]: *(v)* εξαναγκάζω || πιέζω || **~ion**: *(n)* εξαναγκασμός, πίεση
coexist (΄kouig΄zist) [-ed]: *(v)* συνυπάρχω || **~ence**: *(n)* συνύπαρξη
coffee (΄kɔfi): *(n)* καφές || **~ house, ~shop**: *(n)* καφεστιατόριο
coffin (΄kɔfin): *(n)* φέρετρο
cog (kɔg): *(n)* δόντι τροχού
cogen-cy (΄koudzənsi): *(n)* πειστικότητα || **~t**: *(adj)* πειστικότατος
cognac (΄kounjæk): *(n)* κονιάκ
cogni-tion (kɔg΄niʃən): *(n)* γνώση || **~zance** (΄kɔgnizəns): *(n)* αντίληψη, γνώση || **~zant**: *(adj)* ενήμερος, γνώστης
coheren-ce (kou΄hiərəns): *(n)* συνοχή, συνάφεια || **~t**: *(adj)* συναφής
coil (kɔil) [-ed]: *(v)* συσπειρώνω || συσπειρώνομαι || ελίσσομαι || *(n)* σπείρα, σπείρωμα
coin (kɔin) [-ed]: *(v)* επινοώ || κόβω νομίσματα || *(n)* νόμισμα, κέρμα || **~age**: *(n)* νομισματοκοπή || νομισματικό σύστημα
coincide (΄kouin΄said) [-d]: *(v)* συμπίπτω || **~nce** (kou΄insidəns): *(n)* σύμπτωση || **~ntal**: *(adj)* συμπτωματικός
coke (kouk): *(n)* οπτάνθρακας, "κόκ" || κόκα-κόλα
colander (΄kʌləndər): *(n)* στραγγιστήρι
cold (kould): *(n)* κρύο, ψύχρα || *(adj)* κρύος || *(n)* κρυολόγημα || **catch ~**: *(v)* κρυολογώ
coli-c (΄kɔlik): *(n)* κολικός || κολικόπονος
coliseum: see colosseum
collaborat-e (kə΄læbəreit) [-d]: *(v)* συνεργάζομαι || **~ion**: *(n)* συνεργασία || **~or**: *(n)* συνεργάτης || συνεργάτης κατακτητή
collaps-e (kə΄læps) [-d]: *(v)* καταρρέω || *(n)* κατάρρευση || **~ible**: *(adj)* πτυσσόμενος
collar (΄kɔlər): *(n)* γιακάς, κολάρο || περιλαίμιο ζώου || [-ed]: *(v)* αρπάζω από το γιακά ή από το σβέρκο
collate (kə΄leit) [-d]: *(v)* παραβάλλω
collateral (kə΄lætərəl): *(n)* υποθήκη || εχέγγυο
colleague (΄kɔli:g): *(n)* συνεργάτης
collect (kə΄lekt) [-ed]: *(v)* συλλέγω || συναθροίζω || συναθροίζομαι || εισπράττω || **~ion**: *(n)* συλλογή || είσπραξη || **~ive**: *(adj)*: συλλογικός || **~or**: *(n)* συλλέκτης || εισπράκτορας
colleg-e (΄kɔlidz): *(n)* Σχολή πανεπιστημίου || Ανωτάτη ανεξάρτητη σχολή
collide (kə΄laid) [-d]: *(v)* συγκρούομαι

collision (kə΄lizhən): *(n)* σύγκρουση
colloquial (kə΄loukwiəl): *(adj)* καθομιλούμενος, κοινός
collusion (kə΄lu:zhən): *(n)* συμπαιγνία
colon (΄koulən): *(n)* κόλον ‖ διπλή στιγμή
colonel (΄kə:rnəl): *(n)* συνταγματάρχης
colon-ial (kə΄louniəl): *(adj)* αποικιακός ‖ **~ist**: *(n)* άποικος ‖ **~ize** (΄kələnaiz) [-d]: *(v)* αποικίζω ‖ **~y** (΄kələni): *(n)* αποικία
color, colour (΄kʌlər) [-ed]: *(v)* χρωματίζω ‖ κοκκινίζω ‖ *(n)* χρώμα ‖ βαφή ‖ **~s**: *(n)* σημαία, χρώματα ‖ **~blind**: *(adj)* αχρωματοπικός ‖ **~ed**: *(adj)* έγχρωμος ‖ χρωματιστός ‖ **~fast**: *(adj)* με ανεξίτηλο χρώμα ‖ **~ful**: *(adj)* πολύχρωμος ‖ ζωντανός, ζωηρός
coloss-al (kə΄ləsəl): *(adj)* κολοσσιαίος ‖ **~eum**: *(n)* κολοσσαίο ‖ **~us**: *(n)* κολοσσός
colt (koult): *(n)* πουλάρι
column (΄kələm): *(n)* κολόνα ‖ στήλη ‖ φάλαγγα ‖ **~ist**: *(n)* αρθρογράφος, χρονογράφος
coma (΄koumə): *(n)* κώμα ‖ **~tose**: *(adj)* κωματώδης
comb (koum) [-ed]: *(v)* χτενίζω ‖ ερευνώ, ''χτενίζω'' ‖ *(n)* χτένα ‖ λειρί ‖ κηρήθρα
combat (΄kəmbət) [-ed]: *(v)* μάχομαι ‖ αντιτίθεμαι βίαια ‖ *(n)* μάχη ‖ *(adj)* μάχιμος
combin-ation (kəmbə΄neiʃən): *(n)* συνδυασμός ‖ **~e** (kəm΄bain) [-d]: *(v)* συνδυάζω ‖ ενώνω ‖ ενώνομαι ‖ (΄kombain): *(n)* συνασπισμός ‖ θεριζοαλωνιστικό συγκρότημα
combust-ible (kəm΄bʌstəbəl): *(adj)* καύσιμος ‖ εύφλεκτος ‖ *(n)* καύσιμη ύλη ‖ **~ion**: *(n)* καύση ‖ ανάφλεξη
come (kʌm) [came, come]: *(v)* έρχομαι ‖ καταλήγω ‖ συμβαίνω, γίνομαι ‖ ~ **about**: *(v)* συμβαίνω ‖ γυρίζω ‖ ~ **across**: *(v)* συναντώ ‖ ~ **around**: *(v)* συνέρχομαι ‖ ~ **by**: *(v)* αποκτώ ‖ επισκέπτομαι ‖ ~ **into**: *(v)* αποκτώ ‖ κληρονομώ ‖ ~ **ly**: *(adj)* όπως πρέπει ‖ ευπαρουσίαστος, χαριτωμένος ‖ **how ~ ?**: Πώς έτσι? πώς αυτό?
comed-ian (kə΄mi:diən): *(n)* κωμικός ‖ **~y** (΄kəmidi): *(n)* κωμωδία
comet (΄kəmit): *(n)* κομήτης
comfort (΄kʌmfərt) [-ed]: *(v)* παρηγορώ ‖ ανακουφίζω ‖ *(n)* άνεση ‖ παρηγοριά, ανακούφιση ‖ **~able**: *(adj)* άνετος ‖ αρκετός *(id)*
comic (΄kəmik): *(n)* κωμικός ‖ **~s**: *(n)* ιστορία με εικόνες ‖ **~al**: *(adj)* κωμικός, αστείος
comma (΄kəmə): κόμμα ‖ inverted **~s**: *(n)* εισαγωγικά
command (kə΄mænd) [-ed]: *(v)* διατάζω ‖ διοικώ ‖ έχω στην κατοχή μου, διαθέτω ‖ *(n)* διοίκηση, εξουσία ‖ διαταγή, εντολή ‖ κυριαρχία ‖ **~er** (kə΄mændər): *(n)* διοικητής ‖ αντιπλοίαρχος ‖ **~er-in-chief**: *(n)* αρχιστράτηγος ‖ **~ing officer (C.O.)**: *(n)* διοικητής ‖ **~ment**: *(n)* εντολή ‖ **~o**: *(n)* καταδρομέας, ''κομμάντο''
commemorat-e (kə΄meməreit) [-d]: *(v)* εορτάζω μνήμη ή επέτειο ‖ **~ion**: *(n)* εορτή σε μνήμη ‖ **~ive**: *(adj)* αναμνηστικός
commence (kə΄mens) [-d]: *(v)* αρχίζω ‖
commend (kə΄mend) [-ed]: *(v)* επαινώ ‖ συνιστώ ‖ εμπιστεύομαι, αναθέτω ‖ **~able**: *(adj)* αξιέπαινος ‖**ation**: *(n)* έπαινος ‖ εύφημη μνεία
commensurate (kə΄menʃərit): *(adj)* σύμμετρος ‖ ανάλογος
comment (΄kəment) [-ed]: *(v)* σχολιάζω ‖ επεξηγώ ‖ *(n)* σχόλιο ‖ επεξήγηση
commerc-e (΄kəmə:rs): *(n)* εμπόριο ‖ **~ial** (kə΄mə:rʃəl): *(adj)* εμπορικός ‖ *(n)* διαφημιστικό κομμάτι
commiserate (kə΄mizəreit) [-d]: *(v)* συλλυπούμαι
commission (kə΄miʃən) [-ed]: *(v)* αναθέτω εντολή ‖ εξουσιοδοτώ ‖ επιφορτίζω ‖ δίνω παραγγελία ‖ *(n)* εντολή, εξουσιοδότηση ‖ παραγγελία ‖ διορισμός ‖ προμήθεια, ποσοστά ‖ βαθμός αξιωματικού
commit (kə΄mit) [-ted]: *(v)* διαπράττω ‖ εμπιστεύομαι, αναθέτω ‖ δίνω υπόσχεση, δεσμεύω ‖ **~ment**: *(n)* δέσμευση ‖ ανάθεση ‖ **~tee** (kə΄miti): *(n)* επιτροπή
commodi-ous (kə΄moudiəs): *(adj)* ευρύχωρος ‖ **~ty**: *(n)* επικερδές είδος, εμπόρευμα

common (´kɘmɘn): *(adj)* κοινός || δημόσιος || συνηθισμένος || ευτελής || **~s**: *(n)* κοινοβούλιο || **~wealth**: *(n)* λαός || δημοκρατία || κοινοπολιτεία
commotion (kɘ´mouʃɘn): *(n)* ταραχή
commun-al (kɘ´mju:nɘl): *(adj)* κοινοτικός || κοινός || **~e** (kɘ´mju:n) [-d]: *(n)* συνομιλώ || κοινωνώ || (´kɘmju:n): *(n)* κοινότητα || **~icate** (kɘ´mju:nikeit) [-d]: *(v)* ανακοινώνω || επικοινωνώ || συγκοινωνώ || **~ication**: *(n)* επικοινωνία || συγκοινωνία || **~ion** (kɘ´mju:njɘn): *(n)* συμμερισμός || θεία κοινωνία || **~ique´** (kɘmju:ni´kei): *(n)* ανακοινωθέν || **~ism** (´kɘmjunizɘm): *(n)* κομμουνισμός || **~ist**: *(n)* κομμουνιστής || **~ity**: *(n)* κοινότητα || κοινωνία, κοινό
commut-ation (kɘmju:´teiʃɘn): *(n)* μεταστροφή, μεταλλαγή || **~ation ticket**: *(n)* εισιτήριο διαρκείας || **~e** (kɘ´mju:t) [-d]: *(v)* μετατρέπω || εναλλάσσω || κινούμαι προς τόπο εργασίας
compact (kɘm´pækt): *(adj)* συμπαγής || συνοπτικός || συμμαζεμένος || [-ed]: *(v)* κάνω συμπαγή, συμπιέζω || (´kɘmpækt): *(n)* σύμβαση, συμφωνία || πουδριέρα
companion (kɘm´pænjɘn): *(n)* σύντροφος || **~ship**: *(n)* συντροφιά
company (´kʌmpɘni): *(n)* συντροφιά || συνάθροιση || εταιρεία || θίασος || λόχος
compar-able (´kɘm´pɘrɘbɘl): *(adj)* παραβλητός || **~ ative** (kɘm´pærɘtiv): *(adj)* συγκριτικός || *(n)* συγκριτικός βαθμός || **~e** (kɘm´peɘr) [-d]: *(n)* συγκρίνω, παραβάλλω || συγκρίνομαι || παρομοιάζω || **~ison** (kɘm´pærisɘn): *(n)* σύγκριση
compartment (kɘm´pa:rtmɘnt): *(n)* διαμέρισμα
compass (´kʌmpɘs): *(n)* πυξίδα || **~es**: *(n)* διαβήτης
compassion (kɘm´pæʃɘn): *(n)* ευσπλαχνία || **~ate**: *(adj)* φιλεύσπλαχνος
compatib-ility (kɘmpætɘ´biliti): *(n)* συμφωνία, αρμονία || **~le** (kɘm´pætɘbɘl): *(adj)* σύμφωνος, ταιριαστός
compatriot (kɘm´pætriɘt): *(n)* συμπατριώτης
compel (kɘm´pel) [-led]: *(v)* αναγκάζω
compensat-e (´kɘmpenseit) [-d]: *(v)* αντισταθμίζω || αποζημιώνω || αμείβω για εργασία || **~ion**: *(n)* αντιστάθμιση || αποζημίωση || αμοιβή
compet-e (kɘm´pi:t) [-d]: *(v)* αμιλλώμαι || συναγωνίζομαι, ανταγωνίζομαι || **~ition** (kɘmpi´tiʃɘn): *(n)* άμιλλα || ανταγωνισμός || **~itive** (kɘm´petitiv): *(adj)* ανταγωνιστικός || **~itor**: ανταγωνιστής
competen-ce (´kɘmpitɘns): *(n)* ικανότητα || επάρκεια || αρμοδιότητα || **~t**: *(adj)* ικανός || αρμόδιος
compil-ation (kɘmpɘ´leiʃɘn): *(n)* συνάθροιση || απάνθισμα || **~e** (kɘm´pail) [-d]: *(v)* συλλέγω, συναθροίζω υλικό
complacen-ce (kɘm´pleisɘns), **complacency** (kɘm´pleisɘnsi): *(n)* ικανοποίηση, ευχαρίστηση || κρυφή ικανοποίηση || **~t**: *(adj)* ικανοποιημένος
complain (kɘm´plein) [-ed]: *(v)* παραπονιέμαι || **~ant**: *(n)* μηνυτής, ενάγων || **~t**: *(n)* παράπονο || ασθένεια || μήνυση
complement (´kɘmplɘmɘnt): *(n)* συμπλήρωμα || πληρότητα || (´kɘmplɘ´ment) [-ed]: *(v)* συμπληρώνω || **~ary**: *(adj)* συμπληρωματικός
complet-e (kɘm´pli:t) [-d]: *(v)* συμπληρώνω || αποτελειώνω || *(adj)* πλήρης, συμπληρωμένος || **~ely**: *(adv)* εντελώς
complex (´kɘmplexs): *(adj)* σύνθετος || πολύπλοκος || *(n)* σύμπλεγμα, "κόμπλεξ" || *(n)* σύνθετο
complexion (kɘm´plekʃɘn): *(n)* χροιά και υφή επιδερμίδας
complian-ce (kɘm´plaiɘns): *(n)* συγκατάθεση || συμβιβασμός || **~t**: *(adj)* ενδοτικός
complicat-e (´kɘmplikeit) [-d]: *(v)* περιπλέκω || **~ion**: *(n)* περιπλοκή || επιπλοκή
complicity (kɘm´plisiti): *(n)* συνενοχή || περιπλοκή
compliment (´kɘmplɘmɘnt) [-ed]: *(v)* εκφράζω φιλοφρόνηση, "κοπλιμεντάρω" || εκφράζω σεβασμό

ή συμπάθεια || *(n)* φιλοφρόνηση, "κοπλιμέντο"
comply (kəm´plai) [-ied]: *(v)* συμμορφώνομαι || ενδίδω || τηρώ
component (kəm´pounənt): *(n)* συστατικό μέρος
compos-e (kəm´pouz) [-d]: *(v)* συνθέτω || συνιστώ || διευθετώ || **~ed**: *(adj)* ήρεμος, ατάραχος || **~er**: *(n)* συνθέτης || **~ite** (´kəmpəzit): *(adj)* σύνθετος || μεικτός || **~ition** (kəmpə´ziʃən): *(n)* σύνθεση || σύσταση || έκθεση ιδεών || **~ure**: *(n)* ηρεμία, αταραξία
compost (´kəmpoust): *(n)* λίπασμα, "κοπριά"
compote (´kəmpout): *(n)* κομπόστα
compound (kəm´paund) [-ed]: *(v)* συνθέτω || ανακατεύω || (´kəmpaund): *(adj)* σύνθετος || ~ **interest**: ανατοκισμός
comprehen-d (kəmpri´hend) [-ed]: *(v)* αντιλαμβάνομαι || συμπεριλαμβάνω || **~sion**: *(n)* αντίληψη || κατανόηση || ~ **sive**: *(adj)* περιεκτικός || νοήμων
compress (kəm´pres) [-ed]: *(v)* πιέζω, συμπιέζω|| **~ion**: *(n)* πίεση || (´kəmpres): *(n)* επίθεμα, "κομπρέσα" || πιεστήριο
comprise (kəm´praiz) [-d]: *(v)* αποτελούμαι || συμπεριλαμβάνω
compromise (´kəmprəmaiz) [-d]: *(v)* συμβιβάζομαι || διακυβεύω || εκθέτω σε κίνδυνο ή υποψία || *(n)* συμβιβασμός || διακύβευση
comptroller (kən´troulər): *(n)* οικονομικός ελεγκτής || αρχιλογιστής
compuls-ion (kəm´pʌlʃən): *(n)* πίεση || καταναγκασμός || **~ory**: *(adj)* υποχρεωτικός, αναγκαστικός
comput-ation (kəmpju´teiʃən): *(n)* υπολογισμός || **~e** (kəm´pju:t) [-d]: *(v)* υπολογίζω || **~er**: *(n)* υπολογιστής || ηλεκτρονικός υπολογιστής, "κομπιούτερ"
comrade (´kəmræd): *(n)* σύντροφος
concave (´kənkeiv): *(adj)* κοίλος
conceal (kən´si:l) [-ed]: *(v)* κρύβω
concede (kən´si:d) [-d]: *(v)* παραδέχομαι || παραχωρώ
conceit (kən´si:t): *(n)* έπαρση, ματαιοδοξία || **~ed**: *(adj)* ματαιόδοξος, φαντασμένος
conceiv-e (kən´si:v) [-d]: *(v)* συλλαμβάνω σκέψη || συλλαμβάνω, μένω έγκυος || ~ **able**: *(adj)* διανοητός
concentrat-e (´kənsentreit) [-d]: *(v)* συγκεντρώνω || συγκεντρώνομαι
concentric (kən´sentrik): *(adj)* ομόκεντρος
concept (´kənsept): *(n)* έννοια, ιδέα || **~ion** (kən´sepʃən): *(n)* σύλληψη, αντίληψη || σύλληψη, κυοφορία
concern (kən´sə:rn) [-ed]: *(v)* αφορώ, ενδιαφέρω || ενδιαφέρομαι || προκαλώ ανησυχία || *(n)* ενδιαφέρον || επιχείρηση, εταιρεία
concert (kən´sə:rt) [-ed]: *(v)* σχεδιάζω εκ συμφώνου || (´kənsə:rt): *(n)* συναυλία || αρμονία, συμφωνία
concession (kən´seʃən): *(n)* εκχώρηση || παραχώρηση
conciliat-e (kən´silieit) [-d]: *(v)* συνδιαλλάσσω, συμβιβάζω || **~ion**: *(n)* συνδιαλλαγή || **~ory**: *(adj)* συνδιαλλακτικός, συμβιβαστικός
concis-e (kən´sais): *(adj)* συνοπτικός
conclave (´kəŋkleiv): *(n)* μυστικοσυμβούλιο
conclu-de (kən´klu:d) [-d]: *(v)* τελειώνω, φέρνω σε πέρας || κλείνω, αποτελειώνω || συμπεραίνω, καταλήγω || αποφασίζω || **~sion** (kən´klu:zhən): *(n)* τέλος, κατάληξη || συμπέρασμα || πόρισμα || **~sive**: *(adj)* αποφασιστικός || τελικός
concoct (kən´kəkt) [-ed]: *(v)* παρασκευάζω || επινοώ
concrete (´kənkri:t, kən´kri:t): *(n)* σκυρόδεμα, "μπετόν" || *(adj)* συγκεκριμένος
concur (kən´kə:r) [-red]: *(v)* συμφωνώ || συμπίπτω || **~rently**: *(adv)* από κοινού
concussion (kən´kʌʃən): *(n)* δόνηση || διάσειση
condemn (kən´dem) [-ed]: *(v)* μέμφομαι || καταδικάζω || **~ation**: *(n)* καταδίκη
condens-e (kən´dens) [-d]: *(v)* συμπυκνώνω || συμπυκνώνομαι || συντομεύω || **~ation**: *(n)* συμπύκνωση
condescend (kəndi´send) [-ed]: *(v)* καταδέχομαι
condition (kən´diʃən): *(n)* όρος, συνθήκη || κατάσταση, θέση || προσαρμόζω, εγκλιματίζω, εθίζω || **~al**: *(adj)* υποθετικός || υπό όρους
condole (kən´doul) [-d]: *(v)* συλλυπούμαι || **~nce**: *(n)* συλλυπητήρια
condominium (kəndou´miniəm):

(n) συνιδιοκτησία || πολυκατοικία ιδιόκτητων διαμερισμάτων
condone (kən΄doun) [-d]: *(v)* αντιπαρέρχομαι, παραβλέπω
conduct (kən΄dʌkt) [-ed]: *(v)* οδηγώ || ελέγχω πορεία || διευθύνω ορχήστρα || φέρω, μεταφέρω || συμπεριφέρομαι || **~or**: *(n)* εισπράκτορας λεωφορείου || μαέστρος || αγωγός || (΄kəndəkt): *(n)* διαγωγή, συμπεριφορά
conduit (΄kəndjuit): *(n)* αγωγός || οχετός
cone (koun): *(n)* κώνος || χοάνη, χουνί || κουκουνάρι || χωνάκι παγωτού
confect (΄kənfəkt): *(n)* ζαχαρωτό || **~ion** (kən΄fekʃən): *(n)* ζαχαρωτό, γλύκισμα || **~ioner**: *(n)* ζαχαροπλάστης
confedera-cy (kən΄fedərəsi): *(n)* ομοσπονδία || **~te**: *(n)* ομόσπονδος
confer (kən΄fə:r) [-red]: *(v)* απονέμω || χορηγώ || συζητώ || συνδιασκέπτομαι || **~ence** (΄kənfərəns): *(n)* διάσκεψη || απονομή
confess (kən΄fes) [-ed]: *(v)* ομολογώ || παραδέχομαι || εξομολογούμαι || **~ion**: *(n)* ομολογία || εξομολόγηση || **~or**: *(n)* εξομολογητής || ομολογητής
confetti (kən΄feti): *(n)* χαρτοπόλεμος, ''κονφετί''
confid-ant (΄kənfidænt), fem.: **confidante**: *(n)* έμπιστος || **~e** (kən΄faid) [-d]: *(v)* εμπιστεύομαι || **~ence** (΄kənfidəns): *(n)* εμπιστοσύνη || αυτοπεποίθηση || **~ent**: *(adj)* βέβαιος || έμπιστος || **~ential** (kənfə΄denʃəl): *(adj)* εμπιστευτικός
confine (kən΄fain) [-d]: *(v)* περιορίζω || **~ment**: *(n)* περιορισμός || λοχεία, τοκετός
confirm (kən΄fə:rm) [-ed]: *(v)* επαληθεύω || επιβεβαιώνω || επικυρώνω || **~ation**: *(n)* επαλήθευση || επιβεβαίωση || επικύρωση
confiscat-e (΄kənfiskeit) [-d]: *(v)* κατάσχω || δημεύω
conflict (΄kənflikt): *(n)* πάλη, αγώνας || διαμάχη, σύγκρουση || (kən΄flikt) [-ed]: *(v)* μάχομαι, συγκρούομαι || έρχομαι σε αντίθεση
conform (kən΄fə:rm) [-ed]: *(v)* συμμορφώνομαι || συμμορφώνω, εξομοιώνω
confound (kən΄faund) [-ed]: *(v)* συγχύζω || συγχέω || **~ed**: *(adj)* συγχυσμένος, χαμένος || καταραμένος *(id)*
confront (kən΄frʌnt) [-ed]: *(v)* αντικρίζω || αντιμετωπίζω || φέρνω σε αντιπαράσταση || **~ation**: *(n)* αντιμετώπιση || αντιπαράσταση
confus-e (kən΄fju:z) [-d]: *(v)* συγχέω || συγχύζω || **~ion**: *(n)* σύγχυση || αμηχανία
congeal (kən΄dzi:l) [-ed]: *(v)* πήζω
congenial (kən΄dzi:niəl): *(adj)* όμοιος || ευχάριστος
congenital (kən΄dzenitəl): *(adj)* εκ γενετής
congest (kən΄dzest) [-ed]: *(v)* συσσωρεύω || παραγεμίζω || προκαλώ συμφόρηση || **~ed**: *(adj)* γεμάτος || **~ion**: *(n)* πλήρωση, συμφόρηση
conglomerate (kən΄gləməreit) [-d]: *(v)* συμφύρω || συμφύρομαι || (kəngləmərit): σύγκραμα
congratulat-e (kən΄grætjuleit) [-d]: *(v)* συγχαίρω || **~ions**: *(n)* συγχαρητήρια
congregat-e (΄kəŋgrigeit) [-d]: *(v)* συναθροίζω || συναθροίζομαι || **~ion**: *(n)* συνάθροιση || εκκλησίασμα
congress (΄kəŋgres): *(n)* συνέλευση αντιπροσώπων || βουλή, κογκρέσο || **~man**: *(n)* βουλευτής, μέλος του κογκρέσου
conic (΄kənik), **~al** (΄kənikəl): *(adj)* κωνικός
conifer (΄kənifər): *(n)* κωνοφόρο
conjectur-al (kən΄dzektʃərəl): *(adj)* συμπερασματικός || εξ εικασίας || **~e** [-d]: *(v)* συμπεραίνω || εικάζω || *(n)* εικασία, συμπέρασμα
conjug-al (΄kəndzugəl): *(adj)* συζυγικός || **~ation** (kəndzu΄geiʃən): *(n)* συζυγία
conjunction (kən΄dzʌŋkʃən): *(n)* σύνδεσμος
conjure (kən΄dzu:r, ΄kʌndzər) [-d]: *(v)* επικαλούμαι || κάνω μάγια || **~r**: *(n)* ταχυδακτυλουργός, μάγος
conk (kəŋk) [-ed]: *(v)* χτυπώ || κεφάλι *(id)* || χτύπημα || **~ out**: *(v)* εξαντλούμαι || χαλώ, σταματώ
connect (kə΄nekt) [-ed]: *(v)* συνδέω || συνδέομαι, ενώνομαι || συνδυάζω || **~ion**: *(n)* σύνδεση, ένωση || σύνδεσμος, αρμός || συνδυασμός || σχέση || **~ive**: *(adj)* συνδετικός
connexion: see connection
connoisseur (kənə΄sə:r): *(n)* γνώ-

στής, εμπειρογνώμονας
conque-r (΄kɔŋkər) [-ed]: *(v)* κατακτώ ‖ νικώ, υποτάσσω ‖ **~ror**: *(n)* κατακτητής ‖ νικητής ‖ **~st**: *(n)* κατάκτηση
consci-ence (΄kɔnʃəns): *(n)* συνείδηση ‖ **~entious** (kɔnʃi΄enʃəs): *(adj)* ευσυνείδητος ‖ **~onable** (΄kɔnʃənəbəl): *(adj)* ευσυνείδητος ‖ **~ous** (΄kɔnʃəs): *(adj)* συναισθανόμενος ‖ με τις αισθήσεις, ξυπνητός, έχων τις αισθήσεις
conscript (kən΄skript) [-ed]: *(v)* στρατολογώ υποχρεωτικά ‖ **~ion**: *(n)* υποχρεωτική στράτευση ‖ (΄kɔnskript): *(n)* στρατεύσιμος ‖ στρατευμένος
consecrat-e (΄kɔnsikreit) [-d]: *(v)* καθαγιάζω ‖ εγκαινιάζω εκκλησία ‖ αφιερώνω
consecutive (kən΄sekjutiv): *(adj)* διαδοχικός
consen-sus (kən΄sensəs): *(n)* γενική συμφωνία ‖ ομοφωνία ‖ **~t** (kən΄sent) [-ed]: *(v)* συμφωνώ ‖ συγκατατίθεμαι ‖ *(n)* συγκατάθεση
consequen-ce (΄kɔnsəkwəns): *(n)* συνέπεια ‖ επακόλουθο ‖ σπουδαιότητα ‖ **~t**: *(adj)* συνεπής ‖ **~tly**: *(adv)* συνεπώς, επομένως
conserv-ation (kɔnsə:r΄veiʃən): *(n)* διατήρηση ‖ συντήρηση ‖ **~ative** (kən΄sə:rvətiv): *(adj)* συντηρητικός ‖ ωδείο ‖ **~ e** (kən΄sə:rv) [-d]: *(v)* διατηρώ ‖ συντηρώ
consider (kən΄sidər) [-ed]: *(v)* θεωρώ ‖ μελετώ, εξετάζω ‖ παίρνω υπόψη ‖ **~able**: *(adj)* σημαντικός ‖ αξιόλογος ‖ **~ate**: *(adj)* διακριτικός ‖ **~ ation**: *(n)* διακριτικότητα ‖ μελετημένη γνώμη
consign (kən΄sain) [-ed]: *(v)* παραδίδω ‖ αποστέλλω ‖ **~ment**: *(n)* αποστολή
consist (kən΄sist) [-ed]: *(v)* αποτελούμαι ‖ **~ence, ~ency**: *(n)* σύσταση ‖ συνοχή ‖ σταθερότητα, συνέπεια ‖ **~ent**: *(adj)* συνεπής
consol-ation (kɔnsə΄leiʃən): *(n)* παρηγοριά ‖ **~e** (kən΄soul) [-d]: *(v)* παρηγορώ
consolidat-e (kən΄sɔlideit) [-d]: *(v)* στερεοποιώ ‖ παγιώνω ‖ στερεοποιούμαι ‖ **~ion**: *(n)* στερεοποίηση
consommé (kən΄sɔmei): *(n)* ζωμός, ''κονσομέ''
consonant (΄kɔnsənənt): *(n)* σύμφωνο
conspicuous (kən΄spikjuəs): *(adj)* φανερός, καταφανής ‖ αξιοπρόσεκτος
conspir-acy (kən΄spirəsi): *(n)* συνωμοσία ‖ **~ator**: *(n)* συνωμότης ‖ **~e** (kən΄spaiər) [-d]: *(v)* συνωμοτώ
constab-le (΄kʌnstəbəl): *(n)* χωροφύλακας, αστυφύλακας ‖ **~ulary** (kən΄stæbjuləri): *(n)* χωροφυλακή
constan-cy (΄kɔnstənsi): *(n)* ευστάθεια ‖ σταθερότητα ‖ **~t**: *(adj)* ευσταθής ‖ σταθερός
constellation (kɔnstə΄leiʃən): *(n)* αστερισμός
consternation (kɔnstə:r΄neiʃən): *(n)* στενοχώρια ‖ σύγχυση ‖ φόβος
constipat-e (΄kɔnstipeit) [-d]: *(v)* προκαλώ δυσκοιλιότητα ‖ **~ion**: *(n)* δυσκοιλιότητα
constitut-e (΄kɔnstitju:t) [-d]: *(v)* αποτελώ, απαρτίζω ‖ **~ion**: *(n)* σύνθεση, σύσταση ‖ σύνταγμα κράτους ‖ **~ional**: *(adj)* συνταγματικός
constrain (kən΄strein) [-ed]: *(v)* εξαναγκάζω ‖ **~t**: *(n)* εξαναγκασμός
constrict (kən΄strikt) [-ed]: *(v)* σφίγγω ‖ συστέλλω
construct (kən΄strʌkt) [-ed]: *(v)* οικοδομώ ‖ κατασκευάζω ‖ καταρτίζω ‖ **~ion**: *(n)* οικοδόμηση ‖ κατασκευή ‖ **~ive**: *(adj)* εποικοδομητικός ‖ υπονοούμενος
construe (kən΄stru:) [-d]: *(v)* συντάσσω ‖ αναλύω ‖ ερμηνεύω
consul (΄kɔnsəl): *(n)* πρόξενος ‖ **~ate** (΄kɔnsəlit): *(n)* προξενείο
consult (kən΄sʌlt) [-ed]: *(v)* συμβουλεύω ‖ συμβουλεύομαι ‖ **~ant**: *(n)* σύμβουλος ‖ **~ation**: *(n)* συμβουλή ‖ συμβούλιο
consum-e (kən΄sju:m) [-d]: *(v)* καταναλίσκω ‖ φθείρω ‖ **~er**: *(n)* καταναλωτής ‖ **~mate** (΄kɔnsəmeit) [-d]: *(v)* πληρώ ‖ **~ption** (kən΄sʌmpʃən): *(n)* κατανάλωση
contact (kən΄tækt) [-ed]: *(v)* εφάπτομαι ‖ έρχομαι σε επαφή ‖ (΄kɔntækt): *(n)* επαφή
contagi-on (kən΄teidʒən): *(n)* μετάδοση ‖ μόλυνση ‖ **~ous**: *(adj)* μεταδοτικός
contain (kən΄tein) [-ed]: *(v)* περιέχω, περιλαμβάνω ‖ περικλείω ‖ περιορίζω ‖ συγκρατώ ‖ **~er**: *(n)*

δοχείο, κιβώτιο
contaminat-e (kən´tæmineit) [-d]: *(v)* μολύνω || **~ion**: *(n)* μόλυνση
contemplat-e (´kɔntempleit) [-d]: *(v)* σκέπτομαι, || μελετώ, σχεδιάζω || **~ion**: *(n)* μελέτη || συλλογή
contemporary (kən´tempərəri): *(adj)* σύγχρονος, της ίδιας εποχής || μοντέρνος
contempt (kən´tempt): *(n)* περιφρόνηση || **~ible**: *(adj)* αξιοκαταφρόνητος || **~uous**: *(adj)* περιφρονητικός
contend (kən´tend) [-ed]: *(v)* αγωνίζομαι || συναγωνίζομαι || ισχυρίζομαι || **~er**: *(n)* διεκδικητής || ανταγωνιστής
content (´kɔntent), ~ s: *(n)* περιεχόμενο, -να || (kən´tent) [-ed]: *(v)* ικανοποιώ || *(n)* ικανοποίηση || ικανοποιημένος || **~ed**: *(adj)* ικανοποιημένος || **~ion** (kən´tenʃən): *(n)* φιλονικία || διαμάχη || ισχυρισμός
contest (´kɔntest): *(n)* αγώνας, πάλη || διαγωνισμός || (kən´test) [-ed]: *(v)* αγωνίζομαι || αμφισβητώ || διαφιλονικώ || **~ant**: *(n)* ανταγωνιστής || διεκδικητής
context (´kɔntekst): *(n)* συμφραζόμενα
continent (´kɔntinənt): *(n)* ήπειρος || **~al**: *(adj)* ηπειρωτικός
contingen-cy (kən´tindzənsi): *(n)* ενδεχόμενο || **~t**:*(adj)* ενδεχόμενος || *(n)* άγημα
continu-al (kən´tinjuəl): *(adj)* συνεχής || **~e** (kən´tinju:) [-d]: *(v)* συνεχίζω || συνεχίζομαι, || **~ity**: *(n)* συνέχεια || **~uous**: *(adj)* συνεχής, αδιάκοπος
contort (kən´tɔ:rt) [-ed]: *(v)* παραμορφώνω || **~ion**: *(n)* στρέβλωση || παραμόρφωση
contour (´kɔntuər): *(n)* περίγραμμα
contraband (´kɔntrəbænd): *(n)* λαθρεμπόριο
contracepti-on (kɔntrə´sepʃən): *(n)* πρόληψη σύλληψης || **~ve**: *(adj)* αντισυλληπτικός || *(n)* αντισυλληπτικό
contract (´kɔntrækt): *(n)* συμβόλαιο || (kən´trækt) [-ed]: *(v)* συμβάλλομαι, || συστέλλομαι || **~ion**: *(n)* συστολή || **~or**: *(n)* εργολήπτης
contradict (kɔntrə´dikt) [-ed]: *(v)* αντιλέγω || διαψεύδω || έρχομαι σε αντίθεση || **~ion**: *(n)* αντίφαση || διάψευση || **~ory**: *(adj)* αντιφατικός
contralto (kən´træltou): *(n)* μεσόφωνος, ''κοντράλτο''
contraption (kən´træpʃən): *(n)* επινόηση || κατασκεύασμα
contrary (´kɔntrəri): *(adj)* αντίθετος || δυσμενής || **on the** ~: τουναντίον
contrast (kən´træst) [-ed]: *(v)* αντιπαραβάλλω || έρχομαι σε αντίθεση || (´kɔntræst): *(n)* αντιπαραβολή || αντίθεση
contraven-e (kɔntrə´vi:n) [-d]: *(v)* προσκρούω || παραβαίνω || καταπατώ
contribut-e (kən´tribju:t) [-d]: *(v)* συνεισφέρω || συμβάλλω || **~ion**: *(n)* συνεισφορά || συμβολή || **~or**: *(n)* συνεισφέρων || συμβάλλων
contrit-e (´kɔntrait): *(adj)* βαθιά μετανοημένος || γεμάτος συντριβή || **~ion**: (kən´triʃən): *(n)* μετάνοια || συντριβή
contriv-e (kən´traiv) [-d]: *(v)* μηχανεύομαι || επινοώ || **~ance**: *(n)* επινόηση
control (kən´troul) [-led]: *(v)* ελέγχω || εξουσιάζω, έχω υπό έλεγχο || χειρίζομαι || *(n)* έλεγχος || μοχλός ελέγχου, χειριστήριο || **~ler**: *(n)* ελεγκτής || ρυθμιστής
controvers-ial (kɔntrə´və:rʃəl): *(adj)* αμφισβητήσιμος || αντίθετος || **~y** (´kɔntrəve:rsi): *(n)* αντιγνωμία
convalesce (kɔnvə´les) [-d]: *(v)* αναρρώνω || **~nce**: *(n)* ανάρρωση || **~nt**: *(adj)* αναρρωνύων
convene (kən´vi:n) [-d]: *(v)* συγκαλώ, έρχομαι σε συνεδρίαση
convenien-ce (kən´vi:niəns): *(n)* ευκολία || άνεση || **~t**: *(adj)* βολικός
convent (´kɔnvənt): *(n)* μοναστήρι γυναικών
convention (kən´venʃən): *(n)* συνέλευση, συνέδριο || συμβατικότητα || **~al**: *(adj)* συμβατικός
converge (kən´və:rdz) [-d]: *(n)* συγκλίνω
convers-ant (kən´və:rsənt): *(adj)* γνώστης, ειδήμονας || **~ation** (kɔnvər´seiʃən): *(n)* συνομιλία || **~ational**: *(adj)* καθομιλούμενος || **~e** (kən´və:rs) [-d]: *(v)* συνομιλώ || *(adj)* αντίστροφος
conver-sion (kən´və:rʃən): *(n)* μετατροπή || προσηλυτισμός || ~ **t**

(kən´və:rt) [-ed]: *(n)* μεταιρέπω || προσηλυτίζω || ~**t** (´kɔnvə:rt): *(n)* προσήλυτος
convex (´kɔnveks): *(adj)* κυρτός
convey (kən´vei) [-ed]: *(v)* μεταβι-βάζω || μεταφέρω
convict (kən´vikt) [-ed]: *(v)* καταδικάζω || (´kɔnvikt): *(n)* κατάδικος || ~**ion**: *(n)* καταδίκη || πεποίθηση
convinc-e (kən´vins) [-d]: *(v)* πείθω
convivial (kən´viviəl): *(adj)* κοινωνικός, γλεντζές
convoy (´kɔnvoi): *(n)* νηοπομπή || φάλαγγα αυτοκινήτων
convuls-e (kən´vʌls) [-d]: *(v)* συνταράζω || προκαλώ σπασμούς || ~**ion**: *(n)* σπασμός
cook (kuk) [-ed]: *(v)* μαγειρεύω || *(n)* μάγειρας
cool (ku:l) [-ed]: *(v)* δροσίζω || ψύχω || *(adj)* δροσερός || μη φιλικός, ψυχρός || ~**ness**: *(n)* ψύχρα, ψυχρότητα
coop (ku:p) [-ed]: *(v)* περιορίζω || *(n)* κοτέτσι
cooperat-e (kou´əpəreit) [-d]: *(n)* συνεργάζομαι || ~**ion**: *(n)* συνεργασία || ~**ive**: *(adj)* συνεργατικός || *(n)* συνεργατική ένωση
coordinat-e (kou´ə:rdineit) [-d]: *(v)* συντονίζω | ~**ion**: *(n)* συντονισμός
cope (koup) [-d]: *(v)* αντεπεξέρχομαι || αντιμετωπίζω || *(n)* φελόνιο
copier (´kɔpiər): *(n)* φωτοτυπικό μηχάνημα
copious (´koupjəs): *(adj)* άφθονος
copper (´kɔpər): *(n)* χαλκός || χάλκινο νόμισμα || *(adj)* χάλκινος || αστυνομικός *(id)*
copulat-e (´kɔpjuleit) [-d]: *(v)* συνουσιάζομαι || ~**ion**: *(n)* συνουσία
copy (´kɔpi) [-ied]: *(v)* αντιγράφω, απομιμούμαι || *(n)* αντίγραφο ||
coral (´kɔrəl): *(n)* κοράλλι || *(adj)* κοραλλένιος
cord (kɔ:rd): *(n)* σχοινί || χορδή
cordial (´kɔ:rdzəl): *(adj)* εγκάρδιος
cordon (´kɔ:rdən): *(n)* κορδόνι
corduroy (´kɔ:rdəroi): *(n)* ύφασμα κοτλέ
core (kɔ:r): *(n)* πυρήνας || κέντρο, καρδιά
cork (kɔ:rk) [-ed]: *(v)* βουλώνω || *(n)* φελλός || βούλωμα || ~ **screw**: *(n)* ανοιχτήρι, ''τιρμπουσόν''
corn (kɔ:rn): *(n)* κάλος || κόκκος || σιτηρά || καλαμπόκι, σιτάρι
corner (´kɔ:rnər) [-ed]: *(v)* κάνω γωνία || γυρίζω, κάνω στροφή || φέρνω σε δύσκολη θέση, ''στριμώχνω'' || *(n)* γωνία || δύσκολη θέση *(id)* || *(adj)* γωνιαίος, ακρογωνιαίος
cornice (´kɔ:rnis): || στεφάνη || κορνίζα
corollary (´kɔrələri): *(n)* πόρισμα
corona (kə´rounə): *(n)* στεφάνη, άλως, || ~**ry** (´kɔrənəri): *(adj)* στεφανιαίος || ~**tion** (kɔrə´neiʃən): *(n)* στέψη
corp-oral (´kɔ:rpərəl): *(adj)* σωματικός || *(n)* δεκανέας || υποσμηνίας || ~ **orate** (´kɔ:rpərit): *(adj)* ενσωματωμένος || σωματειακός || ~**oration**: *(n)* σωματείο, εταιρεία || ~**s** (kɔ:r): *(n)* σώμα στρατού || ~**se** (kɔ:rps): *(n)* πτώμα || ~**ulence** (´kɔ:rpjuləns): *(n)* παχυσαρκία || ~ **ulent**: *(adj)* παχύσαρκος, εύσωμος
corral (kə´ral) *(n)* μάντρα
correct (kə´rekt) [-ed]: *(v)* διορθώνω || επανορθώνω || *(adj)* ορθός, σωστός || ~**ion**: *(n)* διόρθωση || επανόρθωση || *(n)* σωφρονισμός, τιμωρία || ~**ive**: *(adj)* διορθωτικός || σωφρονιστικός
correlat-e (´kɔrileit) [-d]: *(v)* συσχετίζω || ~**ion**: *(n)* συσχέτιση
correspond (kɔris´pɔnd) [-ed]: *(v)* αντιστοιχώ || ανταποκρίνομαι || αλληλογραφώ || ~**ence**: *(n)* αντιστοιχία || ανταπόκριση || αλληλογραφία || ~**ent**: *(n)* ανταποκριτής || ~**ing**: *(adj)* αντίστοιχος
corridor (´kɔridə:r): *(n)* διάδρομος
corroborat-e (kə´rɔbəreit) [-d]: *(n)* ενισχύω, δίνω πρόσθετες αποδείξεις
corro-de (kə´roud) [-d]: *(v)* διαβρώνω || διαβρώνομαι || κατατρώγω || ~**sion**: *(n)* διάβρωση || ~**sive**: *(adj)* διαβρωτικός
corrugate (´kɔrugeit) [-d]: *(v)* αυλακώνω || κάνω πτυχές || ~**d**: *(n)* αυλακωτός || κυματοειδής
corrupt (kə´rʌpt) [-ed]: *(v)* διαφθείρω || παραφθείρω, αλλοιώνω || *(adj)* διεφθαρμένος || παραφθαρμένος || ~**ion**: *(n)* διαφθορά || παραφθορά
corset (´kɔ:rsit): *(n)* κορσές
cosmetic (kɔz´metik): *(n)* καλλυ-

ντικό
cosm-ic (΄kɔzmik): *(adj)* κοσμικός ‖ **~onaut** (΄kɔzmənɔ:t): *(n)* κοσμοναύτης ‖ **~opolitan** (kɔzmə΄pɔlitən): *(adj)* κοσμοπολιτικός ‖ **~opolite** (kɔz΄mɔpəlait): *(n)* κοσμοπολίτης ‖ **~os** (΄kɔzmɔs): *(n)* σύμπαν, κόσμος
cost (kɔst) [cost, cost]: *(v)* στοιχίζω, κοστίζω ‖ *(n)* δαπάνη, τιμή, κόστος
costume (΄kɔstju:m): *(n)* ντύσιμο, τρόπος ντυσίματος ‖ τοπική ενδυμασία ‖ καρναβαλίστικη φορεσιά
cosy, cozy (΄kouzi): *(adj)* βολικός, αναπαυτικός
cot (kɔt): *(n)* καλύβα ‖ κρεβάτι εκστρατείας
cotton (΄kɔtn): *(n)* βαμβάκι ‖ *(adj)* βαμβακερός
couch (kautʃ) [-ed]: *(v)* εκφράζω ‖ *(n)* καναπές, ντιβάνι
cough (kɔf) [-ed]: *(v)* βήχω ‖ *(n)* βήχας
could: see can
council (΄kaunsil): *(n)* συμβούλιο ‖ **~lor, ~ or**: *(n)* σύμβουλος
counsel (΄kaunsəl) [-ed]: *(v)* δίνω γνώμη, συμβουλεύω ‖ *(n)* συμβούλιο ‖ συμβουλή, γνώμη ‖ συνήγορος ‖ **~lor, ~or**: *(n)* ‖ δικηγόρος, συνήγορος
count (kaunt) [-ed]: *(v)* μετρώ ‖ αριθμώ ‖ υπολογίζω, συμπεριλαμβάνω ‖ έχω σημασία, μετρώ ‖ *(n)* μέτρηση ‖ κόμης ‖ **~ on**: *(v)* υπολογίζω, βασίζομαι ‖ **~ess**: *(n)* κόμισσα ‖ **~less**: *(adj)* αναρίθμητος
countenance (΄kauntinəns): *(n)* φυσιογνωμία
counter (΄kauntər) [-ed]: *(v)* αντιτίθεμαι ‖ *(n)* μετρητής ‖ *(adj)* αντίθετος, σε αντίθεση ‖ αντίθετα, αντί ‖ *(n)* πάγκος, "γκισέ" ‖ **~act**: *(v)* αντιδρώ ‖ αντενεργώ ‖ **~ attack**: *(n)* αντεπίθεση ‖ [-ed]: *(v)* αντεπιτίθεμαι ‖ **~ espionage**: *(n)* αντικατασκοπία ‖ **~ feit**: *(adj)* κίβδηλος, πλαστός ‖ *(n)* παραποίηση ‖ *(v)* πλαστογραφώ
country (΄kʌntri): *(n)* χώρα ‖ ύπαιθρος ‖ **~man**: *(n)* συμπατριώτης ‖ **~side**: *(n)* ύπαιθρος
county (΄kaunti): *(n)* διοικητική διαίρεση πολιτείας, νομός ή επαρχία
coup (ku:): *(n)* στρατήγημα ‖ **~ d'e΄tat**: *(n)* πραξικόπημα
coupé (ku΄pei): *(n)* κλειστό αυτοκίνητο, "κουπέ"
couple (΄kʌpəl) [-d]: *(v)* ζεύω ‖ σχηματίζω ζεύγη ‖ *(n)* ζεύγος
coupon (΄ku:pɔn, ΄kiu:pɔn): *(n)* δελτίο τροφίμων ή ιματισμού
courage (΄kʌridz): *(n)* θάρρος ‖ **~ous** (kə΄reidzəs): *(adj)* θαρραλέος
courier (΄kuriər): *(n)* αγγελιοφόρος
course (kɔ:rs) [-d]: *(v)* διασχίζω ‖ ρέω, κυλώ ‖ *(n)* πορεία, διαδρομή ‖ ρους ‖ σειρά ‖ πιάτο φαγητό ‖ **of ~**: βέβαια, φυσικά
court (kɔ:rt) [-ed]: *(v)* ερωτοτροπώ, "κορτάρω" ‖ επιδιώκω *(n)* αυλή ‖ βασ. αυλή ‖ δικαστήριο ‖ γήπεδο ‖ **~eous**: *(adj)* ευγενικός, φιλόφρονας ‖ **~ esy**: *(n)* ευγένεια ‖ ευγενική φροντίδα ‖ **~house**: *(n)* δικαστήριο ‖ **~martial** (΄kɔ:rt΄ma:rʃəl): *(n)* στρατοδικείο ‖ **~ship**: *(n)* ερωτοτροπία, "κόρτε" ‖ **~yard**: προαύλιο
cousin (΄kʌzən): *(n)* ξάδελφος ‖ ξαδέλφη
cove (kouv): *(n)* όρμος
cover (΄kʌvər) [-ed]: *(v)* σκεπάζω ‖ κρύβω ‖ προστατεύω, "καλύπτω" ‖ *(n)* σκέπασμα ‖ προστασία ‖ **~t** (΄kʌvərt): *(adj)* κρυφός
covet (΄kʌvit) [-ed]: *(v)* ποθώ ‖ εποφθαλμιώ
cow (kau): *(n)* γελάδα ‖ θηλυκό μεγαλόσωμων ζώων ‖ **~boy, ~puncher**: *(n)* γελαδάρης, "καουμπόυ"
coward (΄kauərd): *(n)* άνανδρος, δειλός ‖ **~ice**: *(n)* ανανδρία
cower (΄kauər) [-ed]: *(v)* ζαρώνω από φόβο ή κρύο
cowl (kaul): *(n)* κουκούλα
coy (kɔi): *(adj)* συνεσταλμένος ‖ σεμνότυφος
cozy: see cosy
crab (kræb): *(n)* καβούρι
crack (kræk) [-ed]: *(v)* ραγίζω ‖ σπάζω απότομα *(n)* κρότος ‖ ραγάδα ‖ σχίσιμο ‖ *(adj)* εκλεκτός ‖ **~ down**: *(n)* γίνομαι πιο αυστηρός, "πατάω πόδι" ‖ **~er**: *(n)* μπισκοτάκι, "κράκερ"
crackle (΄krækəl) [-d]: *(v)* τριζοβολώ
cradle (΄kreidl) [-d]: *(v)* λικνίζω ‖ *(n)* λίκνο, κούνια
craft (kræft, kra:ft): *(n)* ικανότητα,

επιτηδειότητα || πανουργία || τέχνη || σκάφος || **~sman**: *(n)* τεχνίτης || **~smanship**: *(n)* τέχνη || **~y**: *(adj)* πανούργος, ύπουλος
crag (kræg): *(n)* απότομος βράχος
cram (kræm) [-med]: *(v)* παραγεμίζω, στριμώχνω || *(n)* παραγέμισμα
cramp (kræmp) [-ed]: *(v)* παρεμποδίζω || περιορίζω || προκαλώ πιάσιμο, προκαλώ "κράμπα" || *(n)* πιάσιμο, "κράμπα"
cranberry (΄krænbəri): *(n)* βατόμουρο
crane (krein): *(n)* γερανός (πουλί και μηχάνημα)
crank (kræŋk) [-ed]: *(v)* στρεβλώνω || γυρίζω μανιβέλα || *(n)* στρόφαλος || "μανιβέλα" || παραξενιά *(id)* || γκρινιάρης, παράξενος *(id)*
cranny (΄kræni): *(n)* χαραμάδα
crash (kræʃ) [-ed]: *(v)* συγκρούομαι || συντρίβομαι || πέφτω με κρότο || *(n)* βρόντος || σύγκρουση || συντριβή || χρηματιστηριακός πανικός, "κραχ" || ~ **helmet**: *(n)* προστατευτικό κράνος || ~ **land** [-ed]: *(v)* προσγειώνομαι αναγκαστικά
crate (kreit): *(n)* κιβώτιο || κόφα
crater (΄kreitər): *(n)* κρατήρας
crave (kreiv) [-d]: *(v)* επιθυμώ πολύ || χρειάζομαι επειγόντως
crawl (krɔ:l) [-ed]: *(v)* έρπω || προχωρώ σέρνοντας || φέρνομαι δουλοπρεπώς και με δειλία || *(n)* έρπυση || κολύμπι κρόουλ
crayfish (΄kreifiʃ): *(n)* καραβίδα
crayon (΄kreiən): *(n)* χρωματιστό μολύβι || μολύβι κάρβουνο
craz-e (kreiz) [-d]: *(v)* τρελαίνω || τρελαίνομαι || τρέλα || μανία, ιδιοτροπία || **~y**: *(adj)* τρελός || ξετρελαμένος
creak (kri:k) [-ed]: *(v)* τρίζω || *(n)* τρίξιμο
cream (kri:m): *(n)* κρέμα || καϊμάκι
crease (kri:s) [-d]: *(v)* πτυχώνω || τσαλακώνω || ζαρώνω, κάνω ζάρες || *(n)* πτυχή || τσάκιση || ζαρωματιά
creat-e (kri:΄eit) [-d]: *(v)* δημιουργώ || **~ion** (kri:΄eiʃən): *(n)* δημιουργία || δημιούργημα || **~ive** (kri:΄eitiv): *(adj)* δημιουργικός || **~or**: *(n)* δημιουργός || **~ure** (΄kri:tʃər): *(n)* δημιούργημα, πλάσμα
credentials (kri:΄denʃəlz): *(n)* διαπιστευτήρια || πιστοποιητικά
cred-ibility (kredi΄biliti): *(n)* αξιοπιστία || το πιστευτό || **~ible** (΄kredəbəl): *(adj)* πιστευτός || αξιόπιστος || **~it** (΄kredit): *(n)* πίστη || πίστωση || το αξιόπιστο || **~it** [-ed]: *(v)* δίνω πίστη || αναγνωρίζω κάτι σε κάποιον || πιστώνω || **~itable**: *(adj)* αξιόπιστος || αξιέπαινος || **~itor**: *(n)* πιστωτής || **~ulity** (kri΄dju:liti): *(n)* ευπιστία || **~ulous**: *(adj)* εύπιστος
creed (kri:d): *(n)* δόγμα, θρήσκευμα
creek (kri:k): *(n)* ρυάκι
creep (kri:p) [crept, crept]: *(v)* έρπω || σέρνομαι || ανατριχιάζω, μερμηγκιάζω || *(n)* έρπυση || σύρσιμο, ολίσθημα || "τρίχας", "μάπας" *(id)*
cremat-e (kri΄meit) [-d]: *(v)* καίω νεκρό || **~ion**: *(n)* καύση νεκρού || **~orium, ~ory**: *(n)* κρεματόριο
crescent (΄kresənt): *(n)* ημισέληνος
cress (kres): *(n)* κάρδαμο
crest (krest): *(n)* λοφίο || κορυφή || φθάνω στην κορυφή || ~ **fallen**: *(adj)* κατηφής || απογοητευμένος
Cret-e (kri:t): *(n)* Κρήτη || **~an**: *(n)* Κρητικός
crev-asse (krə΄væs), **~ice** (΄krevis): *(n)* ρωγμή || σχισμή
crevice: see crevasse
crew (kru:): *(n)* πλήρωμα
crib (krib): *(n)* κρεβάτι μωρού, "κούνια"
crick (krik): *(n)* νευροκαβαλίκεμα || στρέβλωση μυός
cricket (΄krikit): *(n)* γρύλος, "τριζόνι" || κρίκετ
crim-e (kraim): *(n)* έγκλημα || **~inal** (΄kriminəl): *(adj)* εγκληματικός || *(n)* εγκληματίας
crimson (΄krimzən): *(adj)* βαθυκόκκινο
cringe (krindz) [-d]: *(v)* μαζεύομαι από φόβο || φέρομαι δουλοπρεπώς
crinkle (΄kriŋkəl) [-d]: *(v)* τσαλακώνω || *(n)* ζαρωματιά
cripple (΄kripəl) [-d]: *(v)* καθιστώ ανάπηρο, "σακατεύω" || *(n)* ανάπηρος, "σακάτης" || κουτσός
crisis (΄kraisis): *(n)* κρίση
crisp (krisp): *(adj)* ευκολότριφτος || τραγανός || τονωτικός, ζωογόνος || ζωηρός || ξεροψημένος
criss-cross (΄kriskrɔs) [-ed]: *(v)* σημαδεύω με σταυροειδείς γραμμές
criterion (krai΄tiriən): *(n)* κριτήριο, γνώμονας

critic (΄kritik): *(n)* κριτικός ‖ επικριτής ‖ **~al**: *(adj)* κριτικός ‖ κρίσιμος ‖ επικριτικός ‖ **~ism**: *(n)* κριτική ‖ επίκριση ‖ **~ize** (΄kritəsaiz) [-d]: *(v)* κρίνω ‖ επικρίνω, κριτικάρω
croak (krouk) [-ed]: *(v)* κρώζω ‖ μιλώ βραχνά *(n)* κρώξιμο
crock (krək): *(n)* πήλινο δοχείο ‖ **~ery**: *(n)* πήλινα σκεύη
crocodile (΄krəkədail): *(n)* κροκόδειλος
crook (kruk): *(n)* στρέβλωση ‖ καμπή ‖ γάντζος ‖ κακοποιός *(id)*
crop (krəp) [-ped]: *(v)* θερίζω ‖ *(n)* συγκομιδή, εσοδεία ‖ κοντό κούρεμα
croquette (kou΄ket): *(n)* κεφτές, ''κροκέτα''
cross (krəs) [-ed]: *(v)* διασχίζω ‖ διασταυρώνω ‖ διασταυρώνομαι ‖ *(n)* σταυρός ‖ διασταύρωση ‖ κατσουφιασμένος, σκυθρωπός ‖ **~breed**: *(v)* διασταυρώνω γένη ‖ *(n)* μιγάδας ‖ **~eyed**: *(adj)* αλλήθωρος ‖ **~ing**: *(n)* διασταύρωση ‖ διάβαση ‖ **~roads**: *(n)* σταυροδρόμι ‖ **~section**: *(n)* εγκάρσια τομή ‖ τυπικό δείγμα ‖ **~word puzzle**: *(n)* σταυρόλεξο
crotch (krətʃ): *(n)* διχάλα ‖ καβάλο παντελονιού
crouch (krautʃ) [-ed]: *(v)* συσπειρώνομαι ‖ μαζεύομαι, ζαρώνω ‖ κάθομαι σκυφτός ‖ *(n)* συσπείρωση ‖ ζάρωμα
crow (krou) [-ed]: *(v)* κρώζω ‖ λαλώ ‖ *(n)* κόρακας ‖ κουρούνα ‖ λάλημα, κράξιμο ‖ **~bar**: *(n)* λοστός
crowd (kraud): *(n)* πλήθος ‖ [-ed]: *(v)* συνωστίζω ‖ στριμώχνω ‖ συνωστίζομαι, στριμώχνομαι
crown (kraun): *(n)* στέμμα ‖ κορυφή κεφαλιού ‖ κορυφή καπέλου ‖ κορόνα δοντιού ‖ [-ed]: *(v)* στέφω
crucial (΄kru:ʃiəl): *(adj)* κρίσιμος, αποφασιστικός
crucible (΄kru:sibəl): *(n)* λέβητας τήξης
cruci-fix (΄kru:sifiks): *(n)* σταυρωμένος ‖ **~fixion**: *(n)* σταύρωση ‖ **~fy** (΄krusifai) [-ied]: *(v)* σταυρώνω
crude (kru:d): *(adj)* ακατέργαστος ‖ μη ώριμος ‖ ωμός, άξεστος
cruel (΄kruəl): *(adj)* σκληρός, απάνθρωπος ‖ **~ty**: *(n)* σκληρότητα, απανθρωπιά
cruise (kru:z) [-d]: *(v)* περιπλέω, κάνω ''κρουαζιέρα'' ‖ *(n)* ταξίδι αναψυχής, ''κρουαζιέρα'' ‖ **~r**: *(n)* καταδρομικό ‖ περιπολικό αστυνομίας
crumb (krʌm): *(n)* ψίχουλο
crumbl-e (΄krʌmbəl) [-d]: *(v)* συντρίβομαι ‖ συντρίβω ‖ κάνω κομμάτια ‖ καταρρέω ‖ **~y**: *(adj)* ευκολότριφτος
crumple (΄krʌmpəl) [-d]: *(v)* ζαρώνω ‖ τσακίζω
crunch (krʌntʃ) [-ed]: *(v)* μασουλώ ‖ τραγανίζω ‖ *(n)* μασούλισμα, τραγάνισμα ‖ **~y**: *(adj)* τραγανός
crusade (kru:΄seid): *(n)* σταυροφορία ‖ **~r**: *(n)* σταυροφόρος
crush (krʌʃ) [-ed]: *(v)* συνθλίβω ‖ συντρίβω ‖ συνωστίζω ‖ *(n)* συντριβή ‖ συνωστισμός ‖ έρωτας, ''ψώνιο'' *(id)*
crust (krʌst): *(n)* φλοιός, ''κρούστα'' ‖ κόρα ψωμιού ‖ επικάθισμα ‖ εσχάρα της πληγής, ''κακάδι'' ‖ [-ed]: *(v)* σχηματίζω φλοιό, κάνω ''κρούστα'' ‖ σχηματίζω επικάθισμα
crutch (krʌtʃ): *(n)* δεκανίκι
crux (krʌks): *(n)* κρίσιμο σημείο ‖ ουσιώδες σημείο ‖ κεντρική ουσία
cry (krai) [-ied]: *(v)* κλαίω ‖ φωνάζω ‖ διαλαλώ ‖ *(n)* φωνή, κραυγή ‖ κλάμα ‖ κλήση ‖ **~ off**: *(n)* παραβαίνω υπόσχεση ‖ ανακαλώ
crypt (kript): *(n)* κρύπτη ‖ **~ic, ~ical**: *(adj)* μυστικός ‖ αινιγματικός ‖ με κρυφή σημασία, συγκαλυμμένος
crystal (΄kristəl): *(n)* κρύσταλλο ‖ *(adj)* κρυσταλλικός ‖ κρυστάλλινος ‖ **~lize** [-d]: *(n)* αποκρυσταλλώνω ‖ αποκρυσταλλώνομαι
cub (kʌb): *(n)* νεογνό σαρκοβόρου, σκύμνος
cubbyhole (΄kʌbihoul): *(n)* δωματιάκι, ''τρύπα''
cub-e (kju:b) [-d]: *(v)* κυβίζω ‖ υψώνω στον κύβο ‖ *(n)* κύβος ‖ **~ic, ~ical**: *(adj)* κυβικός ‖ **~icle**: *(n)* δωματιάκι
cuckold (΄kʌkəld): *(n)* απατημένος σύζυγος, ''κερατάς''
cuckoo (΄kuku:): *(n)* κούκος
cucumber (΄kju:kʌmbər): *(n)* αγγούρι
cud (kʌd): *(n)* αναμάσημα, μηρυκασμός
cuddle (΄kʌdl) [-d]: *(v)* σφιχταγκα-

λιάζω || *(n)* σφιχταγκάλιασμα
cue (kju:): *(n)* στέκα μπιλιάρδου || κοτσίδα || υπαινιγμός
cuff (kʌf) [-ed]: *(v)* μπατσίζω || *(n)* μπάτσος || μανικέτι || **~link**: *(n)* κουμπί μανικετιού
cuisine (kwi΄zi:n): *(n)* μαγειρική, ''κουζίνα''
cul-de-sac (΄kʌldə΄sæk): *(n)* αδιέξοδο
culmin-ant (΄kʌlmənənt): *(adj)* ανώτατος, σε μεσουράνημα || **~ate** (΄kʌlmineit) [-d]: *(v)* μεσουρανώ || φθάνω σε αποκορύφωμα || **~ation**: *(n)* μεσουράνηση, αποκορύφωμα
culp-ability (kʌlpə΄biliti): *(n)* ενοχή|| **~rit** (΄kʌlprit): *(n)* ένοχος || δράστης
cult (kʌlt): *(n)* δόγμα || αίρεση
cult-ivate (΄kʌltiveit) [-d]: *(v)* καλλιεργώ || προάγω, βελτιώνω σχέσεις || **~ivation**: *(n)* καλλιέργεια || **~ure** (΄kʌltʃər) [-d]: *(v)* καλλιεργώ, αναπτύσσω || *(n)* καλλιέργεια || καλλιέργεια, ''κουλτούρα'' || ~ **ural**: *(adj)* πνευματικός, μορφωτικός || καλλιεργητικός || **~ured**: *(adj)* καλλιεργημένος
culvert (΄kʌlvərt): *(n)* οχετός
cumber (΄kʌmbər) [-ed]: *(n)* παρεμποδίζω || **~some**: *(adj)* ενοχλητικός || αδέξιος, βαρύς
cumulat-e (΄kju:mjuleit) [-d]: *(v)* συσσωρεύω || **~ion**: *(n)* συσσώρευση || **~ive**: *(adj)* επισωρευτικός
cunning (΄kʌniŋ): *(adj)* πολυμήχανος || πονηρός || *(n)* πονηριά
cup (kʌp): *(v)* φλιτζάνι || κύπελλο || **~board**: *(n)* ντουλάπι, μπουφές
cupola (΄kju:pələ): *(n)* θόλος || τρούλος
curable (΄kjuərəbl): *(adj)* θεραπεύσιμος
curative (΄kju:rətiv): *(adj)* θεραπευτικός
curator (kjuə΄reitər): *(n)* έφορος μουσείου || διευθυντής βιβλιοθήκης
curb (kə:rb) [-ed]: *(v)* χαλιναγωγώ, περιορίζω || *(n)* χαλινός || ρείθρο, άκρη
curdle (΄kə:rdl) [-d]: *(v)* πήζω
cure (kjuər) [-d]: *(v)* θεραπεύω || *(n)* θεραπεία
curfew (΄kə:rfju): *(n)* απαγόρευση κυκλοφορίας
curio-sity (kjuəri΄əsiti): *(n)* περιέργεια || ~ **us**: *(adj)* περίεργος
curl (kə:rl) [-ed]: *(v)* στρίβω || σγουραίνω || σχηματίζω μπούκλες || *(n)* πλόκαμος, ''μπούκλα'' || **~er**: *(n)* ψαλίδι σγουρώματος || ''μπικουτί''|| **~y**: *(adj)* σγουρός
currant (΄kʌrənt): *(n)* κορινθιακή σταφίδα
curren-cy (΄kə:rənsi): *(n)* χρήμα, κυκλοφορούν νόμισμα || κυκλοφορία || **~t**: *(adj)* τρεχούμενος || *(n)* ρους || ηλεκτρ. ρεύμα
curriculum (kə΄rikjuləm): *(n)* πρόγραμμα ή σύνολο μαθημάτων
curse (kə:rs) [-d]: *(v)* καταριέμαι || βρίζω, αναθεματίζω || *(n)* κατάρα || βρισιά, ανάθεμα
cursory (΄kə:rsəri): *(adj)* γρήγορος και πρόχειρος, χωρίς προσοχή
curt (kə:rt): *(adj)* απότομος, τραχύς || σύντομος
curtail (kə:r΄teil) [-ed]: *(v)* συντομεύω, περικόβω
curtain (΄kə:rtin): *(n)* παραπέτασμα || αυλαία
curv-ature (΄kə:rvətʃur): *(n)* καμπυλότητα || **~e** (kə:rv): *(n)* καμπύλη || στροφή οδού, καμπή
cushion (΄kuʃən): *(n)* μαξιλάρι || μαλακή επένδυση
cusp (kʌsp): *(n)* ακίδα || αιχμηρή προεξοχή || **~id** (΄kʌspid): *(n)* κυνόδοντας
cuspidor (΄kʌspidər): *(n)* πτυελοδοχείο
custard (΄kʌstə:rd): *(n)* κρέμα
custod-ian (kʌs΄toudiən): *(n)* θυρωρός || επιστάτης, φύλακας || **~y** (΄kʌstədi): *(n)* κηδεμονία || φύλαξη, επιτήρηση || κράτηση
custom (΄kʌstəm): *(n)* έθιμο || πελατεία || *(adj)* επί παραγγελία || **~arily**: *(adj)* συνηθισμένα || **~ary** (΄kʌstəmeri): *(adj)* συνηθισμένος || **~er**: *(n)* πελάτης || ~ **house**: *(n)* τελωνείο
cut (kʌt) [cut, cut]: *(v)* κόβω || φυτρώνει δόντι, βγάζω δόντι || *(n)* κόψιμο, κοπή || μερίδιο || εκσκαφή || ~ **out**: διακόπτης
cute (kju:t), **cutie** (΄kju:ti): *(adj)* χαριτωμένος
cuticle (΄kju:tikəl): *(n)* επιδερμίδα || πέτσα στη ρίζα των νυχιών
cutlery (΄kʌtləri): μαχαιροπήρουνα
cutlet (΄kʌtlit): *(n)* παϊδάκι, ''κοτολέτα''
cuttlefish (΄kʌtlfiʃ): *(n)* σουπιά
cycl-e (΄saikəl): *(n)* κύκλος, περίο-

δος ‖ ποδήλατο ‖ [-d]: *(v)* επανέρχομαι ή συμβαίνω κατά περιόδους ‖ **~ic**: *(adj)* κυκλικός, περιοδικός ‖ **~ing**: *(n)* ποδηλάτηση ‖ **~ist**: *(n)* ποδηλατιστής ‖ μοτοσικλετιστής
cyclone (΄saikloun): *(n)* κυκλώνας
cyclop-ean (saiklo΄pi:ən): *(adj)* κυκλώπειος ‖ **~s** (΄saiklops): *(n)* Κύκλωπας
cygnet (΄signit): *(n)* μικρό κύκνου
cylind-er (΄silindər): *(n)* κύλινδρος ‖ **~rical**: *(adj)* κυλινδρικός
cymbal (΄simbəl): *(n)* κύμβαλο
cynic (΄sinik): *(n)* κυνικός ‖ **~al**: *(adj)* κυνικός ‖ **~ism**: *(n)* κυνισμός
cypress (΄saipris): *(n)* κυπαρίσσι
cyst (sist): *(n)* κύστη
czar (za:r): *(n)* τσάρος (fem.: czarina)
Czech (tʃek): *(n)* Τσεχοσλοβάκος ‖ *(adj)* τσεχοσλοβακικός, τσέχικος ‖ **~oslovakia** (tʃekəslo΄væki:ə): *(n)* Τσεχοσλοβακία

D

dab (dæb) [-bed]: *(v)* χτυπώ ελαφρά ‖ επαλείφω ‖ *(n)* μικρή ποσότητα ‖ ελαφρό χτυπηματάκι
dad (dæd): *(n)* μπαμπάς ‖ ~ **dy** (΄dædi): *(n)* μπαμπάκας
daft (dæft, da:ft): *(n)* τρελός, παλαβός
dagger (΄dægər): *(n)* εγχειρίδιο, στιλέτο
daily (΄deili): *(adj)* ημερήσιος, καθημερινός
dainty (΄deinti): *(adj)* χαριτωμένος
dairy (΄deəri): *(n)* γαλακτοκομείο ‖ γαλακτοπωλείο ‖ γαλακτοκομικά προϊόντα
dais (deis): *(n)* εξέδρα
daisy (΄deizi): *(n)* μαργαρίτα
dam (dæm) [-med]: *(v)* φράζω ‖ *(n)* φράγμα ‖ ανάχωμα
damage (΄dæmidz) [-d]: *(v)* προκαλώ ζημία ‖ βλάπτω ‖ βλάπτομαι, παθαίνω ζημιά ‖ *(n)* ζημία, βλάβη ‖ **~s**: *(n)* αποζημίωση
damn (dæm) [-ed]: *(v)* καταδικάζω ‖ καταριέμαι ‖ **~ing**: *(adj)* συντριπτικός, επιβαρυντικός
damp (dæmp): *(adj)* υγρός ‖ *(n)* υγρασία, καταχνιά ‖ [-ed]: *(v)* υγραίνω, μουσκεύω ‖ αποσβήνω, εξουδετερώνω ‖ **~en** [-ed]: *(v)* υγραίνω
damson (΄dæmzən): *(n)* δαμασκηνιά ‖ δαμάσκηνο
dance (dæns) [-d]: *(v)* χορεύω ‖ *(n)* χορός ‖ **~r**: *(n)* χορευτής, χορεύτρια
dandruff (΄dændrəf): *(n)* πιτυρίδα
dandy (΄dændi): *(n)* κομψευόμενος, ''δανδής''
danger (΄deindzər): *(n)* κίνδυνος ‖ **~ous**: *(adj)* επικίνδυνος
dangle (΄dæŋgəl) [-d]: *(v)* αιωρώ ‖ κρεμώ ‖ κουνώ πέρα-δώθε ‖ αιωρούμαι, κουνιέμαι πέρα-δώθε
dapper (΄dæpər): *(adj)* κομψός, κομψοντυμένος ‖ ζωηρούλης, πεταχτός
dare (deər) [-d]: *(v)* τολμώ ‖ προκαλώ ‖ αψηφώ ‖ ~ **devil**: *(n)* παράτολμος ‖ ~ **say**: *(v)* θεωρώ πιθανό
dark (da:rk): *(adj)* σκοτεινός ‖ σκούρος ‖ μελαψός ‖ *(n)* σκοτάδι ‖ **~en** [-ed]: *(v)* σκοτεινιάζω ‖ σκουραίνω ‖ **~ness**: *(n)* σκοτάδι
darling (΄da:rliŋ): *(adj)* αγαπημένος
darn (da:rn) [-ed]: *(v)* καρικώνω ‖ *(n)* καρίκωμα ‖ *(interj)* στον κόρακα!
dart (da:rt) [-ed]: *(v)* ορμώ ‖ πετάγομαι, ρίχνομαι ‖ ρίχνω, εξακοντίζω ‖ *(n)* βέλος ‖ απότομη κίνηση
dash (dæʃ) [-ed]: *(v)* εκσφενδονίζω ‖ συντρίβω χτυπώντας ‖ καταστρέφω, ματαιώνω ‖ πετάγομαι ‖ ορμώ ‖ εξόρμηση ‖ αγώνας ταχύτητας ‖ παύλα ‖ ~ **board**: *(n)* πίνακας χειριστηρίων αυτοκινήτου
data (΄deitə) [sing: datum]: *(n)* στοιχεία, δεδομένα
date (deit): *(n)* ημερομηνία ‖ ραντεβού ‖ χουρμάς ‖ [-d]: *(v)* βάζω ημερομηνία ‖ δίνω ραντεβού ή συναντώ
dative (΄deitiv): *(n)* δοτική
daub (do:b) [-ed]: *(v)* πασαλείβω ‖ *(n)* πασάλειμμα ‖ κακότεχνη ζωγραφιά
daughter (΄do:tər): *(n)* θυγατέρα, κόρη ‖ ~ **in law**: *(n)* νύφη από γιό
daunt (do:nt) [-ed]: *(v)* φοβίζω ‖ ~ **less**: *(adj)* άφοβος, απτόητος

dawdle (΄dɔ:dəl) [-d]: *(v)* χασομερώ
dawn (dɔ:n): *(n)* αυγή ‖ αρχή ‖ [-ed]: *(v)* ξημερώνει, χαράζει
day (dei): *(n)* ημέρα ‖ περίοδος ‖ **~break**: *(n)* χαράματα ‖ **~dream**: *(v)* ονειροπολώ
daze (deiz) [-d]: *(v)* ζαλίζω ‖ *(n)* ζάλη
dazzl-e (΄dæzəl) [-d]: *(v)* εκτυφλώνω, ''θαμπώνω'' ‖ *(n)* θάμπωμα ‖ **~ing**: *(adj)* εκθαμβωτικός
deacon (΄di:kən) [fem.: deaconess]: *(n)* διάκονος
dead (ded): *(adj)* νεκρός ‖ εντελώς αναίσθητος ‖ **~en** [-ed]:*(v)* απονεκρώνω ‖ ~ **line**: *(n)* προθεσμία ‖ **~ly**: *(adj)* θανάσιμος ‖ καταστροφικός ‖ ανηλεής
deaf (def): *(adj)* κουφός ‖ ~ **en** [-ed]: *(v)* κουφαίνω ‖ ~ **mute**: *(n)* κωφάλαλος
deal (di:l) [dealt, dealt]: *(v)* μοιράζω, δίνω ‖ ασχολούμαι, ‖ *(n)* συμφωνία, ''δουλειά'' ‖ ποσότητα ‖ **~er**: *(n)* έμπορος, πωλητής ‖ αυτός που ''μοιράζει'' χαρτιά στο παιχνίδι
dealt: see deal
dean (di:n): *(n)* κοσμήτορας
dear (diər): *(adj)* αγαπητός ‖ ακριβός
dearth (dərθ): *(n)* έλλειψη, στέρηση ‖ λιμός
death (deθ): *(n)* θάνατος
debase (di΄beis) [-d]: *(v)* εξευτελίζω, ταπεινώνω ‖ υποτιμώ, υποβιβάζω
debat-e (di΄beit) [-d]: *(v)* συζητώ, συνδιασκέπτομαι ‖ **~able**: *(adj)* αμφισβητήσιμος ‖ συζητήσιμος
debauch (di΄bɔ:tʃ) [-ed]: *(v)* διαφθείρω ‖ ρίχνομαι ή βρίσκομαι σε κραιπάλη ‖ *(n)* ακολασία, διαφθορά ‖ κραιπάλη ‖ **~ed**: *(adj)* διεφθαρμένος, ακόλαστος ‖ **~ery**: *(n)* ακολασία, διαφθορά, έκλυτη ζωή
debit (΄debit) [-ed]: *(v)* χρεώνω ‖ *(n)* χρέωση, παθητικό
debris (də΄bri:): *(n)* χαλάσματα, συντρίμμια
debt (det): *(n)* χρέος, οφειλή ‖ **~or**: *(n)* χρεώστης, οφειλέτης
deca-de (΄dekeid): *(n)* δεκάδα ‖ δεκαετία ‖ **~gon** (΄dekəgən): *(n)* δεκάγωνο ‖ **~thlon**: *(n)* δέκαθλο
decanter (di΄kæntər): *(n)* φιάλη, ''καράφα''
decapitate (di΄kæpəteit) [-d]: *(v)* αποκεφαλίζω
decay (di΄kei) [-ed]: *(v)* φθείρομαι ‖ αποσυντίθεμαι ‖ παρακμάζω ‖ *(n)* φθορά ‖ αποσύνθεση ‖ παρακμή
decease (di΄si:s): *(v)* εκλείπω, αποθνήσκω ‖ **~d**: νεκρός, εκλειπών
deceit (di΄si:t): *(n)* δόλος, απάτη ‖ **~ful**: *(adj)* απατηλός
deceive (di΄si:v) [-d]: *(v)* εξαπατώ
decelerat-e (di΄seləreit) [-d]: *(v)* επιβραδύνω, ''κόβω'' ταχύτητα ‖ **~ion**: *(n)* επιβράδυνση
December (di΄sembər): *(n)* Δεκέμβριος
decenc-y (΄disənsi): *(n)* ευπρέπεια, κοσμιότητα ‖ **~t**: *(adj)* ευπρεπής, κόσμιος ‖ σεμνός ‖ αρκετός, υποφερτός
decentraliz-e (di΄sentrəlaiz) [-d]: *(v)* αποκεντρώνω ‖ **~ation**: *(n)* αποκέντρωση
decepti-on (di΄sepʃən): *(n)* απάτη ‖ **~ve**: *(adj)* απατηλός
decide (di΄said) [-d]: *(v)* αποφασίζω ‖ επηρεάζω ‖ **~d**: *(adj)* οριστικός, κατηγορηματικός
decimal (΄desiməl): *(adj)* δεκαδικός
decimat-e (΄desimeit) [-d]: *(v)* αποδεκατίζω ‖ **~ion**: *(n)* αποδεκάτιση
decipher (di΄saifər) [-ed]: *(v)* αποκρυπτογραφώ
decisi-on (di΄sizhən): *(n)* απόφαση ‖ **~ve** (di΄saisiv): *(adj)* αποφασιστικός
deck (dek): *(n)* κατάστρωμα ‖ όροφος αεροπλάνου ή λεωφορείου ‖ [-ed]: *(v)* στολίζω, διακοσμώ
declar-e (di΄kleər) [-d]: *(v)* δηλώνω ‖ διακηρύσσω ‖ **~ation** (deklə΄reiʃən): *(n)* δήλωση ‖ διακήρυξη ‖ κήρυξη
decline (di΄klain) [-d]: *(v)* αρνούμαι ‖ παρακμάζω, ''παίρνω τον κατήφορο'' ‖ *(n)* παρακμή, πτώση
declivity (di΄kliviti): *(n)* κατωφέρεια
declutch (di:΄klʌtʃ) [-ed]: *(v)* αποσυνδέω
decode (di:΄koud) [-d]: *(v)* αποκρυπτογραφώ ‖ ανακαλύπτω κώδικα
decompos-e (dikəm΄pouz) [-d]: *(v)* αποσυνθέτω ‖ αποσυντίθεμαι ‖ ~ **ition** (dikəmpə΄ziʃən): *(n)* αποσύνθεση
decontamina-nt (dikən΄tæminənt):

(n) απολυμαντικό || ~**te** [-d]: *(v)* απολυμαίνω
decor (dei΄kɔ:r): *(n)* διάκοσμος, ''ντεκόρ'' || ~ **ate** (΄dekəreit) [-d]: *(v)* διακοσμώ || παρασημοφορώ || ~**ation**: *(n)* διακόσμηση, διάκοσμος || παρασημοφορία || ~**ative**: *(adj)* διακοσμητικός || ~**ator**: *(n)* διακοσμητής
decoy (di΄kɔi) [-ed]: *(v)* δελεάζω|| *(n)* παγίδα || δόλωμα
decrease (di:΄kri:s) [-d]: *(v)* ελαττώνω || ελαττώνομαι || *(n)* μείωση, ελάττωση
decree (di΄kri:): *(n)* βούλευμα, ψήφισμα
decrement (΄dekrimənt): *(n)* μείωση
decrepit (di΄krepit): *(adj)* σε κακά χάλια, σαράβαλο
dedicat-e (΄dedikeit) [-d]: *(v)* αφιερώνω || ~**ion**: *(n)* αφιέρωση
deduce (di΄dju:s) [-d]: *(v)* συμπεραίνω, εξάγω
deduct (di΄dʌkt) [-ed]: *(v)* αφαιρώ || συμπεραίνω, εξάγω || εκπίπτω || ~**ible**: *(adj)* απαλλακτέος φόρου
deed (di:d): *(n)* πράξη || επίτευγμα
deep (di:p): *(adj)* βαθύς || ~**en** [-ed]: *(v)* βαθύνω || γίνομαι βαθύς || ~ **freeze**: *(n)* κατάψυξη
deer (di:ər): *(n)* ελάφι
deface (di΄feis) [-d]: *(v)* παραμορφώνω || εξαλείφω
defam-e (di΄feim) [-d]: *(v)* δυσφημίζω || συκοφαντώ || ~**ation**: *(n)* δυσφήμιση
default (di΄fɔ:lt) [-ed]: *(v)* αθετώ || παραλείπω πληρωμή χρέους || φυγοδικώ || δικάζομαι ερήμην || *(n)* αθέτηση, παράβαση || απουσία, ερήμην || ~**er**: *(n)* ελλειμματίας || φυγόδικος
defeat (di΄fi:t) [-ed]: *(v)* νικώ || *(n)* ήττα || ~**ism**: *(n)* ηττοπάθεια || ~**ist**: *(n)* ηττοπαθής
defect (di΄fekt) [-ed]: *(v)* προσχωρώ σε αντίθετο στρατόπεδο || *(n)* ατέλεια || ελάττωμα || ~**ive**: *(adj)* ελαττωματικός || πλημμελής, ελλιπής
defence: see defense
defen-d (di΄fend) [-ed]: *(v)* υπερασπίζω || ~**dant**: *(n)* εναγόμενος, || ~**der**: *(n)* υπερασπιστής, υπέρμαχος || συνήγορος || ~**se**: *(n)* υπεράσπιση || άμυνα || ~ **sive**: *(adj)* αμυντικός
defer (di΄fə:r) [-red]: *(v)* αναβάλλω || σέβομαι || ~**ence** (΄defərəns): *(n)* συγκατάβαση, υποχώρηση || σεβασμός || ~**ential** (defə΄renʃəl): *(adj)* γεμάτος σεβασμό
defian-ce (di΄faiəns): *(n)* περιφρόνηση || πρόκληση || ~**t**: *(adj)* περιφρονητικός || προκλητικός
defic-iency (di΄fiʃənsi): *(n)* ατέλεια || έλλειψη || ~**ient**: *(adj)* ανεπαρκής, ελλιπής || ~**it** (΄defisit): *(n)* έλλειμμα
defin-e (di΄fain) [-d]: *(n)* ορίζω, καθορίζω || ~**ite** (΄definit): *(adj)* ορισμένος, καθορισμένος || σαφής|| οριστικός || ~**itely**: *(adv)* οπωσδήποτε || ~**ition** (defi΄niʃən): *(n)* ορισμός || προσδιορισμός
deflat-e (di:΄fleit) [-d]: *(v)* ξεφουσκώνω || περιορίζω το κυκλοφορούν νόμισμα || ~**ion**: *(n)* ξεφούσκωμα || αντιπληθωρισμός
deflect (di΄flekt) [-ed]: *(v)* εκτρέπω || παρεκκλίνω || εκτρέπομαι || ~**ion**: *(n)* εκτροπή || απόκλιση
deform (di΄fɔ:rm) [-ed]: *(v)* παραμορφώνω || παραμορφώνομαι || ~**ation**: *(n)* παραμόρφωση
defraud (di΄frɔ:d) [-ed]: *(v)* παίρνω με απάτη
defray (di΄frei) [-ed]: *(v)* καταβάλλω έξοδα, αποζημιώνω
defrost (di΄frɔst) [-ed]: *(v)* ξεπαγώνω
deft (deft): *(adj)* επιδέξιος
defunct (di΄fʌŋkt): *(adj)* εκλειπών || όχι εν ισχύει
defy (di΄fai) [-ied]: *(v)* προκαλώ || αψηφώ
degenera-cy (di΄dzenərəsi): *(n)* εκφυλισμός || ~**te** (di΄dzenəreit) [-d]: *(v)* εκφυλίζω || εκφυλίζομαι
degrad-e (di΄greid) [-d]: *(v)* υποβιβάζω || ~**ation**: *(n)* υποβιβασμός
degree (di΄gri:): *(n)* βαθμός || στάδιο || μοίρα || πτυχίο
dehydrat-e (di:΄haidreit) [-d]: *(v)* αφυδατώνω || αφυδατώνομαι
deif-ication (di:əfə΄keiʃən): *(n)* θεοποίηση
deign (dein) [-ed]: *(v)* καταδέχομαι
deity (΄di:iti): *(n)* θεότητα
deject (di΄dzekt) [-ed]: *(v)* αποθαρρύνω || ~**ed**: *(adj)* απογοητευμένος || κατηφής || ~**ion**: *(n)* μελαγχολία, κατήφεια
delay (di΄lei) [-ed]: *(v)* αναβάλλω ||

καθυστερώ || *(n)* αναβολή || καθυστέρηση
delectable (di΄lektəbəl): *(adj)* ευχάριστος
delegat-e (΄deligeit) [-d]: *(v)* εξουσιοδοτώ ή στέλνω αντιπρόσωπο || *(n)* απεσταλμένος || **~ion**: *(n)* αποστολή || εντολή
delet-e (di:΄li:t) [-d]: *(v)* εξαλείφω || **~ion**: *(n)* διαγραφή
deliberat-e (di΄libəreit) [-d]: *(v)* σκέπτομαι μελετώ || (di΄libərit): *(adj)* εσκεμμένος || συνετός || επιφυλακτικός
delica-cy (΄delikəsi): *(n)* λεπτότητα, ''φινέτσα'' || γλύκισμα, ''λιχουδιά'' || **~te** (΄delikit): *(adj)* αβρός, λεπτός || με αδύνατη κράση || λεπτός, που χρειάζεται ''τακτ''
delicious (di΄liʃəs): *(adj)* ευχάριστος || νόστιμος, εύγευστος
delight (di΄lait) [-ed]: *(v)* απολαμβάνω, χαίρομαι || δίνω απόλαυση, ευχαριστώ || *(n)* ευχαρίστηση, τέρψη || **~ed**: *(adj)* κατενθουσιασμένος, ευχαριστημένος || **~ful**: *(adj)* ευχάριστος, χαριτωμένος
delinquen-cy (di΄liŋkwənsi): *(n)* παράβαση || αδίκημα, πταίσμα || **~t**: *(adj)* παραβάτης || ληξιπρόθεσμος, εκπρόθεσμος
deliri-ous (di΄liriəs): *(adj)* σε παραλήρημα, σε παροξυσμό, ξέφρενος || **~um**: *(n)* παραλήρημα, παροξυσμός, ''ντελίριο''
deliver (di΄livər) [-ed]: *(v)* απαλλάσσω || ελευθερώνω || παραδίνω, διανέμω εκφωνώ || **~ance**: *(n)* απαλλαγή || απελευθέρωση || **~y**: *(n)* διανομή, παράδοση || απαλλαγή || γέννα
delouse (di΄laus) [-d]: *(v)* ξεψειριάζω
delta (΄deltə): *(n)* δέλτα
delude (di΄lu:d) [-d]: *(v)* εξαπατώ
deluge (΄delju:dz) [-d]: *(v)* πλημμυρίζω || *(n)* κατακλυσμός
delusi-on (di΄lu:zhən): *(n)* απάτη || αυταπάτη
de luxe (di΄luks): *(adj)* υπερπολυτελής
demand (di΄mænd, di΄ma:nd) [-ed]: *(v)* απαιτώ, αξιώνω || *(n)* απαίτηση, αξίωση || **~ing**: *(adj)* απαιτητικός
demarcat-e (dima:r΄keit) [-d]: *(v)* οροθετώ || **~ion**: *(n)* οροθεσία
demean (di΄mi:n) [-ed]: *(v)* φέρομαι || **~or**: *(n)* συμπεριφορά
dement-ed (di΄mentid): *(adj)* τρελός
demigod (΄demigəd): *(n)* ημίθεος
demijohn (΄demidzən): *(n)* νταμιτζάνα
demise (di΄maiz) *(n)* θάνατος
demobiliz-e (di:΄moubilaiz) [-d]: *(v)* αποστρατεύω || **~ation**: *(n)* αποστράτευση
democra-cy (di΄məkrəsi): *(n)* δημοκρατία || **~t** (΄deməkræt): *(n)* δημοκράτης || **~tic** (demə΄krætic): *(adj)* δημοκρατικός
demoli-sh (di΄məliʃ) [-ed]: *(v)* κατεδαφίζω, γκρεμίζω || συντρίβω || **~tion**: (demə΄liʃən): *(n)* κατεδάφιση
demon (΄di:mən): *(n)* δαίμονας
demonstra-ble (di΄mənstrəbəl): *(adj)* αποδεικτός, που μπορεί να αποδειχτεί || **~bility**: *(n)* το ευαπόδεικτο || **~nt**: *(n)* διαδηλωτής || **~te** (΄demənstreit) [-d]: *(v)* αποδεικνύω, επιδεικνύω || κάνω διαδήλωση || **~tion**: *(n)* απόδειξη || επίδειξη || διαδήλωση || **~tive**: *(adj)* αποδεικτικός || εκδηλωτικός || δεικτικός || **~tive pronoun**: *(n)* δεικτική αντωνυμία || **~tively**: *(adv)* αποδεικτικά, εκδηλωτικά || **~tor**: *(n)* αυτός που επιδεικνύει, επιδεικνύων || διαδηλωτής
demoralize (di΄mərəlaiz) [-d]: *(v)* αποθαρρύνω, ρίχνω το ηθικό || εξαχρειώνω
demot-e (di΄mout) [-d]: *(v)* υποβιβάζω || **~ion**: *(n)* υποβιβασμός
demur (di΄mə:r) [-red]: *(n)* φέρνω αντίρρηση
demure (di΄mjuər): *(adj)* συγκρατημένος || φρόνιμος
den (den): *(n)* άντρο || δωματιάκι
denial (di΄naiel): *(n)* άρνηση
denizen (΄denizən): *(n)* κάτοικος
denominat-ion (dinəmi΄neiʃən): *(n)* κατηγορία, τάξη || ονομασία || θρήσκευμα || **~or**: *(n)* παρονομαστής
denote (di΄nout) [-d]: *(v)* δηλώνω, εμφαίνω
denounce (di΄nauns) [-d]: *(v)* καταγγέλλω
dens-e (dens): *(adj)* πυκνός || συμπαγής || χοντροκέφαλος || **~ity**: *(n)* πυκνότητα || χοντροκεφαλιά, βλακεία
dent (dent) [-ed]: *(v)* κάνω εσοχή, βαθουλώνω || *(n)* κοιλότητα, εσοχή, βούλιαγμα

dent-al (΄dentl): *(adj)* οδοντικός ‖ οδοντόφωνος ‖ **~al plate**: *(n)* τεχνητή οδοντοστοιχία ‖ **~ist** (΄dentist): *(n)* οδοντίατρος ‖ **~istry**: *(n)* οδοντιατρική ‖ **~ition** (den΄tiʃən): *(n)* οδοντοφυία ‖ **~ure** (΄dentʃər): *(n)* τεχνητή οδοντοστοιχία, μασέλα
denud-ate (di΄nju:deit), **~e** (di΄nju:d) [-d]: *(v)* απογυμνώνω ‖ **~ation**: *(n)* απογύμνωση
deny (di΄nai) [-ied]: *(v)* αρνούμαι ‖ απαρνιέμαι
deodorant (di:΄oudərənt): *(n)* αποσμητικό
depart (di΄pa:rt) [-ed]: *(v)* αναχωρώ ‖ **~ure**: *(n)* αναχώρηση ‖ γεωγρ. μήκος
department (di΄pa:rtmənt): *(n)* διαμέρισμα, τμήμα ‖ **D~**: υπουργείο
depend (di΄pend) [-ed]: *(v)* εξαρτώμαι ‖ **~able**: *(adj)* αξιόπιστος,
depict (di΄pikt) [-ed]: *(v)* απεικονίζω ‖ περιγράφω
deplet-e (di΄pli:t) [-d]: *(v)* εξαντλώ ‖ **~ion**: *(n)* εξάντληση
deplor-able (di΄plə:rəbəl): *(adj)* οικτρός, αξιοθρήνητος ‖ **~e** [-d]: *(v)* οικτίρω
deploy (di΄pləi) [-ed]: *(v)* αναπτύσσω
depopulate (di:΄pəpjuleit) [-d]: *(v)* ελαττώνω τον πληθυσμό, ερημώνω
deport (di΄pə:rt) [-ed]: *(v)* εκτοπίζω ‖ απελαύνω ‖ συμπεριφέρομαι ‖ **~ation**: *(n)* απέλαση ‖ **~ment**: *(n)* συμπεριφορά
depos-e (di΄pouz) [-d]: *(v)* παύω, απολύω ‖ καταθέτω ενόρκως ‖ **~it** (di΄pəzit) [-ed]: *(v)* καταθέτω ‖ *(n)* κατάθεση ‖ κατάλοιπο, κοίτασμα ‖ **~ition** (depə΄ziʃən): *(n)* απόλυση, παύση ‖ ένορκη κατάθεση ‖ αποκαθήλωση ‖ **~itor**: *(n)* καταθέτης
depot (΄depou): *(n)* σταθμός λεωφορείου ή σιδηροδρόμων ‖ αποθήκη ‖ κέντρο ανεφοδιασμού
deprav-e (di΄preiv) [-d]: *(v)* διαφθείρω ‖ **~ed**: *(adj)* διεφθαρμένος ‖ **~ity**: *(n)* διαφθορά ‖ αισχρή πράξη
deprecat-e (΄deprikeit) [-d]: *(v)* αποδοκιμάζω ‖ υποτιμώ
depreciat-e (di΄pri:ʃieit) [-d]: *(v)* υποτιμώ ‖ υποτιμώμαι, πέφτει η αξία μου ‖ **~ion**: *(n)* υποτίμηση
depress (di΄pres) [-ed]: *(v)* πιέζω ‖ ρίχνω τις τιμές ‖ προκαλώ μελαγχολία ή θλίψη ‖ **~ed**: *(adj)* μελαγχολικός, θλιμμένος ‖ χαμηλωμένος ‖ **~ion**: *(n)* θλίψη, μελαγχολία ‖ πτώση ‖ οικονομική κρίση
depriv-ation (depri΄veiʃən): *(n)* αφαίρεση ‖ στέρηση ‖ **~e** (di΄praiv) [-d]: *(v)* αποστερώ, αφαιρώ
depth (depθ): *(n)* βάθος
deput-ation (depju΄teiʃən): *(n)* διορισμός ‖ αποστολή ‖ **~ize** (΄depjutaiz) [-d]: *(v)* διορίζω αντιπρόσωπο, ‖ αναπληρώνω ‖ **~y** (΄depjuti): *(n)* βοηθός ‖ αναπληρωτής
derail (di΄reil) [-ed]: *(v)* εκτροχιάζω ‖ **~ment**: *(n)* εκτροχίαση
derange (di΄reindz) [-d]: *(v)* διαταράσσω ‖ τρελαίνω ‖ **~d**: *(adj)* τρελός
derby (΄də:rbi): *(n)* ημίψηλο καπέλο ‖ ιπποδρομία
derelict (΄derilikt): *(adj)* παραβάτης καθήκοντος ή υποχρέωσης ‖ εγκαταλειμμένος
deri-de (di΄raid) [-d]: *(v)* χλευάζω, φέρομαι σκωπτικά ‖ **~sion** (di΄rizən): *(n)* χλευασμός ‖ **~sive** (di΄raisiv): *(adj)* χλευαστικός, σαρκαστικός
deriv-ation (deri΄veiʃən): *(n)* ετυμολογία ‖ καταγωγή, προέλευση ‖ **~ative** (di΄rivətiv): *(n)* παράγωγος ‖ **~e** (di΄raiv) [-d]: *(v)* παράγω ‖ κατάγομαι ‖ συνάγω, εξάγω
dermat-itis (də:rmə΄taitis): *(n)* δερματίτιδα ‖ **~ologist** (də:rmə΄tələdzist): *(n)* δερματολόγος
derogat-e (΄derəgeit) [-d]: *(v)* μειώνω ‖ **~ory** (di΄rəgətəri): *(adj)* μειωτικός ‖ ταπεινωτικός
derrick (΄derik): *(n)* γερανός
descen-d (di΄send) [-ed]: *(v)* κατεβαίνω ‖ κατηφορίζω ‖ κατάγομαι, προέρχομαι ‖ **~dant**: *(n)* απόγονος, γόνος ‖ **~t**: *(n)* κάθοδος ‖ κατωφέρεια ‖ καταγωγή
descri-be (dis΄kraib) [-d]: *(v)* περιγράφω ‖ **~ption** (dis΄kripʃən): *(n)* περιγραφή ‖ **~ptive**: *(adj)* περιγραφικός
desecrat-e (΄desikreit) [-d]: *(v)* βεβηλώνω
desert (΄dezərt): *(n)* έρημος ‖ (di΄zə:rt) [-ed]: *(v)* εγκαταλείπω ‖ λιποτακτώ ‖ **~s** (di΄zə:rts): *(n)* τιμωρία, αυτό που του άξιζε ‖ **~er**:

(n) λιποτάκτης || **~ion**: *(n)* εγκατάλειψη || λιποταξία
deserv-e (di΄zə:rv) [-d]: *(v)* έχω δικαίωμα, αξίζω
design (di΄zain) [-ed]: *(v)* μηχανεύομαι, επινοώ || σχεδιάζω|| εκπόνηση, μελέτη || επιδίωξη, βλέψη || **~er**: *(n)* εκπονητής
designat-e (΄dezigneit) [-d]: *(v)* χαρακτηρίζω || προορίζω, προσδιορίζω || **~ ion**: *(n)* χαρακτηρισμός, ονομασία || ορισμός
desir-ability (dizairə΄biliti): *(n)* το επιθυμητό || **~able** (di΄zaiər-əbəl): *(adj)* επιθυμητός || **~e** (di΄zaiər) [-d]: *(v)* επιθυμώ || *(n)* επιθυμία, πόθος
desist (di΄zist) [-ed]: *(v)* απέχω
desk (desk): *(n)* γραφείο || θρανίο
desolat-e (΄desəleit) [-d]: *(v)* ερημώνω || (΄desəlit): *(adj)* ερημωμένος, ακατοίκητος || **~ion**: *(n)* ερήμωση || καταστροφή
despair (dis΄peər) [-ed]: *(v)* απελπίζομαι || *(n)* απελπισία, απόγνωση
despatch: see dispatch
desperat-e (΄despərit): *(adj)* απελπισμένος, σε απόγνωση || απελπιστικός || **~ion**: *(n)* απελπισία, απόγνωση
despicable (΄despikəbəl): *(adj)* σιχαμερός || άξιος περιφρόνησης
despise (dis΄paiz) [-d]: *(v)* περιφρονώ, σιχαίνομαι
despite(dis΄pait):*(prep)*παρά,σε πείσμα
desponden-cy (dis΄pəndənsi): *(n)* απελπισία || **~t**: *(adj)* απελπισμένος
despot (΄despot): *(n)* δεσπότης, αυταρχικός κυβερνήτης || **~ic**: *(adj)* δεσποτικός, αυταρχικός
dessert (di΄zə:rt): *(n)* επιδόρπιο
destin-ation (destə΄neiʃən): *(n)* προορισμός || **~e** (΄destin) [-d]: *(v)* προορίζω || **~y** (΄destəni): *(n)* πεπρωμένο
destitut-e (΄destitju:t): *(adj)* στερημένος || πάμπτωχος
destroy (dis΄trəi) [-ed]: *(v)* καταστρέφω || αχρηστεύω || **~er**: *(n)* καταστροφέας || αντιτορπιλικό
destruct-ion (dis΄trʌkʃən): *(n)* καταστροφή || **~ive**: *(adj)* καταστρεπτικός
detach (ditætʃ) [-ed]: *(n)* αποσπώ || **~ed**: *(adj)* αδιάφορος || χωριστός, ξέμακρος || **~ment**: *(n)* απόσπασμα || αδιαφορία || απόσπαση
detail (di΄teil, ΄diteil) [-ed]: *(n)* εκθέτω λεπτομερώς || αναθέτω || *(n)* λεπτομέρεια || απόσπασμα
detain (di΄tein) [-ed]: *(n)* θέτω υπό περιορισμό ή κράτηση || εμποδίζω, καθυστερώ
detect (di΄tekt) [-ed]: *(n)* ανιχνεύω || ανακαλύπτω || **~ion**: *(n)* ανίχνευση || **~ive**: *(n)* μυστικός αστυνομικός
detention (di΄tenʃən): *(n)* κράτηση, περιορισμός
deter (di΄tə:r) [-red]: *(v)* αποτρέπω
detergent (di΄tə:rdzənt): *(n)* απορρυπαντικό, σκόνη μπουγάδας
deteriorat-e (di΄tiəriəreit) [-d]: *(v)* χειροτερεύω || φθείρομαι || **~ion**: *(n)* χειροτέρευση || φθορά
determin-ation (ditə:rmi΄neiʃən): *(n)* αποφασιστικότητα || **~e** (di΄tə:rmin) [-d]: *(v)* αποφασίζω, καθορίζω εξακριβώνω || **~ed**: *(adj)* αποφασισμένος
detest (di΄test) [-ed]: *(v)* αποστρέφομαι, σιχαίνομαι || **~able**: *(adj)* σιχαμερός
detonat-e (΄detouneit) [-d]: *(v)* προκαλώ έκρηξη || εκρήγνυμαι || **~ion**: *(n)* έκρηξη || εκτόνωση || **~or**: *(n)* καψύλλιο
detour (di΄tuər) [-ed]: *(v)* λοξοδρομώ || || *(n)* παρακαμπτήριος
detract (di΄trækt) [-ed]: *(v)* μειώνω
detriment (΄detrimənt): *(n)* βλάβη, απώλεια || **~al**: *(adj)* επιζήμιος
deuce (dju:s): *(n)* δυάρι τράπουλας
devaluat-e (di:΄væljueit) [-d]: *(v)* υποτιμώ || **~ion**: *(n)* υποτίμηση
devastat-e (΄devəsteit) [-d]: *(v)* ερημώνω || καταστρέφω || **~ion**: *(n)* ερήμωση || καταστροφή
develop (di΄veləp) [-ed]: *(v)* αναπτύσσω || εμφανίζω φιλμ || αναπτύσσομαι || **~ment**: *(n)* ανάπτυξη
deviat-e (΄di:vieit) [-d]: *(v)* εκτρέπω || αποκλίνω || εκτρέπομαι || **~ion**: *(n)* εκτροπή, απόκλιση
device (di΄vais): *(n)* επινόηση, τέχνασμα || κατασκεύασμα, συσκευή
devil (΄devəl): *(n)* διάβολος || **~ish**: *(adj)* διαβολικός
devious (΄di:viəs): *(adj)* έμμεσος || ύπουλος, ενεργών δόλια
devise (di΄vaiz) [-d]: *(v)* επινοώ, μηχανεύομαι
devoid (di΄void): *(adj)* στερημένος

devot-e (di΄vout) [-d]: *(v)* αφοσιώνω, δίνω ολόψυχα ‖ **~ee**: *(n)* οπαδός, λάτρης ‖ **~ion**: *(n)* αφοσίωση
devour (di΄vauər) [-ed]: *(v)* καταβροχθίζω
devout (di΄vaut): *(adj)* ευσεβής ‖ ένθερμος
dew (dju:): *(n)* δρόσος, δροσιά
dext-erity (deks΄teriti): *(n)* επιδεξιότητα ‖ **~erous, ~rous**: *(adj)* επιδέξιος
diabet-es (diaə΄bi:ti:z): *(n)* διαβήτης‖ **~ic**: *(adj)* διαβητικός
diagnos-e (΄daiəgnouz) [-d]: *(v)* κάνω διάγνωση ‖ **~is** (daiəg΄nousis): *(n)* διάγνωση
diagonal (dai΄ægənəl): *(n)* διαγώνιος
diagram (΄daiəgræm) [-med]: *(v)* κάνω διάγραμμα ‖ *(n)* διάγραμμα
dial (΄daiəl) [-ed]: *(v)* καλώ στο τηλέφωνο, χειρίζομαι τηλέφωνο, παίρνω αριθμό ‖ *(n)* πίνακας ή πλάκα ενδείξεων, ''καντράν''
dialect (΄daiəlekt): *(n)* διάλεκτος
dialogue (΄daiələg): *(n)* διάλογος
diamet-er (dai΄æmitər): *(n)* διάμετρος
diamond (΄daiəmənd): *(n)* διαμάντι ‖ *(adj)* διαμαντένιος ‖ *(n)* καρό της τράπουλας
diaper (΄daiəpər): *(n)* σπάργανα
diaphanous (dai΄æfənəs): *(adj)* διαφανής
diaphragm (΄daiəfræm): *(n)* διάφραγμα
diarrhea, diarrhoea (daiə΄riə): *(n)* διάρροια
diary (΄daiəri): *(n)* ημερολόγιο
dice (dais) [-d]: *(v)* παίζω ζάρια ‖ *(n)* ζάρια
dicker (΄dikər) [-ed]: *(v)* παζαρεύω
dictat-e (dik΄teit) [-d]: *(v)* υπαγορεύω ‖ εντέλλομαι ‖ **~ion**: *(n)* υπαγόρευση ‖ **~or**: *(n)* δικτάτορας ‖ **~orship**: *(n)* δικτατορία
diction (΄dikʃən): *(n)* άρθρωση ‖ λεκτικό ‖ **~ary** (΄dikʃənəri): *(n)* λεξικό
did: see do
die (dai) [-d]: *(v)* πεθαίνω ‖ εξαφανίζομαι, σβήνω ‖ *(n)* μήτρα, τύπος
diet (΄daiət): *(n)* δίαιτα
differ (΄difər) [-ed]: *(v)* διαφέρω ‖ διαφωνώ ‖ **~ence**: *(n)* διαφορά ‖ διαφωνία ‖ **~ent**: *(adj)* διαφορετικός ‖ **~ential** (difər΄enʃəl): *(adj)* διαφορικός
difficult (΄difikəlt): *(adj)* δύσκολος ‖ **~y**: *(n)* δυσκολία, δυσχέρεια
diffiden-ce (΄difidəns): *(n)* ενδοιασμός ‖ διστακτικότητα ‖ **~t**: *(adj)* διστακτικός, χωρίς αυτοπεποίθηση
diffus-e (di΄fju:z) [-d]: *(v)* διαχέω‖ **~ion**: *(n)* διάχυση
dig (dig) [dug, dug]: *(v)* σκάβω
digest (dai΄dzest, di΄dzest) [-ed]: *(v)* χωνεύω ‖ επεξεργάζομαι ‖ **~ible**: *(adj)* ευκολοχώνευτος ‖ **~ion**: *(n)* χώνεψη ‖ (΄daidzəst): *(n)* σύνοψη ‖ πανδέκτης
digit (΄didzit): *(n)* δάχτυλο ‖ ψηφίο
digni-fy (΄dignifai) [-ied]: *(v)* εξυψώνω, εξευγενίζω ‖ **~fied**: *(adj)* αξιοπρεπής ‖ **~tary** (΄dignitəri): *(n)* επίσημος, ψηλό πρόσωπο ‖ **~ty**: *(n)* αξιοπρέπεια
digress (dai΄gress) [-ed]: *(v)* εκτρέπομαι, φεύγω από το θέμα ‖ **~ion**: *(n)* εκτροπή
dilapidate (di΄læpideit) [-d]: *(v)* ερειπώνω, σαραβαλιάζω ‖ **~d**: *(adj)* ερείπιο, σαραβαλιασμένος
dilat-e (dai΄leit) [-d]: *(v)* διαστέλλω ‖ διαστέλλομαι ‖ **~ion**: *(n)* διαστολή
dilemma (di΄lemə): *(n)* δίλημμα
diligen-ce (΄dilidzəns): *(n)* επιμέλεια ‖ φιλοπονία ‖ **~t**: *(adj)* επιμελής, φιλόπονος
dill (dil): *(n)* άνηθος
dilute (dai΄lju:t) [-d]: *(v)* αραιώνω ‖ *(adj)* αραιωμένος
dim (dim) [-med]: *(v)* σκοτεινιάζω, χαμηλώνω φως ‖ *(adj)* αμυδρός, σκοτεινός ‖ χοντροκέφαλος, μπουνταλάς
dime (daim): *(n)* δεκάρα (=10 σέντς)
dimension (di΄menʃən): *(n)* διάσταση
dimin-ish (di΄miniʃ) [-ed]: *(v)* μειώνω, ελαττώνω ‖ ελαττώνομαι ‖ **~utive** (di΄minjutiv): *(adj)* μικροσκοπικός ‖ *(n)* υποκοριστικό
dimple (΄dimpəl) [-d]: *(v)* σχηματίζω λακκούβα ‖ *(n)* λακκάκι
din (din) *(n)* πάταγος, φασαρία
din-e (dain) [-d]: *(v)* γευματίζω ‖ **~er**: *(n)* πελάτης εστιατορίου, ‖ βαγκόν-ρεστωράν ‖ **~ing car**: *(n)* εστιατόριο-όχημα, βαγκόν-ρεστωράν
dingby (diŋgi): *(n)* βάρκα
ding-y (΄dindzi): *(adj)* βρόμικος
dinner (΄dinər): *(n)* γεύμα ‖

~jacket: *(n)* επίσημο κοστούμι, σμόκιν
dinosaur (΄dainəsə:r): *(n)* δεινόσαυρος
diocese (΄daiəsi:z): *(n)* επισκοπή
dip (dip) [-ped]: *(v)* βυθίζω, βουτώ ‖ βυθίζομαι ‖ χαμηλώνω ‖ γέρνω ‖ *(n)* βουτιά ‖ κλίση
diphtheria (dif΄θiəriə): *(n)* διφθερίτιδα
diphthong (΄difθəŋ): *(n)* δίφθογγος
diploma (di΄ploumə): *(n)* δίπλωμα
diploma-cy (di΄plouməsi): *(n)* διπλωματία ‖ **~t** (΄dipləmæt): *(n)* διπλωμάτης
Dipper (΄dipər): *(n)* ‖ **Big ~, Little ~**: Μεγάλη, Μικρή Άρκτος
dire (΄daiər): *(adj)* φρικτός, τρομερός
direct (di΄rekt, dai΄rekt) [-ed]: *(v)* διευθύνω ‖ κατευθύνω ‖ *(adj)* ευθύς ‖ άμεσος ‖ **~ion**: *(n)* διεύθυνση ‖ κατεύθυνση ‖ εντολή ‖ **~or**: *(n)* διευθυντής ‖ **~ory**: *(n)* διευθυντήριο ‖ τηλεφ. κατάλογος
dirge (də:rdz): *(n)* μοιρολόγι
dirigible (΄diridzəbəl): *(n)* πηδαλιουχούμενο
dirt (də:rt): *(n)* χώμα ‖ ακαθαρσία, βρόμα ‖ *(adj)* χωμάτινος ‖ **~iness**: *(n)* βρομιά ‖ **~y** (΄də:rti) [-ied]: *(v)* λερώνω ‖ *(adj)* βρόμικος
disab-ility (disə΄biliti): *(n)* ανικανότητα, αναπηρία ‖ **~le** (dis΄eibəl) [-d]: *(v)* κάνω ανίκανο ή ανάπηρο ‖ **~led**: *(adj)* ανίκανος, ανάπηρος
disadvantage (disəd΄væntidz): *(n)* μειονέκτημα ‖ **~ous** (disædvən΄teidzəs): *(adj)* επιζήμιος ‖ δυσμενής, ασύμφορος
disagree (disə΄gri:) [-d]: *(v)* διαφωνώ ‖ **~able**: *(adj)* δυσάρεστος ‖ **~ment**: *(n)* ασυμφωνία ‖ διαφωνία, διαφορά
disallow (disə΄lau) [-ed]: *(v)* απαγορεύω ‖ απορρίπτω
disappear (disə΄piər) [-ed]: *(v)* εξαφανίζομαι ‖ **~ance**: *(n)* εξαφάνιση
disappoint (disə΄pəint) [-ed]: *(v)* απογοητεύω ‖ **~ing**: *(adj)* απογοητευτικός ‖ **~ment**: *(n)* απογοήτευση
disapprov-al (disə΄pru:vəl): *(n)* αποδοκιμασία ‖ **~e** (disə΄pru:v) [-d]: *(v)* αποδοκιμάζω
disarm (dis΄a:rm) [ed]: *(v)* αφοπλίζω ‖ **~ament**: *(n)* αφοπλισμός
disast-er (di΄zæstər): *(n)* καταστροφή, συμφορά ‖ **~rous**: *(adj)* καταστρεπτικός, ολέθριος
disband (dis΄bænd) [-ed]: *(v)* διαλύω, διασκορπίζω ‖ διαλύομαι, διασκορπίζομαι
disbelief (disbi΄li:f): *(n)* δυσπιστία
disc: see disk
discard (dis΄ka:rd) [-ed]: *(v)* απορρίπτω, πετώ
discern (di΄sə:rn) [-ed]: *(v)* διακρίνω, ξεχωρίζω
discharge (dis΄tʃa:rdz) [-d]: *(v)* ξεφορτώνω ‖ απολύω ‖ πυροβολώ ‖ εκτελώ ‖ *(n)* ξεφόρτωμα ‖ πυροβολισμός, εκκένωση ‖ εκροή ‖ απόλυση
discipl-e (di΄saipəl): *(n)* ακόλουθος, οπαδός ‖ **~ine** (΄disiplin): *(n)* πειθαρχία ‖ [-d]: *(v)* τιμωρώ
disclaim (dis΄kleim) [-ed]: *(v)* αρνούμαι, δεν παραδέχομαι
disclos-e (dis΄klouz) [-d]: *(v)* αποκαλύπτω, κοινολογώ ‖ **~ure**: *(n)* αποκάλυψη ‖ κοινολόγηση
disco: see discotheque
discolor (dis΄kʌlər) [-ed]: *(v)* αποχρωματίζω
discomfit (dis΄kʌmfit) [-ed]: *(v)* ταράζω, συγχύζω ‖ **~ure**: *(n)* σύγχυση, ταραχή
discomfort (dis΄kʌmfərt) [-ed]: *(v)* στενοχωρώ, προκαλώ δυσφορία ‖ *(n)* δυσφορία, στενοχώρια ‖ έλλειψη άνεσης
disconcert (diskən΄sə:rt) [-ed]: *(v)* ταράζω ‖ ανησυχώ
disconnect (diskə΄nekt) [-ed]: *(v)* αποσυνδέω ‖ διαχωρίζω ‖ διακόπτω
disconsolate (dis΄kənsəlit): *(adj)* λυπημένος
discontent (΄diskən΄tent) [-ed]: *(v)* δυσαρεστώ ‖ *(n)* δυσαρέσκεια
discontinu-e (diskən΄tinju:) [-d]: *(v)* διακόπτω, σταματώ
discord (΄diskə:rd): *(n)* διαφωνία ‖ παραφωνία ‖ **~ant**: *(adj)* ασύμφωνος ‖ παράφωνος
discotheque (΄diskoutek): *(n)* ντισκοτέκ
discount (΄diskaunt) [-ed]: *(v)* κάνω έκπτωση ‖ προεξοφλώ ‖ αγνοώ, δεν δίνω πίστη ‖ *(n)* έκπτωση ‖ προεξόφληση
discourage (dis΄kʌridz) [-d]: *(v)* αποθαρρύνω ‖ αποτρέπω

discourteous (dis´kə:rtiəs): *(adj)* αγενής, χωρίς τρόπους
discover (dis´kʌvər) [-ed]: *(v)* ανακαλύπτω ‖ **~y**: *(n)* ανακάλυψη
discredit (dis´kredit) [-ed]: *(v)* ρίχνω αμφιβολία ή δυσπιστία
discreet (dis´kri:t): *(adj)* συνετός ‖ διακριτικός
discrepancy (dis´krepənsi): *(n)* ασυμφωνία, διαφορά
discretion (dis´kreʃən): *(n)* σύνεση ‖ διακριτικότητα
discriminat-e (dis´krimineit) [-d]: *(v)* κάνω διάκριση, δείχνω προτίμηση ‖ **~ion**: *(n)* διάκριση
discus (´diskəs): *(n)* δίσκος αγώνων
discuss (dis´kʌs) [-ed]: *(v)* συζητώ ‖ **~ion**: *(n)* συζήτηση
disdain (dis´dein) [-ed]: *(v)* απαξιώ ‖ δεν καταδέχομαι ‖ *(n)* περιφρόνηση ‖ **~ful**: *(adj)* ακατάδεχτος ‖ περιφρονητικός
disease (di´zi:z): *(n)* ασθένεια
disembark (disim´ba:rk) [-ed]: *(v)* αποβιβάζω ‖ αποβιβάζομαι
disengage (disin´geidz) [-d]: *(v)* αποσυμπλέκω
disentangle (disin´tæŋgl) [-d]: *(v)* ξεδιαλύνω ‖ ξεμπερδεύω
disfavor (dis´feivər) [-ed]: *(v)* θεωρώ με δυσμένεια ‖ *(n)* δυσμένεια
disfigure (dis´figər) [-d]: *(v)* παραμορφώνω
disgorge (dis´gərdz) [-d]: *(v)* ξερνώ ‖ ξεχύνω ορμητικά
disgrace (dis´greis) [-d]: *(v)* ατιμάζω ‖ ντροπιάζω ‖ *(n)* ατίμωση ‖ ντρόπιασμα, εξευτελισμός ‖ **~ful**: *(adj)* ατιμωτικός
disgruntle (dis´grʌntəl) [-d]: *(v)* ‖ δυσαρεστώ ‖ **~d**: *(adj)* δυσαρεστημένος
disguise (dis´gaiz) [-d]: *(v)* μεταμφιέζω
disgust (dis´gʌst) [-ed]: *(v)* αηδιάζω ‖ *(n)* αηδία ‖ **~ing**: *(adj)* αηδιαστικός
dish (diʃ) [-ed]: *(v)* σερβίρω ‖ κοιλαίνω ‖ *(n)* πιάτο ‖ φαγητό
dishearten (dis´ha:rtən) [-ed]: *(v)* αποκαρδιώνω
dishevel (di´ʃevəl) [-ed]: *(v)* ανακατώνω, αναμαλλιάζω ‖ **~ed, ~led**: *(adj)* αναμαλλιασμένος ‖ τσαπατσούλης
dishonest (dis´ənist): *(adj)* ανέντιμος ‖ **~y**: *(n)* ανεντιμότητα
dishonor (dis´ənər) [-ed]: *(v)* ατιμάζω ‖ *(n)* ατίμωση ‖ ατιμία
disillusi-on (disi´lu:zhən) [-ed]: *(v)* απογοητεύω ‖ **~onment**: *(n)* απογοήτευση
disinfect (disin´fekt) [-ed]: *(v)* απολυμαίνω ‖ **~ant**: *(n)* απολυμαντικό
disintegrat-e (dis´intigreit) [-d]: *(v)* αποσυνθέτω ‖ διαλύω, θρυμματίζω ‖ αποσυνθέτομαι ‖ διαλύομαι, θρυμματίζομαι
disinterest (dis´intərist): *(n)* αδιαφορία ‖ αμεροληψία ‖ **~ed**: *(adj)* αδιάφορος ‖ αμερόληπτος
disjoint (dis´dzəint) [-ed]: *(v)* εξαρθρώνω ‖ εξαρθρώνομαι ‖ **~ed**: *(adj)* εξαρθρωμένος ‖ ασύνδετος, ασυνάρτητος
disk (disk): *(n)* δίσκος
dislike (dis´laik) [-d]: *(v)* αντιπαθώ, αποστρέφομαι ‖ *(n)* αντιπάθεια
dislocat-e (´dislokeit) [-d]: *(v)* μεταθέτω ‖ εξαρθρώνω ‖ **~ion**: *(n)* μετάθεση ‖ εξάρθρωση
dislodge (dis´lədz) [-d]: *(v)* εκδιώκω ‖ εκτοπίζω
disloyal (dis´ləiəl): *(adj)* μη πιστός ‖ **~ty**: *(n)* απιστία
dismal (´dizməl): *(adj)* θλιβερός ‖ φρικτός
dismantle (dis´mæntl) [-d]: *(v)* διαλύω ‖ κατεδαφίζω
dismay (dis´mei) [-ed]: *(v)* τρομοκρατώ, φοβίζω ‖ προκαλώ αγωνία ή μεγάλη απογοήτευση ‖ *(n)* φόβος ‖ αγωνία
dismember (dis´membər) [-ed]: *(v)* διαμελίζω
dismiss (dis´mis) [-ed]: *(v)* απολύω ‖ διώχνω ‖ απορρίπτω ‖ διαλύω στοίχιση ή ζυγούς, λύνω τους ζυγούς ‖ **~al**: *(n)* απόλυση ‖ απόρριψη
dismount (dis´maunt) [-ed]: *(v)* ξεκαβαλικεύω
disobe-dience (disə´bi:diəns): *(n)* ανυπακοή, απείθεια ‖ **~dient**: *(adj)* ανυπάκουος, απειθής ‖ **~y** (disə´bei) [-ed]: *(v)* παρακούω, απειθώ
disorder (dis´ə:rdər): *(n)* ακαταστασία ‖ διατάραξη ‖ **~ly**: *(adj)* ακατάστατος ‖ άτακτος
disorganize (dis´ə:rgənaiz) [-d]: *(v)* αποδιοργανώνω
disown (dis´oun) [-ed]: *(v)* αποκη-

ρύσσω
disparage (dis´pæridz) [-d]: *(v)* διασύρω || υποτιμώ
dispassionate (dis´pæʃənit): *(adj)* ήρεμος, ατάραχος || αμερόληπτος
dispatch (dis´pætʃ) [-ed]: *(v)* αποστέλλω || διεκπεραιώνω || θανατώνω || *(n)* αποστολή || θανάτωση || γρήγορη διεκπεραίωση ή εκτέλεση || διαταγή, αναφορά
dispel (dis´pel) [-led]: *(n)* διώχνω || διασκορπίζω
dispens-able (dis´pensəbəl): *(adj)* διαθέσιμος || **~ary**: *(n)* αποθήκη διανομής || πολυκλινική || **~e** (dis´pens) [-d]: *(v)* χορηγώ || διανέμω
dispers-al (dis´pə:rsəl): *(n)* διασπορά || σκόρπισμα || **~e** [-d]: *(v)* διασπείρω || διασκορπίζω || διαχέω || **~ion**: *(n)* διασπορά || διάχυση
lispirit (dis´pirit) [-ed]: *(v)* αποθαρρύνω
displace (dis´pleis) [-d]: *(v)* μετατοπίζω || εκτοπίζω || **~d**: *(adj)* πρόσφυγας
display (dis´plei) [-ed]: *(v)* επιδεικνύω || εκθέτω || εκδηλώνω || *(n)* επίδειξη || έκθεση || έκθεμα
displeas-e (dis´pli:z) [-d]: *(v)* δυσαρεστώ || **~ure**: *(n)* δυσαρέσκεια
dispos-able (dis´pouzəble): *(adj)* διαθέσιμος || για μία μόνο χρήση, για πέταμα μετά τη χρήση || **~al**: *(n)* διευθέτηση || διάθεση || **~e** [-d]: *(v)* διευθετώ || διαθέτω || **~ition**: *(n)* διάθεση || τάση
disproportion (disprə´pə:rʃən): *(n)* δυσαναλογία || **~ate**: *(adj)* δυσανάλογος
disprove (dis´pru:v) [-d]: *(v)* αναιρώ, ανασκευάζω
disput-able (dis´pju:təbəl): *(adj)* αμφισβητήσιμος || **~e** [-d]: *(v)* αμφισβητώ || διεκδικώ || φιλονικώ || *(n)* αμφισβήτηση || φιλονικία
disqualif-ication (diskwələfi´keiʃən): *(n)* αποστέρηση δικαιώματος || αποκλεισμός || **~y** (dis´kwələfai) [-ied]: *(v)* στερώ δικαιώματος || εξαιρώ || αποκλείω
disregard (disri´ga:rd) [-ed]: *(v)* αγνοώ, δε δίνω σημασία || *(n)* άγνοια
disreput-able (dis´repjutəbəl): *(adj)* ανυπόληπτος || ελεεινός || κακόφημος
disrespect (disris´pekt): *(n)* ασέβεια || αυθάδεια || **~ful**: *(adj)* ασεβής, αυθάδης
disrupt (dis´rʌpt) [-ed]: *(v)* διαλύω || διασπώ || **~ion**: *(n)* διάλυση || διάσπαση
dissatisf-action (dis´sætis´fækʃən): *(n)* δυσαρέσκεια || **~ied** (dis´sætisfaid): *(adj)* ανικανοποίητος, δυσαρεστημένος || **~y**: *(v)* δυσαρεστώ
dissect (dis´sekt, dais´sekt) [-ed]: *(v)* κάνω ανατομή || αναλύω βαθιά, εξετάζω με λεπτομέρεια || **~ion**: *(n)* ανατομή
disseminat-e (di´semineit) [-d]: *(v)* διασπείρω || διαδίδω || **~ion**: *(n)* διασπορά || διάδοση
dissent (di´sent) [-ed]: *(v)* διαφωνώ || *(n)* διαφωνία
dissiden-ce (´disidəns): *(n)* διάσταση, διαφωνία || **~t**: *(adj)* σχισματικός, διαφωνών
dissimilar (di´similər): *(adj)* ανόμοιος || **~ity**: *(n)* ανομοιότητα
dissipat-e (´disipeit) [-d]: *(v)* διασκορπίζω || διασκορπίζομαι || σπαταλώ || **~ed**: *(adj)* χαμένος || άσωτος, έκλυτος || **~ion**: *(n)* διασκορπισμός || σπατάλη
dissociat-e (di´souʃieit) [-d]: *(v)* διαχωρίζω || αποχωρίζομαι || διασπώ ||**~ion**: *(n)* διαχωρισμός || διάσταση
dissolut-e (´disəlu:t): *(adj)* ανήθικος, έκλυτος
dissolv-e (di´zəlv) [-d]: *(v)* διαλύω || διαλύομαι || λιώνω
dissua-de (di´sweid) [-d]: *(v)* μεταπείθω, αποτρέπω
distan-ce (´distəns): *(n)* απόσταση || **~t**: *(adj)* μακρυνός, απομακρυσμένος
distaste (dis´teist): *(n)* απέχθεια || **~ful**: *(adj)* απεχθής
distemper (dis´tempər): *(n)* κοινωνική ή πολιτική αναταραχή || νερομπογιά
disten-d (dis´tend) [-ed]: *(v)* εξογκώνω || εξογκώνομαι
distill (dis´til) [-ed]: *(v)* διυλίζω || αποστάζω || **~ation**: *(n)* διύλιση || απόσταξη || **~ery**: *(n)* διυλιστήριο || εργοστ. οιν. ποτών
distinct (dis´tiŋkt): *(adj)* ευκρινής || ευδιάκριτος || χωριστός, ανόμοιος || **~ion**: *(n)* διάκριση || ευκρίνεια || **~ive**: *(adj)* χαρακτηριστικός || ευ-

κρινής
distinguish (dis΄tiŋgwiʃ) [-ed]: *(v)* διακρίνω, ξεχωρίζω ‖ **~ed**: *(adj)* διακεκριμένος
distort (dis΄tɔ:rt) [-ed]: *(v)* παραμορφώνω ‖ αλλοιώνω ‖ διαστρεβλώνω ‖ **~ion**: *(n)* παραμόρφωση ‖ διαστρέβλωση
distract (dis΄trækt) [-ed]: *(v)* περισπώ, αποσπώ ‖ προκαλώ αμηχανία ‖ **~ion**: ψυχική διαταραχή ‖ διασκέδαση
distraught (dis΄trɔ:t): *(adj)* ταραγμένος, ανήσυχος
distress (dis΄tres) [-ed]: *(v)* ανησυχώ, λυπώ ‖ ενοχλώ, βασανίζω ‖ *(n)* λύπη, ανησυχία ‖ υπερένταση
distribut-e (dis΄tribju:t) [-d]: *(v)* διανέμω ‖ κατανέμω ‖ απλώνω ‖ **~ion**: *(n)* διανομή ‖ εξάπλωση ‖ **~or**: *(n)* διανομέας
district (΄distrikt): *(n)* περιοχή ‖ συνοικία ‖ **~ attorney**: *(n)* εισαγγελέας ‖
distrust (dis΄trʌst) [-ed]: *(v)* δυσπιστώ ‖ δεν εμπιστεύομαι ‖ *(n)* δυσπιστία, έλλειψη εμπιστοσύνης ‖ **~ful**: *(adj)* φιλύποπτος, δύσπιστος
disturb (dis΄tə:rb) [-ed]: *(v)* ταράζω, ανησυχώ ‖ ενοχλώ ‖ **~ance**: *(n)* ταραχή, ανησυχία
disuse (dis΄ju:s): *(n)* αχρηστία
ditch (ditʃ) [-ed]: *(v)* σκάβω χαντάκι‖ *(n)* όρυγμα, χαντάκι
ditto (΄ditou): *(n)* τα ως άνω, τα προαναφερθέντα ‖ *(adv)* όμοια
divan (di΄væn): *(n)* ντιβάνι
div-e (daiv) [-d]: *(v)* καταδύομαι ‖ *(n)* κατάδυση ‖ **~er**: *(n)* δύτης
diverge (dai΄və:rdz) [-d]: *(v)* αποκλίνω ‖ διίσταμαι ‖ **~ nce**: *(n)* απόκλιση ‖ διάσταση
diver-s (΄daivə:rz): *(adj)* διάφοροι ‖ ποικίλος ‖ **~se** (dai΄və:rs): *(adj)* μοναδικός ‖ διάφορος ‖ ποικίλος ‖ **~sify** (dai΄və:rsifai) [-ied]: *(v)* ποικίλλω ′‖ παραλλάζω ‖ **~sion** (dai΄və:rʃən): *(n)* αντιπερισπασμός ‖ απόκλιση ‖ απόσπαση σκέψης, διασκέδαση ‖ **~sity**: *(n)* ανομοιότητα ‖ ποικιλία ‖ **~t** (dai΄və:rt) [-ed]: *(v)* εκτρέπω ‖ περισπώ
divide (di΄vaid) [-d]: *(v)* διαιρώ ‖ διαχωρίζω ‖ διαιρούμαι ‖ διαχωρίζομαι‖ **~r**: *(n)* διαιρέτης ‖ **~nd** (΄divədend): *(n)* διαιρετέος ‖ μέρισμα
divin-e (di΄vain) [-d]: *(v)* μαντεύω ‖ *(adj)* θεϊκός
divis-ible (di΄vizəbəl): *(adj)* διαιρετός ‖ **~ion** (di΄vizən): *(n)* διαίρεση ‖ διάσταση ‖ **~or**: (di΄vaizər): *(n)* διαιρέτης
divorce (di΄vɔ:rs) [-d]: *(v)* παίρνω διαζύγιο, χωρίζω ‖ *(n)* διαζύγιο
divulge (di΄vʌldz) [-d]: *(v)* αποκαλύπτω, φανερώνω
dizz-iness (΄dizinis): *(n)* ζάλη ‖ σύγχυση ‖ **~y**: *(adj)* ζαλισμένος ‖ σαστισμένος
do (du:) [did, done]: *(v)* κάνω ‖ εκτελώ ‖ εκπληρώνω
docile (΄dousəl, ΄dousail): *(adj)* υπάκουος
dock (dɔk) [-ed]: *(v)* αράζω σε αποβάθρα ‖ *(n)* νηοδόχη ‖ αποβάθρα
doctor (΄dɔktər): *(n)* διδάκτορας ‖ γιατρός
document (΄dɔkjumənt) [-ed]: *(v)* τεκμηριώνω ‖ *(n)* τεκμήριο ‖ έγγραφο‖ **~ary**: *(n)* ταινία ντοκυμανταίρ
dodge (dɔdz) [-d]: *(v)* αποφεύγω υποχρέωση ή χτύπημα ‖ παραμερίζω ή σκύβω γρήγορα ‖ *(n)* αποφυγή ‖ γρήγορο παραμέρισμα ‖ τέχνασμα, στρατήγημα ‖ υπεκφυγή
doe (dou): *(n)* ελαφίνα
dog (dɔg): *(n)* σκύλος
dogma (΄dɔgmə): *(n)* δόγμα ‖ **~tic**: *(adj)* δογματικός
dole (doul) [-d]: *(v)* δίνω σε μικρές ποσότητες ‖ *(n)* επίδομα ανεργίας ‖ θλίψη ‖ **~ful**: *(adj)* θλιβερός
doll (dɔl): *(n)* κούκλα
dollar (΄dɔlər): *(n)* δολάριο
dolphin (΄dɔlfin): *(n)* δελφίνι
domain (do΄mein): *(n)* περιοχή, πεδίο
dome (doum): *(n)* θόλος
domestic (də΄mestik): *(adj)* οικιακός, του σπιτιού ‖ κατοικίδιος ‖ εγχώριος, ντόπιος
domicile (΄dɔmisail, ΄dɔməsil): *(n)* κατοικία
domin-ance (΄dɔminəns): *(n)* υπεροχή ‖ επικράτηση ‖ **~ant**: *(adj)* επικρατών, ο ισχυρότερος ‖ **~ate** (΄dɔmineit) [-d]: *(v)* κυριαρχώ ‖ υπερισχύω ‖ δεσπόζω ‖ **~ation**: *(n)* κυριαρχία, υπεροχή ‖ **~eer** (dɔmi΄niər) [-ed]: *(v)* εξουσιάζω ‖ δεσπόζω ‖ **~eering**: *(adj)* δεσποτικός ‖ **~ion** (də΄miniən): *(n)* εξου-

σία, κυριαρχία
domino (΄dəminou): *(n)* ντόμινο
donat-e (dou΄neit) [-d]: *(v)* κάνω δωρεά || **~ion**: *(n)* δωρεά
donkey (΄dəŋki): *(n)* γάιδαρος
donor (΄dounər): *(n)* δωρητής || δότης, χορηγός
doom (du:m) [-ed]: *(v)* καταδικάζω, προβλέπω κακό τέλος || *(n)* καταδίκη, χαμός, καταστροφή
door (də:r): *(n)* πόρτα
dope (doup) [-d]: *(v)* δίνω ναρκωτικό | *(n)* ναρκωτικό || βλάκας *(id)*
dormant (΄də:rmənt): *(adj)* κοιμισμένος|| λανθάνων
ormitory (΄də:rmitəri): *(n)* υπνωτήριο
dos-age (΄dousidz): *(n)* δόση, χορήγηση || **~e** (dous) [-d]: *(v)* δίνω σε δόσεις || *(n)* δόση
dossier (΄dəsiei): *(n)* φάκελος, ''ντοσιέ''
dot (dət) [-ted]: *(v)* βάζω τελεία || *(n)* στιγμή, τελεία
dot-age (΄doutidz): *(n)* υπερβολική αδυναμία, παραχάιδεμα || **~e** (dout) [-d]: *(v)* έχω υπερβολική αδυναμία, ''παραχαϊδεύω''
double (΄dʌbəl) [-d]: *(v)* διπλασιάζω || διπλασιάζομαι || *(adj)* διπλάσιος || σωσίας || **~ cross** [-ed]: *(v)* προδίνω || *(n)* προδοσία
doubt (daut) [-ed]: *(v)* αμφιβάλλω || *(n)* αμφιβολία || || **~ful**: *(adj)* αμφίβολος || **~less**: αναμφίβολα, βέβαια
dough (dou): *(n)* ζυμάρι
dour (daur): *(adj)* σκυθρωπός, πικρόχολος
dove (dʌv): *(n)* περιστέρι
down (daun): *(adv)* κάτω|| [-ed]: *(v)* ρίχνω || *(n)* πούπουλο || **~ cast**: θλιμμένος || **~fall**: *(n)* πτώση || **~ pour**: *(n)* ραγδαία βροχή || **~stairs**: *(adv)* στο κάτω πάτωμα || **~ to earth**: *(adj)* ρεαλιστικός || **~town**: το κέντρο της πόλης
dowry (΄dauri): *(n)* προίκα
doze (douz) [-d]: *(v)* λαγοκοιμούμαι || *(n)* υπνάκος
dozen (΄dʌzən): *(n)* δωδεκάδα, ''ντουζίνα''
drab (dræb): *(adj)* σκούρος || ξέθωρος || χακί || κοινός, μη ενδιαφέρων || πόρνη *(id)*
drachma (΄drækmə): *(n)* δραχμή
draft (dræft, dra:ft) [-ed]: *(v)* στρατολογώ || προσχεδιάζω || συντάσσω || *(n)* ρεύμα αέρος (also: draught) || στρατολογία || σχέδιο ||**~ sman:** σχεδιαστής
drag (dræg) [-ged]: *(v)* σύρω || καθυστερώ || *(n)* τράβηγμα
dragon (΄drægən): *(n)* δράκοντας
drain (drein) [-ed]: *(v)* αποστραγγίζω || αποχετεύω || *(n)* σωλήνας αποχέτευσης || **~age**: *(n)* αποχέτευση
dram (dræm): *(n)* σταγόνα || μονάδα βάρους (0,0625 ουγκιές) || λίγο
drama (΄dra:mə, ΄dræmə): *(n)* δράμα || **~tic** (drə΄mætik):*(adj)* δραματικός || **~tist**: *(n)* δραματικός συγγραφέας
drape (dreip) [-d]: *(v)* τυλίγω με ύφασμα || κρεμάω, αναρτώ
drastic (΄dræstik): *(adj)* δραστικός, αποτελεσματικός
draught: see draft || **~s**: *(n)* ντάμα (παιχνίδι)
draw (drə:) [drew, drawn]: *(v)* σύρω || συνάγω || αποσύρω || φέρνω ισοπαλία || σχεδιάζω || *(n)* έλξη || ισοπαλία || **~ a blank**: *(v)* αποτυγχάνω || **~ bridge**: *(n)* κινητή γέφυρα || **~er**: *(n)* συρτάρι
drawl (drə:l) [-ed]: *(v)* μιλώ με μακρόσυρτη προφορά || *(n)* μακρόσυρτη προφορά
dread (dred) [-ed]: *(v)* τρομάζω, φοβάμαι || *(n)* τρόμος || **~ful**: *(adj)* τρομερός, φοβερός
dream (dri:m) [-ed or dreamt]: *(v)* ονειρεύομαι || ονειροπολώ || *(n)* όνειρο || ονειροπόληση
dreary (΄driəri): *(adj)* ζοφερός || καταθλιπτικός, αποκαρδιωτικός
dredge (dredz) [-d]: *(v)* σκάβω || εκβαθύνω|| βυθοκόρος || **~r**: *(n)* βυθοκόρος
dregs (dregz): *(n)* κατακάθια
drench (drentʃ) [-ed]: *(v)* μουσκεύω, καταβρέχω || *(n)* μούσκεμα, κατάβρεγμα
dress (dres) [-ed]: *(v)* ντύνω || ντύνομαι || βάζω επίδεσμο || *(n)* φόρεμα || **~ down**: *(v)* επιπλήττω || **~ing down**: *(n)* επίπληξη || **~ing gown**. *(n)* ρόμπα δωματίου, ''ρομπ ντε σαμπρ'' || **~ing room**: *(n)* καμαρίνι || **~maker**: *(n)* μοδίστρα || **~ rehearsal**: *(n)* γενική πρόβα, ''πρόβα τζενεράλε'' || **~ uniform**: *(n)* επίσημη στολή
dribble (΄dribəl) [-d]: *(v)* στάζω ||

κυλώ σιγανά || *(n)* σταγόνα, στάλαγμα
dried (draid): see dry || *(adj)* στεγνός || αποξεραμένος
drier: see dryer
drift (drift) [-ed]: *(v)* παρασύρομαι, φέρομαι || περιπλανιέμαι|| *(n)* στιβάδα || πορεία, κατεύθυνση γεγονότων ή συζήτησης || **~er**: *(n)* άνθρωπος που πάει από τόπο σε τόπο ή από δουλειά σε δουλειά || αλήτης
drill (dril) [-ed]: *(v)* ανοίγω τρύπα || εξασκώ, γυμνάζω || *(n)* γεωτρύπανο || άσκηση, γυμνάσια
drink (driŋk) [drank, drunk]: *(v)* πίνω
drip (drip) [-ped]: *(v)* στάζω || *(n)* στάξιμο
driv-e (draiv) [drove, driven]: *(v)* ωθώ, σπρώχνω || οδηγώ || *(n)* ώθηση || δρόμος || κινητήρια δύναμη || **~er**: *(n)* οδηγός
drivel (΄drivəl) [-ed]: *(v)* σαχλαμαρίζω, λέω ανοησίες || *(n)* σαχλαμάρες, ανοησίες
driven: see drive
drizzle (΄drizəl) [-d]: *(v)* ψιχαλίζω || *(n)* ψιχάλα
drone (droun) [-d]: *(v)* βουίζω || μιλώ μονότονα || *(n)* βούισμα, βουητό || μονότονη ομιλία || κηφήνας
drool (dru:l) [-ed]: *(v)* μου τρέχουν τα σάλια || σαχλαμαρίζω || *(n)* σαχλαμάρες
droop (dru:p) [-ed]: *(v)* γέρνω || σκύβω || *(n)* σκύψιμο, πέσιμο
drop (drɔ:p) [-ed]: *(v)* πέφτω || στάζω || ελαττώνομαι || κατεβάζω || κατεβαίνω || *(n)* σταγόνα || πτώση || ~ **behind**: *(v)* μένω πίσω || ~ **by**: *(v)* επισκέπτομαι για λίγο
drought (draut): *(n)* λειψυδρία, μεγάλη ξηρασία
drown (draun) [-ed]: *(v)* πνίγω || πνίγομαι
drows-e (drauz) [-d]: *(v)* λαγοκοιμούμαι, είμαι μισοκοιμισμένος || **~y**: *(adj)* νυσταλέος
drudge (drʌdz), **~r**: *(n)* χειρόναξ, εργάτης αγγαρείας || **~ry**: *(n)* σκληρή δουλειά
drug (drʌg) [-ged]: *(v)* δίνω φάρμακο || δίνω ναρκωτικό ή δηλητήριο || *(n)* φάρμακο || ναρκωτικό || ~ **addict**: ναρκομανής, τοξικομανής || **~gist**: *(n)* φαρμακοποιός || **~store**: *(n)* φαρμακείο || παντοπωλείο
drum (drʌm) [-med]: *(v)* παίζω τύμπανο || *(n)* τύμπανο || **~mer**: *(n)* τυμπανιστής
drunk (drʌŋk): see drink || *(adj)* μεθυσμένος || *(n)* μεθύσι || **~ard**: *(n)* μπεκρής || **~en**: *(adj)* μεθυσμένος
dry (drai) [-ied]: *(v)* στεγνώνω || ξεραίνω | ξεραίνομαι || σκουπίζω με πετσέτα || *(adj)* στεγνός || ξερός || μπρούσικο κρασί || ~ **cleaner**: *(n)* στεγνοκαθαριστής || **~er**: *(n)* στεγνωτήριο || στεγνωτής
dual (΄du:əl): *(adj)* δυαδικός || διπλός
dub (dʌb) [-bed]: *(v)* καταγράφω σε ταινία από ταινία || ντουμπλάρω φιλμ || **~bed**: *(adj)* ντουμπλαρισμένος
dubious (΄du:biəs): *(adj)* αμφίβολος
duchess (΄dʌtʃis): *(n)* δούκισσα
duck (dʌk) [-ed]: *(v)* αποφεύγω || σκύβω απότομα | *(n)* σκύψιμο || πάπια || **~ling**: *(n)* παπάκι
duct (dʌkt): *(n)* αγωγός
due (dju:): *(adj)* οφειλόμενος || ληξιπρόθεσμος || προσήκων || **~s**: *(n)* δασμός, τέλη
duel (΄dju:əl) [-ed]: *(v)* μονομαχώ || *(n)* μονομαχία
duet (du:΄et): *(n)* διωδία, "ντουέτο"
duke (dju:k): *(n)* δούκας
dull (dʌl) [-ed]: *(v)* αμβλύνω || σκοτεινιάζω || *(adj)* αμβλύς || βραδύνους || θαμπός || ανιαρός
duly (΄dju:li): *(adv)* δεόντως || ακριβώς, στην ώρα του
dumb (dʌm): *(adj)* βουβός || άφωνος, βλάκας || **~bell**: *(n)* αλτήρας
dummy (΄dʌmi): *(n)* ομοίωμα || κούκλα μοδίστρας || *(adj)* χαζός || ψεύτικος, πλαστός
dump (dʌmp) [-ed]: *(v)* αδειάζω || ξεφορτώνομαι || *(n)* σκουπιδότοπος
dune (du:n): *(n)* αμμόλοφος
dung (dʌŋ): *(n)* κοπριά || βρομιά
dungeon (΄dʌndzən): *(n)* υπόγειο κελί, "μπουντρούμι"
dupe (dju:p) [-d]: *(v)* εξαπατώ || *(n)* κορόϊδο
dupl-ex (΄du:pleks): *(adj)* διπλός || *(n)* διπλό διαμέρισμα, "ντούπλεξ" || **~icate** (΄du:plikeit) [-d]: *(n)* διπλασιάζω || κάνω αντίγραφο ή απομίμηση|| *(n)* ακριβές αντίγραφο || διπλότυπο
durab-ility (djurə΄biliti): *(n)* αντοχή,

ανθεκτικότητα || ~**le** (΄djuərəbəl): *(adj)* στερεός, ανθεκτικός
duration (djuə΄reiʃən): *(n)* διάρκεια
duress (djuə΄res, ΄djuris): *(n)* εξαναγκασμός
during (΄djuəriŋ): *(prep)* κατά τη διάρκεια
dusk (dʌsk): *(n)* σκοτάδι || *(adj)* σκοτεινός || σούρουπο
dust (dʌst) [-ed]: *(n)* ξεσκονίζω || πασπαλίζω || *(n)* σκόνη || ~**bin**: *(n)* σκουπιδοτενεκές || ~**er**: *(n)* ξεσκονιστήρι, ξεσκονόπανο || ~**pan**: *(n)* φαράσι
Dutch (dʌtʃ): *(n)* Ολλανδός || *(adj)* Ολλανδικός|| ~**man**: Ολλανδός
duty (΄dju:ti): *(n)* καθήκον || δασμός, φόρος εισαγωγής
dwarf (dwɔ:rf): νάνος
dwell (dwel) [-ed or dwelt]: *(v)* διαμένω || ~**er**: *(n)* κάτοικος || ~**ing**: *(n)* διαμονή
dwindle (dw΄indəl) [-d]: *(v)* ελαττώνομαι, σβήνω σιγά-σιγά
dye (dai) [-d]: *(v)* βάφω || *(n)* βαφή
dying (΄daiiŋ): *(adj)* ετοιμοθάνατος || επιθανάτιος
dynam-ic (dai΄næmik): *(adj)* δυναμικός || ~**ite** (΄dainəmait) [-d]: *(v)* ανατινάζω || *(n)* δυναμίτιδα
dynast (΄dainæst): *(n)* δυνάστης || ~**y**: *(n)* δυναστεία
dysentery (΄disəntəri): *(n)* δυσεντερία
dyspepsia (dis΄pepsiə): *(n)* δυσπεψία

E

each (i:tʃ): *(adj)* καθένας || ~**other**: αλλήλους
eager (΄i:gər): *(adj)* πρόθυμος, ένθερμος || ~**ness**: *(n)* ζήλος, προθυμία, ανυπομονησία
eagle (΄i:gəl): *(n)* αετός
ear (iər): *(n)* αυτί || ~**ring**: σκουλαρίκι || ~ **splitting**: *(adj)* εκκωφαντικός
earl (ə:rl): *(n)* κόμης
early (΄ə:rli): *(adv)* νωρίς || *(adj)* πρόωρος
earn (ə:rn) [-ed]: *(v)* κερδίζω, βγάζω || αποκτώ || ~**ings**: *(n)* απολαβές
earnest (΄ə:rnist): *(adj)* ένθερμος || γεμάτος ζήλο || σοβαρός || ~ **money**: *(n)* καπάρο
earth (ə:rθ): *(n)* γή || στεριά || χώμα || γείωση || **down to** ~: λογικός, προσγειωμένος || ~**ly**: *(adj)* γήινος || πρακτικός || ~**quake**: *(n)* σεισμός
ease (i:z) [-d]: *(v)* καταπραΰνω || ανακουφίζω, απαλύνω || *(n)* άνεση, ευκολία
easel (΄i:zəl): *(n)* καβαλέτο ζωγράφου
east (i:st): *(n)* ανατολή || *(adj)*
Easter (΄i:stər): *(n)* Πάσχα
easy (΄i:zi): *(adj)* εύκολος|| ~ **going**: ανέμελος
eat (i:t) [ate, eaten]: *(v)* τρώω || ~**able**: *(adj)* φαγώσιμος
eaves (i:vz): *(n)* γείσωμα στέγης || ~ **drop** [-ped]: *(v)* κρυφακούω
ebb (eb) [-ed]: *(v)* αποτραβιέμαι || ξεπέφτω || *(n)* πτώση, παρακμή || άμπωτη
ebony (΄ebəni): *(n)* έβενος || *(adj)* εβένινος
eccentric (ik΄sentrik): *(adj)* εκκεντρικός, ιδιότροπος || ~**ity**: εκκεντρικότητα
echo (΄ekou) [-ed]: *(v)* ηχώ, αντηχώ || *(n)* ηχώ, αντήχηση
eclip-se (i΄klips) [-d]: *(v)* εκλείπω, κάνω έκλειψη || επισκιάζω || *(n)* έκλειψη
econom-ic (ikə΄nəmik, əkə΄nəmik): *(adj)* οικονομικός || ~**ical**: *(adj)* οικονομικός, φειδωλός || ~**ics**: *(n)* οικονομικές επιστήμες || ~**ist** (i΄kənəmist): *(n)* οικονομολόγος || οικονόμος || ~**ize** (i΄kənəmaiz) [-d]: *(v)* οικονομώ, κάνω οικονομία || ~**y**: *(n)* οικονομία
ecst-asy (΄ekstəsi): *(n)* έκσταση || ~**atic** (ek΄stætik): *(adj)* εκστατικός
ecumenical (ikju:΄menikəl): *(adj)* οικουμενικός
eczema (΄eksəmə, eg΄zi:mə): *(n)* έκζεμα
edg-e (edz) [-d]: *(v)* προχωρώ σιγά || *(n)* ακμή || χείλος || πλεονέκτημα,

υπεροχή || **~y**: *(adj)* εκνευρισμένος
edible (΄edibəl): *(adj)* φαγώσιμος
edific-ation (edifi΄keiʃən): *(n)* διαφώτιση || **~e** (΄edifis): *(n)* οικοδόμημα
edit (΄edit) [-ed]: *(v)* συντάσσω, επιμελούμαι ύλη για δημοσίευση || **~ion** (i΄diʃən): *(n)* έκδοση || **~or**: *(n)* συντάκτης
educat-e (΄edju:keit) [-d]: *(v)* μορφώνω, εκπαιδεύω || **~ion** (edju΄keiʃən): *(n)* μόρφωση, παιδεία
eel (i:l): *(n)* χέλι
eerie, eery (΄iəri): *(adj)* υπερφυσικός || μυστηριώδης || τρομακτικός
efface (i΄feis) [-d]: *(v)* εξαλείφω
effect (i΄fekt) [-ed]: *(v)* φέρνω αποτέλεσμα || *(n)* αποτέλεσμα || επίδραση || **~ive**: *(adj)* αποτελεσματικός || **~ual**: *(adj)* δεσμευτικός, ισχύων || αποτελεσματικός
effervescen-ce (efər΄vesəns): *(n)* αναβρασμός || **~t**: *(adj)* αναβράζων || αεριούχος
efficacy (΄efəkəsi): *(n)* αποτελεσματικότητα
efficien-cy (i΄fiʃənsi): *(n)* απόδοση || **~t**: *(adj)* ικανός, αποδοτικός
effigy (΄efidzi): *(n)* ομοίωμα
effort (΄efərt): *(n)* προσπάθεια
effrontery (i΄frʌntəri): *(n)* αναίδεια || αυθάδεια
effus-ion (e΄fju:zən): *(n)* διάχυση || **~ive**: *(adj)* διαχυτικός
egg (eg): *(n)* αυγό|| ~ **plant**: *(n)* μελιτζάνα
ego (΄egou, ΄i:gou): *(n)* το εγώ || **~ism**: *(n)* εγωισμός || **~ist**: *(n)* εγωιστής || **~tism**: *(n)* εγωπάθεια || **~tist**: *(n)* εγωπαθής
eiderdown (΄aidərdaun): *(n)* πάπλωμα με πούπουλα
eight (eit): *(n)* οκτώ || **~een**: δέκα οκτώ || **~eenth**: δέκατος όγδοος || **~h**: όγδοος || **~ieth**: ογδοηκοστός || **~y**: ογδόντα
either (΄i:ðər, ΄aiðər): *(pron & conj)* οποιοσδήπτε από τους δύο || ή, είτε || και οι δυό || ούτε
eject (i΄dzekt) [-ed]: *(v)* *εκτοξεύω* || αποβάλλω || εκβάλλω|| **~ion**: *(n)* εκτόξευση || αποβολή || απόρριψη
elaborat-e (i΄læbəreit) [-d]: *(v)* επεξεργάζομαι || εκφράζομαι λεπτομερώς || (i΄læbərit): *(adj)* πολύπλοκος || λεπτομερώς επεξεργασμένος || **~ion**: *(n)* επεξεργασία || λεπτομερειακή απόδοση ή έκφραση
elapse (i΄læps) [-d]: *(v)* διαρρέω, περνώ
elastic (i΄læstik): *(adj)* ελαστικός || *(n)* ελαστικό || **~ity** (elæs΄tisiti): *(n)* ελαστικότητα
elat-e (i΄leit) [-d]: *(v)* ενθουσιάζω || **~d**: *(adj)* ενθουσιασμένος || **~ion**: *(n)* ενθουσιασμός, χαρά
elbow (΄elbou): *(n)* αγκώνας
elder (΄elder): *(n)* δημογέροντας, προεστός || ζαμπούκος, κουφοξυλιά || **~ly**: ηλικιωμένος
eldest (΄eldəst): πρεσβύτατος, πρωτότοκος
elect (i΄lekt) [-ed]: *(v)* εκλέγω || *(adj)* εκλεκτός || **~ion**: *(n)* εκλογή || **~ioneer** [-ed]: *(v)* ψηφοθηρώ || **~ive**: *(adj)* αιρετός || **~or**: *(n)* εκλογέας || **~oral**: *(adj)* εκλογικός || **~orate**: *(n)* οι εκλογείς || εκλογική περιφέρεια
electr-ic (i΄lektrik), **~ical**: *(adj)* ηλεκτρικός || **~ician** (ilek΄triʃən): *(n)* ηλεκτροτεχνίτης || **~icity** (ilek΄trisiti): *(n)* ηλεκτρισμός || **~ify** (i΄lektrifai) [-ied]: *(v)* εξηλεκτρίζω || ηλεκτρίζω
electrocut-e (i΄lektrəkju:t) [-d]: *(v)* προκαλώ ηλεκτροπληξία
electrode (i΄lektroud): *(n)* ηλεκτρόδιο
electron (i΄lektrən): *(n)* ηλεκτρόνιο || **~ic** (elək΄trənik): *(adj)* ηλεκτρονικός || **~ics**: *(n)* ηλεκτρονική
elegan-ce (΄eləgəns): *(n)* χάρη, φινέτσα || κομψότητα || **~t**: *(adj)* έξοχος, φίνος || κομψός
element (΄eləmənt): *(n)* στοιχείο || **~al, ~ary** (elə΄mentəl, elə΄mentəri): *(adj)* στοιχειώδης || στοιχειακός
elephant (΄eləfənt): *(n)* ελέφαντας || **~ine**: *(adj)* τεράστιος, ογκώδης
elevat-e (΄eləveit) [-d]: *(v)* υψώνω || ανυψώνω || **~ion**: *(n)* ύψος || ανύψωση || **~or**: *(n)* ανελκυστήρας
eleven (i΄levən): *(n)* έντεκα || **~th**: *(adj)* ενδέκατος
elf (elf): *(n)* ξωτικό, καλικαντζαράκι || νάνος || άτακτο παιδί, ''διαβολάκι''
elicit (i΄lisit) [-ed]: *(v)* βγάζω || φανερώνω
eligib-le (΄elədzəbəl): *(adj)* εκλέξιμος || πολύφερνος

eliminat-e (i΄limǝneit) [-d]: *(v)* εξαλείφω ‖ εξουδετερώνω ‖ **~ion**: *(n)* εξάλειψη ‖ εξουδετέρωση
elite (i΄li:t): *(n)* επίλεκτοι
ellip-se (i΄lips): *(n)* έλλειψη ‖ **~tic**: *(adj)* ελλειπτικός
elm (elm): *(n)* φτελιά
elongat-e (i΄lǝŋgeit) [-d]: *(v)* μακραίνω ‖ **~ed**: *(adj)* επιμήκης
elope (i΄loup) [-d]: *(v)* απάγομαι εκούσια ‖ **~ment**: *(n)* εκούσια απαγωγή
eloquen-ce (΄elokwǝns): *(n)* ευγλωττία ‖ **~t**: *(adj)* εύγλωττος
else (els): *(adj)* άλλος ‖ *(adv)* αλλιώς ‖ **~where**: *(adv)* αλλού
elucidat-e (i΄lu:sideit) [-d]: *(v)* διασαφηνίζω, διευκρινίζω
elu-de (i΄lju:d) [-d]: *(v)* διαφεύγω ‖ υπεκφεύγω ‖ **~sive**: *(adj)* ασύλληπτος ‖ απατηλός
emaciate (i΄meiʃieit) [-d]: *(v)* αδυνατίζω ‖ **~d**: *(adj)* κάτισχνος
emanat-e (΄emǝneit) [-d]: *(v)* εκπέμπω ‖ πηγάζω, προέρχομαι
emancipat-e (i΄mænsǝpeit) [-d]: *(v)* χειραφετώ ‖ **~ed**: *(adj)* χειραφετημένος ‖ **~ion**: *(n)* χειραφέτηση
embalm (im΄ba:m) [-ed]: *(v)* ταριχεύω, βαλσαμώνω ‖ αρωματίζω
embank (im΄bænk) [-ed]: *(n)* επιχωματωνω ‖ **~ment**:*(n)* ανάχωμα
embargo (em΄ba:rgou): *(n)* παρεμπόδιση ‖ αποκλεισμός
embark (em΄ba:rk) [-ed]: *(v)* επιβιβάζω ‖ επιβιβάζομαι
embarrass (em΄bærǝs) [-ed]: *(v)* προκαλώ αμηχανία ‖ στενοχωρώ ‖ **~ment**: *(n)* αμηχανία ‖ στενοχώρια
embassy (΄embǝsi): *(n)* πρεσβεία
embed (em΄bed, im΄bed) [-ded]: *(v)* εντειχίζω
embellish (im΄beliʃ) [-ed]: *(v)* καλλωπίζω, εξωραΐζω
ember (΄embǝr): *(n)* αναμμένο κάρβουνο ‖ **~s**: *(n)* χόβολη, θράκα
embezzle (em΄bezǝl) [-d]: *(v)* καταχρώμαι ‖ **~r**: *(n)* καταχραστής ‖ **~ment**: *(n)* κατάχρηση
embitter (em΄bitǝr, im΄bitǝr) [-ed]: *(v)* πικραίνω
emblem (΄emblǝm): *(n)* έμβλημα
embod-y (im΄bǝdi) [-ied]: *(v)* ενσαρκώνω ‖ προσωποποιώ ‖ **~iment**: *(n)* ενσάρκωση ‖ προσωποποίηση
emboss (im΄bǝs) [-ed]: *(v)* χαράζω
embrace (em΄breis, im΄breis) [-d]: *(v)* αγκαλιάζω ‖ περιλαμβάνω ‖ δέχομαι, υιοθετώ ‖ *(n)* αγκάλιασμα
embroider (im΄brǝidǝr) [-ed]: *(v)* κεντώ ‖ **~y**: *(n)* κέντημα
embryo (΄embriou): *(n)* έμβρυο ‖ **~nic**: *(adj)* νηπιακός, μη αναπτυγμένος
emerald (΄emǝrǝld): *(n)* σμαράγδι
emerge (i΄mǝ:rdz) [-d]: *(v)* αναδύομαι ‖ ξεπροβάλλω ‖ **~nce**: *(n)* ανάδυση ‖ εμφάνιση ‖ **~ncy**: *(n)* έκτακτη ανάγκη, κίνδυνος
emery (΄emǝri): *(n)* σμύριδα
emetic (i΄metik): *(adj & n)* εμετικό
emigr-ant (΄emigrǝnt): *(n)* μετανάστης ‖ *(adj)* μεταναστευτικός ‖ **~ate** (΄emigreit) [-d]: *(v)* μεταναστεύω ‖ **~ation**: *(n)* μετανάστευση
eminen-ce (΄eminǝns): *(n)* ύψωμα ‖ περιωπή, ανωτερότητα ‖ **E~**: εξοχότητα (τίτλος) ‖ **~t**: *(adj)* εξέχων
emissary (΄emisǝri): *(n)* απεσταλμένος
emi-ssion (i΄miʃǝn): *(n)* εκπομπή ‖ **~t** (i΄mit) [-ted]: *(v)* εκπέμπω
emot-ion (i΄mouʃǝn): *(n)* συγκίνηση, αίσθημα ‖ **~ional**: *(adj)* συναισθηματικός ‖ ευκολοσυγκίνητος
emp-eror (΄empǝrǝr): *(n)* αυτοκράτορας ‖ **~ress**: *(n)* αυτοκράτειρα
empha-sis (΄emfǝsis): *(n)* έμφαση ‖ **~size** (΄emfǝsaiz) [-d]: *(v)* δίνω έμφαση, τονίζω ‖ **~tic** (em΄fætik): *(adj)* εμφατικός
empire (΄em΄paiǝr): *(n)* αυτοκρατορία
empiric (em΄pirik): *(n)* εμπειρικός ‖ **~al**: *(adj)* εμπειρικός ‖ πρακτικός, από πείρα
employ (im΄plǝi) [-ed]: *(v)* προσλαμβάνω ‖ απασχολώ ‖ εφαρμόζω ‖ *(n)* πρόσληψη ‖ απασχόληση ‖ **~ee**: *(n)* εργαζόμενος, υπάλληλος ‖ **~er**: *(n)* εργοδότης ‖ **~ment**: *(n)* πρόσληψη
empress: see **emperor**
empty (΄empti) [-ied]: *(v)* αδειάζω ‖ *(adj)* άδειος
emulate (΄emjǝleit) [-d]: *(v)* αμιλλώμαι ‖ μιμούμαι
enable (i΄neibǝl) [-d]: *(v)* κάνω δυνατό ή πραγματοποιήσιμο ‖ επιτρέπω, καθιστώ ικανό ‖ διευκολύνω
enamel (i΄næmǝl): *(n)* σμάλτο ‖ αδαμαντίνη
encase (in΄keis) [-d]: *(v)* περικλείνω ‖ βάζω σε θήκη

enchant (in´tʃænt, in´tʃa:nt) [-ed]: *(v)* γοητεύω ‖ μαγεύω
encircle (in´sə:rkl) [-d]: *(v)* περικυκλώνω ‖ περιβάλλω
enclos-e (in´klouz) [-d]: *(v)* περικλείνω ‖ περιβάλλω ‖ εσωκλείω ‖ **~ure**: *(n)* περίβολος ‖ εσώκλειστο
encore (´aŋkə:r) [-d]: *(v)* καλώ και πάλι στη σκηνή, φωνάζω ''ανκόρ'', ''μπις''
encounter (ən´kauntər) [-ed]: *(v)* συναντώ τυχαία, βρίσκω ‖ *(n)* συνάντηση ‖ αντιμετώπιση
encourage (ən´kʌridz) [-d]: *(v)* ενθαρρύνω ‖ **~ment**: *(n)* ενθάρρυνση
encroach (ən´kroutʃ) [-ed]: *(v)* καταπατώ
encumb-er (ən´kʌmbər) [-ed]: *(v)* εμποδίζω ‖ **~rance**: *(n)* εμπόδιο
encycloped-ia (ensaiklou´pi:diə): *(n)* εγκυκλοπαίδεια
end (end) [-ed]: *(v)* τελειώνω ‖ τερματίζομαι ‖ καταλήγω ‖ *(n)* τέλος ‖ *(adj)* τελικός ‖ *(n)* άκρο ‖ *(adj)* ακραίος ‖ *(n)* αποτέλεσμα ‖ **~less**: *(adj)* ατέλειωτος ‖ ατέρμων
endanger (ən´deindzər) [-ed]: *(v)* βάζω ή εκθέτω σε κίνδυνο
endeavor (ən´devər) [-ed]: *(v)* προσπαθώ ‖ προσπάθεια
endorse (in´də:rs) [-d]: *(v)* οπισθογραφώ ‖ επικυρώνω ‖ **~ment**: *(n)* οπισθογράφηση ‖ επικύρωση
endow (en´dau) [-ed]: *(v)* παρέχω ‖ δωρίζω, προικίζω
endur-e (en´dju:r) [-d]: *(v)* υπομένω ‖ αντέχω ‖ **~able**: *(adj)* ανεκτός ‖ **~ance**: *(n)* καρτερία ‖ αντοχή ‖ **~ing**: *(adj)* καρτερικός
enemy (´enəmi): *(n)* εχθρός ‖ *(adj)* εχθρικός
energ-etic (enər´dzetik): *(adj)* ενεργητικός ‖ δραστήριος ‖ **~y** (´enərdzi): *(n)* ενέργεια ‖ δραστηριότητα, ζωτικότητα
enfold (in´fould) [-ed]: *(v)* περιβάλλω
enforce (ən´fə:rs) [-d]: *(v)* επιβάλλω υπακοή ή εφαρμογή ‖ βάζω σε ισχύ
engage (ən´geidz) [-d]: *(v)* προσλαμβάνω ‖ κάνω χρήση ‖ εμπλέκω ‖ δεσμεύω ‖ **~d**: *(adj)* κρατημένος, κλεισμένος ‖ απασχολημένος ‖ αρραβωνιασμένος ‖ **~ment**: *(n)* μίσθωση ‖ πρόσληψη ‖ αρραβώνας ‖ δέσμευση ‖ κλείσιμο, ''αγκαζάρισμα'' ‖ εμπλοκή
engine (´endzin): *(n)* μηχανή ‖ κινητήρας ‖ **~er** (endzə´ni:r): *(n)* μηχανικός ‖ **~ering**: *(n)* μηχανική επιστήμη
Engl-and (´ingland): *(n)* Αγγλία ‖ **~ish**: *(n)* Άγγλος ‖ *(adj)* Αγγλικός ‖ *(n)* αγγλική γλώσσα ‖ **~ishman**: *(n)* Άγγλος ‖ **~ishwoman**: *(n)* Αγγλίδα
engrav-e (in´greiv) [-d]: *(v)* χαράζω ‖ **~ing**: *(n)* χαρακτική ‖ γλυπτό
engross (in´grous) [-ed]: *(v)* απορροφώ την προσοχή ‖ **~ed**: *(adj)* απορροφημένος
engulf (in´gʌlf) [-ed]: *(v)* περικλείνω ‖ σκεπάζω
enhance (en´hæns, en´ha:ns) [-d]: *(v)* υπερτιμώ, ανεβάζω αξία
enigma (i´nigmə): *(n)* αίνιγμα ‖ **~tic** (eni´gmætik): *(adj)* αινιγματικός
enjoy (en´dzoi, in´dzoi) [-ed]: *(v)* απολαμβάνω ‖ **~able**: *(adj)* απολαυστικός, ευχάριστος ‖ **~ment**: *(n)* ευχαρίστηση, απόλαυση
enlarge (en´la:rdz, in´la:rdz) [-d]: *(v)* επεκτείνω ‖ μεγεθύνω ‖ επεκτείνομαι ‖ **~ment**: *(n)* επέκταση ‖ μεγέθυνση
enlighten (en´laitn) [-ed]: *(v)* διαφωτίζω, φωτίζω ‖ **~ment**: *(n)* διαφώτιση
enlist (en´list) [-ed]: *(v)* στρατολογώ ‖ κατατάσσω ‖ κατατάσσομαι
enmity (´enmiti): *(n)* έχθρα
enorm-ity (e´nə:rmiti): *(n)* τερατουργία ‖ τερατούργημα ‖ **~ous**: *(adj)* πελώριος ‖ **~ously**: *(adv)* υπέρμετρα
enough (i´nʌf): *(adj)* αρκετός ‖ *(adv)* αρκετά
enrich (en´ritʃ) [-ed]: *(v)* εμπλουτίζω
enroll (en´roul) [-ed]: *(v)* εγγράφω ‖ **~ment**: *(n)* εγγραφή
en route (an´ru:t): καθ' οδόν
ensign (´ensən): *(n)* σημαιοφόρος ‖ (´ensən, ´ensain): *(n)* στρατιωτική ή ναυτική σημαία
enslave (en´sleiv) [-d]: *(v)* υποδουλώνω ‖ **~ment**: *(n)* υποδούλωση
ensu-e (en´sju:) [-d]: *(v)* επακολουθώ, έπομαι ‖ **~ing**: *(adj)* επόμενος, ακόλουθος
ensure (en´ʃuər) [-d]: *(v)* εξασφαλίζω ‖ διασφαλίζω, εγγυούμαι
entail (en´teil) [-ed]: *(v)* συνεπάγομαι ‖ επιφέρω
entangle (en´tæŋgəl) [-d]: *(v)* περιπλέκω, μπερδεύω

enter (΄entər) [-ed]: *(v)* μπαίνω ‖ διαπερνώ ‖ καταγράφω
enterpris-e (΄entərpraiz): *(n)* επιχείρηση ‖ τόλμη, αποφασιστικότητα ‖ **~ing**: *(adj)* αποφασιστικός
entertain (΄entər΄tein) [-ed]: *(v)* διασκεδάζω ‖ περιποιούμαι ‖ **~ing**: *(adj)* διασκεδαστικός ‖ **~ment**: *(n)* διασκέδαση ‖ θέαμα
enthrall (en΄θrɔ:l) [-ed]: *(v)* γοητεύω, μαγεύω
enthus-e (en΄θu:z) [-d]: *(v)* ενθουσιάζομαι ‖ **~iasm** (en΄θu:ziæzəm): *(n)* ενθουσιασμός ‖ **~iast**: *(n)* ενθουσιώδης οπαδός ‖ **~iastic**: *(adj)* ενθουσιώδης
entice (en΄tais) [-d]: *(v)* δελεάζω, πλανεύω
entire (en΄taiər): *(adj)* ολόκληρος ‖ ακέραιος ‖ **~ly**: *(adv)* εξ ολοκλήρου ‖ αποκλειστικά ‖ **~ty**: *(n)* σύνολο, ολότητα
entitle (en΄taitəl) [-d]: *(v)* τιτλοφορώ, ονομάζω ‖ δίνω δικαίωμα, παρέχω
entity (΄entəti:): *(n)* ύπαρξη, οντότητα
entrance (΄entrəns): *(n)* είσοδος
entrap (en΄træp) [-ped]: *(v)* παγιδεύω
entreat (en΄tri:t) [-ed]: *(v)* εκλιπαρώ
entrench (en΄trentʃ) [-ed]: *(v)* περιχαρακώνω
entrepreneur (΄entrəpre΄nər): *(n)* επιχειρηματίας
entrust (en΄trʌst) [-ed]: *(v)* εμπιστεύομαι ‖ αναθέτω
entry (΄entri): *(n)* είσοδος ‖ καταχώριση ‖ εγγραφή
entwine (en΄twain) [-d]: *(v)* περιτυλίγω
enumerate (i΄nju:məreit) [-d]: *(v)* απαριθμώ
enunciat-e (i΄nʌnʃieit) [-d]: *(v)* προφέρω καθαρά
envelop (en΄veləp) [-ed]: *(v)* περιβάλλω, περικλείνω ‖ **~e** (΄envəloup): *(n)* φάκελος ‖ περίβλημα
envi-able (΄enviəbəl): *(adj)* επίζηλος ‖ αξιοζήλευτος ‖ **~ous** (΄enviəs): *(adj)* φθονερός, ζηλότυπος
environ (in΄vaiərən) [-ed]: *(v)* περιβάλλω ‖ **~ment**: *(n)* περιβάλλον
envoy (΄envoi): *(n)* απεσταλμένος
envy (΄envi) [-ied]: *(v)* ζηλεύω, φθονώ ‖ *(n)* ζήλια, φθόνος ‖ αξιοζήλευτο αντικείμενο
eon (΄i:on): *(n)* αιώνας, μεγάλο χρον. διάστημα ‖ **~ian**: *(adj)* αιωνόβιος
ephemer-al (i΄femərəl): *(adj)* εφήμερος
epic (΄epik): *(n)* έπος ‖ *(adj)* επικός
epidemic (epi΄demik): *(adj)* επιδημικός ‖ *(n)* επιδημία
epigram (΄epigræm): *(n)* επίγραμμα
epilep-sy (΄epilepsi): *(n)* επιληψία ‖ **~tic** (epi΄leptik): *(adj)* επιληπτικός
epilogue (΄epiləg): *(n)* επίλογος
episcopal (i΄piskəpəl): *(adj)* επισκοπικός
epistle (i΄pisəl): *(n)* επιστολή
epitaph (΄epitæf): *(n)* επιτάφιος
epitom-e (i΄pitəmi): *(n)* επιτομή, περίληψη ‖ **~ize** (i΄pitəmaiz) [-d]: *(v)* συνοψίζω
epoch (΄i:pək): *(n)* εποχή
equab-ility (ekwə΄biliti): *(n)* ομοιομορφία ‖ ομαλότητα ‖ **~le** (΄ekwəbəl): *(adj)* ομοιόμορφος ‖ ομαλός
equal (΄i:kwəl): *(adj)* ίσος ‖ αντάξιος ‖ ομότιμος ‖ [-ed or -led]: *(v)* ισούμαι ‖ ισοφαρίζω ‖ ~ity: *(n)* ισότητα ‖ **~ize** [-d]: *(v)* εξισώνω ‖ κάνω ομοιόμορφο ‖ **~ly**: *(adv)* εξίσου
equanimity (i:kwə΄nimiti): *(n)* αταραξία, ηρεμία
equat-e (i΄kweit) [-d]: *(v)* εξισώνω ‖ εξισούμαι ‖ **~ion**: *(n)* εξίσωση ‖ **~or**: *(n)* ισημερινός
equi-distant (i:kwi΄distənt): *(adj)* ισαπέχων ‖ **~lateral** (i:kwi΄lætərəl): *(adj)* ισόπλευρος ‖ **~librium** (i:kwi΄libriəm): *(n)* ισορροπία
equinox (΄ikwinəks): *(n)* ισημερία
equip (i΄kwip) [-ped]: *(v)* εφοδιάζω ‖ εξοπλίζω ‖ **~ment**: *(n)* εφοδιασμός ‖ εφόδια
equit-able (΄ekwitəbəl): *(adj)* ευθύς, δίκαιος ‖ αμερόληπτος ‖ **~y**: *(n)* ευθύτητα ‖ αμεροληψία
equivalent (i΄kwivələnt): *(adj)* ισοδύναμος ‖ ισάξιος, ισότιμος
equivocal (i΄kwivəkəl): *(adj)* ασαφής ‖ διφορούμενος ‖ αμφίβολος ‖ ύποπτος, αμφίβολου ποιού
era (΄iərə): *(n)* περίοδος, εποχή
eradicat-e (i΄rædikeit) [-d]: *(v)* εξαλείφω ‖ ξεριζώνω
erase (i΄reiz) [-d]: *(v)* σβήνω ‖ εξαλείφω ‖ **~r**: *(n)* σβηστήρι
erect (i΄rekt) [-ed]: *(v)* ανεγείρω ‖ εγείρομαι ‖ *(adj)* όρθιος ‖ ανυψωμένος ‖ **~ion**: *(n)* ανέγερση

|| ανόρθωση
ermine (΄ə:rmin): *(n)* νυφίτσα || γούνα ερμίνα
ero-de (i΄roud) [-d]: *(v)* διαβρώνω || κατατρώγω || διαβρώνομαι || **~sion** (i΄rouzən): *(n)* διάβρωση || φθορά
erotic (i΄rɔtik): *(adj)* σεξουαλικά ερωτικός
err (ə:r) [-ed]: *(v)* σφάλλω || αμαρτάνω
errand (΄erənd): *(n)* μικροδουλειά, ''θέλημα''
err-ata (i΄reitə): *(n)* παροράματα || **~atic** (i΄rætic): *(adj)* ακανόνιστος, άτακτος || **~oneous** (i΄rounjəs): *(adj)* εσφαλμένος || **~or** (΄erər): *(n)* σφάλμα || πλάνη || λάθος
erstwhile (΄eərstwail): *(adj)* τέως
erudite (΄eru:dait): *(adj)* διαβασμένος, πολυμαθής
erupt (i΄rʌpt) [-ed]: *(v)* εκρήγνυμαι || **~ion**: *(n)* έκρηξη || εξάνθημα
escalat-e (΄eskəleit) [-d]: *(v)* κλιμακώνω || **~ion**: *(n)* κλιμάκωση || **~or**: *(n)* κυλιώμενη σκάλα
escapade (΄eskəpeid): *(n)* περιπέτεια || ξέσπασμα
escap-e (is΄keip) [-d]: *(v)* δραπετεύω || *(n)* δραπέτευση
escort (es΄kɔ:rt) [-ed]: *(v)* συνοδεύω || (΄eskɔ:rt): *(n)* συνοδεία || φρουρά || σωματοφυλακή || συνοδός
Eskimo (΄eskimou): *(n)* εσκιμώος
especial (is΄peʃəl): *(adj)* εξαιρετικός || ιδιαίτερος || **~ly**: *(adv)* ιδιαίτερα
espionage (΄espiəna:zh): *(n)* κατασκοπία
esplanade (΄espləneid): *(n)* φαρδιά λεωφόρος
esquire (es΄kwaiər): *(n)* κύριος || κύριον (μετά το όνομα)
essay (e΄sei) [-ed]: *(v)* δοκιμάζω || (΄esei, e΄sei): *(n)* πραγματεία
essence (΄esəns): *(n)* κυρία ουσία || αιθέριο έλαιο
essential (i΄senʃəl): *(adj)* βασικός, κύριος || ουσιώδης || *(n)* ουσία
establish (es΄tæbliʃ) [-ed]: *(v)* εγκαθιδρύω || στερεώνω, ενισχύω || ιδρύω|| **~ment**: *(n)* εγκαθίδρυση || ίδρυμα || οργάνωση || το κατεστημένο
estate (es΄teit): *(n)* κτηματική περιουσία || **κληρονομία**
esteem (es΄ti:m) [-ed]: *(v)* εκτιμώ, υπολήπτομαι || θεωρώ ως || *(n)* εκτίμηση, υπόληψη
estimat-e (΄estimeit) [-d]: *(v)* υπολογίζω, εκτιμώ || (΄estimit): *(n)* υπολογισμός, εκτίμηση || **~ion**: *(n)* εκτίμηση, κρίση || υπόληψη, εκτίμηση
estuary (΄estjuəri): *(n)* ποταμόκολπος || στόμιο ποταμού
etc: see et cetera
et cetera (et΄setərə): και τα λοιπά
etch (etʃ) [-ed]: *(v)* χαράζω || **~ing**: *(n)* χαρακτική || χαλκογραφία ή ξυλογραφία
etern-al (i΄tə:rnəl): *(adj)* αιώνιος || **~ity**: *(n)* αιωνιότητα
ether (΄i:θər): *(n)* αιθέρας
ethic (΄eθik): *(n)* ηθικός νόμος || **~al**: *(adj)* ηθικός || **~s**: *(n)* ηθική, ηθικοί κανόνες
ethnic (΄eθnik): *(adj)* εθνικός || εθνολογικός
etiquette (΄etiket): *(n)* εθιμοτυπία, ετικέτα
etymology (etə΄molədzi): *(n)* ετυμολογία, ετυμολογικό
Eucharist (jukerist): θεία ευχαριστία
eunuch (΄ju:nək): *(n)* ευνούχος
Europe (΄juərəp): *(n)* Ευρώπη || **~an**: *(n)* Ευρωπαίος || *(adj)* Ευρωπαϊκός
euthanasia (ju:θə΄neiziə): *(n)* ευθανασία
evacuat-e (i΄vækjueit) [-d]: *(v)* εκκενώνω || **~ion**: *(n)* εκκένωση
evade (i΄veid) [-d]: *(v)* αποφεύγω || ξεφεύγω
evaluat-e (i΄væljueit) [-d]: *(v)* εκτιμώ, κάνω εκτίμηση
evaporat-e (i΄væpəreit) [-d]: *(v)* εξατμίζω || εξατμίζομαι || **~ed milk**: γάλα ''εβαπορέ''
evasion (i΄veizhən): *(n)* υπεκφυγή || αποφυγή || **~ive**: *(adj)* με περιστροφές, όχι ευθύς
eve (i:v): *(n)* παραμονή
even (΄i:vən) [-ed]: *(v)* εξομαλύνω || ισοπεδώνω || *(adj)* ομαλός, επίπεδος || κανονικός || ισόπαλος || άρτιος, ζυγός || ακόμη, ακόμη και αν
evening (΄i:vniŋ): *(n)* βράδυ || **~ star**: *(n)* πούλια
event (i΄vent): *(n)* συμβάν, γεγονός || αποτέλεσμα, έκβαση || άθλημα, αγώνισμα || **~ful**: *(adj)* γεμάτος συμβάντα, ''γεμάτος'' || **~ual**

(i´ventʃuəl): *(adj)* ενδεχόμενος || τελικός || **~uality**: *(n)* πιθανότητα, το ενδεχόμενο || **~ually**: *(adv)* τελικά || ενδεχομένως
ever (evər): *(adv)* πάντοτε || συνεχώς || κάποτε, ποτέ || **~ green**: *(adj)* αειθαλής || **~ lasting**: *(adj)* αιώνιος || **~y** (´evri): *(adj)* καθένας, κάθε || **~ybody, ~yone**: όλοι, ο καθένας || **~ything**: τα πάντα, το κάθε τι || **~ywhere**: παντού || **~y which way**: εδώ κι' εκεί, άνω κάτω
evict (i´vikt) [-ed]: *(v)* βγάζω, εκδιώκω || κάνω έξωση || **~ion**: *(n)* έξωση
eviden-ce (´evidəns) [-d]: *(v)* αποδεικνύω || *(n)* ένδειξη || αποδεικτικό στοιχείο || **~t**: *(adj)* προφανής, καταφανής || **~tly**: *(adv)* προφανώς
evil (´i:vəl): *(adj)* κακός, πονηρός || *(n)* κακία
evoke (i´vouk) [-d]: *(v)* προκαλώ, παράγω || επικαλούμαι
evol-ution (əvə´lu:ʃən): *(n)* εξέλιξη|| **~ve** (i´vəlv) [-d]: *(v)* εκτυλίσσω || εξελίσσομαι
ewe (ju:): *(n)* προβατίνα
ewer (´ju:ər): *(n)* κανάτα, στάμνα
ex (eks): πρώην || πρώην σύζυγος *(id)*
exacerbat-e (eg´zæsə:rbeit) [-d]: *(v)* επιδεινώνω || **~ion**: *(n)* επιδείνωση
exact (eg´zækt) [-ed]: *(v)* αποσπώ || απαιτώ || *(adj)* ακριβής || **~ing**: *(adj)* απαιτητικός, αυστηρός || **~itude**: *(n)* ακρίβεια, ακριβολογία || **~ly**: *(adv)* ακριβώς
exaggerat-e (eg´zædzəreit) [-d]: *(v)* υπερβάλλω, μεγαλοποιώ || **~ion**: *(n)* υπερβολή
exalt (eg´zə:lt) [-ed]: *(v)* εξυψώνω || εκθειάζω || γεμίζω χαρά ή ενθουσιασμό || **~ation**: *(n)* εξύψωση || εκθειασμός || χαρά, ενθουσιασμός
exam (eg´zæm), **~ination** (egzæmə´neiʃən): *(n)* εξέταση || ανάκριση || **~ine** (eg´zæmin) [-d]: *(v)* εξετάζω || **~iner**: *(n)* εξεταστής
example (eg´zæmpəl): *(n)* παράδειγμα || υπόδειγμα
exasperat-e (eg´zæspəreit) [-d]: *(v)* εξερεθίζω || εξοργίζω || **~ing**: *(adj)* εξερεθιστικός || εξοργιστικός || **~ion**: *(n)* ερεθισμός || οργή
excavat-e (´ekskəveit) [-d]: *(v)* ανασκάβω, κάνω ανασκαφή || **~ion**: *(n)* ανασκαφή || **~or**: *(n)* εκσκαφέας
exceed (ek´si:d) [-ed]: *(v)* υπερβαίνω, ξεπερνώ || **~ingly**: *(adv)* υπερβολικά, πάρα πολύ
excel (ek´sel) [-led]: *(v)* υπερτερώ || **~lence**: (´eksələns): *(n)* υπεροχή || εξοχότητα || **E~lence, E~lency**: *(n)* Εξοχότης || **~lent**: *(adj)* εξαιρετικός
except (ek´sept) [-ed]: *(v)* εξαιρώ || αποκλείω || *(prep)* εκτός, με την εξαίρεση || **~ion**: *(n)* εξαίρεση || **~ional**: *(adj)* εξαιρετικός
excerpt (ek´sə:rpt) [-ed]: *(v)* εκλέγω περικοπή
excess (ek´ses): *(n)* πλεόνασμα || *(adj)* πλεονάζων || *(n)* υπερβολή || **~ive**: *(adj)* υπερβολικός
exchange (eks´tʃeindz) [-d]: *(v)* ανταλλάσσω || *(n)* ανταλλαγή || αντάλλαγμα || χρηματιστήριο || συνάλλαγμα || τηλεφ. κέντρο
exchequer (eks´tʃekər): *(n)* δημόσιο ταμείο
excis-able (ek´saizəbəl): *(adj)* υποκείμενος σε έμμεσο φόρο || **~e** (ek´saiz) [-d]: *(v)* φορολογώ έμμεσα || *(n)* έμμεσος φόρος
excit-able (ek´saitəbəl): *(adj)* ευερέθιστος || **~e** (ek´sait) [-d]: *(v)* διεγείρω || εξεγείρω || **~ing**: *(adj)* συναρπαστικός || **~ement**: *(n)* ενθουσιασμός, έξαψη
excla-im (eks´kleim) [-ed]: *(v)* αναφωνώ || **~mation** (exclə´meiʃən): *(n)* επιφώνημα || **~mation mark, ~mation point**: *(n)* θαυμαστικό
exclu-de (eks´klu:d) [-d]: *(v)* αποκλείω || **~sion** (eks´klu:zən): *(n)* αποκλεισμός || **~sive**: *(adj)* αποκλειστικός
excommunicate (ekskə´mju:nikeit) [-d]: *(v)* αφορίζω
excrement (´ekskrəmənt): *(n)* περιττώματα
excruciating (eks´kru:ʃietiŋ): *(adj)* βασανιστικός || ανυπόφορος
excursion (eks´kə:rʃən): *(n)* εκδρομή
excus-able (eks´kju:zəbəl): *(adj)* συχωρητέος || δικαιολογημένος || **~e** (eks´kju:z) [-d]: *(v)* συγχωρώ || δικαιολογώ || απαλλάσσω || επιτρέπω || (eks´kju:s): *(n)* συγγνώμη || δικαιολογία, πρόφαση
execut-e (´eksikju:t) [-d]: *(v)* εκτελώ || εκπληρώνω || **~ion** (eksi´kju:ʃən): *(n)* εκτέλεση || εκπλήρωση || **~ioner**:

(n) εκτελεστής, δήμιος || **~ive** (eg´zekjutiv): *(adj)* εκτελεστικός, διοικητικός
exempl-ar (ig´zemplər): *(n)* υπόδειγμα, παράδειγμα || **~y**: *(adj)* υποδειγματικός || παραδειγματικός || **~ify** (ig´zemplifai) [-ied]: *(v)* περιγράφω με παράδειγμα || είμαι παράδειγμα
exempt (eg´zempt) [-ed]: *(v)* απαλλάσσω || εξαιρώ || *(adj)* απαλλαγμένος || εξαιρεμένος || **~ion**: *(n)* απαλλαγή || εξαίρεση
exercise (´eksərsaiz) [-d]: *(v)* ασκώ || ασκούμαι || *(n)* άσκηση || εξάσκηση
exert (ig´zə:rt) [-ed]: *(v)* εντείνω, αναπτύσσω || προσπαθώ || **~ion**: *(n)* κουραστική προσπάθεια
exhaust (eg´zə:st) [-ed]: *(v)* εξάγω ατμό || αδειάζω || εξαντλώ || *(n)* εξάτμιση || έξοδος αερίου ή ατμού || σωλήνας εξαγωγής αερίων || **~ed**: *(adj)* εξαντλημένος || **~ing**: *(adj)* εξαντλητικός || **~ion**: *(n)* εξάντληση
exhibit (eg´zibit) [-ed]: *(v)* εκθέτω || παρουσιάζω || *(n)* έκθεμα || **~ion** (eksə´biʃən): *(n)* έκθεση || παρουσίαση, επίδειξη
exhilarat-e (eg´ziləreit) [-d]: *(v)* χαροποιώ, ευθυμώ || **~ing**: *(adj)* χαροποιός || **~ion**: *(n)* χαρά
exhort (eg´zə:rt)[-ed]:*(v)* προτρέπω
exile (eg´zail) [-d]: *(v)* εξορίζω || *(n)* εξορία || εξόριστος
exist (eg´zist) [-ed]: *(v)* υπάρχω || **~ence**: *(n)* ύπαρξη || τρόπος ζωής
exit (´egzit) [-ed]: *(v)* βγαίνω || *(n)* έξοδος
exorcis-e (´eksə:rsaiz) [-d]: *(v)* εξορκίζω, διώχνω κακά πνεύματα || **~m** (´eksə:rsizəm): *(n)* εξορκισμός, ξόρκι || **~t**: *(n)* εξορκιστής
exotic (eg´zətik): *(adj)* εξωτικός
expan-d (iks´pænd) [-ed]: *(v)* διαστέλλω || εκτείνω || ευρύνω || διαστέλλομαι || εκτείνομαι || ευρύνομαι || **~se** (eks´pæns): *(n)* έκταση || **~sion** (eks´pænʃən): *(n)* διαστολή || διόγκωση || επέκταση
expatriat-e (eks´pætrieit) [-d]: *(v)* εκπατρίζω || εκπατρίζομαι || (eks´pætriit): *(n)* εκπατρισμένος, φυγάδας || **~ion**: *(n)* εκπατρισμός
expect (eks´pekt) [-ed]: *(v)* προσδοκώ || αναμένω || απαιτώ || υποθέτω || **~ing**: έγκυος || **~ancy**: αναμονή, προσδοκία || **~ant**: *(adj)* γεμάτος προσδοκία || έγκυος, επίτοκος || **~ation**: *(n)* προσδοκία
expedien-ce (eks´pi:diəns), **expediency** (eks´pi:diənsi): *(n)* αρμοδιότητα || καταλληλότητα || **~t**: *(adj)* αρμόδιος, πρέπων || κατάλληλος, πρόσφορος || *(n)* μέσο, τέχνασμα
expedite (´ekspədait) [-d]: *(v)* επιταχύνω, επισπεύδω
expedition (ekspə´diʃən): *(n)* εκστρατεία
expel (eks´pel) [-led]: *(v)* βγάζω || αποβάλλω, τιμωρώ με αποβολή
expen-d (eks´pend) [-ed]: δαπανώ || καταναλώνω || **~dable**: *(adj)* αναλώσιμος || θυσιαστέος, μη ουσιώδης || **~diture** (eks´penditʃər): *(n)* δαπάνη || κατανάλωση || **~se** (eks´pens): *(n)* δαπάνη, έξοδο || **at the ~se of**: σε βάρος || **~sive**: *(adj)* ακριβός
experience (eks´piəriəns) [-d]: *(v)* νιώθω, δοκιμάζω || *(n)* εμπειρία || πείρα || **~d**: *(adj)* πεπειραμένος || έμπειρος
experiment (eks´perimənt) [-ed]: *(v)* πειραματίζομαι || *(n)* πείραμα
expert (´ekspə:rt): *(n)* ειδικός, εμπειρογνώμονας || άσος || **~ise** (´ekspər´ti:z): *(n)* ειδικότητα || πραγματογνωμοσύνη
expir-ation (ekspə´reiʃən): *(n)* εκπνοή || λήξη || **~e** (eks´paiər) [-d]: *(v)* εκπνέω || λήγω, παύω να ισχύω
expl-ain (eks´plein) [-ed]: *(v)* εξηγώ || **~anation** (eksplə´neiʃən): *(n)* εξήγηση || **~anatory**: *(adj)* επεξηγηματικός, ερμηνευτικός || **~icable** (´eksplikəbəl): *(adj)* ευεξήγητος, εξηγήσιμος
explicit (eks´plisit): *(adj)* σαφής, ρητός
explode (eks´ploud) [-d]: *(v)* προκαλώ έκρηξη || εκρήγνυμαι, ανατινάζομαι
exploit (eks´pləit) [-ed]: *(v)* εκμεταλλεύομαι || (´ekspləit): *(n)* άθλος, ανδραγάθημα|| **~ation**: *(n)* εκμετάλλευση
explor-ation (eksplə:´reiʃən): *(n)* εξερεύνηση || **~atory** (eks´plərətəri): *(adj)* εξερευνητικός || δοκιμαστικός || **~e** (eks´plə:r) [-d]: *(v)* εξερευνώ|| **~er**: *(n)* εξερευνητής

explos-ion (eks΄plouzən): *(n)* έκρηξη || ξέσπασμα || **~ive**: *(adj)* εκρηκτικός || *(n)* εκρηκτική ύλη, εκρηκτικό
exponent (eks΄pounənt): *(n)* υπέρμαχος || ερμηνευτής || εκθέτης δυνάμεως
export (eks΄pɔ:rt) [-ed]: *(v)* εξάγω || (΄ekspɔ:rt): *(n)* εξαγόμενο προϊόν || εξαγωγή || **~ation**: *(n)* εξαγωγή || **~er**: *(n)* εξαγωγέας
expos-e (eks΄pouz) [-d]: *(v)* εκθέτω || **~ition** (ekspo΄ziʃən): *(n)* έκθεση, εξήγηση || **~ure** (eks΄pouzər): *(n)* έκθεση || αποκάλυψη || φωτογραφική εμφάνιση, "τράβηγμα"
expound (eks΄paund) [-ed]: *(v)* διευκρινίζω || εκθέτω λεπτομερώς
express (eks΄pres) [-ed]: *(v)* εκφράζω || εκδηλώνω || διατυπώνω || *(adj)* ρητός, κατηγορηματικός || έκτακτος, "εξπρές" || ταχεία αμαξοστοιχία, "εξπρές" || **~ion**: *(n)* έκφραση || δήλωση, εκδήλωση || **~ionless**: *(adj)* ανέκφραστος || **~ive**: *(adj)* εκφραστικός || **~ly**: *(adv)* ρητά, κατηγορηματικά || ειδικά
expropriat-e (eks΄prouprieit) [-d]: *(v)* απαλλοτριώνω || **~ion**: *(n)* απαλλοτρίωση
expulsion (eks΄pʌlʃən): *(n)* αποβολή, εκδίωξη
exquisite (΄ekskwizit): *(adj)* έξοχος || λεπτός, ευαίσθητος
exten-d (eks΄tend) [-ed]: *(v)* εκτείνω || επεκτείνω || προεκτείνω || παρατείνω || εκτείνομαι || επεκτείνομαι || προεκτείνομαι || **~sion** (eks΄tenʃən): *(n)* έκταση || επέκταση || προέκταση || παράταση || **~sive**: *(adj)* εκτεταμένος || εκτενής || **~t**: *(n)* έκταση, βαθμός, μέγεθος
extenuat-e (eks΄tenjueit) [-d]: *(v)* μετριάζω, ελαφρώνω || **~ing**: *(adj)* ελαφρυντικός
exterior (eks΄tiəriər): *(n)* το εξωτερικό || *(adj)* εξωτερικός
exterminat-e (eks΄tə:rmineit) [-d]: *(v)* εξολοθρεύω, εξοντώνω || **~ion**: *(n)* εξολόθρευση, εξόντωση
extern (eks΄tə:rn): *(n)* εξωτερικός γιατρός νοσοκομείου || **~al** (eks΄tə:rnəl): *(adj)* εξωτερικός
extinct (eks΄tiŋkt): *(adj)* εκλείψας, είδος που έχει εκλείψει || **~ion**: *(n)* εξαφάνιση, εξάλειψη
extinguish (eks΄tiŋgwiʃ) [-ed]: *(v)* σβήνω || **~er**: *(n)* σβεστήρας || **fire ~er**: *(n)* πυροσβεστήρας
extol (eks΄təl) [-led]: *(v)* εκθειάζω, εγκωμιάζω
extort (eks΄tə:rt) [-ed]: *(v)* αποσπώ με βία || εκβιάζω, κάνω εκβιασμό || **~ion**: *(n)* βίαιη απόσπαση || εκβιασμός
extra (΄ekstrə): *(adj)* έκτακτος, επιπρόσθετος || ανώτερος, καλύτερος
extract (eks΄trækt) [-ed]: *(v)* βγάζω || αποσπώ || βγάζω με απόσταξη ή πίεση || (΄ekstrækt): *(n)* απόσπασμα || εκχύλισμα || **~ion**: *(n)* εξαγωγή || απόσπαση || απόσταξη || προέλευση, καταγωγή
extradit-e (΄ekstrədait) [-d]: *(v)* εκδίδω καταζητούμενο || **~ion** (ekstrə΄diʃən): *(n)* έκδοση
extraneous (eks΄treini:əs): *(adj)* επουσιώδης
extraordinary (eks΄trə:rdənəri): *(adj)* εξαιρετικός
extravagan-ce (eks΄trævəgəns): *(n)* υπερβολή || σπατάλη || **~t**: *(adj)* υπερβολικός || σπάταλος
extrem-e (eks΄tri:m): *(adj)* άκρος || τελευταίος || μέγιστος || *(n)* άκρο || **~ely**: *(adv)* στο έπακρο || **~ist**: *(n)* εξτρεμιστής, των άκρων || **~ity**: *(n)* άκρη || μέλος του σώματος, άκρο
extricate (΄ekstrikeit) [-d]: *(v)* βγάζω από δυσκολία, "ξεμπλέκω"
extrovert (΄ekstrauvə:rt): *(n)* εξώστροφος
extrude (eks΄tru:d) [-d]: *(v)* εξωθώ, εξάγω
exuberan-ce (eg΄zu:bərəns): *(n)* ξεχείλισμα χαράς || αφθονία || διαχυτικότητα || **~t**: *(adj)* γεμάτος χαρά και κέφι || άφθονος || διαχυτικότατος
exud-e (eg΄zu:d) [-d]: *(v)* ξεχύνω, βγάζω
exult (eg΄zʌlt) [-ed]: *(v)* αγάλλομαι, είμαι γεμάτος χαρά ή θρίαμβο || **~ation**: (egzʌl΄teiʃən): *(n)* αγαλλίαση
eye (ai): *(n)* μάτι || άνοιγμα, "μάτι" || [-d]: *(v)* κοιτάζω, βλέπω || **~ ball**: *(n)* βολβός ματιού || **~ brow**: *(n)* φρύδι || **~glasses**: *(n)* ματογυάλια || **~lash**: *(n)* βλεφαρίδα || **~lid**: *(n)* βλέφαρο || **~sight**: όραση || **~witness**: αυτόπτης μάρτυρας

F

fable (΄feibəl): *(n)* μύθος ‖ **~d**: *(adj)* μυθικός ‖ μυθώδης
fabric (΄fæbrik): *(n)* υφή ‖ ύφασμα ‖ **~ate** (΄fæbrikeit) [-d]: *(v)* κατασκευάζω ‖ επινοώ
fabulous (΄fæbjələs): *(adj)* μυθώδης, παραμυθένιος
facade, façade (fə΄sa:d): *(n)* πρόσοψη
fac-e (feis) [-d]: *(v)* αντικρίζω ‖ αντιμετωπίζω ‖ επιστρώνω, επικαλύπτω ‖ *(n)* πρόσωπο ‖ πρόσοψη ‖ μορφασμός ‖ γόητρο ‖ επίστρωση ‖ **~e lift**: *(n)* πλαστική προσώπου ‖ **~ing**: *(n)* πρόσοψη ‖ επένδυση ή επίστρωση πρόσοψης
facet (΄fæsit): *(n)* έδρα ‖ πλευρά ‖ έδρα πολύτιμου λίθου
facetious (fe΄si:ʃəs): *(adj)* αστείος
facil-e (΄fæsəl): *(adj)* εύκολος **~itate** (fə΄siləteit) [-d]: *(v)* διευκολύνω ‖ **~ity**: *(n)* ευκολία ‖ **~ities**: *(n)* μέσα, ανέσεις
fact (fækt): *(n)* γεγονός
faction (΄fækʃən): *(n)* φατρία ‖ διχόνοια, διχασμός
factor (΄fæktər): *(n)* συντελεστής ‖ παράγοντας
factory (΄fæktəri): *(n)* εργοστάσιο
factual (΄fæktju:əl): *(adj)* πραγματικός
faculty (΄fækəlti): *(n)* διαν. ικανότητα ‖ σύγκλητος πανεπιστημίου ‖ σύλλογος καθηγητών γυμνασίου ή δασκάλων
fade (feid) [-d]: *(v)* εξασθενίζω ‖ μαραίνομαι ‖ χάνομαι σιγά-σιγά
fag (fæg): *(n)* βαριά δουλειά, άχαρο έργο, ''αγγαρεία''
Fahrenheit (΄færənhait): Φάρεναϊτ
fail (feil) [-ed]: *(v)* αποτυγχάνω ‖ παθαίνω βλάβη ή διακοπή ‖ εξασθενίζω, πέφτω ‖ απογοητεύω, προδίδω εμπιστοσύνη ‖ **~ing**: *(n)* αποτυχία ‖ διακοπή, βλάβη ‖ ελάττωμα, αδυναμία ‖ *(prep)* χωρίς ‖ **~ure**: *(n)* αποτυχία ‖ διακοπή, βλάβη
faint (feint) [-ed]: *(v)* λιποθυμώ, χάνω αισθήσεις ‖ *(adj)* ασθενικός, αδύνατος ‖ λιπόψυχος ‖ ζαλισμένος ‖ *(n)* λιποθυμία
fair (feər): *(adj)* ευπαρουσίαστος, όμορφος ‖ ανοιχτού χρώματος ‖ ξανθός ‖ καθαρός, ξάστερος, χωρίς σύννεφα ‖ δίκαιος, αμερόληπτος ‖ αρκετά καλός, καλούτσικος ‖ *(adv)* δίκαια, τίμια ‖ *(n)* έκθεση, πανηγύρι ‖ **~ly**: *(adv)* δίκαια, τίμια ‖ νόμιμα ‖ ευδιάκριτα ‖ έτσι κι έτσι, μέτρια
fairy (΄feəri): *(n)* νεράϊδα ‖ **~tale**: *(n)* παραμύθι
faith (feiθ): *(n)* πίστη ‖ νομιμοφροσύνη ‖ εμπιστοσύνη ‖ **~ful**: *(adj)* πιστός ‖ **~less**: *(adj)* άπιστος
fake (feik) [-d]: *(v)* απομιμούμαι ‖ προσποιούμαι ‖ παραποιώ ‖ *(n)* παραποίηση, πλαστό ‖ απατεώνας
falcon (΄fɔ:lkən): *(n)* γεράκι
fall (fɔ:l) [fell, fallen]: *(v)* πέφτω ‖ ελαττώνομαι ‖ *(n)* πτώση ‖ φθινόπωρο ‖ ελάττωση ‖ ~ **behind**: μένω πίσω ‖ ~ **down**: αποτυγχάνω ‖ ~ **flat**: δεν φέρνω το προσδοκόμενο αποτέλεσμα ‖ ~ **for**: ερωτεύομαι ‖ γίνομαι κορόιδο, το ''χάφτω'' ‖ ~ **in with**: συμφωνώ ‖ συναντώ τυχαία ‖ ~ **off**: ελαττώνομαι ‖ ~ **out**: διακόπτω σχέσεις ‖ ~ **short**: υστερώ, δεν είμαι αρκετός
fallac-ious (fə΄leiʃəs): *(adj)* απατηλόσ ‖ **~y**: πλάνη
fallen: see fall
fallible (΄fælibəl): *(adj)* σφαλερός
fallow (΄fælou): *(adj)* χέρσος ‖ στείρος
fals-e (fɔ:ls): *(adj)* ψεύτικος ‖ **~ehood**: *(n)* ψεύδος ‖ **~ify** (΄fɔ:lsifai) [-ied]: *(v)* παραποιώ
falter (΄fɔ:ltər) [-ed]: *(v)* αμφιρρέπω ‖ χάνω τα λόγια μου ‖ σκουντουφλώ
fame (feim): *(n)* φήμη
famil-iar (fə΄miliər): *(adj)* οικείος ‖ γνώριμος ‖ γνώστης ‖ **~iarity**: *(n)* οικειότητα ‖ **~iarize** [-d]: *(v)* κάνω γνωστό ‖ **~y** (΄fæmili): *(n)* οικογένεια
fam-ine (΄fæmin): *(n)* λιμός ‖

~ished (΄fæmiʃt): ξελιγωμένος απο πεινα
famous (΄feiməs): *(adj)* περίφημος, διάσημος
fan (fæn) [-ned]: *(v)* αερίζω ‖ *(n)* βεντάλια ‖ ανεμιστήρας ‖ φανατικός οπαδός *(id)*
fanatic (fə΄nætik), **~al** (fə΄nætikəl): *(adj)* φανατικός ‖ **~ism**: *(n)* φανατισμός
fanc-y (΄fænsi) [-ied]: *(v)* φαντάζομαι ‖ συμπαθώ ‖ *(n)* φαντασία ‖ φαντασιοπληξία ‖ ξαφνική συμπάθεια ‖ *(adj)* φανταχτερός, ''φανταιζί'' ‖ **~iful** *(adj)* φανταστικός ‖ ''φανταιζί''
fanfare (΄fænfeər): *(n)* δυνατό ομαδικό σάλπισμα ‖ θορυβώδης επίδειξη
fang (faeŋ): *(n)* σκυλόδοντο σαρκοβόρου ‖ δόντι δηλητηριώδους φιδιού
fantas-tic (fæn΄tæstik): *(adj)* φανταστικός, απίθανος ‖ παράξενος ‖ **~y** (΄fæntəsi): *(n)* φαντασία ‖ φαντασίωση
far (fa:r): *(adv)* μακριά ‖ *(adj)* μακρινός ‖ **by** ~: κατά πολύ ‖ **~ away**: μακριά ‖ **~ fetched**: απίθανος, παρατραβηγμένος ‖ **~ seeing**: προνοητικός, που βλέπει μακριά ‖ **~ sighted**: υπερμέτρωπας, πρεσβύωπας ‖ προνοητικός ‖ **~ther**: πιο μακριά ‖ επιπλέον ‖ **~thest**: ο πιό μακρινός
farc-e (fa:rs): *(n)* αστειότητα, ''φάρσα'' ‖ **~ical** (΄fa:rsikəl): *(adj)* αστείος, γελοίος
fare (feər) [-d]: *(v)* προχωρώ, πηγαίνω ‖ *(n)* κόμιστρα, ναύλα ‖ **~well**: *(adj)* αποχαιρετιστήριος ‖ *(n)* αποχαιρετισμός ‖ στο καλό
farm (fa:rm) [-ed]: *(v)* καλλιεργώ ‖ *(n)* αγρόκτημα ‖ **~er**: *(n)* κτηματίας ‖ **~ hand**: *(n)* εργάτης αγροκτήματος ‖ **~ house**: *(n)* αγροικία
fart (fa:rt) [-ed]: *(v)* κλάνω ‖ *(n)* πορδή
farther: see far
farthest: see far
farthing (΄fa:rδiŋ): *(n)* φαρδίνι
fascimile (fæk΄simili): *(n)* πανομοιότυπο ‖ ραδιοτηλεφωτογραφία
fascinat-e (΄fæsineit) [-d]: *(v)* γοητεύω, σαγηνεύω ‖ **~ing**: *(adj)* γοητευτικός, σαγηνευτικός ‖ **~ion**: *(n)* γοητεία, έλξη, σαγήνη
fascis-m (΄fæʃizəm): *(n)* φασισμός ‖ **~t**: *(n)* φασίστας ‖ *(adj)* φασιστικός
fashion (΄fæʃən) [-ed]: *(v)* διαμορφώνω ‖ *(n)* σχήμα, τρόπος ‖ μόδα ‖ μέθοδος ‖ **after a ~**: κατά κάποιο τρόπο ‖ **~able**: *(adj)* μοντέρνος
fast (fæst, fa:st): *(adj)* στερεός, στερεωμένος ‖ γρήγορος ‖ *(adv)* στερεά, σίγουρα, σταθερά ‖ γρήγορα ‖ [-ed]: *(v)* νηστεύω ‖ *(n)* νηστεία ‖ **~en** (΄fæsən, ΄fa:sən) [-ed]: *(v)* στερεώνω ‖ στερεώνομαι
fastidious (fæs΄tidiəs): *(adj)* λεπτολόγος ‖ δύσκολος
fat (fæt): *(n)* πάχος, χόνδρος, λίπος ‖ *(adj)* παχύς ‖ λιπαρός ‖ **~ness**: *(n)* πάχος, παχυσαρκία ‖ **~ten** [-ed]: *(v)* παχαίνω ‖ λιπαίνω
fat-al (΄feitl): *(adj)* μοιραίος ‖ θανάσιμος ‖ **~alism**: *(n)* μοιρολατρεία ‖ **~alist**: μοιρολάτρης ‖ **~ality**: *(n)* απροσδόκητος θάνατος ‖ το μοιραίο ‖ **~e** (feit): *(n)* μοίρα ‖ πεπρωμένο ‖ **~eful**: *(adj)* μοιραίος ‖ καταστρεπτικός, ολέθριος ‖ δυσοίωνος
father (΄fa:δər): *(n)* πατέρας ‖ [-ed]: *(v)* γίνομαι πατέρας, κάνω παιδί ‖ **~ in - law**: *(n)* πεθερός ‖ **~land**: *(n)* πατρίδα
fathom (΄fæδəm) [-ed]: *(v)* βυθομετρώ, βολιδοσκοπώ ‖ μπαίνω στο νόημα
fatigue (fə΄ti:g) [-d]: *(v)* εξαντλώ ‖ εξαντλούμαι ‖ *(n)* κόπωση ‖ αγγαρεία
fatu-ity (fə΄tu:iti): *(n)* βλακεία ‖ **~ous** (΄fætjuəs): *(adj)* βλάκας
faucet (΄fɔ:sit): *(n)* κρουνός, στρόφιγγα
fault (fɔ:lt): *(n)* σφάλμα ‖ **at ~**: φταίχτης ‖ **~less**: άψογος ‖ **~y**: *(adj)* ελαττωματικός, ατελής
fauna (΄fɔ:nə): *(n)* πανίδα, το ζωϊκό βασίλειο
favor (΄feivər) [-ed]: *(v)* ευνοώ ‖ κάνω χάρη ‖ *(n)* εύνοια ‖ χάρη, χατίρι ‖ **~able**: *(adj)* ευνοϊκός ‖ **~ed**: *(adj)* ευνοούμενος ‖ προικισμένος, με ταλέντο ‖ **~ite**: ευνοούμενος, φαβορί
fawn (fɔ:n) ‖ *(n)* ελαφάκι ‖ χρώμα κοκκινόξανθο ή γκριζοκίτρινο
faze (feiz) [-d]: *(v)* προκαλώ σύγχυση

F

fear (fiər) [-ed]: *(v)* φοβούμαι || *(n)* φόβος || **~ful**: *(adj)* φοβερός || φοβισμένος || **~less**: *(adj)* άφοβος || **~some**: *(adj)* φοβερός

feasib-le (΄fi:zəbəl): *(adj)* κατορθωτός, εφικτός

feast (fi:st) [-ed]: *(v)* ευωχούμαι, παίρνω μέρος σε συμπόσιο|| χαίρομαι, απολαμβάνω || ευωχία, πανδαισία

feat (fi:t): *(n)* κατόρθωμα

feather (΄fəδər): *(n)* φτερό

feature (΄fi:tʃər) [-d]: *(v)* παρουσιάζω || *(n)* χαρακτηριστικό

February (΄februəri): *(n)* Φεβρουάριος

fed (fed): see federal || see feed || ~ **up**: μπουχτισμένος

federa-l (΄fedərəl) [συγκ. fed]: *(adj)* ομοσπονδιακός

fee (fi:): *(n)* αμοιβή, δικαίωμα, τέλος

feeble (΄fi:bəl): *(adj)* ασθενικός

feed (fi:d) [fed, fed]: *(v)* τρέφω || τροφοδοτώ || *(n)* τροφή || τροφοδοσία

feel (fi:l) [felt, felt]: *(v)* αισθάνομαι || εγγίζω, ψηλαφώ || **~ing**: *(n)* αίσθηση || αφή

feet: pl. of foot

feign (fein) [-ed]: *(v)* προσποιούμαι, υποκρίνομαι

feint (feint): *(n)* στρατήγημα

fell (fel) [-ed]: *(v)* ρίχνω, γκρεμίζω|| see fall

fellow (΄felou): *(n)* άνθρωπος, άτομο || **συνάδελφος**, σύντροφος || **~ship**: συναδελφοσύνη || αδελφότητα, σύλλογος

felt (felt): *(n)* καστόρι || see: feel

fem-ale (΄fi:meil): *(n)* θήλυ || **~inine** (΄feminin): *(adj)* θηλυκός || **~inism** (΄feminizəm): *(n)* φεμινισμός || **~inist**: φεμινιστής

fence (fens) [-d]: *(v)* περιφράζω || ξιφομαχώ || *(n)* φράχτης || ξιφασκία

fend (fend) [-ed]: *(v)* αντιστέκομαι, αποκρούω || **~er**: *(n)* προφυλακτήρας αυτοκινήτου

fern (fə:rn): *(n)* φτέρη

ferret (΄ferət): *(n)* νυφίτσα

ferroci-ous (fə΄rouʃəs): *(adj)* άγριος|| **~ty**: *(n)* αγριότητα

ferry (΄feri) [-ied]: *(v)* περνώ ή μεταφέρω με πορθμείο || *(n)* διαπόρθμευση || πορθμείο, "φέριμποτ" || **~boat**: *(n)* πορθμείο

fertil-e (΄fərtl):*(adj)* γόνιμος, εύφορος || **~ity** (fə:r΄tiliti): *(n)* γονιμότητα, ευφορία || **~ization** (fə:rtilai΄zeiʃən): *(n)* λίπανση || γονιμοποίηση || **~ize** [-d]: *(v)* γονιμοποιώ || βάζω λίπασμα || **~izer**: *(n)* λίπασμα

ferven-cy (΄fə:rvənsi): *(n)* ζήλος || πάθος || διακαής

fervor (΄fə:rvər): *(n)* πάθος

fester (΄festər) [-ed]: *(v)* μαζεύω πύο

festiv-al (΄festəvəl): *(n)* "φεστιβάλ" || **~ve**: *(adj)* εορτάσιμος || **~ity** (fes΄tiviti): *(n)* εορτασμός

fetch (fetʃ) [-ed]: *(v)* πάω να φέρω, φέρνω από αλλού || **~ing**: *(adj)* ελκυστικός

fetter (΄fetər) [-ed]: *(v)* αλυσοδένω

fetus (΄fi:təs): *(n)* έμβρυο

fever (΄fi:vər): *(n)* πυρετός || **~ish**: *(adj)* εμπύρετος || πυρετώδης

few (fju:): *(adj)* λίγοι

fiancé (fi:a:n΄sei): *(n)* αρραβωνιαστικός, μνηστήρας || **~e**: μνηστή

fib (fib) [-bed]: *(v)* λέω μικροψέματα || *(n)* ψεματάκι

fiber, fibre (΄faibər): *(n)* ίνα || κλωστούλα

fict-ion (΄fikʃən): *(n)* φαντασία || μυθιστόρημα || **~ional**: *(ajd)* φανταστικός, επινοημένος || **~itious** (fik΄tiʃəs): *(adj)* φανταστικός

fiddle (΄fidl): *(n)* βιολί || **~er**: *(n)* βιολιστής || ~ **sticks**: τρίχες, μπούρδες

fidelity (fi΄deliti): *(n)* πίστη || πιστότητα || ακρίβεια

fidget (΄fidzit) [-ed]: *(v)* κουνώ νευρικά χέρια ή πόδια

field (fi:ld): *(n)* πεδίο || λιβάδι || χωράφι|| ύπαιθρος || *(adj)* υπαίθριος

fiend (fi:nd): *(n)* δαίμονας, πονηρό πνεύμα || δαιμόνιος || **~ish**: *(adj)* σατανικός

fierce (fiərs): *(adj)* άγριος

fiery (΄faiəri): *(adj)* φλεγόμενος || φλογερός, ορμητικός

fife (faif): *(n)* φλογέρα

fift-een (fif΄ti:n): δεκαπέντε || **~eenth**: *(adj)* δέκατος πέμπτος || **~h** (fifθ): *(adj)* πέμπτος || **~ieth** (΄fiftiθ): *(adj)* πεντηκοστός

fig (fig): *(n)* σύκο || **~tree**: συκιά

fight (fait) [fought, fought]: *(v)* μάχομαι || αγωνίζομαι, || *(n)* μάχη || αγώνας, || **~er**: *(n)* μαχητής || πυγ-

μάχος || μαχητικό ή καταδιωκτικό αεροπλάνο
figment (´figmənt): *(n)* πλάσμα της φαντασίας, ''παραμύθι''
figurative (´figjərətiv): *(adj)* μεταφορικός, μη κατά γράμμα
figure (´figər): *(n)* ψηφίο, αριθμός || σχήμα || ανθρώπινο σώμα || ~ **of speech**: σχήμα λόγου
filch (filtʃ) [-ed]: *(v)* κλέβω, ''βουτάω'', ''σουφρώνω''
file (fail) [-d]: *(v)* βάζω σε αρχείο || λιμάρω, τροχίζω || *(n)* φάκελος || αρχείο
fill (fil) [-ed]: *(v)* γεμίζω || συμπληρώνω || *(n)* γέμισμα || ~**ing**: *(n)* γέμισμα || σφράγισμα δοντιού || ~**ing station**: *(n)* πρατήριο βενζίνης
film (film): *(n)* λεπτό στρώμα || ταινία, ''φιλμ'' || [-ed]: *(v)* επικαλύπτω, σκεπάζω με στρώμα ή σκόνη || γυρίζω ταινία
filter (´filtər) [-ed]: *(v)* ''φιλτράρω'' || ''φιλτράρομαι'' || διεισδύω || *(n)* ''φίλτρο'' || ~**tip**: φίλτρο τσιγάρου || τσιγάρο με φίλτρο
filth (filθ): *(n)* βρομιά || βρομόλογα || ~**y**:*(adj)* βρομερός
filtrat-e (´filtreit) [-d]: *(v)* φιλτράρω ή περνώ μέσα από φίλτρο, φιλτράρομαι
fin (fin): *(n)* πτερύγιο
final (´fainəl): *(adj)* τελικός || τελειωτικός, οριστικός || ~**ly**: *(adv)* τελικά || επιτέλους
financ-e (´fainæns, fi´næns) [-d]: *(v)* χρηματοδοτώ || *(n)* οικονομικά || ~**ial**: *(adj)* οικονομικός
find (faind) [found, found]: *(v)* βρίσκω || *(n)* εύρημα || ~**ing**: *(n)* εύρημα
fine (fain): *(adj)* λεπτός, ''φίνος'' || τέλειος || μικροσκοπικός, ψιλός || πρόστιμο || *(adv)* πολύ καλά, θαυμάσια || [-d]: *(v)* τελειοποιώ || επιβάλλω πρόστιμο || ~**ness**: *(n)* λεπτότητα, ''φινέτσα''
finger (´fiŋgər): *(n)* δάχτυλο || [-ed]: *(v)* ψηλαφώ με το δάχτυλο || ~**nail**: *(n)* νύχι χεριού || ~**print**: δακτυλ. αποτύπωμα || ~**tip**: *(n)* άκρη του δαχτύλου
finicky, finnicky (´finiki): *(adj)* δύσκολος, ''ψείρα''
finish (´finiʃ) [-ed]: *(v)* τελειώνω || τερματίζω || επεξεργάζομαι τελικά || *(n)* τέλος || τέρμα || τελική επεξεργασία
finite (´fainait): *(adj)* πεπερασμένος
Fin-land (´finlənd): *(n)* Φιλανδία || ~**n**: *(n)* Φιλανδός || ~**nish**: *(adj)* Φιλανδικός || *(n)* Φιλανδική γλώσσα
finnicky: see finicky
fiord, fjord (fjɔ:rd): *(n)* φιόρδ
fir (fə:r): *(n)* έλατο
fir-e (´faiər): *(n)* φωτιά || πυρ, πυρά|| [-d]: *(v)* βάζω φωτιά, αναφλέγω || αρχίζω πυρ || απολύω || **catch ~e**: *(v)* παίρνω φωτιά || ~**e company**, ~**e brigade**: πυροσβεστική υπηρεσία || ~**ecracker**: *(n)* βαρελότο || ~**e engine**: *(n)* πυροσβεστική αντλία || ~**e escape**: *(n)* σκάλα πυρκαγιάς || ~**e extinguisher**: *(n)* πυροσβεστήρας || ~**efly**: *(n)* πυγολαμπίδα || ~**e hydrant**: *(n)* υδροσωλήνας πυρκαγιάς || ~**eman**: *(n)* πυροσβέστης || θερμαστής || ~**eplace**: *(n)* τζάκι || ~**e proof**: *(adj)* αλεξίπυρος || ~**e station**: *(n)* πυροσβεστικός σταθμός || ~**estone**: *(n)* τσακμακόπετρα || ~**eworks**: *(n)* πυροτεχνήματα
firm (fə:rm): *(adj)* στερεός || σταθερός || *(n)* εταιρεία, ''φίρμα'' || ~**ament** (´fə:rməmənt): *(n)* στερέωμα
first (fə:rst): *(adj)* πρώτος || **at ~**: στην αρχή || ~ **aid**: πρώτες βοήθειες || ~ **born**: πρωτότοκος || ~ **hand**: από πρώτο χέρι || ~ **rate**: *(adj)* πρώτης ποιότητας
fish (fiʃ): *(n)* ψάρι || τορπίλα || [-ed]: *(v)* ψαρεύω || ~**er**, ~**erman**: *(n)* ψαράς || ~**ing**: *(n)* ψάρεμα || αλιεία || ~**ing line**: *(n)* πετονιά || ~**ing rod**: *(n)* καλάμι ψαρέματος
fist (fist): *(n)* πυγμή, γροθιά
fit (fit) [-ted]: *(v)* εφαρμόζω || ταιριάζω || *(adj)* ικανός || κατάλληλος, ταιριαστός || *(n)* εφαρμογή || προσαρμογή || παροξυσμός || ~**ter**: *(n)* εφαρμοστής || προμηθευτής || ~**ing**: *(adj)* κατάλληλος, ταιριαστός || *(n)* δοκιμή, ''πρόβα''
five (faiv): πέντε
fix (fiks) [-ed]: *(v)* στερεώνω || προσηλώνω || προσδιορίζω, καθορίζω || *(n)* δύσκολη θέση || εντοπισμός || ~**ture** (´fikstʃər): *(n)* σταθερό εξάρτημα
fjord: see fiord

flabbergast (΄flæbərgæst) [-ed]: *(v)* καταπλήσσω, αφήνω εμβρόντητο || **~ed**: *(adj)* εμβρόντητος, κατάπληκτος
flabb-iness (΄flæbinis): *(n)* πλαδαρότητα || **~y**: *(adj)* πλαδαρός
flaccid: see flabby
flag (flæg): *(n)* σημαία || πλάκα λιθόστρωσης || **~ging**: *(n)* λιθόστρωτο, πλακόστρωτο || **~ship**: *(n)* ναυαρχίδα || **~stone**: *(n)* λιθόστρωτο, πλάκα λιθόστρωσης
flagon (΄flægən): *(n)* κανάτα
flagrant (΄fleigrənt): *(adj)* κατάφωρος
flail (fleil) [-ed]: *(v)* κουνώ τα χέρια πάνω-κάτω || κοπανίζω, λιχνίζω || *(n)* κόπανος
flair (fleər): *(n)* έμφυτο ταλέντο ή επιτηδειότητα
flake (fleik) [-d]: *(v)* εκλεπίζω || εκλεπίζομαι || *(n)* ρίνισμα, λέπι || νιφάδα χιονιού
flamboyant (flæm΄bɔiənt): *(adj)* επιδεικτικός || εξεζητημένος
flame (fleim) [-d]: *(v)* φλέγομαι || *(n)* φλόγα
flammable (΄flæməbəl): *(adj)* εύφλεκτος
flank (flæŋk): *(n)* ισχία, πλευρά || πλευρά, πλευρική θέση || [-ed]: *(v)* πλευροκοπώ
flannel (΄flænəl): *(n)* φανέλα || *(adj)* φανελένιος
flap (flæp) [-ped]: *(v)* φτεροκοπώ || κουνώ πάνω-κάτω, ανεμίζω || *(n)* πτερύγιο || **~ jack**: *(n)* τηγανίτα
flare (fleər) [-d]: *(v)* αναλάμπω || αναφλέγομαι απότομα και ξαφνικά || διευρύνομαι, ανοίγω, πλαταίνω *(n)* αναλαμπή || ξαφνική λάμψη || φωτοβολίδα || διεύρυνση, άνοιγμα
flash (flæʃ) [-ed]: *(v)* αστράφτω || *(n)* αστραπή || αναλαμπή || φωτογραφικό ''φλας'' || *(adj)* αστραπιαίος || **~back**: *(n)* αναδρομή || **~light**: *(n)* ηλεκτρικός φανός τσέπης || προβολέας
flask (flæsk, fla:sk): *(n)* φιαλίδιο
flat (flæt): *(adj)* επίπεδος || ομαλός, ίσιος || ξεφουσκωμένος || ξεφουσκωμένο λάστιχο || διαμέρισμα || *(adj)* πεπλατυσμένος, συμπιεσμένος, ''πλακέ'' || **~ly**: *(adv)* κατηγορηματικά, απόλυτα || **~ten** [-ed]: *(v)* ισοπεδώνω || κάνω πεπλατυσμένο, κάνω ''πλακέ''
flatter (΄flætər) [-ed]: *(v)* κολακεύω || **~er**: *(n)* κόλακας || **~y**: *(n)* κολακεία
flatulen-ce (΄flætjuləns): *(n)* στόμφος, πομπώδες ύφος || **~nt**: *(adj)* πομπώδης
flaunt (flɔ:nt) [-ed]: *(v)* επιδεικνύω || επιδεικνύομαι
flavor (΄fleivər) [-ed]: *(v)* δίνω γεύση || *(n)* γεύση || **~ing**: *(n)* καρύκευμα
flaw (flɔ:): *(n)* ατέλεια || **~less**: *(adj)* τέλειος, χωρίς ελάττωμα
flax (flæks): *(n)* λινάρι
flay (flei) [-ed]: *(n)* γδέρνω
flea (fli:): *(n)* ψύλλος
flee (fli:) [fled, fled]: *(v)* το βάζω στα πόδια
fleece (fli:s): *(n)* δέρμα || μαλλί
fleet (fli:t): *(n)* στόλος || *(adj)* γρήγορος || **~ing**: *(adj)* σύντομος || φευγαλέος, παροδικός
flesh (fleʃ): *(n)* σάρκα || **~y**: *(adj)* εύσαρκος
flew: see fly
flex (fleks) [-ed] *(v)* λυγίζω || λυγίζομαι || **~ibility**: *(n)* ευκαμψία || ελαστικότητα || **~ible**: *(adj)* εύκαμπτος || ελαστικός || **~ion**: *(n)* κάμψη
flicker (΄flikər) [-ed]: *(v)* τρεμουλιάζω || τρεμοσβήνω || *(n)* αναλαμπή || τρεμούλιασμα || τρεμοσβήσιμο
flier, flyer (΄flaiər): *(n)* αεροπόρος || φέιγ βολάν
flight (flait): *(n)* πτήση || σμήνος || φυγή || **~ of stairs**: *(n)* μεσόσκαλο || **take ~, take to ~**: *(v)* τρέπομαι σε φυγή
flimsy (΄flimzi): *(adj)* λεπτός και ελαφρός || ασθενικός, αδύνατος || ψιλό χαρτί
flinch (flintʃ) [-ed]: *(v)* τινάζομαι από φόβο, έκπληξη ή πόνο
fling (fliŋ) [flung, flung]: *(v)* εξακοντίζω || ρίχνομαι, ορμώ || *(n)* ρίψη, βολή
flint (flint): *(n)* τσακμακόπετρα
flip (flip) [-ped]: *(v)* πετάω προς τα επάνω || *(n)* ρίψη, πέταγμα || ''κορόνα-γράμματα'' || **~pancy** (΄flipənsi): *(n)* αναίδεια || ελαφρότητα || **~pant**: *(adj)* αναιδής || ελα-

φρός || **~per** (΄flipər): *(n)* βατραχοπέδιλο
flirt (flə:rt) [-ed]: *(v)* ερωτοτροπώ, ''φλερτάρω'' || **~ation**: *(n)* ερωτική ''περιπέτεια''
flit (flit) [-ted]: *(v)* πετάγομαι γρήγορα
float (flout) [-ed]: *(v)* επιπλέω || *(n)* σχεδία || πλωτήρας || **~ation**: *(n)* πλεύση || **~er**: *(n)* πλωτήρας
flock (flɔk) [-ed]: *(v)* πηγαίνω ή συγκεντρώνομαι σαν κοπάδι || *(n)* αγέλη, κοπάδι
flog (flɔg) [-ged]: *(v)* μαστιγώνω
flood (flʌd) [-ed]: *(v)* πλημμυρίζω || *(n)* πλημμύρα || πλημμυρίδα || **~light**: *(n)* προβολέας
floor (flə:r): *(n)* όροφος || πάτωμα, δάπεδο || **~show**: *(n)* θέαμα, ''νούμερα''
flop (flɔp) [-ped]: *(v)* πέφτω βαριά, σωριάζομαι με θόρυβο || *(n)* βαρύ πέσιμο
flor-a (΄flə:rə): *(n)* χλωρίδα, φυτικό βασίλειο || **~id**: *(adj)* ανθηρός || ρόδινος, κοκκινωπός || **~ist** (΄flɔrist): *(n)* ανθοπώλης
floss (flɔs): *(n)* μεταξωτή ίνα ή κλωστή
flotilla (flou΄tilə): *(n)* στολίσκος
flounce (flans) [-d]: *(v)* κινούμαι νευρικά ή σπασμωδικά || *(n)* ποδόγυρος, ''μπορντούρα''
flounder (΄flaundər) [-ed]: *(v)* παραπατώ || παραπαίω || *(n)* παραπάτημα || γλώσσα (ψάρι)
flour (΄flauər): *(n)* αλεύρι
flourish (΄flə:riʃ) [-ed]: *(v)* ακμάζω, ανθώ || κραδαίνω || *(n)* επιδεικτική κίνηση || στόλισμα, στολίδι
flout (flaut) [-ed]: *(v)* καταφρονώ
flow (flou) [-ed]: *(v)* ρέω || χύνομαι || *(n)* ροή || ρεύμα, ρους || ευφράδεια
flower (΄flauər): *(n)* άνθος || [-ed]: *(v)* ανθίζω || **~bed**: *(v)* πρασιά || **~pot**: *(n)* γλάστρα
flown: see fly
flu (flu:): *(n)* γρίππη
fluctuat-e (΄flʌktʃueit) [-d]: *(v)* κυμαίνομαι || **~ion**: *(n)* διακύμανση, αυξομείωση
fluen-cy (΄flu:ənsi): *(n)* ευφράδεια || **~t**: *(adj)* εύγλωττος
fluff (flʌf): *(n)* χνούδι || **~y**: *(adj)* χνουδωτός
fluid (΄flu:id): *(adj)* ρευστός || *(n)* ρευστό || *(adj)* ευμετάβλητος
flung: see fling
flunk (flʌŋk) [-ed]: *(v)* αποτυγχάνω σε εξετάσεις
fluoresce (fluə΄res) [-d]: *(v)* παράγω φθορισμό || **~nce**: *(n)* φθορισμός
fluori-de (΄fluəraid): *(adj)* φθοριούχος
flurry (΄flə:ri): *(n)* ριπή ανέμου || ξαφνική ζωηρή δραστηριότητα, αναστάτωση
flush (flʌʃ) [-ed]: *(v)* εκρέω ορμητικά || κοκκινίζω || τραβώ το καζανάκι αποχωρητηρίου || *(n)* εκροή || κοκκίνισμα || ''φλος'' του χαρτοπαιγνίου
fluster (΄flʌstər) [-ed]: *(v)* συγχύζω, ταράζω || *(n)* σύγχυση, ταραχή
flut-e (flu:t): *(n)* αυλός || αυλάκωμα, αυλάκι, αυλακιά || **~ist**: *(n)* αυλητής
flutter (΄flʌtər) [-ed]: *(v)* πλαταγίζω, χτυπώ || φτεροκοπώ || *(n)* πλατάγισμα, χτύπημα || φτεροκόπημα
flux (flʌks): *(n)* ροή || ρευστότητα
fly (flai) [flew, flown]: *(v)* πετώ, ίπταμαι || *(n)* μύγα || κουμπιά ή φερμουάρ παντελονιού || **~er**: see flier
foal (foul): *(n)* πουλάρι, αλογάκι
foam (foum) [-ed]: *(v)* αφρίζω || *(n)* αφρός || **~ rubber**: *(n)* αφρώδες ελαστικό, ''αφρολέξ''
fob (fɔb): *(n)* αλυσιδίτσα ή μπρελόκ ρολογιού
foc-al (΄foukəl): *(adj)* εστιακός || **~us** (΄foukəs): *(n)* εστία || επίκεντρο || [-ed]: *(v)* βρίσκω την εστία
fodder (΄fɔdər): *(n)* νομή, τροφή ζώων
foe (fou): *(n)* εχθρός
fog (fɔg): *(n)* ομίχλη || θολούρα || [-ged]: *(v)* σκεπάζω με ομίχλη || θολώνω, συγχύζω || **~gy**: *(adj)* ομιχλώδης || συγχυσμένος, αβέβαιος
foil (fɔil) [-ed]: *(v)* ματαιώνω, ανατρέπω || *(n)* έλασμα
fold (fould) [-ed]: *(v)* διπλώνω || διπλώνομαι || *(n)* πτυχή || στάνη || **~er**: *(n)* φάκελος, ''ντοσιέ''
foliage (΄foulidz): *(n)* φύλλωμα
folk (fouk): *(n)* λαός, εθνική ομάδα || *(adj)* λαϊκός || **~lore**: *(n)* λαο-

γραφία, λαϊκές παραδόσεις
follow (΄fɔlou) [-ed]: *(v)* ακολουθώ ‖ παρακολουθώ ‖ **~er**: *(n)* ακόλουθος
foll-y (΄fɔli): *(n)* ανοησία, τρέλα
foment (fou΄ment) [-ed]: *(v)* υποθάλπω
fond (fɔnd): *(adj)* τρυφερός, στοργικός ‖ αγαπητός ‖ **be ~ of**: *(v)* συμπαθώ πολύ‖ **~ness**: *(n)* στοργή, αγάπη
fondle (΄fɔndl) [-d]: *(v)* χαϊδεύω
font (΄fɔnt): *(n)* κολυμπήθρα
food (fu:d): *(n)* τροφή ‖ **~ stuff**: *(n)* είδος τροφής, τρόφιμα
fool (fu:l) [-ed]: *(v)* εξαπατώ ‖ αστειεύομαι, κοροϊδεύω ‖ *(adj)* ανόητος, ηλίθιος ‖ κορόϊδο‖ **~ery**: *(n)* ανοησία, παλαβομάρα ‖ **~ hardy**: *(adj)* παράτολμος ‖ **~ish**: *(adj)* ανόητος ‖ γελοίος
foot (fut): *(n)* πόδι ‖ βάση ‖ **~ball**: *(n)* ποδόσφαιρο ‖ **~ fall**: *(n)* πάτημα ‖ **~ hold**: *(n)* ασφαλές πάτημα, στήριγμα ‖ **~ing**: *(n)* σταθερό ή σίγουρο πάτημα ‖ **~less**: *(adj)* αστήρικτος ‖ **~note**: *(n)* υποσημείωση ‖ **~step**: *(n)* βήμα ‖ πάτημα ‖ πατημασιά ‖ σκαλοπάτι
fop (fɔp): *(n)* κομψευόμενος, δανδής ‖ **~pish**: *(adj)* κομψευόμενος
for (fɔ:r): *(prep)* δια, για ‖ αντί, προς ‖ παρόλο ‖ υπέρ ‖ επειδή, γιατί ‖ **~ all that**: παρόλα αυτά
forage (΄fɔridz) [-d]: *(v)* κάνω επιδρομή για τρόφιμα ή εφόδια ‖ ψαχουλεύω, ψάχνω παντού ‖ δίνω χορτονομή ‖ *(n)* χορτονομή ‖ επιδρομή για τρόφιμα ή εφόδια
foray (΄fɔrei) [-ed]: *(v)* διαρπάζω, λεηλατώ ‖ *(n)* επιδρομή
forbade: see forbid
forbear (fɔ:r΄beər) [forbore, forborne]: *(v)* απέχω, συγκρατιέμαι ‖ **~ance**: *(n)* αποχή ‖ ανοχή
forbid (fər΄bid) [forbade, forbidden]: *(v)* απαγορεύω ‖ **~ding**: *(adj)* δυσάρεστος, αποκρουστικός ‖ ανασχετικός
forc-e (fɔ:rs) [-d]: *(v)* βιάζω ‖ πιέζω ‖ εξαναγκάζω ‖ *(n)* δύναμη ‖ βία ‖ ισχύς, εγκυρότητα ‖ **~eful**: *(adj)* αποτελεσματικός, πειστικός ‖ δυναμικός‖ **~eps** (΄fɔ:rsəps): *(n)* λαβίδα ‖ δαγκάνα εντόμου ‖ **~ible** (΄fɔ:rsəbəl): *(adj)* βίαιος, με το ζόρι
ford (fɔ:rd): *(n)* πόρος, ρηχά του ποταμού ‖ [-ed]: *(n)* περνώ από τα ρηχά
fore (fɔ:ər): *(adj)* πρόσθιος ‖ *(n)* πλώρη
forearm (΄fɔ:əra:rm): *(n)* πήχη χεριού ‖
forebod-e (fɔ:r΄boud) [-d]: *(v)* προβλέπω ή προαισθάνομαι κακό
forecast (΄fɔ:rka:st) [-ed or forecast]: *(n)* προβλέπω ‖ *(n)* πρόβλεψη, πρόγνωση
foreclos-e (΄fɔ:rklouz) [-d]: *(v)* κατάσχω υποθήκη ‖ **~ure**: *(n)* κατάσχεση υποθήκης
forecourt (΄fɔ:rkɔ:rt): *(n)* προαύλιο
forefather (΄fɔ:rfa:ðər): *(n)* πρόγονος
forefinger (΄fɔ:rfiŋgər): *(n)* δείκτης χεριού
forefront (΄fɔ:rfrʌnt): *(n)* πρόσοψη
forego (fɔ:r΄gou) [forewent, foregone]: *(v)* προηγούμαι
foregone: see forego
foreground (΄fɔ:rgraund): *(n)* πρώτο πλάνο
forehand (΄fɔ:rhænd): *(adj)* προγενέστερος
forehead (΄fɔ:rhed, ΄fɔrid): *(n)* μέτωπο
foreign (΄fɔrin): *(adj)* ξένος, αλλοδαπός ‖ εξωτερικός, του εξωτερικού‖ **~er**: *(n)* ξένος, όχι ντόπιος
forejudge (fɔ:r΄dzʌdz) [-d]: *(v)* προδικάζω
foreleg (΄fɔ:rleg): *(n)* μπροστινό πόδι
forelock (΄fɔ:rlɔk): *(n)* τούφα μαλλιού, τσουλούφι που πέφτει στο μέτωπο
foreman (΄fɔ:rmən): *(n)* αρχιεργάτης ‖ προϊστάμενος ενόρκων
foremost (΄fɔ:rmoust): *(adj)* ο πιο πρώτος ‖ ο πιο σπουδαίος
forerunner (΄fɔ:rʌnər): *(n)* πρόδρομος
foresaid (΄fɔ:rsed): *(adj)* προειρημένος, προλεχθείς
foresee (fɔ:r΄si:) [foresaw, foreseen]: *(v)* προβλέπω
foresight (΄fɔ:rsait): *(n)* πρόγνωση
forest (΄fɔrist): *(n)* δάσος
forestall (fɔ:r΄stɔ:l) [-ed]: *(v)* προλαβαίνω
foretell (fɔ:r΄tel) [foretold]: *(v)* προλέγω
forethought (΄fɔ:rθɔ:t): *(n)* πρόνοια, πρόβλεψη

forever (fər´evər): *(adv)* για πάντα
forewarn (fɔ:r´wɔ:rn) [-ed]: *(n)* προειδοποιώ
foreword (´fɔ:rwə:rd): *(n)* πρόλογος
forfeit (´fɔ:rfi:t) [-ed]: *(v)* χάνω δικαίωμα
forge (fɔ:rdz) [-d]: *(v)* επεξεργάζομαι μέταλλο || σφυρηλατώ || πλαστογραφώ || *(n)* σιδηρουργείο || καμίνι || **~r**: *(n)* πλαστογράφος || σιδηρουργός || **~ry**: *(n)* πλαστογραφία || πλαστό, κίβδηλο
forget (fər´get) [forgot, forgotten]: *(v)* ξεχνώ || **~ful**: *(adj)* ξεχασιάρης
forgive (fər´giv) [forgave, forgiven]: *(v)* συγχωρώ
fork (fɔ:rk): *(n)* πιρούνι, δίκρανο || πιρούνι || διακλάδωση || [-ed]: *(v)* πιρουνιάζω || διακλαδίζομαι
forlorn (fər´lɔ:rn): *(adj)* έρημος, εγκαταλειμμένος
form (fɔ:rm) [-ed]: *(v)* σχηματίζω || σχηματίζομαι || διαμορφώνω || διαμορφώνομαι || *(n)* σχήμα, μορφή || τύπος, καλούπι || **~al** (´fɔ:rməl): *(adj)* τυπικός || επίσημος, εθιμοτυπικός || **~ality**: *(n)* τύποι, τυπικότητα || επισημότητα || **~ation** (fɔ:r´meiʃən): *(n)* σχηματισμός || διάταξη || διαμόρφωση, διάπλαση|| **~less**: *(adj)* άμορφος
former (´fɔ:rmər): see form || *(adj)* προηγούμενος, προγενέστερος || τέως, πρώην || προηγούμενος από δύο, πρώτος των δύο || **~ly**: *(adv)* προηγουμένως
formica (fɔ:r´maikə): *(n)* φορμάϊκα
formidable (´fɔ:rmidəbəl): *(adj)* φοβερός, τρομερός || τεράστιος || δύσκολος
formula (´fɔ:rmjulə): *(n)* τύπος || **~te**: *(v)* τυποποιώ || εκφράζω σε τύπο
forsake (fər´seik) [forsook, forsaken]: *(v)* παραιτούμαι, εγκαταλείπω || απαρνούμαι
fort (fɔ:rt): *(n)* οχυρό
forth (fɔ:rθ): *(adv)* προς τα εμπρός || έξω, φανερά || **~coming**: *(adj)* επερχόμενος || **~ right**: *(adv)* κατευθείαν εμπρός || ευθύς, ντόμπρος || **~ with**: *(adj)* αμέσως
fortieth (´fɔ:rti:θ): *(adj)* τεσσαρακοστός
fortif-ication (fɔ:rtifi´keiʃən): *(n)* οχυρό || οχύρωση || ενίσχυση, τόνωση || **~y** (´fɔ:rtifai) [-ied]: *(v)* οχυρώνω || ενισχύω, τονώνω
fortitude (´fɔ:rtitju:d): *(n)* σθένος || θάρρος
fortnight (´fɔ:rtnait): *(n)* δεκαπενθήμερο
fortress (´fɔ:rtris): *(n)* φρούριο || οχυρό
fortun-ate(´fɔrtʃənit):*(adj)* τυχερός || **~e** (´fɔ:rtʃən): *(n)* τύχη || μοίρα || περιουσία
forty (´fɔ:rti): σαράντα || **~ winks**: *(n)* υπνάκος
forward (´fɔ:rwərd) [-ed]: *(v)* διαβιβάζω, προωθώ || *(adj)* πρόσθιος || *(adv)* προς τα εμπρός || **~s**: *(adv)* εμπρός, προς τα εμπρός || **~er**: *(n)* διεκπεραιωτής || **~ness**: *(n)* πρόοδος, ανάπτυξη || τόλμη, προπέτεια
fossil (´fɔsil): *(n)* απολίθωμα
foster (´fɔstər) [-ed]: *(v)* ανατρέφω || τρέφω, υποθάλπω || **~ child**: *(n)* θετό παιδί || **~ father**: *(n)* πατριός || **~ mother**: *(n)* μητριά
fought: see fight
foul (faul): *(adj)* αποκρουστικός || αηδιαστικός, βρομερός || **~ mouthed**: *(adj)* βρομολόγος || **~ play**: *(n)* ατιμία || εγκληματική ενέργεια ή πράξη
found (faund) [-ed]: *(v)* ιδρύω, δημιουργώ || εγκαθιδρύω || τοποθετώ σε βάση, στηρίζω || θεμελιώνω || χύνω σε καλούπι || see find || **~ation**: *(n)* υποδομή || θεμέλιο, θεμελίωση || έδραση, στήριξη || ίδρυμα || **~er**: *(n)* χύτης || ιδρυτής
fount (faunt): *(n)* πηγή || **~ain**: *(n)* βρύση, πηγή || συντριβάνι || **~ain pen**: *(n)* στυλογράφος
four (fɔ:r): τέσσερα || **~ fold**: *(adj)* τετραπλάσιος || **~ hundred**: *(n)* οι εκατομμυριούχοι, οι πάμπλουτοι || **~some**: *(n)* τετράδα || δύο ζεύγη || παιχνίδι με τέσσερις παίκτες || **~teen**: δεκατέσσερα || **~teenth**: *(adj)* δέκατος τέταρτος
fowl (faul): *(n)* όρνιθα, πουλερικό
fox (fɔks): *(n)* αλεπού || [-ed]: *(v)* εξαπατώ
foyer (´fɔiei): *(n)* χωλ, είσοδος, φουαγιέ
fract-ion (´frækʃən): *(n)* τμήμα, μέρος || κλάσμα || **~ure** (´fræktʃər):

(n) θλάση, κάταγμα ‖ [-d]: *(v)* προκαλώ θλάση ή κάταγμα ‖ ραγίζω
fragile (΄frædzail, ΄frædzəl): *(adj)* εύθραυστος
fragment (΄frægmənt) [-ed]: *(v)* συντρίβω ‖ κομματιάζω ‖ *(n)* θραύσμα ‖ κομμάτι, μέρος
fragran-ce (΄freigrəns): *(n)* άρωμα, ευχάριστη μυρωδιά ‖ **~t**: *(adj)* ευώδης
frail (freil): *(adj)* ασθενικός, αδύνατος ‖ **~ty**: *(n)* αδυναμία, ευπάθεια
frame (freim) [-d]: *(v)* πλαισιώνω, τοποθετώ σε πλαίσιο, κορνιζώνω ‖ κατασκευάζω ή συναρμολογώ το σκελετό ‖ *(n)* σκελετός ‖ πλαίσιο, κορνίζα ‖ ~ **work**: *(n)* σκελετός ‖ πλαίσιο ‖ βασικός τύπος ή σύστημα
franc (fræŋk): *(n)* φράγκο
France (fra:ns): *(n)* Γαλλία
franchise (΄fræntʃaiz): *(n)* δικαίωμα ψήφου ‖ προνόμιο εκμετάλλευσης επιχείρησης ‖ [-d]: *(v)* χορηγώ δικαίωμα ψήφου ‖ χορηγώ ή εκμισθώνω ή πουλώ προνόμιο εκμετάλλευσης επιχειρήσεως
frank (frænk): *(adj)* ειλικρινής ‖ ευθύς, ''ντόμπρος''
frankincense (΄fræŋkinsens): *(n)* μοσχολίβανο
frantic (΄fræntik): *(adj)* έξαλλος ‖ σε μεγάλη αγωνία
frappé (fræpe΄i): *(adj)* χτυπητό, ''φραπέ'' ‖ λικέρ με παγάκια
frat-ernal (frə΄tə:rnəl): *(n)* αδελφικός ‖ **~ernity**: *(n)* αδελφότητα ‖ **~ernization**: *(n)* συναδέλφωση ‖ συναδελφοσύνη ‖ **~ernize** [-d]: *(v)* συναδελφώνομαι ‖ **~ricide** (΄frætrisaid): *(n)* αδελφοκτονία ‖ αδελφοκτόνος
fraud (frɔ:d): *(n)* δόλος ‖ απάτη ‖ *(n)* απατεώνας ‖ **~ulent**: *(adj)* δόλιος ‖ απατηλός
fray (frei) [-ed]: *(v)* ξεφτίζω ‖ ξεφτίζομαι ‖ *(n)* ξέφτισμα, φάγωμα
freak (fri:k): *(n)* παραδοξότητα, τερατολογία ‖ τέρας ‖ παραξενιά ‖ **~ish, ~y**: *(adj)* αλλόκοτος, τερατώδης
freckle (΄frekəl): *(n)* φακίδα
free (fri:) [-d]: *(v)* ελευθερώνω ‖ *(adj)* ελεύθερος ‖ δωρεάν ‖ ~ **and clear**: ελεύθερο υποθήκης ‖ ~ **booter**: *(n)* πειρατής ‖ **~dom**: *(n)* ελευθερία
freez-e (fri:z) [froze, frozen]: *(n)* παγώνω ‖ καταψύχω, κάνω κατάψυξη ‖ *(n)* παγωνιά ‖ ψύξη ‖ **~er**: *(n)* ψυγείο, καταψύκτης ‖ **~ing** (΄fri:ziŋ): *(n)* ψύξη ‖ **~ing cold**: παγωνιά ‖ **deep ~e**: *(n)* κατάψυξη
freight (freit) [-ed]: *(v)* μεταφέρω ‖ *(n)* φορτίο ‖ εμπορεύματα ‖ **~car**: φορτηγό όχημα ‖ **~er**: *(n)* μεταφορέας
French (frentʃ): *(n)* Γάλλος ‖ *(adj)* γαλλικός ‖ γαλλική γλώσσα, γαλλικά ‖ ~ **~fries**: *(n)* τηγανητές ψιλοκομμένες πατάτες ‖ ~ **leave**: *(n)* φυγή ''αλά Γαλλικά'' ‖ **~man**: Γάλλος
fren-etic (frə΄netik): *(adj)* έξαλλος, φρενιασμένος ‖ **~zy** (΄frenzi): *(n)* φρένιασμα, μανία
freon (΄friən): *(n)* αντιψυκτικό υγρό, ''φρίον''
frequen-ce (΄fri:kwəns), **~cy** (΄fri:kwənsi): *(n)* συχνότητα ‖ **~t**: *(adj)* συχνός ‖ **~t** [-ed]: *(v)* συχνάζω
fresco (΄freskou): *(n)* τοιχογραφία ‖ νωπογραφία, ''φρέσκο''
fresh (freʃ): *(adj)* καινούριος ‖ φρέσκος ‖ νωπός, μη κονσερβαρισμένος ή κατεψυγμένος ‖ **~en** [-ed]: *(v)* φρεσκάρω ‖ φρεσκάρομαι
fret (fret) [-ted]: *(v)* ταράζω, ανησυχώ ‖ ταράζομαι, ανησυχώ ‖ *(n)* ταραχή, ανησυχία ‖ **~ful**: *(adj)* ταραγμένος, ανήσυχος
friction (΄frikʃən): *(n)* τριβή ‖ προστριβή, ασυμφωνία
Friday (΄fraidi): *(n)* Παρασκευή
friend (frend): *(n)* φίλος ‖ **~ly**: *(adj)* φιλικός, ευπροσήγορος ‖ **~ship**: *(n)* φιλία
frieze (΄fri:z): *(n)* ζωοφόρος
fright (frait): *(n)* φόβος, τρομάρα ‖ **~en** [-ed]: *(v)* τρομάζω, φοβίζω ‖ **~ening**: *(adj)* τρομακτικός ‖ **~ful**: *(adj)* τρομερός, φοβερός
frigid (΄fridzid): *(adj)* παγερός ‖ **~ity, ~ness**: *(n)* παγερότητα
frill (fril): *(n)* πτύχωση διακοσμητική, ''φραμπαλάς''
fringe (frindz): *(n)* παρυφή ‖ άκρη, περιθώριο ‖ ''γαρνιτούρα'', ''κρόσσι''
frisk (frisk) [-ed]: *(v)* χοροπηδώ ‖ *(n)* χοροπήδημα, σκίρτημα
frivol-ity (fri΄vəliti): *(n)* ελαφρότητα, επιπολαιότητα ‖ **~ous**: *(adj)* ελαφρός, επιπόλαιος

fro (frou): **to and** ~: πέρα δώθε, μπρος-πίσω
frock (frɔk): *(n)* φουστάνι || ράσο || [-ed]: *(v)* χειροτονώ κληρικό
frog (frɔg): *(n)* βάτραχος
frolic (΄frɔlik) [-ked]: *(v)* χοροπηδώ παιχνιδιάρικα, κάνω παιχνίδια || *(n)* παιχνιδιάρικο χοροπήδημα
from (frɔm): *(prep)* από, εκ
front (frʌnt): *(n)* μέτωπο, πρόσοψη || πολεμικό μέτωπο || *(adj)* μπροστινός || μετωπικός || *(n)* κάλυμμα || [-ed]: *(v)* αντικρίζω, αντιμετωπίζω || **~al**: *(adj)* μετωπιαίος || **~ier** (frən΄ti:r): *(n)* μεθόριος, σύνορα
frost (frɔst): *(n)* παγετός || παγωνιά || [-ed]: *(v)* παγώνω || βάζω σαντιγί σε γλυκό || ~ **bite**: *(n)* κρυοπάγημα || **~y**: *(adj)* παγερός || **ground** ~: πάχνη
froth (frɔθ): *(n)* αφρός || [-ed]: *(v)* αφρίζω
frown (fraun) [-ed]: *(v)* συνοφρυώνομαι || *(n)* συνοφρύωμα
froze (frouz): see freeze || **~n**: see freeze || *(adj)* παγωμένος || καταψυγμένος || παγερός, ψυχρός
frugal (΄fru:gəl): *(adj)* λιτός
fruit (fru:t): *(n)* καρπός || οπωρικό, φρούτο || [-ed]: *(v)* καρποφορώ || **~ful**: *(adj)* καρποφόρος || **~less**: *(adj)* άκαρπος
frustrat-e (frʌs΄treit) [-d]: *(v)* ματαιώνω || απογοητεύω
fry (frai) [-ied]: *(v)* τηγανίζω || τηγανίζομαι || ψήνω || *(n)* τηγανιτό || μαριδούλα, ψαράκι || μικρός, τιποτένιος || **~ing pan**: *(n)* τηγάνι
fuel (fjuəl): *(n)* καύσιμη ύλη || τροφή || [-ed]: *(v)* τροφοδοτώ με καύσιμα || παίρνω καύσιμα
fugitive (΄fju:dzitiv): *(adj)* φυγάδας
fulcrum (΄fʌlkrəm): *(n)* υπομόχλιο
fulfil (ful΄fil) [-led]: *(v)* εκπληρώνω || ικανοποιώ || **~ment**: *(n)* εκπλήρωση, ικανοποίηση || συμπλήρωση
full (ful): *(adj)* πλήρης, γεμάτος || ~ **blood**: *(adj)* καθαρόαιμος || ~ **house**: *(n)* χαρτοπαικτικό "φουλ" || **~moon**: *(n)* πανσέληνος
fumble (΄fʌmbəl) [-d]: *(v)* ψηλαφώ, ψαχουλεύω || *(n)* αδέξιο ψάξιμο ή χειρισμός
fum-e (fju:m) [-d]: *(v)* αναδίδω καπνό ή ατμό || εξατμίζομαι || *(n)* αναθυμίαση || δυνατή μυρωδιά
fun (fʌn): *(n)* διασκέδαση || αστειότητα, αστείο || **~ny**: *(n)* αστείος, διασκεδαστικός || παράξενος || **~nies**: *(n)* αστείες ιστορίες || **have** ~: *(v)* διασκεδάζω || **like** ~: ασφαλώς όχι || **make** ~ **of**: *(v)* περιπαίζω, γελοιοποιώ
function (΄fʌŋkʃən): *(n)* συνάρτηση || λειτουργία || [-ed]: *(v)* λειτουργώ, εργάζομαι || **~al**: *(adj)* πρακτικός
fund (fʌnd): *(n)* απόθεμα, πηγή εφοδίων || κεφάλαιο
fundament (΄fʌndemənt): *(n)* θεμέλιο || βασική αρχή || **~al**: *(adj)* θεμελιώδης, βασικός || κύριος, ουσιώδης
funeral (΄fjunerəl): *(n)* κηδεία
fungus (΄fʌngəs): *(n)* μύκητας
funicular (fju΄nikjulər): *(adj)* κινούμενος με καλώδιο || ~ **railway**: *(n)* σιδηρόδρομος κινούμενος με καλώδιο, "τελεφερίκ"
funk (fʌŋk): *(n)* φόβος, "τρακ" || θλίψη
funnel (΄fʌnəl): *(n)* χωνί || φουγάρο
fur (fə:r): *(n)* τρίχωμα ζώου || γούνα || **~ry**: *(adj)* γούνινος || τριχωτός
furious (΄fjuəriəs): *(adj)* έξαλλος, μανιασμένος
furl (fə:rl) [-ed]: *(v)* διπλώνω, μαζεύω, τυλίγω
furlough (΄fə:rlou): *(n)* κανονική άδεια στρατιώτη
furnace (΄fə:rnis): *(n)* κλίβανος || καμίνι
furn-ish (΄fə:rniʃ) [-ed]: *(v)* εφοδιάζω || επιπλώνω || **~ishings**: *(n)* έπιπλα || **~iture**(΄fə:rnitʃər): *(n)* επίπλωση, έπιπλα
furor (΄fjuərər): *(n)* μανία, έξαλλη κατάσταση
furrow (΄fə:rou) [-ed]: *(v)* ανοίγω αυλάκι || *(n)* αυλάκωση, αυλάκι
furry: see fur
further (΄fə:rδər): *(adj)* πιο μακρινός, απώτερος || επιπρόσθετος || *(adv)* επιπροσθέτως || [-ed]: *(v)* υποστηρίζω, προάγω, βοηθώ σε εξέλιξη ή άνοδο || **~more**: *(adv)* επιπλέον, εξάλλου
furthest (΄fə:rδist): *(adj)* ο απώτατος, ο πιο μακρινός
furtive (΄fə:rtiv): *(adj)* λαθραίος, ύπουλος
fury (΄fjuəri): *(n)* μανία
fuse (fju:z) [-d]: *(v)* τήκω, λιώνω ||

(*n*) ασφάλεια ηλεκτρικής εγκατάστασης || θρυαλλίδα
fusion (΄fju:zən): (*n*) τήξη || συγχώνευση
fuss (fʌs): (*n*) φασαρία, ανακατωσούρα || υπερβολική ανησυχία ή ενδιαφέρον || λογομαχία || **~y**: (*adj*) λεπτολόγος, ιδιότροπος
futil-e (΄fju:tel, ΄fju:tail): (*adj*) μάταιος || **~ity**: (*n*) ματαιότητα
futur-e (΄fju:tʃər): μέλλων || μελλοντικός
fuzz (fʌz): (*n*) χνούδι

G

gabardine (΄gabərdi:n): (*n*) καμπαρντίνα
gabble (΄gæbəl) [-d]: (*v*) μιλώ ασυνάρτητα ή γρήγορα
gable (΄geibəl): (*n*) αέτωμα
gadget (΄gædzit): (*n*) μικρή συσκευή, όργανο || **~ry**: (*n*) μικροσυσκευές
gaffe (gæf): (*n*) γκάφα
gag (gæg) [-ged]: (*v*) φιμώνω, βάζω φίμωτρο || (*n*) φίμωτρο
gai-ety (΄geiəti): (*n*) χαρά, ευθυμία
gain (gein) [-ed]: (*v*) κερδίζω || φθάνω || (*n*) απόκτημα || κέρδος || πλεονέκτημα || **~ful**: (*adj*) επικερδής, κερδοφόρος || **~ say** [-said]: (*v*) διαψεύδω, αρνούμαι || αντιλέγω
gait (geit): (*n*) τρόπος βαδίσματος, βάδισμα
gala-ctic (gə΄læktik): (*adj*) γαλαξιακός || **~xy** (΄gæləksi): (*n*) γαλαξίας
gale (geil): (*n*) ανεμοθύελλα
gall (gə:l): (*n*) χολή || πικρία || αναίδεια, θράσος|| **~ bladder**: (*n*) χοληδόχος κύστη
gallant (΄gælənt): (*adj*) ιππότης, ευγενής, ιπποτικός || ερωτότροπος || **~ry**: (*n*) ιπποτισμός || γενναιότητα || φιλοφροσύνη
gallery (΄gæləri): (*n*) στοά || εξώστης θεάτρου, "γαλαρία" || πινακοθήκη ή αίθουσα εκθέσεων
galley (΄gæli): (*n*) κουζίνα πλοίου ή αεροπλάνου
gallon (΄gælən): (*n*) γαλόνι
gallop (΄gæləp) [-ed]: (*v*) καλπάζω || (*n*) καλπασμός
gallows (΄gælouz): (*n*) αγχόνη
galore (gə΄lə:r): (*adj*) άφθονος, "ένα σωρό"
galosh (gə΄loʃ): (*n*) γαλότσα
galvan-ism (΄gælvənizəm): (*n*) γαλβανισμός || **~ize** (΄gælvənaiz) [-d]: (*v*) γαλβανίζω || ξεσηκώνω, "κεντρίζω"
gamble (΄gæmbəl) [-d]: (*v*) παίζω τυχερό παιχνίδι || (*n*) τυχερό παιχνίδι || **~r**: (*n*) παίκτης, χαρτοπαίκτης
gambol (΄gæmbəl) [-ed]: (*v*) χοροπηδώ || χοροπήδημα
game (geim): (*n*) παιχνίδι || θήραμα || (*id*) κουτσός
gander (΄gænder): (*n*) αρσενική χήνα
gang (gæŋ): (*n*) παρέα || συμμορία, σπείρα || [-ed]: (*v*) σχηματίζω ομάδα ή σπείρα || **~ster**: (*n*) συμμορίτης, "γκάγκστερ" || **~way**: (*n*) διάδρομος
gangling (΄gæŋgliŋ): (*adj*) ψηλός και άχαρος, "κρεμανταλάς"
gangrene (΄gæŋgri:n): (*n*) γάγγραινα || [-d]: (*v*) προκαλώ ή παθαίνω γάγγραινα
gaol: see jail
gap (gæp): (*n*) άνοιγμα || διάστημα, κενό, διάκενο || **~e** (geip) [-d]: (*v*) ανοίγω το στόμα, "χάσκω"
garage (gə΄ra:z): (*n*) γκαράζ
garb (ga:rb) [-ed]: (*v*) ντύνω || (*n*) φορέματα, ρούχα
garbage (΄ga:rbidz): (*n*) σκουπίδια || ανοησίες, "τρίχες" (*id*)
garden (΄ga:rdn): (*n*) κήπος || **~er**: (*n*) κηπουρός || **~ing**: (*n*) κηπουρική || **kitchen ~, vegetable ~**: (*n*) λαχανόκηπος
gargle (΄ga:rgəl) [-d]: (*v*) κάνω γαργάρα || (*n*) γαργάρα
garish (΄geəriʃ): (*adj*) χτυπητός, φανταχτερός
garland (΄ga:rlənd): (*n*) στέφανος, στεφάνι
garlic (΄ga:rlik): (*n*) σκόρδο
garment (΄ga:rmənt): (*n*) ένδυμα

garnish (΄ga:rniʃ) [-ed]: *(v)* στολίζω, ''γαρνίρω'' ‖ *(n)* στόλισμα, ''γαρνιτούρα''
garret (΄gærət): *(n)* σοφίτα
garrison (΄gærisən): *(n)* φρουρά
garrulous (΄gærulәs): *(adj)* φλύαρος ‖ ~**ness**: *(n)* φλυαρία
garter (΄ga:rtәr): *(n)* κολτσοδέτα
gas (gæs): *(n)* αέριο ‖ see **gasoline** ~ **cylinder**: *(n)* φιάλη αερίου ‖ ~**station**: *(n)* πρατήριο βενζίνης
gash (gæʃ) [-ed]: *(v)* σκίζω, κόβω ‖ *(n)* κόψιμο, μαχαιριά
gasoline (΄gæsoli:n): *(n)* βενζίνη
gasp (gæsp, ga:sp) [-ed]: *(v)* λαχανιάζω, μου πιάνεται η αναπνοή ‖ μιλώ λαχανιαστά ‖ *(n)* λαχάνιασμα, πιάσιμο αναπνοής
gate (geit): *(n)* πύλη ‖ αυλόπορτα ‖ δίοδος
gather (΄gæδәr) [-ed]: *(v)* μαζεύω ‖ συγκεντρώνω, συναθροίζω ‖ συγκεντρώνομαι, συναθροίζομαι ‖ συμπεραίνω, συνάγω
gaudy (΄gɔ:di): *(adj)* χτυπητός, φανταχτερός
gauge (geidz): *(n)* μέτρο, δείκτης ‖ διαμέτρημα ‖ [-d]: *(v)* μετρώ ‖ εκτιμώ, υπολογίζω
gaunt (gɔ:nt): *(adj)* λιπόσαρκος, ισχνός
gauze (gɔ:z): *(n)* γάζα
gave: see give
gawk (gɔ:k) [-ed]: *(v)* κοιτάζω με γουρλωμένα μάτια, ''χαζεύω''
gay (gei): *(adj)* εύθυμος, χαρούμενος ‖ χαρωπός ‖ ~**ety**: see gaiety
gaze (geiz) [-d]: *(v)* ατενίζω ‖ *(n)* παρατεταμένο βλέμμα
gazelle (gә΄zel): *(n)* γαζέλα, αντιλόπη
gear (giәr): *(n)* μηχανισμός ‖ σύστημα ταχυτήτων ‖ υλικά, εφόδια ‖ [-ed]: *(v)* τοποθετώ σύστημα ή μηχανισμό ‖ προσαρμόζω ‖ ~**box**: *(n)* κιβώτιο ταχυτήτων ‖ ~**shift**, ~**lever**: μοχλός ταχυτήτων
geese (gi:s): *(n)* χήνες (*pl* of goose)
gem (dzem): *(n)* πολύτιμος λίθος
gendarme (΄za:nda:rm): *(n)* χωροφύλακας
gender (΄dzendәr): *(n)* γένος
general (΄dzenerәl): *(adj)* γενικός ‖ *(n)* στρατηγός ‖ ~**ity**: *(n)* γενικότητα ‖ ~**ization** (dzenәrәlә΄zeiʃәn): *(n)* γενίκευση ‖ ~**ize** (΄dzenәrәlaiz) [-d]: *(v)* γενικεύω
generat-e (΄dzenәreit) [-d]: *(v)* γεννώ, παράγω ‖ ~**ion**: *(n)* γενεά ‖ γένεση, παραγωγή ‖ ~**or**: *(n)* γεννήτρια
gener-osity (dzenә΄rɔsiti): *(n)* γενναιοδωρία ‖ μεγαλοψυχία ‖ ~**ous** (΄dzenәrәs): *(adj)* γενναιόδωρος ‖ μεγαλόψυχος
genial (΄dzi:niәl): *(adj)* προσηνής, καλόκαρδος
genit-al (΄dzenitәl): *(adj)* γενετήσιος ‖ γεννητικός ‖ ~**als**: *(n)* γεννητικά όργανα ‖ ~**ive** (΄dzenitiv): *(n)* γενική πτώση
genius (΄dzi:niәs): *(n)* ιδοφυΐα
genocide (΄dze:nәsaid): *(n)* γενοκτονία
gent (dzent): *(n)* άνθρωπος *(id)* ‖ ~**eel** (dzen΄ti:l): *(adj)* ευγενής, με καλούς τρόπους ‖ ~**le** (dzentl): *(adj)* απαλός ‖ μαλακός, ήπιος ‖ ~**leman**: *(n)* κύριος ‖ ευγενής, ''τζέντλεμαν''
genuflect (΄dzenjuflekt) [-ed]: *(v)* υποκλίνομαι
genu-ine (΄dzenjuin): *(adj)* γνήσιος, αυθεντικός
geo-desy (dzi:΄ɔdәsi): *(n)* γεωδαισία ‖ ~**graphic**, ~**graphical** (dziә΄græfik, ~kәl): *(adj)* γεωγραφικός ‖ ~**graphy** (dzi΄ɔgrәfi): *(n)* γεωγραφία ‖ ~**logic**, ~**logical** (dziә΄lɔdzik): *(adj)* γεωλογικός ‖ ~**logy** (dzi΄ɔlәdzi): *(n)* γεωλογία ‖ ~**metric**, ~**metrical** (dziә΄metrik): *(adj)* γεωμετρικός ‖ ~**metry** (dzi΄ɔmitri): *(n)* γεωμετρία ‖ ~**ponic** (dziә΄pɔnik): *(adj)* γεωπονικός ‖ ~**ponics**: *(n)* γεωπονία
geranium (dzi΄reiniәm): *(n)* γεράνι
germ (dzә:rm): *(n)* μικρόβιο ‖ ~**icide**: *(n)* μικροβιοκτόνο
German (΄dzә:rmәn): *(n)* Γερμανός ‖ *(adj)* γερμανικός ‖ ~**ic**: *(adj)* γερμανικός ‖ ~**y**: Γερμανία
gestat-e (dzes΄teit) [-d]: *(v)* κυοφορώ ‖ ~**ion**: *(n)* κυοφορία
gest-iculate (dzes΄tikjuleit) [-d]: *(v)* χειρονομώ ‖ ~**iculation**: *(n)* χειρονομία ‖ ~**ure** (΄dzestʃәr) [-d]: *(v)* κάνω χειρονομία ‖ γνέφω ‖ *(n)* χειρονομία ‖ γνέψιμο
get (get) [got, got or gotten]: *(v)* αποκτώ ‖ παίρνω ‖ φθάνω ‖ καταλαβαίνω ‖ γίνομαι ‖ ~ **across**: *(v)* γίνομαι αντιληπτός, δίνω να

G

καταλάβει || περνώ απέναντι || ~ **ahead**: *(v)* προχωρώ, πετυχαίνω || ~ **along**: *(v)* πηγαίνω || τα πάω καλά || ~ **over**: περνώ || αναλαμβάνω, συνέρχομαι
ghastl-iness (΄ga:stlinis, gæstlinis): *(n)* ωχρότητα, χλομάδα || φρίκη, απαισιότητα || ~**y**: *(adj)* κατάχλομος || φοβερός, τρομερός, απαίσιος
ghost (goust): *(n)* φάντασμα || ~**ly**: *(adj)* φαντασματώδης || **Holy G~**: Άγιο Πνεύμα
giant (΄dzaiənt): *(n)* γίγαντας || *(adj)* γιγάντιος || ~**ess**: *(n)* γιγάντισσα
gibber (΄dzibər) [-ed]: *(v)* μιλώ ασυνάρτητα || ~**ish**: *(n)* χαζομάρες, "ακαταλαβίστικα"
gibe (dzaib) [-d]: *(v)* πειράζω, δίνω "μπηχτή" || *(n)* πείραγμα, "μπηχτή"
gidd-iness (΄gidinis): *(n)* ζάλη, ίλιγγος || ελαφρότητα, επιπολαιότητα || ~**y**: *(adj)* ζαλισμένος || ελαφρύς, επιπόλαιος
gift (gift): *(n)* δώρο || ταλέντο, φυσικό χάρισμα || ~**ed**: *(adj)* προικισμένος με φυσικά χαρίσματα
gigantic (dzai΄gæntik): *(adj)* γιγάντιος
giggle (΄gigəl) [-d]: *(v)* χασκογελώ || *(n)* νευρικό γέλιο
gild (gild) [-ed or gilt]: *(v)* επιχρυσώνω
gill (gil): *(n)* βράγχια
gilt (gilt): see gild || *(adj)* επίχρυσος || *(n)* επιχρύσωμα ή χρυσή βαφή
gimmick (΄gimik): *(n)* τέχνασμα, στρατήγημα
gin (dzin): *(n)* ποτό τζιν
ginger (΄dzindzər): *(n)* ζιγγίβερη ή πιπερόριζα || ~**ale**: *(n)* τζιτζιμπίρα || ~**bread**: *(n)* μελόπιτα || ~**ly**: *(adj)* προσεκτικός || συνεσταλμένος || *(adv)* προσεκτικά, συνεσταλμένα || μαλακά, απαλά
gipsy, gypsy (΄dzipsi): *(n)* τσιγγάνος, "γύφτος"
giraffe (dzi΄ræf, dzi΄ra:f): *(n)* καμηλοπάρδαλη
girder (΄gə:rdər): *(n)* κυρία δοκός
girdle (΄gə:rdl) [-d]: *(v)* περιζώνω || φορώ ζώνη
girl (gə:rl): *(n)* κορίτσι, κοπέλα || ~**friend**: *(n)* φιλενάδα || ~**hood**: *(n)* νεανική ηλικία || ~**ish**: *(adj)* κοριτσίστικος
girth (gə:rθ): *(n)* περιφέρεια || ιμάντας
gist (dzist): *(n)* κεντρική ιδέα ή ουσία
give (giv) [gave, given]: *(v)* δίνω || δωρίζω || παρέχω || μεταδίνω || υποχωρώ, ενδίδω || έχω θέα προς || ~ **away**: *(v)* προδίνω || χαρίζω || ~ **in**: *(v)* ενδίδω, υποχωρώ || παραδίνω || ~ **off**: *(v)* αναδίνω, αποπνέω || ~ **out**: *(v)* γνωστοποιώ || καταρρέω || ~ **rise to**: προκαλώ || ~ **up**: εγκαταλείπω, παραιτούμαι || υποχωρώ, παραδίνομαι || ~ **way**: υποχωρώ, δίνω τόπο || καταρρέω
glacier (΄gleiʃər): *(n)* παγετώνας, ογκόπαγος
glad (glæd): *(adj)* χαρούμενος || ~**den** [-ed]: *(v)* χαροποιώ
glade (gleid): *(n)* ξέφωτο
gladiator (΄glædieitər): *(n)* μονομάχος
glamor, glamour (΄glæmər): *(n)* αίγλη, λαμπρότητα || γοητεία || ~**ous**: *(adj)* γοητευτικός, λαμπρός
glanc-e (glæns, gla:ns) [-d]: *(v)* χτυπώ ξώφαλτσα || χτυπώ και εκτρέπομαι || κοιτάζω στιγμιαία || *(n)* ματιά, βλέμμα || εκτροπή || ~**ing**: *(adj)* ξώφαλτσος || λοξός, πλάγιος
gland (glænd): *(n)* αδένας
glar-e (gleər) [-d]: *(v)* αγριοκοιτάζω || αστράφτω, λάμπω || *(n)* άγρια ματιά || εκθαμβωτική λάμψη || ~**ing**: *(adj)* εκθαμβωτικός || επιδεικτικός || φανερός, καθαρός
glass (glæs, gla:s): *(n)* γυαλί || γυάλινος || ποτήρι || ~**es**: *(n)* ματογυάλια || ~**ware**: *(n)* γυαλικά || ~**y**: *(adj)* γυάλινος, σα γυαλί || άψυχος, ανέκφραστος
glaz-e (gleiz) [-d]: *(v)* βάζω τζάμια || στιλβώνω || *(n)* στίλβωση
gleam (gli:m) [-ed]: *(v)* λάμπω, αστράφτω || *(n)* λάμψη, φεγγοβόλημα
glean (gli:n) [-ed]: *(v)* σταχυολογώ, συγκεντρώνω σιγά-σιγά
glee (gli:): *(n)* χαρά, ευθυμία || ~**ful**: *(adj)* χαρούμενος, εύθυμος
glen (glen): *(n)* κοιλάδα
glib (glib): *(adj)* || επιπόλαιος || εύγλωττος || "καταφερτζής"
glid-e (glaid) [-d]: *(v)* γλιστρώ || *(n)* ολίσθηση || ~**er**: *(n)* ανεμόπτερο
glimmer (΄glimər): *(n)* αναλαμπή || αμυδρή λάμψη || [-ed]: *(v)* αναβοσβήνω

glimpse (glimps) [-d]: *(v)* ρίχνω φευγαλέα ματιά || *(n)* φευγαλέα ματιά, γρήγορη ματιά
glint (glint) [-ed]: *(v)* λαμπυρίζω, γυαλίζω || *(n)* λαμπύρισμα, λάμψη
glisten (΄glisən) [-ed]: *(v)* ανταναλώ λάμψη, γυαλίζω || *(n)* λάμψη, γυάλισμα
glitter (΄glitər) [-ed]: *(v)* λαμπυρίζω, γυαλίζω || *(n)* λάμψη, γυαλάδα
gloat (glout) [-ed]: *(v)* φέρνομαι ή βλέπω με χαιρεκακία
glob-al (΄gloubəl): *(adj)* παγκόσμιος|| **~e** (gloub): *(n)* σφαίρα || υδρόγειος || **~ular**: σφαιρικός || **~ule**: *(n)* σφαιρίδιο || σταγονίδιο
gloom (glu:m): *(n)* σκοτάδι || μελαγχολία, κατήφεια || **~y**: *(adj)* σκοτεινός || μελαγχολικός, κατηφής
glor-ification (glɔ:rifi΄keiʃən): *(n)* εξύμνηση || **~ify** (΄glɔ:rifai) [-ied]: *(v)* εξυμνώ || **~ious** (΄glɔ:riəs): *(adj)* ένδοξος || υπέροχος, λαμπρός || **~y** (΄glɔ:ri) [-ied]: *(v)* αγάλλομαι, γεμίζω χαρά || *(n)* δόξα || λαμπρότητα, μεγαλείο
gloss (glɔs): *(n)* λάμψη, γυαλάδα || επιφανειακή ομορφιά || [-ed]: *(v)* στιλβώνω|| **~y**: *(adj)* γυαλιστερός || επιφανειακά όμορφος
glossary (΄glɔsəri): *(n)* γλωσσάριο, λεξιλόγιο όρων
glove (glʌv): *(n)* γάντι
glow (glou) [-ed]: *(v)* λάμπω || ακτινοβολώ || κοκκινίζω || πυρακτώνομαι || *(n)* ακτινοβολία || πυράκτωση || ~ **worm**: *(n)* πυγολαμπίδα
glower (΄glauər) [-ed]: *(v)* κοιτάζω θυμωμένα || *(n)* άγρια ματιά
glucose (΄glu:kous): *(n)* σταφυλοζάχαρο, γλυκόζη
glue (glu:) [-d]: *(v)* κολλώ || *(n)* κόλλα
glum (glʌm): *(adj)* άκεφος, σκυθρωπός
glut (glʌt) [-ted]: *(v)* τρώω υπερβολικά || πλημμυρίζω την αγορά || *(n)* παραγέμισμα, φούσκωμα || πλημμύρισμα της αγοράς || αφθονία || **~ton**: *(n)* αδηφάγος, αχόρταγος || **~tony**: *(n)* αδηφαγία, λαιμαργία
glycer-in (΄glisəri:n), **~ol** (΄glisərəl): *(n)* γλυκερίνη ή γλυκερόλη
gnarl (΄na:rl): *(n)* ρόζος || ~ **ed**: *(adj)* ροζιασμένος
gnash (næʃ) [-ed]: *(v)* τρίζω τα δόντια
gnat (næt): *(n)* σκνίπα
gnaw (nɔ:) [-ed]: *(v)* δαγκάνω, ροκανίζω
gnome (noum): *(n)* νάνος, καλικαντζαράκι, στοιχειό
go (gou) [went, gone]: *(v)* πηγαίνω || λειτουργώ, εργάζομαι || ταιριάζω, ''πηγαίνω'' || ~ **ahead**: πάω μπροστά || ~ **along**: *(v)* συμφωνώ || ~ **at**: *(v)* επιτίθεμαι || ~ **back on**: *(v)* αλλάζω γνώμη, παραβαίνω
goad (goud) [-ed]: *(v)* κεντρίζω || παρακινώ || *(n)* βουκέντρα || κίνητρο, ''κέντρισμα''
goal (goul): *(v)* σκοπός, στόχος || τέρμα, ''γκολ'' || **~keeper**: *(n)* τερματοφύλακας
goat (gout): *(n)* τράγος || **~ee**: *(n)* μούσι
gobble (΄gɔbəl) [-d]: *(v)* καταπίνω λαίμαργα, καταβροχθίζω
goblet (΄gɔblit): *(n)* ποτήρι κρασιού
god (gɔd): *(n)* Θεός || ~ **child**: *(n)* βαφτιστικός|| ~ **daughter**: *(n)* βαφτιστικιά || **~dess**: *(n)* Θεά || **~father**: *(n)* ανάδοχος, ''νουνός'' || **~mother**: *(n)* η ανάδοχος, ''νουνά'' || **~son**: *(n)* βαφτιστικός
goggle (΄gɔgəl) [-d]: *(v)* κοιτάζω με γουρλωμένα μάτια
goiter (΄gɔitər): *(n)* βρογχοκήλη
gold (gould): *(n)* χρυσός || **~en**: *(adj)* χρυσός, χρυσαφής || **~smith**: *(n)* χρυσοχόος
golf (gɔlf): *(n)* γκολφ || **~course, ~links**: *(n)* γήπεδο γκολφ
gone: see go
gong (gɔŋ): *(n)* σήμαντρο, ''γκογκ''
good (gud): *(adj)* καλός || **a ~ deal, a ~ many**: αρκετά, κάμποσα || **~by, ~bye**: αντίο, χαίρετε || ~ **looking**: ευπαρουσίαστος, συμπαθητικός || ~ **natured**: *(adj)* καλόκαρδος || **~ness**: *(n)* καλοσύνη || **~s**: *(n)* εμπορεύματα || **for ~**: για πάντα
goose (gu:s): *(n)* χήνα || ~ **berry**: *(n)* φραγκοστάφυλο || ~ **flesh**, ~ **bumps**: ανατρίχιασμα, ανατριχίλα
gor-e (gɔ:r): *(n)* πηχτό αίμα, αίμα πληγής || [-d]: *(v)* τρυπώ με χαυλιόδοντα ή κέρατο, ''ξεκοιλιάζω''
gorge (gɔ:rdz): *(n)* χαράδρα || πολυφαγία || [-d]: *(v)* παρατρώω
gorgeous (΄gɔ:rdzəs): *(adj)* υπέροχος, θαυμάσιος
gorilla (gə΄rilə): *(n)* γορίλας

gorse (gə:rs): *(n)* σπάρτο
gospel (ˈgəspəl): *(n)* ευαγγέλιο
gossip (ˈgəsip) [-ed]: *(v)* κουτσομπολεύω ‖ *(n)* κουτσομπολιό ‖ φλυαρία, ψιλοκουβέντα ‖ *(n)* κουτσομπόλης
gourmet (gu:rˈmei): *(n)* καλοφαγάς
gout (gaut): *(n)* θρόμβος ‖ ποδάγρα
govern (ˈgʌvərn) [-ed]: *(v)* κυβερνώ ‖ ελέγχω ‖ **~ess**: *(n)* κυβερνήτρια ‖ γκουβερνάντα ‖ **~ment**: *(n)* κυβέρνηση ‖ **~or**: *(n)* κυβερνήτης
gown (gaun): *(n)* επίσημο φόρεμα ‖ τήβεννος ‖ ρόμπα
grab (græb) [-bed]: *(v)* αρπάζω, ''γραπώνω'' ‖ *(n)* άρπαγμα, πιάσιμο
grac-e (greis) [-d]: *(v)* τιμώ ‖ δίνω ομορφιά, στολίζω ‖ *(n)* χάρη ‖ έλεος ‖ εύνοια, χατίρι ‖ **~eful**: *(adj)* χαριτωμένος ‖ **~eless**: *(adj)* άχαρος ‖ **~ious** (ˈgreiʃəs): *(adj)* καλοκάγαθος ‖ ευσπλαχνικός
grad (græd): *(n)* απόφοιτος (ιδ) ‖ **~ate** (grəˈdeit) [-d]: *(v)* διαβαθμίζω ‖ **~ation**: *(n)* διαβάθμιση ‖ **~e** (greid) [-d]: *(v)* ταξινομώ ‖ διαβαθμίζω ‖ βαθμολογώ ‖ ισοπεδώνω ‖ *(n)* βαθμίδα ‖ βαθμός ‖ τάξη σχολείου ‖ κλίση ‖ **~ient** (ˈgreidiənt): *(n)* κλίση ‖ **~ual** (ˈgrædjuəl): *(adj)* βαθμιαίος ‖ **~ually**: *(adv)* βαθμηδόν ‖ **~uate** (ˈgrædjueit) [-d]: *(v)* αποφοιτώ ‖ (ˈgrædjuit): *(n)* απόφοιτος, πτυχιούχος ‖ **~uation**: *(n)* βαθμολόγηση ‖ αποφοίτηση
graft (græft, gra:ft) [-ed]: *(v)* μπολιάζω, μοσχεύω ‖ μεταμοσχεύω ‖ δωροδοκούμαι εκμεταλλευόμενος θέση ‖ *(n)* μόσχευμα, μπόλι ‖ μόσχευση ‖ δωροδοκία
grain (grein): *(n)* κόκκος ‖ δημητριακά
gram, ~me (græm): *(n)* γραμμάριο
gramm-ar (ˈgræmər): *(n)* γραμματική ‖ **~arian**: *(n)* συγγραφέας γραμματικής ‖ **~ar school**: *(n)* δημοτικό σχολείο ‖ **~atical** (grəˈmætikəl): *(adj)* γραμματικός
gramme: see gram
gramophone (ˈgræməfoun): *(n)* γραμμόφωνο
granary (ˈgrænəri): *(n)* σιταποθήκη
grand (grænd): *(adj)* μεγάλος, σπουδαίος ‖ **~child**: *(n)* εγγόνι ‖ **~dad, ~daddy**: *(n)* παππούς ‖ **~daughter**: *(n)* εγγονή ‖ **~iose**: *(adj)* μεγαλοπρεπής, επιβλητικός ‖ πομπώδης ‖ **~ma, ~mother**: *(n)* γιαγιά ‖ **~pa**: παππούς ‖ **~ piano**: *(n)* πιάνο με ουρά ‖ **~son**: *(n)* εγγονός
granite (ˈgrænit): *(n)* γρανίτης
granny (ˈgræni): *(n)* γιαγιάκα ‖ γριούλα, ''γιαγιά'' ‖ λεπτολόγος, ''ψείρα'' *(id)*
grant (grænt) [-ed]: *(v)* παρέχω ‖ παραδέχομαι, αναγνωρίζω ‖ απονέμω ‖ *(n)* παροχή ‖ αναγνώριση, παραδοχή ‖ απονομή
grape (greip): *(n)* κλήμα ‖ σταφύλι ‖ *(adj)* σκούρο μόβ χρώμα ‖ **~ fruit**: *(n)* φράπα, ''γκρέιπ φρουτ'' ‖ **~ stone**: *(n)* κουκούτσι σταφυλιού ‖ **~ vine**: *(n)* κληματαριά ‖ πηγή πληροφοριών ή διαδόσεων *(id)*
graph (græf, gra:f) [-ed]: *(v)* παριστάνω γραφικά ‖ *(n)* γραφική παράσταση ή κατασκευή ‖ **~ic, ~ical**: *(adj)* γραφικός ‖ ευκρινής, λεπτομερής ‖ **~ically**: *(adv)* γραφικά ‖ **~ite**: *(n)* γραφίτης ‖ **~ paper**: *(n)* τετραγωνισμένο χαρτί
grapple (ˈgræpəl) [-d]: *(v)* αρπάζω ή συγκρατώ με αρπάγη ‖ τσακώνομαι, παλεύω
grasp (græsp, gra:sp) [-ed]: *(v)* πιάνω, αρπάζω ‖ καταλαβαίνω, ''αρπάζω'' ‖ *(n)* πιάσιμο ‖ λαβή, σφίξιμο ‖ αντίληψη, κατανόηση
grass (græs, gra:s): *(n)* χορτάρι, χλόη ‖ **~hopper**: *(n)* ακρίδα
grate (greit) [-d]: *(v)* τρίβω ‖ τρίζω ‖ ‖ *(n)* τρίξιμο ‖ εσχάρα ‖ **~r**: *(n)* ξύστης, τρίφτης
grateful (ˈgreitfəl): *(adj)* ευγνώμονας ‖ **~ly**: *(adv)* με ευγνωμοσύνη
grati-fication (grætifiˈkeiʃən): *(n)* ικανοποίηση, ευχαρίστηση ‖ **~fy** (ˈgrætifai) [-ied]: *(v)* ικανοποιώ, ευχαριστώ
gratis (ˈgreitis): *(adj)* δωρεάν
gratitude (ˈgrætitju:d): *(n)* ευγνωμοσύνη
gratuit-ous (grəˈtju:itəs): *(adj)* δωρεάν, ελεύθερα ‖ **~y** (greˈtju:iti): *(n)* φιλοδώρημα
grave (greiv): *(n)* τάφος ‖ *(adj)* σοβαρός, σπουδαίος ‖ **~ digger**: *(n)* νεκροθάφτης ‖ **~r**: *(n)* χαράκτης ‖ **~stone**: *(n)* ταφόπετρα ‖ **~ yard**: *(n)* νεκροταφείο
gravel (ˈgrævəl): *(n)* αμμοχάλικο
gravit-ate (ˈgræviteit) [-d]: *(v)* έλκομαι ‖ **~y**: *(n)* βαρύτητα ‖ έλξη ‖

σοβαρότητα, σπουδαιότητα
gravy (΄greivi): *(n)* σάλτσα
gray, grey (grei): *(adj)* φαιός, γκρίζος || μουντός, σκοτεινός
graze (greiz) [-d]: *(v)* βόσκω || εγγίζω || γδέρνω, ξεγδέρνω || *(n)* γδάρσιμο, ξέγδαρμα
greas-e (gri:s): *(n)* λίπος || γράσο || [-d]: *(v)* λαδώνω, γρασώνω || **~y**: *(adj)* λιπαρός || λαδωμένος, λιγδιασμένος || γλοιώδης άνθρωπος
great (greit): *(adj)* μεγάλος || σημαντικός, σπουδαίος || **G~ Britain**: Μεγάλη Βρετανία || ~ **coat**: *(n)* παλτό || ~ **grandchild**: *(n)* δισέγγονο || ~ **granddaughter**: *(n)* δισεγγονή || ~ **grandfather**: *(n)* προπάππος || ~ **grandmother**: *(n)* προμάμη || ~ **grandson**: *(n)* δισέγγονος
Greece (gri:s): *(n)* Ελλάς
greed (gri:d): *(n)* απληστία, πλεονεξία || λαιμαργία || **~iness**: λαιμαργία || **~y**: *(adj)* άπληστος, λαίμαργος, πλεονέκτης
Greek (gri:k): *(n)* Έλληνας || Ελληνική γλώσσα, Ελληνικά || *(adj)* Ελληνικός
green (gri:n): *(adj)* πράσινος || άπειρος || **~grocer**: *(n)* μανάβης || ~ **house**: *(n)* θερμοκήπιο
greet (gri:t) [-ed]: *(v)* χαιρετώ || **~ings**: *(n)* χαιρετίσματα
gregarious (gri΄geəriəs): *(adj)* αγελαίος || κοινωνικός
grenad-e (grə΄neid): *(n)* χειροβομβίδα
grew: see grow
grey: see gray
greyhound (΄greihaund): *(n)* κυνηγετικό σκυλί
grid (grid): *(n)* εσχάρα || δικτύωμα || **~dle**: *(n)* εσχάρα || τηγάνι || **~iron** (΄gridaiərn): *(n)* εσχάρα
grie-f (gri:f): *(n)* λύπη, πόνος || **~vance** (΄gri:vəns): *(n)* παράπονο || αγανάκτηση || **~ve** (΄gri:v) [-d]: *(v)* λυπώ || λυπούμαι
grill (gril) [-ed]: *(v)* ψήνω σε σχάρα ή ψησταριά | *(n)* σχάρα || ψησταριά || ψητό σχάρας || **~e**: *(n)* πλέγμα, "γρίλια"
grim (grim): *(adj)* βλοσυρός || σκυθρωπός
grimace (gri΄meis) [-d]: *(v)* μορφάζω, κάνω "γκριμάτσα" || *(n)* μορφασμός, "γκριμάτσα"
grim-e (graim) [-d]: *(v)* λερώνω, βρωμίζω || *(n)* βρωμιά|| **~y**: *(adj)* μουντζουρωμένος, βρώμικος
grin (grin) [-ned]: *(v)* χαμογελώ || μορφάζω επιδοκιμαστικά ή χαρούμενα || *(n)* χαμόγελο || μορφασμός επιδοκιμασίας ή χαράς
grind (graind) [ground, ground]: *(v)* τρίβω || τροχίζω || τρίζω || *(n)* τριβή|| ~ **stone**: *(n)* ακονόλιθος || μυλόπετρα
grip (grip) [-ped]: *(v)* σφίγγω || *(n)* σφίξιμο, χειρολαβή || γνώση, κατανόηση || λαβή || βαλιτσούλα, "σακ-βουαγιάζ"
gripe (graip) [-d]: *(v)* προκαλώ κοιλόπονο ή κολικόπονο || παραπονούμαι, "γκρινιάζω" || *(n)* παράπονο, "γκρίνια" || **~s**: *(n)* κολικόπονος ή κοιλόπονος
grisly (΄grizli): *(adj)* φρικτός, απαίσιος
gristle (΄grisəl): *(n)* χόνδρος, "τραγανό"
grit (grit) [-ted]: *(v)* τρίζω ή σφίγγω τα δόντια || *(n)* αμμόλιθος || θάρρος, γενναιότητα *(id)*
grizzl-e (΄grizəl) [-d]: *(v)* κάνω γκρίζο || **~ed**: *(adj)* γκρίζος, με γκρίζα μαλλιά
groan (groun) [-ed]: *(v)* στενάζω || βογκώ
grocer (΄grousər): *(n)* μπακάλης || **~ies**: *(n)* είδη μπακαλικής || **~y, ~y store**: *(n)* παντοπωλείο, μπακάλικο
groin (grəin): *(n)* βουβώνας
groom (gru:m) [-ed]: *(v)* περιποιούμαι || εκπαιδεύω, προετοιμάζω || *(n)* ιπποκόμος
groov-e (gru:v) [-d]: *(v)* αυλακώνω, κάνω εγκοπή || *(n)* αυλάκωμα, αυλάκι || εγκοπή
grope (group) [-d]: *(v)* ψηλαφώ || αναζητώ ψηλαφώντας || ψάχνω, προσπαθώ να βρω
gross (grous): *(adj)* ολικός, χονδρικός|| χονδροειδής || χυδαίος, "χοντρός" || παχύς || *(n)* το σύνολο || δώδεκα δωδεκάδες
grotesque (grou΄tesk): *(adj)* αλλόκοτος, παράξενος
grouch (΄grautʃ) [-ed]: *(v)* γκρινιάζω
ground (graund): see grind || *(n)* έδαφος || γη, γείωση || [-ed]: *(v)* βασίζω || διδάσκω || γειώνω, προσγειώνω || απαγορεύω πτήση || προσαράζω || προσεδαφίζομαι | , **~s**: λόγος, αφορμή || **~s**: *(n)* κατακάθια|| ~ **floor**:

(n) ισόγειο || **~less**: *(adj)* αβάσιμος
group (gru:p): *(n)* ομάδα || [-ed]: *(v)* σχηματίζω ή τοποθετώ σε ομάδα
grouse (΄graus) [-d]: *(v)* παραπονιέμαι, ''γκρινιάζω'' || αγριόκοτα
grove (grouv): συστάδα, πύκνωμα
grovel (΄grəvəl) [-ed]: *(v)* ταπεινώνομαι, ''σέρνομαι'', ''έρπω'' || υποκλίνομαι βαθιά, κάνω ''τεμενάδες''
grow (grou) [grew, grown]: *(v)* || μεγαλώνω, αυξάνω || καλλιεργώ || ~ **up**: *(v)* μεγαλώνω, ενηλικιώνομαι
growl (graul) [-ed]: *(v)* μουγκρίζω, γρυλίζω
grown: see grow
growth (grouθ): *(n)* ανάπτυξη || αύξηση
grub (grʌb) || *(n)* σκουλήκι εντόμου
grudge (grʌdz) [-d]: *(v)* δέχομαι ή δίνω με το ζόρι, με δυσκολία || *(n)* μνησικακία
gruesome (΄gru:səm): *(adj)* φρικτός, απαίσιος
gruff (grʌf): *(adj)* τραχύς
grumble (΄grʌmbəl) [-d]: *(v)* γρυλίζω || γκρινιάζω || *(n)* μεμψιμοιρία, γκρίνια
grump-s (grʌmps): *(n)* κακοκεφιά || **~y**: *(adj)* ευερέθιστος, κακότροπος, γκρινιάρης
grunt (grʌnt) [-ed]: γρυλίζω || *(n)* γρύλισμα
guarant-ee (gærən΄ti): *(n)* εγγύηση || [-d]: *(v)* εγγυούμαι || **~or** (΄gærəntər): *(n)* εγγυητής
guard (ga:rd) [-ed]: *(v)* φρουρώ || προστατεύω|| *(n)* φρουρός || φρουρά || προστασία, προφύλαξη || **~ed**: *(adj)* συγκρατημένος, προσεκτικός || **~ian**: *(n)* προστάτης, φύλακας || κηδεμόνας
guerrilla, guerilla (gə΄rilə): *(n)* αντάρτης || ~ **warfare**: *(n)* κλεφτοπόλεμος
guess (ges) [-ed]: *(v)* μαντεύω || υποθέτω || *(n)* εικασία || ~ **work**: *(n)* εικασία, υπόθεση
guest (gest): επισκέπτης || πελάτης ξενοδοχείου ή εστιατορίου
guffaw (gə΄fo:) [-ed]: *(v)* καγχάζω || *(n)* καγχασμός, βροντερό γέλιο
guid-ance (΄gaidəns): *(n)* καθοδήγηση || **~e** [-d]: *(v)* οδηγώ || καθοδηγώ || *(n)* οδηγός
guild (gild): *(n)* συντεχνία
guile (gail): *(n)* δόλος || **~less**: *(adj)* άδολος
guillotine (΄giləti:n): *(n)* λαιμητόμος, καρμανιόλα, ''γκιλοτίνα''
guilt (gilt): *(n)* ενοχή|| **~y**: *(adj)* ένοχος
guise (gaiz): *(n)* εμφάνιση, παρουσιαστικό
guitar (gi΄ta:r): *(n)* κιθάρα
gulch (gʌltʃ): *(n)* χαράδρα, χαντάκι
gulf (gʌlf): *(n)* κόλπος || χάσμα ||
gull (gʌl): *(n)* γλάρος
gullet (΄gʌlit): *(n)* οισοφάγος || χαντάκι
gullib-ility (gʌlə΄biliti): *(n)* ευπιστία || **~le** (΄gʌləbəl): *(adj)* εύπιστος
gully (΄gʌli): *(n)* χαντάκι
gulp (gʌlp) [-ed]: *(v)* καταπίνω || ξεροκαταπίνω, πνίγομαι καταπίνοντας || *(n)* καταπιά
gum (gʌm): ελαστικό κόμμι || μαστίχα || ούλο
gun (gʌn): πυροβόλο όπλο || πυροβόλο, κανόνι || [-ned]: *(v)* πυροβολώ || **~ner**: *(n)* πυροβολητής || **~powder**: *(n)* πυρίτιδα || **~smith**: *(n)* οπλοποιός || **~wale**: *(n)* κουπαστή πλοίου
gunny (΄gʌni): *(n)* λινάτσα
gurgle (΄gə:rgəl) [-d]: *(v)* κελαρύζω, γαργαρίζω || *(n)* κελάρυσμα
gush (gʌʃ) [-ed]: *(v)* ξεχύνομαι ορμητικά || εκδηλώνομαι ενθουσιαστικά || *(n)* ορμητικό τρέξιμο υγρού
gust (gʌst): *(n)* ριπή ανέμου || ξέσπασμα
gut (gʌt): *(n)* έντερο || στομάχι || [-ted]: *(v)* ξεκοιλιάζω || **~s**: εντόσθια || θάρρος, τόλμη
gutter (΄gʌtər): *(n)* ρείθρο || υδρορροή
guttural (΄gʌtərəl): *(adj)* λαρυγγικός
guy (gai): *(n)* καλώδιο, σκοινί || άνθρωπος *(id)*
guzzle (΄gʌzəl) [-d]: *(v)* πίνω λαίμαργα
gym (dzim): *(n)* γυμναστήριο || **~nasium** (dzim΄neizi:əm): *(n)* Γυμνάσιο || γυμναστήριο || **~nast** (΄dzimnæst): *(n)* γυμναστής || αθλητής γυμναστικής || **~nastic** (dzim΄næstik): *(adj)* γυμναστικός || **~nastics**: *(n)* γυμναστική
gynecologist (dzainə΄kələdzist): *(n)* γυναικολόγος || **~y**: *(n)* γυναικολογία
gypsy (΄dzipsi): *(n)* Τσιγγάνος, ''γύφτος''
gyr-ate (΄dzaireit) [-d]: *(v)* περιστρέφομαι || **~ation**: *(n)* περιστροφή

H

habit (΄hæbit): *(n)* συνήθεια ‖ άμφια ‖ **~able**: *(adj)* κατοικήσιμος ‖ **~ation** (hæbə΄teiʃən): *(n)* κατοίκηση ‖ **~ual** (hə΄bitʃuəl): *(adj)* συνήθης, από συνήθεια

hack (hæk) [-ed]: *(v)* πελεκώ, κόβω

hackney (΄hækni) [-ed]: *(v)* κάνω υπερβολική κατάχρηση μιας έκφρασης ‖ *(n)* αμάξι ‖ **~ed**: *(adj)* τετριμμένος, μπανάλ

had: see have

haft (hæft): *(n)* λαβή σπαθιού ή μαχαιριού

hag (hæg): *(n)* παλιόγρια, ''τζαντόγρια''

haggard (΄hægərd):*(adj)* καταβλημένος, ''κομμένος''

haggle (΄hægəl) [-d]: *(v)* παζαρεύω

hail (heil) [-ed]: *(v)* χαιρετώ ‖ ζητωκραυγάζω ‖ *(n)* χαιρέτισμα ‖ χαλάζι

hair (heər): *(n)* τρίχα ‖ τρίχωμα ‖ μαλλιά ‖ **~breadth**: *(adj)* παρά τρίχα ‖ **~cut**: *(n)* κούρεμα ‖ **~ do**: *(n)* κόμμωση ‖ **~dresser**: *(n)* κομμωτής, -τρια ‖ **~s breadth**: see hairbreadth ‖ **~ splitting**: *(n)* λεπτολογία ‖ **~y**: *(adj)* τριχωτός, μαλλιαρός

half (hæf, ha:f): *(n)* μισό ‖ μέσος ομάδας ποδοσφαίρου, ''χαφ'' ‖ **go ~s**: συμμερίζομαι, πάω ''μισάμισά'' ‖ **~ breed**: *(n)* μιγάδας ‖ **~time**: *(n)* ημιχρόνιο

hall (hɔ:l): *(n)* προθάλαμος, ''χωλ'' ‖ αίθουσα συγκεντρώσεων ή συναυλιών

hallow (΄hælou) [-ed]: *(v)* αγιάζω, καθαγιάζω ‖ **~ed**: *(adj)* άγιος, ιερός ‖ **~een**: *(n)* των Αγίων Πάντων

hallucinat-e (hə΄lu:səneit) [-d]: *(v)* προκαλώ ή παθαίνω φαντασιώσεις ‖ **~ion**: *(n)* φαντασίωση ‖ φαντασιοπληξία

halo (΄heilou): *(n)* φωτοστέφανος ‖ στεφάνι ηλίου ή σελήνης

halt (hɔ:lt) [-ed]: *(v)* σταματώ ‖ *(n)* σταμάτημα, στάση ‖ **~er**: *(n)* καπίστρι

halve (hæv, ha:v) [-d]: *(v)* χωρίζω στη μέση ‖ **~s**: pl of half

ham (hæm): χοιρομέρι ‖ **~burger**: *(n)* σάντουιτς με κιμά, ''χάμπουργκερ''

hamlet (΄hæmlit): *(n)* χωριουδάκι

hammer (΄hæmər) [-ed]: *(v)* χτυπώ με σφυρί ‖ σφυρηλατώ ‖ *(n)* σφυρί ‖ επικρουστήρας ‖ σφύρα του αυτιού ‖ αθλητική σφύρα ρίψεων

hammock (΄hæmək): *(n)* κούνια

hamper (΄hæmpər) [-ed]: *(v)* εμποδίζω

hand (hænd): χέρι ‖ δείκτης ρολογιού ‖ χειροκρότημα ‖ [-ed]: *(v)* δίνω ‖ **at ~**: κοντά, πρόχειρο ‖ σύντομα ‖ **~s down**: εύκολα ‖ **tip one's ~**: φανερώνομαι ‖ **~ in**: παραδίδω ‖ **~bag**: *(n)* τσάντα ‖ **~ball**: χειρόσφαιρα ‖ **~book**: εγχειρίδιο, βιβλιαράκι ‖ **~clasp**: *(n)* χειραψία ‖ **~cuff**: χειροπέδη, δένω με χειροπέδη ‖ **~ful**: χούφτα ‖ **~iwork**: εργόχειρο ‖ **~kerchief** (΄hængkərtʃif): μαντίλι ‖ **~ picked**: *(adj)* διαλεχτός ‖ **~shake**: *(n)* χειραψία ‖ **~writing**: γραφικός χαρακτήρας

handicap (΄hændi:kæp) [-ped]: *(v)* εμποδίζω, παρεμποδίζω ‖ *(n)* εμπόδιο ‖ αναπηρία ‖ **~ped**: *(adj)* ανάπηρος ‖ εμποδισμένος, με εμπόδια

handle (΄hændl) [-d]: *(v)* χειρίζομαι ‖ *(n)* λαβή ‖ **~bar**: *(n)* χειρολαβή ποδηλάτου ή μοτοσικλέτας

handsome (΄hænsəm): *(adj)* όμορφος

hang (hæŋg) [hung, hung]: *(v)* αναρτώ, κρεμώ ‖ [-ed]: *(v)* κρεμώ, απαγχονίζω ‖ **~ around**: *(v)* τριγυρίζω, τεμπελιάζω ‖ συντροφεύω, πάω μαζί ‖ **~er**: *(v)* κρεμάστρα ‖ **~ing**: *(n)* απαγχονισμός, κρέμασμα ‖ κουρτίνα ‖ **~man**: *(n)* δήμιος ‖ **~ over**: *(n)* ζάλη μετά από μεθύσι, επακόλουθο προηγούμενης μέθης, πονοκέφαλος επομένης

H

hangar (΄hængər): *(n)* υπόστεγο
hanker (΄hæŋkər) [-ed]: *(v)* επιθυμώ πολύ
haphazard (hæp΄hæzərd): *(adj)* τυχαίος, στα "κουτουρού"
happen (΄hæpən) [-ed]: *(v)* συμβαίνω ‖ εμφανίζομαι τυχαία ‖ **~ing**: *(n)* συμβάν, γεγονός
happ-iness (΄hæpinis): *(n)* ευτυχία ‖ **~y**: *(adj)* ευτυχισμένος ‖ **~y - go - lucky**: *(adj)* ανέμελος
harangue (hə΄ræŋg) [-d]: *(v)* μιλώ με στόμφο ‖ *(n)* στομφώδης ομιλία
harass (΄hærəs, hə΄ræs) [-ed]: *(v)* ενοχλώ συστηματικά
harbinger (΄ha:rbəndzər): *(n)* προάγγελος
harbor (΄ha:rbər), **harbour** [-ed]: *(v)* προστατεύω, παρέχω άσυλο ‖ τρέφω ελπίδες, σκέψεις ή αισθήματα ‖ *(n)* λιμάνι ‖ άσυλο, προστασία
hard (ha:rd): *(adj)* σκληρός ‖ δύσκολος ‖ **~boiled**: *(adj)* σφιχτοβρασμένος, σφιχτό αυγό ‖ σκληρός, αναίσθητος, τραχύς ‖ **~core**: *(n)* ο σκληρός πυρήνας ‖ **~en** [-ed]: *(v)* σκληραίνω ‖ **~ly**: *(adv)* μόλις ‖ **~ness**: *(n)* σκληρότητα ‖ **~ of hearing**: βαρήκοος ‖ **~ put**: σε δύσκολη θέση, σε δυσχέρειες ‖ **~ship**: *(n)* κακουχία ‖ δυσκολία, δυσχέρεια
hare (heər): *(n)* λαγός
harem (΄hærəm): *(n)* χαρέμι
harm (ha:rm) [-ed]: *(v)* βλάπτω, κάνω κακό ‖ *(n)* κακό ‖ βλάβη ‖ **~ful**: *(adj)* βλαβερός, επιβλαβής ‖ **~less**: *(adj)* άκακος, ακίνδυνος
harmon-ic (ha:r΄mənik): *(adj)* αρμονικός ‖ **~ica**: *(n)* φυσαρμόνικα ‖ **~ious**: *(adj)* αρμονικός ‖ μελωδικός ‖ **~ize** (΄ha:rmənaiz) [-d]: *(v)* εναρμονίζω ‖ μελοποιώ ‖ **~y** (΄ha:rməni:): *(n)* αρμονία ‖ συμφωνία
harness (΄ha:rnis): *(n)* ιπποσκευή, "χάμουρα" ‖ [-ed]: *(v)* βάζω υπό έλεγχο, συγκρατώ
harp (ha:rp): *(n)* άρπα ‖ **~ist**: *(n)* παίκτης ή παίκτρια άρπας
harpoon (ha:r΄pu:n): *(n)* καμάκι
harrow (΄hærou): βολοκόπος, "σβάρνα" ‖ [-ed]: *(v)* βολοκοπώ, "σβαρνίζω" ‖ **~ing**: *(adj)* θλιβερός, τραγικός
harry (΄hæri) [-ied]: *(v)* παρενοχλώ συνεχώς
harsh (ha:rʃ): *(adj)* σκληρός, τραχύς ‖ αυστηρός
hart (ha:rt): *(n)* αρσενικό ελάφι
harvest (΄ha:rvist) [-ed]: *(v)* θερίζω ‖ κάνω συγκομιδή, μαζεύω ‖ *(n)* συγκομιδή, εσοδεία ‖ **~er**: *(n)* θεριστής ‖ θεριστική μηχανή
hash (hæʃ) [-ed]: *(v)* ψιλοκόβω, κάνω κιμά ‖ *(n)* κεφτέδες με πατάτες και λαχανικά, κιμάς με πατάτες
hashish, hasheesh (΄hæʃi:ʃ): *(n)* χασίς
hassle (΄hæsəl): *(n)* ενόχληση, μπελάς, σκοτούρα
hast-e (heist): *(n)* βία, βιασύνη ‖ **~en** [-ed]: *(v)* βιάζομαι ‖ **~y**: *(adj)* βιαστικός ‖ απερίσκεπτος
hat (hæt): *(n)* καπέλο ‖ **~ter**: *(n)* καπελάς
hatch (hætʃ) [-ed]: *(v)* εκκολάπτομαι ‖ εκκολάπτω ‖ *(n)* εκκόλαψη ‖ καταπακτή ‖ φεγγίτης ‖ "μπουκαπόρτα"
hatchet (΄hætʃit): *(n)* τσεκούρι
hat-e (heit) [-d]: *(v)* μισώ ‖ *(n)* μίσος ‖ **~ed, ~ful**: *(adj)* μισητός ‖ **~red**: *(n)* μίσος, έντονη έχθρα
haughty (΄hɔ:ti): *(adj)* υπερόπτης, αγέρωχος
haul (΄hɔ:l) [-ed]: *(v)* τραβώ, έλκω ‖ μεταφέρω ‖ *(n)* σύρσιμο, τράβηγμα, έλξη ‖ μεταφορά ‖ **~age**: *(n)* μεταφορά ‖ κόμιστρα
haunch (hɔ:ntʃ): *(n)* γλουτός
haunt (hɔ:nt) [-ed]: *(v)* στοιχειώνω ‖ συχνάζω ‖ *(n)* "στέκι" ‖ **~ ed**: *(adj)* στοιχειωμένος
have (hæv) [had, had]: *(v)* έχω
haven (΄heivən): *(n)* λιμάνι ‖ καταφύγιο, άσυλο
haversack (΄hævərsæk): *(n)* εκδρομικός σάκος ‖ γυλιός
havoc (΄hævək): *(n)* καταστροφή, ερήμωση
hawk (hɔ:k): *(n)* γεράκι ‖ [-ed]: *(v)* πουλώ στο δρόμο, κάνω το μικροπωλητή ‖ **~er**: *(n)* μικροπωλητής, γυρολόγος
hay (hei): *(n)* ξερό χόρτο, άχυρο ‖ **~ cock, ~ stack**: *(n)* θημωνιά
hazard (΄hæzərd) [-ed]: *(v)* διακινδυνεύω, ριψοκινδυνεύω ‖ κίνδυνος
haz-e (heiz): *(n)* ομίχλη, καταχνιά ‖ **~y**: *(adj)* ομιχλώδης, καταχνιασμένος

hazel (΄heizəl): *(n)* λεπτοκαρυδιά || φουντούκι
he (hi:): *(prep)* αυτός || *(n)* αρσενικός
head (hed) [-ed]: *(v)* είμαι επικεφαλής, || είμαι πρώτος, προηγούμαι, ηγούμαι || *(n)* κεφάλι || επικεφαλής, αρχηγός, διευθύνων || ~**s**: *(n)* κορόνα (όψη νομίσματος) || ~**ache**: *(n)* πονοκέφαλος || ~ **board**: *(n)* κεφαλάρι κρεβατιού|| ~ **first**: *(adv)* με το κεφάλι || ~**ing**: *(n)* επικεφαλίδα, τίτλος || ~**land**: *(n)* ακρωτήρι || ~**light**: *(n)* μπροστινό φανάρι οχήματος || ~**line**: *(n)* επικεφαλίδα || ~**long**: *(adv)* με το κεφάλι || απερίσκεπτα, γρήγορα || ~**master** (mistress): διευθυντής (διευθύντρια) σχολείου || ~**quarters**: *(n)* αρχηγείο || ~ **over heels**: κουτρουβάλα, τούμπα || ~ **off**: *(v)* εμποδίζω, σταματώ
heal (hi:l) [-ed]: *(v)* θεραπεύω || επουλώνω || θεραπεύομαι, επουλώνομαι
health (helθ): *(n)* υγεία || ~**ful**: *(adj)* υγιεινός || ~**y**: *(adj)* υγιής || υγιεινός || κάμποσος, αρκετός
heap (hi:p) [-ed]: *(v)* συσσωρεύω || γίνομαι σωρός, συσσωρεύομαι || *(n)* σωρός
hear (hiər) [heard, heard]: *(v)* ακούω || ~**ing**: *(n)* ακοή || ~**ing aid**: *(n)* ακουστικό βαρηκοΐας || ~**say**: πληροφορία εξ ακοής
hearse (hə:rs): *(n)* νεκροφόρα
heart (ha:rt): *(n)* καρδιά || κούπα της τράπουλας || **by** ~: από μνήμης || ~**attack**: *(n)* καρδιακή προσβολή || ~**en** [-ed]: *(v)* δίνω κουράγιο, εμψυχώνω || ~**failure**: *(n)* συγκοπή || ~**ily**: *(adv)* εγκάρδια || εντελώς || ειλικρινά|| ~ **rending**: *(adj)* συγκινητικός, που σκίζει την καρδιά || ~**sick**: *(adj)* απογοητευμένος || ~**y**: *(adj)* εγκάρδιος
hearth (ha:rθ): *(n)* τζάκι || πυροστιά
heat (hi:t) [-ed]: *(v)* ζεσταίνω || θερμαίνομαι || ζέστη || ~**er**: *(n)* θερμαντήρας
heath (hi:θ): *(n)* ερείκη || βαλτότοπος, ρεικιά || ~**er**: *(n)* ρείκι, ερείκη
heathen (΄hi:ðən): *(n)* ειδωλολάτρης
heave (hi:v) [-d]: *(v)* σηκώνω || ρίχνω πετώ || ανυψώνομαι || *(n)* ανύψωση, σήκωμα || ρίψη
heaven (΄hevən): *(n)* ουρανός
heav-ily (΄hevəli): *(adj)* βαριά || ~**y**: *(adj)* βαρύς
Hebrew (΄hi:bru:): *(n)* Εβραίος || εβραϊκή γλώσσα || *(adj)* Εβραϊκός
heckle (΄hekəl) [-d]: *(v)* διακόπτω ή ρωτώ ενοχλητικά
hectare (΄hekteər): *(n)* εκτάριο
hectic (΄hektik): *(adj)* πυρετώδης || εξημμένος
hedge (hedz) [-d]: *(v)* φράζω, περιφράζω || υπεκφεύγω, μιλώ με υπεκφυγές || *(n)* φράχτης || υπεκφυγή || ~ **hog**: *(n)* σκαντζόχοιρος
heed (hi:d) [-ed]: *(v)* δίνω προσοχή || προσοχή || ~**ful**: *(adj)* προσεκτικός, συνετός || ~**less**: *(adj)* απρόσεκτος
heel (hi:l): *(n)* φτέρνα || τακούνι
heft (heft) [-ed]: *(v)* ζυγίζω || βάρος, όγκος || ~**y**: *(adj)* βαρύς || ρωμαλέος
heifer (΄hefər): *(n)* νεαρή γελάδα, δαμαλίδα
height (hait): *(n)* ύψος || αποκορύφωμα || ύψωμα || ~**en** [-ed]: *(v)* υψώνω || αυξάνω
heinous (΄heinəs): *(adj)* αποτρόπαιος, απαίσιος
heir (eər): *(n)* κληρονόμος || ~**ess**: *(n)* η κληρονόμος || ~ **loom**: *(n)* οικογενειακό κειμήλιο
hell (hel): *(n)* κόλαση || ~ **bent**: *(adj)* παράτολμα αποφασισμένος || ~ **for leather**: *(adv)* με μεγάλη ταχύτητα || ~**ish**: *(adj)* διαβολικός, καταχθόνιος
Hell-as: see Greece || ~**enic** (he΄lenik): *(adj)* Ελληνικός
hello (he΄lou): *(interj)* γειά, γεια σου || εμπρός, ''αλλό''
helm (helm): *(n)* τιμόνι πλοίου, πηδάλιο || ~**sman**: *(n)* πηδαλιούχος
helmet (΄helmit): *(n)* κράνος || περικεφαλαία || κάσκα
help (help) [-ed]: *(v)* βοηθώ || *(n)* βοήθεια || ~**er**: *(n)* βοηθός || ~**ful**: *(adj)* χρήσιμος, ευεργετικός || ~**ing**: *(n)* μερίδα φαγητού
helter-skelter (΄heltər΄skeltər): *(adv)* άνω-κάτω, φύρδην-μίγδην
hem (hem): *(n)* ποδόγυρος, στρίφωμα || [-med]: *(v)* στριφώνω || περικυκλώνω

hemisphere (΄hemәsfiәr): *(n)* ημισφαίριο
hemp (hemp): *(n)* καννάβι
hen (hen): *(n)* θηλυκό πουλί || κότα, όρνιθα || ~**coop**: *(n)* κοτέτσι
hence (hens): όθεν, άρα || απ' αυτό, γιαυτό || από τώρα || από δω, απ' αυτό το μέρος
henchman (΄hentʃmәn): *(n)* πιστός ακόλουθος
heptagon (΄heptәgәn): *(n)* επτάγωνο
her (hә:r): *(pron)* αυτήν || της, δικός της || ~**s**: δικός της || ~**self**: η ίδια, εαυτός της
herald (΄herәld): *(n)* κήρυκας || προάγγελος || [-ed]: *(v)* κηρύσσω || προαναγγέλω
herb (ә:rb, hә:rb): *(n)* βότανο || ~**ivore** (΄hә:rbәvә:r): *(n)* φυτοφάγο ζώο
herculean (hә:rkjә΄li:әn): *(adj)* ηράκλειος
herd (hә:rd): *(n)* κοπάδι
here (hiәr): *(adv)* εδώ || να! νάτο! || ~ **after**: *(adv)* στο εξής || *(n)* η μέλλουσα ζωή || ~ **by**: *(adv)* δια του παρόντος || ~ **upon**: *(adv)* αμέσως μετά, "και πάνω σ' αυτό"
heredit-ary (hә΄redәteri:): *(adj)* κληρονομικός || πατροπαράδοτος, προαιώνιος || ~**y**: *(n)* κληρονομικότητα
here-sy (΄herәsi): *(n)* αίρεση || ~**tic**: *(n)* αιρετικός || ~**tical**: *(adj)* αιρετικός
heritage (΄herәtidz): *(n)* κληρονομιά
hermetic, (hәr΄metik), ~**al**: *(adj)* ερμητικός
hermit (΄hә:rmit): *(n)* ερημίτης
hernia (΄hә:rni:ә): *(n)* κήλη
hero (΄hiәrou): *(n)* ήρωας || ~**ic** (hi΄rouik), ~**ical**: *(adj)* ηρωικός || ~**ine** (΄hiәrouin): *(n)* ηρωίδα || ~**ism**: *(n)* ηρωϊσμός
heroin (΄herouәn): *(n)* ηρωίνη
heron (΄herәn): *(n)* ερωδιός, ψαροφάγος
herring (΄heriŋ): *(n)* ρέγκα
hers, herself: see her
hesit-ancy (΄hezetәnsi), ~**ation** (hezә΄teiʃәn): *(n)* δισταγμός || ~**ant**: *(adj)* διστακτικός || ~**ate** (΄hezәteit) [-d]: *(v)* διστάζω
hew (hju:) [-ed & hewn]: *(v)* σκαλίζω, πελεκάω
hexagon (΄heksәgәn): εξάγωνο
heyday (΄heidei): ακμή, άνθηση
hi (hai): γειά σου!
hibernat-e (΄haibәrneit) [-d]: *(v)* πέφτω σε χειμερία νάρκη || ~**ion**: *(n)* χειμερία νάρκη
hicc-up, ~ ough (΄hikʌp) [-ped]: *(v)* έχω λόξιγκα || *(n)* λόξιγκας
hid-e (haid) [hid, hidden or hid]: *(v)* κρύβω || κρύβομαι || *(n)* δέρμα, τομάρι || ~**e and - seek**: *(n)* κρυφτό, κρυφτούλι
hideous (΄hidi:әs): *(adj)* απαίσιος || βδελυρός
hierarchy (΄haiәrærki): *(n)* ιεραρχία
hi-fi (΄hai΄fai): see high fidelity
high (hai): *(adj)* ψηλός || μεθυσμένος, "στο κέφι" || ~ **and dry**: εγκαταλειμμένος, έρημος || ~**brow**: *(n)* διαβασμένος, πολυσπούδαστος || ~**chair**: *(n)* ψηλό καρεκλάκι μωρού || ~**er - up**: *(n)* ο ανώτερος || ~ **fidelity**: υψηλή πιστότητα ή απόδοση || ~ **handed**: *(adj)* αυθαίρετος || ~**jump**: *(n)* άλμα σε ύψος || ~**light**: *(n)* κέντρο ενδιαφέροντος, το επίκεντρο || ~ **pitched**: *(adj)* οξύς, διαπεραστικός || ~**rise**: *(n)* πολυόροφο κτίριο || ~**school**: *(n)* γυμνάσιο || ~ **treason**: *(n)* εσχάτη προδοσία || ~**way**: *(n)* δημόσιος δρόμος
hike (haik) [-d]: *(v)* κάνω πεζοπορία || ανεβαίνω, υψώνομαι, γίνομαι ακριβότερος || ανεβάζω, κάνω ακριβότερο || *(n)* πεζοπορία || ύψωση τιμών
hilar-ious (hi΄leәri:әs): *(adj)* χαρούμενος, εύθυμος, στο κέφι || ~**ity**: *(n)* ευθυμία, κέφι
hill (hil): *(n)* λόφος || ύψωμα, σωρός || ανήφορος δρόμου || ~ **billy**: *(n)* χωριάτης, "στουρνάρι" || ~**ock**: *(n)* λοφίσκος, υψωματάκι || ~**top**: *(n)* κορυφή λόφου || ~**y**: *(adj)* λοφώδης, με υψώματα
hilt (hilt): *(n)* λαβή μαχαιριού ή ξίφους
him (him): *(pron)* αυτόν || σ' αυτόν || ~**self**: *(pron)* ο ίδιος || εαυτός του, τον εαυτό του
hind (haind): *(adj)* οπίσθιος || θηλυκό ελάφι
hind-er (΄hindәr) [-ed]: *(v)* εμποδίζω || ~**rance** (΄hindrәns): *(n)* εμπόδιο

hinge (hindz): *(n)* άρθρωση || ''ρεζές,'' ''μεντεσές'' || [-d]: *(v)* βάζω ή κρεμώ σε μεντεσέδες
hint (hint) [-ed]: *(v)* υπαινίσσομαι || *(n)* υπαινιγμός
hip (hip): *(n)* γοφός
hippo: see hippopotamus
hippopotamus (hipə΄pətəməs): *(n)* ιπποπόταμος
hire (hair) [-d]: *(v)* μισθώνω, προσλαμβάνω || εκμισθώνω, νοικιάζω || *(n)* μίσθωση, πρόσληψη || εκμίσθωση, νοίκιασμα || **~ling**: *(n)* μισθωτός μπράβος, μισθοφόρος, ''πληρωμένος''|| ~ **purchase**: αγορά με δόσεις
his (hiz): *(pron)* δικός του
hiss (his) [-ed]: *(v)* σφυρίζω
histor-ian (his΄tɔ:ri:ən): *(n)* ιστορικός || **~ic, ~ical**: *(adj)* ιστορικός || **~y** (΄histəri:): *(n)* ιστορία
histrionic (histri:΄ənik): *(adj)* θεατρικός || θεατρινίστικος || **~s**: *(n)* θεατρινισμός
hit (hit) [hit, hit]: *(v)* χτυπώ || *(n)* χτύπημα || επιτυχία, ''σουξέ''
hitch (hitʃ) [-ed]: *(v)* δένω, στερεώνω || συνδέω || εμπόδιο || θητεία || **~hike**: *(v)* κάνω ή ταξιδεύω με ωτοστόπ || **~hiker**: *(n)* αυτός που κάνει ωτοστόπ
hive (haiv): *(n)* κυψέλη
hoar (hɔ:r), **~y** (΄hɔ:ri:): *(adj)* ασπρομάλλης || **~frost**: *(n)* πάχνη
hoard (hɔ:rd) [-ed]: *(v)* συσσωρεύω || βάζω στην μπάντα, μαζεύω || *(n)* σωρός κρυμμένων χρημάτων ή αγαθών
hoarse (hɔ:rs): *(adj)* βραχνός || **~n** [-ed]: *(v)* βραχνιάζω || **~ness**: *(n)* βραχνάδα
hoax (houks): *(n)* πονηριά, τέχνασμα || [-ed]: *(v)* ξεγελώ
hobble (΄həbəl) [-d]: *(v)* περπατώ, με δυσκολία || κουτσαίνω
hobby (΄həbi:): *(n)* ''χόμπυ'', απασχόληση
hobo (΄houbou): *(n)* αλήτης
hockey (΄həki): *(n)* χόκεϊ
hod (həd): *(n)* πηλοφόρι
hoe (hou) [-d]: *(v)* σκαλίζω, τσαπίζω || *(n)* σκαλιστήρι, τσαπί
hog (həg, hɔ:g): *(n)* γουρούνι
hoist (΄hoist) [-ed]: *(v)* ανυψώνω || *(n)* ανυψωτικό μηχάνημα || ανύψωση, σήκωμα
hold (hould) [held, held]: *(v)* κρατώ || θεωρώ || βαστώ, αντέχω || *(n)* πιάσιμο, βάστηγμα || λαβή || αμπάρι πλοίου || ~ **back**: *(v)* συγκρατώ || συγκρατιέμαι || κρύβω, δεν μαρτυρώ || ~ **down**: *(v)* συγκρατώ || κρατώ, βαστώ || **~er**: *(n)* λαβή || κάτοχος || **~ings**: *(n)* απόθεμα || περιουσία
hole (houl): *(n)* τρύπα || [-d]: *(v)* ανοίγω τρύπα, τρυπώ || ~ **up**: *(v)* τρυπώνω, κρύβομαι σε τρύπα
holi-day (΄hələdei): *(n)* γιορτή || αργία || **~days**: διακοπές
Holland (΄hələnd): *(n)* Ολλανδία
hollow (΄həlou): *(adj)* κοίλος || κούφιος || *(n)* κοίλωμα
holly (΄həli:): *(n)* πρίνος, ''πουρνάρι''
holocaust (΄hələkəst): *(n)* ολοκαύτωμα
holy (΄houli): *(adj)* άγιος, ιερός || Θεϊκός || **H~ Ghost**: *(n)* Άγιο Πνεύμα
homage (΄həmidz): *(n)* σέβας || υποταγή
home (houm): *(n)* κατοικία || σπίτι || οικογένεια || πατρίδα || **at ~**: στο σπίτι || άνετα, βολικά || **~land**: *(n)* πατρίδα || **~less**: *(adj)* χωρίς σπίτι, χωρίς οικογένεια || **~ly**: *(adj)* απλός, απλοϊκός || άσχημος || **~made**: *(adj)* σπιτίσιος || **~maker**: *(n)* νοικοκυρά, ασχολούμενη με ''οικιακά''|| **~sick**: *(adj)* νοσταλγός της πατρίδας ή του σπιτιού του || **~sickness**: *(n)* νοσταλγία || **~work**: *(n)* μαθητική εργασία για το σπίτι
homicid-al (həmə΄saidl): *(adj)* ανθρωποκτόνος || φονικός || **~e** (΄həməsaid): *(n)* ανθρωποκτονία
homo (΄houmou): see homosexual
homo-centric (houmo΄sentrik): *(adj)* ομόκεντρος || **~geneous** (houmə΄dzi:ni:əs): *(adj)* ομοιογενής || **~sexual**: *(n & adj)* ομοφυλόφιλος
hone (houn) [-d]: *(v)* τροχίζω || *(n)* ακόνι
honest (΄ənist): *(adj)* τίμιος || **~y**: *(n)* εντιμότητα || τιμιότητα
honey (΄hʌni:): *(n)* μέλι *(int)* || **~comb**: *(n)* κηρήθρα || **~moon**: *(n)* μήνας του μέλιτος || **~suckle**: *(n)* αγιόκλημα
honk (΄həŋk): *(n)* || κορνάρισμα || [-ed]: *(v)* κορνάρω

honor (΄ənər): *(n)* τιμή || [-ed]: *(v)* τιμώ || εκτιμώ, υπολήπτομαι || ~**able**: *(adj)* έντιμος || τιμητικός || ~**ary**: *(adj)* τιμητικός
hood (hud): *(n)* κουκούλα || σκέπασμα μηχανής αυτοκινήτου (''καπό'') || ~**wink** [-ed]: *(v)* εξαπατώ, ξεγελώ
hoof (huf): *(n)* οπλή, νύχι ζώου
hook (huk) [-ed]: *(v)* γαντζώνω || αγκιστρώνω || γάντζος || αγκίστρι || ~ **and eye**: *(n)* ''κόπιτσα'', μικρή πόρπη || ~**ed**: *(adj)* κυρτός
hooligan (΄hu:ligən): *(n)* νεαρός κακοποιός ή αλήτης
hoop (hup): στεφάνι βαρελιού || κρίκος, στεφάνι
hooray: see hurrah
hoot (hu:t) [-ed]: *(v)* κρώζω || σφυρίζω ή φωνάζω αποδοκιμαστικά || *(n)* φωνή κουκουβάγιας || αποδοκιμασία, γιουχάισμα
hop (həp) [-ped]: *(v)* περπατώ πηδώντας || χοροπηδώ, σκιρτώ || χοροπήδημα, σκίρτημα || λυκίσκος μπιρόχορτο || ~ **scotch**: *(n)* ''κουτσό'' (παιχνίδι)
hope (houp) [-d]: *(v)* ελπίζω || *(n)* ελπίδα || ~**ful**: *(adj)* γεμάτος ελπίδες || ~**less**: *(adj)* απελπισμένος || μάταιος, αδύνατος
horde (hə:rd): *(n)* ορδή, στίφος
horizon (hə΄raizən): *(n)* ορίζοντας || ~**tal** (hərə΄zəntl): *(adj)* οριζόντιος
hormone (΄hə:rmoun): *(n)* ορμόνη
horn (hə:rn): *(n)* κέρατο || κέρας, ''τρόμπαμαρίνα'' || ''κόρνα'', ''κλάξον'' || ~**et**: *(n)* σφήκα
horoscope (΄hə:rəskoup): *(n)* ωροσκόπιο
horr-endous (hə΄rendəs): *(adj)* φρικτός, απαίσιος || ~**ible** (΄hə:rəbəl): *(adj)* φρικτός || ~**id** (΄hə:rid): *(adj)* φρικιαστικός || ~**ify** (΄hə:rəfai) [-ied]: *(v)* προκαλώ φρίκη ή αποτροπιασμό || ~**or** (΄hə:rər): *(n)* φρίκη
hors d' oeuvres (ə:r΄də:rvz): *(n)* ορεκτικά, ορντέβρ
horse (hə:rs): *(n)* άλογο || ~**fly**: *(n)* αλογόμυγα || ~**man**: *(n)* ιππέας || ~**power**: *(n)* ιπποδύναμη || ~**sense**: *(n)* κοινός νούς *(id)* || ~**shoe**: *(n)* πέταλο
horticultur-al (hə:rtə΄kʌltʃərəl): *(adj)* κηπουρικός || ~**e**: *(n)* κηπουρική
hose (houz): *(n)* σωλήνας || κάλτσες
hosiery (΄houzəri:): *(n)* κάλτσες || εσώρουχα
hospitable (΄həspətəbəl): *(adj)* φιλόξενος
hospital (΄həspitəl): *(n)* νοσοκομείο
hospitality (həspə΄tæləti): *(n)* φιλοξενία
host (houst) [fem.: **hostess**]: *(n)* οικοδεσπότης, φιλοξενών || πλήθος, στίφος || ~**el** (΄həstəl): *(n)* πανδοχείο, φτηνό ξενοδοχείο || ~**ess**: οικοδέσποινα || συνοδός εδάφους ή αέρος
hostage (΄həstidz): *(n)* όμηρος
hostess: see host
hostil-e (΄həstəl, ΄həstail): *(adj)* εχθρικός || ~**ity** (həs΄tiləti): *(n)* εχθρότητα || εχθρική πράξη ή εκδήλωση || ~**ities**: *(n)* εχθροπραξίες
hot (hət): *(adj)* καυτός, πολύ ζεστός|| ~**dog**: *(n)* σάντουϊτς με λουκάνικο, ή λουκάνικο ψητό
hotel (hou΄tel): *(n)* ξενοδοχείο
hound (haund) [-ed]: *(v)* καταδιώκω || παροτρύνω || κυνηγετικός σκύλος
hour (aur): *(n)* ώρα || ~**ly**: *(adj & adv)* κάθε ώρα
hous-e (haus): *(n)* σπίτι, κατοικία || κοινοβούλιο || [-d]: *(v)* στεγάζω || ~**ebreaker**: *(n)* διαρρήκτης || ~**ehold**: *(n)* σπιτικό, οικογένεια || ~**emaid**: *(n)* υπηρέτρια || ~**e of correction**: *(n)* αναμορφωτήριο || ~**ewife**: *(n)* νοικοκυρά || ~**ework**: *(n)* οικιακή εργασία
hovel (΄həvəl): παλιόσπιτο, ''τρύπα'', ''παράγκα''
hover (΄həvər) [-ed]: *(v)* υπερίπταμαι, αιωρούμαι || ταλαντεύομαι, αμφιταλαντεύομαι || ~**craft**: *(n)* σκάφος που πετά χαμηλά σε στρώμα αέρος, ''χόβερκραφτ''
how (hau): *(adv)* πως || πόσο || ~ **come?**: πώς έτσι; πώς γίνεται; πώς αυτό; || ~ **so?**: γιατί έτσι; || ~**ever**: *(adv)* με οποιονδήποτε τρόπο || οπωσδήποτε || όμως || όσο κι' αν, όσο και
howl (haul) [-ed]: *(v)* ουρλιάζω || *(n)* ουρλιαχτό, ούρλιασμα
hub (hʌb): *(n)* πλήμνη, ''κέντρο'' τροχού || κέντρο προσοχής ή εν-

διαφέροντος || ~**bub**: *(n)* οχλαγωγία, φασαρία || ~**cap**: *(n)* καπάκι ρόδας αυτοκινήτου
huckleberry (΄hʌkəlberi:): *(n)* βατόμουρο
huddle (΄hʌdəl) [-d]: *(v)* μαζεύομαι, κουλουριάζομαι || *(n)* συνωστισμός, πλήθος
hue (hju:): *(n)* απόχρωση || ~ **and cry**: κατακραυγή
huff (hʌf) [-ed]: *(v)* ξεφυσώ || αγανακτώ || *(n)* παραφορά
hug (hʌg) [-ged]: *(v)* αγκαλιάζω σφιχτά, σφίγγω επάνω μου || *(n)* σφιχταγκάλιασμα, σφίξιμο
huge (hju:dz): *(adj)* πελώριος
hulk (hʌlk): *(n)* όγκος || ογκώδης και βαρύς άνθρωπος
hull (hʌl): *(n)* κάλυκας φυτού || κέλυφος || σκάφος
hum (hʌm) [-med]: *(v)* βουΐζω || τραγουδώ μουρμουριστά || *(n)* βουϊτό || μουρμουριστό τραγούδι
human (΄hju:mən): *(adj)* ανθρώπινος || *(n)* άνθρωπος, πλάσμα ανθρώπινο || ~**e** (hju:΄mein): *(adj)* ανθρώπινος, με ανθρώπινα αισθήματα || ανθρωπιστικός || ~**ism**: *(n)* ανθρωπισμός || ~**ist**: *(n)* ανθρωπιστής || ~**itarian** (hjumænə΄teəri:ən): *(adj)* ανθρωπιστικός, ανθρωπιστής || ~**ity** (hju΄mænəti): *(n)* ανθρωπότητα || ανθρωπισμός, ανθρωπιά || ~**ize** [-d]: *(v)* εξανθρωπίζω, ανθρωπίζω || ~**kind**: *(n)* το ανθρώπινο γένος
humble (΄hʌmbəl): *(adj)* ταπεινός || [-d]: *(v)* ταπεινώνω
humdrum (΄hʌmdrʌm): *(adj)* μονότονος, "ρουτίνα"
humid (΄hju:mid): *(adj)* υγρός || ~**ity** (hju:΄midəti:): *(n)* υγρασία
humiliat-e (hju:΄mili:eit) [-d]: *(v)* ταπεινώνω || προσβάλλω, εξευτελίζω || ~**ion**: *(n)* ταπείνωση, εξευτελισμός
humility (hju:΄miləti:): *(n)* ταπεινοφροσύνη
humor (΄hju:mər): *(n)* πνεύμα, "χιούμορ" || διάθεση, κέφι || [-ed]: *(v)* κάνω το κέφι ή το χατίρι, "πάω με τα νερά του" || ~**ist**: *(n)* πνευματώδης, "χιουμορίστας" || ~**ous**: *(adj)* πνευματώδης, γεμάτος χιούμορ
hump (hʌmp) [-ed]: *(v)* || κυρτώνω, σχηματίζω καμπούρα || *(n)* καμπούρα || ~ **back**: *(n)* καμπούρης
hunch (hʌntʃ): *(n)* διαίσθηση || προαίσθηση || εξόγκωμα, όγκος || καμπούρα || [-ed]: *(v)* σπρώχνω απότομα || κυρτώνω, καμπουριάζω || ~**back**: *(n)* καμπούρης
hundred (΄hʌndrid): *(n)* εκατό || ~**th**: *(adj)* εκατοστός || ~ **weight**: *(n)* στατήρας
hung: see hang
Hungar-ian (hʌn΄geəriən): *(adj)* Ουγγρικός || *(n)* Ούγγρος || Ουγγρική γλώσσα || ~**y** (΄hʌngəri): *(n)* Ουγγαρία
hung-er (΄hʌngər): *(n)* πείνα || [-ed]: *(v)* πεινώ || επιθυμώ έντονα || ~**er strike**: *(n)* απεργία πείνας || ~**ry**: *(adj)* πεινασμένος
hunt (hʌnt) [-ed]: *(v)* κυνηγώ || εκδιώκω || *(n)* κυνήγι || ~**er**: *(n)* κυνηγός || κυνηγετικό σκυλί
hurdle (hə:rdl): *(n)* εμπόδιο || φορητός φράχτης || [-d]: *(v)* πηδώ εμπόδια
hurl (hə:rl) [-ed]: *(v)* εξακοντίζω, εκσφενδονίζω || αναφωνώ || ρίχνομαι, πετάγομαι
hurra-h (hu΄ræ), ~**y** (hu΄rei): *(n)* ζητοκραυγή || [-ed]: *(v)* ζητοκραυγάζω
hurricane (΄hə:rəkein): *(n)* λαίλαπα || ~ **lamp**: *(n)* λάμπα θυέλλης
hurr-ied (΄hə:ri:d): *(adj)* βεβιασμένος || βιαστικός || ~**y** [-ied]: *(v)* βιάζομαι || βιάζω, προκαλώ βιασύνη || *(n)* βία, βιασύνη
hurt (hə:rt) [hurt, hurt]: *(v)* προκαλώ κακό || χτυπώ, πληγώνω || προσβάλλω, θίγω || *(n)* πληγή, χτύπημα
hurtle (΄hə:rtl) [-d]: *(v)* εξακοντίζω, εκσφενδονίζω
husband (΄hʌzbənd): *(n)* σύζυγος
hush (hʌʃ) [-ed]: *(v)* ησυχάζω, καθησυχάζω || αποσιωπώ || σωπαίνω
husk (hʌsk): *(n)* κέλυφος || φλούδα || ~**y** (΄hʌski:): *(adj)* μεγαλόσωμος, γεροδεμένος || βραχνός, βραχνιασμένος
hustle (΄hʌsəl) [-d]: *(v)* σπρώχνω, σκουντώ || *(n)* εργατικότητα, κίνηση, επιμέλεια
hut (hʌt): *(n)* καλύβα παράπηγμα
hutch (hʌtʃ): *(n)* κλουβί || κονικλοτροφείο
hyacinth (΄haiəsinth): *(n)* υάκινθος

(ζουμπούλι)
hyaena: see hyena
hybrid (΄haibrid): *(n)* μιγάδας, ανάμεικτος
hydrant (΄haidrənt): *(n)* υδροσωλήνας ‖ **fire** ~: *(n)* υδροσωλήνας πυρκαγιάς
hydraulic (hai΄drə:lik): *(adj)* υδραυλικός ‖ ~**s**: *(n)* υδραυλική
hydro-carbon (haidrə΄ka:rbən): *(n)* υδρογονάνθρακας ‖ ~**chloric**: υδροχλωρικός ‖ ~**electric**: *(adj)* υδροηλεκτρικός ‖ ~**gen** (΄haidrədzən): *(n)* υδρογόνο
hyena (hai΄i:nə): *(n)* ύαινα
hygien-e (΄haidzi:n): *(n)* υγιεινή ‖ ~**ic** (haidzi:΄enik): *(adj)* υγιεινός
hymn (him): *(n)* ύμνος
hyphen (΄haifən): *(n)* υφέν, ενωτικό
hypno-sis (hip΄no:sis): *(n)* ύπνωση ‖ ~**tic**: *(adj)* υπνωτικός ‖ ~**tism**: (΄hipnətizəm): *(n)* υπνωτισμός ‖ ~**tist**: *(n)* υπνωτιστής ‖ ~**tize** (΄hipnətaiz) [-d]: *(v)* υπνωτίζω
hypochondria (haipə΄kəndri: ə): *(n)* υποχονδρία ‖ ~**c**: *(n)* υποχονδριακός
hypocr-isy (hi΄pəkrəsi:): *(n)* υποκρισία ‖ ~**ite** (΄hipəkrit): *(n)* υποκριτής ‖ ~**itic**, ~**itical**: *(adj)* υποκριτικός
hypodermic (haipə΄də:rmik): *(adj)* υποδόριος
hypotenuse (hai΄pətinjus): *(n)* υποτείνουσα
hypothe-sis (hai΄pəthəsis): *(n)* υπόθεση ‖ ~**tic**, ~**tical**: *(adj)* υποθετικός
hyster-ia (his΄teri:ə): *(n)* υστερία ‖ ~**ic**, ~**ical**: *(adj)* υστερικός ‖ ~**ics**: *(n)* υστερισμός, υστερισμοί

I

ic-e (ais): *(n)* πάγος ‖ σαντιγί ή ζαχάρωμα γλυκού ή κέικ ‖ [-d]: *(v)* παγώνω ‖ βάζω σαντιγί ή ζαχαρένια κρούστα ‖ ~**eberg**: *(n)* ογκόπαγος ‖ παγόβουνο ‖ ~**e box**: *(n)* παγωνιέρα ‖ ψυγείο ‖ ~**e cream**: *(n)* παγωτό ‖ ~**e cube**: *(n)* παγάκι ‖ ~**e-skate** [-d]: *(v)* παγοδρομώ ‖ ~**icle** (΄aisikəl): *(n)* παγοκρύσταλλο ‖ ~**y**: *(adj)* παγωμένος ‖ παγερός, ψυχρότατος
icon (΄aikən): *(n)* εικόνα ‖ ~**oclast**: *(n)* εικονομάχος ‖ ριζοσπαστικός
idea (ai΄di:ə): *(n)* ιδέα ‖ ~**l**: *(n)* ιδανικό, ιδεώδες ‖ *(adj)* ιδανικός, ιδεώδης ‖ ~**lism**: *(n)* ιδανικότητα, ιδεαλισμός ‖ ~**list**: *(n)* ιδεολόγος ‖ ιδεαλιστής
identi-cal (ai΄dentikəl): *(adj)* όμοιος, ίδιος ‖ ~**fication** (aidentəfi΄keiʃən): *(n)* εξακρίβωση ή διαπίστωση ταυτότητας ‖ συνταύτιση ‖ ~**fy** [-fied]: *(v)* αναγνωρίζω ‖ εξακριβώνω ή διαπιστώνω ταυτότητα ‖ συνταυτίζω ‖ ~**ty**: *(n)* ταυτότητα
ideolog-ic (aidi:ə΄lədzik), ~**ical**: *(adj)* ιδεολογικός ‖ ~**y**: *(n)* ιδεολογία
idiocy (΄idi:əsi:): *(n)* ηλιθιότητα
idiom (΄idi:əm): *(n)* ιδίωμα ‖ ιδιωματισμός, ιδιωματική διάλεκτος ‖ ~**atic**: *(adj)* ιδιωματικός
idiosyncrasy (idiə΄siŋkrəsi): *(n)* ιδιοσυγκρασία
idiot (΄idi:ət): *(n)* ηλίθιος ‖ ~**ic**: *(adj)* βλακώδης
idle (΄aidl): *(adj)* αργός ‖ τεμπέλης ‖ [-d]: *(v)* αργώ, τεμπελιάζω ‖ ~**ness**: *(n)* αργία, οκνηρία ‖ ~**r**: *(n)* αργόσχολος
idol (΄aidl): *(n)* είδωλο ‖ ~**ater**: *(n)* ειδωλολάτρης ‖ ~**atry**: *(n)* ειδωλολατρία ‖ ~**ize** [-d]: *(v)* ειδωλοποιώ, θεοποιώ
idyl (΄aidl): *(n)* ειδύλλιο ‖ ~**lic**: *(adj)* ειδυλλιακός
if (if): *(conj)* εάν
ignit-e (ig΄nait) [-d]: *(v)* ανάβω ‖ αναφλέγω ‖ ~**ion** (ig΄niʃən): *(n)* ανάφλεξη
ignor-amus (ignə΄reiməs): *(n)* αμαθής ‖ ~**ance** (΄ignərəns): *(n)* άγνοια ‖ αμάθεια ‖ ~**ant**: *(adj)* αδαής ‖ αμαθής ‖ ~**e** [-d]: *(v)* αγνοώ, αψηφώ δεν δίνω σημασία
ill (il): *(adj)* άρρωστος, ασθενής ‖

κακός || *(n)* κακό || ~ **advised**: *(adj)* ασύνετος, απερίσκεπτος || ~ **at ease**: *(adj)* νευρικός || ανήσυχος || ~**ness**: *(n)* αρρώστια|| ~ **treat** [-ed]: *(v)* κακομεταχειρίζομαι
illegal (i´li:gəl): *(adj)* παράνομος
illegible (i´ledjəbəl): *(adj)* δυσανάγνωστος
illegitima-cy (ili´dzitəməsi): *(n)* αθεμιτότητα || παρανομία, ανομία || ~**te**: *(adj)* παράνομος || αθέμιτος || νόθος, "μπάσταρδος"
illicit (i´lisit): *(adj)* αθέμιτος || παράνομος
illitera-cy (i´litərəsi): *(n)* αγραμματοσύνη, αμορφωσιά || ~**te** (i´litərit): *(adj)* αγράμματος, αμόρφωτος
illogic (i´lədzik): *(n)* παραλογισμός || ~**al**: *(adj)* παράλογος
illumin-ant (i´lu:mənənt): *(n)* φωτιστικό || ~**ate** [-d]: *(v)* φωτίζω, διαφωτίζω || φωταγωγώ || ~**ation** (ilu:mə´neiʃən): *(n)* φωτισμός || διαφώτιση
illus-ion (i´lu:zən): *(n)* αυταπάτη || πλάνη || ~**ive** (i´lu:siv): *(adj)* απατηλός || ~**ory**: *(adj)* φανταστικός, απατηλός
illustr-ate (´iləstreit) [-d]: *(v)* απεικονίζω, επεξηγώ || εικονογραφώ || ~**ation** (ilə´streiʃən): *(n)* απεικόνιση, επεξήγηση || εικονογράφηση || ~**ious** (i´lʌstri:əs): *(adj)* ένδοξος, λαμπρός
image (´imidz): *(n)* εικόνα || είδωλο
imagin-able (i´mædzənəbəl): *(adj)* διανοητός, νοητός, φανταστικός || ~**ary** (i´mædzəneri): *(adj)* φανταστικός || ~**ation** (imædzə´neiʃən): *(n)* φαντασία || ~**e** [-d]: *(v)* φαντάζομαι || διανοούμαι
imbecil-e (´imbəsil): *(n)* βλάκας
imbrute (im´bru:t) [-d]: *(v)* αποκτηνώνω
imbue (im´bju:) [-d]: *(v)* διαποτίζω || εμποτίζω
imita-ble (´imətəbəl): *(adj)* μιμητός || ~**te** (´iməteit) [-d]: *(v)* μιμούμαι || απομιμούμαι, αντιγράφω || ~**tion** (imə´teiʃən): *(n)* μίμηση || απομίμηση
immaculate (i´mækjəlit): *(adj)* άσπιλος || άμεμπτος || κατακάθαρος
immaterial (imə´tiri:əl): *(ad)* άυλος || ασήμαντος, μηδαμινός
immatur-e (imə´tju:ər): *(adj)* ανώριμος || ~**ity**: *(n)* ανωριμότητα
immeasurable (i´mezərəbəl): *(adj)* αμέτρητος
immedia-cy (i´mi:di:əsi:): *(n)* αμεσότητα || ~**te** (i´mi:di:it): *(adj)* άμεσος || ~**tely**: *(adv)* αμέσως
immemorial (imə´məri:əl): *(adj)* δυσκολοθύμητος, πολύ παλιός, ξεχασμένος
immens-e (i´mens): *(adj)* αχανής, απέραντος || πελώριος, τεράστιος
immers-e (i´mə:rs) [-d]: *(v)* βυθίζω || εμβαπτίζω || ~**ion**: *(n)* βύθισμα
immigr-ant (´imigrənt): *(n)* μετανάστης || ~**ate** (´imigreit) [-d]: *(v)* μεταναστεύω || ~**ation**: *(n)* μετανάστευση
imminent (´imənənt): *(adj)* επικείμενος
immobil-e (i´mo:bəl): *(adj)* ακίνητος || αμετακίνητος || ~**ize** (i´mo:bəlaiz) [-d]: *(v)* ακινητοποιώ
immoderate (i´mədərit): *(adj)* υπέρμετρος, υπερβολικός
immodest (i´mədist): *(adj)* άσεμνος || υπερόπτης
immoral (i´mərəl): *(adj)* ανήθικος || ~**ity**: *(n)* ανηθικότητα
immortal (i´mə:rtl): *(adj)* αιώνιος || *(n)* αθάνατος || ~**ity**: *(n)* αθανασία || ~**ize** [-d]: *(v)* αποθανατίζω
immun-e (i´mju:n): *(adj)* μη υποκείμενος, εξαιρούμενος || απρόσβλητος, έχων ανοσία || ~**ity**: *(n)* εξαίρεση, απαλλαγή || ασυδοσία || ανοσία || ατιμωρησία || ~**ization**: *(n)* ανοσοποίηση || εξαίρεση || ~**ize** (´imjənaiz) [-d]: *(v)* ανοσοποιώ, προκαλώ ανοσία
imp (imp): *(n)* διαβολάκι
impact (´impækt): *(n)* κρούση || χτύπος, χτύπημα, σύγκρουση || επίδραση, αποτέλεσμα
impair (im´peər) [-ed]: *(v)* επιδρώ εμποδιστικά ή βλαβερά
impale (im´peil) [-d]: *(v)* ανασκολοπίζω, παλουκώνω
impalpable (im´pælpəbəl): *(adj)* ανεπαίσθητος
impart (im´pa:rt) [-ed]: *(v)* μεταδίδω
impartial (im´pa:rʃəl): *(adj)* αμερόληπτος || ~**ity**: *(n)* αμεροληψία
impassable (im´pæsəbəl): *(adj)* αδιάβατος
impasse (´impæs): *(n)* αδιέξοδο
impassioned (im´pæʃənd): *(adj)* γε-

μάτος πάθος, παθιασμένος
impassiv-e (im´pæsiv): *(adj)* απαθής
impatien-ce (im´peiʃəns): *(n)* ανυπομονησία ‖ **~t**: *(adj)* ανυπόμονος
impeach (im´pi:tʃ) [-ed]: *(v)* κατηγορώ, καταγγέλλω ‖ **~ment**: *(n)* καταγγελία
impeccable (im´pekəbəl): *(adj)* άψογος, τέλειος
imped-ance (im´pi:dəns): *(n)* αντίσταση ‖ **~e** (im´pi:d) [-d]: *(v)* εμποδίζω, παρεμποδίζω ‖ **~iment**: *(n)* εμπόδιο, κώλυμα ‖ **~imenta**: *(n)* φορτίο, φόρτος
impend (im´pend) [-ed]: *(v)* επίκειμαι ‖ **~ing**: *(adj)* επικείμενος
impenetrable (im´penətrəbəl): *(adj)* αδιαπέραστος ‖ ανεξιχνίαστος
imperative (im´perətiv): *(adj)* επιτακτικός ‖ *(n)* προστακτική
imperceptible (impər´septəbəl): *(adj)* ανεπαίσθητος ‖ αδιόρατος
imperfect (im´pə:rfikt): *(adj)* ατελής ‖ ελαττωματικός ‖ **~ion**: *(n)* ατέλεια ‖ ελάττωμα
imperi-al (im´piri:əl): *(adj)* αυτοκρατορικός ‖ **~alism**: *(n)* ιμπεριαλισμός, αποικιοκρατία ‖ **~alist**: *(n)* ιμπεριαλιστής, αποικιοκράτης ‖ **~alistic**: *(adj)* ιμπεριαλιστικός ‖ **~ous**: *(adj)* δεσποτικός
imperil (im´perəl) [-ed]: *(v)* βάζω σε κίνδυνο ‖ διακινδυνεύω
imperson-al (im´pə:rsənəl): *(adj)* απρόσωπος ‖ **~ate** (im´pə:rsəneit) [-d]: *(v)* προσωποποιώ ‖ υποδύομαι ‖ **~ation**: *(n)* ενσάρκωση, προσωποποίηση ‖ μίμηση ‖ **~ator**: *(n)* ενσαρκωτής ‖ μιμητής
impertinen-ce (im´pə:rtnəns): *(n)* αυθάδεια ‖ **~t**: *(adj)* αυθάδης ‖ άσχετος
imperturbable (impər´tə:rbəbəl): *(adj)* ατάραχος, απαθής
impervious (im´pə:rvi:əs): *(adj)* αδιαπέραστος ‖ ανεπηρέαστος
impetu-osity (impetʃu´əsəti): *(n)* ορμητικότητα ‖ **~ous** (im´petʃu:əs): *(adj)* ορμητικός ‖ αυθόρμητος
impetus (´impətəs): *(n)* ορμή ‖ ώθηση, ''φόρα''
impinge (im´pindz) [-d]: *(v)* προσκρούω ‖ καταπατώ
implacable (im´pleikəbəl): *(adj)* αδυσώπητος ‖ ανένδοτος
implant (im´plænt) [-ed]: *(v)* εμφυτεύω, μπήγω
implausible (im´plə:zəbəl): *(adj)* απίθανος
implement (´impləmənt): *(n)* εργαλείο, σκεύος ‖ [-ed]: *(v)* δίνω τα μέσα, διευκολύνω
implicat-e (´implikeit) [-d]: *(v)* εμπλέκω, ανακατεύω ‖ ενοχοποιώ ‖ **~ion**: *(n)* εμπλοκή, ενοχοποίηση
implicit (im´plisit): *(adj)* απόλυτος ‖ υπονοούμενος
implore (im´plə:r): [-d]: *(v)* εκλιπαρώ, ικετεύω
imply (im´plai) [-ied]: *(v)* υπονοώ ‖ προϋποθέτω ‖ συνεπάγομαι
impolite (impə´lait): *(adj)* αγενής
imponderable (im´pəndərəbəl): *(adj)* αστάθμητος ‖ ανεξιχνίαστος
import (´impə:rt) [-ed]: *(v)* εισάγω ‖ (´impə:rt): *(n)* εισαγωγή ‖ **~ation**: *(n)* εισαγωγή ‖ **~er**: *(n)* εισαγωγέας
import (impə:rt): *(n)* σημασία ‖ σπουδαιότητα ‖ **~ance** (im´pə:rtəns): *(n)* σπουδαιότητα ‖ **~ant**: *(adj)* σπουδαίος, σημαντικός
importun-ate (im´pə:rtʃu:nit): *(adj)* οχληρός, ενοχλητικός ‖ **~e** [-d]: *(v)* ενοχλώ, ζητώ επίμονα
impos-e (im´pouz) [-d]: *(v)* επιβάλλω ‖ **~ing**: *(adj)* επιβλητικός
impossib-ility (impəsə´biləti): *(n)* το αδύνατο ‖ **~le** (im´pəsəbəl): *(adj)* αδύνατος
impostor (im´pəstər): *(n)* απατεώνας, ''ψεύτικος''
impoten-ce (´impətəns), **~cy** (´impətənsi): *(n)* ανικανότητα ‖ αδυναμία ‖ **~t**: *(adj)* ανίκανος ‖ ανίσχυρος
impound (im´paound) [-ed]: *(v)* περικλείνω, εγκλείω ‖ κατάσχω
impoverish (im´pəvəriʃ) [-ed]: *(v)* ελαττώνω τη δύναμη ή τον πλούτο, φτωχαίνω ‖ **~ed**: *(adj)* φτωχός ‖ εξασθενημένος
impractic-able (im´præktikəbəl): *(adj)* ακατόρθωτος ‖ απραγματοποίητος ‖ **~al** (im´præktikəl): *(adj)* μη πρακτικός
impregn-able (im´pregnəbəl): *(adj)* απόρθητος ‖ **~ate** (im´pregneit) [-d]: *(v)* γονιμοποιώ, κάνω έγκυο ‖ υπερπληρώ ‖ διαποτίζω
impress (im´pres) [-ed]: *(v)* εντυπώ-

νω, παράγω με πίεση ‖ εντυπωσιάζω ‖ **~ion**: *(n)* αποτύπωση ‖ αποτύπωμα ‖ εντύπωση ‖ **~ionable**: *(adj)* ευκολοεντυπωσιαζόμενος ‖ επηρεάσιμος, ευκολοεπηρέαστος ‖ **~ionism**: *(n)* ιμπρεσιονισμός ‖ **~ionist**: *(n)* ιμπρεσιονιστής ‖ **~ive**: *(adj)* εντυπωσιακός ‖ **~ment**: *(n)* υποχρεωτική στρατολογία

imprint (im´print) [-ed]: *(v)* εκτυπώνω ‖ αποτυπώνω, βγάζω αποτύπωμα ‖ εντυπώνω ‖ (´imprint): *(n)* αποτύπωμα

imprison (im´prizən) [-ed]: *(v)* φυλακίζω ‖ **~ment**: *(n)* φυλάκιση

improbab-ility (imprəbə´biləti): *(n)* απιθανότητα, το απίθανο ‖ **~le** (im´prə-bəbəl): *(adj)* απίθανος

impromptu (im´prəmptju:): *(n & adj)* αυτοσχέδιος, εκ του προχείρου

improp-er (im´prəpər): *(adj)* ακατάλληλος ‖ ανάρμοστος, απρεπής ‖ **~riety** (imprə´praiəti:) *(n)* ακαταλληλότητα ‖ απρέπεια

improve (im´pru:v) [-d]: *(v)* βελτιώνω, καλυτερεύω ‖ βελτιώνομαι, καλυτερεύω ‖ **~ment**: *(n)* βελτίωση, καλυτέρευση

improvis-ation (imprəvə´zeiʃən): *(n)* αυτοσχεδιασμός ‖ **~e** (´imprə vaiz) [-d]: *(v)* αυτοσχεδιάζω

impruden-ce (im´pru:dəns): *(n)* απερισκεψία ‖ **~t**: *(adj)* απερίσκεπτος

impuden-ce (´impjudəns):*(n)* αναίδεια, θράσος ‖ **~t**: *(adj)* αναιδής, θρασύς

impuls-e (´impʌls): *(n)* ώθηση ‖ παρώθηση ‖ ορμέμφυτο ‖ **~ive**: *(adj)* αυθόρμητος, ορμέμφυτος

impunity (im´pju:nəti): *(n)* ατιμωρησία

impur-e (im´pju:r): *(adj)* ακάθαρτος ‖ ανακατεμένος, νοθευμένος ‖ **~ity**: *(n)* ‖ νόθευμα, ακαθαρσία, ξένη ύλη

in (in): *(prep)* εις, σε ‖ μέσα, έν ‖ με ‖ προς τα μέσα ‖ **~s and outs**: στροφές, καμπύλες ‖ λεπτομέρειες, τα ''σχετικά''

inability (inə´biləti:): *(n)* αδυναμία ‖ ανικανότητα

inaccessible (inæk´sesəbəl): *(adj)* απρόσιτος ‖ άφθαστος ‖ απλησίαστος

inaccura-cy (in´ækjərəsi:): *(n)* ανακρίβεια ‖ **~te** (in´ækjərit): *(adj)* ανακριβής

inact-ion (in´ækʃən): *(n)* αδράνεια ‖ απραξία ‖ **~ive**: *(adj)* αδρανής

inadequa-cy (in´ædikwəsi): *(n)* ανεπάρκεια ‖ ατέλεια ‖ **~te**: *(adj)* ανεπαρκής ‖ ατελής

inadmissible (inəd´misəbəl): *(adj)* απαράδεκτος

inadverten-ce (inəd´və:rtəns): *(n)* αβλεψία ‖ **~t**: *(adj)* απρόσεκτος ‖ **~tly**: *(adv)* από αμέλεια, από απροσεξία

inadvisable (inəd´vaizəbəl): *(adj)* μη συμβουλεύσιμος, ασύμφορος

inalienable (in´eiljənəbəl): *(adj)* μη απαλλοτριώσιμος ‖ αναπαλλοτρίωτος

inan-e (in´ein): *(adj)* κενός, μάταιος, ανόητος

inanimate (in´ænəmit): *(adj)* άψυχος

inapplicable (in´æplikəbəl): *(adj)* ανεφάρμοστος

inappropriate (inə´proupriit): *(adj)* ανάρμοστος ‖ ακατάλληλος

inapt (in´æpt): *(adj)* μη επιτήδειος ‖ αδέξιος ‖ **~itude**: *(n)* αδεξιότητα

inarticulate (ina:r´tikjəlit): *(adj)* άναρθρος ‖ χωρίς αρθρώσεις

inasmuch as (inəz´mʌtʃ): αφού, εφόσον

inattent-ion (inə´tenʃən): *(n)* απροσεξία ‖ αφηρημάδα ‖ **~ive**: *(adj)* απρόσεκτος ‖ αφηρημένος ‖ αμελής

inaudible (in´ɔ:dəbəl): *(adj)* μη ακουστός ‖ ανεπαίσθητος, πολύ σιγανός

inaugur-al (in´ɔ:gjərəl): *(adj)* εγκαινιαστικός ‖ εναρκτήριος ‖ **~ate** [-d]: *(v)* εγκαινιάζω ‖ κηρύσσω την έναρξη, ‖ **~ation** (inɔ:gjə´reiʃən): *(n)* εγκαίνια

inauspicious (inɔ:´spiʃəs): *(adj)* δυσοίωνος

inborn (´inbɔ:rn): *(adj)* έμφυτος

inbred (´inbred): *(adj)* έμφυτος, εκ φύσεως

incalculable (in´kælkjələbəl): *(adj)* ανυπολόγιστος

incantation (inkæn´teiʃən): *(n)* ψαλμωδία

incapab-ility (inkeipə´biləti): *(n)* ανικανότητα ‖ **~le** (in´keipəbəl):

(adj) ανίκανος
incapacit-ate (inkə´pæsəteit) [-d]: *(v)* κάνω ανίκανο || **~y**: *(n)* ανικανότητα || αφαίρεση ισχύος
incarcerat-e (in´ka:rsəreit) [-d]: *(v)* περιορίζω || φυλακίζω
incarnat-e (in´ka:rneit) [-d]: *(v)* ενσαρκώνω || (in´ka:rnit): *(adj)* ενσαρκωμένος || **~ion**: *(n)* ενσάρκωση
incendiar-ism (in´sendi:ərizəm): *(n)* εμπρηστικότητα || **~y**: *(adj)* εμπρηστικός
incense (in´sens) [-d]: *(v)* εξαγριώνω, εξοργίζω || (´insens) [-d]: *(v)* λιβανίζω, θυμιατίζω || *(n)* θυμίαμα, λιβάνι
incentive (in´sentiv): *(n)* κίνητρο, ελατήριο
incessant (in´sesənt): *(adj)* αδιάκοπος, ασταμάτητος || **~ly**: *(adv)* αδιάκοπα, ασταμάτητα
incest (´insest): *(n)* αιμομειξία
inch (intʃ): *(n)* δάκτυλος, "ίντσα"
inciden-ce (´insədəns): *(n)* περίπτωση || **~t**: *(n)* περιστατικό, επεισόδιο || *(adj)* παρεπόμενος || **~tal** (insə´dentl): *(adj)* συμπτωματικός || **~tally**: *(adv)* παρεπιπτόντως
incinerat-e (in´sinəreit) [-d]: *(v)* αποτεφρώνω || **~ion**: *(n)* αποτέφρωση || **~or**: *(n)* κλίβανος αποτέφρωσης
incis-e (in´saiz) [-d]: *(v)* χαράζω, κάνω τομή || **~ion** (in´sizən): *(n)* εντομή || **~ive** (in´saisiv): *(adj)* οξύς, κοφτερός || δηκτικός|| **~or**: *(n)* κοπτήρας
incite (in´sait) [-d]: *(v)* ερεθίζω || υποκινώ, παροτρύνω
inclemen-t (in´klemənt): *(adj)* σκληρός || δριμύς
inclin-ation (inklə´neiʃən): *(n)* κλίση || ροπή || **~e** (in´klain) [-d]: *(v)* κλίνω ρέπω || γέρνω || (´inklain): *(n)* κλίση
inclu-de (in´klu:d) [-d]: *(v)* περιλαμβάνω, περιέχω || **~sion** (in´klu:zən): *(n)* περιεχόμενο, συμπερίληψη || **~sive**: *(adj)* περιέχων, περιληπτικός
incognito (inkəg´ni:tou, in´kəgnətou): *(adv)* ανεπίσημα, "ινκόγνιτο"
incoheren-ce (inkou´hiərəns), **~cy**: *(n)* ασυναρτησία || **~t**: *(adj)* ασυνάρτητος
income (´inkʌm): *(n)* εισόδημα
incoming (´inkʌmiŋ): *(adj)* εισερχόμενος
incomparable (in´kəmpərəbəl): *(adj)* ασύγκριτος, απαράμιλλος
incompatible (inkəm´pætəbəl): *(adj)* αταίριαστος || ασυμβίβαστος
incompeten-ce (in´kəmpətəns): *(n)* ανικανότητα || αναρμοδιότητα || **~t**: *(adj)* ανίκανος || αναρμόδιος
incomplete (inkəm´pli:t): *(adj)* ατελής
incomprehensible (inkəmpri´hensəbəl): *(adj)* ακατανόητος, ακατάληπτος
inconceivable (inkən´si:vəbəl): *(adj)* ασύλληπτος, αφάνταστος
inconclusive (inkən´klu:siv): *(adj)* μη πειστικός
incongru-ity (inkən´gru:əti:): *(n)* ασυναρτησία || ασυνέπεια || **~ous** (in´kəngru:əs): *(adj)* ασυνεπής || ασύμφωνος || ανάρμοστος
inconsequent (in´kənsəkwənt): *(adj)* άσχετος || **~ial**: *(adj)* ασήμαντος || άσχετος
inconsider-able (inkən´sidərəbəl): *(adj)* ασήμαντος || **~ate** (inkən´sidərit): *(adj)* απερίσκεπτος || αδιάκριτος || χωρίς λεπτότητα, χωρίς "τακτ"
inconsisten-ce (inkən´sistəns), **~cy**: *(n)* ασυνέπεια || αντίφαση || **~t**: *(adj)* ασυνεπής || αντιφατικός
inconsolable (inkən´souləbəl): *(adj)* απαρηγόρητος
inconspicuous (inkən´spikju:əs): *(adj)* αφανής, μη χτυπητός
inconstan-cy (in´kənstənsi): *(n)* αστάθεια, αστασία || **~t**: *(adj)* ασταθής, άστατος
incontestable (inkən´testəbəl): *(adj)* αδιαφιλονίκητος, αναντίρρητος
incontinen-ce (in´kəntənəns): *(n)* ασωτία || ακολασία || ακράτεια || **~t**: *(adj)* άσωτος || ακόλαστος || ακρατής
incontrovertible (inkəntrə´və:rtəbəl): *(adj)* αναμφισβήτητος
inconvenien-ce (inkən´vi:ni:əns): *(n)* ενόχληση, σκοτούρα || δυσχέρεια || [-d]: *(v)* ενοχλώ || **~t**: *(adj)* άβολος, ακατάλληλος || στενόχωρος

incorporate (in΄kɔ:rpəreit) [-d]: *(v)* συγχωνεύω ǁ ενσωματώνω ǁ (in΄kɔ:rpərit): *(adj)* ενσωματωμένος ǁ **~d**: *(adj)* συγχωνευμένος, ενσωματωμένος ǁ ανώνυμη εταιρεία
incorrect (inkə΄rekt): *(adj)* ανακριβής ǁ απρεπής
incorrigible (in΄kɔ:rədzəbəl): *(adj)* αδιόρθωτος
incorrupt (inkə΄rʌpt): *(adj)* μη φθαρμένος, όχι χαλασμένος ǁ **~ible**: *(adj)* αδιάφθορος
increas-e (in΄kri:s) [-d]: *(v)* αυξάνω ǁ αυξάνομαι ǁ (΄inkri:s): *(n)* αύξηση ǁ **~ingly**: *(adv)* μεγαλώνοντας διαρκώς, όλο και περισσότερο
incred-ibility (inkredə΄biləti:): *(n)* απιθανότητα ǁ **~ible** (in΄kredəbəl): *(adj)* απίστευτος ǁ **~ulity** (inkrə΄dju:ləti:): *(n)* δυσπιστία ǁ **~ulous** (in΄kredzələs): *(adj)* δύσπιστος
increment (΄inkrəmənt): *(n)* αύξηση
incriminat-e (in΄kriməneit) [-d]: *(v)* ενοχοποιώ
incubat-e (΄inkjəbeit) [-d]: *(v)* επωάζω ǁ **~ion**: *(n)* επώαση ǁ **~or**: *(n)* εκκολαπτικό μηχάνημα
inculpat-e (in΄kʌlpeit) [-d]: *(v)* ενοχοποιώ
incur (in΄kə:r) [-red]: *(v)* πέφτω σε, μου συμβαίνει ǁ υφίσταμαι, διατρέχω ǁ προκαλώ
incurable (in΄kju:rəbəl): *(adj)* ανίατος, αθεράπευτος
incursion (in΄kə:rzən): *(n)* εισβολή ǁ επιδρομή
indebted (in΄detid): *(adj)* υπόχρεος, υποχρεωμένος ǁ χρεωμένος
indecen-cy (in΄di:sənsi): *(n)* απρέπεια, ακοσμία ǁ **~t**: *(adj)* απρεπής, άσεμνος
indecis-ion (indi΄sizən): *(n)* αναποφασιστικότητα ǁ **~ive** (indi΄saisiv): *(adj)* μη αποφασιστικός
indeed (in΄di:d): *(adv)* πράγματι, αλήθεια
indefatigable (indi΄fætəgəbəl): *(adj)* ακούραστος
indefin-able (indi΄fainəbəl): *(adj)* απροσδιόριστος ǁ **~ite** (in΄defənit): *(adj)* αόριστος ǁ αβέβαιος, αναποφάσιστος
indelible (in΄deləbəl): *(adj)* ανεξίτηλος
indemni-fication (indemnəfi΄keiʃən): *(n)* αποζημίωση ǁ **~fy** [-ied]: *(v)* ασφαλίζω ǁ αποζημιώνω ǁ **~ty**: *(n)* αποζημίωση ǁ ασφάλεια
indent (in΄dent) [-ed]: *(v)* κάνω εγκοπή ή οδόντωση ǁ **~ation** (inden΄teiʃən): *(n)* οδόντωση
independen-ce (indi΄pendəns): *(n)* ανεξαρτησία ǁ **~t**: *(adj)* ανεξάρτητος
indescribable (indi΄skraibəbəl): *(adj)* απερίγραπτος
indestructible (indi΄strʌktibəl): *(adj)* ακατάστρεπτος
indetermin-able (indi΄tə:rmənəbəl): *(adj)* απροσδιόριστος
index (΄indeks) [pl.: indexes or indices]: *(n)* δείκτης ǁ πίνακας, ευρετήριο
India (΄Indi:ə): *(n)* Ινδία ǁ ~ **ink**: *(n)* σινική μελάνη
indic-ant (΄indikənt): *(n)* δηλωτικό, ενδεικτικό ǁ **~ate** [-d]: *(v)* δείχνω ǁ εμφαίνω, δηλώνω ǁ **~ation** (indi΄keiʃən): *(n)* ένδειξη ǁ **~ative** (in΄dikətiv): *(adj)* οριστική έγκλιση ǁ **~ator** (΄indikeitər): *(n)* δείκτης
indict (in΄dait) [-ed]: *(v)* ενάγω, καταγγέλλω ǁ **~ment**: *(n)* μήνυση, καταγγελία ǁ κατηγορία
indifferen-ce (in΄difərəns): *(n)* αδιαφορία ǁ **~t**: *(adj)* αδιάφορος ǁ ουδέτερος, αμερόληπτος
indigen-ce (΄indədzəns): *(n)* ένδεια ǁ **~ous** (in΄didzinəs): *(adj)* γηγενής, ντόπιος ǁ **~t** (΄indədzənt): *(adj)* ενδεής
indigest-ed (indi΄dzestid): *(adj)* αχώνευτος ǁ **~ible** (indi΄dzestəbəl): *(adj)* δυσκολοχώνευτος ǁ **~ion**: *(n)* δυσπεψία
indign-ant (in΄dignənt): *(adj)* αγανακτισμένος ǁ **~ation** (indig΄neiʃən): *(n)* αγανάκτηση ǁ **~ity** (in΄dignəti:): *(n)* προσβολή, ύβρις
indigo (΄indigou): *(n)* λουλάκι
indirect (indi΄rekt, indai΄rekt): *(adj)* έμμεσος, πλάγιοςǁ **~ly**: *(adv)* πλάγια, έμμεσα
indiscernible (indi΄sernəbəl): *(adj)* δυσδιάκριτος
indiscr-eet (indis΄kri:t): *(adj)* αδιάκριτος ǁ ασύνετος ǁ **~etion**: *(n)* αδιακρισία ǁ ακριτομυθία

indiscriminat-e (indis´kriminit): *(adj)* χωρίς διάκριση || **~ely**: *(adv)* χωρίς διακρίσεις, στα τυφλά, στα ''κουτουρού''
indispensabl-e (indis´pensəbəl): *(adj)* απαραίτητος
indispos-ed (indis´pouzd): *(adj)* αδιάθετος || απρόθυμος || **~ition** (indispə´ziʃən): *(n)* αδιαθεσία || απροθυμία
indisputabl-e (indis´pju:təbəl): *(adj)* αναμφισβήτητος, αδιαφιλονίκητος
indistinct (indis´tiŋkt): *(adj)* δυσδιάκριτος || ασαφής, συγκεχυμένος
indistinguishable (indis´tiŋgwiʃəbəl): *(adj)* δυσδιάκριτος
individual (ində´vidzuəl): *(n)* άτομο, πρόσωπο || *(adj)* ατομικός, ιδιαίτερος || **~ism**: *(n)* ατομικισμός || **~ist**: *(n)* ατομικιστής || **~ity**: *(n)* ατομικότητα, προσωπικότητα
indivisible (ində´vizəbəl): *(adj)* αδιαίρετος
indoctrinat-e (in´dəktrəneit) [-d]: *(v)* μυώ, διδάσκω δόγμα ή ιδέα || **~ion**: *(n)* μύηση, διδασκαλία
indolen-ce (´indələns): *(n)* νωχέλεια || νωθρότητα || **~t**: *(adj)* νωχελής || νωθρός
indomitable (in´dəmətəbəl): *(adj)* ακατανίκητος, αδάμαστος
indoor (´ində:r): *(adj)* εσωτερικός, μέσα στο σπίτι || **~s**: *(adv)* μέσα, στο εσωτερικό, στο σπίτι
indubitabl-e (in´dju:bitəbəl): *(adj)* αναμφίβολος
induce (in´dju:s) [-d]: *(v)* παρακινώ, προκαλώ || πείθω || **~ment**: *(n)* παρακίνηση, προτροπή || κίνητρο
induct (in´dʌkt) [-ed]: *(v)* εγκαθιστώ || εισάγω, μυώ
indulge (in´dʌldz) [-d]: *(v)* παραδίδομαι, εντρυφώ || ικανοποιώ || **~nce**: *(n)* παράδοση, εντρύφηση || επιείκεια, ανεκτικότητα || **~nt**: *(adj)* ανεκτικός, επιεικής
industr-ial (in´dʌstriəl): *(adj)* βιομηχανικός || **~ialist**: *(n)* βιομήχανος || **~ialize** [-d]: *(v)* εκβιομηχανίζω, βιομηχανοποιώ || **~ialization**: *(n)* βιομηχανοποίηση || **~ious** (in´dʌstriəs): *(adj)* εργατικός, φιλόπονος || **~y** (´indəstri): *(n)* βιομηχανία || εργατικότητα, φιλοπονία
inebriate (in´i:bri:eit) [-d]: *(v)* μεθώ || **~d**: *(adj)* μεθυσμένος
ineffable (in´efəbəl): *(adj)* απερίγραπτος
ineffect-ive (in´ifektiv), ~ **ual** (ini´fektʃu:əl): *(adj)* μη αποτελεσματικός, ανώφελος
inefficien-cy (ini´fiʃənsi:): *(n)* ανικανότητα, ανεπάρκεια || **~t**: *(adj)* ανίκανος
inelegant (in´eləgənt): *(adj)* άχαρος, άκομψος
ineligible (in´elədzəbəl): *(adj)* ακατάλληλος || μη εκλέξιμος
inept (in´ept): *(adj)* || ανάρμοστος, || ανίκανος || ανόητος || **~ness, ~itude**: *(n)* απρέπεια || ανικανότητα
inequality (ini´kwələti): *(n)* ανισότητα
inequit-able (in´ekwətəbəl): *(adj)* άδικος || **~y**: *(n)* αδικία
ineradicable (ini´rædikəbəl): *(adj)* αξερίζωτος || ανεξείληπτος
inert (in´ə:rt): *(adj)* αδρανής || **~ia** (in´ə:rʃə), **~ness**: *(n)* αδράνεια
inescapable (inəs´keipəbəl): *(adj)* αναπόφευκτος
inessential (inə´senʃəl): *(adj)* μη ουσιώδης
inestimable (in´estəməbəl): *(adj)* ανυπολόγιστος || ανεκτίμητος
inevitab-ility (inəvitə´biləti): *(n)* το αναπόφευκτο || **~le** (in´evətəbəl): *(adj)* αναπόφευκτος
inexact (inig´zækt): *(adj)* ανακριβής
inexcusable (iniks´kju:zəbəl): *(adj)* ασυγχώρητος
inexhaustible (inig´zə:stəbəl): *(adj)* ανεξάντλητος
inexorable (in´eksərəbəl): *(adj)* αμείλικτος, αδυσώπητος
inexpensive (iniks´pensiv): *(adj)* φθηνός
inexperience (iniks´piri:əns): *(n)* απειρία || **~d**: *(adj)* άπειρος
inexplicable (in´eksplikəbəl): *(adj)* ανεξήγητος
inexpressible (iniks´presəbəl): *(adj)* ανέκφραστος
inextinguishable (inik´stiŋgwiʃəbəl): *(adj)* άσβηστος
inextricable (in´ekstrikəbəl): *(adj)* αξεμπέρδευτος || αδιέξοδος
infallib-ility (infælə´biləti): *(n)* το

αλάθητο, το αλάνθαστο || **~le** (ín´fæləbəl): *(adj)* αλάνθαστος
infam-ous (´infəməs): *(adj)* άτιμος, επονείδιστος || **~y** (´infæmi): *(n)* ατιμία, κακοήθεια
infan-cy (´infənsi): *(n)* νηπιακή ηλικία || **~t**: *(n)* νήπιο, βρέφος || **~tile** (´infəntail): *(adj)* νηπιακός || νηπιώδης, παιδαριώδης
infantry (´infəntri:): *(n)* πεζικό || **~man**: *(n)* πεζός στρατιώτης, φαντάρος
infatua-te (in´fætʃu:eit): *(v)* ξεμυαλίζω, ξετρελαίνω || **~ed**: *(adj)* ξεμυαλισμένος, ξετρελαμένος από έρωτα || **~ion**: *(n)* ξεμυάλισμα, ξετρέλαμα
infeasible (in´fi:zəbəl): *(adj)* απραγματοποίητος, ακατόρθωτος
infect (in´fekt) [-ed]: *(v)* μολύνω || **~ion**: *(n)* μόλυνση || **~ious**: *(adj)* μολυσματικός || μεταδοτικός, κολλητικός
infer (in´fə:r) [-red]: *(v)* συνάγω, συμπεραίνω || υπονοώ || **~ence**: *(n)* συμπέρασμα, πόρισμα
inferior (in´firi:ər): *(adj)* κατώτερος || *(n)* υφιστάμενος, υποδεέστερος || **~ity**: *(n)* κατωτερότητα || **~ity complex**: *(n)* σύμπλεγμα κατωτερότητας
infern-al (in´fə:rnəl): *(adj)* διαβολικός, καταχθόνιος || **~o**: *(n)* κόλαση
infertil-e (in´fə:rtl): *(adj)* άγονος, στείρος || **~ity**: *(n)* στειρότητα, ακαρπία
infest (in´fest) [-ed]: *(v)* λυμαίνομαι || κατακλίζω
infidel (´infədəl): *(n & adj)* άπιστος || **~ity**: *(n)* απιστία
infiltrat-e (´infiltreit, in´filtreit) [-d]: διεισδύω, εισχωρώ || **~ion**: *(n)* διείσδυση
infinit-e (´infənit): *(adj)* άπειρος, απέραντος || **~esimal** (infənə´tesəməl): *(adj)* απειροελάχιστος || **~ive** (in´finətiv): *(n)* απαρέμφατο || **~ude** (in´finətu:d), **~y** (in´finəti:): *(n)* το άπειρο
infirm (in´fə:rm): *(adj)* ασταθής || ασθενικός, αδύνατος || **~ary** (in´fə:rməri:): *(n)* αναρρωτήριο || **~ity**: *(n)* αδυναμία, ασθενικότητα
inflam-e (in´fleim) [-d]: *(v)* αναφλέγω || εξερεθίζω || **~mable** (in´flæməbəl): *(adj)* εύφλεκτος || **~mation** (inflə´meiʃən): *(n)* ανάφλεξη || φλόγωση || **~matory**: *(adj)* εμπρηστικός
inflat-e (in´fleit) [-d]: *(v)* φουσκώνω || προκαλώ πληθωρισμό || **~ion** (in´fleiʃən): *(n)* φούσκωμα || πληθωρισμός
inflect (in´flekt) [-ed]: *(v)* || αλλάζω τόνο φωνής || **~ion**: *(n)* || αλλαγή τόνου φωνής
inflexib-le (in´fleksəbəl): *(adj)* άκαμπτος, αλύγιστος || **~leness, ~ility**: *(n)* ακαμψία
inflict (in´flikt) [-ed]: *(v)* επιβάλλω || **~ion**: *(n)* επιβολή, τιμωρία
inflow (´inflou): *(n)* εισροή
influen-ce (´influ:əns): *(n)* επιρροή, επίδραση || [-d]: *(v)* επηρεάζω, επιδρώ || **~tial** (influ:´enʃəl): *(adj)* με επιρροή, με επήρεια
influenza (influ:´enzə): *(n)* γρίπη
influx (´inflʌks): *(n)* εισροή
inform (in´fə:rm) [-ed]: *(v)* || πληροφορώ, ειδοποιώ || **~al**: *(adj)* ανεπίσημος, μη τυπικός || **~ality**: *(n)* ανεπισημότητα || **~ant, ~er**: πληροφοριοδότης || **~ation** (infər´meiʃən): *(n)* πληροφορία, είδηση || **~ative**: *(adj)* πληροφοριακός || κατατοπιστικός || **~er**: *(n)* καταδότης
infraction (in´frækʃən): *(n)* παράβαση
infrangible (in´frændzəbəl): *(adj)* άθραυστος
infrared (infrə´red): *(adj)* υπέρυθρος
infrequen-t (in´fri:kwənt): *(adj)* σπάνιος
infringe (in´frindz) [-d]: *(v)* παραβαίνω, παραβιάζω || καταπατώ
infuriat-e (in´fju:ri:eit) [-d]: *(v)* εξοργίζω|| **~ing**: *(adj)* εξοργιστικός
ingen-ious (in´dzi:njiəs): *(adj)* εφευρετικός, πολυμήχανος || **~uity** (indzi´nju:iti): *(n)* οξύνοια
ingot (´ingət): *(n)* όγκος μετάλλου, ράβδος
ingrat-e (´ingreit): *(n)* αχάριστος || **~iate** (in´greiʃi:eit) [-d]: *(v)* αποκτώ εύνοια || **~itude** (in´grætətju:d): *(n)* αχαριστία, αγνωμοσύνη
ingredient (in´gri:di:ənt): *(n)* συστατικό
inhabit (in´hæbit) [-ed]: *(v)* κατοι-

κώ ‖ ~**able**: *(adj)* κατοικήσιμος ‖ ~**ant**: *(n)* κάτοικος ‖ ~**ed**: *(adj)* κατοικημένος
inhal-ation (inhəˊleiʃən): *(n)* εισπνοή ‖ ~**e** (inˊheil) [-d]: *(v)* εισπνέω
inherent (inˊhirənt): *(adj)* έμφυτος ‖ συμφυής
inherit (inˊherit) [-ed]: *(v)* κληρονομώ ‖ ~**ance**: *(n)* κληρονομιά
inhibit (inˊhibit) [-ed]: *(v)* εμποδίζω, αναχαιτίζω ‖ απαγορεύω ‖ ~**ion**: *(n)* εμπόδιο, αναχαίτιση ‖ απαγόρευση ‖ συγκράτηση
inhospitable (inˊhəspitəbəl): *(adj)* αφιλόξενος
inimitable (inˊimitəbəl): *(adj)* αμίμητος
initial (iˊniʃəl) [-ed]: *(v)* γράφω τα αρχικά του ονόματος, μονογράφω ‖ *(adj)* αρχικός ‖ *(n)* αρχικό, αρχικό γράμμα
initiat-e (iˊniʃieit) [-d]: *(v)* μυώ ‖ εισάγω, κάνω έναρξη ‖ ~**ion**: *(n)* μύηση ‖ ~**ive** (iˊniʃi:ətiv): *(n)* πρωτοβουλία
inject (inˊdzekt) [-ed]: *(v)* εγχύνω, εισάγω υγρό ‖ κάνω ένεση ‖ ~**ion**: *(n)* έγχυση ‖ ένεση
injur-e (ˊindzər) [-d]: *(v)* βλάπτω, προκαλώ βλάβη ή ζημιά ‖ πληγώνω, τραυματίζω ‖ ~**y**: *(n)* βλάβη ‖ ζημία ‖ τραύμα
injustice (inˊdzʌstis): *(n)* αδικία
ink (iŋk): *(n)* μελάνη
inkling (ˊiŋkliŋ): *(n)* υποψία, υπόνοια
inlaid (ˊinleid): *(adj)* σκαλιστός
inland (ˊinlænd): *(adj)* μεσόγειος
in-law (ˊinlɔ:): *(n)* συγγενής εξ αγχιστείας
inlet (ˊinlet): *(n)* όρμος ‖ είσοδος
inmate (ˊinmeit): *(n)* ένοικος ‖ τρόφιμος
inn (in): *(n)* πανδοχείο ‖ ταβέρνα
innate (ˊineit): *(adj)* έμφυτος
inner (ˊinər): *(adj)* έσω, εσωτερικός
innocen-ce (ˊinəsəns): *(n)* αθωότητα ‖ αφέλεια ‖ ~**t**: *(adj)* αθώος ‖ αφελής
innocuous (inˊəkju:əs): *(adj)* ασήμαντος, κοινός ‖ άκακος, αβλαβής
innovat-e (ˊinəveit) [-d]: *(v)* καινοτομώ ‖ νεωτερίζω ‖ ~**ion**: *(n)* καινοτομία ‖ νεωτερισμός
innuendo (injuˊendou): *(n)* υπαινιγμός, ''σπόντα''
innumerable (iˊnju:mərəbəl): *(adj)* αναρίθμητος
inobtrusive (inəbˊtru:siv): *(adj)* διακριτικός
inoculat-e (iˊnəkjuleit) [-d]: *(v)* μπολιάζω ‖ ~**ion**: *(n)* μπόλιασμα
inopportune (inˊəpərtju:n): *(adj)* άκαιρος, άτοπος
inordinate (inˊərdnit): *(adj)* υπερβολικός
inorganic (inərˊgænik): *(adj)* ανόργανος
input (ˊinput): *(n)* εισαγωγή, είσοδος
inquest (ˊinkwest): *(n)* προανάκριση ‖ εξέταση
inquir-e (inˊkwaiər) [-d]: *(v)* ρωτώ ‖ εξετάζω, ερευνώ ‖ ~**ing**: *(adj)* ερευνητικός, εξεταστικός ‖ ~**y**: *(n)* ερώτηση ‖ εξέταση, έρευνα
inquisit-ion (inkwəˊziʃən): *(n)* εξέταση ‖ ~**ive** (inˊkwizətiv): *(adj)* αδιάκριτος ‖ περίεργος
insan-e (inˊsein): *(adj)* τρελός ‖ ~**ity**: *(n)* τρέλα, παραφροσύνη
insati-able (inˊseiʃəbəl): *(adj)* ακόρεστος, αχόρταγος
inscr-ibe (inˊskraib) [-d]: *(v)* επιγράφω ‖ χαράζω ‖ ~**iption** (inˊskripʃən): *(n)* επιγραφή ‖ εγγραφή
inscrutable (inˊskru:təbəl): *(adj)* ανεξιχνίαστος ‖ αινιγματικός
insect (ˊinsekt): *(n)* έντομο ‖ ~**icide**: *(n)* εντομοκτόνο
insecur-e (insiˊkju:r): *(adj)* επισφαλής ‖ αβέβαιος ‖ ~**ity**: *(n)* ανασφάλεια
insensible (inˊsensəbəl): *(adj)* ανεπαίσθητος ‖ αναίσθητος
insensitive (inˊsensətiv): *(adj)* χωρίς ευαισθησία ‖ αναίσθητος, χωρίς αισθήματα
inseparable (inˊsepərəbəl): *(adj)* αχώριστος, αναπόσπαστος
insert (inˊsə:rt) [-ed]: *(v)* παρεμβάλλω ‖ εισάγω ‖ (ˊinsə:rt): *(n)* παρεμβολή, ένθεμα ‖ ~**ion**: *(n)* παρεμβολή, προσθήκη
inshore (ˊinʃɔ:r): *(adj)* παράκτιος ‖ προς την ακτή, με κατεύθυνση προς την ακτή
inside (ˊinsaid): *(n)* το εσωτερικό, το μέσα μέρος ‖ *(adj)* εσωτερικός, από μέσα ‖ *(prep & adv)* μέσα,

εντός
insidious (in΄sidi:əs): *(adj)* ύπουλος || δόλιος, πονηρός
insight (΄insait): *(n)* διορατικότητα
insignia (in΄signi:ə): *(n)* διακριτικό, έμβλημα
insignifican-ce (insig΄nifikəns), **~cy**: *(n)* ασημότητα, ασημαντότητα || **~t**: *(adj)* ασήμαντος
insincer-e (insin΄siər): *(adj)* ανειλικρινής || **~ity**: *(n)* ανειλικρίνεια
insinuat-e (in΄sinju:eit) [-d]: *(v)* παρεισέρχομαι || υπαινίσσομαι || **~ion**: *(n)* υπαινιγμός || παρείσδυση
insipid (in΄sipid): *(adj)* άνοστος, ανούσιος
insist (in΄sist) [-ed]: *(v)* επιμένω || εμμένω || **~ence, ~ency**: *(n)* επιμονή || εμμονή || **~ent**: *(adj)* επίμονος
insolen-ce (΄insələns): *(n)* αναίδεια, θρασύτητα || **~t**: *(adj)* αναιδής, θρασύς
insoluble (in΄soljəbəl): *(adj)* αδιάλυτος || ανεξήγητος, άλυτος
insolvable (in΄səlvəbəl): *(adj)* άλυτος, χωρίς λύση
insolven-cy (in΄səlvənsi:): *(n)* χρεωκοπία || αφερεγγυότητα || **~t**: *(adj)* χρεωκοπημένος || αφερέγγυος
insomnia (in΄səmni:ə): *(n)* αϋπνία
insomuch (΄insou΄mʌtʃ): *(adv)* αφού, εφόσον
inspect (in΄spekt) [-ed]: *(v)* επιθεωρώ || **~ion**: *(n)* επιθεώρηση || **~or**: *(n)* επιθεωρητής
inspir-ation (inspə΄reiʃən): *(n)* έμπνευση || **~e** (ins΄paiər) [-d]: *(v)* εμπνέω
instability (instə΄biləti): *(n)* αστάθεια
install (in΄stə:l) [-ed]: *(v)* εγκαθιστώ || **~ation**: *(n)* εγκατάσταση || **~ment**: *(n)* δόση
instance (΄instəns): *(n)* περίπτωση || παράδειγμα
instant (΄instənt): *(n)* στιγμή || *(adj)* στιγμιαίος || τρέχων || **~aneous** (instən΄teini:əs): *(adj)* στιγμιαίος, στη στιγμή
instead (in΄sted): *(adv)* αντί, στη θέση του || ~ **of**: αντί
instigat-e (΄instigeit) [-d]: *(v)* υποκινώ || παρακινώ || **~ion**: *(n)* υποκίνηση || παρακίνηση || **~or**: *(n)* υποκινητής
instinct (΄instiŋkt): *(n)* ένστικτο || **~ive**: *(adj)* ενστικτώδης, ορμέμφυτος || **~ively**: *(adv)* ενστικτωδώς, από ένστικτο
institut-e (΄instətju:t) [-d]: *(v)* θεσπίζω, εισάγω, εγκαθιστώ || *(n)* ίδρυμα, "ινστιτούτο" || **~ion** (instə΄tju:ʃən): *(n)* θεσμός || εγκαθίδρυση, εγκατάσταση || ίδρυμα
instruct (in΄strʌkt) [-ed]: *(v)* καθοδηγώ, διδάσκω || **~ion**: *(n)* καθοδήγηση || διδασκαλία, διδαχή || **~ive**: *(adj)* διδακτικός, πληροφοριακός || **~or**: καθοδηγητής || εκπαιδευτής
instrument (΄instrəmənt): *(n)* όργανο || μέσο || **~al**: *(adj)* ενόργανος || συντελεστικός, που συμβάλλει
insubordinat-e (insə΄bə:rdnit): *(adj)* ανυπάκουος || ανυπότακτος || **~ion**: *(n)* απείθεια || ανυποταξία
insufferable (in΄sʌfərəbəl): *(adj)* ανυπόφορος
insufficien-cy (insə΄fiʃənsi): *(n)* ανεπάρκεια || **~t**: *(adj)* ανεπαρκής
insular (΄insələr): *(adj)* στενής αντίληψης
insulat-e (΄insəleit) [-d]: *(v)* απομονώνω || μονώνω, βάζω μόνωση || **~ing**: *(adj)* μονωτικός || **~ion**: *(n)* μόνωση || **~or**: *(n)* μονωτήρας
insult (in΄sʌlt) [-ed]: *(v)* προσβάλλω, θίγω || (΄insʌlt): *(n)* προσβολή
insupportable (inse΄pə:rtəbəl): *(adj)* αβάσταχτος || αστήριχτος
insur-ance (in΄ʃu:rəns): *(n)* ασφάλεια || **~e** [-d]: *(v)* ασφαλίζω || διασφαλίζω,
insurmountable (insər΄mauntəbəl): *(adj)* ανυπέρβλητος
insurrection (insə΄rekʃən): *(n)* ανταρσία, εξέργεση
intact (in΄tækt): *(adj)* άθικτος, απείραχτος
intake (΄inteik): *(n)* εισαγωγή
intangible (in΄tændzəbəl): *(adj)* απροσδιόριστος || μη χειροπιαστός
integ-er (΄intədzər): *(n)* ακέραιος αριθμός || **~ral** (΄intəgrəl): *(adj)* ακέραιος || αναπόσπαστος|| **~rity** (in΄tegrəti:): *(n)* ακεραιότητα
intellect (΄intəlekt): *(n)* διανόηση || διάνοια, νους || **~ual**: *(adj)* διανοητικός || *(n)* διανοούμενος

intelligen-ce (in´telədzəns): *(n)* νοημοσύνη ‖ πληροφορίες ‖ **~t**: *(adj)* ευφυής, έξυπνος, νοήμων
intelligible (in´telədzəbəl): *(adj)* νοητός, κατανοητός
intend (in´tend) [-ed]: *(v)* προτίθεμαι
intens-e (in´tens): *(adj)* έντονος, δυνατός ‖ **~ify** (in´tensəfai) [-ied]: *(v)* εντείνω, δυναμώνω ‖ **~ity**: *(n)* ένταση ‖ σφοδρότητα ‖ **~ive**: *(adj)* εντατικός
intent (in´tent): *(n)* πρόθεση ‖ **~ion**: *(n)* πρόθεση, σχέδιο, σκοπός ‖ **~ional**: *(adj)* σκόπιμος ‖ **~ionally**: *(adv)* σκόπιμα, από σκοπού ‖ **~ly**: *(adv)* έντονα, με όλη την προσοχή
inter (in´tə:r) [-red]: *(v)* ενταφιάζω
interact (intər´ækt) [-ed]: *(v)* αλληλεπιδρώ
intercede (intər´si:d) [-d]: *(v)* μεσολαβώ
intercept (intər´sept) [-ed]: *(v)* τέμνω ‖ ανακόπτω ή εμποδίζω πορεία
intercession (intər´seʃən): *(n)* μεσολάβηση
interchange (´intər´tʃeindz) [-d]: *(v)* ανταλλάσσω ‖ *(n)* ανταλλαγή ‖ **~able**: *(adj)* εναλλάξιμος
intercom: see intercommunication
intercommunication (intərkəmju:nə´keiʃən): *(n)* ενδοεπικοινωνία ‖ **~ system or intercom**: σύστημα ενδοεπικοινωνίας, εσωτερικό σύστημα επικοινωνίας
interconnect (intərkə´nekt) [-ed]: *(v)* αλληλοσυνδέω
intercontinental (intərkəntə´nentl): *(adj)* διηπειρωτικός
intercourse (´intərkə:rs): *(n)* επικοινωνία ‖ συνουσία
interdependence (intərdi´pendəns): *(n)* αλληλεξάρτηση
interest (´intərist): *(n)* ενδιαφέρον ‖ συμφέρον ‖ τόκος ‖ [-ed]: *(v)* ενδιαφέρω ‖ **~ing**: *(adj)* ενδιαφέρων
interfere (´intər´fi:r) [-d]: *(v)* επεμβαίνω ‖ **~nce**: *(n)* επέμβαση
interim (´intərim): *(n)* χρονικό διάστημα, μεσοδιάστημα ‖ *(adj)* προσωρινός
interior (in´tiri:ər): *(adj)* εσωτερικός ‖ *(n)* εσωτερικό
interject (´intər´dzekt) [-ed]: *(v)* παρεμβάλλω ‖ **~ion**: *(n)* επιφώνημα
interlock (´intər´lək) [-ed]: *(v)* συνδέω στερεά ‖ συνδέομαι, συμπλέκομαι
interlope (´intər´loup) [-d]: *(v)* επεμβαίνω‖ **~r**: *(n)* παρείσακτος
interlude (´intər´lu:d): *(n)* διάλειμμα
intermedia-cy (intər´mi:di:əsi:): *(n)* το μέσο, το ενδιάμεσο ‖ **~ry**: *(n)* μεσολαβητής ‖ μεσάζων ‖ **~te**: *(adj)* ενδιάμεσος
interminable (in´tə:rmənəbəl): *(adj)* ατέλειωτος
intermingle (intər´miŋgəl) [-d]: *(v)* ανακατεύομαι
intermission (intər´miʃən): *(n)* διάλειμμα ‖ διακοπή
intermit (intər´mit) [-ted]: *(v)* διαλείπω ‖ **~tent**: *(adj)* διαλείπων, εναλλασσόμενος
intern (´intə:rn): *(n)* εσωτερικός γιατρός ‖ (in´tə:rn) [-ed]: *(v)* θέτω σε περιορισμό ‖ **~al** (in´tə:rnəl): *(adj)* εσωτερικός, από μέσα
international (intər´neiʃənəl): *(adj)* διεθνής
internist (in´tə:rnist): *(n)* ειδικός παθολόγος
interplanetary (intər´plænəteri): *(adj)* διαπλανητικός
interplay (´intərplei): *(n)* αλληλεπίδραση
interpret (in´tə:rprit) [-ed]: *(v)* διερμηνεύω, ερμηνεύω ‖ **~ation**: *(n)* ερμηνεία ‖ **~er**: *(n)* διερμηνέας
interrelat-e (´intərri´leit) [-d]: *(v)* συσχετίζω
interrogat-e (in´terəgeit) [-d]: *(v)* ανακρίνω, εξετάζω ‖ **~ion**: *(n)* ανάκριση, εξέταση ‖ **~ive**: *(adj)* ερωτηματικός
interrupt (intə´rʌpt) [-ed]: *(v)* διακόπτω ‖ **~ ion**: *(n)* διακοπή
intersect (´intər´sekt) [-ed]: *(v)* τέμνω ‖ διασταυρώνομαι ‖ **~ion**: *(n)* τομή ‖ διασταύρωση
interval (´intərvəl): *(n)* διάστημα ‖ διάλειμμα
interven-e (´intər´vi:n) [-d]: *(v)* παρεμβαίνω ‖ **~tion** (intər´venʃən): *(n)* παρέμβαση
interview (´intərvju) [-ed]: *(v)* παίρνω συνέντευξη ‖ *(n)* συνέ-

ντευξη
intestine (in´testən): *(n)* έντερο
intima-cy (´intəməsi:): *(n)* οικειότητα || **~te** (´intəmit): *(adj)* οικείος || (´intəmeit) [-d]: *(v)* υποδηλώνω, υπαινίσσομαι
intimidat-e (in´timədeit) [-d]: *(v)* εκφοβίζω
into (´intu:): *(prep)* εις, μέσα, σε || κατά, επάνω σε
intoler-able (in´tələrəbəl): *(adj)* ανυπόφορος, αφόρητος || **~ance**: *(n)* μισαλλοδοξία || αδιαλλαξία
intonation (intou´neiʃən): *(n)* τόνος, διακύμανση
intoxic-ant (in´təksikənt): *(n)* οινοπνευματώδες ποτό, || **~ate** [-d]: *(v)* μεθώ
intransitive (in´trænsətiv): *(adj)* αμετάβατος
intravenous (intrə´vi:nəs): *(adj)* ενδοφλέβιος
intrepid (in´trepid): *(adj)* ατρόμητος
intrica-cy (´intrikəsi:): *(n)* πλοκή, περιπλοκή || **~te**: *(adj)* πολύπλοκος
intrigue (´intri:g, in´tri:g): *(n)* ραδιουργία, μηχανορραφία || [-d]: *(v)* μηχανορραφώ, ραδιουργώ
intrinsic (in´trinsik): *(adj)* έμφυτος, εσωτερικός
introduc-e (´intrə´dju:s) [-d]: *(v)* συνιστώ || εισάγω || **~tion**: *(n)* σύσταση || εισαγωγή || **~tory**: *(adj)* συστατικός
introvert (´intrə´və:rt): ενδοστρεφής, ενδόστροφος
intru-de (in´tru:d) [-d]: *(v)* διεισδύω || παρεμβαίνω || **~der**: *(n)* παρείσακτος || **~sion**: *(n)* διείσδυση|| παρέμβαση
intuiti-on (intu:´iʃən): *(n)* διαίσθηση || **~ve**: *(adj)* ενστικτώδης
inundat-e (´inʌndeit) [-d]: *(v)* πλημμυρίζω
invade (in´veid) [-d]: *(v)* κάνω επιδρομή, εισβάλλω || καταπατώ, αρπάζω || **~r**: *(n)* επιδρομέας, εισβολέας
invalid (´invəlid): *(n)* ανάπηρος || (in´vælid): *(adj)* άκυρος || **~ate** [-d]: *(v)* ακυρώνω
invaluable (in´væljuəbəl): *(adj)* πολύτιμος, ανεκτίμητος
invariable (in´veəri:əbəl): *(adj)* αμετάβλητος
invasion (in´veizən): *(n)* εισβολή, επιδρομή
invent (in´vent) [-ed]: *(v)* εφευρίσκω || επινοώ || **~ion**: *(n)* εφεύρεση || **~ive**: *(adj)* εφευρετικός || επινοητικός || **~or**: *(n)* εφευρέτης || **~ory** (´invəntəri:): *(n)* καταγραφή
inver-se (in´və:rs, ´invə:rs): *(adj)* αντίστροφος || **~t** [-ed]: *(v)* αντιστρέφω|| **~ted commas**: *(n)* εισαγωγικά
invertebrate (in´və:rtəbrit): *(adj)* ασπόνδυλος
invest (in´vest) [-ed]: *(v)* επενδύω|| **~ment**: *(n)* επένδυση
investigat-e (in´vestigeit) [-d]: *(v)* ερευνώ, εξετάζω || **~ion**: *(n)* έρευνα, εξέταση || **~or**: *(n)* ερευνητής || μυστικός αστυνομικός
investment (in´vestmənt): *(n)* επένδυση
invigorat-e (in´vigəreit) [-d]: *(v)* αναζωογονώ, τονώνω || **~ing**: *(adj)* τονωτικός, αναζωογονητικός
invincible (in´vinsəbəl): *(adj)* αήττητος
inviol-able (in´vaiələbəl): *(adj)* μη παραβιάσιμος || **~ate**: *(adj)* απαραβίαστος || απαράβατος
invisible (in´vizəbəl): *(adj)* αόρατος
invit-ation (invə´teiʃən): *(n)* πρόσκληση || πρόκληση, έλξη || **~e** (in´vait) [-d]: *(v)* προσκαλώ || προσελκύω, προκαλώ
invoice (´invois): *(n)* τιμολόγιο
invoke (in´vouk) [-d]: *(v)* επικαλούμαι
involuntar-y (in´vələnteri:): *(adj)* ακούσιος
involve (in´vəlv) [-d]: *(v)* περιέχω || συνεπάγομαι || ανακατεύω, μπερδεύω
invulnerable (in´vʌlnərəbəl): *(adj)* άτρωτος
inward (´inwərd): *(adj)* εσωτερικός || προς το εσωτερικό, προς τα μέσα
iodine (´aiədain, ´aiədin): *(n)* ιώδιο
iota (ai´outə): *(n)* γιώτα || απειροελάχιστη ποσότητα
Iran (i´ræn): *(n)* Ιράν, Περσία || **~ian**: *(adj)* Περσικός || *(n)* Πέρσης || περσική γλώσσα
Iraq (i´ræk): *(n)* Ιράκ || **~i**: *(adj)* Ιρακινός
irascible (i´ræsəbəl): *(adj)* ευερέθιστος, ευέξαπτος
irate (´aireit, ai´reit): *(adj)* ερεθισμένος, οργισμένος

Ir-eland (΄airlənd): *(n)* Ιρλανδία || **~ish**: *(adj)* Ιρλανδικός || *(n)* Ιρλανδός
irk (ə:rk) [-ed]: *(v)* ερεθίζω, εξερεθίζω
iron (΄aiərn): *(n)* σίδερος || σίδερο σιδερώματος || *(adj)* σιδερένιος || **~s**: || [-ed]: *(v)* σιδερώνω|| ~ **out**: *(v)* εξομαλύνω δυσκολίες || ~ **monger**: *(n)* σιδεράς, πωλητής σιδερικών || **~smith**: *(n)* σιδεράς || **~works**: *(n)* σιδηρουργείο
iron-ic (ai΄rənik), ~ **ical**: *(adj)* ειρωνικός || **~y** (΄airəni): *(n)* ειρωνεία
irrational (i΄ræʃənəl): *(adj)* παράλογος
irreconcilable (irekən΄sailəbəl): *(adj)* αδιάλλακτος || ασυμβίβαστος
irrefutable (i΄refjətəbəl): *(adj)* αδιάψευστος || ακαταμάχητος
irregular (i΄regjələr): *(adj)* ανώμαλος || αντικανονικός || ακανόνιστος, άτακτος || **~ity**: *(n)* ανωμαλία || αντικανονικότητα
irrelevan-ce (i΄reləvəns), **~cy**: *(n)* ασχετότητα, το άσχετο || **~t**: *(adj)* άσχετος
irreligious (iri΄lidzəs): *(adj)* άθρησκος
irreparable (i΄repərəbəl): *(adj)* ανεπανόρθωτος
irreplaceable (iri΄pleisəbəl): *(adj)* αναντικατάστατος
irrepressible (iri΄presəbəl): *(adj)* ακατάσχετος
irreproachable (iri΄proutʃəbəl): *(adj)* άμεμπτος, άψογος
irresistible (iri΄zistəbəl): *(adj)* ακαταμάχητος
irresolute (i΄rezəljut): *(adj)* αναποφάσιστος
irrespective (iri΄spektiv): ~ **of**: άσχετα με, ανεξάρτητα από
irresponsible (iri΄spənsəbəl): *(adj)* ανεύθυνος
irretrievable (iri΄tri:vəbəl): *(adj)* ανεπανόρθωτος
irrevenen-ce (i΄revərəns): *(n)* ασέβεια || **~t**: *(adj)* ασεβής
irrevocabl-e (i΄revəkəbəl): *(adj)* αμετάκλητος
irrig-able (΄irigəbəl): *(adj)* αρδεύσιμος || **~ate** [-d]: *(v)* αρδεύω || **~ation**: *(n)* άρδευση
irrit-able (΄irətəbəl): *(adj)* ευέξαπτος || **~ate** [-d]: *(v)* ερεθίζω || **~ating**: *(adj)* ερεθιστικός || **~ation**: *(n)* ερεθισμός, ερέθισμα
island (΄ailənd): *(n)* νησί || **~er**: *(n)* νησιώτης
isle (ail): *(n)* νησί || **~t**: *(n)* νησάκι
isolat-e (΄aisəleit) [-d]: *(v)* απομονώνω || ~ **ion**: *(n)* απομόνωση
isosceles (ai΄səsəli:z): *(adj)* ισοσκελές
isotope (΄aisətoup): *(n)* ισότοπο
issue (΄iʃu:): *(n)* έκδοση|| τεύχος || θέμα, ζήτημα || γέννημα, γόνος || [-d]: *(v)* προβάλλω|| εκδίδω, δημοσιεύω || δίνω, διανέμω
it (it): *(pron)* αυτό
Italian (i΄tæljən): *(adj)* ιταλικός || *(n)* Ιταλός
italic (i΄tælik, ai΄tælik): *(adj)* γυρτός, πλάγιος (γραφή) || **~s**: πλάγια γραφή
Italy (΄itəli): *(n)* Ιταλία
itch (itʃ) [-ed]: *(v)* έχω φαγούρα, "με τρώει" || *(n)* φαγούρα || πόθος, επιθυμία
item (΄aitəm): *(n)* τεμάχιο || άρθρο || **~ize** [-d]: *(v)* καταγράφω αναλυτικά
itinera-nt (ai΄tinərənt): *(adj)* περιοδεύων || **~ry**: *(n)* δρομολόγιο
its (its): *(pron)* δικό του, του
itself (it΄self): *(pron)* εαυτός του, τον εαυτό του
ivory (΄aivəri:): *(n)* ελεφαντόδοντο
ivy (΄aivi): *(n)* κισσός

J

jab (dzæb) [-bed]: *(v)* χτυπώ, δίνω "μπηχτή" || τινάζω με ορμή || χτύπημα, μπηχτή || μαχαιριά
jabber (΄dzæbər) [-ed]: *(v)* μιλώ γρήγορα και ακατάληπτα
jack (dzæk): *(n)* || βαλές, φάντης || γρύλος, ανυψωτήρας || **~ass**: *(n)* γάιδαρος || ~ **boot**: *(n)* μπότα ψηλή || ~ **daw**: *(n)* καλιακούδα || ~ **knife**: *(n)* διπλοσουγιάς || ~

~**rabbit**: *(n)* λαγός
jackal (΄dzækəl): *(n)* τσακάλι
jacket (΄dzækit): *(n)* ζακέτα || περίβλημα, φλοιός
jade (dzeid): *(n)* νεφρίτης || ~ **d**: *(adj)* κατάκοπος, κουρασμένος
jag (dzæg): *(n)* αγκίδα, μύτη || ~**ged**: *(adj)* μυτερός, με αιχμές, με οδοντώσεις
jail (dzeil) [-ed]: *(v)* φυλακίζω || *(n)* φυλακή || ~ **break**: *(n)* δραπέτευση || ~**er**, ~**or**: *(n)* δεσμοφύλακας
jalopy (dzə΄ləpi): *(n)* σαραβαλιασμένο αυτοκίνητο ή αεροπλάνο
jam (dzæm) [-med]: *(v)* σφηνώνω || στριμώχνω || σφίγγομαι, κολλάω || *(n)* σφήνωμα || σφίξιμο, κόλλημα || μαρμελάδα || ~**pack** [-ed]: *(v)* παραγεμίζω, γεμίζω πέρα ως πέρα
jamb (dzæm): *(n)* παραστάτης πόρτας ή παράθυρου
jangle (΄dzæŋgəl) [-d]: *(v)* ηχώ μεταλλικά, κουδουνίζω || *(n)* μεταλλικός ήχος
janitor (΄dzænətər): *(n)* καθαριστής
January (΄dzænjueri:): *(n)* Ιανουάριος
Jap (dzæp): *(n)* Γιαπωνέζος || ~**an** (dzə΄pæn): *(n)* Ιαπωνία || ~**anese**: *(adj)* Ιαπωνικός || *(n)* Γιαπωνέζος
jar (dza:r) [-red]: *(v)* τραντάζω || συγκρούομαι || *(n)* τράνταγμα || βάζο
jargon (΄dza:rgən): *(n)* ειδική διάλεκτος επιστήμης ή επαγγέλματος || ακαταλαβίστικα
jasmine (΄dzæzmən): *(n)* γιασεμί
jaundice (΄dzə:ndis): *(n)* ίκτερος
jaunt (dzə:nt) *(n)* βόλτα, περίπατος || ~**y**: *(adj)* κομψός || ανέμελος
javelin (΄dzævlən): *(n)* ακόντιο
jaw (dzə:): *(n)* σαγόνι
jay (dzei): *(n)* κίσσα
jazz (dzæz): *(n)* ''τζαζ'' || [-ed]: *(v)* παίζω τζαζ || ~ **up**: *(v)* ζωηρεύω
jealous (΄dzeləs): *(adj)* ζηλότυπος, ζηλιάρης || ~**y**: *(n)* ζήλια, ζηλοτυπία
jean (dzi:n): *(n)* ''ντρίλι'', ''τζην'' || ~**s**: *(n)* παντελόνι ''τζην''
jeep (dzi:p): *(n)* ''τζιπ''
jeer (dziər) [-ed]: *(v)* ειρωνεύομαι || *(n)* ειρωνεία
jell (dzel) [-ed]: *(v)* πήζω, γίνομαι πελτές || ~**y bean**: *(n)* κουφέτο || ~**y fish**: *(n)* μέδουσα
jeopard-ize (΄dzepərdaiz) [-d]: *(v)* διακινδυνεύω || ~**y**: *(n)* διακινδύνευση, κίνδυνος || **in** ~**y**: σε κίνδυνο, ''ρισκέ''
jerk (dzə:rk) [-ed]: *(v)* τινάζω απότομα || *(n)* τίναγμα
jerkin (΄dzə:rkən): *(n)* δερμάτινο ''μπουφάν''
jersey (΄dzə:rzi:): *(n)* πλεχτό ύφασμα, ''ζέρσεϊ''
jest (dzest) [-ed]: *(v)* αστειεύομαι || *(n)* αστείο || ~**er**: *(n)* γελωτοποιός
jet (dzet): *(n)* γαγάτης || ορμητικός πίδακας|| στόμιο εκροής || προωστήρας || ~ **black**: *(adj)* κατάμαυρος|| ~ **sam**: *(n)* εκβράσματα || ~**tison** [-ed]: *(v)* πετάω, απορρίπτω
jetty (΄dzeti:): *(n)* || λιμενοβραχίονας
Jew (dzju:): *(n)* Εβραίος || ~**ish**: *(adj)* Εβραϊκός
jewel (΄dzu:əl): *(n)* κόσμημα || ~**er**, ~**ler**: *(n)* κοσμηματοπώλης || ~**ry**: *(n)* κοσμήματα, πολύτιμες πέτρες
jib (dzib): *(n)* αρτέμονας βραχίονας γερανού || τραβιέμαι πίσω, διστάζω
jibe (dzaib) εναρμονίζω || συμφωνώ, εναρμονίζομαι || *(n)* πείραγμα
jiffy (΄dzifi:): *(n)* στιγμή, απειροελάχιστο χρονικό διάστημα *(id)*
jig (dzig): *(n)* αστείο, καλαμπούρι || ~**saw puzzle**: *(n)* παιχνίδι συναρμολόγησης χωριστών κομματιών που αποτελούν εικόνα
jilt (dzilt) [-ed]: *(v)* εγκαταλείπω ή απατώ
jimmy (΄dzimi:) *(n)* μοχλός, λοστός || [-ied]: *(v)* ανοίγω με λοστό
jingle (΄dziŋgəl) [-d]: *(v)* κουδουνίζω || *(n)* κουδούνισμα
jinx (΄dziŋks) [-ed]: *(v)* φέρνω γρουσουζιά
jitter (΄dzitər) [-ed]: *(v)* είμαι νευρικός, νευριάζω || ~**s**: *(n)* νεύρα, φόβος, τρεμούλα || ~**y**: *(adj)* εκνευρισμένος, φοβισμένος
jiujitsu: see jujitsu
job (dzəb): *(n)* δουλειά, έργο εργασία || ~**ber**: *(n)* εργάτης κατ' αποκοπή || ~**less**: *(adj)* άεργος
jockey (dzəki:): *(n)* τζόκεϊ || εξαπατώ || ελίσσομαι
jocular (΄dzəkjələr): *(adj)* αστείος

J

jodhpurs (΄dzədpərz): *(n)* κιλότα ιππασίας
jog (jəg) [-ged]: *(v)* τραντάζω ‖ τρέχω σιγανά, τρέχω ''αντοχή'' ‖ *(n)* τράνταγμα ‖ τρέξιμο, ''τζόγκιν'' ‖ **~ging**: *(n)* σιγανό τρέξιμο, ''τζόγκιν''
john (zən): *(n)* αποχωρητήριο *(id)*
join (dzoin) [-ed]: *(v)* ενώνω, συνδέω‖ γίνομαι μέλος ‖ κατατάσσομαι ‖ **~er**: *(n)* λεπτουργός ‖ **~t**: *(n)* άρμός ‖ *(adj)* από κοινού ‖ **~t** [-ed]: *(v)* συναρμολογώ
joist (dzoist): *(n)* δοκάρι πατώματος ή οροφής
jok-e (dzouk) [-d]: *(v)* αστειεύομαι ‖ *(n)* αστείο, καλαμπούρι ‖ **~er**: *(n)* αστείος, χωρατατζής ‖ τζόκερ της τράπουλας, ''μπαλαντέρ''
joll-ity (΄dzələti:): *(n)* χαρά, ευθυμία ‖ **~y**: *(adj)* εύθυμος, χαρούμενος
jolt (dzoult) [-ed]: *(v)* τραντάζω, τινάζω ‖ *(n)* τράνταγμα ‖ ξάφνιασμα
jostle (΄dzəsəl) [-d]: *(v)* σπρώχνω, σκουντώ
jot (dzət) [-ted]: *(v)* σημειώνω, γράφω βιαστικά ‖ *(n)* απειροελάχιστη ποσότητα
journal (΄dzə:rnəl): *(n)* ημερολόγιο συμβάντων ‖ εφημερίδα ‖ περιοδικό ειδικότητας ‖ **~ese**: *(n)* δημοσιογραφικό ''στυλ'' ‖ **~ism**: *(n)* δημοσιογραφία ‖ **~ist**: *(n)* δημοσιογράφος
journey (΄dzə:rni:): *(n)* ταξίδι ‖ διαδρομή ‖ [-ed]: *(v)* ταξιδεύω
jovial (΄dzouvi:əl): *(adj)* εύθυμος, ανοιχτόκαρδος
jowl (dzaul): *(n)* μάγουλο ‖ προγούλι
joy (dzoi): *(n)* χαρά ‖ **~ful**: *(adj)* χαρούμενος ‖ **~ous**: *(adj)* χαρούμενος, εύθυμος
jubil-ant (΄dzu:bələnt): *(adj)* καταχαρούμενος ‖ **~ation**: *(n)* αγαλλίαση ‖ **~ee**: *(n)* γιορτή επετείου
judge (dzʌdz) [-ed]: *(v)* κρίνω ‖ δικάζω ‖ *(n)* δικαστής ‖ κριτής
judici-al (dzu:΄diʃəl): *(adj)* δικαστικός ‖ κριτικός ‖ **~ous**: *(adj)* με ορθή κρίση, συνετός
judo (΄dzu:dou): *(n)* Ιαπωνική πάλη, ''τζούντο''
jug (dzʌg): *(n)* σταμνί ‖ κανάτα
juggle (΄dzʌgəl) [-d]: *(v)* κάνω ταχυδακτυλουργίες ‖ κάνω απάτη ‖ **~r**: *(n)* ταχυδακτυλουργός
jugular (΄dzʌgjələr): *(adj)* αυχενικός ‖ *(n)* αυχενική φλέβα
juic-e (dzu:s): *(n)* χυμός ‖ **~y**: *(adj)* χυμώδης, ζουμερός
jujitsu (dzu:΄dzitsu:): *(n)* Ιαπωνική πάλη, ''ζίου-ζίτσου''
juke box (dzu:k bəks): *(n)* ''τζουκμποξ''
July (dzu΄lai): *(n)* Ιούλιος
jumble (΄dzʌmbəl) [-d]: *(v)* ανακατεύω ‖ *(n)* κυκεώνας, μπέρδεμα
jumbo (΄dzʌmbou): *(adj)* πελώριος, ογκώδης
jump (dzʌmp) [-ed]: *(v)* πηδώ ‖ *(n)* άλμα, πήδημα ‖ **~er**: *(n)* μπλούζα ‖ **~y**: *(adj)* νευρικός
junct-ion (΄dzʌŋkʃən): *(n)* διακλάδωση ‖ διασταύρωση ‖ **~ure**: *(n)* σημείο ή γραμμή ένωσης ή σύνδεσης
June (dzu:n): *(n)* Ιούνιος
jungle (΄dzʌŋgəl): *(n)* ζούγκλα
junior (΄dzu:njər): *(adj)* νεότερος ‖ μικρός ‖ κατώτερος
junk (dzʌŋk): *(n)* άχρηστα υλικά, πράγματα για πέταμα ‖ **~man**: *(n)* παλιατζής
junta (΄hu:ntə): *(n)* χούντα
jur-idical (dzu:΄ridikəl): *(adj)* νομικός ‖ **~isdiction** (dzu:rəs΄dikʃən): *(n)* δικαιοδοσία ‖ **~isprudence** (΄dzu:rəs΄pru:dəns): *(n)* νομολογία ‖ **~or**: *(n)* ένορκος ‖ **~y**: *(n)* ένορκοι, σύνολο των ενόρκων ‖ **~yman**: *(n)* ένορκος
just (dzʌst): *(adj)* δίκαιος ‖ ακριβής ‖ *(adv)* ακριβώς ‖ μόλις ‖ τώρα δα ‖ **~ice** (΄dzʌstis): *(n)* δικαιοσύνη ‖ δίκαιο ‖ δικαστής ‖ **~ice of the peace**: *(n)* ειρηνοδίκης ‖ **~ifiable** (΄dzʌstə΄faiəbəl): *(adj)* δικαιολογημένος, εύλογος ‖ **~ification** (΄dzʌstəfi΄keiʃən): *(n)* δικαιολογία ‖ **~ify** (΄dzʌstəfai) [-ied]: *(v)* δικαιολογώ, αιτιολογώ ‖ δικαιώνω
jut (dzʌt) [-ted]: *(v)* προεξέχω ‖ *(n)* προεξοχή
juvenile (΄dzu:vənəl, ΄dzu:vənail): *(adj)* νεανικός ‖ παιδικός ‖ *(n)* νεαρός, νεανίας
juxtapos-e (΄dzʌkstə΄pouz) [-d]: *(v)* αντιπαραθέτω ‖ **~ition**: *(n)* αντιπαράθεση

K

kaleidoscope (kə΄laidəskoup): *(n)* καλειδοσκόπιο
keel (ki:l) [-ed]: *(v)* αναποδογυρίζω, ''τουμπάρω'' || *(n)* τρόπιδα, καρίνα
keen (ki:n): *(adj)* αιχμηρός || επιμελής || ζωηρός, δυνατός || **~ness**: *(n)* επιμέλεια || ζωηράδα, ενεργητικότητα || ζήλος
keep (ki:p) [kept, kept]: *(v)* διατηρώ || συντηρώ || τηρώ, υπακούω || **~ off**: *(v)* δεν πλησιάζω || **~ on**: *(v)* συνεχίζω || **~ out**: *(v)* αποκλείω ή απαγορεύω είσοδο || **for ~s**: μόνιμα, για πάντα || **~ sake**: *(n)* ενθύμιο
keg (keg): *(n)* βαρελάκι, βυτίο
kennel (΄kenəl): *(n)* κυνοτροφείο
kerb: see curb
kernel (΄kə:rnəl): *(n)* πυρήνας || ψίχα σπόρου
kerosene (΄kerəsi:n): *(n)* πετρέλαιο, κεροζίνη, παραφίνη
kettle (΄ketl): *(n)* χύτρα || τσαγιέρα
key (ki:): *(n)* κλειδί || πλήκτρο || *(adj)* καίριος, ''κλειδί'' || **~board**: *(n)* ταμπλώ των πλήκτρων, ''κλαβιέ'' || **~hole**: *(n)* κλειδαρότρυπα
khaki (΄kæki): *(adj)* χακί
kick (kik) [-ed]: *(v)* κλοτσώ || αρνούμαι να κάνω κάτι, ''κλοτσάω'' || *(n)* κλοτσιά, λάκτισμα || **~ in**: *(v)* συνεισφέρω || **~ off**: *(n)* εναρκτήριο λάκτισμα || *(v)* δίνω το εναρκτήριο λάκτισμα
kid (kid): *(n)* νεαρό ελάφι ή κατσίκι || δέρμα κατσικίσιο || παιδί *(id)* || νεαρός || [-ded]: *(v)* κοροϊδεύω, αστειεύομαι || **~nap** [-ed or -ped]: *(v)* απάγω || **~naper**: *(n)* απαγωγέας
kidney (΄kidni): *(n)* νεφρό
kill (kil) [-ed]: *(v)* σκοτώνω || *(n)* φόνος || **~er**: *(n)* φονιάς
kiln (**kiln**): *(n)* κλίβανος
kilo (΄ki:lou): *(n)* κιλό, χιλιόγραμμο || **~gram**: *(n)* χιλιόγραμμο || **~meter**: *(n)* χιλιόμετρο || **~watt**: *(n)* κιλοβάτ
kilt (kilt): *(n)* φουστανέλα
kin (kin): *(n)* συγγενείς, σόι || **~ship**: *(n)* συγγένεια
kind (kaind): *(adj)* ευγενής, καλός, αγαθός || *(n)* είδος || **~ of**: κάπως, κάτι σαν || **in ~**: (πληρωμή) σε είδος || με το ίδιο νόμισμα || **~hearted**: *(adj)* καλόκαρδος || **~liness**: *(n)* καλοσύνη || **~ly**: *(adj)* καλός, καλόβολος || ευγενικός || **~ness**: *(n)* καλοσύνη
kindergart-en (΄kindər΄ga:rtn): *(n)* νηπιαγωγείο
kindle (kindl) [-d]: *(v)* συνδαυλίζω || εξάπτω, ''ανάβω''
kindred (΄kindrid): *(adj)* συγγενικός
kinetic (ki΄netik): *(adj)* κινητικός
king (kiŋ): *(n)* βασιλιάς || ρήγας της τράπουλας || **~dom**: *(n)* βασίλειο
kink (kiŋk): *(n)* μπέρδεμα, κόμπος || μυϊκός σπασμός, ''πιάσιμο'' || **~y**: *(adj)* μπερδεμένος, με κόμπους
kinsfolk: see kinfolk
kiosk (ki:΄əsk): *(n)* περίπτερο, ''κιόσκι''
kipper (΄kipər): *(n)* σολομός || ρέγκα καπνιστή
kiss (kis) [-ed]: *(v)* φιλώ || φιλί, φίλημα
kit (kit): *(n)* σύνεργα, εργαλεία || θήκη εργαλείων || ατομικά είδη
kitchen (΄kitʃən): *(n)* κουζίνα || μαγειρείο || **~ garden**: *(n)* λαχανόκηπος
kite (kait): *(n)* χαρταετός || μικρό ιστίο
kitt-en (΄kitn): *(n)* γατάκι
knack (næk): *(n)* φυσικό χάρισμα, φυσικό ''ταλέντο''
knapsack (΄næpsæk): *(n)* γυλιός, σακίδιο
knave (neiv): *(n)* κατεργάρης || φάντης, βαλές
knead (ni:d) [-ed]: *(v)* ζυμώνω
knee (ni:): *(n)* γόνατο || **~cap**: *(n)* επιγονατίδα || **~l** [knelt, knelt]: *(v)* γονατίζω
knickers (΄nikərz): *(n)* κιλότα
knife (naif) [-d]: *(v)* μαχαιρώνω ||

(n) μαχαίρι
knight (nait): *(n)* ιππότης ‖ άλογο σκακιού
knit (nit) [knit or -ed]: *(v)* πλέκω ‖ αλληλοπλέκω, συνδέω σταθερά ‖ *(n)* πλεκτό ‖ **~ting**: *(n)* πλεκτό, πλέξιμο ‖ **~ting needle**: *(n)* βελόνα πλεξίματος
knives: pl. of knife (see)
knob (nɔb): *(n)* κόμπος, ρόζος, εξόγκωμα ‖ πόμολο, λαβή
knock (nɔk) [-ed]: *(v)* κτυπώ ‖ *(n)* χτύπημα ‖ **~ down**: *(v)* ρίχνω με χτύπημα ‖ **~er**: *(n)* ρόπτρο ‖ **~kneed**: *(adj)* στραβοπόδης ‖ **~ out**: *(v)* βγάζω "νοκ άουτ", ρίχνω αναίσθητο ‖ **~ out drop**: *(n)* ναρκωτικό
knot (nɔt) [-ted]: *(v)* δένω κόμπο ‖ *(n)* κόμπος ‖ ρόζος ‖ κόμβος
know (nou) [knew, known]: *(v)* γνωρίζω, ξέρω ‖ **~ledge** (΄nɔlidz): *(n)* γνώση ‖ **~ledgeable**: *(adj)* γνώστης, καλώς πληροφορημένος ‖ **~n**: *(adj)* γνωστός
knuckle (΄nʌkəl): *(n)* φάλαγγα δακτύλου, κλείδωση

L

lab: see laboratory
label (΄leibəl): *(n)* επιγραφή ‖ ετικέτα ‖ [-ed]: *(v)* βάζω επιγραφή ή ετικέτα
labial (΄leibi:əl): *(adj)* χειλικός
labor [labour] (΄lei:bər): *(n)* δουλειά, εργασία ‖ [-ed]: *(v)* κοπιάζω, μοχθώ ‖ **~atory** (΄læbrətɔri:) *(n)* or **lab**: εργαστήριο ‖ χημείο ‖ **~ious** (lə΄bɔri:əs): *(adj)* κοπιαστικός, επίπονος ‖ **~er**: *(n)* χειρώναξ, εργάτης
labyrinth (΄læbərinth): *(n)* λαβύρινθος
lace (leis): *(n)* κορδόνι ‖ σειρήτι ‖ δαντέλα ‖ [-d]: *(v)* δένω, πλέκω ‖ βάζω δαντέλα
lacerat-e (΄læsəreit) [-d]: *(v)* ξεσχίζω
lack (læk): *(n)* έλλειψη ‖ [-ed]: *(v)* στερούμαι
lackadaisical (΄lækə΄deizikəl): *(adj)* άτονος ‖ νωθρός
lacon-ic (lə΄kɔnik): *(adj)* λακωνικός
lad (læd): *(n)* νεαρός, αγόρι
ladder (΄lædər): *(n)* σκάλα ‖ "πόντος" κάλτσας
lad-e (leid) [-d laden]: *(v)* φορτώνω ‖ **~en**: *(adj)* φορτωμένος
ladle (΄leidl): *(n)* κουτάλα
lady (΄leidi:): *(n)* κυρία ‖ λαίδη ‖ **~ bug**: *(n)* πασχαλίτσα (έντομο)
lag (læg) [-ged]: *(v)* μένω πίσω, βραδυπορώ ‖ βραδυπορία
lagging (΄lægiŋ): *(n)* μονωτική επένδυση
lagoon (lə΄gu:n): *(n)* λιμνοθάλασσα
lair (leər): *(n)* άντρο
laity (΄leiəti:): *(n)* λαϊκοί, μη κληρικοί ‖ οι "κοινοί" άνθρωποι, μη ειδικοί
lake (leik): *(n)* λίμνη
lamb (læm): *(n)* αρνάκι ‖ κρέας αρνίσιο ‖ κορόιδο ‖ **~ chop**: *(n)* παϊδάκι
lame (leim): *(adj)* κουτσός ‖ μη πειστικός
lament (lə΄ment) [-ed]: *(v)* θρηνώ, οδύρομαι ‖ *(n)* θρήνος, οδυρμός ‖ **~able**: *(adj)* αξιοθρήνητος ‖ **~ation**: *(n)* θρήνος
lamina (΄læmənə): *(n)* έλασμα, φύλλο ‖ **~ted**: *(adj)* από ελάσματα, σε φύλλα
lamp (læmp): *(n)* λάμπα ‖ φανάρι ‖ λυχνάρι ‖ **~shade**: *(n)* "αμπαζούρ"
lance (læns): *(n)* λόγχη ‖ **~ corporal**: υποδεκανέας
land (lænd): *(n)* γή, στεριά ‖ χώρα ‖ [-ed]: *(v)* αποβιβάζω ‖ αποβιβάζομαι ‖ προσγειώνω ‖ προσγειώνομαι ‖ **~ed**: *(adj)* με κτηματική περιουσία ‖ **~ing**: *(n)* αποβίβαση ‖ προσγείωση ‖ πλατύσκαλο, κεφαλόσκαλο ‖ **~ lady**: *(n)* νοικοκυρά, οικοδέσποινα ‖ **~lord**: *(n)* νοικοκύρης, οικοδεσπότης ‖ πανδοχέας ‖ **~ lubber**: *(n)* στεριανός, που δεν ξέρει από θάλασσα ‖

~**mark**: *(n)* ορόσημο || ~ **office**: *(n)* κτηματολόγιο || ~**scape**: *(n)* τοπίο || ~**slide**: *(n)* κατολίσθηση || συντριπτική εκλογική νίκη
lane (lein): *(n)* δρομάκι, σοκάκι || λουρίδα δρόμου || λουρίδα σταδίου
language (ˊlæŋgwidz): *(n)* γλώσσα
langu-id (ˊlæŋgwid): *(adj)* νωχελικός || άτονος || ~**ish** [-ed]: *(v)* ατονώ || νοσταλγώ, ''λιώνω από νοσταλγία''
lank (læŋk): *(adj)* μακρύς και λεπτός || ~**y**: *(adj)* ψηλόλιγνος
lantern (ˊlæntərn): *(n)* φανάρι
lanyard (ˊlænjərd): *(n)* κορδόνι || καραβόσκοινο, σκοινί ιστίου
lap (læp) [-ped]: *(v)* ρουφώ με τη γλώσσα || παφλάζω || ελαφρός παφλασμός || γύρος || ''βόλτα''
lapel (ləˊpel): *(n)* πέτο
lapse (læps) [-d]: *(v)* || παρέρχομαι, περνώ || ολίσθημα, σφάλμα || πέρασμα χρόνου, παρέλευση
larceny (ˊla:rsəni:): *(n)* υπεξαίρεση || **grand** ~: *(n)* σοβαρή υπεξαίρεση
lard (la:rd): *(n)* χοιρινό λίπος, ''λαρδί''
large (la:rdz): *(adj)* μεγάλος || φαρδύς, εκτενής || **at** ~: ελεύθερος || εν εκτάσει || γενικά, εν γένει
lark (la:rk): *(n)* κορυδαλλός || μικροπεριπέτεια, αθώα περιπέτεια, ''ξέδομα'' || αθώα φάρσα || [-ed]: *(v)* το ρίχνω έξω
larva (ˊla:rvə): *(n)* κάμπια εντόμου, νύμφη
laryn-gitis (ˊlærənˊdzaitis): *(n)* λαρυγγίτιδα
lascivious (ləˊsivi:əs): *(adj)* ασελγής
lash (læʃ) [-ed]: *(v)* μαστιγώνω || επιτίθεμαι βίαια με λόγια ή γραπτά || *(n)* χτύπημα μαστιγίου || μαστίγιο || *(v)* δένω με λουρί ή σκοινί
lass (læs): *(n)* νεαρή, κοπέλα
lassitude (ˊlæsətu:d): *(n)* εξάντληση || ατονία
lasso (ˊlæsou). *(n)* σκοινί με θηλιά, ''λάσο''
last (læst, la:st): *(adj)* τελευταίος || τελικός || *(adv)* τελευταία || τελικά || καλαπόδι || [-ed]: *(v)* διαρκώ, ''κρατώ'' || **at** ~, **at long** ~: επί τέλους
latch (lætʃ): *(n)* σύρτης || [-ed]: *(v)* κλείνω με σύρτη || ~ **key**: *(n)* κλειδί
late (leit): *(adj)* αργοπορημένος || προκεχωρημένος, αργά || πρώην, τέως || προσφάτως αποθανών, ''μακαρίτης'' || *(adv)* αργά || ~**ly**: *(adv)* πρόσφατα, τελευταία
laten-cy (ˊleitnsi:): *(n)* αφάνεια || ~**t**: *(adj)* αφανής || λανθάνων
lateral (ˊlætərəl): *(adj)* πλευρικός
lathe (leiδ): *(n)* ''τόρνος'' || [-d]: *(v)* ''τορνάρω''
lather (ˊlæδər): *(n)* αφρός || σαπουνάδα || [-ed]: *(v)* αφρίζω
Latin (ˊlætin): *(n)* Λατίνος || λατινική γλώσσα, λατινικά || *(adj)* λατινικός
latitude (ˊlætətju:d): *(n)* πλάτος, εύρος || ελευθερία, ξεγνοιασιά || γεωγραφ. πλάτος
latter (ˊlætər): *(adj)* δεύτερος ή τελευταίος από δύο || πρόσφατος
lattice (ˊlætis): *(n)* δικτυωτός || ~ **work**: *(n)* δικτυωτό, ''καφάσι''
laugh (læf, la:f) [-ed]: *(v)* γελώ || *(n)* γέλιο || ~**able**: *(adj)* γελοίος, αστείος || ~**ing stock**: *(n)* περίγελος || ~**ter**: *(n)* γέλιο
launch (lɔ:ntʃ) [-ed]: *(v)* εκτοξεύω || καθελκύω || αρχίζω, ξεκινώ || *(n)* εκτόξευση || καθέλκυση || βάρκα πλοίου
laund-er (ˊlɔ:ndər) [-ed]: *(v)* πλένω || ~**erer**: *(n)* πλύντης || ~**ress**: *(n)* πλύστρα || ~**ry**: *(n)* άπλυτα ρούχα || πλυντήριο
lavatory (ˊlævətɔri): *(n)* νιπτήρας || αποχωρητήριο, τουαλέτα
lavish (ˊlæviʃ): *(adj)* σπάταλος, άσωτος || πλούσιος, άφθονος || [-ed]: *(v)* δίνω σε αφθονία, χαρίζω πλουσιοπάροχα
law (lɔ:): *(n)* νόμος || δίκαιο || νομική επιστήμη || ~ **abiding**: *(adj)* νομοταγής || ~**ful**: *(adj)* νόμιμος || ~ **giver**: *(n)* νομοθέτης || ~**less**: *(adj)* παράνομος, άνομος || ~**suit**: *(n)* αγωγή
lawn (lɔ:n): *(n)* πρασιά
lawyer (ˊlɔ:jər): *(n)* δικηγόρος
lax (læks): *(adj)* χαλαρός, χαλαρωμένος, όχι εντατικός || ~**ative**: *(n)* καθαρτικό || ~**ity**: *(n)* χαλαρότητα
lay (lei) [laid, laid]: *(v)* θέτω, βάζω || κάνω αυγά || *(adj)* λαϊκός, μη κληρικός ή μη ειδικός || see **lie** || ~**er**: *(n)* στρώμα || ~ **figure**: *(n)* ''κούκλα'' ράφτη ή μοδίστρας || ''κού-

L

κλα'' καταστήματος || ~**man**: *(n)* λαϊκός, μη κληρικός || μη ειδικός || ~ **off**: *(v)* απολύω υπάλληλο || εγκαταλείπω, σταματώ, παύω
laz-e (leiz) [-d]: *(v)* τεμπελιάζω || ~**iness**: *(n)* τεμπελιά || ~**y**: *(adj)* τεμπέλης
lead (li:d) [led, led]: *(v)* οδηγώ || ηγούμαι || *(n)* πρώτη θέση || προήγηση, απόσταση προήγησης || πρώτος ρόλος || πρωταγωνιστής || ~**er**: *(n)* ηγέτης, αρχηγός
lead (led): *(n)* μόλυβδος || μολυβένιος || ~**en**: *(adj)* μολύβδινος, μολυβένιος || βαρύς, ''μολύβι''
leaf (li:f): *(n)* φύλλο || ~**let**: *(n)* φυλλαράκι || φυλλάδιο
league (li:g): *(n)* ένωση || λεύγα || [-d]: *(v)* ενώνομαι, συμμαχώ
leak (li:k): *(n)* διαρροή, διαφυγή || [-ed]: *(v)* διαφεύγω, διαρρέω || ~**age**: *(n)* διαρροή || ~**y**: *(adj)* με τρύπες, με διαρροή || **spring a** ~: *(v)* τρυπώ, αποκτώ διαρροή
lean (li:n) [-ed or leant]: *(v)* κλίνω, γέρνω || ακουμπώ || *(adj)* λεπτός, αδύνατος || άπαχος || ~ **to**: *(n)* υπόστεγο
leap (li:p) [-ed or leapt]: *(v)* πηδώ, αναπηδώ || ~ **frog**: *(n)* παιχνίδι ''βαρελάκια'' || ~ **year**: *(n)* δίσεκτο έτος
learn (lə:rn) [-ed or learnt]: *(v)* μαθαίνω || ~**ed**: *(adj)* μορφωμένος, πολυμαθής
lease (li:s) [-d]: *(v)* εκμισθώνω || νοικιάζω || *(n)* εκμίσθωση || νοίκιασμα
leash (li:ʃ) [-ed]: *(v)* δένω || *(n)* λουρί ή αλυσίδα
least (li:st): *(adj)* ελάχιστος || **at** ~: τουλάχιστο
leather (΄ledər): *(n)* κατεργασμένο δέρμα || *(adj)* δερμάτινος
leave (li:v) [left, left]: *(v)* φεύγω || αφήνω, εγκαταλείπω || *(n)* άδεια || ~ **out**: *(v)* παραλείπω || ~ **taking**: *(n)* αποχαιρετισμός
lecher (΄letʃər): *(n)* λάγνος, άνθρωπος ασελγής || ~**ous**: *(adj)* ασελγής || ~**y**: *(n)* ασέλγεια
lectern (΄lektərn): *(n)* αναλόγιο
lecture (΄lektʃər) [-d]: *(v)* δίνω διάλεξη || νουθετώ || *(n)* διάλεξη || νουθεσία || ~**r**: *(n)* ομιλητής || βοηθός καθηγητή
ledge (ledz): *(n)* προεξοχή || χείλος, άκρη
ledger (΄ledzər): *(n)* βιβλίο λογιστικού, κατάστιχο
lee (li:): *(n)* υπήνεμη πλευρά, πλευρά προστατευμένη από τον άνεμο
leech (li:tʃ): *(n)* βδέλλα
leek (li:k): *(n)* πράσο
leer (liər) [-ed]: *(v)* κοιτάζω ειρωνικά ή λάγνα || στραβοκοιτάζω || *(n)* στραβοκοίταγμα || λάγνο ή ειρωνικό κοίταγμα
left (left): see leave || *(adj)* αριστερός || ~**handed**: *(adj)* αριστεράχειρας || ~**ist**: *(n)* αριστερός, αριστερίζων || ~ **over**: *(adj)* υπόλειμμα
leg (leg): *(n)* πόδι || γάμπα || ''μπατζάκι'' || **pull one's** ~: κοροϊδεύω, ''δουλεύω''
legacy (΄legəsi:): *(n)* κληροδότημα || κληρονομιά
legal (΄li:gəl): *(adj)* νόμιμος || νομικός || ~**ize** [-d]: *(v)* νομιμοποιώ
legend (΄ledzənd): *(n)* θρύλος || επιγραφή, υπόμνημα || ~**ary**: *(adj)* θρυλικός
legibl-e (΄ledzəbəl): *(adj)* ευανάγνωστος
legion (΄li:dzən): *(n)* λεγεώνα
legislat-e (΄ledzisleit) [-d]: *(v)* νομοθετώ || ~**ion**: *(n)* νομοθεσία || ~**ive**: *(adj)* νομοθετικός || ~**or**: *(n)* νομοθέτης || ~**ure**: *(n)* νομοθετικό σώμα
legit (lə΄dzit), ~**imate** (lə΄dzitəmit): *(adj)* νόμιμος || ~**imacy**: *(n)* νομιμότητα
leisure (΄lezər, ΄li:zər): *(n)* άνεση || ελεύθερος καιρός, ελεύθερη ώρα
lemon (΄lemən): *(n)* λεμόνι || ~**ade**: *(n)* λεμονάδα
lend (lend) [lent, lent]: *(v)* δανείζω || ~**er**: *(n)* δανειστής
length (leŋgth): *(n)* μήκος || ~**en** [-ed]: *(v)* επιμηκύνω, κάνω πιο μακρύ || ~**wise, ~ways**: *(adv)* κατά μήκος || ~**y**: *(adj)* μακροσκελής, μακρύς, πολύωρος
lenien-cy (΄li:ni:ənsi): *(n)* επιείκεια || ~**t**: *(adj)* επιεικής
lens (lenz): *(n)* φακός
lent (lent): see lend || **L** ~: *(n)* σαρακοστή || **L~en**: *(adj)* σαρακοστιανός
lentil (΄lentəl): *(n)* φακή
leopard (΄lepərd): *(n)* λεοπάρδαλη
lep-er (΄lepər): *(n)* λεπρός || ~**rosy**:

(n) λέπρα
Lesbian (΄lezbi:ən): *(n)* Λέσβιος ‖ *(adj)* λεσβιακός ‖ *(n)* ομοφυλόφιλη, λεσβία
lesion (΄li:zən): *(n)* πληγή, χτύπημα
less (les): *(adj)* λιγότερος ‖ **~en** [-ed]: *(v)* μειώνω, μικραίνω, λιγοστεύω
lesson (΄lesən): *(n)* μάθημα ‖ [-ed]: *(v)* διδάσκω ‖ επιπλήττω, τιμωρώ, δίνω "μάθημα"
lest (lest): *(conj)* μη τυχόν, μήπως
let (let) [let, let]: *(v)* αφήνω ‖ επιτρέπω ‖ ας ‖ νοικιάζω, μισθώνω, εκμισθώνω ‖ ~ **in on**: *(v)* εμπιστεύομαι ‖ αφήνω να συμμετάσχει ‖ ~ **on**: *(v)* γνωστοποιώ
lethal (΄li:thəl): *(adj)* θανατηφόρος ‖ θανάσιμος
letharg-ic (lə΄tha:rdzik): *(adj)* ληθαργικός ‖ **~y** (΄lethərdzi:): *(n)* λήθαργος
letter (΄letər): *(n)* γράμμα ‖ **~box**: *(n)* γραμματοκιβώτιο
level (΄levəl): *(n)* επίπεδο ‖ στάθμη ‖ αλφάδι ‖ *(adj)* επίπεδος ‖ [-ed]: *(v)* ισοπεδώνω, οριζοντιώνω ‖ **on the** ~: τίμια, ειλικρινά ‖ ~ **crossing**: *(n)* ισόπεδη διάβαση
lever (΄levər): *(n)* μοχλός
levity (΄levəti): *(n)* ελαφρότητα
levy (΄levi) [-ied]: *(v)* εισπράττω ή επιβάλλω ‖ στρατολογώ υποχρεωτικά ‖ *(n)* είσπραξη ή επιβολή ‖ στρατολογία
lewd (lu:d): *(adj)* ασελγής
liab-ility (΄laiə΄biləti:): *(n)* ευθύνη ‖ υποχρέωση ‖ **~le** (΄laiəbəl): *(adj)* υπεύθυνος ‖ υποκείμενος
liaison (΄li:ei΄zən): *(n)* σύνδεσμος
liar (΄laiər): *(n)* ψεύτης
libel (΄laibəl): *(n)* λίβελος ‖ [-ed]: *(v)* δυσφημώ ‖ **~ous**: *(adj)* δυσφημιστικός
liberal (΄libərəl): *(adj)* φιλελεύθερος ‖ γενναιόδωρος, "χουβαρντάς"
liber-ate (΄libəreit) [-d]: *(v)* ελευθερώνω ‖ **~tine**: *(n)* ελευθέρων ηθών ‖ **~ation**: *(n)* απελευθέρωση ‖ **~ty**: *(n)* ελευθερία
librar-ian (lai΄breəri:ən): *(n)* βιβλιοθηκάριος ‖ **~y** (΄laibrəri:): *(n)* βιβλιοθήκη
lice: pl. of louse (see)
license (΄laisəns), or **licence**: *(n)* άδεια ‖ [-d]: *(v)* δίνω άδεια ή έγκριση ‖ ~ **plate**: *(n)* πινακίδα αυτοκινήτου
licentious (lai΄senʃəs): *(adj)* ακόλαστος, ασελγής
lichen (΄laikən): *(n)* λειχήνα
lick (lik) [-ed]: *(v)* γλείφω ‖ *(n)* γλείψιμο
licorice (΄likəris): *(n)* γλυκόριζα
lid (lid): *(n)* κάλυμμα, καπάκι
lie (lai) [lay, lain]: *(v)* κείμαι, βρίσκομαι ‖ [-d]: *(v)* ψεύδομαι ‖ *(n)* ψέμα
lieu (lu:): *(n)* θέση ‖ **in ~ of**: αντί, στη θέση του
lieutenant (lu:΄tenənt): *(n)* **first ~**: *(n)* υπολοχαγός ‖ **second ~**: *(n)* ανθυπολοχαγός ‖ ~ **junior grade**: *(n)* ανθυποπλοίαρχος ‖ ~ **senior grade**: *(n)* υποπλοίαρχος ‖ ~ **colonel**: *(n)* αντισυνταγματάρχης ‖ ~ **commander**: *(n)* πλωτάρχης ‖ ~ **general**: *(n)* αντιστράτηγος
life (laif): *(n)* ζωή‖ **~belt**: *(n)* σωσίβιο ‖ **~boat**: *(n)* ναυαγοσωστική βάρκα ‖ **~guard**: *(n)* ναυαγοσώστης ‖ ~ **preserver**: *(n)* σωσίβιο ‖ **~r**: *(n)* ισοβίτης
lift (lift) [-ed]: *(v)* υψώνω, σηκώνω ‖ υψώνομαι, σηκώνομαι ‖ *(n)* ανύψωση, σήκωμα ‖ ανελκυστήρας, "ασανσέρ"
light (lait): *(n)* φως ‖ *(adj)* ελαφρός ‖ ανοιχτόχρωμος ‖ [-ed, or lit]: *(v)* ανάβω ‖ φωτίζω ‖ **~en** [-ed]: *(v)* φωτίζω ‖ ελαφρώνω ‖ κάνω πιο ανοιχτόχρωμο ‖ **~er**: *(n)* αναπτήρας ‖ φορτηγίδα, "μαούνα"‖ **~ning**: *(n)* αστραπή ‖ κεραυνός ‖ **~ning bug**: *(n)* πυγολαμπίδα ‖ **~ning rod**: *(n)* αλεξικέραυνο
lignite (΄lignait): *(n)* λιγνίτης
likable: see likeable
like (laik) [-d]: *(v)* συμπαθώ, μου αρέσει ‖ *(prep)* σαν, όπως, όμοιος σαν ‖ **~able**: *(adj)* συμπαθής, αξιαγάπητος ‖ **~lihood**: *(n)* πιθανότητα ‖ **~ly**: *(adj)* πιθανός ‖ *(adv)* πιθανώς, πιθανόν ‖ **~n** [-ed]: *(v)* παρομοιάζω, συγκρίνω ‖ **~ness**: *(n)* ομοιότητα ‖ **~wise**: *(adv)* παρομοίως, ομοίως
lilac (΄lailək): πασχαλιά ‖ μοβ χρώμα
lilliputian (lilə΄pju:ʃən): *(adj)* λιλιπούτειος, μικροσκοπικός
lily (΄lili:): *(n)* κρίνος ‖ **~pad**: *(n)*

νούφαρο
lima bean (΄laimәbi:n): *(n)* ρεβίθι
limb (lim): *(n)* μέλος σώματος, άκρο
lime (laim): *(n)* κίτρο ‖ φιλύρα ‖ ασβέστης ‖ **~light**: *(n)* προσκήνιο, φανερή θέση, δημοσιότητα ‖ **~stone**: *(n)* ασβεστόλιθος
limit (΄limit) [-ed]: *(v)* περιορίζω ‖ **~ation**: *(n)* περιορισμός ‖ **~ed**: *(adj)* περιορισμένος ‖ περιορισμένης ευθύνης
limousine (limә΄zi:n): *(n)* λιμουζίνα ‖ αγοραίο αυτοκίνητο
limp (limp) [-ed]: *(v)* κουτσαίνω ‖ *(adj)* χαλαρός, μαλακός ‖ ασθενικού χαρακτήρα ‖ *(n)* χωλότητα, κούτσαμα
limpet (΄limpit): *(n)* πεταλίδα, αχιβάδα
line (lain): *(n)* γραμμή ‖ ρυτίδα ‖ σχοινί, καλώδιο ή σύρμα ‖ [-d]: *(v)* τραβώ γραμμή ‖ βάζω φόδρα, φοδράρω ‖ **~age**: *(n)* καταγωγή, γενεαλογικό δένδρο ‖ **~ar**: *(adj)* γραμμικός ‖ ευθύς, σαν γραμμή ‖ **~sman**: *(n)* βοηθός διαιτητή, "λάινσμαν" ‖ **~ up**: *(v)* βάζω σε γραμμή ‖ παίρνω το μέρος, πάω μαζί με ‖ **get a ~ on**: *(v)* μαθαίνω, πληροφορούμαι ‖ **on the ~**: σε κίνδυνο, "ρισκαρισμένο"
linen (΄linәn): *(n)* λινό ‖ ασπρόρουχα
linger (΄liŋgәr) [-ed]: *(v)* κοντοστέκομαι ‖ **~ing**: *(adj)* αργός, παρατεταμένος
lingerie (la:nzә΄ri:): *(n)* γυναικεία εσώρουχα
lingo (΄liŋgou): *(n)* διάλεκτος
ling-ual (΄liŋgwәl): *(adj)* γλωσσικός ‖ **~uist**: *(n)* γλωσσολόγος
liniment (΄linәmәnt): *(n)* επάλειψη, υλικό επάλειψης
lining (΄lainiŋ): *(n)* φόδρα ‖ εσωτερική επένδυση
link (liŋk): *(n)* κρίκος ‖ μονάδα μήκους ‖ [-ed]: *(v)* συνδέω ‖ **~s**: *(n)* γήπεδο γκολφ
linnet (΄linit): *(n)* σπίνος
linoleum (li΄nouli:әm): *(n)* πλαστικό δαπέδου, λινοτάπητας
linseed (΄linsi:d): *(n)* λιναρόσπορος ‖ **~ oil**: *(n)* λινέλαιο
lint (lint): *(n)* ξαντό
lintel (΄lintl): *(n)* ανώφλι πόρτας ή παραθύρου
lion (΄laiәn): *(n)* λέων, λιοντάρι ‖ **~ess**: *(n)* λέαινα
lip (lip): *(n)* χείλος ‖ αυθάδεια *(id)* ‖ **~stick**: *(n)* κραγιόν
liquefy (΄likwәfai) [-ied]: *(v)* υγροποιώ
liqueur (li΄kә:r): *(n)* λικέρ
liquid (΄likwid): *(n)* υγρό ‖ *(adj)* υγρός, ρευστός ‖ **~ate** [-d]: *(v)* ρευστοποιώ ‖ ξεκαθαρίζω οικ. υποθέσεις
liquor (΄likәr): *(n)* οινοπνευματώδες ποτό
lisp (lisp) [-ed]: *(v)* ψευδίζω ‖ *(n)* ψεύδισμα
list (list): *(n)* κατάλογος, "λίστα" ‖ κλίση ‖ [-ed]: *(v)* κάνω κατάλογο‖ κλίνω, γέρνω
listen (΄lisәn) [-ed]: ‖ **~ to** *(v)* ακούω με προσοχή, προσέχω ‖ **~er**: *(n)* ακροατής
listless (΄listlis): *(adj)* άτονος ‖ αδιάφορος
litany (΄litni:): *(n)* λιτανεία
liter (΄li:tәr) [or: litre]: λίτρο
liter-acy (΄litәrәsi:): *(n)* μόρφωση ‖ **~al** (΄litәrәl): *(adj)* κυριολεκτικός ‖ **~ally**: *(adv)* κυριολεκτικά ‖ κατά γράμμα ‖ **~ary**: *(adj)* λογοτεχνικός, φιλολογικός ‖ **~ate** (΄litәrit): *(adj)* εγγράμματος‖ **~ature** (΄litәrәt∫u:r): *(n)* λογοτεχνία, φιλολογία
lithe (laiδ): *(adj)* λυγερός
lithograph (΄lithәgræf): *(n)* λιθογραφία
litig-ant (΄litigәnt): *(n)* αντίδικος, διάδικος ‖ **~ate** [-d]: *(v)* είμαι υπό δίκη ή φέρνω προς δίκη ‖ **~ation**: *(n)* νόμιμη διαδικασία
litre: see liter
litter (΄litәr): *(n)* φορείο ‖ νεογνά ζώου ‖ σκουπίδια, απορρίμματα ‖ [-ed]: *(v)* πετάω σκουπίδια, γεμίζω σκουπίδια
little (΄litl): *(adj)* μικρός ‖ λίγος ‖ *(adv)* πολύ λίγο ‖ **make ~ of**: δεν δίνω μεγάλη σημασία
littoral (΄litәrәl): *(adj)* παράλιος, παράκτιος
liturgy (΄litәrdzi:): *(n)* λειτουργία
live (liv) [-d]: *(v)* ζώ ‖ μένω, κατοικώ ‖ (laiv): *(adj)* ζωντανός ‖ **~able**: *(adj)* κατοικήσιμος, κατάλληλος για να ζει κανείς ‖ **~ up to**: *(v)* γίνομαι αντάξιος προσδοκίας ή φήμης ‖ **~lihood** (΄laivli:hud): *(n)* μέσα συ-

ντήρησης ‖ τα προς το ζειν ‖ **~ly** (΄laivli:): *(adj)* ζωηρός, έντονος ‖ **~n** (΄laivən) [-ed]: *(v)* ζωηρεύω, δίνω ζωή ‖ **~stock**: *(n)* κατοικίδια ζώα, "ζωντανά"
liver (΄livər): *(n)* συκώτι
livery (΄livəri:): *(n)* στολή σοφέρ, θυρωρού ή υπηρέτη, "λιβρέα"
livid (΄livid): *(adj)* μολωπισμένος, με μαυρίλες ‖ ωχρός ‖ πολύ θυμωμένος,
living (΄liviŋ): *(n)* τα προς το ζειν ‖ ζωή, τρόπος του ζειν ‖ **~ room**: *(n)* καθημερινό δωμάτιο, τσ "καθιστικό"
lizard (΄lizərd): *(n)* σαύρα
load (loud) [-ed]: *(v)* φορτώνω ‖ φορτίζω, γεμίζω ‖ *(n)* φορτίο ‖ φόρτωμα ‖ γέμισμα, φόρτιση
loaf (louf) [-ed]: *(v)* τεμπελιάζω ‖ *(n)* φραντζόλα ‖ **~ er**: *(n)* χασομέρης ‖ παπούτσι παντοφλέ
loam (loum): *(n)* πηλός, λάσπη
loan (loun) [-ed]: *(v)* δανείζω ‖ *(n)* δάνειο ‖ δανεισμός
loath (louth): *(adj)* διστακτικός, ακούσιος ‖ **~e** (louδ) [-d]: *(v)* σιχαίνομαι ‖ **~ing**: *(n)* βδελυγμία ‖ **~some**: *(adj)* βδελυρός, σιχαμερός
lobby (΄ləbi:): *(n)* προθάλαμος, χωλ ‖ **~ist**: *(n)* άνθρωπος των υπουργικών προθαλάμων
lobe (loub): *(n)* λοβός
lobster (΄ləbstər): *(n)* αστακός
loca-l (΄loukəl): *(adj)* τοπικός ‖ **~lity**: *(n)* τοποθεσία, θέση ‖ **~lize** [-d]: *(v)* εντοπίζω ‖ **~te** [-d]: *(v)* εντοπίζω, βρίσκω ‖ **~tion**: *(n)* τοποθεσία
lock (lək) [-ed]: *(v)* κλειδώνω ‖ *(n)* κλειδαριά ‖ βόστρυχος, μπούκλα, "τσουλούφι" ‖ υδατοφράκτης ‖ **~er room**: *(n)* αποδυτήρια ‖ **~ jaw**: *(n)* τέτανος ‖ **~et**: *(n)* μενταγιόν ‖ **~smith**: *(n)* κλειδαράς
locomot-ion (΄loukə΄mouʃən): *(n)* μετακίνηση ‖ **~ive** (΄loukə΄mətiv): *(n)* ατμομηχανή
locust (΄loukəst): *(n)* ακρίδα
lodg-e (΄lədz) [-d]: *(v)* προσφέρω στέγη ‖ μένω, κατοικώ ‖ νοικιάζω, μένω με ενοίκιο ‖ σφηνώνομαι ‖ *(n)* αγροικία ‖ σπιτάκι φύλακα ή επιστάτη ‖ **~er**: *(n)* ένοικος ‖ **~ings**: *(n)* παροχή στέγης
loft (ləft): *(n)* σοφίτα ‖ εξώστης, υπερώο ‖ **~y**: *(adj)* ψηλός ‖ ευγενικού χαρακτήρα και ηθών
log (ləg): *(n)* κούτσουρο ‖ ημερολόγιο πλοίου ή αεροπλάνου ‖ **see logarithm**
logarithm (΄ləgəridəm): *(n)* λογάριθμος
logic (΄lədzik): *(n)* λογική ‖ **~al**: *(adj)* λογικός
loin (loin): *(n)* οσφύς, μέση και γοφοί
loiter (΄loitər) [-ed]: *(v)* χασομερώ, "χαζεύω" ‖ **~er**: *(n)* αλήτης, που γυρίζει εδώ κι' εκεί
loll (ləl) [-ed]: *(v)* τεμπελιάζω
lollipop or lollypop (΄ləli:pəp): *(n)* γλειφιτσούρι
London (΄lʌndən): *(n)* Λονδίνο ‖ **~er**: *(n)* Λοντρέζος
lone (loun): *(adj)* μόνος, μοναχικός ‖ **~liness**: *(n)* μοναξιά ‖ **~ly**: *(adj)* μόνος
long (lə:ŋ): *(adj)* μακρύς ‖ εκτεταμένος ‖ *(adv)* επί μακρόν, για πολύ ‖ [-ed]: *(v)* ποθώ, επιθυμώ, νοσταλγώ ‖ **as ~ as**: εφόσον ‖ **no ~er**: όχι πιά ‖ **in the ~ run**: στο τέλος, τελικά ‖ **~ distance**: υπεραστικό τηλεφ. ‖ **~evity** (lon΄dzevəti): *(n)* μακροζωία ‖ **~ing**: *(n)* νοσταλγία, επιθυμία ‖ **~itude**: *(n)* γεωγρ. μήκος ‖ **~ jump**: *(n)* άλμα εις μήκος ‖ **~ shoreman**: *(n)* λιμενεργάτης
look (lu:k) [-ed]: *(v)* κοιτάζω ‖ αντικρίζω, "βλέπω", έχω θέα προς ‖ *(n)* βλέμμα, ματιά ‖ εμφάνιση, παρουσιαστικό, όψη ‖ **~after**: *(v)* φροντίζω ‖ **~ down on** (or **upon**): *(v)* καταφρονώ, περιφρονώ ‖ **~er on**: *(n)* θεατής ‖ **~ for**: *(v)* αναζητώ ‖ **~ forward to**: *(v)* περιμένω με ανυπομονησία ‖ **~ing glass**: *(n)* καθρέπτης ‖ **~ out**: *(v)* προσέχω ‖ **~-out**: *(n)* σκοπιά ‖ σκοπός ‖ **~ over**: *(v)* εξετάζω πρόχειρα ‖ **~ up to**: *(v)* θαυμάζω ‖ σέβομαι, προσβλέπω με σεβασμό
loom (lu:m) *(n)* [-ed]: *(v)* επικρέμαμαι, προσεγγίζω απειλητικά ‖ *(n)* αργαλειός
loon (lu:n): *(n)* χαζός ‖ τεμπέλης ‖ **~y**: *(adj)* αλλόκοτος ‖ *(n)* τρελός
loop (lu:p): *(n)* θηλειά ‖ [-ed]: *(v)* κάνω ή περνώ με θηλειά ‖ **~hole**: *(n)* πολεμίστρα ‖ διέξοδος, "παράθυρο"

loose (lu:s): *(adj)* ελεύθερος, μη περιορισμένος|| ευρύχωρος || [-d]: *(v)* ελευθερώνω || χαλαρώνω || λύνω || **at ~ends**: χωρίς σχέδια, χωρίς σκοπό || χωρίς κατεύθυνση, σαν χαμένος || **~n** [-ed]: *(v)* λύνω || ξεσφίγγω, χαλαρώνω
loot (lu:t) [-ed]: *(v)* λαφυραγωγώ, λεηλατώ || *(n)* λάφυρα || κλοπιμαία
lop (lɔp) [-ped]: *(v)* κόβω || **~sided**: *(adj)* που γέρνει στο ένα πλευρό || **~e** [-d]: *(v)* καλπάζω
lord (lɔ:rd): *(n)* άρχοντας || λόρδος || αφέντης
lore (lɔ:r): *(n)* γνώση, μάθηση
lorry (΄lɔ:ri): *(n)* φορτηγό
lose (lu:z) [lost, lost]: *(v)* χάνω
loss (lɔ:s): *(n)* απώλεια || ζημία, χασούρα || **at a ~**: σε αμηχανία, ''χαμένος''
lost (lɔ:st): *(adj)* χαμένος || **see lose**
lot (lɔt): *(n)* κλήρος, ''λότος'' || ομάδα σύνολο || οικόπεδο, κτήμα, τεμάχιο γης || **~tery**: *(n)* λαχείο || **cast ~ s, draw ~s**: *(v)* ρίχνω κλήρο, τραβώ κλήρο
loud (laud): *(adj)* ηχηρός || μεγαλόφωνος, φωναχτός || **~ly**: *(adv)* δυνατά, θορυβωδώς || **~speaker**: *(n)* μεγάφωνο
lounge (laundz) [-d]: *(v)* κάθομαι ή στέκομαι ή ξαπλώνω ξένοιαστα και αμέριμνα || περπατώ αμέριμνα και άσκοπα || *(n)* ξένοιαστο πέρασμα της ώρας || αίθουσα αναμονής || προθάλαμος || ντιβάνι
lous-e (laus): *(n)* ψείρα || **~y**: *(adj)* ψειριάρης || βρώμικος, πρόστυχος
lout (laut): *(n)* μπουνταλάς || άξεστος
lovable: see loveable
lov-e (lʌv) [-d]: *(v)* αγαπώ || *(n)* αγάπη || έρωτας || **~ely**: *(adj)* γεμάτος αγάπη || όμορφος, χαριτωμένος || αξιαγάπητος || **~eable**: *(adj)* αξιαγάπητος || **~er**: *(n)* ερωμένος, ερωμένη || **~esick**: *(adj)* απελπισμένος από έρωτα || **fall in ~e**: *(v)* ερωτεύομαι
low (lou): *(adj)* χαμηλός || κατώτερος || ταπεινός, χυδαίος || *(adv)* χαμηλά || κατώτερα || ταπεινά || χαμηλόφωνα || [-ed]: *(v)* μυκώμαι, μουγκρίζω || *(n)* μυκηθμός, μούγκρισμα || **~brow**: *(n)* άνθρωπος ακαλλιέργητος || **~ down**: *(n)* όλα τα στοιχεία, όλη την ιστορία, όλη την περιγραφή || **~er** [-ed]: *(v)* χαμηλώνω || *(adj)* χαμηλότερος || κατώτερος || **~er-case**: *(adj)* μικρά, όχι κεφαλαία || **~est**: *(adj)* ο πιο χαμηλός ή ταπεινός απ' όλους || **~key**: *(adj)* χαμηλής έντασης || **~ly**: *(adj)* ταπεινός || *(adv)* ταπεινά
loyal (΄loiəl): *(adj)* νομοταγής || **~ty**: *(n)* πίστη, αφοσίωση
lozenge (΄lɔzindz): *(n)* παστίλια
lubric-ant (΄lu:brikənt): *(n)* λιπαντικό || **~ate** [-d]: *(v)* λιπαίνω, λαδώνω
lucid (΄lu:sid): *(adj)* σαφής, καθαρός
Lucifer (΄lu:səfər): Σατανάς || *(n)* αυγερινός
luck (lʌk): *(n)* τύχη || **~y**: *(adj)* τυχερός
lucrative (΄lu:krətiv): *(adj)* επικερδής
ludicrous (΄lu:dikrəs): *(adj)* γελοίος
lug (lʌg) [-ged]: *(v)* τραβώ δύσκολα, σέρνω με δυσκολία
luggage (΄lʌgidz): *(n)* αποσκευές
lugubrious (lu΄gu:bri:əs): *(adj)* πένθιμος, θλιβερός
lukeworm (΄lu:kwɔ:rm): *(adj)* χλιαρός
lull (lʌl) [-ed]: *(v)* νανουρίζω || *(n)* ανάπαυλα || γαλήνη || **~aby**: *(n)* νανούρισμα
lumb-ago (lʌm΄beigou): *(n)* οσφυαλγία || **~ar**: *(adj)* οσφυϊκός
lumber (΄lʌmbər): *(n)* ξυλεία|| **~jack**: *(n)* ξυλοκόπος
lumin-ance (΄lu:mənəns): *(n)* φωτεινότητα, λάμψη || **~ous**: *(adj)* φωτεινός
lump (lʌmp): *(n)* όγκος, εξόγκωμα || σβόλος, βόλος, κομμάτι || ομάδα, σύνολο || [-ed]: *(v)* συσσωρεύω || σβολιάζω || **~sum**: *(n)* πληρωμή σε μία δόση, ολόκληρη πληρωμή
luna-cy (΄lu:nəsi:): *(n)* παραφροσύνη, τρέλα || **~tic**: *(n & adj)* παράφρονας, τρελός
lunch (lʌntʃ): *(n)* μεσημεριανό γεύμα || [-ed]: *(v)* γευματίζω || **~eon**: *(n)* γεύμα
lung (lʌŋ): *(n)* πνεύμονας
lunge (lʌndz) [-d]: *(v)* ορμώ ή χτυπώ ξαφνικά και απότομα || *(n)* απότομο ή ξαφνικό χτύπημα ή κίνηση προς τα εμπρός
lurch (lə:rtʃ) [-ed]: *(v)* τρικλίζω || κλυδωνίζομαι || *(n)* τρίκλισμα || κλυδωνισμός

lure (lu:r) [-d]: *(v)* δελεάζω ‖ *(n)* δόλωμα ‖ δελέασμα, παγίδα
lurid (΄lurid): *(adj)* φρικτός, απαίσιος
lurk (lə:rk) [-ed]: *(v)* παραμονεύω, ενεδρεύω
luscious (΄lʌʃəs): *(adj)* εύγευστος ‖ προκλητική, ζουμερή
lush (lʌʃ): *(adj)* πλούσιος σε βλάστηση ‖ πολυτελέστατος
lust (lʌst) [-ed]: *(v)* επιθυμώ σεξουαλικά ‖ εποφθαλμιώ ‖ *(n)* σεξουαλική επιθυμία ‖ σφοδρή επιθυμία ‖ **~ful**: *(adj)* λάγνος
luster (΄lʌstər): *(n)* λάμψη, στιλπνότητα
lusty (΄lʌsti:): *(adj)* δυνατός ‖ σφριγηλός ‖ λάγνος
lute (΄lu:t): *(n)* λαγούτο
luxur-iant (lʌg΄zu:ri:ənt): *(adj)* άφθονος, πλούσιος ‖ **~ious**: *(adj)* πολυτελής ‖ **~y**: (΄lʌgzəri:, ΄lʌkʃəri:): *(n)* πολυτέλεια
lying (΄laiiŋ): *(adj)* ψεύτης ‖ ψευδόμενος ‖ ξαπλωμένος, κείμενος
lynch (lintʃ) [-ed]: *(v)* λιντσάρω
lyre (lair): *(n)* λύρα
lyric (΄lirik): *(adj)* λυρικός ‖ *(n)* λυρικό ποίημα ή τραγούδι ‖ **~ism**: *(n)* λυρισμός (or: lyrism)

M

macabre (mə΄ka:bər): *(adj)* μακάβριος
macaroni (mækə΄rouni:): *(n)* μακαρόνια
macaroon (mækə΄ru:n): *(n)* αμυγδαλωτό
macaw (mə΄kə:): *(n)* παπαγάλος
mace (meis): *(n)* κεφαλοθραύστης, ρόπαλο ‖ μοσχοκάρυδο
machin-ate (΄mæʃineit) [-d]: *(v)* μηχανορραφώ ‖ **~ation**: *(n)* μηχανορραφία ‖ **~e** (mə΄ʃi:n): *(n)* μηχανή ‖ [-d]: *(v)* επεξεργάζομαι ‖ **~e gun**: *(n)* πολυβόλο ‖ **~ery**: *(n)* μηχανισμός ‖ μηχανές, μηχανήματα ‖ **~ist**: *(n)* μηχανοτεχνίτης ‖ μηχανουργός
mackerel (΄mækərəl): *(n)* κολιός
mackintosh (΄mækintəʃ): *(n)* αδιάβροχο
mad (mæd): *(adj)* τρελός ‖ λυσσασμένος ‖ **~den** [-ed]: *(v)* τρελαίνω ‖ **~man**: *(n)* τρελός ‖ **~ness**: *(n)* τρέλα
madam (΄mædəm): *(n)* κυρία
maelstrom (΄meilstrəm): *(n)* κυκλώνας
magazine (΄mægəzi:n): *(n)* αποθήκη, πολεμοφοδίων ‖ θαλάμη όπλου ‖ περιοδικό
maggot (΄mægət): *(n)* σκουλήκι
magi (΄meidzai): *(n)* οι Μάγοι ‖ **~c** (΄mædzik): *(n)* μαγεία ‖ *(adj)* μαγικός ‖ **~cal**: *(adj)* μαγικός ‖ **~cian** (mə΄dziʃən): *(n)* μάγος ‖ ταχυδακτυλουργός
magistrate (΄mædzistreit): *(n)* ειρηνοδίκης ‖ δικαστικός
magnanim-ity (mægnə΄nimiti:): *(n)* μεγαλοψυχία ‖ **~ous**: *(adj)* μεγαλόψυχος
magnate (΄mægneit): *(n)* μεγιστάνας
magnet (΄mægnit): *(n)* μαγνήτης ‖ **~ic**: *(adj)* μαγνητικός ‖ **~ism**: *(n)* μαγνητισμός
magnif-ication (mægnifi΄keiʃən): *(n)* μεγέθυνση ‖ **~icence** (mæ΄gnifisəns): *(n)* μεγαλοπρέπεια ‖ **~icent**: *(adj)* μεγαλοπρεπής ‖ **~ier**: *(n)* μεγεθυντικός φακός ‖ **~y** (΄mægnifai) [-ied]: *(v)* μεγεθύνω ‖ **~ying glass**: *(n)* μεγεθυντικός φακός
magnitude (΄mægnitu:d): *(n)* μέγεθος ‖ σπουδαιότητα
magnolia (mæg΄nouljə): *(n)* μανόλια
magpie (΄mægpai): *(n)* κίσσα, ''καρακάξα''
mahara-jah (ma:hə΄ra:dza): *(n)* μαχαραγιάς ‖ **~ni**: *(n)* μαχαρανή
mahogany (mə΄həgəni:): *(n)* μαόνι
maid (meid): *(n)* κοπέλα, κορίτσι ‖ υπηρέτρια ‖ **~en**: *(n)* κοπέλα ‖ *(adj)* παρθενικός ‖ **~enhair**: *(n)* φτέρη ‖ **~en name**: *(n)* οικογενει-

ακό όνομα
mail (meil): *(n)* ταχυδρομείο || *(adj)* ταχυδρομικός || [-ed]: *(v)* ταχυδρομώ || **~box**: *(n)* γραμματοκιβώτιο|| **~ carrier, ~man**: *(n)* ταχυδρόμος
maim (meim) [-ed]: *(v)* ακρωτηριάζω
main (mein): *(adj)* κύριος, κυριότερος || κεντρικός αγωγός
maintain (mein´tein) [-ed]: *(v)* διατηρώ || συντηρώ || υποστηρίζω
maintenance (´meintənəns): *(n)* συντήρηση || διατήρηση || υποστήριξη
maize (meiz): *(n)* καλαμπόκι
majest-ic (mə´dzestik), **~ical**: *(adj)* μεγαλοπρεπής, μεγαλειώδης || **~y** (´mædzisti:): *(n)* μεγαλείο || **M~y**: *(n)* μεγαλειότητα (τίτλος)
major (´meidzər): *(adj)* σπουδαιότερος, ανώτερος || πανεπιστημιακός κλάδος, ειδίκευση || *(n)* ταγματάρχης || επισμηναγός || **~ general**: *(n)* υποστράτηγος || υποπτέραρχος || **~ity** (mə´dzə:riti:): *(n)* πλειοψηφία || πλειονότητα
make (meik) [made, made]: *(v)* κάνω || *(n)* κατασκευή, φτιάσιμο || **~a face**: *(v)* κάνω γκριμάτσες || **~ believe**: *(v)* προσποιούμαι, υποκρίνομαι || **~ do**: *(v)* τα καταφέρνω, αρκούμαι || **~ eyes**: *(v)* κάνω γλυκά μάτια, γλυκοκοιτάζω || **~ good**: *(v)* πετυχαίνω || **~ shift**: *(n)* αυτοσχέδιο, πρόχειρο || **~ up**: *(v)* βάζω μακιγιάζ || *(n)* μακιγιάζ || *(v)* συμφιλιώνομαι
maladjusted (´mælə´dzʌstid): *(adj)* απροσάρμοστος
mal-ady (´mælədi:): *(n)* ασθένεια || **~aise** (mæ´leiz): *(n)* αδιαθεσία || **~aria** (mə´leəri:ə): *(n)* ελονοσία
malcontent (´mælkəntent): *(adj)* δυσαρεστημένος
male (meil): *(adj)* αρσενικός || *(n)* άρρην
male-diction (´mælə´dikʃən): *(n)* κατάρα || **~volence** (mə´levələns): *(n)* κακία || **~volent**: *(adj)* κακός || κακόβουλος
malform-ation (mælfə:r´meiʃən): *(n)* δυσμορφία
malfunction (mæl´fuŋkʃən) [-ed]: *(v)* λειτουργώ ελαττωματικά || *(n)* ελαττωματική λειτουργία
malic-e (´mælis): *(n)* κακία || κακεντρέχεια || **~ious**: *(adj)* κακός, κακεντρεχής || **~iousness**: *(n)* κακεντρέχεια
malign (mə´lain) [-ed]: *(v)* κακολογώ || *(adj)* κακός, κακόβουλος || **~ancy** (mə´lignənsi): *(n)* κακοήθεια || **~ant**: *(adj)* κακοήθης
malleable (´mæli:əbəl): *(adj)* ελατός, ευκολόπλαστος
mallet (´mælit): *(n)* ξύλινο σφυρί
malnutrition (mælnu:´triʃən): *(n)* υποσιτισμός
malpractice (mæl´præktis): *(n)* κατάχρηση εξουσίας || κακή θεραπεία
malt (mə:lt): *(n)* ψημένο κριθάρι ζυθοποιΐας, βύνη
maltreat (mæl´tri:t) [-ed]: *(v)* κακομεταχειρίζομαι
mammal (´mæməl): *(n)* μαστοφόρο ζώο, θηλαστικό
mammoth (´mæməth): *(n)* μαμούθ || *(adj)* πελώριος
mammy (´mæmi:): *(n)* μαμάκα
man (mæn): *(n)* άντρας || άνθρωπος || [-ned]: *(v)* επανδρώνω
manacle (´mænəkəl): *(n)* χειροπέδη || δεσμά || [-d]: *(v)* δένω, αλυσοδένω
manage (´mænidz) [-d]: *(v)* διευθύνω || χειρίζομαι, διαχειρίζομαι || καταφέρνω || **~able**: *(adj)* ευκολοκατάφερτος || **~ment**: *(n)* διεύθυνση, διοίκηση || χειρισμός || **~r**: *(n)* διαχειριστής || διευθυντής
mandarin (´mændərin): *(n)* μανδαρίνος || **~orange**: μανταρίνι
mandat-e (´mændeit): *(n)* εντολή || **~ory**: *(adj)* υποχρεωτικός || επιτακτικός
mandolin (´mændəlin): *(n)* μαντολίνο
mane (mein): *(n)* χαίτη
maneuver, manoeuvre (mə´nu:vər): *(n)* ελιγμός, ''μανούβρα'' || [-ed]: *(v)* ελίσσομαι, ''μανουβράρω''
manful (´mænfəl): *(adj)* ανδροπρεπής || γενναίος
mange (´meindz): *(n)* ψώρα
manger (´meindzər): *(n)* φάτνη
mangle (´mæŋgəl) [-d]: *(v)* πετσοκόβω, κομματιάζω
mango (´mæŋgou): *(n)* μάγκο
mangy (´meindzi:): *(adj)* ψωραλέος, ψωριάρης
manhandle (mæn´hændəl) [-d]: *(v)* κακομεταχειρίζομαι, φέρνομαι άγρια || χειρίζομαι
manhole (´mænhoul): *(n)* στόμιο

υπονόμου || φρεάτιο εισόδου ή ελέγχου
manhood ('mænhud): *(n)* ανδρική ηλικία || ανδροπρέπεια
man-hour ('mænauər): *(n)* ωριαία εργασία κατ' άτομο
manhunt ('mænhʌnt): *(n)* ανθρωποκυνηγητό
mania ('meiniə): *(n)* μανία || **~c**: *(n)* μανιακός
manicure ('mænikju:r): *(n)* μανικιούρ
manifest ('mænəfest) [-ed]: *(v)* επιδεικνύω || εκδηλώνω || *(adj)* έκδηλος, φανερός || **~ation**: *(n)* εκδήλωση, φανέρωμα, παρουσία || **~o**: *(n)* διακήρυξη, "μανιφέστο"
manipulat-e (mə'nipjəleit) [-d]: *(v)* χειρίζομαι || **~ion**: *(n)* χειρισμός
mankind ('mænkaind): *(n)* ανθρωπότητα
manl-iness ('mænlinis): *(n)* ανδροπρέπεια, ανδρισμός || **~y**: *(adj)* ανδροπρεπής
mannequin ('mænikin): *(n)* κούκλα ράφτη ή μοδίστρας ή καταστήματος || μοντέλο
manner ('mænər): *(n)* τρόπος || **~s**: καλοί τρόποι, συμπεριφορά || **~ism**: *(n)* ιδιαίτερη συμπεριφορά, τρόπος || ιδιορρυθμία
manoeuvre: see maneuver
man-of-war ('mænə'wər): *(n)* πολεμικό πλοίο
manor ('mænər): *(n)* φέουδο, "τσιφλίκι" || μέγαρο, "αρχοντικό"
manpower ('mænpauər): *(n)* ανδρικό δυναμικό
manservant ('mænsə:rvənt): *(n)* υπηρέτης
mansion ('mænʃən): *(n)* μέγαρο
manslaughter (mæn'slə:tər): *(n)* ανθρωποκτονία
mantel ('mæntəl), **~piece**: *(n)* γείσωμα τζακιού
mantle ('mæntəl): *(n)* μανδύας
manual ('mænju:əl): *(adj)* χειροκίνητος || *(n)* εγχειρίδιο
manufacture (mænjə'fæktʃər) [-d]: *(v)* κατασκευάζω βιομηχανικά ή μηχανικά || *(n)* βιομηχανική κατασκευή || βιομηχανία || **~r**: *(n)* βιομήχανος || εργοστασιάρχης
manure (mə'nu:r): *(n)* κοπριά
manuscript ('mænjəskript): *(n)* χειρόγραφο
many ('mæni): *(adj)* πολλοί
map (mæp): *(n)* χάρτης || [-ped]: *(v)* χαρτογραφώ
maple ('meipəl): *(n)* σφένδαμος
mar (ma:r) [-red]: *(v)* χαλάω, καταστρέφω εμφάνιση || *(n)* κηλίδα
marathon ('mærəthən): *(n)* μαραθώνιος
maraud (mə'rə:d) [-ed]: *(v)* κάνω επιδρομή || **~er**: *(n)* επιδρομέας, "πλιατσικολόγος"
marble ('ma:rbəl): *(n)* μάρμαρο || βόλος, "κοϊνάκι"
march (ma:rtʃ) [-ed]: *(v)* βαδίζω στρατιωτικά || *(n)* στρατιωτικό βάδισμα || εμβατήριο
March (ma:rtʃ): *(n)* Μάρτιος
mare (meər): *(n)* φοράδα
margarin ('ma:rdzərin), **~e**: *(n)* μαργαρίνη
margin ('ma:rdzən): *(n)* περιθώριο
marigold ('mærəgould): *(n)* χρυσάνθεμο
mari-juana, ~huana (mærə'wa:nə): *(n)* μαριχουάνα
marina (mə'ri:nə): *(n)* αγκυροβόλιο, "μαρίνα"
marine (mə'ri:n): *(adj)* ναυτικός || *(n)* ναυτικό || πεζοναύτης || **~r**: *(n)* ναυτικός
marionette ('mæri:ə'net): *(n)* ανδρείκελο, "μαριονέτα"
marital ('mærətəl): *(adj)* γαμήλιος || συζυγικός
maritime ('mærətaim): *(adj)* ναυτικός || θαλάσσιος
marjoram ('ma:rdzərəm): *(n)* μαντζουράνα
mark (ma:rk): *(n)* σημάδι || σημείο || βαθμός || στόχος || [-ed]: *(v)* σημαδεύω || δείχνω, φανερώνω || βαθμολογώ || *(n)* μάρκο || **~edly**: *(adv)* έντονα, φανερά || **~er**: *(n)* δείκτης || μαρκαδόρος
market ('ma:rkit): *(n)* αγορά || [-ed]: *(v)* προσφέρω για πώληση
marksman ('ma:rksmən): *(n)* σκοπευτής
marmalade ('ma:rməleid): *(n)* μαρμελάδα
maroon (mə'ru:n) [-ed]: *(v)* εγκαταλείπω σε ερημιά
marquee (ma:r'ki:): *(n)* τέντα || στέγασμα εισόδου, "μαρκίζα"
marquis, marquess ('ma:rkwis): *(n)* μαρκήσιος

marr-iage (΄mæridz): *(n)* γάμος ‖ **~ied**: *(n)* έγγαμος ‖ **get ~ied**: *(v)* παντρεύομαι
marrow (΄mærou): *(n)* μεδούλι
marry (΄mæri) [-ied]: *(v)* παντρεύω ‖ παντρεύομαι
Mars (΄ma:rz): *(n)* Άρης
marsh (ma:rʃ): *(n)* έλος, βαλτότοπος
marshal (΄ma:rʃəl): *(n)* αρχηγός αστυνομίας ή πυροσβ. υπηρεσίας ‖ [-ed]: *(v)* συγκεντρώνω, παρατάσσω
martial (΄ma:rʃəl): *(adj)* πολεμικός ‖ στρατιωτικός ‖ **court ~**: στρατοδικείο ‖ *(v)* δικάζω σε στρατοδικείο ‖ **~ law**: *(n)* στρατ. νόμος
martyr (΄ma:rtər): *(n)* μάρτυρας ‖ [-ed]: *(v)* μαρτυρώ ‖ **~dom**: *(n)* μαρτύριο
marvel (΄ma:rvəl): *(n)* θαύμα ‖ [-ed]: *(v)* θαυμάζω ‖ απορώ ‖ **~ous**: *(adj)* θαυμάσιος
Marx-ism (΄ma:rksizəm): *(n)* Μαρξισμός ‖ **~ist**: *(n)* μαρξιστής
mascara (mæs΄kærə): *(n)* φτιασίδι, ''μάσκαρα''
mascot (΄mæskət): *(n)* μασκότ
masculine (΄mæskjəlin): *(adj)* αρσενικός
mash (meʃ) [-ed]: *(v)* κάνω πολτό ‖ *(n)* πολτός ‖ **~ed potatoes**: *(n)* πουρές ‖ **~er**: *(n)* χτυπητήρι
mask (mæsk): *(n)* μάσκα ‖ προσωπείο, ψεύτικη εμφάνιση ‖ [-ed]: *(v)* σκεπάζω, κρύβω
mason (΄meisən): *(n)* τέκτονας, κτίστης ‖ μασόνος ‖ **~ry**: *(n)* λιθοδομή
masquerade (΄mæskəreid): *(n)* μεταμφίεση ‖ [-d]: *(v)* μεταμφιέζομαι ‖ παριστάνω
mass (mæs): *(n)* μάζα ‖ πλήθος, μάζα ‖ [-ed]: *(v)* σχηματίζω μάζα ‖ μαζεύω, συγκεντρώνω ‖ **~ive**: *(adj)* ογκώδης
massacre (΄mæsəkər) [-d]: *(v)* σφαγιάζω ‖ *(n)* σφαγή
massage (mə΄sa:z): *(n)* μάλαξη, ''μασάζ'' ‖ [-d]: *(v)* μαλάζω, κάνω ''μασάζ''
masseur (mæ΄sə:r): *(n)* ''μασέρ''
mast (mæst): *(n)* κατάρτι, ιστός
master (΄mæstər): *(n)* κύριος, αφέντης ‖ κυβερνήτης εμπορ. πλοίου ‖ καλός τεχνίτης, ''μάστορας'' ‖ [-ed]: *(v)* κατανοώ, μαθαίνω τέλεια ‖ **~ful**: *(adj)* αυταρχικός, δεσποτικός ‖ ειδικός, αριστοτέχνης ‖ **~key**: *(n)* γενικό κλειδί, αντικλείδι ‖ **~mind** [-ed]: *(v)* συλλαμβάνω και διευθύνω σχέδιο ‖ *(n)* ο ιθύνων νους του σχεδίου ‖ **~piece**: *(n)* αριστούργημα ‖ **~stroke**: *(n)* αριστοτεχνικός χειρισμός
mastic (΄mæstic): *(n)* μαστίχα ‖ **~ate** [-d]: *(v)* μασώ
masturbat-e (΄mæstərbeit) [-d]: *(v)* αυνανίζομαι ‖ **~ion**: *(n)* αυνανισμός, μαλακία
mat (mæt): ψάθα ‖ μαντιλάκι τραπεζιού, μικρό τραπεζομάντιλο‖ [-ted]: *(v)* μπερδεύω, μπλέκω
match (mætʃ): *(n)* ταίρι, πανομοιότυπο ‖ ισοδύναμος ‖ αθλητική συνάντηση, ''ματς'' ‖ συνοικέσιο ‖ σπίρτο ‖ [-ed]: *(v)* ταιριάζω ‖ είμαι ίσος ή ισοδύναμος ‖ βάζω σε συναγωνισμό ‖ **~book, ~box**: *(n)* σπιρτοκούτι ‖ **~less**: *(adj)* απαράμιλλος ‖ **~maker**: *(n)* προξενητής, προξενήτρα
mate (meit): *(n)* σύντροφος, ταίρι ‖ ανθυποπλοίαρχος ή υποπλοίαρχος εμπορ. ναυτικού ‖ ''ματ'' σκακιού ‖ [-d]: *(v)* ζευγαρώνω ‖ ζευγαρώνομαι
material (mə΄tiəri:əl): *(n)* υλικό ‖ ύλη, ουσία ‖ *(adj)* υλικός ‖ ουσιώδης ‖ **~ize** [-d]: *(v)* υλοποιούμαι ‖ γίνομαι, πραγματοποιούμαι
matern-al (mə΄tə:rnəl): *(adj)* μητρικός ‖ **~ity**: *(n)* μητρότητα
maths (mæths): see mathematics
mathemat-ical (mæthə΄mætikəl), **~ic**: *(adj)* μαθηματικός ‖ **~ically**: *(adv)* μαθηματικά ‖ **~ician** (mæthəmə΄tiʃən): *(n)* μαθηματικός ‖ **~ics**: *(n)* μαθηματικά
matri-archal (meitri:΄a:rkəl): *(adj)* μητριαρχικός ‖ **~mony** (΄mætrə mouni:): *(n)* γάμοςι
matron (΄meitrən): *(n)* παντρεμένη γυναίκα, κυρία ‖ προϊσταμένη ιδρύματος
matter (΄mætər): *(n)* ύλη ‖ ουσία ‖ θέμα ‖ απόρριμμα οργανισμού, πύο ή ακαθαρσία ‖ [-ed]: *(v)* έχω σπουδαιότητα ή σημασία
mattress (΄mætris): *(n)* στρώμα
matur-ate (΄mætʃu:reit) [-d]: *(v)* εμπυάζω, μαζεύω πύο ‖ **~e**

(məˊtju:r): *(adj)* ώριμος || [-d]: *(v)* ωριμάζω || **~ity**: *(n)* ωρίμανση
maul (ˊmɔ:l): *(n)* μεγάλο σφυρί, ''βαριά'' || [-ed]: *(v)* ''κοπανάω''
mausoleum (mɔ:səˊli:əm): *(n)* μαυσωλείο
mawkish (ˊmɔ:kiʃ): *(adj)* ψευτοευαίσθητος, αηδιαστικά διαχυτικός
maxim (ˊmæksim): *(n)* γνωμικό, ρητό
maxim-al (ˊmæksəməl): *(adj)* μέγιστος || **~um** (ˊmæksəməm): *(n)* μέγιστον, ''μάξιμουμ''
may (mei) [might]: *(v)* μπορώ || ενδέχομαι, μπορεί να, ίσως να || μου επιτρέπεται να || **~be**: *(adv)* ίσως, μπορεί
May (mei): *(n)* Μάϊος || **~ Day**: *(n)* Πρωτομαγιά
mayonnaise (meiəˊneiz): *(n)* μαγιονέζα
mayor (ˊmeiər): *(n)* δήμαρχος
maze (meiz): *(n)* λαβύρινθος || κυκεώνας, ανακάτεμα
me (mi:): *(pron)* εμένα, σ' εμένα
mead (mi:d): *(n)* υδρόμελι, ''σερμπέτι''
meadow (ˊmedou): *(n)* λιβάδι
meager, meagre (ˊmi:gər): *(adj)* ισχνός, αδύνατος || πενιχρός
meal (mi:l): *(n)* || αλεύρι, τρίμμα || γεύμα, φαγητό
mean (mi:n) [meant, meant]: *(v)* σημαίνω, εννοώ || *(adj)* κατώτερος, ταπεινός || χυδαίος || τσιγκούνης || κακόψυχος, κακός || κακοδιάθετος *(id)* || δύσκολος || μέσος, μεσαίος || **~ing**: *(n)* σημασία, έννοια || σκοπός, πρόθεση || **~ingful**: *(adj)* γεμάτος σημασία || σημαντικός || **~ingless**: *(adj)* χωρίς σημασία ή νόημα
meander (mi:ˊændər) [-ed]: *(v)* σχηματίζω μαιάνδρους
meant: see mean
mean-time (ˊmi:ntaim), **~ while** (ˊmi:nwail): *(adj)* στο μεταξύ
measles (ˊmi:zəlz): *(n)* ιλαρά
measly (ˊmi:zli:): *(adj)* πενιχρός, ασήμαντος *(id)*
measur-able (ˊmezərəbəl): *(adj)* μετρητός || **~e** (ˊmezər) [-d]: *(v)* μετρώ || *(n)* μέτρο, ''μεζούρα'' || νόμος, μέτρο || **for good ~e**: λίγο ακόμη για καλό και για κακό|| **~ement**: *(n)* μέτρηση
meat (mi:t): *(n)* σάρκα, κρέας || **~ball**: *(n)* κεφτές
mechan-ic (miˊkænik): *(n)* μηχανοτεχνίτης || **~ical**: *(adj)* μηχανικός || **~ical engineer**: *(n)* μηχανολόγος || **~ics**: *(n)* μηχανική || **~ism** (ˊmekənizəm): *(n)* μηχανισμός
medal (ˊmedl): *(n)* μετάλλιο || **~ist**: *(n)* κατασκευαστής μεταλλίων || κάτοχος μεταλλίου || **~lion** (məˊdæljən): *(n)* μεγάλο αρχαίο Ελληνικό νόμισμα || μενταγιόν
meddle (ˊmedl) [-d]: *(v)* ανακατεύομαι σε ξένες υποθέσεις || **~r** *(n)*, **~some** *(adj)*: ανακατωσούρης
media-cy (ˊmi:di:əsi): *(n)* μεσολάβηση || **~te** [-d]: *(v)* μεσολαβώ || **~tor**: *(n)* μεσολαβητής
medic (ˊmedik): *(n)* γιατρός *(id)* || **~al**: *(adj)* ιατρικός || **~ation**: *(n)* φάρμακο || ιατρική περίθαλψη || **~inal** (məˊdisənəl): *(adj)* φαρμακευτικός || θεραπευτικός || **~ine** (ˊmedəsən): *(n)* ιατρική || φάρμακο
medieval, mediaeval (mi:ˊdi:vəl): *(adj)* μεσαιωνικός
mediocr-e (mi:di:ˊoukər): *(adj)* μέσος, μέτριος || **~ity**: *(n)* μετριότητα
meditat-e (ˊmedəteit) [-d]: *(v)* συλλογίζομαι || μελετώ, σχεδιάζω
mediterranean (medətəˊreini:ən): *(adj)* μεσόγειος
medium (ˊmi:di:əm): *(n)* μέσο || ενδιάμεσο, ''μέντιουμ'' || *(adj)* μέτριος
medley (ˊmedli:): *(n)* ανακάτωμα, κυκεώνας
meek (mi:k): *(adj)* πράος, μαλακός
meet (mi:t) [met, met]: *(v)* συναντώ || συνέρχομαι, συνεδριάζω || **~ing**: *(n)* συνάντηση || συνέλευση, συνεδρίαση
megaphone (ˊmegəfoun): *(n)* μεγάφωνο
melanchol-ia (melənˊkouli:ə): *(n)* μελαγχολία || **~ic**: *(adj)* μελαγχολικός || **~y** (ˊmelənkəli:): *(n)* μελαγχολία || *(adj)* μελαγχολικός
mellow (ˊmelou): *(adj)* ζουμερός και εύγευστος || μαλακός, γλυκός || [-ed]: *(v)* ωριμάζω
melod-ious (məˊloudi:əs): *(adj)* μελωδικός || **~y** (ˊmelədi:): *(n)* μελωδία
melodrama (ˊmeləˊdra:mə): *(n)* μελόδραμα || **~tic**: *(adj)* μελοδραμα-

τικός

melon (´mələn): *(n)* πεπόνι ‖ καρπούζι (και **water~**)

melt (melt) [-ed]: *(v)* τήκω, λιώνω ‖ ~ **away**: *(v)* σβήνω, διαλύομαι ‖ ~ **into**: *(v)* σβήνω, ανακατεύομαι με άλλο ‖ ~**ing point**: σημείο τήξης

member (´membər): *(n)* μέλος ‖ ~**ship**: *(n)* σύνολο των μελών

membrane (´membrein): *(n)* μεμβράνη

memento (mə´mentou): *(n)* ενθύμιο ‖ υπενθύμιση

memo (´memou): *(n)* υπόμνημα ‖ ~**ir** (´memwa:r): *(n)* θύμηση, ανάμνηση γεγονότος ή περιγραφή ‖ ~**s**: *(n)* απομνημονεύματα ‖ ~**rable** (´memərəbəl): *(adj)* αξιομνημόνευτος ‖ ~**randum** (memə´rændəm): *(n)* υπόμνημα ‖ ~**rial** (mə´mə:ri:əl): *(n)* μνημείο ‖ *(adj)* αναμνηστικός ‖ ~**rize** [-d]: *(v)* απομνημονεύω, αποστηθίζω ‖ ~**ry** (´meməri:): *(n)* μνήμη ‖ ανάμνηση

men: pl. of man (see)

menac-e (´menis): *(n)* απειλή ‖ [-d]: *(v)* απειλώ

mend (mend) [-ed]: *(v)* διορθώνω, επιδιορθώνω ‖ καλυτερεύω ‖ *(n)* επιδιόρθωση, επισκευή

menial (´mi:ni:əl): *(adj)* χειρωνακτικός ‖ δουλικός

meningitis (menin´dzaitis): *(n)* μηνιγγίτιδα

men-opause (´menəpə:z): *(n)* εμμηνόπαυση ‖ ~**ses**: *(n)* έμμηνα ‖ ~**strual**: *(adj)* έμμηνος ‖ ~**struation**: *(n)* έμμηνα

mental (´mentəl): *(adj)* πνευματικός, διανοητικός ‖ νοερός ‖ ~**ity** (men´tæləti:): *(n)* νοοτροπία ‖ διανοητική ικανότητα

mention (´menʃən) [-ed]: *(v)* αναφέρω ‖ *(n)* μνεία

menu (´menju:): *(n)* τιμοκατάλογος φαγητών, μενού

mercantile (´mə:rkənti:l, ´mə:rkəntail): *(adj)* εμπορικός

mercenary (´mə:rsəneri:): *(n)* μισθοφόρος ‖ που αγοράζεται με χρήματα, πουλημένος

merchan-dise (´mə:rtʃəndaiz): *(n)* εμπόρευμα ‖ [-d]: *(v)* ~**t**: *(n)* έμπορος ‖ *(adj)* εμπορικός ‖ ~**t marine**: *(n)* εμπορικό ναυτικό ‖ ~**tman**: *(n)* εμπορικό πλοίο

merci-ful (´mə:rsifəl): *(adj)* ευσπλαχνικός, φιλεύσπλαχνος ‖ ~**less**: *(adj)* άσπλαχνος, ανήλεος

mercur-ial (mər´kju:ri:əl): *(adj)* υδραργυρικός ‖ ευμετάβλητος, άστατος ‖ ~**y**: *(n)* υδράργυρος

mercy (´mə:rsi:): *(n)* έλεος, ευσπλαχνία ‖ ~ **killing**: *(n)* ευθανασία

mere (miər): *(adj)* απλός ‖ ~**ly**: *(adv)* απλά, μόνο

merge (´mə:rdz) [-d]: *(v)* συγχωνεύω, απορροφώ ‖ συγχωνεύομαι ‖ ~**r**: *(n)* συγχώνευση εταιρειών

meridian (mə´ridi:ən): *(n)* μεσημβρινός ‖ κολοφώνας, ζενίθ

meringue (mə´ræŋg): *(n)* "σαντιγί", "μαρέγκα"

merit (´merit): *(n)* αξία ‖ προσόν, αρετή ‖ [-ed]: *(v)* αξίζω, μου πρέπει ‖ ~**ocracy**: *(n)* αξιοκρατία ‖ ~**orious**: *(adj)* άξιος ‖ ~ **system**: *(n)* σύστημα προαγωγής κατ' εκλογήν

mermaid (´mə:rmeid): *(n)* γοργόνα

mer-rily (´merili): *(adv)* εύθυμα, χαρωπά ‖ ~**riment**: *(n)* ευθυμία, χαρά ‖ ~**ry**: *(adj)* εύθυμος, χαρούμενος, κεφάτος ‖ ~**ry-go-round**: *(n)* κούνιες του "λούνα παρκ" ‖ ~**ry making**: *(n)* διασκέδαση ‖ ~**ry Christmas**: χαρούμενα Χριστούγεννα

mesa (´meisə): *(n)* οροπέδιο ‖ υψίπεδο

mesh (meʃ): *(n)* πλέγμα ‖ θηλιά δικτύου ‖ πλόκαμος, παγίδα ‖ [-ed] *(v)* μπερδεύω ‖ παγιδεύω ‖ εμπλέκω ‖ μπερδεύομαι ‖ ~ **work**: *(n)* δικτυωτό, πλέγμα

mesmer-ism (´mezmərizəm): *(n)* υπνωτισμός ‖ προσωπικός μαγνητισμός ‖ ~**ize** [-d]: *(v)* υπνωτίζω "μαγνητίζω"

mess (mes): *(n)* ανακατωσούρα ανακάτωμα ‖ χάος, κυκεώνας αηδία, αηδιαστικό κατασκεύασμα ‖ λέσχη στρατιωτικών ‖ [-ed]: *(v)* ανακατεύω, κάνω άνω-κάτω ‖ ανακατεύομαι ‖ ~ **about**, ~ **around**: *(v)* χαζοδουλεύω, ψευτοδουλεύω, καταπιάνομαι ‖ ~ **up** *(v)* τα κάνω θάλασσα ‖ κακομεταχειρίζομαι ‖ ~**y**: *(adj)* ανάκατος ακατάστατος

mess-age (´mesidz): *(n)* είδηση, μη

νυμα ‖ ~**enger**: *(n)* αγγελιοφόρος
Messiah (mə΄saiə): *(n)* Μεσσίας
met: see meet
metabolism (mə΄tæbəlizəm): *(n)* μεταβολισμός
metal (΄metl): *(n)* μέταλλο ‖ [-ed]: *(v)* σκυροστρώνω ‖ ~**lic**: *(adj)* μεταλλικός ‖ ~**lurgy**: *(n)* μεταλλουργία ‖ ~**work**: *(n)* μετάλλινη κατασκευή
metamorphos-e (metə΄mɔ:rfɔ:z) [-d]: *(v)* μεταμορφώνω ‖ ~**is**: *(n)* μεταμόρφωση
metaphor (΄metəfɔ:r): *(n)* μεταφορά, μεταφορικό σχήμα ‖ ~**ical**: *(adj)* μεταφορικός
metaphysics (metə΄fiziks): *(n)* μεταφυσική
metastasis (mə΄tæstəsis): *(n)* μετάσταση
mete (΄mi:t) [-d]: *(v)* διαμοιράζω, διανέμω ‖ *(n)* όριο
meteor (΄mi:ti:ər): *(n)* μετέωρο ‖ ~**ic**: *(adj)* μετεωρικός, που ανέρχεται απότομα σε ακμή ‖ ~**ite**: *(n)* μετεωρίτης ‖ ~**ology**: *(n)* μετεωρολογία
meter, metre (΄mi:tər): *(n)* μέτρο ‖ μετρητής ‖ [-ed]: *(v)* μετρώ
methinks (mithiŋks) [methought]: *(v)* μου φαίνεται, νομίζω
method (΄methəd): *(n)* μέθοδος ‖ ~**ical**: *(adj)* μεθοδικός ‖ **M~ist**: *(n)* Μεθοδιστής ‖ ~**ize** [-d]: *(v)* συστηματοποιώ, μεθοδοποιώ ‖ ~**ology**: *(n)* μεθοδολογία
methought: see methinks
meticulous (mə΄tikjələs): *(adj)* λεπτολόγος
me΄tier (mei΄tjei): *(n)* πεδίο δράσης ή δραστηριότητας
metonymy (mə΄tənəmi:): *(n)* μετωνυμία
metre: see meter
metric (΄metrik), ~**al**: *(adj)* μετρικός, του δεκαδικού συστήματος
metro (΄metrou): *(n)* μητροπολιτικό σύστημα συγκοινωνιών ‖ ~**nome**: *(n)* μετρονόμος ‖ ~**polis** (mə΄tropəlis): *(n)* μητρόπολη ‖ μεγαλούπολη
mettle (΄metl): *(n)* θάρρος, καρτερία ‖ ~**some**: *(adj)* θαρραλέος, καρτερικός
mew (mju:) [-ed]: *(v)* νιαουρίζω, κάνω ''νιάου-νιάου'' ‖ *(n)* νιαούρισμα ‖ ~ [-ed]: *(v)* κλαψουρίζω
mews (mju:z): *(n)* πάροδος κατοικημένη
Mexic-an (΄meksikən): *(n)* Μεξικανός ‖ Μεξικανική γλώσσα ‖ ~**o**: *(n)* Μεξικό
mezzanine (΄mezəni:n): *(n)* μεσόφορος, μεσοπάτωμα
miasma (mai΄æzmə): *(n)* μίασμα
mice: pl. of mouse (see)
mick (mik): *(n)* Ιρλανδέζος
Mickey Finn (΄miki:΄fin): *(n)* ναρκωτικό
microbe (΄maikroub): *(n)* μικρόβιο
micro-cosm (΄maikrəkəzəm): *(n)* μικρόκοσμος ‖ ~**film**: *(n)* μικροφίλμ ‖ ~**n**: *(n)* μικρόν (1/1000000 του μέτρου) ‖ ~**organism**: *(n)* μικροοργανισμός ‖ ~**phone**: *(n)* μικρόφωνο ‖ ~**scope**: *(n)* μικροσκόπιο ‖ ~**scopic**: *(adj)* μικροσκοπικός ‖ ~**wave**: *(n)* μικροκύμα
mid (mid): *(adj)* μέσος, μεσαίος ‖ ~**day**: *(n)* μεσημέρι ‖ ~**dle** (΄midl): *(n)* μέσο ‖ *(adj)* μέσος ‖ ~**dleman**: *(n)* μεσάζοντας ‖ μεταπράτης ‖ ~**get** (΄midzit): *(n)* νάνος ‖ μικρόσωμος ‖ ~**night**: *(n)* μεσάνυχτα ‖ ~**st**: *(n)* το μέσο ‖ ~**wife**: *(n)* μαία, μαμή
might (mait): see may ‖ *(n)* δύναμη, ισχύς ‖ ~**y**: *(adj)* ισχυρός, δυνατός
migraine (΄maigrein): *(n)* ημικρανία
migr-ant (΄maigrənt): *(n & adj)* αποδημητικός ‖ ~**ate** [-d]: *(v)* αποδημώ ‖ μεταναστεύω ‖ ~**ation**: *(n)* αποδημία, μετανάστευση ‖ ~**atory**: *(adj)* αποδημητικός
mike (maik): *(n)* μικρόφωνο
mild (maild): *(adj)* ήπιος, μαλακός
mildew (΄mildju:): *(n)* μούχλα
mile (mail): *(n)* μίλι ‖ ~**age**: *(n)* απόσταση σε μίλια ‖ ~**post**: *(n)* χιλιομ. δείκτης ‖ ~**stone**: *(n)* χιλιομ. δείκτης ‖ σταθμός, ορόσημο
milit-ant (΄milətənt): *(adj)* μαχητικός, πολεμικός ‖ ~**arism** (΄milətərizəm): *(n)* στρατοκρατία, ''μιλιταρισμός'' ‖ ~**arist**: *(n)* μιλιταριστής ‖ ~**ary** (΄miləteri:): *(adv)* στρατιωτικός
milk (milk): *(n)* γάλα ‖ [-ed]: *(v)* αρμέγω ‖ ~**man**: *(n)* γαλατάς
mill (mil): *(n)* μύλος ‖ εργοστάσιο ‖ [-ed]: *(v)* αλέθω ‖ κατασκευάζω σε εργοστάσιο ‖ ~**board**: *(n)* χαρτόνι ‖ ~**er**: *(n)* μυλωνάς ‖ ~**stone**:

(n) μυλόπετρα
millen-arian (milə΄neəri:ən): *(adj)* χιλιετής ‖ **~nium**: *(n)* χιλιετηρίδα
millet (΄milit): *(n)* κεχρί
millimeter (΄miləmi:tər): *(n)* χιλιοστόμετρο
milliner (΄milənər): *(n)* καπελού ‖ **~y**: *(n)* καπελάδικο ‖ γυναικεία καπέλα
million (΄miljən): *(n)* εκατομμύριο ‖ **~aire**: *(n)* εκατομμυριούχος
mim-e (maim): *(n)* μίμος ‖ μιμόδραμα, παντομίμα ‖ [-d]: *(v)* μιμούμαι ‖ **~ic** (΄mimik) [-ked]: *(v)* μιμούμαι ‖ απομιμούμαι ‖ μίμος ‖ **~icry**: *(n)* μίμηση
mince (mins) [-d]: *(v)* ψιλοκόβω ‖ ψευτοπροφέρω, μιλώ προσποιητά ‖ περπατώ εξεζητημένα ‖ *(n)* κιμάς ‖ ~ **meat**: *(n)* γέμιση πίτας
mind (maind): *(n)* νους ‖ ιδιοφυΐα ‖ γνώμη, ιδέα ‖ ανάμνηση ‖ προσοχή ‖ [-ed]: *(v)* αντιλαμβάνομαι ‖ προσέχω ‖ ενδιαφέρομαι ‖ **~ful**: *(adj)* προσεκτικός ‖ **~less**: *(adj)* ανόητος, άμυαλος ‖ απρόσεκτος, απερίσκεπτος ‖ **make up one's ~**: *(v)* αποφασίζω
mine (main): *(n)* ορυχείο, μεταλλείο ‖ νάρκη ‖ [-d]: *(v)* εξορύσσω ‖ υπονομεύω ‖ σκάβω, κάνω "τούνελ" ‖ *(pron)* δικός μου ‖ ~ **field**: *(n)* ναρκοπέδιο ‖ ~ **layer**: *(n)* ναρκοθέτης ‖ **~r**: *(n)* ορύχος ‖ **~ral** (΄minərəl): *(n)* ορυκτό ‖ μετάλλευμα ‖ **~ralogy**: *(n)* ορυκτολογία ‖ **~ral water**: *(n)* μεταλλικό νερό
mingle (΄miŋgəl) [-d]: *(v)* ανακατεύω ‖ ανακατεύομαι
mini (΄mini:): *(n)* μικροσκοπικό πράγμα, "μίνι" ‖ **~ature** (΄mini:ətʃu:r): *(n)* μικρογραφία, "μινιατούρα" ‖ **~mal**: *(adj)* ελάχιστος ‖ **~mize** [-d]: *(v)* μικραίνω, ελαττώνω ‖ υποβιβάζω, κατεβάζω την αξία ή τη σημασία ‖ **~mum** (΄minəməm): *(n)* το ελάχιστο, "μίνιμουμ"
minist-er (΄ministər): *(n)* ιερέας ‖ υπουργός ‖ **~ry**: *(n)* ιερατικό επάγγελμα ‖ υπουργείο
mink (miŋk): *(n)* νυφίτσα ‖ γούνα "μινκ"
minnow (΄minou): *(n)* κυπρίνος
minor (΄mainər): *(adj)* μικρότερος ‖ ανήλικος ‖ **~ity**: *(n)* μειοψηφία ‖ μειονότητα ‖ ανηλικιότητα
minstrel (΄minstrəl): *(n)* ραψωδός, "τροβαδούρος"
mint (mint): *(n)* νομισματοκοπείο ‖ δυόσμος ‖ μέντα ‖ [-ed]: *(v)* βγάζω νόμισμα, κόβω νόμισμα
minu-end (΄minju:end): *(n)* μειωτέος ‖ **~s** (΄mainəs): *(prep)* πλην, μείον
minute (΄minit): *(n)* λεπτό της ώρας ή της μοίρας ‖ **~s**: *(n)* πρακτικά ‖ (mai΄nju:t): *(adj)* μικροσκοπικός‖ **~hand**: *(n)* λεπτοδείκτης
mirac-le (΄mirəkəl): *(n)* θαύμα ‖ **~ulous** (mi΄rækjələs): *(adj)* θαυμάσιος, θαυμαστός
mirage (mi΄ra:z): *(n)* αντικατοπτρισμός ‖ οφθαλμαπάτη
mire (mair): *(n)* βούρκος
mirror (΄mirər): *(n)* κάτοπτρο ‖ [-ed]: *(v)* αντικατοπτρίζω
mirth (mə:rth): *(n)* ευθυμία
misadventure (΄misəd΄ventʃər): *(n)* κακοτυχία
misanthrop-e (΄misənthroup), **~ ist** (mis΄ænthrəpist): *(n)* μισάνθρωπος ‖ **~y**: *(n)* μισανθρωπία
misappropriate (misə΄proupri:eit) [-d]: *(v)* καταχρώμαι, σφετερίζομαι
miscalculat-e (mis΄kælkjaleit) [-d]: *(v)* κάνω κακό υπολογισμό
miscarriage (mis΄kæridz): *(n)* αποτυχία ‖ αποβολή
miscellan-eous (misə΄leini:əs): *(adj)* ετερόκλιτος ‖ διάφορος, ποικίλος ‖ **~y**: *(n)* ετερόκλιτα αντικείμενα, ανακάτωμα, ποικιλία
mischie-f (΄mistʃif): *(n)* αταξία ‖ **~vous**: *(adj)* άτακτος ‖ κατεργάρης
misconception (miskən΄sepʃən): *(n)* παρανόηση, κακή αντίληψη
misconduct (mis΄kəndʌkt): *(n)* παράπτωμα ‖ ατασθαλία
misconstrue (miskən΄stru:) [-d]: *(v)* παρερμηνεύω
miscre-ant (΄miskri:ənt): *(n)* κακοποιός
misdemeanor (misdi΄mi:nər): *(n)* πλημμέλημα
miser (΄maizər): *(n)* τσιγκούνης ‖ **~able** (΄mizərəbəl): *(adj)* άθλιος ‖ δυστυχισμένος ‖ **~ly** (΄maizərli): *(adj)* τσιγκούνικος ‖ **~y** (΄misəri:): *(n)* αθλιότητα
misfire (mis΄fair) [-d]: *(v)* παθαίνω αφλογιστία ‖ δεν παίρνω μπρος ‖ αποτυγχάνω
misfit (mis΄fit): *(n)* απροσάρμοστος

misfortune (misˊfɔ:rtʃən): *(n)* ατυχία
misgivings (misˊgiviŋs): *(n)* αβεβαιότητα, ανησυχία
misguide (misˊgaid) [-d]: *(v)* παρασύρω, αποπλανώ
mishandle (misˊhændəl) [-d]: *(v)* χειρίζομαι κακά ή αδέξια
mishap (ˊmishæp): *(n)* || κακοτυχία, αναποδιά
mishear (misˊhiər) [misheard, misheard]: *(v)* παρακούω, ακούω λάθος
misinform (misinˊfɔ:rm) [-ed]: *(v)* δίνω εσφαλμένη πληροφορία
misinterpret (misinˊtə:rprit) [-ed]: *(v)* παρερμηνεύω
misjudge (misˊdzʌdz) [-d]: *(v)* κάνω εσφαλμένη κρίση, κρίνω κακώς
mislay (misˊlei) [mislaid, mislaid]: *(v)* ξεχνώ, παραπετώ
mislead (misˊli:d) [misled, misled]: *(v)* κατευθύνω λανθασμένα || παραπλανώ || **~ing**: *(adj)* παραπλανητικός
misnomer (misˊnoumər): *(n)* εσφαλμένη ονομασία
misogyn-ist (miˊsədzənist): *(n)* μισογύνης || **~y**: *(n)* μισογυνία
misplace (misˊpleis) [-d]: *(v)* βάζω σε λανθασμένο μέρος || χάνω
misprint (ˊmisprint): *(n)* τυπογραφικό λάθος
mispronounce (ˊmisprəˊnauns) [-d]: *(v)* προφέρω λανθασμένα
misread (misˊri:d) [misread, misread]: *(v)* διαβάζω εσφαλμένα || παρερμηνεύω
misrepresent (ˊmisrepriˊzent) [-ed]: *(v)* διαστρέφω
miss (mis) [-ed]: *(v)* αστοχώ, δεν βρίσκω το στόχο || αποτυγχάνω || χάνω, δεν προφταίνω || επιθυμώ, αποζητώ, μου λείπει || *(n)* αποτυχία || αστοχία || δεσποινίδα
misshape (misʃeip) [-d]: *(v)* παραμορφώνω || **~n**: *(adj)* παραμορφωμένος
missile (ˊmisəl): *(n)* βλήμα
mission (ˊmiʃən): *(n)* αποστολή || ιεραποστολή || **~ary**: *(n)* ιεραπόστολος
misspell (misˊspel) [-ed]: *(v)* γράφω ανορθόγραφα
misspend (misˊspend) [misspent, misspent]: *(v)* σπαταλώ
mist (mist): *(n)* καταχνιά, αραιή ομίχλη || [-ed]: *(v)* θαμπώνω, καταχνιάζω
mistake (misˊteik) [mistook, mistaken]: *(v)* αντιλαμβάνομαι λανθασμένα, παρανοώ || κάνω λάθος || *(n)* σφάλμα, λάθος || παρανόηση, παρερμηνεία
Mister (ˊmistər) [Mr.]: *(n)* κύριος
mistletoe (ˊmisəltou): *(n)* ''γκι'', ιξός
mistreat (misˊtri:t) [-ed]: *(v)* κακομεταχειρίζομαι
mistress (ˊmistris): *(n)* κυρία, αφέντισσα || οικοδέσποινα || ερωμένη, ''μαιτρέσα'' || δασκάλα
mistrust (misˊtrʌst) [-ed]: *(v)* δυσπιστώ || *(n)* αμφιβολία, έλλειψη εμπιστοσύνης
misunderstand (ˊmisʌndərˊstænd) [misunderstood, misunderstood]: *(v)* παρερμηνεύω, παρανοώ || **~ing**: *(n)* παρερμηνεία, παρεξήγηση, παρανόηση
misuse (misˊju:z) [-d]: *(v)* χρησιμοποιώ κακώς ή εσφαλμένα || κάνω κατάχρηση
mite (mait): *(n)* || μικρή ποσότητα || σκουλήκι || **widow's ~**: ο οβολός της χήρας
miter, mitre (ˊmaitər): *(n)* μίτρα || τιάρα
mitigate (ˊmitəgeit) [-d]: *(v)* μετριάζω || μετριάζομαι
mitt (mit), **~en**: *(n)* γάντι χωρίς δάχτυλα || γάντι προστατευτικό
mix (miks) [-ed]: *(v)* ανακατεύω || ανακατεύω, βάζω μαζί || ανακατεύομαι || **~er**: || αναμεικτήρας, ''μίξερ'' || **~ture**: *(n)* μείγμα
moan (moun) [-ed]: *(v)* βογκώ || γκρινιάζω || *(n)* βογκητό || γκρίνια
moat (mout): *(n)* προστατευτική τάφρος
mob (məb): *(n)* όχλος || **~ster**: *(n)* συμμορίτης
mobil-e (ˊmoubəl): *(adj)* κινητός || ευμετάβλητος || **~ity** (mouˊbiliti): *(n)* μεταβλητότητα || κινητικότητα || **~ize** (ˊmoubəlaiz) [-d]: *(v)* κινητοποιώ || επιστρατεύω
moccasin (ˊməkəsin): *(n)* νεροφίδα || παπούτσι ''παντοφλέ'', ''μοκασίν''
mock (mək) [-ed]: *(v)* ειρωνεύομαι ειρωνεία || **~ery**: *(n)* ειρωνεία
mode (moud): *(n)* τρόπος, μέθοδος || μόδα || **~l** (ˊmədl): *(n)* μακέτα || τύ-

πος || ~l [-ed]: *(v)* κατασκευάζω πρότυπο || διαπλάθω, διαμορφώνω || επιδεικνύω, κάνω το μανεκέν
moderat-e (΄mɘdɘrit): *(adj)* μέτριος μετριοπαθής || *(n)* μετριοπαθής || (΄mɘdɘreit) [-d]: *(v)* μετριάζω || προεδρεύω || μετριάζομαι
modern (΄mɘdɘrn): *(adj)* σύγχρονος, ''μοντέρνος'' || **~ization**: *(n)* εκσυγχρονισμός, μοντερνοποίηση || **~ize** [-d]: *(v)* εκσυγχρονίζω, μοντερνίζω
modest (΄mɘdist): *(adj)* μετριόφρονας || σεμνός|| **~y**: *(n)* μετριοφροσύνη || συστολή || σεμνότητα
modicum (΄mɘdikɘm): *(n)* μικρή ποσότητα
modif-ication (mɘdɘfi΄keiʃɘn): *(n)* τροποποίηση || **~y** (΄mɘdɘfai) [-ied]: *(v)* τροποποιώ
mogul (΄mɘgɘl): *(n)* μεγιστάνας πλούτου
mohair (΄mouheɘr): *(n)* ύφασμα ''μοχαίρ''
moist (΄moist): *(adj)* υγρός || **~en** [-ed]: *(v)* υγραίνω, μουσκεύω || **~ure**: *(n)* υγρασία
molar (΄moulɘr): *(n)* γομφίος, ''τραπεζίτης''
mold (mould), **mould** (mould) [-ed]: χύνω σε καλούπι || διαμορφώνω || μουχλιάζω || *(n)* τύπος, καλούπι || μούχλα || **~y**: *(adj)* μουχλιασμένος
mole (moul): *(n)* τυφλοπόντικας || ''μόλος'' || κρεατοελιά
molecul-ar (mɘ΄lekjɘlɘr): *(adj)* μοριακός || **~e** (΄mɘlɘkju:l): *(n)* μόριο
molest (mɘ΄lest) [-ed]: *(v)* κακοποιώ σεξουαλικά || παρενοχλώ
mollify (΄mɘlɘfai) [-ied]: *(v)* κατευνάζω
molten (΄moultn): *(adj)* λιωμένος
mom (mɘm): *(n)* μαμά
moment (΄moumɘnt): *(n)* στιγμή || σπουδαιότητα, αξία || **~arily**: *(adv)* σύντομα || για μια στιγμή, για λίγο || **~tary**: *(adj)* στιγμιαίος || **~ous** (:mou΄mentɘs): *(adj)* σπουδαίος
monarch (΄mɘnɘrk): *(n)* μονάρχης || **~y**: *(n)* μοναρχία
monast-ery (΄mɘnɘsteri:): *(n)* μονή, μοναστήρι
Monday (΄mʌndei, ΄mʌndi:): *(n)* Δευτέρα
monetary (΄mɘnɘteri:): *(adj)* νομισματικός || χρηματικός
money (΄mʌni:): *(n)* χρήμα || ~ **order**: *(n)* τραπεζική ή ταχ. επιταγή
monger (΄mɘŋgɘr): *(n)* έμπορος || κάπηλος |
mongrel (΄mʌŋgrɘl): *(n & adj)* μιγάδας
monitor (΄mɘnɘtɘr): *(n)* επιμελητής σχολείου || [-ed]: *(v)* ελέγχω
monk (΄mʌŋk): *(n)* μοναχός, καλόγερος
monkey (΄mʌŋki:): *(n)* πίθηκος, μαϊμού
monocle (΄mɘnɘkɘl): *(n)* ''μονόκλ''
monogram (΄mɘnɘgræm): *(n)* μονόγραμμα
monolith (΄mɘnɘlith): *(n)* μονόλιθος, ογκόλιθος || **~ic**: *(adj)* μονολιθικός
monologue (΄mɘnɘlɘ:g): *(n)* μονόλογος
monopo-lize (mɘ΄nɘpɘlaiz) [-d]: *(v)* μονοπωλώ || **~ly** (mɘ΄nɘpɘli:): *(n)* μονοπώλιο
monoton-e (΄mɘnɘtoun): *(n)* μονότονος ήχος || **~ous**: *(adj)* μονότονος || **~y**: *(n)* μονοτονία
monsoon (mɘn΄su:n): *(n)* μουσώνας
monst-er (΄mɘnstɘr): *(n)* τέρας || **~rosity** (mɘn΄strɘsɘti:): *(n)* τερατούργημα || τερατωδία || **~rous**: *(adj)* τερατώδης
montage (mɘn΄ta:z): *(n)* σύνθεση, ''μοντάζ''
month (mʌnth): *(n)* μήνας || **~ly**: *(adj)* μηνιαίος || *(adv)* κάθε μήνα || *(n)* μηνιαία έκδοση || **~lies**: *(n)* έμμηνα
monument (΄mɘnjɘmɘnt): *(n)* μνημείο || **~al**: *(adj)* μνημειώδης
mood (mu:d): *(n)* διάθεση || όρεξη, κέφι || έγκλιση
moon (mu:n): *(n)* σελήνη, φεγγάρι ||
moor (mur) [-ed]: *(v)* προσορμίζω, αράζω|| *(n)* βάλτος || **~ing**: *(n)* προσόρμιση || αγκυροβόλιο
mop (mɘp): *(n)* σφουγγαρόπανο || ~ **of hair**: *(n)* ανακατωμένο τσουλούφι
mope (moup) [-ed]: *(v)* είμαι κατσούφης
moral (΄mɘral): *(adj)* ηθικός || *(n)* ηθικό δίδαγμα || **~s**: *(n)* ηθική, ήθη, ηθικές αρχές || **~e** (mɘ΄ræl): *(n)* ηθικό
morass (mɘ΄ræs): *(n)* έλος, βόρβορος

morbid (΄mɔ:rbid): *(adj)* νοσηρός
more (mɔ:r): *(adj)* περισσότερος || *(adv)* περισσότερο, πιο πολύ, πιο || ~ **or less**: πάνω-κάτω, σχεδόν || ~ **over**: *(adj)* επιπλέον, και εκτός απ' αυτό
morgue (΄mɔ:rg): *(n)* νεκροτομείο
moribund (΄mɔribʌnd): *(adj)* ετοιμοθάνατος
morning (΄mɔ:rniŋ): *(n)* πρωί || *(adj)* πρωινός || ~-**glory**: *(n)* περιπλοκάδα || ~ **star**: *(n)* αυγερινός
moron (΄mɔ:rən): *(n)* διανοητικά καθυστερημένος
morose (mə΄rous): *(adj)* σκυθρωπός, κακόκεφος
morphine (΄mɔ:rfi:n): *(n)* μορφίνη
morsel (΄mɔ:rsəl): *(n)* κομματάκι || μπουκίτσα
mortal (΄mɔ:rtl): *(n & adj)* θνητός || *(adj)* θανάσιμος, θανατηφόρος || φρικτός || ~**ity**: *(n)* θνησιμότητα || θνητότητα
mortar (΄mɔ:rtər): *(n)* γουδί || όλμος || ασβέστης, πηλός
mortgage (΄mɔ:rgidz): *(n)* υποθήκη || [-d]: *(v)* υποθηκεύω
mort-ician (mɔ:r΄tiʃən): *(n)* εργολάβος κηδειών || ~**ification**: *(n)* ταπείνωση || νέκρωση || ~**ify** [-ied]: *(v)* απονεκρώνω || ταπεινώνω
mosaic (mou΄zeik): *(n)* μωσαϊκό
Moscow (΄mɔskau): *(n)* Μόσχα
mosque (mɔsk): *(n)* τέμενος, ''τζαμί''
mosquito (məs΄ki:tou): *(n)* κουνούπι || ~**net**: *(n)* κουνουπιέρα
moss (mɔs): *(n)* βρύο
most (moust): *(adj)* πλείστος, ο πιο πολύς || ο μεγαλύτερος αριθμός, οι πιο πολλοί
motel (mou΄tel): *(n)* ''μοτέλ''
moth (mɔ:th): *(n)* σκόρος || νυχτοπεταλούδα || ~**ball**: *(n)* μπάλα ναφθαλίνης
mother (΄mʌdər): *(n)* μητέρα || *(adj)* μητρικός || ~**hood**: *(n)* μητρότητα || μητέρες || ~-**in-law**: *(n)* πεθερά || ~**land**: *(n)* πατρίδα
mo-tion (΄mouʃən): *(n)* κίνηση || κίνητρο || [-ed]: *(v)* κάνω νόημα, γνέφω || ~**tion picture**: *(n)* κινημ. ταινία|| ~**tivate** (΄moutəveit) [-d]: *(v)* δίνω κίνητρο
motley (΄mɔtli:): *(adj)* ποικίλος, ετερογενής || πολύχρωμος
motor (΄moutər): *(n)* κινητήρας, ''μοτέρ''|| *(adj)* κινητήριος || ~**bike**: *(n)* μοτοποδήλατο || ~**boat**: *(n)* βενζινάκατος || ~**car**: *(n)* αυτοκίνητο || ~**cycle**: *(n)* μοτοσικλέτα || ~**ist**: *(n)* αυτοκινητιστής
motto (΄mɔtou): *(n)* ρητό, γνωμικό
moue (mu:): *(n)* γκριμάτσα
mould: see mold
mound (maund): *(n)* γήλοφος, ύψωμα || ανάχωμα || πρόχωμα || [-ed]: *(v)* κατασκευάζω πρόχωμα
mount (maunt) [-ed]: *(v)* ανεβαίνω || ιππεύω || ανεβάζω, τοποθετώ επάνω || ετοιμάζω επίθεση || ανέρχομαι, αυξάνω || βουνό || ~**ain**: *(n)* βουνό, όρος || ~**ain dew**: *(n)* παράνομο ποτό *(id)* || ~**aineer**: *(n)* ορεσίβιος || ορειβάτης || ~**ainous**: *(adj)* ορεινός || τεράστιος
mourn (΄mɔ:rn) [-ed]: *(v)* πενθώ || θρηνώ || ~**ing**: *(n)* πένθος
mouse (maus): *(n)* ποντικός
moustache: see mustache
mouth (mauth): *(n)* στόμα || στόμιο || ~**ful**: *(n)* μπουκιά || ~**organ**: *(n)* φυσαρμόνικα
mov-able (΄mu:vəbəl): *(adj)* κινητός || ~**e** [-d]: *(v)* κινώ || κινούμαι || μετακομίζω || συγκινώ || *(n)* κίνηση || μετακόμιση || ~**eable**: see **movable** || ~**ement**: *(n)* κίνηση || κίνημα || ~**ie** (΄mu:vi:): *(n)* κινημ. ταινία || κινηματογράφος|| ~**ing**: *(adj)* συγκινητικός || κινητός, κινούμενος || ~**ing staircase**: *(n)* κυλιόμενη σκάλα
mow (mou) [-ed]: *(v)* θερίζω || ~**er**: *(n)* θεριστική μηχανή
Mr: see **mister**
Mrs: see **mistres**
Ms (miz, ΄emes): κυρία ή δεσποινίδα
much (mʌtʃ): *(adj)* πολύς || *(adv)* πολύ, μεγάλος
muck (mʌk): *(n)* λάσπη || κοπριά || βρωμιά || [-ed]: *(v)* βάζω λίπασμα,|| **make a** ~ **of**: *(v)* τα κάνω θάλασσα || ~ **up**: *(v)* βρωμίζω || τα κάνω θάλασσα, χαλάω τη δουλειά
mud (mʌd): *(n)* λάσπη || ~**dle** [-d]: *(v)* λασπώνω, θολώνω || ανακατώνω, μπερδεύω || *(n)* μπέρδεμα, ανακάτωμα || ~ **guard**: *(n)* φτερό αυτοκινήτου
muff (mʌf) *(id)* || *(n)* ''μανσόν'' || ~**in**: *(n)* ψωμάκι, μικρό κέικ || ~**le**

(΄mʌfəl) [-d]: *(v)* σκεπάζω ‖ *(n)* κουκούλα ‖ **~ler**: *(n)* κουκούλα
mug (mʌg): *(n)* φλιτζάνι
mulberry (΄mʌlberi:): *(n)* μούρο ‖ μουριά
mule (mju:l): *(n)* μουλάρι ‖ ανέμη ‖ παντόφλα
mull (mʌl) [-ed]: *(v)* σκέπτομαι, συλλογίζομαι
mullet (΄mʌlit): *(n)* μπαρμπούνι
multi-colored (΄mʌltikʌlərd): *(adj)* πολύχρωμος ‖ **~lateral**: *(adj)* πολύπλευρος ‖ **~ple**: *(adj)* πολλαπλός ‖ *(n)* πολλαπλάσιο ‖ **~plicand** (΄mʌltipli΄kænd): *(n)* πολλαπλασιαστέος ‖ **~plication** (mʌltəpli΄keiʃən): *(n)* πολλαπλασιασμός ‖ **~plier**: *(n)* πολλαπλασιαστής ‖ **~ply** (΄mʌltəplai) [-ied]: *(v)* πολλαπλασιάζω
mum (mʌm): *(adj)* άλαλος, βουβός ‖ *(n)* μαμά
mumble (΄mʌmbəl) [-d]: *(v)* ψελλίζω, μιλώ μασώντας τα λόγια ‖ *(n)* ψέλλισμα, μουρμούρισμα
mum-mify (΄mʌməfai) [-ied]: *(v)* μουμιοποιούμαι, ζαρώνω ‖ **~my**: *(n)* μούμια ‖ μαμάκα
mumps (mʌmps): *(n)* παρωτίτιδα, παραμαγούλες
munch (mʌntʃ) [-ed]: *(v)* τραγανίζω
mundane (mʌn΄dein): *(adj)* εγκόσμιος ‖ κοινότοπος
municipal (mju΄nisəpəl): *(adj)* δημοτικός ‖ **~ity**: *(n)* δήμος
munificen-ce (mju΄nifəsəns): *(n)* γενναιοδωρία ‖ **~t**: *(adj)* γενναιόδωρος
munitions (mju:΄niʃəns): *(n)* πολεμοφόδια
mural (΄mju:rəl): *(n)* τοιχογραφία
murder (΄mə:rdər): *(n)* δολοφονία ‖ [-ed]: *(v)* δολοφονώ ‖ **~er**, **~eress**: *(n)* ο, η δολοφόνος
murk (mə:rk): *(n)* σκότος ‖ **~y**: *(adj)* ζοφερός
murmur (΄mə:rmər) [-ed]: *(v)* μουρμουρίζω ‖ *(n)* μουρμούρισμα
mus-cle (΄mʌsəl): *(n)* μυς ‖ **~cular** (΄mʌskjələr): *(adj)* μυώδης ‖ μυϊκός
muse (mju:z) [-d]: *(v)* αργοσκέπτομαι ‖ **M~**: *(n)* Μούσα
museum (mju:΄zi:əm): *(n)* μουσείο
mush (mʌʃ): *(n)* πολτός, κουρκούτι ‖ **~room**: *(n)* μανιτάρι ‖ **~y**: *(adj)* πολτώδης, σαν κουρκούτι
music (΄mju:zik): *(n)* μουσική ‖ **~al**: *(adj)* μουσικός ‖ **~ian** (mju:΄ziʃən): *(n)* μουσικός
musk (mʌsk): *(n)* μόσχος
musket (΄mʌskit): *(n)* τουφέκι
muslin (΄mʌzlin): *(n)* μουσελίνα
mussel (΄mʌsəl): *(n)* μύδι
must (mʌst): *(v)* πρέπει, είμαι υποχρεωμένος ‖ *(n)* ανάγκη, απαραίτητη προϋπόθεση ‖ μούστος
mustache (mə΄stæʃ, ΄mʌstæʃ): *(n)* μουστάκι
mustard (΄mʌstərd): *(n)* μουστάρδα ‖ σινάπι
muster (΄mʌstər) [-ed]: *(v)* παρατάσσω ‖ συγκεντρώνω, συναθροίζω ‖ *(n)* παράταξη
must-iness (΄mʌstinis): *(n)* μούχλα ‖ **~y**: *(adj)* μουχλιασμένος
mute (mju:t): *(adj)* άλαλος, βουβός
mutilat-e (΄mju:təleit) [-d]: *(v)* ακρωτηριάζω ‖ **~ion**: *(n)* ακρωτηριασμός
muti-neer (mju:ti΄ni:r): *(n)* στασιαστής ‖ **~nous**: *(adj)* στασιαστικός ‖ **~ny** (΄mju:tni:): *(n)* στάση, ανταρσία ‖ **~ny** [-ied]: *(v)* στασιάζω
mutter (΄mʌtər) [-ed]: *(v)* μουρμουρίζω
mutton (΄mʌtn): *(n)* πρόβειο κρέας ‖ **~chop**: *(n)* παϊδάκι αρνίσιο
mutual (΄mju:tʃuəl): *(adj)* αμοιβαίος
muzzle (΄mʌzəl): *(n)* ρύγχος ‖ φίμωτρο ‖ στόμιο κάννης ‖ [-d]: *(v)* φιμώνω
my (mai): *(pron)* μου, δικός μου
myocarditis (maiouka:r΄daitis): *(n)* μυοκαρδίτιδα
myopi-a (mai΄oupi:ə): *(n)* μυωπία
myriad (΄miri:əd): *(n)* μυριάδες, πολλοί
myrrh (mə:r): *(n)* μύρρα, μύρρο
myrtle (΄mə:rtl): *(n)* μυρτιά
myself (mai΄self): *(pron)* εγώ ο ίδιος ‖ εαυτός μου
myste-rious (mi΄stiəri:əs): *(adj)* μυστηριώδης ‖ **~ry** (΄mistəri:): *(n)* μυστήριο
mysti-fication (mistəfi΄keiʃən): *(n)* περιπλοκή, σύγχυση ‖ **~fy** [-ied]: *(v)* προκαλώ σύγχυση ή αμηχανία
myth (mith): *(n)* μύθος ‖ **~ical**: *(adj)* μυθικός ‖ **~ological**: *(adj)* μυθολογικός ‖ **~ology**: *(n)* μυθολογία

N

nab (næb) [-bed]: *(v)* πιάνω ǁ αρπάζω
nadir (΄neidər): *(n)* ναδίρ
nag (næg) [-ged]: *(v)* γκρινιάζω, ενοχλώ με γκρίνια ǁ *(n)* γκρινιάρης ǁ παλιάλογο
nail (neil): *(n)* καρφί ǁ νύχι ǁ [-ed]: *(v)* καρφώνω
naive (na:΄i:v): *(adj)* απλοϊκός, αφελής ǁ **~té** (na:i:΄tei): *(n)* απλοϊκότητα, αφέλεια
naked (΄neikid): *(adj)* γυμνός ǁ **~ness**: *(n)* γύμνια, γυμνότητα
name (neim): *(n)* όνομα ǁ [-d]: *(v)* ονομάζω ǁ **~day**: *(n)* ονομαστική εορτή ǁ **~ly**: *(adv)* δηλαδή ǁ **~sake**: *(n)* συνονόματος
nap (næp): *(n)* υπνάκος ǁ [-ped]: *(v)* λαγοκοιμάμαι
nape (neip): *(n)* σβέρκος
napkin (΄næpkin): *(n)* πετσέτα
narco-sis (na:r΄kousis): *(n)* νάρκωση ǁ **~tic** (na:r΄kətik): *(n & adj)* ναρκωτικό
narrat-e (΄næreit) [-d]: *(v)* αφηγούμαι ǁ **~ion**: *(n)* αφήγηση ǁ **~ive** (΄nærətiv): ǁ *(adj)* αφηγηματικός ǁ **~er, ~or**: *(n)* αφηγητής
narrow (΄nærou): *(adj)* στενός ǁ στενόχωρος, στενός ǁ [-ed]: *(v)* στενεύω ǁ *(n)* στενό, στενωπός ǁ **~-minded**: *(adj)* στενοκέφαλος
nasal (΄neizəl): *(adj)* ένρινος ǁ ρινικός
nas-tily (΄næstili): *(adv)* αηδιαστικά ǁ **~ty** (΄næsti:): *(adj)* αηδιαστικός ǁ δυσάρεστος, κακός
nation (΄neiʃən): *(n)* έθνος ǁ **~al** (΄næʃənəl): *(adj)* εθνικός ǁ **~alism**: *(n)* εθνικισμός ǁ **~ality**: *(n)* εθνικότητα ǁ **~alize** [-d]: *(v)* εθνικοποιώ
native (΄neitiv): *(adj & n)* γηγενής, ντόπιος
natur-al (΄nætʃərəl): *(adj)* φυσικός ǁ **~ist**: *(n)* φυσιοδίφης ǁ **~alize** [-d]: *(v)* πολιτογραφώ ǁ **~e** (΄neitʃər): *(n)* φύση
naught (nə:t): *(n)* τίποτε ǁ μηδέν ǁ **~y** (΄nə:ti:): *(adj)* άτακτος, ανυπάκουος ǁ **~iness**: *(n)* αταξία, ανυπακοή
nause-a (΄nə:zi:ə): *(n)* αηδία ǁ αναγούλα ǁ **~ate** [-d]: *(v)* προκαλώ αηδία ή αναγούλα ǁ **~ous**: *(adj)* αηδιαστικός ǁ απεχθής
nautical (΄nə:tikəl): *(adj)* ναυτικός
naval (΄neivəl): *(adj)* ναυτικός
navel (΄neivəl): *(n)* αφαλός
nav-igable (΄nævəgəbəl): *(adj)* πλωτός ǁ **~igate** (΄nævəgeit) [-d]: *(v)* πλοηγώ, ǁ **~igation**: *(n)* πλοήγηση ǁ ναυσιπλοΐα ǁ **~igator** (΄nævə geitər): *(n)* πλοηγός ǁ **~y** (΄neivi:): *(n)* ναυτικό
near (ni:ər): *(adv)* πλησίον, κοντά ǁ σχεδόν ǁ *(adj)* πλησίον, κοντινός ǁ [-ed]: *(v)* προσεγγίζω, πλησιάζω ǁ **~by**: *(adj)* κοντινός ǁ **~ly**: *(adv)* περίπου, σχεδόν ǁ **~ sighted**: *(adj)* μύωπας
neat (ni:t): *(adj)* τακτικός, νοικοκύρης ǁ καθαρός, καθαροντυμένος
neces-sarily (΄nesə΄serəli:): *(adv)* κατ' ανάγκη, απαραίτητα ǁ **~sary** (΄nesəseri:): *(adj)* απαραίτητος ǁ αποχωρητήριο *(id)* ǁ **~sitate** (nə΄sesəteit) [-d]: *(v)* κάνω αναγκαίο ή απαραίτητο ǁ υποχρεώνω ǁ **~sitous**: *(adj)* ενδεής, σε ανάγκη ǁ **~sity** (nə΄sesəti:): *(n)* ανάγκη
neck (nek): *(n)* λαιμός ǁ στενό ǁ [-ed]: *(v)* αγκαλιάζω ǁ **~erchief**: *(n)* μαντίλι του λαιμού, ''φουλάρι'' ǁ **~lace**: *(n)* περιδέραιο, ''κολιέ'' ǁ **~line**: *(n)* άνοιγμα λαιμού, ''ντεκολτέ'' ǁ **~piece**: *(n)* ''κασκόλ''
need (ni:d): *(n)* ανάγκη ǁ [-ed]: *(v)* έχω ανάγκη ǁ χρειάζομαι ǁ **~ful**: *(adj)* αναγκαίος ǁ **~y**: *(adj)* φτωχός, ενδεής, σε ανάγκη
needle (΄ni:dl): *(n)* βελόνα ǁ [-d]: *(v)* κεντώ ǁ εξερεθίζω ǁ ράβω ǁ **~point**: *(n)* βελονιά, κέντημα
negat-e (ni΄geit) [-d]: *(v)* ακυρώνω ǁ αναιρώ ǁ **~ion** (ni΄geiʃən): *(n)* άρνηση ǁ αναίρεση, ǁ **~ive**

N

(ˊnegətiv): *(adj)* αρνητικός
neglect (niˊglekt) [-ed]: *(v)* παραμελώ ‖ αμελώ ‖ *(n)* αμέλεια ‖ παραμέληση
negligee (negliˊzei): *(n)* πρόχειρο φόρεμα, "νεγκλιζέ" ‖ ρόμπα δωματίου γυναικεία
negli-gence (ˊneglidzəns): *(n)* αμέλεια ‖ **~gent**: *(adj)* αμελής ‖ απρόσεχτος ‖ **~gible** (ˊ**neglidz**əbəl): *(adj)* αμελητέος
negotia-ble (niˊgouʃəbəl): *(adj)* συζητήσιμος ‖ διαπραγματεύσιμος ‖ **~te** (niˊgouʃi:eit) [-d]: *(v)* διαπραγματεύομαι, συζητώ
Negr-ess (ˊni:gris): *(n)* Νέγρα ‖ **~o** (ˊni:grou): *(n)* Νέγρος
neigh (nei) [-ed]: *(v)* χλιμιντρίζω ‖ *(n)* χλιμίντρισμα
neighbor, neighbour (ˊneibər): *(n)* γείτονας ‖ [-ed]: *(v)* γειτονεύω ‖ **~hood**: *(n)* γειτονιά ‖ **~ing**: *(adj)* γειτονικός ‖ **~ly**: *(adj)* γειτονικός, με φιλικές γειτονικές προθέσεις, καλοπροαίρετος
neither (ˊni:ðər, ˊnaiðər): *(adj & pron)* ούτε ‖ κανείς από δύο
neon (ˊni:ən): *(n)* νέον (αέριο)
neophyte (ˊni:əfait): *(n)* αρχάριος, νεόφυτος
nephew (ˊnefju:): *(n)* ανιψιός
nerv-e (nə:rv): *(n)* νεύρο ‖ **~e-racking, ~e-wracking**: *(adj)* εκνευριστικός ‖ **~ous** (ˊnə:rvəs): *(adj)* εκνευρισμένος ‖ νευρικός
nest (nest): *(n)* φωλιά ‖ **~ egg**: *(n)* φώλι ‖ **~le** (ˊnesəl) [-d]: *(v)* φωλιάζω ‖ πλησιάζω χαδιάρικα
net (net): *(n)* δίχτυ ‖ δίκτυο ‖ *(adj)* καθαρός, "νετ" ‖ **~ting**: *(n)* δικτυωτό
Nether-lands (ˊneðərləndz): *(n)* Κάτω Χώρες
nettle (ˊnetl): *(n)* τσουκνίδα ‖ [-d]: *(v)* ερεθίζω, εξερεθίζω
neur-al (ˊnju:rəl): *(adj)* νευρικός, των νεύρων ‖ **~ologist** (njuˊrə lədzist): *(n)* νευρολόγος ‖ **~otic**: *(n & adj)* νευρωτικός, νευροπαθής
neut-er (ˊnju:tər): *(adj)* ουδέτερος ‖ **~ral** (ˊnju:trəl): *(adj)* ουδέτερος ‖ **~rality**: *(n)* ουδετερότητα
never (ˊnevər): *(adv)* ποτέ ‖ **~theless**: *(adv)* όμως, μολονότι
new (nju:): *(adj)* νέος, καινούριος ‖ ‖ **~fangled**: *(adj)* καινούριος, πρωτοειπωμένος, μοντέρνος ‖ **~ly-wed**: *(n)* νεόνυμφοι ‖ **~s** (nju:z): *(n)* ειδήσεις, νέα ‖ **~s agency**: *(n)* πρακτορείο ειδήσεων ‖ **~s boy**: *(n)* εφημεριδοπώλης ‖ **~scast**: *(n)* εκπομπή ειδήσεων ‖ **~spaper**: *(n)* εφημερίδα ‖ **~spaperman**: *(n)* δημοσιογράφος
next (nekst): *(adj)* προσεχής ‖ διπλανός ‖ *(adv)* ύστερα, έπειτα ‖ **~-door**: *(adj)* διπλανός, γειτονικός
nibble (ˊnibəl) [-d]: *(v)* μασουλώ, τραγανίζω
nice (nais): *(adj)* ελκυστικός, ευχάριστος ‖ καλός ‖ **~ty**: *(n)* ευγένεια, λεπτότητα ‖ **to a ~ty**: προσεκτικότατα, ακριβέστατα
nick (nik): *(n)* εγκοπή, χαρακιά ‖ [-ed]: *(v)* χαράζω ‖ **in the ~ of time**: στην κατάλληλη στιγμή
nickel (ˊnikəl): *(n)* νικέλιο, νίκελ
nickname (ˊnikneim): *(n)* υποκοριστικό ‖ παρατσούκλι
nicotine (ˊnikəti:n): *(n)* νικοτίνη
niece (ni:s): *(n)* ανεψιά
niggl-e (ˊnigəl) [-d]: *(v)* λεπτολογώ, "ψειρίζω" ‖ **~ing**: *(adj)* υπερβολικά λεπτολόγος, "ψείρας"
night (nait): *(n)* νύχτα ‖ **~club**: *(n)* νυχτερινό κέντρο διασκέδασης, "νάϊτ-κλαμπ" ‖ **~dress**: *(n)* νυχτικό ‖ **~ gown**: *(n)* νυχτικιά ‖ **~ingale**: *(n)* αηδόνι ‖ **~mare**: *(n)* εφιάλτης ‖ **~watchman**: *(n)* νυχτοφύλακας ‖ **~y**: *(n)* νυχτικιά
nil (nil): *(n)* τίποτε, μηδέν
nimble (ˊnimbəl): *(adj)* ευκίνητος ‖ εύστροφος
nin-e (nain): *(n)* εννέα ‖ **~eteen**: *(n)* δεκαεννέα ‖ **~eteenth**: *(n)* δέκατος ένατος ‖ **~etieth**: *(n)* ενενηκοστός ‖ **~ety**: *(n)* ενενήντα ‖ **~th**: *(n)* ένατος
nip (nip) [-ped]: *(v)* τσιμπώ ‖ αρπάζω βιαστικά ‖ *(n)* τσίμπημα ‖ μικρή δαγκωματιά
nipple (ˊnipəl): *(n)* θηλή, ρώγα
nit (nit): *(n)* κόνιδα
nitrogen (ˊnaitrədzən): *(n)* άζωτο
nitroglycerin (naitrəˊglisərin): *(n)* νιτρογλυκερίνη
no (nou): *(adv)* όχι ‖ *(adj)* καθόλου, κανένας ‖ μην ‖ *(n)* άρνηση ‖ αρνητική ψήφος ‖ **~ account**: *(adj)* ανάξιος
nob-ility (nouˊbiləti:): *(n)* τάξη των

ευγενών || ευγένεια, ευγενική καταγωγή || **~le** (΄noubəl): *(adj)* ευγενής || **~leman**: *(n)* ευγενής, ευπατρίδης
nobody (΄noubədi:): *(pron)* κανείς
nod (nəd) [-ded]: *(v)* κατανεύω, γνέφω "ναι" με το κεφάλι || *(n)* γνέψιμο, νεύμα
nois-e (noiz): *(n)* θόρυβος || **~y**: *(adj)* θορυβώδης
nomad (΄noumæd): *(n)* νομάς || **~ic**: *(adj)* νομαδικός
nomin-al (΄nəmənəl): *(adj)* ονομαστικός || **~ate** (΄nəməneit) [-d]: *(v)* ονομάζω || **~ative**: *(n)* ονομαστική || **~ee** (nəmə΄ni:): *(n)* υποψήφιος, προταθείς
non (nən): *(prefix)* μη
nonagon (΄nənəgon): ενεάγωνο
nonchalan-ce (΄nənʃə΄la:ns): *(n)* προσποιητή αδιαφορία || αταραξία || **~t**: *(adj)* προσποιητά αδιάφορος, ατάραχος
noncommissioned officer (nənkə΄miʃənd): *(n)* υπαξιωματικός
nondescript (΄nəndi΄skript): *(adj)* ακαθόριστος
none (nʌn): *(adj & pron)* κανένας || *(adv)* καθόλου || ~ **the less**: *(adv)* όμως
nonentity (nən΄entəti:): *(n)* μηδαμινότητα, ασήμαντος
nonplus (nən΄plʌs): *(n)* αμηχανία, ζάλη || **~sed**: *(adj)* αμήχανος, "χαμένος"
nonsens-e (΄nənsens): *(n)* ανοησία
nonstop (΄nən΄stəp): *(adj)* κατευθείαν, άνευ σταθμού ή στάσης
noodle (΄nu:dl): *(n)* χυλοπίτα, λεπτό ζυμαρικό
nook (nu:k): *(n)* γωνιά, εσοχή
noon (nu:n): *(n)* μεσημέρι
no one: see nobody
noose (nu:s): *(n)* θηλιά, βρόχος
nor (nə:r): *(conj)* ούτε
norm (nə:rm): *(n)* στερεότυπο || τύπος
normal (΄nə:rməl): *(adj)* ομαλός || κάθετος
north (nə:rθ): *(n)* βορράς || *(adj)* βόρειος, βορινός || **~east**: *(n)* βορειοανατολικά || **~eastern**: *(adj)* βορειοανατολικός || **~easter**: *(n)* βορειοανατολικός άνεμος || **~er**: *(n)* βόρειος άνεμος || **~west**: *(n)* τα βορειοδυτικά || **~westerly**: *(adj)* βορειοδυτικός
Nor-way (΄nə:rwei): *(n)* Νορβηγία || **~wegian** (nə:r΄wi:dzən): *(n)* Νορβηγός || *(adj)* νορβηγικός
nose (nouz): *(n)* μύτη || ρύγχος, μουσούδι || ~ **dive**: *(n)* κάθετη εφόρμηση
nosology (nou΄sələdzi): *(n)* νοσολογία
nostalgi-a (nə΄stældzə): *(n)* νοσταλγία || **~c**: *(adj)* νοσταλγικός
nostril (΄nəstrəl): *(n)* ρουθούνι
not (nət): *(adv)* δεν, όχι, μη
not-able (΄noutəbəl): *(adj)* αξιωσημείωτος || σημαντικός
notch (nətʃ): *(n)* στενωπός || εγκοπή, χαρακιά || [-ed]: *(v)* χαράζω
note (nout): *(n)* σημείωση νότα || [-d]: *(v)* σημειώνω || παρατηρώ, προσέχω|| **~book**: *(n)* σημειωματάριο
nothing (΄nʌthiŋ): *(n)* τίποτε
notice (΄noutis): *(n)* παρατήρηση, προσοχή || αγγελία || προειδοποίηση || [-d]: *(v)* παρατηρώ || προσέχω || **~able**: *(adj)* αξιοπρόσεκτος || αξιοσημείωτος
noti-fication (noutəfi΄keiʃən): *(n)* γνωστοποίηση || **~fy** (΄nətəfai) [-ied]: *(v)* γνωστοποιώ || πληροφορώ
notion (΄nouʃən): *(n)* ιδέα, αντίληψη
noto-riety (noutə΄raiəti:): *(n)* κακή φήμη || **~rious** (nou΄tə:ri:əs): *(adj)* περιβόητος
notwithstanding (nətwith΄stændiŋ): *(prep & adv)* παρά ταύτα, παρόλο
nought: see naught
noun (naun): *(n)* ουσιαστικό
nourish (΄nə:riʃ) [-ed]: *(v)* τρέφω || **~ing**: *(adj)* θρεπτικός || **~ment**: *(n)* τροφή, διατροφή
novel (΄nəvəl): *(n)* μυθιστόρημα || *(adj)* || πρωτότυπος || **~ist**: *(n)* μυθιστοριογράφος || **~ty**: *(n)* νεωτερισμός, καινοτομία
November (nou΄vembər): *(n)* Νοέμβριος
novice (΄nəvis): *(n)* αρχάριος
now (nau): *(adv)* τώρα || ~ **and again, ~ and then**: κάπου-κάπου, κατά καιρούς, κάθε τόσο || **~adays**: *(adv)* στο παρόν, σήμερα, τη σημερινή εποχή
no-way (΄nouwei): *(adv)* επ' ουδενί λόγω, με κανένα τρόπο || **~where**: *(adv)* πουθενά

nozzle (΄nɔzəl): *(n)* στόμιο || ακροφύσιο || μύτη *(id)*
nuance (nu:΄a:ns): *(n)* απόχρωση
nubile (΄nu:bil): *(adj)* σε ηλικία γάμου
nucle-ar (΄nu:kli:ər): *(adj)* πυρηνικός || ~ **us** (΄nu:kli:əs): *(n)* πυρήνας
nud-e (nju:d): *(adj)* γυμνός || ~**ism**: *(n)* γυμνισμός
nudge (nʌdz) [-d]: *(v)* σκουντώ || *(n)* σκούντημα
nuisance (΄nju:səns): *(n)* ενόχληση
null (nʌl): *(adj)* άκυρος|| ~**ify** [-ied]: *(v)* ακυρώνω
numb (nʌm): *(adj)* μουδιασμένος || [-ed]: *(v)* μουδιάζω, ναρκώνω
number (΄nʌmbər): *(n)* αριθμός || [-ed]: *(v)* αριθμώ
numer-able (΄nu:mərəbəl): *(adj)* αριθμητός || ~**al**: *(n)* αριθμός, ψηφίο || ~**ator**: *(n)* αριθμητής || ~**ical**: *(adj)* αριθμητικός || ~**ous**: *(adj)* πολυάριθμος
nun (nʌn): *(n)* καλόγρια || ~**nery**: *(n)* μοναστήρι καλογριών
nurs-e (nə:rs): *(n)* νοσοκόμα, νοσοκόμος || παραμάνα, ''νταντά'' || [-d]: *(v)* βυζαίνω βρέφος || περιποιούμαι, νοσηλεύω || ~**emaid**: *(n)* παραμάνα, ''νταντά'' || ~**ery**: *(n)* δωμάτιο βρέφους ή μικρών παιδιών || βρεφοκομείο, παιδικός σταθμός || φυτώριο || ~**ing home**: *(n)* κλινική || γηροκομείο
nut (nʌt): *(n)* ξηρός καρπός || καρύδι || περικόχλιο, ''παξιμάδι'' || ~**cracker**: *(n)* καρυοθραύστης || ~**meg**: *(n)* μοσχοκάρυδο
nutri-ent (΄nu:tri:ənt): *(n)* θρεπτική ουσία || ~**ment**: *(n)* θρεπτική ουσία || ~**tion**: *(n)* θρέψη || διατροφή || ~**tious**: *(adj)* θρεπτικός || ~**tive**: *(adj)* θρεπτικό
nylon (΄nailən): *(n & adj)* νάυλον

O

oaf (ouf): *(n)* αδέξιος, ''μπουνταλάς''
oak (ouk): *(n)* δρύς, βαλανιδιά || *(adj)* δρύινος
oar (ɔ:r): *(n)* κουπί
oasis (ou΄eisis): *(n)* όαση
oat (out): *(n)* βρόμη (φυτό) || ~**s**: *(n)* βρόμη
oath (outh): *(n)* όρκος || βλαστήμια
obedien-ce (ou΄bi:di:əns): *(n)* ευπείθεια || υπακοή || ~**t**: *(adj)* ευπειθής, υπάκουος
obelisk (΄əbəlisk): *(n)* οβελίσκος
obes-e (ou΄bi:s): *(adj)* παχύσαρκος || ~**ity**: *(n)* παχυσαρκία
obey (ou΄bei) [-ed]: *(v)* υπακούω
obituary (ou΄bitʃu:əri): *(n)* νεκρολογία
object (əb΄dzekt) [-ed]: *(v)* έχω αντίρρηση || αντιτίθεμαι || (΄əbdzekt):*(n)*αντικείμενο|| ~**no** δεν είναι θέμα || ~**ion** (əb΄dzekʃən): *(n)* αντίρρηση || αντίθεση| ~**ive**: *(adj)* αντικειμενικός || *(n)* αντικειμενικός σκοπός
obli-gate (΄əbləgeit) [-d]: *(v)* υποχρεώνω || ~**gation**: *(n)* υποχρέωση || ~**gatory**: *(adj)* υποχρεωτικός || ~**ge** (ə΄blaidz) [-d]: *(v)* υποχρεώνω || αναγκάζω || βάζω σε υποχρέωση
obli-que (ou΄bli:k): *(adj)* λοξός, πλάγιος || ~**quity**: *(n)* λοξότητα
obliterat-e (ə΄blitəreit) [-d]: *(v)* εξαλείφω, καταστρέφω ολοσχερώς
oblivi-on (ə΄blivi:ən): *(n)* λησμονιά || λήθη
oblong (΄əblɔ:ŋ): *(adj)* επιμήκης, στενόμακρος
obnoxious (əb΄nɔkʃəs): *(adj)* απαίσιος, απεχθής
obscen-e (əb΄si:n): *(adj)* χυδαίος, αισχρός
obscur-e (əb΄skju:r): *(adj)* δυσδιάκριτος || άσημος, αφανής || συγκεχυμένος, μη συγκεκριμμένος || ~**ity**: *(n)* σκοτάδι || αφάνεια, ασημότητα
obsequious (əb΄si:kwi:əs): *(adj)* χαμερπής, δουλοπρεπής
observ-able (əb΄zə:rvəbəl): *(adj)* ευδιάκριτος || ~**ance** (əb΄zə:rvəns): *(n)* τήρηση || ~**ant**: *(adj)* παρατηρη-

τικός || **~ation** (əbzər΄veiʃən): *(n)* παρατήρηση || **~atory** (əb΄zə:rvə tə:ri:): *(n)* παρατηρητήριο || αστεροσκοπείο || **~e** (əb΄zə:rv) [-d]: *(v)* παρατηρώ || τηρώ || **~er**: *(n)* παρατηρητής
obsess (əb΄ses) [-ed]: *(v)* βασανίζω, ενοχλώ επίμονα || **~ion**: *(n)* βάσανο, συνεχής και επίμονη ενόχληση || έμμονη ιδέα
obso-lescent (əbsə΄lesənt): *(adj)* ξεπερασμένος || **~lete** (΄əbsə΄li:t): *(adj)* απαρχαιωμένος || σε αχρηστία
obstacle(΄əbstəkəl): *(n)* εμπόδιο
obstetric (əb΄stetrik), **~al**: *(adj)* μαιευτικός || **~ian**: *(n)* μαιευτήρας || **~s**: *(n)* μαιευτική
obstina-cy (΄əbstənəsi:): *(n)* ισχυρογνωμοσύνη || **~te**: *(adj)* ισχυρογνώμονας
obstruct (əb΄strʌkt) [-ed]: *(v)* εμποδίζω || **~ion**: *(n)* εμπόδιο
obtain (əb΄tein) [-ed]: *(v)* αποκτώ || πετυχαίνω
obtrusive (əb΄tru:siv): *(adj)* ενοχλητικός
obtuse (əb.΄tju:s): *(adj)* αμβλύς
obvi-ate (΄əbvi:eit) [-d]: *(v)* προκαταλαβαίνω || **~ous** (΄əbvi:əs): *(adj)* προφανής || **~ously**: *(adv)* προφανώς
occasion (ə΄keizən): *(n)* ευκαιρία || περίπτωση || [-ed]: *(v)* προξενώ || **~al**: *(adj)* κατά καιρούς, σποραδικός
occult (ə΄kʌlt): *(adj)* απόκρυφος || *(n)* απόκρυφες επιστήμες
occup-ancy (΄əkjəpənsi:): *(n)* κατοχή || **~ant**: *(n)* κάτοχος || **~ation** (əkjə΄peiʃən): *(n)* ασχολία, απασχόληση || επάγγελμα || κατοχή || **~ational**: *(adj)* επαγγελματικός || **~y** (΄əkjəpai) [-ied]: *(v)* κατέχω || απασχολώ
occur (ə΄kə:r) [-red]: *(v)* συμβαίνω || λαμβάνω χώρα || **~rence**: *(n)* συμβάν || περιστατικό
ocean (΄ouʃən): *(n)* ωκεανός || **O~ia**: *(n)* Ωκεανία
ocher (΄oukər), **ochre**: *(n)* ώχρα
o'clock (ə΄klək): *(adv)* σύμφωνα με το ρολόι, "η ώρα"
octa-gon (΄əktəgən): *(n)* οκτάγωνο || **~hedron**: *(n)* οκτάεδρο
October (ək΄toubər): *(n)* Οκτώβριος
octopus (΄əktəpəs): *(n)* χταπόδι
odd (əd): *(adj)* περίεργος, παράξενος || μονός, χωρίς ταίρι || περιττός, μονός, όχι άρτιος || **~ity**: *(n)* παραξενιά, ιδιοτροπία || παράξενος άνθρωπος ή πράγμα || **~s**: *(n)* χαριστικό πλεονέκτημα, "αβάντζο" || πιθανότητα νίκης ή έκβασης
ode (oud): *(n)* ωδή
odi-ous (΄oudi:əs): *(adj)* βδελυρός || απεχθής
odor, odour (΄oudər): *(n)* οσμή, μυρουδιά
of (əv, əv): *(prep)* από || του || περί, για || ως προς
off (əf): *(adj)* μακρυά || μη εν ενεργεία, "κλειστό"|| **~ and on**: κατά καιρούς, που και που || **~ chance**: αμυδρή πιθανότητα
offal (΄ə:fəl): *(n)* άχρηστα εντόσθια
offen-d (ə΄fend) [-ed]: *(v)* προσβάλλω || **~se, ~ce**: *(n)* προσβολή || παράβαση || (΄əfens): *(n)* επίθεση, προσβολή || **~sive**: *(adj)* δυσάρεστος || προσβλητικός
offer (΄əfər) [-ed]: *(v)* προσφέρω || *(n)* προσφορά || **~ing**: *(n)* προσφορά || ανάθημα, αφιέρωμα
offhand (΄əfhænd): *(adv)* αυθόρμητα || *(adj)* αυθόρμητος
offi-ce (΄əfis): *(n)* γραφείο || υπηρεσία || αξίωμα, θέση || **~cer**: αξιωματικός || **~cial** (ə΄fiʃəl): *(adj)* υπηρεσιακός || επίσημος || *(n)* υπάλληλος || **~ciate** [-d]: *(v)* εκτελώ υπηρεσία ή καθήκοντα || ιερουργώ || **~cious**: *(adj)* ενοχλητικά εξυπηρετικός
offing (΄əfiŋ): *(n)* ανοικτή θάλασσα || **in the ~**: στα ανοιχτά || ενόψει
offset (΄əfset): *(n)* αντιστάθμισμα || κλάδος, βλαστός || τυπογραφία "όφσετ" || *(v)* αντισταθμίζω
off-shore (΄əfʃə:r): *(adv)* μακριά από την ακτή, στα ανοιχτά
offside (΄əfsaid): *(adj)* σε θέση "οφσάιντ"
offspring (΄əfspriŋ): *(n)* απόγονος, βλαστάρι || αποτέλεσμα, προϊόν
off-stage (΄əfsteidz): *(adv)* στα παρασκήνια
often (΄əfən): *(adv)* συχνά, πολλές φορές
ogle (΄ə:gəl) [-d]: *(v)* κοιτάζω με γουρλωμένα μάτια || κοιτάζω ερωτικά, "γλυκοκοιτάζω" || *(n)* γλυκοκοίταγμα

ogre (ˊougər): *(n)* δράκος
oh (ou): *(interj)* ω! α! ‖ **~o** (ouˊ-hou): *(int)* αχά!
oil (oil): *(n)* λάδι ‖ πετρέλαιο ‖ [-ed]: *(v)* λαδώνω ‖ **~cloth**: *(n)* μουσαμάς ‖ **~er**: *(n)* πετρελαιοφόρο, "τάνκερ" ‖ **~field**: *(n)* πετρελαιοπηγές ‖ **~ painting**: *(n)* ελαιογραφία ‖ **~skin**: *(n)* αδιάβροχο, μουσαμάς ‖ **~well**: *(n)* πετρελαιοπηγή
ointment (ˊointmənt): *(n)* αλοιφή
O.K., okay (ouˊkei): *(interj)* εν τάξει
okra (ˊoukər): *(n)* μπάμια
old (ould): *(adj)* γέρος ‖ παλιός ‖ ορισμένης ηλικίας, "χρονών", "ετών" ‖ **~ fashioned**: *(adj)* με παλιές ιδέες, του παλιού καιρού ‖ παλιάς ή περασμένης μόδας
oleander (ˊouli:ˊændər): *(n)* ροδοδάφνη, ροδόδεντρο
oligarchy (ˊələga:rki:): *(n)* ολιγαρχία
olive (ˊəliv): *(n)* ελιά ‖ **~ oil**: *(n)* ελαιόλαδο
Olympi-ad (ouˊlimpi:æd): *(n)* Ολυμπιάδα ‖ **~c**: *(adj)* ολυμπιακός ‖ **~ic games**: *(n)* ολυμπιακοί αγώνες
omelet, omelette (ˊəməlit): *(n)* ομελέτα
omen (ˊoumən): *(n)* οιωνός ‖ [-ed]: *(v)* προοιωνίζω
ominous (ˊəmənəs): *(adj)* δυσοίωνος ‖ απειλητικός
omission (ouˊmiʃən): *(n)* παράλειψη
omit (ouˊmit) [-ted]: *(v)* παραλείπω
on (ən): *(prep)* επί, επάνω ‖ εις, σε ‖ κατά ‖ περί ‖ *(adv)* σε λειτουργία, "ανοιχτό" ‖ εμπρός, προς τα εμπρός ‖ **and so ~**: και ούτω καθεξής
once (wʌns): *(adv)* άπαξ, μια φορά ‖ κάποτε, μια φορά ‖ **~ and for all**: μια για πάντα ‖ **~ upon a time**: μια φορά κι ένα καιρό, κάποτε ‖ **at ~**: ταυτόχρονα ‖ αμέσως
oncoming (ənˊkʌmiŋ): *(adj)* επερχόμενος
one (wʌn): *(adj)* ένας ‖ **~ another**: αλλήλους ‖ **~self**: εαυτός ‖ **~sided**: *(adj)* μονόπλευρος
onion (ˊʌnjən): *(n)* κρεμμύδι
onlooker (ˊənlukər): *(n)* θεατής
only (ˊounli:): *(adj)* μόνος, μοναδικός ‖ *(adv)* μόνο
on-rush (ˊənrʌʃ): *(n)* εισβολή ‖ επίθεση ‖ **~set**: *(n)* επίθεση, έφοδος ‖ απαρχή
onslaught (ˊənslə:t): *(n)* βίαιη επίθεση
onto (ˊəntu:), **on to**: επάνω σε ‖ see on
onus (ˊounəs): *(n)* στίγμα ‖ μπελάς, σκοτούρα, βάρος
onward (ˊənwərd), **~ s**: *(adj & adv)* προς τα εμπρός ‖ και στο εξής
ooze (u:z) [-d]: *(v)* διαρρέω σιγανά, περνώ μέσα από πόρους
opacity (ouˊpæsəti:): *(n)* αδιαφάνεια
opal (ˊoupəl): *(n)* οπάλι
opaque (ouˊpeik): *(adj)* αδιαφανής
open (ˊoupən): *(adj)* ανοιχτός ‖ [-ed]: *(v)* ανοίγω ‖ **~-air**: *(adj)* υπαίθριος ‖ **~-and-shut**: *(adj)* απλούστατος ‖ **~er**: *(n)* ανοιχτήρι ‖ **~-faced**: *(adj)* ειλικρινής
opera (ˊəpərə): *(n)* μελόδραμα, "όπερα" ‖ **~ house**: *(n)* όπερα (κτίριο) ‖ **~tic**: *(adj)* μελοδραματικός
opera-ble (ˊəpərəbəl): *(adj)* λειτουργίσιμος ‖ **~te** (ˊəpəreit) [-d]: *(v)* λειτουργώ, εργάζομαι ‖ χειρίζομαι ‖ χειρουργώ, κάνω εγχείριση ‖ **~tion** (əpəˊreiʃən): *(n)* λειτουργία ‖ χειρισμός ‖ εγχείριση ‖ **~tional**: *(adj)* χειριστικός ‖ των επιχειρήσεων ‖ λειτουργίσιμος, σε κατάσταση λειτουργίας‖ **~tor** (ˊəpəreitər): *(n)* χειριστής ‖ τηλεφωνητής ή τηλεφωνήτρια
operetta (əpəˊretə): *(n)* οπερέτα
ophthalmolo-gist (əfthælˊmələdzist): *(n)* οφθαλμίατρος ‖ **~gy**: *(n)* οφθαλμιατρική
opinion (əˊpinjən): *(n)* γνώμη, ιδέα
opium (ˊoupi:əm): *(n)* όπιο
opossum (əˊpəsəm), **possum** (ˊpəsəm): *(n)* δίδελφυς
opponent (əˊpounənt): *(n)* αντίπαλος ‖ αντίθετος
opportun-e (əpərˊtju:n): *(adj)* κατάλληλος ‖ εύθετος ‖ επίκαιρος ‖ **~ist**: *(n)* καιροσκόπος ‖ **~istic**: *(adj)* καιροσκοπικός ‖ **~ity**: *(n)* ευκαιρία
oppos-able (əˊpouzəbəl): *(adj)* αντικρούσιμος ‖ **~e** [-d]: *(v)* αντιτίθεμαι ‖ **~ite** (ˊəpəsit): *(adj)* αντίθετος ‖ απέναντι, αντικρινός ‖ *(adv & prep)* απέναντι ‖ *(n)* το αντίθετο ‖ **~ite number**: *(n)* αντίστοιχος σε βαθμό ή σε θέση ‖ **~ition** (əpəziʃən): *(n)* αντίθεση ‖ αντιπολίτευση ‖ **~itional**: *(adj)* αντιπολιτευτικός ‖

αντιθετικός ‖ **~itionist**: *(n)* της αντιπολίτευσης, αντιπολιτευόμενος
oppress (ə΄pres) [-ed]: *(v)* καταπιέζω, καταδυναστεύω ‖ **~ion**: *(n)* καταπίεση, καταδυνάστευση ‖ κατάθλιψη, βάρος, πίεση ‖ **~ive**: *(adj)* καταπιεστικός ‖ καταθλιπτικός
opt (ɔpt) [-ed]: *(v)* διαλέγω, κάνω επιλογή ‖ **~ion** (΄ɔpʃən): *(n)* εκλογή ‖ προαίρεση ‖ **~ional**: *(adj)* προαιρετικός
optic (΄ɔptik), **~ al**: *(adj)* οπτικός
optim-ism (΄ɔptəmizəm): *(n)* αισιοδοξία ‖ **~ist**: *(n)* αισιόδοξος ‖ **~istic**: *(adj)* αισιόδοξος
option, ~ al: see opt
opulen-ce (΄ɔpjələns), **~cy**: *(n)* αφθονία ‖ πλούτος ‖ **~t**: *(adj)* άφθονος, πλούσιος
opus (΄oupəs): *(n)* δημιουργική εργασία ‖ μουσική σύνθεση
or (ɔ:r): *(conj)* ή ‖ ειδεμή, αλλιώς ‖ είτε
oracle (΄ɔ:rəkəl): *(n)* μαντείο ‖ χρησμός
oral (΄ɔ:rəl): *(adj)* στοματικός ‖ προφορικός
orange (΄ɔrindz): *(n)* πορτοκάλι ‖ **~ade**: *(n)* πορτοκαλάδα
orat-e (ɔ:΄reit) [-d]: *(v)* ρητορεύω ‖ **~ion** (ɔ:΄reiʃən): *(n)* ρητορεία, λόγος ‖ **~or** (΄ɔ:rətər): *(n)* ρήτορας
orb (΄ɔ:rb): *(n)* σφαίρα ‖ μάτι ‖ **~it**(΄ɔ:rbit): *(n)* τροχιά ‖ [-ed]: *(v)* περιστρέφομαι
orchard (΄ɔ:rtʃərd): *(n)* κήπος οπωροφόρων δέντρων
orchestra (΄ɔ:rkistrə): *(n)* ορχήστρα
orchid (΄ɔ:rkid): *(n)* ορχιδέα ‖ ορχεοειδές
ordain (ɔ:r΄dein) [-ed]: *(v)* χειροτονώ
ordeal (ɔ:r΄di:l): *(n)* βάσανο, δοκιμασία
order (΄ɔ:rdər): *(n)* τάξη ‖ σειρά ‖ διαταγή ‖ παραγγελία ‖ βαθμός ‖ [-ed]: *(v)* διατάζω ‖ παραγγέλνω, δίνω παραγγελία ‖ διευθετώ, ταξινομώ ‖ **in ~ that**: για να, ούτως ώστε ‖ **in ~ to**: για να, προς τον σκοπό ‖ **~ly**: *(adj)* τακτικός ‖ *(n)* βοηθός νοσοκόμου ‖ στρατ. αγγελιοφόρος, ιπποκόμος, ''ορντινάντσα''
ordin-al (΄ɔ:rdnəl): *(adj)* τακτικός
ordinar-ily (΄ɔ:rdn΄erəli:): *(adv)* κανονικά, συνήθως ‖ **~y** (΄ɔ:rdneri:): *(adj)* συνηθισμένος ‖ κοινός
ordination (΄ɔ:rd΄neiʃən): *(n)* χειροτονία
ordnance (΄ɔ:rdnəns): *(n)* πυροβολικό
ore (΄ɔ:r): *(n)* ορυκτό, μετάλλευμα
oregano (ə΄regənou): *(n)* ρίγανη
organ (΄ɔ:rgən): *(n)* όργανο ‖ **~ic** (ɔ:r΄gænik): *(adj)* οργανικός ‖ **~ism**: *(n)* οργανισμός ‖ **~ist**: *(n)* οργανοπαίκτης ‖ **~ization** (ɔ:rgənə΄zeiʃən): *(n)* οργάνωση ‖ **~ize** (΄ɔ:rgənaiz) [-d]: *(v)* οργανώνω
orgasm (΄ɔ:rgæzəm): *(n)* οργασμός
orgy (΄ɔ:rdzi:): *(n)* όργιο
orient (΄ɔ:ri:ənt): *(n)* ανατολή ‖ [-ed]: *(v)* προσανατολίζω ‖ **~al**: *(adj)* ανατολίτικος ‖ *(n)* ανατολίτης ‖ **~ate** [-d]: *(v)* προσανατολίζω
orifice (΄ɔrəfis): *(n)* στόμιο, άνοιγμα
origin (΄ɔrədzin): *(n)* αρχή, προέλευση, καταγωγή ‖ **~al**: *(adj)* αρχικός ‖ πρωτότυπος ‖ **~ality**: *(n)* πρωτοτυπία ‖ **~ate** (ə΄ridzəneit) [-d]: *(v)* δημιουργώ ‖ προέρχομαι
ornament (΄ɔ:rnəmənt): *(n)* στολίδι, κόσμημα ‖ [-ed]: *(v)* στολίζω, κοσμώ ‖ **~al**: *(adj)* διακοσμητικός
ornate (ɔ:r΄neit): *(adj)* παραστολισμένος, φανταχτερά στολισμένος
ornitholog-ist (ɔ:rnə΄thələdzist): *(n)* ορνιθολόγος ‖ **~y**: *(n)* ορνιθολογία
orphan (΄ɔ:rfən): *(n)* ορφανός ‖ [-ed]: *(v)* απορφανίζω ‖ **~age**: *(n)* ορφανοτροφείο
orthodox (΄ɔ:rthədɔks): *(adj)* ορθόδοξος ‖ **~y**: *(n)* ορθοδοξία
ortho-gonal (ɔ:r΄thɔgənəl): *(adj)* ορθογώνιος ‖ **~graphy** (ɔ:r΄thɔgrəfi:): *(n)* ορθογραφία ‖ **~paedic**, **~pedic**: *(adj)* ορθοπεδικός
ortolan (΄ɔ:rtələn): *(n)* ορίολος, ''συκοφάγος''
oscillat-e (΄ɔsəleit) [-d]: *(v)* ταλαντεύομαι ‖ **~ion**: *(n)* ταλάντευση
osten-sible (ɔs΄tensəbəl): *(adj)* φαινομενικός, δήθεν ‖ **~tation** (ɔsten΄teiʃən): *(n)* επίδειξη, ''φιγούρα'' ‖ **~tatious**: *(adj)* επιδεικτικός
ostra-cism (΄ɔstrəsizəm): *(n)* εξοστρακισμός ‖ **~cize** (΄ɔstrəsaiz) [-d]: *(v)* εξοστρακίζω
ostrich (΄ɔstritʃ): *(n)* στρουθοκάμηλος
other (΄ʌðər): *(adj)* άλλος ‖ *(pron)*

άλλος || **the ~ day**: τις προάλλες || **~wise**: *(adv)* άλλως, αλλιώς, αλλιώτικα
otitis (ou´taitis): *(n)* ωτίτιδα
otter (´ɔtər): *(n)* ενυδρίς, βύδρα || ''λουτρ''
ottoman (´ɔtəmən): *(n)* ντιβάνι
ouch (autʃ): *(interj)* ωχ!
ought (ɔ:t): *(v)* πρέπει || θα έπρεπε || θα πρέπει
ounce (auns): *(n)* ουγκιά
our (aur): *(pron)* μας, (δικός) μας || **~s**: δικός μας || **~selves**: *(pron)* εμείς οι ίδιοι, εμάς τους ίδιους
oust (aust) [-ed]: *(v)* εκβάλλω, βγάζω βίαια
out (aut): *(adv)* έξω || σβησμένος || **~ from under**: σωσμένος, γλιτωμένος || **~bid**: *(v)* προσφέρω περισσότερα σε δημοπρασία || **~board**: *(adj)* εξωλέμβιος || **~break**: *(n)* ξέσπασμα || έναρξη
outbuilding (´autbildiŋ): *(n)* παράρτημα κτιρίου
outburst (´autbə:rst): *(n)* ξέσπασμα, έκρηξη
outcast (´autkæst): *(n)* απόβλητος, ''παρίας''
outclass (aut´klæs) [-ed]: *(v)* ξεπερνώ, υπερτερώ, είμαι ανώτερης κλάσης
outcome (´autkʌm): *(n)* αποτέλεσμα || έκβαση || συνέπεια
outcry (´autkrai): *(n)* κατακραυγή
outdate (aut´deit) [-d]: *(v)* ξεπερνώ, κάνω απαρχαιωμένο || **~d**: *(adj)* ξεπερασμένος
outdistance (aut´distəns) [-d]: *(v)* ξεπερνώ, αφήνω πίσω
outdo (´aut´du:): [outdid, outdone]: *(v)* υπερβαίνω, ξεπερνώ
outdoor (´autdɔ:r): *(adj)* υπαίθριος || **~s**: *(adv)* στο ύπαιθρο
outer (´autər): *(adj)* εξωτερικός
outfit (´autfit): *(n)* εξοπλισμός απαραίτητα εφόδια ή εργαλεία || [-ted]: *(v)* εξοπλίζω, εφοδιάζω
outflank (aut´flæŋk) [-ed]: *(v)* πλευροκοπώ
outgoing (´autgoiŋ): *(adj)* εξερχόμενος || φιλικός, προσηνής, εξώστροφος
outgrow (aut´grou) [outgrew, outgrown]: *(v)* ξεπερνώ
outing (´autiŋ): *(n)* έξοδος, περίπατος
outland-er (aut´lændər): *(n)* ξένος || **~ish**: *(adj)* παράξενος, ασυνήθιστος
outlast (aut´læst) [-ed]: *(v)* ξεπερνώ σε διάρκεια, αντέχω πιο πολύ από άλλον
outlaw (´autlɔ:): *(n)* εκτός νόμου || [-ed]: *(v)* κάνω παράνομο
outlay (´autlei): *(n)* δαπάνες
outlet (´autlet): *(n)* διέξοδος
outline (´autlain): *(n)* περίγραμμα || προκαταρκτικό σχέδιο || [-d]: *(v)* σκιαγραφώ, δίνω τα κυρια σημεία
outlive (aut´liv) [-d]: *(v)* επιζώ
outlook (´autluk): *(n)* άποψη || πρόβλεψη
outlying (´autlaiiŋ): *(adj)* απόμερος
outmoded (au´moudid): *(adj)* περασμένης μόδας, ''ντεμοντέ''
outnumber (aut´nʌmbər) [-ed]: *(v)* υπερτερώ αριθμητικά, έχω αριθμητική υπεροχή
out-of-door, ~s: see outdoor
outpatient (´autpeiʃənt): *(n)* εξωτερικός ασθενής
outpour (aut´pɔ:r) [-ed]: *(v)* ξεχύνω || (´autpɔ:r): *(n)* νεροποντή, ορμητική εκροή
output (´autput): *(n)* απόδοση, παραγωγή
outrage (´autreidz): *(n)* ύβρη, προσβολή || [-d]: *(v)* βιάζω || προσβάλλω || εξαγριώνω || **~ous**: *(adj)* υβριστικός, προσβλητικός || χυδαίος, αχρείος || σκανδαλώδης, υπερβολικός
outright (´autrait): *(adv)* ανοιχτά και ξάστερα, απερίφραστα || στο σύνολο, εντελώς
outrun (aut´rʌn) [outran, outrun]: *(v)* ξεπερνώ στο τρέξιμο
outset (´autset): *(n)* αρχή, έναρξη, ξεκίνημα
outside (´autsaid): *(n)* εξωτερικό || **~r**: *(n)* ξένος, άσχετος, αδιάφορος || με μικρές πιθανότητες επιτυχίας
outsize (´autsaiz): *(adj)* μεγάλων διαστάσεων
outskirts (´autskə:rts): *(n)* περίχωρα, ακραία σημεία
outsmart (aut´sma:rt) [-ed]: *(v)* ξεπερνώ σε πονηριά
outspoken (aut´spoukən): *(adj)* ειλικρινής, ευθύς
outstand (aut´stænd) [outstood,

outstood]: *(v)* ξεχωρίζω, διακρίνομαι|| ~**ing**: *(adj)* ξεχωριστός, διακεκριμένος
outstretch (aut΄stretʃ) [-ed]: *(v)* απλώνω, τεντώνω
outward (΄autwərd): *(adj)* προς τα έξω || επιφανειακός
outweigh (aut΄wei) [-ed]: *(v)* ξεπερνώ σε βάρος || υπερτερώ σε σπουδαιότητα
outwit (aut΄wit): see outsmart
outworn (΄autwɔ:rn): *(adj)* παλιός, τριμμένος
oval (΄ouvəl): *(adj & n)* ωοειδής, ''οβάλ''
ova-ry (΄ouvəri:): *(n)* ωοθήκη
ovation (ou΄veiʃən): *(n)* ενθουσιώδης υποδοχή
oven (΄ʌvən): *(n)* κλίβανος, φούρνος
over (΄ouvər): *(prep & adv)* υπεράνω, από πάνω, πάνω από || πέρα από || ξανά || ~ **and above**: επιπλέον, πέραν από
overact (΄ouvər΄ækt) [-ed]: *(v)* το παρακάνω
overall (΄ouvərɔ:l): *(adj)* από τη μια άκρη ως την άλλη || *(n)* μπλούζα τεχνίτη || ~**s**: *(n)* φόρμα εργατική
overawe (΄ouvər΄ɔ:) [-d]: *(v)* γεμίζω δέος
overbalance (΄ouvər΄bæləns) [-d]: *(v)* υπερβάλλω || ανατρέπω ισορροπία
overbear (΄ouvər΄beər) [overbore, overborn]: *(v)* πιέζω || ~**ing**: *(adj)* || αυταρχικός, δεσποτικός
overboard (΄ouvərbɔ:rd): *(adv)* στη θάλασσα
overcast (΄ouvərkæst): *(adj)* σκοτεινός, συννεφιασμένος
overcharge (΄ouvərtʃa:rdz) [-d]: *(v)* παραφορτώνω το λογαριασμό
overcoat (΄ouvərkout): *(n)* πανωφόρι
overcome (΄ouvər΄kʌm) [overcame, overcome]: *(v)* υπερνικώ, κατανικώ, καταβάλλω
overcrowded (΄ouvər΄kraudid): *(adj)* υπερπλήρης
overdo (΄ouvər΄du:) [overdid, overdone]: *(v)* το παρακάνω
overdose (΄ouvər΄dous) [-d]: *(v)* δίνω υπερβολική δόση || *(n)* υπερβολική δόση
overdue (΄ouvər΄dju:): *(adj)* εκπρόθεσμο
overestimate (ouvər΄estəmeit) [-d]: *(v)* υπερτιμώ || υπερεκτιμώ
overflow (ouvər΄flou) [-ed]: *(v)* ξεχειλίζω || *(n)* ξεχείλισμα
overgrow (΄ouvərgrou) [overgrew, overgrown]: *(v)* σκεπάζομαι από βλάστηση || παραμεγαλώνω
overhang (΄ouvər΄hæŋ): *(n)* προεξοχή || *(v)* προεξέχω
overhaul (΄ouvərhɔ:l) [-ed]: *(v)* επισκευάζω ολοκληρωτικά || εξετάζω || *(n)* εξέταση || γενική επισκευή
overhead (΄ouvərhed): *(n)* γενικά έξοδα εκτός εργατικών || *(adj & adv)* από πάνω, ψηλά
overheat (ouvər΄hi:t) [-ed]: *(v)* υπερθερμαίνω || παραενθουσιάζω || υπερερεθίζω
overjoyed (΄ouvər΄dzoid): *(adj)* καταχαρούμενος
overland (΄ouvərlænd): *(adj & adv)* από την ξηρά, στη στεριά
overlap (ouvər΄læp) [-ped]: *(v)* υπερκαλύπτω, σκεπάζω ένα μέρος || (΄ouvərlæp): *(n)* μερική επικάλυψη
overload (ouvər΄loud) [-ed]: *(v)* υπερφορτώνω, παραφορτώνω
overlook (ouvər΄luk) [-ed]: *(v)* δεσπόζω || αντικρίζω || παραβλέπω, αγνοώ || συγχωρώ
overlord (΄ouvərlɔ:rd): *(n)* κυρίαρχος
overmuch (΄ouvər΄mʌtʃ): *(adj & adv)* πάρα πολύ
overnight (΄ouvərnait): *(adj)* ολονύκτιος || για μια νύχτα || *(adv)* για τη νύχτα, για μια νύχτα || για όλη τη νύχτα
overpass (΄ouvərpæs) [-ed]: *(v)* περνώ από πάνω ή διασταυρώνομαι || παραβλέπω, αγνοώ || *(n)* ανισόπεδη διάβαση, ανυψωμένη διάβαση, ''αερογέφυρα''
overpay (ouvər΄pei) [overpaid]: *(v)* πληρώνω πάνω από το κανονικό
overpower (ouvər΄pauər) [-ed]: *(v)* κατανικώ, καταβάλλω || ~**ing**: *(adj)* συντριπτικός
overrate (ouvər΄reit) [-d]: *(v)* υπερτιμώ
override (ouvər΄raid) [overrode, overridden]: *(v)* || υπερισχύω || ακυρώνω, ανατρέπω
overrule (ouvər΄ru:l) [-d]: *(v)* αναιρώ, ανατρέπω

overrun (ouvər΄rʌn) [overran, overrun]: *(v)* κατασυντρίβω ‖ κατακλύζω ‖ ξεχειλίζω
overseas (΄ouvərsi:z): *(adj)* υπερπόντιος
oversee (ouvər΄si:) [oversaw, overseen]: *(v)* επιβλέπω ‖ **~r**: *(n)* επόπτης, επιτηρητής
overshadow (ouvər΄ʃædou) [-ed]: *(v)* επισκιάζω
overshoe (΄ouvərʃu:): *(n)* γαλότσα
overshoot (ouvər΄ʃu:t) [overshot]: *(v)* ξεπερνώ το στόχο
oversight (΄ouvərsait): *(n)* παράβλεψη, παραδρομή
oversimplify (ouvər΄simpləfai) [-ied]: *(v)* παρακάνω απλό
oversize (ouvər΄saiz), **~d**: *(adj)* μεγαλύτερου μεγέθους από το κανονικό
oversleep (ouvərsli:p) [overslept]: *(v)* παρακοιμάμαι
overstate (ouvər΄steit) [-d]: *(v)* μεγαλοποιώ ‖ **~ment**: *(n)* υπερβολή, μεγαλοποίηση
overstay (ouvər΄stei) [-ed]: *(v)* μένω περισσότερο από το κανονικό
overt (΄ouvə:rt): *(adj)* φανερός, ''ανοιχτός''
overtake (ouvər΄teik) [overtook, overtaken]: *(v)* προφταίνω ‖ προσπερνώ ‖ επισυμβαίνω, τυχαίνω
overthrow (ouvər΄throu) [overthrew, overthrown]: *(v)* ανατρέπω
overtime (΄ouvərtaim): *(n)* υπερωρία
overturn (ouvər΄tə:rn) [-ed]: *(v)* αναποδογυρίζω, ανατρέπω ανατρέπομαι
overweight (΄ouvər΄weit): *(adj)* με βάρος μεγαλύτερο του κανονικού
overwhelm (ouvər΄whelm) [-ed]: *(v)* κατακλύζω ‖ κατανικώ, καταβάλλω ‖ **~ing**: *(adj)* συντριπτικός
overwork (ouvər΄wə:rk) [-ed]: *(v)* παρακουράζω ‖ παρακουράζομαι ‖ εργάζομαι υπερβολικά ή πιο πολύ από το κανονικό
overwrought (ouvər΄rə:t): *(adj)* με τεντωμένα νεύρα ‖ παρακουρασμένος ‖ παραδουλεμένος, με υπερβολικά στολίδια
owe (ou) [-d]: *(v)* οφείλω, χρωστώ
owing to (΄ouiŋ): *(prep)* ένεκα, εξαιτίας
owl (aul): *(n)* κουκουβάγια
own (oun) [-ed]: *(v)* έχω στην κατοχή μου, έχω, κατέχω ‖ παραδέχομαι ‖ *(adj)* του εαυτού, δικός ‖ **hold one's ~**: ''βαστώ'' τη θέση μου, δεν υποχωρώ ‖ **~ up**: ομολογώ ξεκάθαρα ‖ **~er**: *(n)* ιδιοκτήτης ‖ **~ership**: *(n)* ιδιοκτησία ‖ κυριότητα
ox (əks): *(n)* βόδι ‖ **~en**: *(n)* βόδια
oxen: pl. of ox (see)
oxid-e (΄əksaid): *(n)* οξίδιο ‖ **~ize** [-d]: *(v)* οξιδώνω
oxygen (΄əksidzən): *(n)* οξυγόνο
oyster (΄oistər): *(n)* στρείδι ‖ **~bed**: *(n)* στρειδοτροφείο ‖ **~man**: *(n)* στρειδοαλιευτικό
oz: ουγκιά (see ounce)

P

pace (peis): *(n)* βήμα ‖ βηματισμός ‖ βάδισμα ‖ [-d]: *(v)* βηματίζω ‖ βαδίζω
paci-fic (pə΄sifik): *(adj)* ειρηνικός ‖ **~fism**: *(n)* φιλειρηνικότητα, ειρηνοφιλία ‖ **~fist**: *(n & adj)* ειρηνόφιλος ‖ **~fy** (΄pæsəfai) [-ied]: *(v)* ειρηνεύω
pack (pæk): *(n)* δέμα ‖ πακέτο ‖ τράπουλα, δεσμίδα ‖ συμμορία ‖ αγέλη, κοπάδι (λύκων ή σκύλων) ‖ [-ed]: *(v)* πακετάρω ‖ **~age**: *(n)* δέμα, πακέτο ‖ **~et**: *(n)* πακέτο ‖ **~ing**: *(n)* συσκευασία
pact (pækt): *(n)* συνθήκη, συμφωνία
pad (pæd): *(n)* βάτα ‖ ταμπόν σφραγίδας ‖ μπλοκ σημειώσεων ‖ **~ding**: *(n)* γέμισμα, βάτα
padlock (΄pædlək): *(n)* λουκέτο ‖ [-ed]: *(v)* κλείνω με λουκέτο
pagan (΄peigən): *(n)* ειδωλολάτρης ‖ *(adj)* ειδωλολατρικός
page (peidz): *(n)* σελίδα

pageant (΄pædzənt): *(n)* πομπή || επίδειξη || **~ry**: *(n)* πομπώδης επίδειξη
pagoda (pə΄goudə): *(n)* παγόδα
pah (pa:): *(inter)* μπα!
pail (peil): *(n)* κουβάς
pain (pein): [-ed]: *(v)* προκαλώ πόνο || *(n)* πόνος || **~s**: *(n)* κόπος || **~staking**: *(adj)* φιλόπονος, ΄εργατικός
paint (peint): *(n)* μπογιά, χρώμα || [-ed]: *(v)* ζωγραφίζω || βάφω || **~brush**: *(n)* πινέλο ζωγράφου ή μπογιατζή || **~er**: *(n)* ζωγράφος || μπογιατζής || **~ing**: *(n)* ζωγραφική || πίνακας ζωγραφικής
pair (peər): *(n)* ζευγάρι || [-ed]: *(v)* ζευγαρώνω
pajamas (pə΄dza:məz): *(n)* πιζάμες
pal (pæl): *(n)* φίλος, σύντροφος
palace (΄pælis): *(n)* ανάκτορο
palat-able (΄pælitəbəl): *(adj)* εύγευστος || **~e** (΄pælit): *(n)* ουρανίσκος
pale (peil): *(n)* πάσσαλος || *(adj)* ωχρός, χλομός || [-d]: *(v)* χλομιάζω
paleolithic (peili:ə΄lithik): *(adj)* παλαιολιθικός
palette (΄pælit): *(n)* ''παλέτα'' ζωγράφου
pall (pɔ:l): *(n)* κάλυμμα φερέτρου || φέρετρο
pallet (΄pælit): *(n)* στρώμα
pall-id (΄pælid): *(adj)* χλομός || **~or**: *(n)* ωχρότητα
palm (pa:m): *(n)* παλάμη || φοίνικας || [-ed]: *(v)* κρύβω στην παλάμη || **~ist**: *(n)* χειρομάντης || **~istry**: *(n)* χειρομαντεία || **P~ Sunday**: *(n)* Κυριακή των Βαΐων
palpable (΄pælpəbəl): *(adj)* χειροπιαστός
palpitat-e (΄pælpəteit) [-d]: *(v)* πάλλω
pal-sied (΄pɔ:lzi:d): *(adj)* παραλυτικός || **~sy**: *(n)* παράλυση
paltry (΄pɔ:ltri:): *(adj)* μηδαμινός, τιποτένιος
pamper (΄pæmpər) [-ed]: *(v)* παραχαϊδεύω, καλομαθαίνω
pamphlet (΄pæmflit): *(n)* φυλλάδιο
pan (pæn): *(n)* τηγάνι || κατσαρόλα || πλάστιγγα ζυγού || **~cake**: *(n)* τηγανίτα
pandemonium (pændə΄mouni:əm): *(n)* πανδαιμόνιο
pander (΄pændər), **~er**: *(n)* προαγωγός, ''ρουφιάνος'' || [-ed]: *(v)* κάνω τον μεσάζοντα
pane (pein): *(n)* υαλοπίνακας
panegyric (pænə΄dzirik): *(n)* πανηγυρικός
panel (΄pænəl): *(n)* φάτνωμα || πίνακας ελέγχου || ένορκοι || επιτροπή || **~ing**: *(n)* ξυλεπένδυση
pang (pæŋ): *(n)* ξαφνικός πόνος, ''σουβλιά''
panic (΄pænik): *(n)* πανικός || [-ked]: *(v)* πανικοβάλλω || πανικοβάλλομαι || **~ stricken**: *(adj)* πανικόβλητος || **~y**: *(adj)* τρομοκρατημένος, πανικόβλητος
pannier (΄pænjər): *(n)* κοφίνι
panoply (΄pænəpli:): *(n)* πανοπλία
panoram-a (pænə΄ræmə): *(n)* πανόραμα || **~ic**: *(adj)* πανοραμικός
pant (pænt) [-ed]: *(v)* λαχανιάζω || *(n)* λαχάνιασμα
panther (΄pænthər): *(n)* πάνθηρας
panties (΄pænti:z): *(n)* κιλότα γυναικείαι
pantomime (΄pæntəmaim): *(n)* παντομίμα || [-d]: *(v)* μιμούμαι
pantry (΄pæntri:): *(n)* αποθήκη τροφίμων, ''κελάρι''
pant-s (pænts): *(n)* παντελόνι || σώβρακο || **~suit**: *(n)* γυναικείο ταγιέρ με παντελόνι || **~yhose**: *(n)* καλτσόν
paper (΄peipər): *(n)* χαρτί || εφημερίδα || **~s**: *(n)* πιστοποιητικά, ''χαρτιά'' || **~back**: *(n)* χαρτόδετο βιβλίο || **~board**: *(n)* χαρτόνι || **~knife**: *(n)* χαρτοκόπτης || **~ weight**: *(n)* ''πρες παπιέ''
papier-maché (΄peipərmə΄ʃei): *(n)* πεπιεσμένο χαρτί
papyrus (pə΄pairəs): *(n)* πάπυρος
parable (΄pærəbəl): *(n)* παραβολή
parachut-e (΄pærəʃu:t): *(n)* αλεξίπτωτο || [-d]: *(v)* πέφτω με αλεξίπτωτο || **~ist**: *(n)* αλεξιπτωτιστής
parade (pə΄reid) [-d]: *(v)* παρατάσσομαι || παρελαύνω || *(n)* παράταξη || παρέλαση
paradise (΄pærədaiz): *(n)* παράδεισος
paradox (΄pærədɔks): *(n)* παράδοξο || παραδοξολογία
paraffin (΄pærəfin): *(n)* παραφίνη
paragon (΄pærəgɔn): *(n)* πρότυπο || ασυναγώνιστος
paragraph (΄pærəgræf): *(n)* παρά-

P

γραφος
parakeet (΄pærəki:t): *(n)* παπαγαλάκι
parallel (΄pærəlel): *(adj & n)* παράλληλος ‖ **~epiped**: *(v)* παραλληλεπίπεδο ‖ **~ism**: *(n)* παραλληλισμός ‖ **~ogram**: *(n)* παραλληλόγραμμο
paraly-sis (pə΄rælэsis): *(n)* παράλυση ‖ **~ze** [-d]: *(v)* παραλύω
paramilitary (parə΄miləteri:): *(adj)* παραστρατιωτικός
paramount (΄pærəmaunt): *(adj)* πρώτιστος
paranoi-a (pærə΄noiə): *(n)* παράνοια ‖ **~ac**: *(adj & n)* παρανοϊκός ‖ **~d**: *(adj)* παρανοϊκός
parapet (΄pærəpit): *(n)* στηθαίο
paraphrase (΄pærəfreiz): *(n)* παράφραση ‖ [-d]: *(v)* παραφράζω
paraplegi-a (pærə΄pli:dzi:ə): *(n)* παραπληγία ‖ **~c**: *(adj & n)* παραπληγικός
parasit-e (΄pærəsait): *(n)* παράσιτο
parasol (΄pærəsɔ:l): *(n)* ομπρέλα για τον ήλιο
parcel (΄pa:rsəl): *(n)* δέμα, δεματάκι, πακέτο
parch (pa:rtʃ) [-ed]: *(v)* κατακαίω, ξεροψήνω ‖ **~ment**: *(n)* περγαμηνή
pardon (΄pa:rdn) [-ed]: *(v)* συγχωρώ ‖ *(n)* συγχώρεση, συγγνώμη ‖ **~able**: *(adj)* συγχωρητέος, άξιος συγγνώμης
pare (peər) [-d]: *(v)* ξεφλουδίζω
parent (΄peərənt): *(n)* γονέας ‖ **~age**: *(n)* καταγωγή ‖ **~hood**: *(n)* ιδιότητα γονέα, πατρότητα ή μητρότητα
parenthesis (pə΄renthəsis): *(n)* παρένθεση
parish (΄pæriʃ): *(n)* ενορία ‖ **~ioner**: *(n)* ενορίτης
park (pa:rk): *(n)* άλσος, πάρκο ‖ [-ed]: *(v)* παρκάρω, σταθμεύω ‖ **~ing lot**: *(n)* χώρος στάθμευσης, ''πάρκιν''
par-lance (΄pa:rləns): *(n)* τρόπος ομιλίας ‖ **~liament** (΄pa:rləmənt): *(n)* κοινοβούλιο ‖ **~liamentary**: *(adj)* κοινοβουλευτικός
parlor (΄pa:rlər): *(n)* σαλόνι ‖ **beauty ~**: *(n)* ινστιτούτο καλλονής
parochial (pə΄rouki:əl): *(adj)* κοινοτικός ‖ ενοριακός ‖ στενής αντίληψης
parody (΄pærədi:): *(n)* παρωδία
parquet (pa:r΄kei): *(n)* παρκέτο
parricide (΄pærəsaid): *(n)* φόνος γονέα ‖ φονιάς γονέα
parrot (΄pærət): *(n)* παπαγάλος ‖ [-ed]: *(v)* μιμούμαι, παπαγαλίζω
parry (΄pæri:) [-ied]: *(v)* αποκρούω ‖ αποφεύγω
parsimo-nious (pa:rsə΄mouni:əs): *(adj)* φιλάργυρος, φειδωλός ‖ **~ny**: *(n)* φιλαργυρία
parsley (΄pa:rsli:): *(n)* μαϊδανός
parsnip (΄pa:rsnip): *(n)* δαύκος
parson (΄pa:rsən): *(n)* ιερέας της ενορίας, εφημέριος
part (pa:rt): *(n)* τμήμα, μέρος ‖ ρόλος, μέρος ‖ *(adj)* μερικό, εν μέρει ‖ [-ed]: *(v)* διαχωρίζω, χωρίζω ‖ χωρίζομαι ‖ αποχωρίζομαι ‖ **in ~**: εν μέρει ‖ **~ from**: *(v)* αποχωρώ ‖ **~ with**: *(v)* εγκαταλείπω, αφήνω ‖ **~ake** [partook, partaken]: *(v)* συμμετέχω ‖ **~ial** (΄pa:rʃəl): *(adj)* μερικός, επιμέρους ‖ μεροληπτικός ‖ **~iality**: *(n)* μεροληψία
partici-pant (pa:r΄tisəpənt): *(n)* μέτοχος, συμμετέχων ‖ **~pate** [-d]: *(v)* συμμετέχω
participle (΄pa:rtəsipəl): *(n)* μετοχή
particle (΄pa:rtikəl): *(n)* σωματίδιο
particular (pər΄tikjələr): *(adj)* ιδιαίτερος ‖ ιδιότροπος, λεπτολόγος
partisan (΄pa:rtəzən): *(n)* φανατικός οπαδός ‖ αντάρτης, ''παρτιζάνος'' ‖ *(adj)* μεροληπτικός
partition (pa:r΄tiʃən): *(n)* διαχωρισμός ‖ χώρισμα ‖ [-ed]: *(v)* χωρίζω σε μέρη
partner (΄pa:rtnər): *(n)* συνεταίρος ‖ συνοδός, καβαλιέρος, ντάμα ‖ **~ship**: *(n)* συνεταιρισμός
partridge (΄pa:rtridz): *(n)* πέρδικα
party (΄pa:rti:): *(n)* παρέα, συντροφιά ‖ συγκέντρωση, ''πάρτυ'' ‖ πολιτικό κόμμα
pass (pæs) [-ed]: *(v)* περνώ ‖ *(n)* πέρασμα ‖ στενωπός ‖ εισιτήριο ελευθέρας εισόδου, ''πάσο'' ‖ **bring to ~**: *(v)* κάνω να συμβεί ‖ **come to ~**: *(v)* συμβαίνω ‖ **~ away**: *(v)* βάζω τέλος ‖ φεύγω ‖ πεθαίνω ‖ **~ for**: *(v)* περνώ ως ‖ **~ out**: *(v)* διανέμω ‖ **~ by**: *(v)* διέρχομαι, περνώ ‖ αντιπαρέρχομαι ‖ **~age**: *(n)* πέρασμα, διάβαση ‖ διάδρομος ‖ περικοπή, απόσπασμα ‖ **~enger**

(΄pæsəndzər): *(n)* ταξιδιώτης ‖ επιβάτης ‖ **~er-by**: *(n)* διαβάτης, περαστικός ‖ **~ing**: *(adj)* περαστικός, παροδικός ‖ *(n)* πέρασμα, διάβαση‖ **~port**: *(n)* διαβατήριο ‖ **~word**: *(n)* σύνθημα, συνθηματική λέξη
pas-sion (΄pæʃən): *(n)* πάθος‖ **~sionate**: *(adj)* φλογερός, διάπυρος ‖ περιπαθής ‖ **~sive** (΄pæsiv): *(adj)* παθητικός ‖ αδρανής
passport: see pass
password: see pass
past (pæst): *(adj)* παρελθών, περασμένος ‖ πρώην
paste (peist): *(n)* κόλλα‖ πάστα, ζύμη ‖ [-d]: *(v)* κολλώ ‖ δίνω γροθιά *(id)*
pasteuri-zation (pæstʃərə΄zeiʃən): *(n)* παστερίωση ‖ **~ze** [-d]: *(v)* παστεριώνω
pastille (pæ΄sti:l): *(n)* παστίλια
pastime (΄pæstaim): *(n)* ασχολία για να περνά η ώρα
pastor (΄pæstər): *(n)* εφημέριος
pastry (΄peistri:): *(n)* ζυμαρικό ‖ γλυκό από ζύμη
pasture (΄pæstʃər): *(n)* βοσκή
pasty (΄peisti:): *(n)* κρεατόπιτα ή ψαρόπιτα ‖ *(adj)* χλομός ‖ σαν ζυμάρι
pat (pæt) [-ted]: *(v)* χτυπώ ελαφρά
patch (pætʃ): *(n)* μπάλωμα ‖ τεμάχιο γης ‖ [-ed]: *(v)* μπαλώνω ‖ **~ up**: *(v)* τακτοποιώ
patent (΄pætənt): *(n)* δίπλωμα ευρεσιτεχνίας ‖ (΄peitənt): *(adj)* προφανής, έκδηλος‖ **~ medicine**: *(n)* ιδιοσκεύασμα, φαρμακευτικό που πουλιέται χωρίς συνταγή γιατρού, τυποποιημένο φάρμακο
pater-nal (pə΄tə:rnəl): *(adj)* πατρικός ‖ **~nity**: *(n)* πατρότητα
path (pæth): *(n)* μονοπάτι ‖ διαδρομή, πορεία
pathetic (pə΄thetik), **~al**: *(adj)* παθητικός, συγκινητικός
patholog-ical (pæthə΄lədzikəl): *(adj)* παθολογικός ‖ **~y**: *(n)* παθολογία ‖ **~ist**: *(n)* παθολόγος
patien-ce (΄peiʃəns): *(n)* υπομονή ‖ **~t**: *(adj)* υπομονετικός ‖ *(n)* ασθενής
patio (΄pæti:ou): *(n)* εσωτερική αυλή ‖ πίσω βεράντα
patisserie (pa:΄ti:seri): *(n)* ζαχαροπλαστείο
patriarch (΄peitri:a:rk): *(n)* πατριάρχης
patriot (΄peitri:ət): *(n)* πατριώτης ‖ **~ic**: *(adj)* πατριωτικός ‖ **~ism**: *(n)* πατριωτισμός
patrol (pə΄troul): *(n)* περίπολος ‖ [-led]: *(v)* περιπολώ
patron (΄peitrən): *(n)* πάτρωνας, προστάτης ‖ τακτικός πελάτης ‖ **~age**: *(n)* υποστήριξη, προστασία, πατρονάρισμα ‖ προστατευτικό ύφος ‖ πελατεία ‖ **~ess**: *(n)* προστάτισσα, υποστηρίκτρια ‖ τακτική πελάτισσα ‖ **~ize** [-d]: *(v)* προστατεύω, πατρονάρω ‖ είμαι τακτικός πελάτης
patter (΄pætər) [-ed]: *(v)* χτυπώ γρήγορα και απαλά ή ελαφρά και απανωτά ‖ περπατώ με γρήγορα, απαλά βήματα ‖ φλυαρώ γρήγορα ‖ *(n)* γρήγορα και απαλά απανωτά χτυπήματα ‖ φλυαρία
pattern (΄pætərn): *(n)* πρότυπο, υπόδειγμα ‖ σχέδιο, "μοντέλο"
paunch (pə:ntʃ): *(n)* κοιλιά ‖ **~y**: *(adj)* κοιλαράς
pauper (΄pə:pər): *(n)* φτωχός ‖ άπορος
pause (pə:z) [-d]: *(v)* σταματώ ‖ διστάζω ‖ *(n)* παύση
pav-e (peiv) [-d]: *(v)* επιστρώνω ‖ **~e the way**: *(v)* προετοιμάζω το έδαφος ‖ **~ement**: *(n)* πλακόστρωτο, λιθόστρωτο ‖ επιφάνεια του δρόμου ‖ (British) πεζοδρόμιο ‖ **~ing**: *(n)* λιθόστρωση, πλακόστρωση ‖ επίστρωση
paw (pə:) *(n)* πόδι ζώου
pawn (pə:n) [-ed]: *(v)* βάζω ενέχυρο ‖ ‖ *(n)* ενέχυρο ‖ πεσσός, "πιόνι" ‖ **~broker**: *(n)* ενεχυροδανειστής ‖ **~shop**: *(n)* ενεχυροδανειστήριο
pay (pei) [paid, paid]: *(v)* πληρώνω ‖ ‖ αποδίδω ‖ *(n)* πληρωμή ‖ **~ down**: *(v)* δίνω προκαταβολή ‖ **~able**: *(adj)* πληρωτέος ‖ **~er**: *(n)* πληρωτής ‖ **~master**: *(n)* ταμίας, πληρωτής ‖ **~ment**: *(n)* πληρωμή‖ **~roll**: *(n)* κατάσταση μισθοδοσίας ‖ **~phone**: *(n)* τηλέφωνο για το κοινό
pea (pi:): *(n)* ‖ μπιζέλι
peace (pi:s): *(n)* ειρήνη ‖ **~able**: *(adj)* ειρηνικός, ήρεμος ‖ **~ful**: *(adj)* ειρηνικός‖ **~ officer**: *(n)* αστυνομικός
peach (pi:tʃ): *(n)* ροδακινιά ‖ ροδάκινο ‖ [-ed]: *(v)* κάνω το χαφιέ *(id)*

peacock (΄pi:kək): *(n)* παγόνι
peak (pi:k): *(n)* κορυφή ‖ άκρο ‖ αποκορύφωμα, κολοφώνας ‖ γείσο ‖ [-ed]: *(v)* κορυφώνομαι
peal (pi:l) [-ed]: *(v)* ηχώ ‖ *(n)* κωδωνοκρουσία ‖ κρότος, ξέσπασμα βροντής
peanut (΄pi:nʌt): *(n)* φυστίκι
pear (peər): *(n)* αχλαδιά ‖ αχλάδι
pearl (pə:rl): *(n)* μαργαριτάρι
peasant (΄pezənt): *(n)* χωρικός
pebble (΄pebəl): *(n)* χαλίκι
pecan (pi΄ka:n): *(n)* ‖ καρύδι
peck (pek) [-ed]: *(v)* ραμφίζω ‖ *(n)* ράμφισμα, τσίμπημα
peculiar (pi΄kju:ljər): *(adj)* ιδιότροπος, παράξενος ‖ ιδιαίτερος, ξεχωριστός ‖ **~ity**: *(n)* ιδιοτροπία, παραξενιά
pedal (΄pedl): *(n)* ποδοκίνητος μοχλός, "πεντάλι" ‖ [-ed]: *(v)* κινώ το "πεντάλι", ποδηλατώ
pedant (΄pedənt): *(n)* σχολαστικός άνθρωπος ‖ **~ic**: *(adj)* σχολαστικός
peddle (΄pedl) [-d]: *(v)* πουλώ λιανικά ‖ **~r**: *(n)* μικροπωλητής
pedestal (΄pedəstəl): *(n)* βάθρο ‖ βάση
pedestrian (pə΄destri:ən): *(n)* πεζός, πεζοπόρος
pediatri-cian (pi:di:ə΄triʃən), **pediatrist** (pi:΄di:atrist): *(n)* παιδίατρος ‖ **~cs**: *(n)* παιδιατρική
pedicure (΄pedikjur): *(n)* περιποίηση ποδιών, "πεντικιούρ"
pee (pi:) [-d]: *(v)* ουρώ, "κατουρώ"
peek (pi:k) [-ed]: *(v)* ρίχνω γρήγορη ματιά ‖ κρυφοκοιτάζω ‖ *(n)* γρήγορη ή κρυφή ματιά
peel (pi:l): *(n)* φλούδα ‖ [-ed]: *(v)* ξεφλουδίζω
peep (pi:p) [-ed]: *(v)* τιτιβίζω ‖ κρυφοκοιτάζω ‖ *(n)* τιτίβισμα ‖ κρυφοκοίταγμα ‖ **~er**: *(n)* "μπανιστιρτζής"‖ **~ing Tom**: "μπανιστιρτζής"
peer (piər) [-ed]: *(v)* κοιτάζω παρατεταμένα ή προσεκτικά ‖ κρυφοκοιτάζω ‖ *(n)* ομότιμος ‖ ευγενής, τιτλούχος ‖ **~less**: *(adj)* απαράμιλλος, ασύγκριτος, μοναδικός
peev-e (pi:v) [-d]: *(v)* εκνευρίζω ‖ **~ish**: *(adj)* ευέξαπτος ‖ δύστροπος, κακότροπος
peg (peg): *(n)* καρφί
pelican (΄pelikən): *(n)* πελεκάνος
pellet (΄pelit): *(n)* δισκίο ‖ σφαίρα ‖ σκάγι
pell-mell (΄pelmel): *(adv)* άνω-κάτω
pelt (pelt): *(n)* δορά, δέρμα ζώου ‖ δυνατό χτύπημα
pelvis (΄pelvis): *(n)* λεκάνη
pen (pen): *(n)* πένα ‖ μάντρα ‖ **~knife**: *(n)* σουγιάς ‖ **~manship**: *(n)* καλλιγραφία ‖ **~name**: *(n)* φιλολογικό ψευδώνυμο
penal (΄pi:nəl): *(adj)* ποινικός ‖ **~ize**: *(v)* τιμωρώ, επιβάλλω ποινή ‖ **~ty**: *(n)* ποινή, τιμωρία ‖ "πέναλτυ"
penance (΄penəns): *(n)* εξομολόγηση και εξιλασμός ‖ μετάνοια
pence (pens): *(n)* πένες (νόμισμα)
penchant (΄pentʃənt): *(n)* έντονη κλίση
pencil (΄pensəl): *(n)* μολύβι‖ **~sharpener**: *(n)* ξυστήρι μολυβιού
pend-ant (΄pendənt): *(n)* κρεμαστό κόσμημα ή σκεύος ‖ προεξέχων ‖ **~ing**: *(adj)* εκκρεμής ‖ επικείμενος ‖ διαρκούντος, κατά τη διάρκεια ‖ **~ulum** (΄pendjələm): *(n)* εκκρεμές
penetra-ble (΄penətrəbəl): *(adj)* διαπεραστός ‖ **~te** [-d]: *(v)* διαπερνώ ‖ διεισδύω ‖ **~ting**: *(adj)* διαπεραστικός
penguin (΄peŋgwin): *(n)* πιγκουΐνος
penicillin (penə΄silin): *(n)* πενικιλίνη
peninsula (pə΄ninsələ): *(n)* χερσόνησος
penis (΄pi:nis): *(n)* πέος
peniten-ce (΄penətəns): *(n)* μετάνοια ‖ **~t**: *(adj)* μετανοών, μετανοημένος ‖ **~tiary** (penə΄tenʃəri:): *(n)* ποινική φυλακή, σωφρονιστήριο
penniless (΄peni:lis): *(adj)* αδέκαρος
pennon (΄penən): *(n)* λάβαρο, "φλάμπουρο"
penny (΄peni:): *(n)* πένα (νόμισμα) ‖ σεντ, λεπτό
pension (΄penʃən): *(n)* σύνταξη ‖ **~ary**: *(adj)* συνταξιοδοτικός ‖ **~er**: *(n)* συνταξιούχος
pensive (΄pensiv): *(adj)* σκεπτικός ‖ μελαγχολικός
pentagon (΄pentəgən): *(n)* πεντάγωνο
pentathlon (pen΄tæthlən): *(n)* πένταθλο
Pentecost (΄pentikəst): *(n)* Πεντηκοστή

penthouse (΄penthaus): *(n)* ''ρετιρέ''
people (΄pi:pəl): *(n)* κόσμος, λαός
pep (pep): *(n)* ζωντάνια || κέφι || [-ped]: *(v)* δίνω ζωντάνια
pepper (΄pepər): *(n)* πιπεριά || πιπέρι || [-ed]: *(v)* βάζω πιπέρι || ραντίζω || βομβαρδίζω || **~mint**: *(n)* δυόσμος
per (pə:r): *(prep)* ανά, κατά, δια || ~ **capita**: κατά κεφαλήν || **~cent**: τοις εκατό
perambulator (pə΄ræmbjəleitər): *(n)* παιδικό αμαξάκι (also: pram)
perceive (pər΄si:v) [-d]: *(v)* διακρίνω || αντιλαμβάνομαι
percentage (pər΄sentidz): *(n)* ποσοστό επί τοις εκατό
percept (pə:r΄sept): *(n)* το αντιληπτό || **~ible**: *(adj)* αισθητός, αντιληπτός|| **~ion**: *(n)* αίσθηση, αντίληψη
perch (pə:rtʃ) [-ed]: *(v)* κουρνιάζω || *(n)* ξύλο για κούρνιασμα || πέρκα
percolat-e (΄pə:rkəleit) [-d]: *(v)* φιλτράρω || **~or**: φίλτρο || ηλεκτρικό μπρίκι καφέ με φίλτρο
percuss (pər΄kʌs) [-ed]: *(v)* χτυπώ, κρούω || **~ion**: *(n)* κρούση || κρουστά μουσικά όργανα
peremptory (pə΄remptəri:): *(adj)* τελεσίδικος || αμετάκλητος || αυθαίρετος
perennial (pə΄reni:əl): *(adj)* πολυετής || αιώνιος
perfect (΄pə:rfikt): *(adj)* τέλειος || (pər΄fekt) [-ed]: *(v)* τελειοποιώ || **~ion**: *(n)* τελειότητα
perforat-e (΄pə:rfəreit) [-d]: *(v)* διατρυπώ || **~ed**: *(adj)* διάτρητος || **~ion**: *(n)* διάτρηση
perform (per΄fɔ:rm) [-ed]: *(v)* εκτελώ || δίνω παράσταση || **~ance**: *(n)* εκτέλεση || παράσταση
perfume (΄pə:rfjum): *(n)* άρωμα
perfunctory (pər΄fʌŋktəri:): *(adj)* μηχανικός, αδιάφορος
perhaps (pər΄hæps): *(adv)* ίσως
peril (΄perəl): *(n)* κίνδυνος || [-ed]: *(v)* βάζω σε κίνδυνο || **~ous**: *(adj)* επικίνδυνος
period (΄piriəd): *(n)* περίοδος || τελεία (σημ. στίξης) || *(adj)* της περιόδου || **~ic, ~ical**: *(adj)* περιοδικός
perimeter (pə΄rimitər): *(n)* περίμετρος
peripher-al (pə΄rifərəl): *(adj)* περιφερειακός|| **~y**: *(n)* περιφέρεια || περίμετρος
periscope (΄perəskoup): *(n)* περισκόπιο
perish (΄periʃ) [-ed]: *(v)* χάνομαι, αφανίζομαι || **~able**: *(adj)* φθαρτός
perjur-e (΄pə:rdzər) [-d]: *(v)* γίνομαι ένοχος ψευδορκίας || **~y**: *(n)* ψευδομαρτυρία, ψευδορκία
perk (pə:rk) [-ed]: *(v)* ανασηκώνομαι || ζωηρεύω, || ~ **up**: *(v)* ξαναβρίσκω τη διάθεσή μου || **~y**: *(adj)* ζωηρός, κεφάτος
permanen-ce (΄pə:rmənəns), **~cy**: *(n)* μονιμότητα || **~t**: *(adj)* μόνιμος || *(n)* περμανάντ
permissi-ble (pər΄misəbəl): *(adj)* επιτρεπτός, επιτρεπόμενος || **~on**: *(n)* άδεια || **~ve**: *(adj)* ανεκτικός
permit (pər΄mit) [-ted]: *(v)* επιτρέπω || || (΄pə:rmit): *(n)* έγγραφη άδεια
peroxide (pə΄rəksaid): *(n)* υπεροξίδιο || οξυζενέ
perpendicular (pə:rpən΄dikjələr): *(adj)* κάθετος
perpetrat-e (΄pə:rpətreit) [-d]: *(v)* διαπράττω || **~or**: *(n)* δράστης
perpetu-al (pər΄petʃu:əl): *(adj)* διαρκής, αέναος|| **~ate** [-d]: *(v)* διαιωνίζω
perplex (pər΄pleks) [-ed]: *(v)* περιπλέκω || προκαλώ αμηχανία || **~ity**: *(n)* περιπλοκή || αμηχανία, σύγχυση
persecut-e (΄pə:rsəkju:t) [-d]: *(v)* διώκω, βάζω σε διωγμό || **~ion**: *(n)* διωγμός
persever-ance (pə:rsə΄virəns): *(n)* καρτερία, εγκαρτέρηση || **~e** [-d]: *(v)* καρτερώ, έχω καρτερία, εμμένω
Persia (΄pə:rzə): *(n)* Περσία || **~n**: *(n)* Πέρσης || περσική γλώσσα || *(adj)* Περσικός
persist (pər΄sist) [-ed]: *(v)* επιμένω, εμμένω || **~ence**: *(n)* επιμονή, εμμονή || **~ent**: *(adj)* επίμονος, έμμονος
person (΄pə:rsən): *(n)* πρόσωπο|| **~a** (pər΄sounə): *(n)* πρόσωπο έργου || **~able**: *(adj)* ευπαρουσίαστος || **~al**: *(adj)* προσωπικός || **~ality**: *(n)* προσωπικότητα|| **~ification**: *(n)* προσωποποίηση || **~ify** [-ied]: *(v)* προσωποποιώ || **~nel** (pə:rsə΄nel): *(n)* προσωπικό υπηρεσίας ή εταιρίας

perspective (pər´spektiv): *(n)* προοπτική || άποψη
perspi-ration (pə:rspə´reiʃən): *(n)* ιδρώτας || **~re** (pər´spair) [-d]: *(v)* ιδρώνω
persua-de (pər´sweid) [-d]: *(v)* πείθω || **~sion**: *(n)* πειθώ || πειστικότητα
pert (pə:rt): *(adj)* τολμηρός || ζωηρός, ζωντανός
per-tain (pər´tein) [-ed]: *(v)* αναφέρομαι, σχετίζομαι || **~tinent**: *(adj)* σχετικός, αναφερόμενος
perturb (pər´tə:rb) [-ed]: *(v)* αναστατώνω || συγχύζω
perus-al (pə´ru:zəl): *(n)* προσεκτικό διάβασμα || **~e** [-d]: *(v)* διαβάζω προσεκτικά
perva-de (pər´veid) [-d]: *(v)* διαποτίζω, απλώνομαι δια μέσου || **~sive**: *(adj)* διαπεραστικός
perver-se (pər´və:rs): *(adj)* ανώμαλος, διεστραμμένος || **~sion**: *(n)* διαστροφή || **~sity**: *(n)* ανωμαλία, διαστροφή || **~t** [-ed]: *(v)* διαφθείρω || διαστρέφω || (´pə:rvə:rt): *(n)* ανώμαλος, διεστραμμένος
pessimis-m (´pesəmizəm): *(n)* απαισιοδοξία || **~t**: *(n)* απαισιόδοξος || **~tic**: *(adj)* απαισιόδοξος
pest (pest): *(n)* ενοχλητικό άτομο || βλαβερό ζώο ή φυτό || **~er** [-ed]: *(v)* παρενοχλώ
pestle (´pesəl): *(n)* κόπανος || γουδοχέρι
pet (pet): *(n)* χαϊδεμένο κατοικίδιο ζώο || αγαπημένο ή χαϊδεμένο πρόσωπο, ''συμπάθεια'' || [-ted]: *(v)* χαϊδεύω
petal (´petl): *(n)* πέταλο άνθους
peter (´pi:tər) [-ed]: *(v)* **~ out**: ελαττώνομαι σιγά-σιγά, σβήνω
petition (pə´tiʃən): *(n)* έκκληση || αναφορά, αίτηση || [-ed]: *(v)* κάνω αναφορά ή αίτηση || κάνω έκκληση || **~ary**, *(adj)*, **~er**, *(n)*: αιτών
petri-fication (petrəfi´keiʃən): *(n)* απολίθωση || **~fied**: *(adj)* απολιθωμένος
petrol (´petrəl): *(n)* βενζίνη (Brit) || **~eum** (pə´trouli:əm): *(n)* πετρέλαιο
petticoat (´peti:kout): *(n)* μεσοφούστανο, μεσοφόρι
petty (´peti:): *(adj)* ασήμαντος, ταπεινός
petulant (´petʃu:lənt): *(adj)* ευερέθιστος || κακότροπος
pew (pju:): *(n)* κάθισμα εκκλησίας, στασίδι
phantom (´fæntəm): *(n)* φάντασμα
pharma-ceutical (fa:rmə´su:tikəl): *(adj)* φαρμακευτικός || **~ cist**: *(n)* φαρμακοποιός || **~cy**: *(n)* φαρμακείο || φαρμακευτική
phase (feiz): *(n)* φάση || [-d]: *(v)* εκτελώ σε φάσεις
pheasant (´fezənt): *(n)* φασιανός
phenome-nal (fi´nəmənəl): *(adj)* φαινομενικός || **~non**: *(n)* φαινόμενο
phial (´faiəl): *(n)* φιαλίδιο
philanthro-pic (filən´thrəpik), **~pical**: *(adj)* φιλανθρωπικός || **~pist**: *(n)* φιλάνθρωπος || **~py**: *(n)* φιλανθρωπία
philate-list (fi´lætəlist): *(n)* φιλοτελιστής || **~ly**: *(n)* φιλοτελισμός
philology (fi´lələdzi): *(n)* φιλολογία || **~ical**: *(adj)* φιλολογικός || **~ist**: *(n)* φιλόλογος
philoso-pher (fi´ləsəfər): *(n)* φιλόσοφος || **~phic, ~phical**: *(adj)* φιλοσοφικός || **~phize** [-d]: *(v)* φιλοσοφώ || **~phy**: *(n)* φιλοσοφία
phlegm (flem): *(n)* φλέγμα, φλέμα || αταραξία, ''φλέγμα'' || **~atic**: *(adj)* φλεγματικός
phobia (´foubi:ə): *(n)* φοβία
phoenix (´fi:niks): *(n)* φοίνικας
phone: see telephone
phonograph (´founəgræf): *(n)* φωνογράφος
phos-phate (´fəsfeit): *(n)* φωσφορικό άλας || **~phorus**: *(n)* φωσφόρος
photo: see photograph || **~copier** (´foutou´kəpi:ər): *(n)* φωτοτυπική μηχανή || **~copy**: *(n)* φωτοτυπία
photograph (´foutəgræf) [-ed]: *(v)* φωτογραφίζω || *(n)* φωτογραφία || **~er** (fə´təgrəfər): *(n)* φωτογράφος || **~ic, ~ical**: *(adj)* φωτογραφικός || **~y**: φωτογράφιση || φωτογραφική τέχνη
physical (´fizikəl): *(adj)* φυσικός, υλικός || σωματικός
physician (fi´ziʃən): *(n)* ιατρός
physi-cist (´fizəsist): *(n)* φυσικός| **~cs**: *(n)* φυσική || **~ology**: *(n)* φυσιολογία || **~otherapy**: *(n)* φυσιοθεραπεία
pian-ist (´pi:ənist): *(n)* πιανίστας || **~o**: *(n)* πιάνο
pick (pik) [-ed]: *(v)* διαλέγω || μαζεύω || σκαλίζω || *(n)* διάλεγμα ||

μάζεμα || εκλεκτό, το καλύτερο || σκαπάνη, αξίνα || ~ **out**: *(v)* διαλέγω || ξεχωρίζω, διακρίνω || ~ **axe**: *(n)* σκαπάνη, αξίνα || ~**ed**: *(adj)* διαλεχτός, εξαιρετικός || ~**et**: *(n)* πάσσαλος || προφυλακή || φρουρά απεργών || ομάδα διαμαρτυρίας, διαδηλωτές || [-ed]: *(v)* τοποθετώ πασσάλους || βάζω σκοπούς κατά τη διάρκεια απεργίας || ~ **pocket**: *(n)* λωποδύτης, πορτοφολάς

pickle (´pikəl): *(n)* τουρσί, τουρσιά || άλμη || [-d]: *(v)* βάζω σε άλμη, κάνω τουρσί

picnic (´piknik): *(n)* φαγητό στο ύπαιθρο ή σε εκδρομή

pic-torial (pik´tə:ri:əl): *(adj)* εικονογραφικός || εικονογραφημένος || *(n)* εικονογραφημένο περιοδικό || ~**ture** (´piktʃər): *(n)* εικόνα || [-d]: *(v)* απεικονίζω || φέρνω στη φαντασία μου, φαντάζομαι || ~**turesque**: *(adj)* γραφικός

pie (pai): *(n)* πίτα

piece (pi:s): *(n)* τεμάχιο, κομμάτι || ~ **meal**: *(adv)* με το κομμάτι || σε κομμάτια, κομματιαστά || λίγο-λίγο || ~**work**: *(n)* εργασία με το κομμάτι

pier (piər): *(n)* μεσόβαθρο γέφυρας || προβλήτα, αποβάθρα

pierc-e (piərs) [-d]: *(v)* διατρυπώ || διαπερνώ, εισχωρώ || ~**ing**: *(adj)* διαπεραστικός

piety (´paiəti:): *(n)* ευλάβεια, ευσέβεια

pig (pig): *(n)* χοίρος, γουρούνι || ~**gy bank**: *(n)* κουμπαράς || ~**skin**: *(n)* χοιρόδερμα || ~**sty**: *(n)* χοιροστάσιο || ~**tail**: *(n)* κοτσίδα

pigeon (´pidzən): *(n)* περιστέρι || ~ **hole**:*(n)* θυρίδα || περιστερώνας

pigment (´pigmənt): *(n)* χρωστικό || βαφή

pigmy: see pygmy

pilchard (´piltʃərd): *(n)* σαρδέλα

pile (pail): *(n)* σωρός || πάσσαλος || [-d]: *(v)* συσσωρεύω, κάνω σωρό || ~ **up**: *(v)* συσσωρεύω, συσσωρεύομαι

piles (pailz): *(n)* αιμορροΐδες

pilfer (´pilfer) [-ed]: *(v)* κλέβω, ''βουτάω''

pilgrim (´pilgrim): *(n)* προσκυνητής || ~**age**: *(n)* προσκύνημα, ταξίδι σε ιερό τόπο

pill (pil): *(n)* χάπι

pillage (´pilidz) [-d]: *(v)* λεηλατώ, ''πλιατσικολογώ'

pillar (´pilər): *(n)* κολόνα, στύλος

pillow (´pilou): *(n)* μαξιλάρι || ~**case**: *(n)* μαξιλαροθήκη

pilot (´pailət): *(n)* πιλότος|| πλοηγός || [-ed]: *(v)* κυβερνώ, οδηγώ, ''πιλοτάρω''

pimp (pimp): *(n)* μαστροπός, ''ρουφιάνος''

pimple (´pimpəl): *(n)* εξάνθημα

pin (pin): *(n)* καρφίτσα || γόμφος, περόνη || [-ned]: *(v)* καρφιτσώνω || κρατώ ακίνητο, ''καρφώνω'' || **safety** ~: καρφίτσα ασφαλείας, ''παραμάνα'' || ~**cushion**: *(n)* ''πελότα''

pincer (´pincər): *(n)* δαγκάνα || ~**s**: *(n)* τανάλια || ''πένσα''

pinch (pintʃ) [-ed]: *(v)* τσιμπώ || *(n)* τσιμπιά,

pine (pain): *(n)* πεύκο || [-d]: *(v)* νοσταλγώ έντονα || ~**apple**: *(n)* ανανάς

ping (piŋ) [-ed]: *(v)* χτυπώ κουδουνιστά || ~**pong**: *(n)* επιτραπέζια αντισφαίριση, ''πιγκ-πογκ''

pink (piŋk) : *(n)* γαριφαλιά || γαρίφαλο || *(n & adj)* ρόδινος, ροζ

pinnacle (´pinəkəl): *(n)* πυργίσκος || κορυφή, ακμή, κολοφώνας

pinochle, pinocle (´pi:nʌkəl): *(n)* πινάκλ (χαρτοπαίγνιο)

pinpoint (´pinpoint): *(n)* [-ed]: *(v)* καθορίζω ή δείχνω με απόλυτη ακρίβεια

pint (paint): *(n)* πίντα (1/8 γαλονιού)

pioneer (´paiəniər): *(n)* πρωτοπόρος

pi-osity (pai´əsəti:): *(n)* επιδεικτική θρησκοληψία || ~**ous**: *(adj)* ευσεβής, ευλαβής

pip (pip): *(n)* κουκούτσι

pip-e (paip): *(n)* σωλήνα || πίπα καπνού || ~**e line**: *(n)* αγωγός || ~**er**: *(n)* αυλητής || ~**ette**: *(n)* σίφωνας

pi-quant (´pi:kənt): *(adj)* πικάντικος || ~**que** (´pi:k): *(n)* πείσμα, ''πικάρισμα'', ''πίκα'''

pira-cy (´pairəsi:): *(n)* πειρατεία || ~**te**: *(n)* πειρατής

piss (pis) [-ed]: *(v)* ουρώ, κατουρώ || *(n)* ούρο, κάτουρο

pistol (´pistəl): *(n)* πιστόλ

piston (´pistən): *(n)* έμβολο

pit (pit): *(n)* λάκκος || [-ted]: *(v)* βάζω σε αντίθεση ή συναγωνισμό || ~**fall**: *(n)* παγίδα

pitch (pitʃ): *(n)* πίσσα ‖ βολή, ‖ σκαμπανέβασμα πλοίου ‖ τόνος, ύψος ήχου ‖ [-ed]: *(v)* ρίχνω, πετώ ‖ στήνω, τοποθετώ ‖ σκαμπανεβάζω ‖ ~ **fork**: *(n)* δικράνι
pitcher (΄pitʃər): *(n)* κανάτι
pith (pith): *(n)* εντεριώνη, ψίχα ‖ ουσία ‖ σθένος ‖ ~ **helmet**: *(n)* κάσκα ‖ ~**y**: *(adj)* ακριβής, ουσιαστικός
pit-iable (΄piti:əbəl): *(adj)* αξιολύπητος, οικτρός ‖ ~**iful**: *(adj)* αξιολύπητος, αξιοθρήνητος ‖ ~**iless**: *(adj)* ανηλεής ‖ ‖ ~**y**: έλεος, οίκτος ‖ ~**y** [-ied]: *(v)* λυπούμαι
pittance (΄pitəns): *(n)* πενιχρή αμοιβή ‖ μικρομισθός
pivot (΄pivət): *(n)* άξονας ‖ κεντρικό πρόσωπο, ουσιώδης παράγοντας ‖ κεντρικό σημείο ‖ [-ed]: *(v)* γυρίζω πάνω σε στροφέα ή άξονα
pixy (΄piksi:): *(n)* νεράιδα ‖ καλικαντζαράκι
pizza (΄pi:tsə): *(n)* πίτσα ‖ ~**ria**: *(n)* πιτσαρία
placard (΄plæka:rd): *(n)* ανακοίνωση, ''πόστερ'' ‖ ταμπέλα
placat-e (plæ΄keit) [-d]: *(v)* κατευνάζω, καλμάρω ‖ ~**ory**: *(adj)* κατευναστικός
place (pleis): *(n)* τόπος, θέση ‖ μέρος ‖ [-d]: *(v)* τοποθετώ ‖ βάζω σε δουλειά
placid (΄plæsid): *(adj)* ήσυχος, γαλήνιος
plagiarism (΄pleidzərizəm): *(n)* λογοκλοπία
plague (pleig): *(n)* πανώλης, πανούκλα ‖ μάστιγα, πληγή
plaice (pleis): *(n)* γλώσσα (ψάρι)
plaid (plæd): *(n)* ύφασμα καρό
plain (plein): *(adj)* καθαρός, σαφής ‖ απλός ‖ κοινός, όχι πολύ όμορφος ‖ *(n)* επίπεδο έδαφος, πεδιάδα
plaintiff (΄pleintif): *(n)* ενάγων, μηνυτής
plait (pleit): *(n)* πλεξούδα ‖ [-ed]: *(v)* πλέκω
plan (plæn) [-ned]: *(v)* σχεδιάζω ‖ *(n)* σχέδιο
plan-ar (΄pleinər): *(adj)* επίπεδος ‖ ~**e** (plein): *(n & adj)* επίπεδο ‖ ρυκάνη, πλάνη ‖ πλάτανος (also: ~ **tree**) ‖ αεροπλάνο ‖ ~**e** [-d]: *(v)* επεξεργάζομαι με πλάνη, πλανίζω ‖ ~ **tree**: *(n)* πλάτανος
planet (΄plænət): *(n)* πλανήτης
plank (plæŋk): *(n)* σανίδα
plant (plænt): *(n)* φυτό ‖ συγκρότημα, εργοστασιακό συγκρότημα ‖ [-ed]: *(v)* φυτεύω ‖ τοποθετώ, εγκαθιστώ
plantation (plæn΄teiʃən): *(n)* φυτεία
plaque (plæk): *(n)* αναμνηστική ή τιμητική πλάκα
plaster (΄plæstər) [-ed]: *(v)* καλύπτω ή επαλείφω με κονία ή γύψο ‖ *(n)* γύψος, κονία
plastic (΄plæstik): *(adj)* πλαστικός ‖ *(n)* πλαστικό, πλαστική ύλη
plate (pleit): *(n)* έλασμα, πλάκα, φύλλο ‖ πιάτο ‖ [-d]: *(v)* επενδύω με πλάκες ‖ επιμεταλλώνω
plateau (plæ΄tou): *(n)* οροπέδιο, υψίπεδο
platform (΄plætfɔ:rm): *(n)* εξέδρα
platinum (΄plætənəm): *(n)* λευκόχρυσος, πλατίνα
platitude (΄plætətu:d): *(n)* κοινοτοπία
platoon (plə΄tu:n): *(n)* ουλαμός
platter (΄plætər): *(n)* πιατέλα
plausi-bility (plɔ:zə΄biləti:): *(n)* ευλογοφάνεια ‖ ~**ble**: *(adj)* εύλογος ‖ ευλογοφανής
play (plei) [-ed]: *(v)* παίζω ‖ υποδύομαι ‖ *(n)* θεατρικό έργο ‖ παιχνίδι ‖ διάκενο, ''παίξιμο'', ''τζόγος'' ‖ ~**act**: *(v)* παριστάνω, υποδύομαι ‖ ~**bill**: *(n)* πρόγραμμα θεάτρου ‖ ~**boy**: *(n)* πλούσιος γλεντζές, ''πλαίη μπόυ'' ‖ ~**er**: *(n)* παίκτης ‖ ηθοποιός ‖ ~**ful**: *(adj)* παιχνιδιάρης ‖ ~**ground**: *(n)* παιχνιδότοπος, ''παιδική χαρά'' ‖ ~**pen**: *(n)* ''πάρκο'' μωρού ‖ ~**thing**: *(n)* άθυρμα, παιχνίδι ‖ παίγνιο ‖ ~**wright**: *(n)* θεατρικός συγγραφέας ‖ ~ **down**: *(v)* υποτιμώ
plea (pli:): *(n)* έκκληση ‖ ένσταση ‖ ~**d** (pli:d) [-ed or pled]: κάνω έκκληση, επικαλούμαι
pleas-ant (΄plezənt): *(adj)* ευχάριστος, ευάρεστος ‖ ~**e** (pli:z) [-d]: *(v)* ευχαριστώ, είμαι ευχάριστος, προκαλώ ευχαρίστηση ‖ ~**ing**: *(adj)* ευχάριστος ‖ ~**ure** (΄plezər): *(n)* ευχαρίστηση ‖ χαρά ‖ ~**e** [-d]: *(v)* παρακαλώ
pleat (pli:t): *(n)* πτυχή, τσάκιση, πιέτα ‖ [-ed]: *(v)* κάνω πτυχές ‖

~ed: *(adj)* με πιέτες
pleb (pleb): *(n)* κοινός άνθρωπος, του λαού || **~iscite** (΄plebəsait): *(n)* δημοψήφισμα
plectrum (΄plektrəm): *(n)* πλήκτρο, ''πένα'' εγχόρδου
pledge (pledz): *(n)* || όρκος πίστης ή καθήκοντος || ενέχυρο, εχέγγυο || [-d]: *(v)* υπόσχομαι || δίνω όρκο πίστης ή καθήκοντος
plen-tiful (΄plentifəl): *(adj)* άφθονος || πλούσιος || **~ty**: *(n)* αφθονία
plethor-a (΄plethərə): *(n)* πληθώρα, αφθονία || **~ic**: *(adj)* πληθωρικός
pleurisy (΄plu:rəsi:): *(n)* πλευρίτιδα
plia-bility (plaiə΄biləti): *(n)* ευκαμψία || **~ble**: *(adj)* εύκαμπτος || εύπλαστος || **~nt**: *(adj)* εύκαμπτος || εύπλαστος
pliers (΄plaiərz): *(n)* λαβίδα, τανάλια, πένσα
plight (plait): *(n)* δύσκολη θέση ή κατάσταση
plinth (plinth): *(n)* πλίνθος, πλιθί
plod (pləd) [-ded]: *(v)* περπατώ βαριά ή με κόπο, σέρνω τα πόδια μου
plot (plət): *(n)* τεμάχιο γης || οικόπεδο || πλοκή || συνωμοσία || [-ted]: *(v)* σχεδιάζω, κάνω διάγραμμα || συνωμοτώ || **~ter**: *(n)* συνωμότης
plow (Eng. **plough**) (plau): *(n)* άροτρο, αλέτρι || [-ed]: *(v)* αροτριώ|| **~man**: *(n)* ζευγολάτης || **~share**: *(n)* υνί του αρότρου
ploy (ploi): *(n)* τέχνασμα
pluck (plʌk) [-ed]: *(v)* αποσπώ || μαδώ || χτυπώ χορδές οργάνου || *(n)* απόσπαση || μάδημα || θάρρος || **~y**: *(adj)* τολμηρός, θαρραλέος
plug (plʌg): *(n)* πώμα, βούλωμα || βύσμα, ρευματολήπτης || [-ged]: *(v)* βουλώνω || συνδέω, βάζω σε πρίζα
plum (plʌm): *(n)* δαμάσκηνο
plumage (΄plu:midz): *(n)* φτέρωμα
plumb (plʌm): *(n)* βολίδα, βαρίδι || *(adj)* κατακόρυφος || [-ed]: *(v)* σταθμίζω|| βυθομετρώ || **~bob**: *(n)* βαρίδι || **~er**: *(n)* υδραυλικός || **~ing**: *(n)* υδραυλική εγκατάσταση || **~line**: *(n)* νήμα της στάθμης
plume (plu:m): *(n)* φτερό || λοφίο
plump (plʌmp): *(adj)* παχουλός, στρουμπουλός
plunder (΄plʌndər) [-ed]: *(v)* λεηλατώ || *(n)* λεηλασία
plunge (΄plʌndz) [-d]: *(v)* βυθίζω || βουτώ, βυθίζω || βυθίζομαι || *(n)* κατάδυση, βουτιά || **~r**: *(n)* έμβολο
plural (΄plurəl): *(n)* πληθυντικός αριθμός
plus (plʌs): *(prep)* επιπρόσθετα, συν
plush (plʌʃ): *(n)* βελούδο || πολυτελής *(id)*
ply (plai) [-ied]: *(v)* ενώνω, || πτυχώνω, διπλώνω || εξασκώ επάγγελμα ή τέχνη || *(n)* φύλλο, φλοιός || **~wood**: *(n)* κόντρα πλακέ
p.m.: see post meridiem
pneumatic (nu:΄mætik): *(adj)* αέριος || αεροστατικός || **~s**: *(n)* αεροστατική
pneumonia (nu΄mounjə): *(n)* πνευμονία
poach (poutʃ) [-ed]: *(v)* βράζω σε ζεματιστό υγρό || λαθροκυνηγώ || **~er**: *(n)* || λαθροθήρας
pock (pək): *(n)* || βλογιόκομμα, σημάδι ευλογιάς || **~mark**: *(n)* σημάδι ευλογιάς || **~marked**: *(adj)* βλογιοκομμένος
pocket (΄pəkit): *(n)* || τσέπη || θύλακας || κενό αέρα || [-ed]: *(v)* ''τσεπώνω'', βάζω στην τσέπη || **~book**: *(n)* πορτοφόλι || γυναικεία τσάντα || βιβλίο τσέπης || **~ful**: *(n)* μια τσέπη, όσο χωράει μια τσέπη || **~knife**: *(n)* σουγιαδάκι
pockmark: see pock
podium (΄poudi:əm): *(n)* βήμα, εξέδρα
po-em (΄pouəm): *(n)* ποίημα || **~et** (΄pouit): *(n)* ποιητής || **~etess**: *(n)* ποιήτρια || **~etic, ~etical**: *(adj)* ποιητικός || **~etry** (΄pouitri:): *(n)* ποίηση
poign-ance (΄poinjəns), **~ancy**: *(n)* δριμύτητα, οξύτητα || **~ant**: *(adj)* δριμύς, οξύς || πικάντικος
point (point): *(n)* σημείο || αιχμή, μύτη || ακίδα || ακρωτήρι || στιγμή, τελεία || || σημασία || [-ed]: *(v)* κατευθύνω || δείχνω || σημαδεύω|| **~ blank**: *(adj)* κατευθείαν σκόπευση || από κοντά, εξεπαφής || απερίστροφος || **~er**: *(n)* δείκτης || **~less**: *(adj)* άσκοπος
poise (poiz) [-d]: *(v)* ισορροπώ || αυτοπεποίθηση || παρουσιαστικό, ύφος
poison (΄poizən) [-ed]: *(v)* δηλητηριάζω || *(n)* δηλητήριο || **~ous**: *(adj)* δηλητηριώδης

poke (pouk) [-d]: *(v)* σπρώχνω ‖ χτυπώ ‖ σκαλίζω τη φωτιά ‖ *(n)* σπρώξιμο, σπρωξιά ‖ χτύπημα ‖ σάκος‖ **~r**: *(n)* σκαλιστήρι φωτιάς ‖ χαρτοπαίγνιο ''πόκερ''
Poland (´pouland): *(n)* Πολωνία
pol-ar (´poulər): *(adj)* πολικός ‖ **P~aris**: *(n)* πολικός αστέρας ‖ **~arization**: *(n)* πόλωση ‖ **~arize** [-d]: *(v)* πολώνω ‖ **~e**: *(n)* πόλος ‖ στύλος ‖ **P~e**: *(n)* Πολωνός ‖ **~e jump, ~e vault**: *(n)* άλμα επί κοντώ
police (pə´li:s): *(n)* αστυνομία ‖ [-d]: *(v)* αστυνομεύω ‖ **~man**: *(n)* αστυνομικός ‖ **~ station**: *(n)* αστυν. σταθμός ή τμήμα
policy (´pələsi:): *(n)* πολιτική ‖ τρόπος δράσης ή συμπεριφοράς ‖ σύνεση ‖ ασφαλιστικό συμβόλαιο
polio (´pouli:ou), **~ myelitis** (pouli:oumaiə´laitis): *(n)* πολιομυελίτιδα
polish (´pəliʃ) [-ed]: *(v)* στιλβώνω, γυαλίζω ‖ ''ραφινάρω'', ''λουστράρω'' ‖ *(n)* στιλπνότητα, γυαλάδα ‖ στίλβωμα, ‖ ραφινάρισμα ‖ **P~** (´pouliʃ): *(n)* Πολωνός ‖ *(adj)* Πολωνικός
polite (pə´lait): *(adj)* ευγενικός ‖ **~ness**: *(n)* ευγένεια
politic (´pələtik): *(adj)* ‖ συνετός, σώφρονας ‖ **~al** (pə´litikəl): *(adj)* πολιτικός ‖ **~ian** (pələ´tiʃən): *(n)* πολιτικός ‖ πολιτικάντης ‖ **~s**: *(n)* πολιτική, πολιτικά
poll (poul): *(n)* ψηφοφορία ‖ [-ed]: *(v)* ρίχνω ψήφο ‖ παίρνω ψήφο ‖ σφυγμομετρώ την κοινή γνώμη
pollen (´pələn): *(n)* γύρη
pollinat-e (´pələneit) [-d]: *(v)* γονιμοποιώ ‖ **~ion**: *(n)* γονιμοποίηση
pollut-e (pə´lu:t) [-d]: *(v)* μολύνω ‖ **~ion**: *(n)* μόλυνση
poly-clinic (pəli:´klinik): *(n)* πολυκλινική, πολυϊατρείο ‖ **~gamist** (pə´ligəmist): *(n)* πολύγαμος ‖ **~gamous**: *(adj)* πολύγαμος ‖ **~gamy**: *(n)* πολυγαμία ‖ **~gon**: *(n)* πολύγωνο ‖ **~technic** (pəli:´teknik): ‖ *(n)* πολυτεχνείο
pomegranate (´pəmgrænit): *(n)* ρόδι
pommel (´pʌməl) [-ed]: *(v)* γρονθοκοπώ
pomp (´pəmp): *(n)* επίδειξη ‖ **~ous**: *(adj)* πομπώδης
pond (pənd): *(n)* λιμνούλα
ponder (´pəndər) [-ed]: *(v)* μελετώ προσεκτικά, ''ζυγίζω''‖ **~ous**: *(adj)* βαρύς ‖ βαρύγδουπος ανιαρός
pon-tiff (´pəntif): *(n)* πάπας, ποντίφικας
pontoon (pən´tu:n): *(n)* βάρκα χωρίς καρίνα ‖ πλωτό στήριγμα ‖ πλωτήρας υδροπλάνου
pony (´pouni:): *(n)* μικρόσωμο άλογο ‖ **~tail**: *(n)* αλογοουρά
poodle (´pu:dl): *(n)* μακρύτριχο μικρόσωμο σκυλί, ''λουλού''
pool (pu:l): *(n)* λιμνούλα ‖ δεξαμενή ‖ ολικό ποσό χαρτοπαιγνίου, ''ποτ'' ‖ κοινοπραξία ‖ συγκέντρωση κεφαλαίων ‖ μπιλιάρδο ‖ [-ed]: *(v)* συνδυάζω ή συνενώνω κεφάλαια ή ιδέες ή ενδιαφέροντα
poor (pur): *(adj)* φτωχός
pop (pəp) [-ped]: *(v)* κροτώ ξαφνικά ή απότομα ‖ πετάγομαι ‖ *(n)* απότομος ξερός κρότος ‖ **~corn**: *(n)* ψημένος καλαμποκόσπορος, ''πόπκορν'' ‖ **~ eyed**: *(adj)* γουρλομάτης
pope (´poup): *(n)* πάπας
poplar (´pəplər): *(n)* λεύκα
poplin (´pəplin): *(n)* ποπλίνα
poppy (´pəpi:): *(n)* παπαρούνα ‖ **~cock**: *(n)* ανοησία, ''μπούρδα''
popu-lace (´pəpjəlis): *(n)* κόσμος, λαός ‖ πληθυσμός ‖ **~lar** (´pəpjələr): *(adj)* δημοφιλής ‖ λαϊκός ‖ **~larity**: *(n)* δημοτικότητα ‖ **~late** [-d]: *(v)* κατοικώ ‖ **~lation** (pəpjə´leiʃən): *(n)* πληθυσμός ‖ **~lous**: *(adj)* πολυάνθρωπος ‖ πυκνοκατοικημένος
porcelain (´pɔ:rselin): *(n)* πορσελάνη
porch (´pɔ:rtʃ): *(n)* βεράντα
porcupine (´pɔ:rkjəpain): *(n)* σκαντζόχοιρος
pore (pɔ:r) [-d]: *(v)* μελετώ προσεκτικά, βυθίζομαι στη μελέτη ‖ σκέπτομαι βαθιά ‖ *(n)* πόρος
pork (´pɔ:rk): *(n)* χοιρινό
porno (´pɔ:rnou), **~graphic**: *(adj)* πορνογραφικός ‖ **~graphy**: *(n)* πορνογραφία
porous (´pɔ:rəs): *(adj)* πορώδης
porpoise (´pɔ:rpəs): *(n)* φώκαινα
porridge (´pɔ:ridz): *(n)* χυλός από γάλα και βρόμη
port (´pɔ:rt): *(n)* λιμένας ‖ αριστερή πλευρά πλοίου ή αεροσκάφους

|| κρασί ''πορτό''
portable (΄pɔ:rtəbəl): *(adj)* φορητός
portal (΄pɔ:rtl): *(n)* πύλη || είσοδος
por-tend (pɔ:r΄tend) [-ed]: *(v)* προμηνώ || **~tent** (΄pɔ:rtent): *(n)* οιωνός, προμήνυμα
porter (΄pɔ:rtər): *(n)* αχθοφόρος
portfolio (pɔ:rt΄fouli:ou): *(n)* χαρτοφυλάκιο
porthole (΄pɔ:rthoul): *(n)* παραθυράκι πλοίου, ''φινιστρίνι''
portico (΄pɔ:rtikou): *(n)* στοά || βεράντα με στύλους
portion (΄pɔ:rʃən): *(n)* τμήμα || μερίδα
portly (΄pɔ:rtli:): *(adj)* εύσωμος || επιβλητικός
portrait (΄pɔ:rtreit): *(n)* προσωπογραφία, ''πορτραίτο''
portray (pər΄trei) [-ed]: *(v)* απεικονίζω || περιγράφω
Portu-gal (΄pɔ:rtʃəgəl): *(n)* Πορτογαλία || **~guese**: *(adj)* Πορτογαλικός || *(n)* πορτογαλική γλώσσα || Πορτογάλος
pose (pouz) [-d]: *(v)* ''ποζάρω'', παίρνω στάση βάζω σε πόζα || *(n)* στάση, ''πόζα''
posh (pɔʃ): *(adj)* πολυτελής, ανώτερης τάξης
position (pə΄ziʃən): *(n)* θέση || στάση
positive (΄pɔzətiv): *(adj)* θετικός || βέβαιος
possess (pə΄zes) [-ed]: *(v)* κατέχω || **~ed**: *(adj)* ήρεμος, συγκρατημένος || δαιμονισμένος || **~ion**: *(n)* κτήση, κατοχή || **~ive**: *(adj)* κτητικός
possi-bility (pɔsə΄biləti:): *(n)* δυνατότητα || **~ble** (΄pɔsəbəl): *(adj)* δυνατός || πιθανός || **~bly**: *(adv)* δυνατόν, πιθανόν
post (poust): *(n)* στύλος || θέση, ''πόστο'' || ταχυδρομείο || *(pref)* μεταγενέστερα, μετά || [-ed]: *(v)* τοιχοκολλώ, βάζω ανακοίνωση || ταχυδρομώ || **~age**: *(n)* ταχυδρομικά τέλη || **~age stamp**: *(n)* γραμματόσημο || **~al**: *(adj)* ταχυδρομικός || **~al card, ~card**: *(n)* ταχυδρομικό δελτάριο, καρτ-ποστάλ|| **~haste**: *(adv)* επειγόντως || **~ office**: *(n)* ταχυδρομείο || **~man**: *(n)* ταχυδρόμος || **~master**: *(n)* διευθυντής ταχυδρομείου || **~ meridiem** (P.M.): μετά μεσημβρία
posteri-or (pɔ΄stiəri:ər): *(adj)* οπίσθιος || *(n)* ο πισινός || **~ty**: *(n)* οι μεταγενέστεροι
postman: see post
postmaster: see post
post-mortem (poust΄mɔ:rtəm): *(n)* νεκροψία, αυτοψία
post office: see post
postpone (poust΄poun) [-d]: *(v)* αναβάλλω
postscript (΄poustskript) (P.S.): *(n)* υστερόγραφο
postulate (΄pɔstʃuleit) [-d]: *(v)* αξιώνω || παίρνω ως δεδομένο
posture (΄pɔstʃər): *(n)* στάση του σώματος || στάση, ''πόζα''|| τοποθετώ
postwar (΄poustwɔ:r): *(adj)* μεταπολεμικός
pot (pɔt): *(n)* χύτρα, κατσαρόλα || γλάστρα || ποσό παιζόμενο στα χαρτιά, ''ποτ''|| [-ted]: *(v)* βάζω σε γλάστρα || **~belly**: *(n)* φουσκωτή κοιλιά || **~bellied**: *(adj)* κοιλαράς || **~ shot**: *(n)* τυχαίος πυροβολισμός || **~tery**: *(n)* αγγειοπλαστική
potable (΄poutəbəl): *(adj)* πόσιμος
potash (΄pɔtaʃ): *(n)* ποτάσα
potato (pə΄teitou): *(n)* πατάτα
poten-cy (΄poutensi:), **~ce**: *(n)* ισχύς, δυναμικό || **~t**: *(adj)* ισχυρός || ικανός || **~tial** (pə΄tenʃəl): *(adj)* πιθανός, δυνατός || *(n)* δυναμικό
pothole (΄pɔthoul): *(n)* λάκκος
potion (΄pouʃən): *(n)* υγρό φάρμακο ή δηλητήριο
pouch (pautʃ): *(n)* σάκος, θύλακος
poultice (΄poultis): *(n)* κατάπλασμα
poultry (΄poultri:): *(n)* πουλερικά
pounce (pauns) [-d]: *(v)* ορμώ, εφορμώ || *(n)* εφόρμηση
pound (paund): *(n)* λίβρα || λίρα || [-ed]: *(v)* χτυπώ || συντρίβω, λιώνω
pour (pɔ:r) [-ed]: *(v)* χύνω || ξεχύνω || χύνομαι || βρέχω ραγδαία || **~ing**: *(adj)* ραγδαίος, καταρρακτώδης
pout (paut) [-ed]: *(v)* κατσουφιάζω, δείχνω δυσαρέσκεια || *(n)* κατσούφιασμα
poverty (΄pɔvərti:): *(n)* φτώχεια
powder (΄paudər): *(n)* κόνις, σκόνη || πυρίτιδα || πούδρα || [-ed]: *(v)* κονιοποιώ, κάνω σκόνη || βάζω πούδρα || **~keg**: *(n)* βαρέλι πυρίτιδας || επικίνδυνη κατάσταση, εκρηκτική κατάσταση
power (΄pauər): *(n)* ισχύς, δύναμη ||

[-ed]: *(v)* εφοδιάζω με κινητήρα ή κινητήρια δύναμη || **~ful**: *(adj)* ισχυρός, δυνατός || **~house**: *(n)* σταθμός παραγωγής ηλεκτρ. ρεύματος || **~ of attorney**: *(n)* πληρεξούσιο
pox (pɔks): *(n)* εξανθηματική ασθένεια
practica-bility (præktikə΄biləti:): *(n)* δυνατότητα, το εφαρμόσιμο || **~ble** (΄præktikəbəl): *(adj)* πρακτικός || **~l**: *(adj)* πρακτικός || εφαρμόσιμος
practic-e (΄præktis) [-d] also **practise**: *(v)* ασκώ, εξασκώ || εξασκούμαι, προπονούμαι || *(n)* άσκηση, εξάσκηση || πρακτική εφαρμογή
practitioner (præk΄tiʃənər): *(n)* εξασκών επάγγελμα || **general ~**: *(n)* γιατρός χωρίς ειδικότητα, πτυχιούχος γενικής ιατρικής
pragma-tic (præg΄mætik), **~tical**: *(adj)* πραγματικός || πρακτικός || **~tism** (΄prægmətizəm): *(n)* πραγματισμός
praise (preiz) [-d]: *(v)* επαινώ, εξυμνώ || *(n)* έπαινος || εξύμνηση || **~ worthy**: *(adj)* αξιέπαινος
pram: see perambulator
prance (præns) [-d]: *(v)* αναπηδώ στα πισινά πόδια (αλόγου) || περπατώ ζωηρά και περήφανα || *(n)* σκίρτημα, πήδημα
prank (præŋk): *(n)* αταξία, μικροπαλαβομάρα
prattle (΄prætl) [-d]: *(v)* λέω ασυναρτησίες || *(n)* ασυνάρτητη ομιλία, φλυαρία
prawn (prɔ:n): *(n)* καραβίδα
pray (prei) [-ed]: *(v)* προσεύχομαι || παρακαλώ || **~er**: *(n)* || προσευχή || παράκληση
preach (pri:tʃ) [-ed]: *(v)* κάνω κήρυγμα || **~er**: *(n)* || ιεροκήρυκας
preamble (΄pri:æmbəl): *(n)* προοίμιο
prearrange (pri:ə΄reindz) [-d]: *(v)* προκαθορίζω
precarious (pri΄keəri:əs): *(adj)* επισφαλής, όχι σίγουρος
precaution (pri΄kɔ:ʃən): *(n)* προφυλακτικό μέτρο, προφύλαξη || **~al, ~ary**: *(adj)* προληπτικός, προνοητικός
preced-e (pri΄si:d) [-d]: *(v)* προηγούμαι || **~ence, ~ency**: *(n)* προβάδισμα || προτεραιότητα || **~ent** (΄presədənt): *(n)* προηγούμενο || **~ing**: *(adj)* προηγούμενος
precept (΄pri:sept): *(n)* κανόνας, αρχή
precession (pri΄seʃən): *(n)* προήγηση
precinct (΄prisiŋkt): *(n)* αστυνομικό τμήμα || εκλογική περιφέρεια || περιοχή
precious (΄preʃəs): *(adj)* πολύτιμος
precipice (΄presəpis): *(n)* γκρεμός
precipi-tance (pri΄siptəns), **~tancy**: *(n)* κατακρήμνιση || *(adj)* ορμητικός || βιαστικός || **~tation**: *(n)* || βροχόπτωση || **~tous**: *(adj)* απόκρημνος
précis (΄preisi:, prei΄si:): *(n)* σύνοψη, περίληψη
precis-e (pri΄sais): *(adj)* ακριβής || **~ion** (pri΄sizən): *(n)* ακρίβεια
preclu-de (pri΄klu:d) [-d]: *(v)* προκαταλαμβάνω, παρεμποδίζω || αποκλείω || **~sion**: *(n)* παρεμπόδιση, αποκλεισμός
precocious (pri΄kouʃəs): *(adj)* πρόωρα αναπτυγμένος
precon-ceive (pri:kn΄si:v) [-d]: *(v)* προδικάζω || **~ception** (pri:kn΄sepʃən): *(n)* προκατάληψη
precursor (pri΄k:rsər): *(n)* προάγγελος || πρόδρομος
preda-cious (pri΄deiʃəs): *(adj)* αρπακτικός || **~tor** (΄predtər): *(n)* αρπακτικό || **~tory**: *(adj)* αρπακτικός
predecessor (΄predsesər): *(n)* προκάτοχος
predestinat-e (pri:΄destneit) [-d]: *(v)* προκαθορίζω || **~ion**: *(n)* προκαθορισμός
predetermine (pri:di΄t:rmin) [-d]: *(v)* προαποφασίζω
predicament (pri΄dikmənt): *(n)* δύσκολη θέση ή κατάσταση
predicat-e (΄predkeit) [-d]: *(v)* βασίζω || δηλώνω κατηγορηματικά
predict (pri΄dikt) [-ed]: *(v)* προλέγω || **~able**: *(adj)* ευκολομάντευτος, αναμενόμενος || **~ion**: *(n)* προφητεία
predispos-e (pri:dis΄pouz) [-d]: *(v)* προδιαθέτω
predomin-ance (pri΄dəmnəs), **~ancy**: *(n)* επικράτηση || υπεροχή || **~ant**: *(adj)* επικρατέστερος, επικρατών|| **~ate** [-d]: *(v)* επικρατώ || υπερισχύω, υπερέχω
pre-eminen-ce (pri:΄emnənəs): *(n)* υπεροχή || **~t**: *(adj)* υπερέχων, εξέ-

χων
pre-empt (pri:΄empt) [-ed]: *(v)* αποκτώ πριν από άλλον
preen (pri:n) [-ed]: *(v)* στολίζομαι || καμαρώνω
prefab (pri:΄fæb): *(n)* προκατασκευασμένο κομμάτι || **~ricated**: *(adj)* προκατασκευασμένος
preface (΄prefis): *(n)* εισαγωγή, πρόλογος
prefect (΄prifekt): *(n)* κοσμήτορας || επιμελητής
prefer (pri΄fə:r) [-red]: *(v)* προτιμώ || υποβάλλω || **~able** (΄prefərbl): *(adj)* προτιμητέος || προτιμότερος || **~ence**: *(n)* προτίμηση
prefix (΄pri:fiks): *(n)* πρόθεμα
pregnan-cy (΄pregnənsi:): *(n)* εγκυμοσύνη || **~t**: *(adj)* έγκυος || μεστός
preheat (pri΄hi:t) [-ed]: *(v)* προθερμαίνω
prehistor-ic (pri:his΄tə:rik), **~ical**: *(adj)* προϊστορικός || **~y** (pri:΄histəri:): *(n)* προϊστορία
prejudice (΄predzədis): *(n)* προκατάληψη || [-d]: *(v)* επηρεάζω εναντίον,προδιαθέτω || **~d**: *(adj)* προκατειλημμένος
preliminar-y (pri΄limənerі:): *(adj)* προκαταρκτικός || **~ies**: *(n)* τα προκαταρκτικά || προκαταρκτικός αγώνας
prelude (΄prelju:d, ΄pri:lu:d): *(n)* εισαγωγή || προανάκρουσμα, ''πρελούντιο''
premature (pri:mə΄tʃur): *(adj)* πρόωρος
premeditat-e (pri:΄medəteit) [-d]: *(v)* προμελετώ || **~ed**: *(adj)* προμελετημένος || **~ion**: *(n)* προμελέτη
premier (΄pri:mi:ər): *(adj)* πρώτιστος, κυριότερος || (pri΄miər): *(n)* πρωθυπουργός || **~e** (pri΄miər): *(n)* πρεμιέρα
premise (΄premis): *(n)* πρόταση || προϋπόθεση || **~s**: *(n)* κτίριο με την περιοχή του
premium (΄pri:mi:əm): *(n)* δώρο, προσφορά || ασφάλιστρο
premonition (pri:mə΄niʃən): *(n)* προαίσθημα
preoccu-pation (pri:əkjə΄peiʃən): *(n)* απορρόφηση σε κάτι, αφηρημάδα || προκατάληψη, || **~pied**: *(adj)* απορροφημένος, αφηρημένος από σκέψη || || **~py** [-ied]: *(v)* απορροφώ, βάζω σε βαθιά σκέψη
prep *(prep)*: *(adj)* προπαρασκευαστικός || *(n)* προπαρασκευαστικό σχολείο, φροντιστήριο || **~aration** (prepə΄reiʃən): *(n)* προπαρασκευή, ετοιμασία || **~aratory** (pri΄pærətoəri:): *(adj)* προπαρασκευαστικός | **~are** (pri΄peər) [-d]: *(v)* προετοιμάζω, προπαρασκευάζω || προετοιμάζομαι, προπαρασκευάζομαι
preponder-ance (pri΄pəndərəns): *(n)* υπεροχή || επικράτηση || **~ant**: *(adj)* επικρατών, υπερισχύων
preposition (prepə΄ziʃən): *(n)* πρόθεση
prepossess (pri:pə΄zes) [-ed]: *(v)* απορροφώ εντελώς
preposterous (pri΄pəstərəs): *(adj)* παράλογος
prerequisite (pri:΄rekwəzit): *(n)* απαραίτητη προϋπόθεση
prerogative (pri΄rəgətiv): *(n)* προνόμιο
Presbyter-ian (prezbə΄tiəri:ən): *(n)* Πρεσβυτεριανός
preschool (΄pri:sku:l): *(adj)* προσχολικός
prescri-be (pris΄kraib) [-d]: *(v)* εντέλλομαι, παραγγέλνω || γράφω συνταγή ιατρική || **~ption** (pris΄kripʃən): *(n)* ιατρική συνταγή || εντολή
presell (΄pri:΄sel) [presold]: *(v)* προπωλώ
presen-ce (΄prezəns): *(n)* παρουσία || **~ce of mind**: *(n)* ετοιμότητα πνεύματος || **~t**: *(n)* το παρόν || ενεστώτας || δώρο || (pri΄zent) [-ed]: *(v)* παρουσιάζω || δωρίζω || **~table**: *(adj)* παρουσιάσιμος || ευπαρουσίαστος || **~tation**: *(n)* παρουσίαση || **~tly**: *(adv)* σύντομα, σε λίγο
preserv-ation (prezər΄veiʃən): *(n)* διατήρηση || συντήρηση || **~e** [-d]: *(v)* διατηρώ || συντηρώ || διαφυλάγω || κονσέρβα φρούτων, μαρμελάδα
preside (pri΄zaid) [-d]: *(v)* προεδρεύω || **~ncy** (΄prezədənsi:): *(n)* προεδρία || **~nt**: *(n)* πρόεδρος
press (pres) [-ed]: *(v)* πιέζω || συνθλίβω || σιδερώνω || δίνω έμφαση || *(n)* πιεστήριο, ''πρέσα'' || τυπογραφικό πιεστήριο || τύπος, εφημερίδες και περιοδικά || συνωστισμός || πίεση || φόρτος εργασίας || **~-agent**: *(n)* διαφημιστής, συνερ-

γάτης επί του τύπου ‖ **~ing**: *(adj)* επείγον ‖ επίμονος, φορτικός‖ **~ure** (ˊpreʃər): *(n)* πίεση ‖ σύνθλιψη ‖ **~ure** [-d]: *(v)* πιέζω

prestig-e (preˊsti:z): *(n)* γόητρο ‖ **~ious**: *(adj)* με γόητρο

presum-able (priˊzou:məbəl): *(adj)* προϋποτιθέμενος, πιθανός ‖ **~e** [-d]: *(v)* προϋποθέτω ‖ παίρνω ως δεδομένο, πιστεύω ‖ **~ ption**: *(n)* προϋπόθεση ‖ **~ ptuous** (priˊzʌmptʃu:əs): *(adj)* αναιδής

presuppose (pri:seˊpouz) [-d]: *(v)* προϋποθέτω

pretence: see pretend

preten-d (priˊtend) [-ed]: *(v)* προσποιούμαι, υποκρίνομαι‖ **~se**: *(n)* προσποίηση ‖ πρόσχημα ‖ αξίωση ‖ **~sion** (priˊtenʃən): *(n)* πρόφαση ‖ αξίωση

pretext (pri:ˊtekst): *(n)* πρόφαση, πρόσχημα

pret-tify (ˊpritifai) [-ied]: *(v)* ομορφαίνω‖ **~ty**: *(adj)* όμορφος, χαριτωμένος ‖ *(adv)* αρκετά, κάμποσο

prevail (priveil) [-ed]: *(v)* υπερισχύω ‖ επικρατώ

prevalent (ˊprevələnt): *(adj)* επικρατών, ο πιο διαδεδομένος

prevaricat-e (priˊværəkeit) [-d]: *(v)* υπεκφεύγω ‖ **~ion**: *(n)* υπεκφυγή

prevent (priˊvent) [-ed]: *(v)* αποτρέπω, προλαβαίνω ‖ παρεμποδίζω ‖ **~ion**: *(n)* αποτροπή ‖ πρόληψη ‖ εμπόδιση ‖ **~ive, ~ative**: *(adj)* αποτρεπτικός, προληπτικός

preview (ˊpri:vju:): *(n)* προβολή ταινίας με προσκλήσεις προ της δημοσίας προβολής

previous (ˊpri:vi:əs): *(adj)* προηγούμενος

prewar (ˊpri:ˊwɔ:r): *(adj)* προπολεμικός

prey (prei): *(n)* βορά, λεία ‖ [-ed]: *(v)* αρπάζω για λεία ‖ κατατρώω, βασανίζω

price (prais): *(n)* τιμή ‖ [-d]: *(v)* διατιμώ, βάζω τιμή ‖ **~less**: *(adj)* ανεκτίμητος

prick (prik): *(n)* κέντημα, τσίμπημα ‖ αγκάθι ‖ [-ed]: *(v)* κεντώ, τσιμπώ ‖ κεντρίζω

prick-le (ˊprikəl): *(n)* αγκάθι

pride (praid): *(n)* περηφάνια ‖ καμάρι

priest (pri:st): *(n)* ιερέας ‖ **~ess**: *(n)* ιέρεια ‖ **~hood**: *(n)* ιεροσύνη, ιερείς, κληρικοί

prig (prig): *(n)* στενοκέφαλος, σεμνότυφος ή επιδεικτικά όπως πρέπει ‖ **~gish**: *(adj)* φαντασμένος

prim (prim): *(adj)* προσποιητά καθώς πρέπει

prima-cy (ˊpraiməsi): *(n)* πρωτεία ‖ ιεραρχείο ‖ **~rily** (praiˊmerəli:): *(adj)* πρωτίστως, καταρχήν ‖ **~ry**: *adj)* πρώτιστος ‖ κυριότερος, πρωτεύων

prime (praim): *(adj)* πρωτεύων, πρώτιστος ‖ πρωταρχικός ‖ *(n)* ακμή ‖ [-d]: *(v)* προετοιμάζω ‖ γεμίζω όπλο ‖ **~ minister**: *(n)* πρωθυπουργός ‖ **~ r** (ˊprimər): *(n)* αλφαβητάριο

primitive (ˊprimətiv): *(adj)* πρωτόγονος

primrose (ˊprimrouz): *(n)* πριμούλη, ηρανθές (δακράκι)

prince (prins): *(n)* πρίγκηπας ‖ **~ss**: *(n)* πριγκήπισσα

principal (ˊprinsəpəl): *(adj)* κυριότερος, πρωτεύων ‖ *(n)* διευθυντής δημοτικού σχολείου ή γυμνασιάρχης ‖ κεφάλαιο

principle (ˊprinsəpəl): *(n)* αρχή, βασική αρχή

print (print) [-ed]: *(v)* τυπώνω ‖ *(n)* τύπος, αποτύπωμα ‖ **~er**: *(n)* τυπογράφος ‖ **~ing press**: *(n)* πιεστήριο τυπογραφικό

prior (ˊpraiər): *(adj)* προγενέστερος ‖ **~ity**: *(n)* προτεραιότητα

prism (ˊprizəm): *(n)* πρίσμα ‖ **~atic**: *(adj)* πρισματικός

prison (ˊprizən): *(n)* φυλακή ‖ **~er**: *(n)* φυλακισμένος ‖ αιχμάλωτος ‖ **~er of war**: αιχμάλωτος πολέμου ‖ **~er's base**: *(n)* "αμπάριζα", "σκλαβάκια"

prissy (ˊprisi:): *(adj)* ψευτοηθικολόγος, σεμνότυφος

pristine (ˊpristi:n): *(adj)* αρχέγονος, πρωταρχικός

priva-cy (ˊpraivəsi:): *(n)* μυστικότητα ‖ απομόνωση ‖ **~te** (ˊpraivit): *(adj)* ιδιαίτερος ‖ ιδιωτικός ‖ **~tion** (praiˊveiʃən): *(n)* ένδεια, έλλειψη ‖ **~tive**: *(adj)* στερητικός

privilege (ˊprivəlidz): *(n)* προνόμιο ‖ [-d]: *(v)* δίνω προνόμιο

prize (praiz): *(n)* έπαλθο ‖ αμοιβή, βραβείο ‖ λεία, λάφυρο ‖ [-d]: *(v)*

εκτιμώ πολύ || μοχλεύω, κινώ ή ανοίγω με μοχλό ή λοστό
pro (prou): *(n)* υποστηριχτής || *(adv & adj)* υπέρ, ευνοϊκά || **~s and cons**: τα υπέρ και τα κατά
proba-bility (prəbə´biləti:): *(n)* πιθανότητα || **~ble** (´prəbəbəl): *(adj)* πιθανός || **~bly**: *(adv)* πιθανόν, πιθανώς
probat-e (´proubeit): *(n)* επικύρωση διαθήκης || **~ion** (prou´beiʃən): *(n)* περίοδος δοκιμής || δοκιμή, δοκιμασία
probe (proub) [-d]: *(v)* ερευνώ επισταμένως || *(n)* μήλη || εξέταση με μήλη || εξονυχιστική έρευνα
probity (´proubəti:): *(n)* χρηστότητα, ακεραιότητα χαρακτήρα
problem (´prəbləm): *(n)* πρόβλημα || **~atic, ~atical**: *(adj)* προβληματικός
proboscis (prou´bəsis): *(n)* προβοσκίδα
proce-dure (prə´si:dzər): *(n)* διαδικασία || μέθοδος || **~ed** (prou´si:d) [-ed]: *(v)* προχωρώ, εξακολουθώ || **~eds** (prousi:dz): *(n)* έσοδα, εισπράξεις || **~ss** (´prouses) (prəses): *(n)* μέθοδος || διαδικασία || **~ss** [-ed]: *(v)* επεξεργάζομαι, κατεργάζομαι || **~ss** (prə´ses) [-ed]: *(v)* προχωρώ, πορεύομαι || **~ssion**: *(n)* πορεία || παρέλαση || πομπή
procla-im (prou´kleim) [-ed]: *(v)* διακηρύσσω || αναγορεύω || **~mation** (prəklə´meiʃən): *(n)* διακήρυξη || προκήρυξη
procrastinat-e (prou´kræstəneit) [-d]: *(v)* αναβάλλω || χρονοτριβώ || **~ion**: *(n)* αναβολή, χρονοτριβή
procreat-e (proukri:´eit) [-d]: *(v)* τεκνοποιώ || **~ion**: *(n)* τεκνοποιία
procure (prou´kjur) [-d]: *(v)* προμηθεύομαι || αποκτώ
prod (prəd) [-ded]: *(v)* κεντώ, κεντρίζω || εξωθώ || *(n)* εξώθηση || βουκέντρα
prodi-gal (´prədigəl): *(adj)* άσωτος || || **~gality**: *(n)* ασωτία || **~gious** (prə´didzəs): *(adj)* εξαιρετικός || **~gy** (´prədədzi:): *(n)* φαινόμενο θαύμα
produc-e (prə´dju:s) [-d]: *(v)* παράγω || παρουσιάζω || **~e** (´prədju:s): *(n)* παραγωγή, προϊόντα || **~er**: *(n)* παραγωγός || **~t** (´prədəkt): *(n)* προϊόν || γινόμενο || **~tion** (prə´dʌkʃən): *(n)* παραγωγή || **~tivity, ~tiveness**: *(n)* παραγωγικότητα
profa-nation (prəfə´neiʃən): *(n)* βλασφημία || βεβήλωση || **~ne** (prou´fein): *(adj)* βλάσφημος || βέβηλος || **~nity**: *(n)* βλασφημία
profess (prə´fes) [-ed]: *(v)* διακηρύσσω || ισχυρίζομαι || προσποιούμαι || **~ion**: *(n)* επάγγελμα || διακήρυξη, ισχυρισμός || **~ional**: *(n)* επαγγελματίας || **~ionalism**: *(n)* επαγγελματισμός || **~or**: *(n)* καθηγητής πανεπιστημίου
proffer (´prəfər) [-ed]: *(v)* προσφέρω
proficien-cy (prə´fiʃənsi:): *(n)* ικανότητα || επιδεξιότητα || **~t**: *(adj)* ικανός, ειδικός, επιδέξιος
profile (´proufail): *(n)* κατατομή, "προφίλ" || βιογραφικό σημείωμα
profit (´prəfit): *(n)* κέρδος || όφελος || [-ed]: *(v)* κερδίζω || ωφελούμαι
profound (prə´faund): *(adj)* βαθύς, από βάθους
profus-e (prə´fju:s): *(adj)* άφθονος
progen-itor (prou´dzenətər): *(n)* πρόγονος || **~y** (´prədzəni:): *(n)* απόγονος || προϊόν, αποτέλεσμα
program (´prougræm), **~me**: *(n)* πρόγραμμα || [-ed, -med]: *(v)* προγραμματίζω || **~mer**: *(n)* προγραμματιστής
progress (´prəgres, ´prougres): *(n)* πρόοδος || εξέλιξη || (prə´gres) [-ed]: *(v)* προοδεύω || εξελίσσομαι || **~ion**: *(n)* πρόοδος || **~ive**: *(adj)* προοδευτικός
prohibit (prou´hibit) [-ed]: *(v)* απαγορεύω || **~ion**: *(n)* απαγόρευση
project (´prədzekt): *(n)* σχέδιο, μελέτη || έργο || (prə´dzekt) [-ed]: *(v)* προβάλλω || εξακοντίζω|| σχεδιάζω, μελετώ, εκπονώ || προεξέχω || **~ion**: *(n)* προεξοχή || προβολή || **~or**: *(n)* προβολέας
proletari-an (proulə´teəri:ən): *(adj)* προλεταριακός || *(n)* προλετάριος || **~at**: *(n)* προλεταριάτο
prolifer-ate (prou´lifəreit) [-d]: *(v)* αναπαράγω || αναπαράγομαι, πολλαπλασιάζομαι ||| **~ation**: *(n)* αναπαραγωγή, πολλαπλασιασμός
prolific (prou´lifik): *(adj)* πολύ γόνιμος, παραγωγικός
prologue (´proulog): *(n)* πρόλογος
prolong (prə´lə:ŋ) [-ed]: *(v)* προεκτείνω || παρατείνω
prom (prəm): *(n)* σχολικός ή φοι-

τητικός χορός || **~enade** (´prəmə´neid): *(n)* περίπατος, "βόλτα"
prominen-ce (´prəmənəns), **~cy**: *(n)* προεξοχή || υπεροχή || **~t**: *(adj)* προεξέχων || διακεκριμένος
promiscu-ity (prəmis´kju:əti:): *(n)* μείγμα, ανακάτωμα || **~ous**: *(adj)* ανάμεικτος, ανακατωμένος
promis-e (´prəmis): *(n)* υπόσχεση || [-d]: *(v)* υπόσχομαι
promontory (´prəməntə:ri:): *(n)* ακρωτήριο
promot-e (prə´mout) [-d]: *(v)* προάγω, || **~er**: *(n)* υποστηρικτής || οργανωτής || **~ion**: *(n)* προαγωγή
prompt (prəmpt): *(adj)* έγκαιρος || άμεσος || [-ed]: *(v)* υποκινώ || παρακινώ || υποβάλλω || **~er**: *(n)* υποκινητής || υποβολέας || **~ly**: *(adv)* αμέσως
promulgat-e (´prəməlgeit) [-d]: *(v)* διακηρύσσω, προκηρύσσω || **~ion**: *(n)* διακήρυξη, προκήρυξη
prone (proun): *(adj)* πρηνής || επιρρεπής
prong (prəŋ): *(n)* αιχμή περόνης, σουβλί
pronoun (´prounaun): *(n)* αντωνυμία
pronounce (prə´nauns) [-d]: *(v)* προφέρω || διακηρύσσω|| **~ment**: *(n)* διακήρυξη || επίσημη δήλωση
pronunciation (prənʌnsi:´eiʃən): *(n)* προφορά
proof (pru:f): *(n)* απόδειξη || τεκμήριο, || δοκίμιο τυπογραφικό || *(adj)* αδιαπέραστος
prop (prəp): *(n)* υποστήριγμα || *(n)* σκηνικά, υλικά θεάτρου || [-ped]: *(v)* υποστηρίζω
propa-ganda (prəpə´gændə): *(n)* συστηματική διαφώτιση, προπαγάνδα || **~gate** [-d]: *(v)* διαδίδω || αναπαράγω, πολλαπλασιάζω || **~gation** (prəpə´geiʃən): *(n)* διάδοση || αναπαραγωγή
propel (prə´pel) [-led]: *(v)* προωθώ || **~ler, ~lor**: *(n)* έλικας, "προπέλα"
propensity (prə´pensəti:): *(n)* ροπή, τάση
proper (´prəpər): *(adj)* κατάλληλος || πρέπων, όπως πρέπει || **~ly**: *(adv)* κατάλληλα || όπως πρέπει || **~ noun**: *(n)* κύριο όνομα
property (´prəpərti:): *(n)* περιουσία || σκηνικά (see prop) || ιδιότητα
prophe-cy (´prəfəsi:): *(n)* προφητεία || **~sy** (´prəfəsai) [-ied]: *(v)* προφητεύω || **~t**: *(n)* προφήτης || **~tic, ~tical**: *(adj)* προφητικός
proportion (prə´pə:rʃən): *(n)* αναλογία || [-ed]: *(v)* ρυθμίζω σε αναλογία || **~al**: *(adj)* ανάλογος || **~ate**: *(adj)* ανάλογος, σύμμετρος
propos-al (prə´pouzəl): *(n)* πρόταση || || **~e** [-d]: *(v)* προτείνω || **~ition** (prəpə´ziʃən): *(n)* πρόταση
propound (prə´paund) [-ed]: *(v)* αναπτύσσω
proprie-tary (prə´praiəteri:): *(adj)* αποκλειστικά ιδιωτικός || **~tor**: *(n)* ιδιοκτήτης || **~tress**: *(n)* ιδιοκτήτρια || **~ty** (prə´praiəti): *(n)* καθωσπρεπισμός
propulsion (prə´pʌlʃən): *(n)* προώθηση
prosa-ic (prə´zeik): *(adj)* πεζός || **~ically**: *(adv)* πεζά || **~ism**: *(n)* πεζότητα
proscri-be (prə´skraib) [-d]: *(v)* προγράφω
prose (prouz): *(n)* πεζός λόγος
prosecut-e (´prəsəkju:t) [-d]: *(v)* διώκω ποινικά|| **~ion**: *(n)* ποινική δίωξη || **~or**: *(n)* δημόσιος κατήγορος || εισαγγελέας
prospect (´prəspekt): *(n)* προσδοκία || **~or**: *(n)* χρυσοθήρας
prosper (´prəspər) [-ed]: *(v)* ευημερώ || **~ity**: *(n)* ευημερία || **~ous**: *(adj)* ευημερών
prostitut-e (´prəstətju:t): *(n)* πόρνη || **~ion**: *(n)* πορνεία
prostrat-e (´prəstreit) [-d]: *(v)* προσκυνώ, || πέφτω μπρούμυτα || *(adj)* γονατιστός, πεσμένος στα γόνατα || ξαπλωμένος μπρούμυτα
protagonist (prou´tægənist): *(n)* πρωταγωνιστής
protect (prə´tekt) [-ed]: *(v)* προστατεύω || **~ion**: *(n)* προστασία || **~ive**: *(adj)* προστατευτικός || **~or**: *(n)* προστάτης
protégé (´proutəzei): *(n)* προστατευόμενος || **~e**: *(n)* προστατευομένη
protein (´prouti:in): *(n)* πρωτεΐνη
protest (prou´test) [-ed]: *(v)* διαμαρτύρομαι || (´proutest): *(n)* διαμαρτυρία || **~er**: *(n)* διαδηλωτής, διαμαρτυρόμενος || **~ant**: *(n & adj)* Διαμαρτυρόμενος || **~ation**: *(n)* διαμαρτυρία

protocol (΄proutəkə:l): *(n)* πρωτόκολλο, ετικέτα
prototype (΄proutətaip): *(n)* πρωτότυπο
protract (prou΄trækt) [-ed]: *(v)* παρατείνω || **~ed**: *(adj)* παρατεταμένος
protru-de (prou΄tru:d) [-d]: *(v)* προεξέχω || **~sion**: *(n)* προεξοχή
protuber-ance (prou΄tu:bərəns): *(n)* εξόγκωμα
proud (praud): *(adj)* περήφανος
prove (pru:v) [-d]: *(v)* αποδεικνύω
proverb (΄prəvə:rb): *(n)* παροιμία || **~ial**: *(adj)* παροιμιώδης
provide (prə΄vaid) [-d]: *(v)* παρέχω, || **~d**: *(conj)* με την προυπόθεση, αρκεί ή εφόσον .. || **~nce** (΄prəvədəns): *(n)* πρόνοια
provinc-e (΄prəvins): *(n)* επαρχία || αρμοδιότητα, δικαιοδοσία || **~ial**: *(adj)* επαρχιακός
provision (prə΄vizən): *(n)* προμήθεια || όρος || [-ed]: *(v)* προμηθεύω, εφοδιάζω || **~s**: *(n)* εφόδια
provo-cation (prəvə΄keiʃən): *(n)* πρόκληση || **~cative** (prə΄vəkətiv): *(adj)* προκλητικός || ερεθιστικός, διεγερτικός || **~ke** (prə΄vouk) [-d]: *(v)* προκαλώ || διεγείρω, ερεθίζω
prow (prau): *(n)* πλώρη || **~ess**: *(n)* δεξιοτεχνία
prowl (praul) [-ed]: *(v)* περιφέρομαι ύποπτα || **~er**: *(n)* ύποπτος, αλήτης
proxim-al (΄prəksəməl): *(adj)* κοντινός, γειτονικός || **~ity** (prək΄siməti:): *(n)* εγγύτητα
prud-e (΄pru:d): *(n)* σεμνότυφος || **~ence**: *(n)* σύνεση, φρόνηση || φροντίδα, προσοχή || **~ent**: *(adj)* συνετός, φρόνιμος || **~ential**: *(adj)* φρόνιμος || **~ery**: *(n)* σεμνοτυφία || **~ish**: *(adj)* σεμνότυφος || **~ishness**: *(n)* σεμνοτυφία
prune (pru:n): *(n)* ξερό δαμάσκηνο || | [-d]: *(v)* κλαδεύω
pry (prai) [-ied]: *(v)* κατασκοπεύω, παρακολουθώ αδιάκριτα || μοχλεύω, ανοίγω ή κινώ με μοχλό
psalm (sa:m): *(n)* ψαλμός
pseudo (΄su:dou): *(adj)* ψεύτικος || ψευδο- || **~nym**: *(n)* ψευδώνυμο
psych (saik): *(n)* see psychology || **~e** (΄saiki:): *(n)* ψυχή || **~iatrist** (sai΄kaiətrist): *(n)* ψυχίατρος || **~iatry**: *(n)* ψυχιατρική || **~oanalysis**: *(n)* ψυχανάλυση || **~oanalyze** [-d]: *(v)* ψυχαναλύω || **~oanalyst**: *(n)* ψυχαναλυτής || **~ologic** (saikə΄lədzik), **~ological**: *(adj)* ψυχολογικός || **~ologist**: *(n)* ψυχολόγος || **~ology**: *(n)* ψυχολογία || **~opath** (΄saikəpæth): *(n)* ψυχοπαθής || **~ osomatic**: *(adj)* ψυχοσωματικός || **~otic**: *(n & adj)* ψυχοτικός, ψυχοπαθής
pub (pʌb): *(n)* ταβέρνα || πανδοχείο
puberty (΄pju:bərti:): *(n)* εφηβεία
public (΄pʌblik): *(adj)* δημόσιος || *(n)* το κοινό || **~an**: *(n)* ταβερνιάρης || πανδοχέας || **~ation**: *(n)* δημοσίευση || **~ house**: see pub || **~ity**: *(n)* δημοσιότητα || **~ servant**: *(n)* δημόσιος υπάλληλος
publish (΄pʌbliʃ) [-ed]: *(v)* εκδίδω, δημοσιεύω || **~er**: *(n)* εκδότης
pucker (΄pʌkər) [-ed]: *(v)* σουφρώνω, μαζεύω || *(n)* σούφρωμα
pudding (΄pudiŋ): *(n)* πουτίγκα
puddle (΄pʌdl): *(n)* λασπόλακκος
pudgy (΄pʌdzi:): *(adj)* κοντόχοντρος
puerile (΄pju:əril, ΄pju:ərail): *(adj)* παιδαριώδης
puff (pʌf): *(n)* φύσημα|| τουλίπα καπνού || ρουφηξιά καπνού ή αέρα || || [-ed]: *(v)* φυσώ, ξεφυσώ || βγάζω τουλίπες καπνού || τραβώ ρουφηξιές καπνού
pull (pul) [-ed]: *(v)* σύρω, τραβώ, έλκω || *(n)* έλξη, τράβηγμα || **~ off**: *(v)* καταφέρνω, εκτελώ || **~ oneself together**: *(v)* συνέρχομαι || **~ through**: *(v)* τα βγάζω πέρα, καταφέρνω
pullet (΄pulit): *(n)* πουλάδα
pulley (΄pu:li:): *(n)* τροχαλία
pullover (΄pulovər): *(n)* πουλόβερ
pulp (pʌlp): *(n)* πολτός, μάζα || σάρκα φρούτου || [-ed]: *(v)* κάνω μάζα, πολτοποιώ
pulpit (΄pulpit): *(n)* άμβωνας
puls-ate (΄pʌlseit) [-d]: *(v)* πάλλω || **~ation**: *(n)* παλμός || **~e**: *(n)* σφυγμός
pulveriz-e (΄pʌlvəraiz) [-d]: *(v)* κονιοποιώ, κάνω σκόνη
pump (pʌmp): *(n)* αντλία, ''τρόμπα'' || [-ed]: *(v)* αντλώ, ''τρομπάρω''
pumpkin (΄pʌmpkin): *(n)* κολοκύθα
pun (pʌn): *(n)* λογοπαίγνιο
punch (pʌntʃ): *(n)* τρυπητήρι, στιγέ-

ας || || γροθιά || "πόντσι" || [-ed]: *(v)* διατρυπώ, κάνω τρύπα || δίνω γροθιά
punctu-al (΄pʌŋktʃu:əl): *(adj)* ακριβής, στην ώρα του || **~ate** [-d]: *(v)* βάζω σημείο στίξης || **~ation**: *(n)* στίξη || σημεία στίξης || **~ation mark**: *(n)* σημείο στίξης
puncture (΄pʌŋktʃər) [-d]: *(v)* διατρυπώ || *(n)* διάτρηση
pungent (΄pʌndzənt): *(adj)* οξύς, καυστικός
punish (΄pʌniʃ) [-ed]: *(v)* τιμωρώ | **~ment**: *(n)* τιμωρία
punitive (΄pju:nətiv): *(adj)* τιμωρητικός || **~action**: *(n)* αντίποινα
punk (pʌŋk): *(n)* || νεαρός αλήτης
punt (pʌnt): *(n)* βάρκα χωρίς καρίνα
puny (΄pju:ni): *(adj)* μικροσκοπικός
pup (pʌp), **~py**: *(n)* κουτάβι
pupil (΄pju:pəl): *(n)* μαθητής || κόρη οφθαλμού
puppet (΄pʌpit): *(n)* κούκλα, "μαριονέτα"
puppy: see pup
purchase (΄pə:rtʃis) [-d]: *(v)* αγοράζω || || *(n)* αγορά, ψώνιο
pure (pju:r): *(n)* αγνός || καθαρός || **~bred**: *(adj)* καθαρόαιμος
purg-ation (pə:r΄geiʃən): *(n)* κάθαρση || **~ative**: *(n)* καθαρτικό || **~e** (pə:rdz) [-d]: *(v)* καθαρίζω || *(n)* κάθαρση
puri-fication (pjurəfi΄keiʃən): *(n)* κάθαρση || εξαγνισμός || **~fy** [-ied]: *(v)* καθαρίζω || εξαγνίζω || **~tan**: *(n)* πουριτανός|| **~ty**: *(n)* καθαρότητα || αγνότητα
purple (΄pə:rpəl): *(adj)* πορφυρός || *(n)* πορφύρα
purpose (΄pə:rpəs): *(n)* σκοπός || πρόθεση || **~ful**: *(adj)* αποφασιστικός, αποφασισμένος
purr (pə:r) [-ed]: *(v)* ρουθουνίζω || *(n)* ρουθούνισμα
purse (pə:rs): *(n)* πορτοφόλι || [-d]: *(v)* σουφρώνω τα χείλη ή τα φρύδια
pursu-ance (pər΄su:əns): *(n)* εξακολούθηση, || **~e** [-d]: *(v)* διώκω || επιδιώκω, || **~it**: *(n)* δίωξη, καταδίωξη || επιδίωξη
purvey (pər΄vei) [-ed]: *(v)* εφοδιάζω, προμηθεύω || **~or**: *(n)* προμηθευτής
pus (pʌs): *(n)* πύο
push (puʃ) [-ed]: *(v)* σπρώχνω || προωθώ || παρακινώ || *(n)* ώθηση, σπρώξιμο || προώθηση || παρακίνηση
puss (pus): *(n)* γάτα || **~y**: *(n)* γατάκι
pustule (΄pʌstʃul): *(n)* σπυρί
put (put) [put, put]: *(v)* θέτω, τοποθετώ| ~ **about**: *(v)* αλλάζω κατεύθυνση, γυρίζω || ~ **across**: *(v)* κάνω αντιληπτό, δίνω να καταλάβει || ~ **forth**: *(v)* βγάζω || ~ **forward**: *(v)* προτείνω, εισάγω || ~ **off**: *(v)* αναβάλλω || ~ **on**: *(v)* βάζω, φορώ || ~ **out**: *(v)* σβήνω || βγάζω || ~ **upon**: *(v)* δίνω βάρος, επιβαρύνω || ~ **up with**: *(v)* ανέχομαι
putrid (΄pju:trid): *(adj)* σάπιος
putty (΄pʌti:): *(n)* στόκος || [-ied]: *(v)* στοκάρω
puzzl-e (΄pʌzəl) [-d]: *(v)* περιπλέκω, βάζω σε αμηχανία || *(n)* αίνιγμα || **~ement**: *(n)* αμηχανία
pygmy (΄pigmi): *(n)* πυγμαίος
pyramid (΄pirəmid): *(n)* πυραμίδα || **~al, ~ic, ~ical**: *(adj)* πυραμιδοειδής
pyre (pair): *(n)* πυρά, μεγάλη φωτιά
python (΄paithən): *(n)* πύθωνας

Q

quack (kwæk): *(n)* τσαρλατάνος || κρώξιμο πάπιας
quad (kwəd): *(n)* see quadrangle || see quadrilateral || **~rangle** (΄kwədræŋgəl): *(n)* τετράπλευρο|| **~rilateral**: τετράπλευρο || **~ruped** (΄kwədruped): *(n & adj)* τετράποδο || **~ruple**: *(adj)* τετραπλάσιος || τετραπλός || **~ruplets** (kwə΄druplits): *(n)* τετράδυμα
quag-mire (΄kwægmair): *(n)* τέναγος
quail (kweil): *(n)* ορτύκι
quaint (kweint): *(adj)* παράξενος, περίεργος

quake (kweik) [-d]: *(v)* σείομαι || *(n)* σεισμός
quali-fication (kwələfi´keiʃən): *(n)* προσόν || **~fied** (´kwələfaid): *(adj)* έχων προσόντα || **~fy** [-ied]: *(v)* καθιστώ κατάλληλο για κάτι || αποκτώ ή έχω προσόντα || **~ty**: *(n)* ποιότητα || ιδιότητα
qualm (kwə:m, kwa:m): *(n)* || ενδοιασμός || τύψη
quandary (´kwəndəri:): *(n)* δίλημμα
quanti-fy (´kwəntəfai) [-ied]: *(v)* ποσολογώ|| **~ty**: *(n)* ποσότητα
quarantine (´kwə:rənti:n): *(n)* υγειονομική κάθαρση, ''καραντίνα''
quarrel (´kwə:rəl): *(n)* φιλονικία, καβγάς || [-ed]: *(v)* φιλονικώ, καβγαδίζω, || **~some**: *(adj)* φίλερις, καβγατζής
quarry (´kwə:ri:): *(n)* θήραμα || λατομείο
quart (kwə:rt): *(n)* 1/4 του γαλονιού|| **~er**: *(n)* τέταρτο || τρίμηνο || **~et, ~ette**: *(n)* τετραφωνία, ''κουαρτέτο''
quartz (kwə:rts): *(n)* χαλαζίας
quash (kwəʃ) [-ed]: *(v)* καταστέλλω|| ακυρώνω
quasi (´kweizi): *(adv)* μέχρις ενός βαθμού, κάπως, όχι τέλεια
quaver (´kweivər) [-ed]: *(v)* τρέμω, τρεμουλιάζω
quay (ki:): *(n)* αποβάθρα, μόλος
queas-iness (´kwi:zi:nis): *(n)* ζάλη || αηδία || **~y**: *(adj)* ζαλισμένος || αηδιαστικός
queen (kwi:n): *(n)* βασίλισσα || ντάμα τράπουλας
queer (kwiər): *(adj)* ''παράξενος'', παράδοξος
quell (kwel) [-ed]: *(v)* καταστέλλω || κατευνάζω
quench (kwentʃ) [-ed]: *(v)* σβήνω || καταστέλλω
querulous (´kwerələs): *(adj)* γκρινιάρης
query (´kwiəri:): *(n)* || ερώτημα || [-ied]: *(v)* ερωτώ, θέτω ερώτημα
quest (kwest): *(n)* αναζήτηση || έρευνα
question (´kwestʃən): *(n)* ερώτηση || ζήτημα ή θέμα υπό συζήτηση ή υπο αμφιβολία || [**-ed**]: *(v)* ερωτώ || εξετάζω, ανακρίνω || αμφισβητώ || **~able**: *(adj)* αμφισβητήσιμος || αμφίβολος || **~mark**: *(n)* ερωτηματικό || **~naire**: *(n)* ερωτηματολόγιο
queue (kju:): *(n)* σειρά ανθρώπων ή οχημάτων, ''ουρά''
quibble (´kwibəl) [-d]: *(v)* φέρνω αντιρρήσεις χωρίς βάση || *(n)* αντίρρηση χωρίς βάση
quick (kwik): *(adj)* γρήγορος || ευφυής, έξυπνος || **~en** [-ed]: *(v)* επιταχύνω || ζωντανεύω, δίνω ζωή || **~lime**: *(n)* ασβέστης || **~ly**: *(adv)* γρήγορα || **~sand**: *(n)* κινούμενη άμμος || **~ tempered**: *(adj)* ευέξαπτος
quiet (´kwaiət): *(adj)* ήσυχος || σιωπηλός || ήρεμος || *(n)* ησυχία || σιωπή || ηρεμία || **~ness**: *(n)* ησυχία || σιωπή
quill (kwil): *(n)* καλάμι φτερού || κάλαμος, πένα φτερού
quilt (kwilt): *(n)* πάπλωμα
quince (kwins): *(n)* κυδώνι
quinine (´kwainain, kwi´ni:n): *(n)* κινίνη
quintet (kwin´tet), **~ te**: *(n)* πενταφωνία || πεντάδα
quintuple (kwin´tu:pəl): *(adj)* πενταπλός || **~t**: *(n)* πεντάδυμος
quip (kwip) [-ped]: *(v)* λέω εξυπνάδες, ευφυολογώ || *(n)* ευφυολογία, ''εξυπνάδα''
quit (kwit) [-ed or quit]: *(v)* εγκαταλείπω || σταματώ, παύω || παραιτούμαι
quite (kwait): *(adv)* εντελώς || μάλλον, ως ένα βαθμό
quiver (´kwivər): *(n)* τρεμούλιασμα || *(n)* φαρέτρα || [-ed]: *(v)* τρέμω, τρεμουλιάζω
quiz (kwiz) [-zed]: *(v)* θέτω ερωτηματολόγιο || εξετάζω || *(n)* ερωτηματολόγιο || πείραγμα, αστείο || **~zical**: *(adj)* με απορία, ερωτηματικός
quorum (´kwə:rəm): *(n)* ελάχιστη απαιτούμενη παρουσία για απαρτία
quota (´kwoutə): *(n)* αναλογία, δικαιούμενο ποσοστό
quot-ation (kwou´teiʃən): *(n)* περικοπή, || **~ation marks**: *(n)* εισαγωγικά || **~e** (´kwout) [-d]: *(v)* επαναλαμβάνω επί λέξει περικοπή ή λόγια
quotient (´kwouʃənt): *(n)* πηλίκον

R

rabbi (ˊræbai): *(n)* ραβίνος
rabbit (ˊræbit): *(n)* κουνέλι || λαγός
rabble (ˊræbəl): *(n)* όχλος
rab-id (ˊræbid): *(adj)* λυσσασμένος || έξαλλος || **~ies** (reibi:s): *(n)* λύσσα
rac-e (reis): *(n)* φυλή, ''ράτσα'' || αγώνας δρόμου || [-d]: *(v)* τρέχω γρήγορα || **~ial** (ˊreiʃəl): *(adj)* φυλετικός || **~ism**: *(n)* also **~ialism**: *(n)* φυλετισμός, ''ρατσισμός'' || **~ist, ~ialist**: *(n & adj)* οπαδός φυλετικών διακρίσεων, ''ρατσιστής''
rack (ræk): *(n)* ράφι αποσκευών
racket (ˊrækit): *(n)* ρακέτα (also: racquet) || φασαρία, μεγάλος θόρυβος || απάτη
racy (ˊreisi:): *(adj)* πικάντικος
radar (ˊreida:r): ραδιοανιχνευτής, ραδιοανίχνευση, ''ραντάρ''
radian (ˊreidi:ən): *(n)* ακτίνιο || **~ce**: *(n)* ακτινοβολία || **~t**: *(adj)* ακτινοβόλος
radiat-e (ˊreidi:eit) [-d]: *(v)* ακτινοβολώ || **~ion**: *(n)* ακτινοβολία || **~or**: *(n)* σώμα κεντρικής θέρμανσης, σώμα ''καλοριφέρ'' || ψυκτικό μηχάνημα
radical (ˊrædikəl): *(adj)* ριζικός || ριζοσπαστικός
radio (ˊreidi:ou): *(n)* ραδιοφωνία || ραδιόφωνο || ασύρματος || [-ed]: *(v)* μεταδίδω || **~active**: *(adj)* ραδιενεργός || **~activity**: *(n)* ραδιενέργεια|| **~graph**: *(n)* ακτινογράφημα, ακτινογραφία
radish (ˊrædiʃ): *(n)* ρεπάνι
radium (ˊreidi:əm): *(n)* ράδιο
radius (ˊreidi:əs): *(n)* ακτίνα
raft (ræft): *(n)* σχεδία
rafter (ˊræftər): *(n)* δοκάρι, πάτερο
rag (ræg): *(n)* κουρέλι
rag-e (reidz): *(n)* έντονος θυμός, μανία || [-d]: *(v)* μαίνομαι, λυσσομανώ
raid (reid): *(n)* επιδρομή || [-ed]: *(v)* επιδράμω, εισβάλλω
rail (reil): *(n)* κιγκλίδα || ράβδος σιδηροτροχιάς|| **~ing**: *(n)* κιγκλίδωμα || **~road, ~way**: *(n)* σιδηρόδρομος
rain (rein): *(n)* βροχή || [-ed]: *(v)* βρέχω, πέφτω σαν βροχή || **~bow**: *(n)* ουράνιο τόξο || **~coat**: *(n)* αδιάβροχο || **~fall**: *(n)* βροχόπτωση || **~spout**: *(n)* υδροσωλήνας στέγης, λούκι || **~squall, ~storm**: *(n)* καταιγίδα
raise (reiz) [-d]: *(v)* υψώνω || οικοδομώ || αυξάνω || ανατρέφω || *(n)* αύξηση
raisin (ˊreizən): *(n)* σταφίδα
rake (reik): *(n)* ξύστρα, τσουγκράνα || [-d]: *(v)* ξύνω || μαζεύω ή σκαλίζω με τσουγκράνα
rakish (ˊreikiʃ): *(adj)* εύθυμος και επιδεικτικός
rally (ˊræli:) [-ied]: *(v)* συγκεντρώνω || συγκεντρώνομαι || ενώνομαι σ' ένα κοινό σκοπό || *(n)* συγκέντρωση || ανασύνταξη δυνάμεων || αυτοκινητοδρομία, ''ράλι''
ram (ræm): *(n)* κριός || έμβολο || [-med]: *(v)* εμβολίζω || **~rod**: *(n)* ράβδος εμβόλου, εξολκέας || **~rod**: *(adj)* ίσιος, ολόισιος, στητός || αυστηρός
rambl-e (ˊræmbəl) [-d]: *(v)* περπατώ άσκοπα || μιλώ ή γράφω ασυνάρτητα ή ασύνδετα || *(n)* περίπατος || **~ing**: *(adj)* απλωμένος, εκτεταμένος
ramification (ræməfəˊkeiʃən): *(n)* διακλάδωση || παρεπόμενα ζητήματος
ramp (ræmp): *(n)* αναβατήρας, ''ράμπα''
rampart (ˊræmpa:rt): *(n)* πρόχωμα προμαχώνας
ramshackle (ˊræmʃækəl): *(adj)* ετοιμόρροπος
ranch (ræntʃ): *(n)* αγρόκτημα; ''ράντσο'' || **~er**: *(n)* κτηματίας
rancid (ˊrænsid): *(adj)* ταγκός, ταγκιασμένος
rancor, rancour (ˊræŋkər): *(n)* μνησικακία
random (ˊrændəm): *(adj)* τυχαίος,

συμπτωματικός ‖ **at ~, ~ly**: *(adv)* στην τύχη
range (reindz): *(n)* έκταση, περιοχή ‖ σειρά ‖ βεληνεκές ‖ οροσειρά ‖ μαγειρική θερμάστρα, ''μασίνα'' ‖ [-d]: *(v)* τάσσω ‖ εκτείνομαι ‖ ποικίλλω μεταξύ ορίων
rank (ræŋk): *(n)* βαθμός ‖ γραμμή, στοίχος, σειρά ‖ δύσοσμος ‖ [-ed]: *(v)* στοιχίζω, βάζω σε στοίχους
rankle (΄ræŋkəl) [-d]: *(v)* προκαλώ επίμονη ενόχληση
ransack (΄rænsæk) [-ed]: *(v)* ερευνώ με προσοχή ‖ λεηλατώ
ransom (΄rænsəm): *(n)* λύτρα
rant (rænt) [-ed]: *(v)* μιλώ ή ρητορεύω φωναχτά και έντονα
rap (ræp) [-ped]: *(v)* χτυπώ ‖ *(n)* γρήγορο, ελαφρό χτύπημα
rap-e (reip): *(n)* βιασμός ‖ απαγωγή ‖ [-d]: *(v)* βιάζω ‖ απάγω ‖ **~ist**: *(n)* βιαστής
rapid (΄ræpid): *(adj)* γρήγορος ‖ **~ness, ~ity**: *(n)* ταχύτητα
rapport (rə΄pɔ:rt): *(n)* αμοιβαία αρμονική σχέση, έλξη αμοιβαία
rapprochement (raprə:ʃ΄ma:n): *(n)* επανασύνδεση σχέσεων, προσέγγιση
rapt (ræpt): *(adj)* εκστατικός ‖ **~ure** (΄ræptʃər): *(n)* έκσταση
rar-e (reər): *(adj)* σπάνιος ‖ αραιός ‖ **~ely**: *(adv)* σπάνια
rascal (΄ræskəl): *(n)* παλιάνθρωπος ‖ κατεργάρης
rash (ræʃ): *(adj)* απερίσκεπτος ‖ *(n)* εξάνθημα
rasp (ræsp) [-ped]: *(v)* ρινίζω, λιμάρω ‖ *(n)* λίμα ‖ **~berry**: *(n)* βατόμουρο
rat (ræt): *(n)* ποντικός ‖ **smell a ~**: μυρίζομαι κάτι το ύποπτο
ratchet (΄rætʃit): *(n)* οδόντωση ‖ όνυχας, αναστολέας, επίσχετρο
rate (reit): *(n)* ποσοστό, ανάλογο ποσό ‖ κόστος, τιμή ‖ [-d]: *(v)* εκτιμώ ‖ θεωρώ ‖ **at any ~**: τουλάχιστο ‖ εν πάσει περιπτώσει
rather (΄ræδər): *(adv)* μάλλον
rati-fication (rætifi΄keiʃən): *(n)* επικύρωση ‖ **~fy** [-ied]: *(v)* επικυρώνω
ratio (΄reiʃi:ou): *(n)* λόγος ‖ **~n** (΄reiʃən): *(n)* μερίδα, μερίδα ''δελτίου'' ‖ **~n** [-ed]: *(v)* εφοδιάζω με ''δελτίο''
rational (΄ræʃənəl): *(adj)* λογικός ‖ **~ize** [-d]: *(v)* κάνω λογικό, εκφράζω λογικά
rattle (rætl) [-d]: *(v)* κροταλίζω, κροτώ ‖ εκνευρίζω ‖ *(n)* κρόταλο ‖ κροταλισμός
raucous (΄rɔ:kəs): *(adj)* ξερός, βραχνός
ravage (΄rævidz) [-d]: *(v)* καταστρέφω, ερημώνω
rav-e (reiv) [-d]: *(v)* παραληρώ ‖ μουγκρίζω ‖ *(n)* παραλήρημα ‖ **~ing**: *(adj)* τρελός, παραληρών
raven (΄reivən): *(n)* κοράκι ‖ **~ous**: *(adj)* πεθαμένος από την πείνα
raving: see rave
ravish (΄ræviʃ) [-ed]: *(v)* απάγω, αρπάζω ‖ βιάζω ‖ **~ing**: *(adj)* γοητευτικός
raw (rɔ:): *(adj)* ωμός, ‖ ακατέργαστος
ray (rei): *(n)* αχτίδα ‖ *(n)* σαλάχι (ψάρι)
rayon (΄reiɔn): *(n)* συνθετικό μετάξι, ''ρεγιόν''
raze (reiz) [-d]: *(v)* κατεδαφίζω, ισοπεδώνω
razor (΄reizər): *(n)* ξυράφι
reach (ri:tʃ) [-ed]: *(v)* εκτείνω ‖ φτάνω ‖ εκτείνομαι ‖ *(n)* έκταση ‖ άπλωμα
react (ri:΄ækt) [-ed]: *(v)* αντιδρώ ‖ **~ion**: *(n)* αντίδραση ‖ **~ionary**: *(adj)* αντιδραστικός
read (ri:d) [read, read]: *(v)* διαβάζω ‖ **~er**: *(n)* αναγνώστης ‖ αναγνωστικό ‖ **~ing**: *(n)* ανάγνωση
read-ily (΄redəli): *(adv)* αμέσως ‖ **~iness**: *(n)* ετοιμότητα ‖ **~y** (΄redli:) *(adj)* έτοιμος ‖ άμεσος ‖ [-ied]: *(v)* ετοιμάζω ‖ **~y-made**: *(adj)* έτοιμος, όχι επι παραγγελία
reading: see read
readjust (ri:ə΄dzʌst) [-ed]: *(v)* αναπροσαρμόζω
ready: see readily
real (΄ri:əl): *(adj)* πραγματικός ‖ αληθινός ‖ **~estate, ~ty**: *(n)* ακίνητη περιουσία ‖ **~ism**: *(n)* πραγματοκρατία, ρεαλισμός ‖ **~ist**: *(n)* ρεαλιστής ‖ **~ity**: *(n)* πραγματικότητα ‖ **~ization** (ri:ələ΄zeiʃən): *(n)* πραγματοποίηση ‖ αντίληψη, κατανόηση ‖ **~ize** (΄ri:əlaiz) [-d]: *(v)* αντιλαμβάνομαι ‖ πραγματοποιώ ‖ **~ly**: *(adv)* πράγματι ‖

R

~**tor**: *(n)* μεσίτης ακινήτων
realm (relm): *(n)* βασίλειο ‖ σφαίρα ενδιαφέροντος ή δικαιοδοσίας
ream (ri:m): *(n)* δέσμη ή πακέτο χαρτιού
reap (ri:p) [-ed]: *(v)* θερίζω ‖ ~**er**: *(n)* θεριστής ‖ θεριστική μηχανή
reappear (ri:əˊpiər) [-ed]: *(v)* επανεμφανίζομαι
rear (riər): *(adj)* οπίσθιος ‖ [-ed]: *(v)* ανυψώνω ‖ σηκώνομαι, ανορθώνομαι ‖ ανατρέφω, μεγαλώνω ‖ ~ **admiral**: *(n)* υποναύαρχος ‖ ~ **guard**: *(n)* οπισθοφυλακή
rearrange (ri:əˊreindz) [-d]: *(v)* ξανατακτοποιώ
reason (ˊri:zən): *(n)* λογική ‖ λόγος, αιτία ‖ [-ed]: *(v)* χρησιμοποιώ τη λογική ‖ ~**able**: *(adj)* λογικός ‖ ~**ing**: *(n)* συλλογισμός
reassemble (ri:əˊsembəl) [-d]: *(v)* ξανασυναρμολογώ ‖ ξανασυγκεντρώνομαι
reassur-ance (ri:əˊʃurəns): *(n)* καθησύχαση ‖ διασφάλιση ‖ ~**e** [-d]: *(v)* καθησυχάζω ‖ διασφαλίζω
rebate (ˊri:beit) ‖ *(n)* έκπτωση
rebel (riˊbel) [-led]: *(v)* επαναστατώ ‖ (ˊrebəl): *(n)* αντάρτης, στασιαστής ‖ *(adj)* αντάρτικος, στασιαστικός ‖ ~**ion**: *(n)* ανταρσία ‖ ~ **ious**: *(adj)* επαναστατικός, ατίθασος
rebirth (ri:ˊbə:rth): *(n)* αναγέννηση
reborn (ri:ˊbə:rn): *(adj)* ξαναγεννημένος
rebound (ri:ˊbaund) [-ed]: *(v)* αναπηδώ
rebuff (riˊbʌf) [-ed]: *(v)* αρνούμαι απότομα ή περιφρονητικά ‖ *(n)* άρνηση
rebuild (ri:ˊbild) [rebuilt, rebuilt]: *(v)* ανακατασκευάζω ‖ ανοικοδομώ
rebuke (riˊbju:k) [-d]: *(v)* επιπλήττω
rebut (riˊbʌt) [-ted]: *(v)* ανασκευάζω
recalcitrant (riˊkælsətrənt): *(adj)* δύστροπος
recall (riˊkɔ:l) [-ed]: *(v)* ανακαλώ ‖ θυμούμαι ‖ *(n)* ανάκληση ‖ μνήμη, θύμηση
recant (riˊkænt) [-ed]: *(v)* αναιρώ, ανακαλώ ‖ ~**ation**: *(n)* ανάκληση, αναθεώρηση
recap (ri:ˊkæp) [-ped]: *(v)* ξαναβουλώνω ‖ επισκευάζω λάστιχο αυτοκινήτου ‖ συνοψίζω
recapture (ri:ˊkæptʃər) [-d]: *(v)* ξανασυλλαμβάνω ‖ ανακαταλαμβάνω ‖ *(n)* ξαναπιάσιμο ‖ ανακατάληψη
recede (riˊsi:d) [-d]: *(v)* αποτραβιέμαι ‖ κλίνω προς τα πίσω
receipt (riˊsi:t): *(n)* λήψη, ‖ απόδειξη παραλαβής
receiv-able (riˊsi:vəbəl): *(adj)* εισπρακτέος ‖ ~**e** [-d]: *(v)* λαβαίνω ‖ δέχομαι ‖ υποδέχομαι ‖ ~**er**: *(n)* αποδέκτης ‖ δέκτης ‖ ακουστικό
recent (ˊri:sənt): *(adj)* πρόσφατος ‖ ~**ly**: *(adv)* πρόσφατα
recept-acle (riˊseptəkəl): *(n)* δοχείο ‖ ~**ion** (riˊsepʃən): *(n)* λήψη ‖ υποδοχή ‖ δεξίωση
recess (ri:ˊses) [-ed]: *(v)* κάνω διάλειμμα, διακόπτω ‖ *(n)* διάλειμμα ‖ εσοχή, κοίλωμα
recharge (ri:ˊtʃa:rdz) [-d]: *(v)* ξαναγεμίζω ‖ επαναφορτίζω
recipe (ˊresəpi:): *(n)* συνταγή
recipien-ce (riˊsipi:əns), ~**cy**: *(n)* λήψη ‖ ~**t**: *(n)* δέκτης
recipro-cal (riˊsiprəkəl): *(adj)* αντίστροφος ‖ αμοιβαίος ‖ ~**cate** [-d]: *(v)* ανταλλάσσω ‖ ανταποδίδω
recit-al (riˊsaitl): *(n)* απαγγελία ‖ ''ρεσιτάλ'' ‖ ~**e** (riˊsait) [-d]: *(v)* απαγγέλλω
reck (rek) [-ed]: *(v)* προσέχω, δίνω σημασία ‖ ~**less**: *(adj)* απρόσεκτος, αλόγιστος, απερίσκεπτος
reckon (ˊrekən) [-ed]: *(v)* υπολογίζω ‖ λογαριάζω ‖ υποθέτω ‖ ~**ing**: *(n)* υπολογισμός
reclaim (riˊkleim) [-ed]: *(v)* εκτελώ εγγειοβελτιωτικά έργα
reclamation (rekləˊmeiʃən): *(n)* εγγειοβελτίωση
reclin-e (riˊklain) [-d]: *(v)* ξαπλώνω ‖ ~**ation**: *(n)* ξάπλωμα
reclus-e (ˊreklu:s): *(n)* ερημίτης, απομονωμένος
recogni-tion (rekəgˊniʃən): *(n)* αναγνώριση ‖ ~**zable** (ˊrekəgˊnaizəbəl): *(adj)* αναγνωρίσιμος ‖ ~**ze** [-d]: *(v)* αναγνωρίζω ‖ παραδέχομαι
recoil (riˊkoil) [-ed]: *(v)* πηδώ προς τα πίσω ‖ αναπηδώ, ''κλοτσώ'' ‖ (ˊri:koil): *(n)* αναπήδηση ‖ αντίκρουση, ''κλοτσιά''

recollect (rekə´lekt) [-ed]: *(v)* θυμούμαι || **~ion**: *(n)* ανάμνηση
recommend (rekə´mend) [-ed]: *(v)* συνιστώ || εμπιστεύομαι σε || **~ation**: *(n)* σύσταση
recompense (´rekəmpəns) [-d]: *(v)* αποζημιώνω || *(n)* αποζημίωση || ανταμοιβή
reconcil-able (rekən´sailəbəl): *(adj)* συμβιβάσιμος || **~e** [-d]: *(v)* συμβιβάζω || συμβιβάζομαι || **~iation**: *(n)* συμβιβασμός || **~iatory**: *(adj)* συμβιβαστικός
reconnaissance (ri´kənəsəns): *(n)* αναγνώριση εδάφους
reconnoiter (ri:kə´noitər) [-ed]: *(v)* κάνω αναγνώριση
reconsider (rikən´sidər) [-ed]: *(v)* αναθεωρώ, επανεξετάζω
reconstruct (ri:kən´strʌkt) [-ed]: *(v)* αναπαριστάνω || επανακατασκευάζω || **~ion**: *(n)* αναπαράσταση || επανοικοδόμηση
record (´rekərd): *(n)* καταγραφή || μεγίστη επίδοση, ''ρεκόρ'' || δίσκος γραμμοφώνου || (ri´kə:rd) [-ed]: *(v)* καταγράφω || **~er**: *(n)* μηχάνημα καταγραφής ή ηχογράφησης || ~ **player**: *(n)* γραμμόφωνο
recount (ri´kaunt) [-ed]: *(v)* αφηγούμαι || απαριθμώ
recoup (ri´ku:p) [-ed]: *(v)* ανακτώ, αποζημιώνομαι για || αποζημιώνω
recourse (ri:´kə:rs): *(n)* προσφυγή || καταφύγιο
recover (ri´kʌvər) [-ed]: *(v)* επανακτώ, ξαναποκτώ || αποζημιώνω || ανακτώ δυνάμεις ή υγεία || **~y**: *(n)* ανάκτηση, επαναπόκτηση || ανάκτηση δυνάμεων ή υγείας
recreat-e (´rekri:eit) [-d]: *(v)* αναζωογονώ || διασκεδάζω || **~ion**: *(n)* αναζωογόνηση || διασκέδαση, αναψυχή
recriminat-e (ri´krimineit) [-d]: *(v)* αντικατηγορώ || **~ion**: *(n)* αντικατηγορία
recruit (ri´kru:t) [-ed]: *(v)* στρατολογώ || *(n)* νεοσύλλεκτος || **~ing office**: *(n)* στρατολογικό γραφείο || **~ing officer**: στρατολόγος, αξιωματικός στρατολογίας
rectan-gle (´rektæŋgəl): *(n)* ορθογώνιο || **~gular**: *(adj)* ορθογώνιος
recti-fication (rektifi´keiʃən): *(n)* επανόρθωση || **~fy** (´rektifai) [-ied]: *(v)* επανορθώνω
recuperat-e (ri´ku:pəreit) [-d]: *(v)* αναρρώνω || συνέρχομαι || **~ion**: *(n)* ανάρρωση
recur (ri´kə:r) [-red]: *(v)* επαναλαμβάνομαι || επανέρχομαι || **~rence**: *(n)* επανάληψη || **~rent**: *(adj)* επαναλαμβανόμενος || περιοδικός || **~ring**: see recurrent
red (red): *(adj)* ερυθρός, κόκκινος || ~ **breast**: *(n)* κοκκινολαίμης (πουλί) || ~ || **~den** [-ed]: *(v)* κοκκινίζω || **~dish**: *(adj)* κοκκινωπός || **~ness**: *(n)* κοκκινίλα || ~ **handed**: *(adj)* επ' αυτοφόρω|| ~ **snapper**: *(n)* λιθρίνι || ~ **tape**: *(n)* γραφειοκρατία
redeem (ri´di:m) [-ed]: *(v)* εξαγοράζω || απολυτρώνω
redemption (ri´dempʃən): *(n)* εξαγορά || απολύτρωση
redouble (ri:´dʌbəl) [-d]: *(v)* διπλασιάζω || επαναλαμβάνω
redress (ri´dres) [-ed]: *(v)* επανορθώνω
reduc-e (ri´dju:s) [-d]: *(v)* ελαττώνω, περιορίζω μικραίνω || **~tion** (ri´dʌkʃən): *(n)* ελάττωση, μείωση
redundan-cy (ri´dʌndənsi:): *(n)* πλεονασμός || **~t**: *(adj)* πλεονάζων
reed (ri:d): *(n)* καλαμιά || καλάμι
reef (ri:f): *(n)* ύφαλος
reek (ri:k) [-ed]: *(v)* αναδίδω κακοσμία
reel (ri:l): *(n)* καρούλι || *(n)* παραπάτημα || [-ed]: *(v)* παραπατώ, τρικλίζω
re-en-ter (ri:´entər) [-ed]: *(v)* ξαναμπαίνω || ξανακαταγράφω || **~try**: *(n)* νέα είσοδος
refer (ri´fə:r) [-red]: *(v)* παραπέμπω || αναφέρομαι || **~ee** (refə´ri:): *(n)* διαιτητής || **~ence** (´refərəns): *(n)* παραπομπή || **~endum**: *(n)* δημοψήφισμα
refill (ri:´fil) [-ed]: *(v)* ξαναγεμίζω
refine (ri´fain) [-d]: *(v)* καθαρίζω || εξευγενίζω || διυλίζω || **~d**: *(adj)* καθαρός || εξευγενισμένος, ''ραφιναρισμένος'' || **~ment**: *(n)* καθαρισμός || διύλιση || εξευγενισμός, ''ραφινάρισμα''
reflect (ri´flekt) [-ed]: *(v)* ανακλώ, || σκέπτομαι || **~ion**: *(n)* ανάκλαση || σκέψη, συλλογισμός
reflex (´ri:fleks): *(adj)* ανtανακλα-

στικός, άθελος
reform (ri´fə:rm) [-ed]: *(v)* αναμορφώνω || μεταρρυθμίζω || *(n)* αναμόρφωση || μεταρρύθμιση || **~ation**: *(n)* αναμόρφωση || μεταρρύθμιση || **~er**: *(n)* αναμορφωτής || μεταρρυθμιστής
refract (ri´frækt) [-ed]: *(v)* διαθλώ || **~ion**: *(n)* διάθλαση
refrain (ri´frein) [-ed]: *(v)* συγκρατούμαι, κρατιέμαι || *(n)* επωδός, ''ρεφρέν''
refresh (ri´freʃ) [-ed]: *(v)* αναζωογονώ || δροσίζω || φρεσκάρω || **~er**: *(n)* αναψυκτικό|| **~ment**: *(n)* αναψυκτικό
refrigerat-e (ri´fridzəreit) [-d]: *(v)* ψύχω || **~ion**: *(n)* ψύξη || **~or**: *(n)* ψυγείο
refuge (´refju:dz): *(n)* προστασία || καταφύγιο || **~e**: *(n)* πρόσφυγας
refund (ri´fʌnd) [-ed]: *(v)* επιστρέφω χρήματα || (´ri:fʌnd): *(n)* επιστροφή χρημάτων
refus-al (ri´fju:zəl): *(n)* άρνηση || **~e** [-d]: *(v)* αρνούμαι || **~e** (´refju:s): *(n)* απορρίμματα
refu-tation (refju:´teiʃən): *(n)* ανασκευή || **~te** [-d]: *(v)* ανασκευάζω
regain (ri:´gein) [-ed]: *(v)* επανακτώ || ξαναφτάνω
regal (´ri:gəl): *(adj)* βασιλικός
regard (ri´ga:rd) [-ed]: *(v)* παρατηρώ || θεωρώ || αναφέρομαι, έχω σχέση || *(n)* βλέμμα || σκέψη || σεβασμός, εκτίμηση || **~s**: *(n)* χαιρετίσματα || σέβη || **~ing**: αναφορικά προς, σχετικά με
regatta (ri´gætə): *(n)* λεμβοδρομίες
regen-cy (´ri:dzənsi:): *(n)* αντιβασιλεία || **~t**: *(n)* αντιβασιλέας
regenerat-e (ri´dzenəreit) [-d]: *(v)* αναγεννώ
regime (rei´zi:m): *(n)* καθεστώς || **~nt** (´redzəmənt): *(n)* σύνταγμα
region (´ri:dzən): *(n)* περιοχή || **~al**: *(adj)* τοπικός
register (´redzistər): *(n)* μητρώο || κατάστιχο || [-ed]: *(v)* καταγράφω|| προκαλώ εντύπωση || **~ed**: *(adj)* εγγεγραμμένος σε μητρώο || συστημένη (επιστολή) || **~ed letter**: *(n)* συστημένη επιστολή
registrar (´redzistra:r): *(n)* διευθυντής γραμματείας πανεπιστημίου
registration (redzi´streiʃən): *(n)* εγγραφή
registry (´redzistri:): *(n)* γραφείο μητρώων
regret (ri´gret) [-ted]: *(v)* λυπάμαι || μετανοώ || *(n)* λύπη || μετάνοια || **~table**: *(adj)* λυπηρός
regu-lar (´regjələr): *(adj)* κανονικός, συνηθισμένος || τακτικός || **~larity**: *(n)* κανονικότητα || ομαλότητα || **~late** [-d]: *(v)* ρυθμίζω || κανονίζω || **~lation** (regjə´leiʃən): *(n)* κανονισμός || ρύθμιση
rehabilitat-e (ri:hə´biləteit) [-d]: *(v)* επανορθώνω || **~ion**: *(n)* επανόρθωση
rehears-al (ri´hə:rsəl): *(n)* δοκιμή, ''πρόβα'' || **~e** [-d]: *(v)* κάνω δοκιμή, κάνω ''πρόβα''
reign (rein): *(n)* βασιλεία || [-ed]: *(v)* βασιλεύω
rein (rein): *(n)* ηνίο, χαλινάρι || [-ed]: *(v)* τραβώ τα ηνία || χαλιναγωγώ, ελέγχω
reincarnat-e (riin´ka:rneit) [-d]: *(v)* ενσαρκώνω πάλι || **~ion**: *(n)* νέα ενσάρκωση
reindeer (´reindiər): *(n)* τάρανδος
reinforce (ri:in´fə:rs) [-d]: *(v)* ενισχύω|| **~d concrete**: *(n)* σιδηροπαγές ή οπλισμένο σκυρόδεμα, ''μπετόν αρμέ''
reinstate (ri:in´steit) [-d]: *(v)* αποκαθιστώ || **~ment**: *(n)* αποκατάσταση
reiterat-e (ri:´itəreit) [-d]: *(v)* επαναλαμβάνω || **~ion**: *(n)* επανάληψη
reject (ri´dzekt) [-ed]: *(v)* απορρίπτω || αρνούμαι, αποκρούω || **~ion**: *(n)* απόρριψη || απόρριμμα
rejoic-e (ri´dzois) [-d]: *(v)* χαίρομαι || **~ing**: *(n)* χαρά, αγαλλίαση
rejuvenat-e (ri´dzu:vəneit) [-d]: *(v)* ξανανιώνω
relapse (ri´læps) [-d]: *(v)* υποτροπιάζω || *(n)* υποτροπή
relat-e (ri´leit) [-d]: *(v)* σχετίζομαι|| αφηγούμαι || **~ed**: *(adj)* σχετικός || συγγενής, συγγενικός || **~ion**: *(n)* σχέση || συγγένεια || συγγενής || αφήγηση || **~ionship**: *(n)* σχέση || συγγένεια || **~ive** (´relətiv): *(adj)* σχετικός || αναφορικός || *(n)* συγγενής
relax (ri´læks) [-ed]: *(v)* χαλαρώνω || χαλαρώνομαι, ''ξελασκάρω'' || **~ation**: *(n)* χαλάρωση, ''λασκάρι-

σμα'', ανακούφιση
relay (ri΄lei) [-ed]: *(v)* αναμεταδίδω || **~race**: *(n)* σκυταλοδρομία
release (ri΄li:s) [-d]: *(v)* ελευθερώνω, λύνω από υποχρέωση || απελευθερώνω, αποφυλακίζω || *(n)* αποδέσμευση || απελευθέρωση, αποφυλάκιση
relent (ri΄lent) [-ed]: *(v)* υποχωρώ, μαλακώνω, δείχνω έλεος || **~less**: *(adj)* αμείλικτος, άκαμπτος || ανένδοτος
relevan-ce (΄reləvəns), **~cy**: *(n)* σχετικότητα || **~t**: *(adj)* σχετικός || εντός του θέματος
relia-bility (rilaiə΄biliti): *(n)* αξιοπιστία, πίστη || **~ble**: *(adj)* αξιόπιστος || **~nce** (ri΄laiəns): *(n)* εμπιστοσύνη, πίστη || πεποίθηση
relic (΄relik): *(n)* λείψανο || απομεινάρι
relie-f (ri΄li:f): *(n)* ανακούφιση || αλλαγή, αντικατάσταση || ανάγλυφο || περίθαλψη || **~ve** [-d]: *(v)* ανακουφίζω || δίνω βοήθεια || αντικαθιστώ
relig-ion (ri΄lidʒən): *(n)* θρησκεία || **~ionism**: *(n)* θρησκομανία || **~ionist**: *(n)* θρησκομανής || **~ious**: *(adj)* θρησκευτικός || ευσεβής
relinquish (ri΄liŋkwiʃ) [-ed]: *(v)* εγκαταλείπω
relish (΄reliʃ) [-ed]: *(v)* απολαμβάνω
relive (ri:΄liv) [-d]: *(v)* ξαναζώ
reload (ri:΄loud) [-ed]: *(v)* ξαναφορτώνω || ξαναγεμίζω
relocate (ri:΄loukeit) [-d]: *(v)* τοποθετώ σε νέα θέση || μετακομίζω σε νέο μέρος
reluctan-ce (ri΄lʌktəns), **~cy**: *(n)* απροθυμία || δισταγμός || **~t**: *(adj)* απρόθυμος || διστακτικός
rely (ri΄lai) [-ied]: *(v)* **~ on, ~ upon**: βασίζομαι || εμπιστεύομαι
remain (ri΄mein) [-ed]: *(v)* μένω || απομένω || **~der**: *(n)* υπόλοιπο || κατάλοιπο
remake (ri:΄meik) [remade, remade]: *(v)* ξανακάνω || *(n)* επανάληψη
remark (ri΄ma:rk) [-ed]: *(v)* παρατηρώ || *(n)* παρατήρηση || **~able**: *(adj)* αξιοσημείωτος, αξιόλογος
remarry (ri:΄mæri) [-ied]: *(v)* ξαναπαντρεύομαι
remed-iable (ri΄mi:di:əbəl): *(adj)* θεραπεύσιμος || **~ial**: *(adj)* θεραπευτικός || **~y** (΄remədi:): *(n)* θεραπευτικό μέσο
remem-ber (ri΄membər) [-ed]: *(v)* θυμούμαι || **~ brance**: *(n)* θύμηση || ανάμνηση || μνήμη
remind (ri΄maind) [-ed]: *(v)* υπενθυμίζω || **~er**: *(n)* ενθύμιο
reminisce (remə΄nis) [-d]: *(v)* αναπολώ || **~nce**: *(n)* αναπόληση
remiss (ri΄mis): *(adj)* αμελής
remit (ri΄mit) [-ted]: *(v)* μεταβιβάζω || εμβάζω || **~tance**: *(n)* έμβασμα || **~tent**: *(adj)* διαλείπων
remnant (΄remnənt): *(n)* υπόλειμμα, κατάλοιπο
remodel (ri΄mədl) [-ed]: *(v)* ανακαινίζω
remonstrat-e (ri΄mənstreit) [-d]: *(v)* εγείρω αντιρρήσεις || διαμαρτύρομαι
remorse (ri΄mə:rs): *(n)* τύψη || μετάνοια
remote (ri΄mout): *(adj)* απομακρυσμένος
remov-able (ri΄mu:vəbəl): *(adj)* αφαιρέσιμος || κινητός || **~al**: *(n)* μετακίνηση || αφαίρεση || **~e** [-d]: *(v)* μετακινώ || μεταφέρω || αφαιρώ, βγάζω || μετακινούμαι
renaissance (΄renə΄sa:ns): *(n)* αναγέννηση
rename (ri:΄neim) [-d]: *(v)* μετονομάζω
rend (rend) [-ed or rent]: *(v)* ξεσχίζω
render (΄rendər) [-ed]: *(v)* υποβάλλω || αποδίδω
rene-gade (΄renəgeid): *(n)* αποστάτης || **~ge** [-d]: *(v)* αποστατώ || παραβαίνω υποχρέωση
renew (ri΄nju:) [-ed]: *(v)* ανανεώνω
renounce (ri΄nauns) [-d]: *(v)* παραιτούμαι || αποκηρύσσω
renovat-e (΄renəveit) [-d]: *(v)* ανακαινίζω || **~ion**: *(n)* ανακαίνιση || **~or**: *(n)* ανακαινιστής
renown (ri΄naun): *(n)* φήμη || **~ed**: *(adj)* ξακουστός, περίφημος
rent (rent): see rend || *(n)* ενοίκιο, μίσθωμα || [-ed]: *(v)* νοικιάζω || εκμισθώνω|| **~al**: *(n)* νοίκι || ενοικίαση || **for ~**: ''ενοικιάζεται''
reopen (ri:΄oupən) [-ed]: *(v)* ξανα-

νοίγω

reorgani-zation (ri:ɔ:rgənə΄zeiʃən): *(n)* αναδιοργάνωση || **~ze** (ri:΄ɔ:rgənaiz) [-d]: *(v)* αναδιοργανώνω

repair (ri΄peər) [-ed]: *(v)* επισκευάζω || πηγαίνω, μετακινούμαι || *(n)* επισκευή

repartee (repər΄ti:): *(n)* πνευματώδης συνομιλία || πνευματώδης ή ετοιμόλογη απάντηση

repatriat-e (ri΄peitri:eit) [-d]: *(v)* επαναπατρίζω || **~ion**: *(n)* επαναπατρισμός

repay (ri΄pei) [repaid]: *(v)* || ανταποδίδω

repeal (ri΄pi:l) [-ed]: *(v)* ανακαλώ || ακυρώνω || *(n)* ακύρωση, ανάκληση

repeat (ri΄pi:t) [-ed]: *(v)* επαναλαμβάνω || *(n)* επανάληψη || **~ed**: *(adj)* επανειλημμένος

repel (ri΄pel) [-led]: *(v)* απωθώ || αποκρούω || **~lent**: *(adj)* απωθητικός || αποκρουστικός

repent (ri΄pent) [-ed]: *(v)* μετανοώ || **~ance**: *(n)* μετάνοια

repercussion (ri:pər΄kʌʃən): *(n)* αντίκτυπος

reper-toire (΄repərtwa:r), **~tory**: *(n)* ρεπερτόριο, δραματολόγιο, "ρεπερτουάρ"

repeti-tion (repə΄tiʃən): *(n)* επανάληψη

rephrase (ri:΄freiz) [-d]: *(v)* επαναλαμβάνω υπό νέα μορφή

replace (ri΄pleis) [-d]: *(v)* αντικαθιστώ || επανατοποθετώ, ξαναβάζω στη θέση || **~ment**: *(n)* αντικατάσταση, αναπλήρωση

replenish (ri΄pleniʃ) [-ed]: *(v)* ξανασυμπληρώνω, ξαναγεμίζω

replet-e (ri΄pli:t): *(adj)* γεμάτος, πλήρης

replica (΄repləkə): *(n)* αντίγραφο έργου τέχνης || ακριβές αντίγραφο

reply (ri΄plai) [-ied]: *(v)* απαντώ || *(n)* απάντηση

report (ri΄pɔ:rt): *(n)* έκθεση || αναφορά || φήμη || εκπυρσοκρότηση || [-ed]: *(v)* εκθέτω || αναφέρω || κάνω "ρεπορτάζ" || **~age**: *(n)* ειδησεογραφία, "ρεπορτάζ" || **~edly**: *(adj)* εκ διαδόσεως || υποθετικά || **~er**: *(n)* ειδησεογράφος, "ρεπόρτερ"

repose (ri΄pouz): *(n)* ανάπαυση || ηρεμία

reprehen-d (repri΄hend) [-ed]: *(v)* μέμφομαι || **~sible**: *(adj)* αξιόμεμπτος

represent (repri΄zent) [-ed]: *(v)* αντιπροσωπεύω || απεικονίζω || παρουσιάζω || **~ation**: *(n)* αντιπροσώπευση || αντιπροσωπεία || απεικόνιση || παρουσίαση || **~ative**: *(adj)* αντιπροσωπευτικός || *(n)* αντιπρόσωπος

repress (ri΄pres) [-ed]: *(v)* καταστέλλω, καταπνίγω || **~ion**: *(n)* καταστολή, κατάπνιξη || **~ive**: *(adj)* κατασταλτικός

reprieve (ri΄pri:v) [-d]: *(v)* αναστέλλω || *(n)* αναστολή ποινής || ανακούφιση, διακοπή

reprimand (΄reprəmænd) [-ed]: *(v)* επιπλήττω || *(n)* επίπληξη

reprint (ri:΄print) [-ed]: *(v)* ανατυπώνω || (΄ri:print): *(n)* ανατύπωση

reprisal (ri΄praizəl): *(n)* αντίποινα

reproach (ri΄proutʃ) [-ed]: *(v)* μέμφομαι || *(n)* μομφή || **~ful**: *(adj)* επιτιμητικός

reproduc-e (ri:prə΄dzu:s) [-d]: *(v)* αναπαράγω || **~tion** (ri:prə΄dʌkʃən): *(n)* αναπαραγωγή

re-proof (ri΄pru:f): *(n)* επίπληξη || **~prove** (ri΄pru:v) [-d]: *(v)* επιπλήττω

reptil-e (΄reptil, ΄reptail): *(n)* ερπετό

republic (ri΄pʌblik): *(n)* δημοκρατία || **~an**: *(adj)* δημοκρατικός

repudiat-e (ri΄pju:di:eit) [-d]: *(v)* απορρίπτω || απαρνιέμαι

repugnan-ce (ri΄pʌgnəns), **~cy**: *(n)* απέχθεια, αποστροφή || **~t**: *(adj)* απεχθής || αηδιαστικός

repuls-e (ri΄pʌls) [-d]: *(v)* || αποκρούω || *(n)* απόκρουση || **~ion**: *(n)* απέχθεια, αποστροφή || απόκρουση || **~ive**: *(adj)* αποκρουστικός, απεχθής

reput-able (΄repjutəbəl): *(adj)* ευυπόληπτος || **~ation** (repjə΄teiʃən): *(n)* υπόληψη || **~e** (ri΄pju:t) [-d]: *(v)* φημολογώ, δίνω φήμη ή υπόληψη || *(n)* see reputation

request (ri΄kwest) [-ed]: *(v)* αιτούμαι, ζητώ || *(n)* αίτηση || αίτημα

requi-re (ri΄kwaiər) [-d]: *(v)* απαιτώ || επιζητώ || **~rement**: *(n)*

απαίτηση || απαιτούμενο ποσόν || ~**site** (΄rekwəzit): *(adj)* ουσιώδης, απαραίτητος || ~**sition**: *(n)* επίταξη || ~**sition** [-ed]: *(v)* || επιτάσσω
resale (΄ri:seil): *(n)* μεταπώληση
rescind (ri΄sind) [-ed]: *(v)* ακυρώνω
rescue (΄reskju:) [-d]: *(v)* διασώζω || *(n)* διάσωση || ~**r**: *(n)* σωτήρας
research (ri΄sə:rtʃ): *(n)* έρευνα || [-ed]: *(v)* ερευνώ, εξετάζω επιστημονικά || ~**er**: *(n)* ερευνητής
resembl-ance (ri΄zembləns): *(n)* ομοιότητα || ~**e** [-d]: *(v)* ομοιάζω
resent (ri΄zent) [-ed]: *(v)* νιώθω αγανάκτηση ή θυμό || φέρω βαρέως || ~**ful**: *(adj)* πειραγμένος || γεμάτος αγανάκτηση ή θυμό
reser-vation (rezər΄veiʃən): *(n)* επιφύλαξη || περιορισμός || εξασφάλιση "κλείσιμο", "πιάσιμο" || ~**ve** [-d]: *(v)* εξασφαλίζω "κλείνω" || διατηρώ || *(n)* εφεδρεία || επιφύλαξη || ~**ved**: *(adj)* "κλεισμένος", "πιασμένος", "ρεζερβέ" || συγκρατημένος || ~**voir** (΄rezərvwa:r): *(n)* δεξαμενή, "ρεζερβουάρ" || απόθεμα
reshuffle (ri΄ʃʌfəl) [-d]: *(v)* ανασχηματίζω || *(n)* ανασχηματισμός
reside (ri΄zaid) [-d]: *(v)* κατοικώ, διαμένω || ~**nce** (΄rezidəns): *(n)* κατοικία || κατοίκηση, διαμονή || ~**nt**: *(n)* κάτοικος
residu-al (ri΄zidzju:əl): *(adj)* υπολειμματικός || ~**e** (΄rezədju:): *(n)* υπόλειμμα || ίζημα, κατακάθι
resign (ri΄zain) [-ed]: *(v)* παραιτούμαι || ~**ation** (rezig΄neiʃən): *(n)* παραίτηση
resin (΄rezin): *(n)* ρητίνη
resist (ri΄zist) [-ed]: *(v)* αντιστέκομαι || ~**ance**: *(n)* αντίσταση || ~**ant**: *(adj)* ανθεκτικός
resolu-ble (ri΄zəljəbəl): *(adj)* διαλυτός || ~**te** (΄rezəlu:t): *(adj)* αποφασιστικός || ~**tion**: *(n)* αποφασιστικότητα
resolv-able (ri΄zəlvəbəl): *(adj)* διαλυτός || ~**e** [-d]: *(v)* αποφασίζω || διαλύω || διαλύομαι || απόφαση
resonan-ce (΄rezənəns): *(n)* αντήχηση || ~**t**: *(adj)* ηχηρός
resort (ri΄zə:rt) [-ed]: *(v)* προσφεύγω, καταφεύγω || *(n)* προσφυγή, καταφύγιο || τόπος διαμονής για ψυχαγωγία ή παραθέριση
resound (ri΄zaund) [-ed]: *(v)* αντηχώ
resource (ri΄sə:rs): *(n)* καταφύγιο, προσφυγή || πόρος || επινοητικότητα || ~**ful**: *(adj)* επινοητικός, εφευρετικός
respect (ri΄spekt) [-ed]: *(v)* σέβομαι || *(n)* σεβασμός || υπόληψη || άποψη|| ~**ability**: *(n)* υπόληψη || ~**able**: *(adj)* ευυπόληπτος || αξιοσέβαστος || ~**ed**: *(adj)* σεβάσμιος, σεβαστός || ~**ful**: *(adj)* με σεβασμό, γεμάτος σέβας || ~**ing**: *(prep)* σχετικά με, αναφορικά προς || ~**ive**: *(adj)* αντίστοιχος
respira-ble (΄respərəbəl): *(adj)* αναπνεύσιμος || ~**tion** (respə΄reiʃən): *(n)* αναπνοή
resplenden-ce (ris΄plendəns), ~**cy**: *(n)* λαμπρότητα || ~**t**: *(adj)* λαμπρός
respon-d (ri΄spənd) [-ed]: *(v)* αποκρίνομαι || ανταποκρίνομαι || ~**se**: *(n)* απόκριση || ανταπόκριση
responsi-bility (rispənsə΄biləti:): *(n)* ευθύνη || ~**ble** (ri΄spənsəbəl): *(adj)* υπεύθυνος
rest (rest): *(n)* ανάπαυση || ακινησία || έδρα || υπόλοιπο || [-ed]: *(v)* αναπαύομαι || σταματώ || βρίσκομαι σε ακινησία || στηρίζομαι || ~**ful**: *(adj)* ξεκουραστικός, ξεκούραστος || ~**ive**: *(adj)* ανήσυχος, νευρικός || ~**less**: *(adj)* ανήσυχος, νευρικός || ~**room**: *(n)* δημόσιο αποχωρητήριο
restaurant (΄restərənt): *(n)* εστιατόριο
restful: see rest
restitut-e (΄restitju:t) [-d]: *(v)* αποκαθιστώ
restive: see rest
restless: see rest
restock (ri:΄stək) [-ed]: *(v)* ανεφοδιάζω
resto-ration (restə΄reiʃən): *(n)* αποκατάσταση || παλινόρθωση || ~**re** [-d]: *(v)* αποκαθιστώ || επισκευάζω || αναστηλώνω
restrain (ri΄strein) [-ed]: *(v)* συγκρατώ || αναχαιτίζω || περιορίζω|| ~**ed**: *(adj)* συγκρατημένος || ~**t**: *(n)* αναχαίτιση, έλεγχος || περιορισμός
restrict (ri΄strikt) [-ed]: *(v)* περιορίζω || ~**ion**: *(n)* περιορισμός || όριο

rest room: see rest
result (ri´zʌlt) [-ed]: *(v)* έχω ως αποτέλεσμα, απολήγω ‖ *(n)* αποτέλεσμα
resum-e (ri´zu:m) [-d]: *(v)* ξαναρχίζω ‖ ξαναπαίρνω ‖ **~ption** (ri´zʌmpʃən): *(n)* επανάληψη
resurge (ri´sə:rdz) [-d]: *(v)* ‖ ανασταίνομαι, παίρνω νέα ζωή ‖ **~nce**: *(n)* ξεσήκωμα ‖ αναζωογόνηση
resurrect (rezə´rekt) [-ed]: *(v)* ανασταίνω ‖ **~ion**: *(n)* ανάσταση
resuscitat-e (ri´susəteit) [-d]: *(v)* αναζωογονώ, δίνω νέα ζωή ‖ **~ion**: *(n)* αναζωογόνηση
retail (´ri:teil): *(n)* λιανική πώληση ‖ *(adj)* λιανικός ‖ [-ed]: *(v)* πουλώ λιανικά ‖ **~er**: *(n)* έμπορος λιανικής πώλησης
retain (ri´tein) [-ed]: *(v)* κατακρατώ, διατηρώ ‖ συγκρατώ
retaliat-e (ri´tæli:eit) [-d]: *(v)* ανταποδίδω ‖ κάνω αντίποινα ‖ **~ion**: *(n)* ανταπόδοση ‖ αντίποινα
retard (ri´ta:rd) [-ed]: *(v)* επιβραδύνω ‖ καθυστερώ ‖ **~ed**: *(adj)* καθυστερημένος
retch (retʃ) [-ed]: *(v)* εξεμώ, κάνω εμετό
retent-ion (ri´tenʃən): *(n)* συγκράτηση
reticen-ce (´retisəns): *(n)* σιωπή ‖ σιωπηλότητα ‖ **~t**: *(adj)* λιγομίλητος ‖ σιωπηλός
retina (´retinə): *(n)* αμφιβληστροειδής χιτώνας
retinue (´retinju:): *(n)* ακολουθία, ακόλουθοι
retir-e (ri´tair) [-d]: *(v)* αποχωρώ ‖ αποσύρομαι ‖ αποσύρω ‖ **~ed**: *(adj)* συνταξιούχος ή απόστρατος ‖ **~ement**: *(n)* απόσυρση ‖ αποχώρηση ‖ **~ing**: *(adj)* συνεσταλμένος, "τραβηγμένος"
retort (ri´tə:rt) [-ed]: *(v)* απαντώ απότομα ‖ *(n)* απότομη απάντηση
retouch (ri:´tʌtʃ) [-ed]: *(v)* "ρετουσάρω", επεξεργάζομαι ‖ *(n)* επεξεργασία, "ρετουσάρισμα"
retrace (ri:´treis) [-d]: *(v)* ανατρέχω
retract (ri´trækt) [-ed]: *(v)* ανακαλώ ‖ συστέλλω, αποσύρω ‖ **~able**: *(adj)* ανασταλτός ‖ **~ile**: *(adj)* συσταλτός
retreat (ri´tri:t): *(n)* οπισθοχώρηση ‖ καταφύγιο ‖ υποχώρηση ‖ [-ed]: *(v)* οπισθοχωρώ ‖ υποχωρώ
retrial (ri:´traiəl): *(n)* αναψηλάφηση δίκης
retribu-tion (retrə´bju:ʃən): *(n)* ανταπόδοση, αντίποινα
retriev-al (ri´tri:vəl): *(n)* επανάκτηση ‖ επανόρθωση ‖ **~e** [-d]: *(v)* επανακτώ ‖ παλινορθώ
retro-act (´retrouækt) [-ed]: *(v)* αντενεργώ ‖ **~active**: *(adj)* αναδρομικός ‖ **~gressive**: *(adj)* οπισθοδρομικός ‖ **~spect** (´retrəspekt): *(n)* ανασκόπηση ‖ [-ed]: *(v)* ανασκοπώ, κάνω ανασκόπηση
return (ri´tə:rn) [-ed]: *(v)* επιστρέφω, γυρίζω ‖ *(n)* επιστροφή ‖ κέρδος
reun-ion (ri:´ju:njən): *(n)* επανένωση ‖ συνάντηση ‖ **~ite** (ri:ju:´nait) [-d]: *(v)* επανενώνω ‖ ξανασυναντιέμαι
rev (rev): *(n)* στροφή(see revolution) ‖ [-ved]: *(v)*, **~ up**: αυξάνω τις στροφές μηχανής, "φουλάρω" τη μηχανή
reveal (ri´vi:l) [-ed]: *(v)* αποκαλύπτω‖ **~ing**: *(adj)* αποκαλυπτικός
reveille (´revæli:): *(n)* εγερτήριο
revel (´revəl) [-ed]: *(v)* απολαμβάνω ‖ γλεντοκοπώ ‖ **~er**: *(n)* γλεντζές, μέτοχος γλεντιού ‖ **~ry**: *(n)* γλέντι, γλεντοκόπημα
revelation (rivə´leiʃən): *(n)* αποκάλυψη
revenge (ri´vendz) [-d]: *(v)* εκδικούμαι ‖ *(n)* εκδίκηση
revenue (´revənju:): *(n)* εισόδημα ‖ **internal ~**: εφορία
reverberat-e (ri´və:rbəreit) [-d]: *(v)* αντηχώ ‖ ανακλώμαι επανειλημμένα ‖ **~ion**: *(n)* αντήχηση ‖ αντανάκλαση
revere (ri´viər) [-d]: *(v)* σέβομαι ‖ **~nce** (´revərəns): *(n)* σέβας, ευλάβεια ‖ **~nd**: *(adj)* σεβάσμιος ‖ **R~nd**: αιδεσιμότατος ‖ **~nt**: *(adj)* ευλαβής
reverie (´revəri:): *(n)* ονειροπόλημα, ρεμβασμός
revers (ri´viər): *(n)* "ρεβέρ" ‖ **~al** (ri´və:rsəl): *(n)* αντιστροφή, αναστροφή ‖ **~e** (ri´və:rs) [-d]: *(v)* αντιστρέφω, αναστρέφω ‖ βάζω την όπισθεν σε μηχανή ‖ **~ible**:

(adj) αντιστρεφόμενος, που μπορεί να γυρίσει ανάποδα
revert (ri΄və:rt) [-ed]: *(v)* επιστρέφω
review (ri΄vju:) [-ed]: *(v)* επανεξετάζω || κάνω ανασκόπηση || κάνω ή γράφω κριτική || *(n)* επανεξέταση || ανασκόπηση || see revue
revis-e (ri΄vaiz) [-d]: *(v)* αναθεωρώ || διασκευάζω || **~ion** (ri΄vizən): *(n)* αναθεώρηση || διασκευή
revisit (ri:΄vizit) [-ed]: *(v)* ξαναεπισκέπτομαι || *(n)* νέα επίσκεψη
revitaliz-e (ri:΄vaitəlaiz) [-d]: *(v)* αναζωογονώ
reviv-al (ri΄vaivəl): *(n)* αναγέννηση || **~e** [-d]: *(v)* ανασταίνω || κάνω να συνέλθει || αναζωογονώ
revo-cable (΄revəkəbəl): *(adj)* ακυρώσιμος, ανακλητός || **~ke** (ri΄vouk) [-d]: *(v)* ανακαλώ, ακυρώνω
re-volt (ri΄voult) [-ed]: *(v)* επαναστατώ || στασιάζω || *(n)* επανάσταση || στάση || **~volting**: *(adj)* αηδιαστικός, αποκρουστικός || **~volution** (revə΄lu:ʃən): *(n)* επανάσταση || περιστροφή || **~volutionary** (revə΄lu:ʃəneri:): *(adj)* επαναστατικός || **~volutionize** [-d]: *(v)* προκαλώ επανάσταση || εισάγω επαναστατική λύση ή μεταρρύθμιση || **~volve** (ri΄vəlv) [-d]: *(v)* περιστρέφομαι || **~volver**: *(n)* περίστροφο, ''ρεβόλβερ''
revue (ri΄vju:): *(n)* θεατρική επιθεώρηση
revul-sion (ri΄vʌlʃən): *(n)* αποστροφή
reward (ri΄wə:rd) [-ed]: *(v)* αμείβω, ανταμείβω || *(n)* αμοιβή, ανταμοιβή
rewrite (ri:΄rait) [rewrote, rewritten]: *(v)* ξαναγράφω
rhapso-dist (΄ræpsədist): *(n)* ραψωδός || **~dy**: *(n)* ραψωδία
rhetoric (΄retərik): *(n)* ρητορική || **~al** (ri΄tə:rikəl): *(adj)* ρητορικός
rheumat-ic (ru:΄mætik): *(adj)* ρευματικός || **~ism** (΄ru:mətizəm): *(n)* ρευματισμός
rhino (΄raino): see rhinoceros || **~ceros** (rai΄nəsərəs): *(n)* ρινόκερος
rhododendron (roudə΄dendrən): *(n)* ροδόδεντρο
rhyme (raim), **rime**: *(n)* ομοιοκαταληξία || [-d]: *(v)* ομοιοκαταληκτώ
rhythm (΄riðəm): *(n)* ρυθμός || **~ic, ~ical**: *(adj)* ρυθμικός
rib (rib): *(n)* πλευρά
ribald (΄ribəld): *(adj)* χυδαίος, ''σόκιν'' || **~ry**: *(n)* χυδαία γλώσσα ή αστεία
ribbon (΄ribən): *(n)* ταινία || κορδέλα
rice (rais): *(n)* ρύζι || ~ **pudding**: *(n)* πουτίγκα ρυζιού, ρυζόγαλο
rich (ritʃ): *(adj)* πλούσιος|| **~ness**: *(n)* πλούτος, αφθονία || **~en** [-ed]: *(v)* εμπλουτίζω || **~es**: *(n)* πλούτη, πλούτος
rickets (΄rikits): *(n)* ραχίτιδα, ραχιτισμός
rickety (΄rikiti:): *(adj)* σαραβαλιασμένος, ετοιμόρροπος
ricochet (rikə΄ʃet) [-ted]: *(v)* εποστρακίζομαι || *(n)* εποστρακισμός
rid (rid) [-ded or rid]: *(v)* απαλλάσσω || ξεφορτώνομαι || **~dance**: *(n)* απαλλαγή, ξεφόρτωμα || **get ~ of**: *(v)* απαλλάσσομαι, ξεφορτώνομαι
riddle (΄ridl): *(n)* αίνιγμα || [-d]: *(v)* κατατρυπώ, κάνω κόσκινο
ride (raid) [rode, ridden]: *(v)* ιππεύω || πηγαίνω με όχημα || *(n)* διαδρομή ή ταξίδι με όχημα || **~r**: *(n)* ιππέας, καβαλάρης
ridge (ridz): *(n)* ράχη, κορυφή
ridicul-e (΄ridəkju:l) [-d]: *(v)* γελοιοποιώ || *(n)* περίγελος || **~ous**: *(adj)* γελοίος
riding (΄raidiŋ): *(n)* ιππασία || ~ **habit**: *(n)* στολή ιππασίας
rife (raif): *(adj)* εξαπλωμένος άφθονος || ~ **with**: γεμάτος
riffle (΄rifəl): *(n)* || [-d]: *(v)* ανακατεύω χαρτιά
riff-raff (΄rifræf): *(n)* κατακάθια της κοινωνίας
rifle (΄raifəl): *(n)* τουφέκι || [-d]: *(v)* ψαχουλεύω, ανακατεύω || διαρπάζω
rift (rift): *(n)* ρωγμή
rig (rig) [-ged]: *(v)* εφοδιάζω|| φτιάνω πρόχειρα· ή αυτοσχέδια || χειρίζομαι ανέντιμα, ''φτιάνω'' || *(n)* ξάρτια || **~ging**: *(n)* εξάρτια, εξάρτηση
right (rait): *(adj)* σωστός, ορθός || κατάλληλος || δεξιός || ευθύς || δίκαιος || *(n)* δίκαιο || δικαίωμα ||

(adv) κατευθείαν || σωστά, ορθά || δεξιά || [-ed]: *(v)* επανορθώνω, διορθώνω || **~angle**: *(n)* ορθή γωνία || **~eous**: *(adj)* δίκαιος, ηθικός || **~ful**: *(adj)* νόμιμος || **be ~**: *(v)* έχω δίκαιο || **have the ~**: *(v)* έχω το δικαίωμα
rigid (΄ridzid): *(adj)* άκαμπτος || ακίνητος || **~ity, ~ness**: *(n)* ακαμψία
rigmarole (΄rigməroul): *(n)* χαζοκαμώματα || ασυναρτησία
rigor (΄rigər), **rigour**: *(n)* ρίγος || αυστηρότητα || ~ **mortis**: *(n)* νεκρική ακαμψία || **~ous**: *(adj)* αυστηρός
rigour: see rigor
rile (rail) [-d]: *(v)* εξερεθίζω, εκνευρίζω
rim (rim): *(n)* στεφάνη || χείλος || [-med]: *(v)* τοποθετώ στεφάνη
rime (raim): *(n)* αχλή, πάχνη || **see rhyme**
rind (raind): *(n)* φλούδα
ring (riŋ): *(n)* δακτύλιος || δαχτυλίδι || παλαίστρα, αρένα, ''ριγκ'' || [rang, rung]: *(v)* κουδουνίζω, χτυπώ κουδούνι || τηλεφωνώ || ~ **a bell**: *(v)* κάτι μου θυμίζει, κάπως γνωστό φαίνεται || ~ **up**: *(n)* τηλεφωνώ || ~ **off**: *(v)* κλείνω το ακουστικό
rink (riŋk): *(n)* πίστα του πατινάζ
rinse (rins) [-d]: *(v)* ξεπλένω
riot (΄raiət): *(n)* ταραχές || [-ed]: *(v)* παίρνω μέρος σε ταραχές || **~er**: *(n)* ταραχοποιός, ταραξίας || **~ous**: *(adj)* ταραχώδης || άφθονος, οργιαστικός
rip (rip) [-ped]: *(v)* σχίζω || *(n)* σχίσιμο
ripcord (΄ripkə:rd): *(n)* σκοινί ανοίγματος
ripe (raip): *(adj)* ώριμος || **~en** [-ed]: *(v)* ωριμάζω
ripple (΄ripəl) [-d]: *(v)* σχηματίζω κυματάκια || *(n)* κυματάκι
rise (raiz) [rose, risen]: *(v)* σηκώνομαι || ξυπνώ || υψώνομαι || εξεγείρομαι || ανατέλλω || *(n)* σήκωμα || ύψωμα || ανύψωση || ανατολή || αύξηση
risk (risk) [-ed]: *(v)* διακινδυνεύω, ''ρισκάρω'' || *(n)* διακινδύνευση || κίνδυνος || **~y**: *(adj)* επικίνδυνος || ριψοκίνδυνος
risqué (ris΄kei): *(adj)* τολμηρός, ''σόκιν''
rite (rait): *(n)* ιεροτελεστία
ritual (΄ritʃu:əl): *(n)* τελετουργία
rival (΄raivəl): *(n)* αντίπαλος, ανταγωνιστής || [-ed]: *(v)* ανταγωνίζομαι || συναγωνίζομαι || **~ry**: *(n)* ανταγωνισμός || συναγωνισμός
river (΄river): *(n)* ποταμός || ~ **bed**: *(n)* κοίτη ποταμού || ~ **head**: *(n)* πηγές ποταμού || ~ **horse**: *(n)* ιπποπόταμος
rivet (΄rivit): *(n)* ήλος, καζανόκαρφο, πριτσίνι || [-ed]: *(v)* προσηλώνω, ''καρφώνω''
rivulet (΄rivjəlit): *(n)* ποταμάκι
roach (routʃ): *(n)* κατσαρίδα
road (roud): *(n)* δρόμος || ~ **block**: *(n)* οδόφραγμα || ~ **drag**: *(n)* οδοστρωτήρας || ~ **metal**: *(n)* σκύρο
roam (roum) [-ed]: *(v)* περιφέρομαι, τριγυρίζω
roar (rə:r) [-ed]: *(v)* βρυχιέμαι, μουγκρίζω || *(n)* βρυχηθμός, μούγκρισμα || **~ing**: *(adj)* ζωηρότατος
roast (roust) [-ed]: *(v)* ψήνω || *(n)* ψητό || ψήσιμο || **~er**: *(n)* ψητάς || ψησταριά
rob (rəb) [-bed]: *(v)* ληστεύω || **~ber**: *(n)* ληστής || **~bery**: *(n)* ληστεία
robe (roub): *(n)* τήβεννος δικαστού ή καθηγητού || ρόμπα
robin (΄rəbin): *(n)* κοκκινολαίμης
robot (΄rəbət): *(n)* ρομπότ
robust (΄roubʌst): *(adj)* ρωμαλέος || υγιής
rock (rək): *(n)* πέτρωμα, βράχος || [-ed]: *(v)* ταλαντεύω, λικνίζω || ταλαντεύομαι, λικνίζομαι || **~ing chair**: *(n)* κουνιστή καρέκλα || **~ing horse**: *(n)* κουνιστό αλογάκι παιδικό
rocket (΄rəkit): *(n)* ρόκα (φυτό) || πύραυλος || ρουκέτα, βολίδα
rocking: see rock
rod (rəd): *(n)* || ράβδος, βέργα
rode: see ride
rodent (΄roudənt): *(n)* τρωκτικό
roe (rou): *(n)* αυγά ψαριού, αυγοτάραχο || ~ **buck**: *(n)* αρσενικό ζαρκάδι || **~deer**: *(n)* ζαρκάδι (also: roe)
role, rôle (roul): *(n)* ρόλος, μέρος
roll (roul) [-ed]: *(v)* κυλίω, κυλάω || κυλινδρίζω || κουνιέμαι, σκα-

μπανεβάζω || χτυπώ, κροτώ || *(n)* κύλινδρος, ρολό || κατάλογος, μητρώο παρουσίας || φραντζόλα, καρβέλι || κούνημα, ταρακούνημα, σκαμπανέβασμα || ~ **call**: εκφώνηση καταλόγου παρόντων || προσκλητήριο || ~**er**: *(n)* κύλινδρος, καρούλι || οδοστρωτήρας || ~**er skate**: *(n)* πατίνι || ~**ing pin**: *(n)* πλάστης

rollick (ˊrɔlik) [-ed]: *(v)* κάνω τρέλες, είμαι στο κέφι || ~**ing**, ~**some**, ~**y**: *(adj)* εύθυμος, χαρούμενος

roly-poly (ˊrouli:ˊpouli:): *(adj)* κοντόχοντρος || *(n)* κέικ γεμιστό με φρούτα

roman-ce (ˊroumæns): *(n)* ρομαντικό μυθιστόρημα ή ιστορία ή ποίημα || αίσθημα, ''ρομάντσο'' || ~**tic**: *(adj)* ρομαντικός || ~**ticism**: *(n)* ρομαντισμός

romp (ˊrɔmp) [-ed]: *(v)* παίζω με θόρυβο || *(n)* εύθυμο, θορυβώδες παιχνίδι || ~**ers**: *(n)* παιδική φορμίτσα

roof (ru:f): *(n)* στέγη || σκεπή || οροφή || [-ed]: *(v)* στεγάζω || ~**ing**: *(n)* στέγαση

rook (ruk): *(n)* πύργος σκακιού || κορώνη, ''κουρούνα''

room (ru:m): *(n)* δωμάτιο || χώρος, μέρος, τόπος || ~**er**: *(n)* νοικάρης || ~**ing house**: *(n)* ''πανσιόν'' || ~**y**: *(adj)* ευρύχωρος

roost (ru:st) [-ed]: *(v)* κουρνιάζω || *(n)* ξύλο για κούρνιασμα || ~**er**: *(n)* πετεινός, κόκορας

root (ru:t): *(n)* ρίζα || [-ed]: *(v)* ριζώνω, πιάνω ρίζες

rope (roup): *(n)* σχοινί || [-d]: *(v)* || δένω με σχοινί

rosary (ˊrouzəri:): *(n)* κομπολόγι προσευχής

rose (rouz): *(n)* τριαντάφυλλο || *(adj)* ρόδινος || **see**: rise || ~ **bush**: *(n)* τριανταφυλλιά || ~**mary**: *(n)* δεντρολίβανο

rosé (rouˊzei): *(n)* κόκκινο κρασί, κοκκινέλι

roster (ˊrɔstər): *(n)* κατάλογος || ονομαστική κατάσταση

rostrum (ˊrɔstrəm): *(n)* βήμα κήρυκα ή ομιλητή

rosy (ˊrouzi:): *(adj)* ροδαλός, ροδόχροος, ρόδινος || αισιόδοξος, ''ρόδινος''

rot (ˊrɔt) [-ted]: *(v)* αποσυντίθεμαι, σαπίζω || *(n)* σήψη, αποσύνθεση || ~**ten**: *(adj)* σάπιος || αχρείος

rota (ˊroutə): *(n)* see roster || ~**ry** (ˊroutəri:): *(adj)* περιστροφικός || ~**te** (ˊrouteit) [-d]: *(v)* περιστρέφω || περιστρέφομαι || ~**tion**: *(n)* περιστροφή || περιτροπή

rotten: see rot

rotund (rouˊtʌnd): *(adj)* στρογγυλός || ~**a**: *(n)* στρογγυλό κτίριο, ''ροτόντα''

rouble, ruble (ˊru:bəl): *(n)* ρούβλι

rouge (ru:z): *(n)* κόκκινη βαφή, ''κοκκινάδι''

rough (rʌf): *(adj)* τραχύς, ανώμαλος || ταραχώδης, άγριος || απότομος, τραχύς || δύσκολος || πρόχειρος || ~ **it**: *(v)* τα βγάζω πέρα αντιμετωπίζοντας δυσκολίες και στερήσεις || ~**ly**: *(adv)* πρόχειρα || περίπου, πάνω-κάτω || ~**en** [-ed]: *(v)* τραχύνω || ~ **neck**: *(n)* ''νταής'', ''μάγκας''

roulette (ru:ˊlet): *(n)* ρουλέτα

Roumania, ~ **n**: see Rumania

round (raund): *(adj)* στρογγυλός || σφαιρικός ή κυκλικός || *(n)* γύρος || φυσίγγι || *(adv & prep)* γύρω, περί || [-ed]: *(v)* στρογγυλεύω || ~ **about**: *(adj)* έμμεσος, όχι κατευθείαν || ''αλογάκια'' του λούναπαρκ || ~ **trip**: *(n)* ταξίδι μετ' επιστροφής

rous-e (rauz) [-d]: *(v)* εξεγείρω || ξυπνώ || ~**ing**: *(adj)* συναρπαστικός

rout (raut): *(n)* άτακτη ή πανικόβλητη φυγή || [-ed]: *(v)* τρέπω σε άτακτη φυγή

route (ru:t): *(n)* διαδρομή || δρομολόγιο

routine (ru:ˊti:n): *(n)* συνηθισμένη διαδικασία ή δουλειά, ''ρουτίνα'

rov-e (rouv) [-d]: *(v)* περιπλανιέμαι, γυρίζω || ~**er**: *(n)* πλάνης, νομάδας || ~**ing**: *(adj)* περιπλανώμενος

row (rou): *(n)* σειρά, γραμμή || στοίχος || κωπηλασία || (rau): *(n)* καβγάς φιλονικία || φασαρία || (rou) [-ed]: *(v)* κωπηλατώ || (rau) [-ed]: *(v)* φιλονικώ,

royal (ˊroiəl): *(adj)* βασιλικός|| ~ **flush**: φλός ρουαγιάλ || ~**ist**: *(n)*

βασιλόφρονας
rub (rʌb) [-bed]: *(v)* || τρίβω || επαλείφω || *(n)* ανωμαλία || τρίψιμο
rubber (΄rʌbər): *(n)* ελαστικό, κόμμι, καουτσούκ || σβηστήρα || **~band**: *(n)* λαστιχάκι|| ~ **stamp**: *(n)* σφραγίδα
rubbish (΄rʌbiʃ): *(n)* απορρίμματα, άχρηστα σκουπίδια || ανοησίες, μπούρδες
rubble (΄rʌbəl): *(n)* σκύρο
rubicund (΄ru:bəkənd): *(adj)* ροδαλός
ruble: see rouble
ruby (΄ru:bi:): *(n)* ρουμπίνι
rucksack (΄rʌksæk): *(n)* γυλιός, σακίδιο
ruckus (΄rʌkəs): *(n)* φασαρία
ruction (΄rʌkʃən): see ruckus
rudder (΄rʌdər): *(n)* πηδάλιο
ruddy (΄rʌdi:): *(adj)* κοκκινωπός || ροδαλός, ροδοκόκκινος
rude (ru:d): *(adj)* αγενής|| απολίτιστος || πρόχειρος, κατά προσέγγιση || **~ness**: *(n)* αγένεια || χυδαιότητα
rudiment (΄ru:dəmənt): *(n)* στοιχείο, βάση || **~ary**: *(adj)* στοιχειώδης
rueful (΄ru:fəl): *(adj)* λυπηρός || πικραμένος
ruffian (΄rʌfi:ən): *(n)* παλιάνθρωπος
ruffle (΄rʌfəl): *(n)* πτυχή, σούφρα || [-d]: *(v)* πτυχώνω, σουφρώνω
rug (rʌg): *(n)* χαλί || κουβερτούλα, σκέπασμα
rugged (΄rʌgid): *(adj)* τραχύς || αδρός
ruin (΄ru:in): *(n)* καταστροφή, ερείπωση || ερείπιο || [-ed]: *(v)* καταστρέφω, ερειπώνω || **~ation**: *(n)* καταστροφή, ερείπωση
rul-e (ru:l): *(n)* αρχή, εξουσία || κανονισμός || κανόνας, χάρακας || [-d]: *(v)* κυριαρχώ, εξουσιάζω || χαρακώνω || **~er**: *(n)* κυβερνήτης, άρχοντας, διοικητής || χάρακας, κανόνας
rum (rʌm): *(n)* ρούμι || **~my**: *(adj)* παράξενος
Rumania (ru΄meini:ə): *(n)* Ρουμανία || **~n**: *(n)* Ρουμάνος || *(adj)* Ρουμανικός || *(n)* Ρουμανική γλώσσα
rumble (΄rʌmbəl) [-d]: *(v)* μπουμπουνίζω || κινούμαι βαριά || *(n)* μπουμπούνισμα, υπόκωφη βροντή ή θόρυβος
rumi-nant (΄ru:mənənt): *(n)* μηρυκαστικό ζώο || **~nate** [-d]: *(v)* μηρυκάζω || σκέφτομαι, συλλογίζομαι
rummage (΄rʌmidz) [-d]: *(v)* ανακατεύω ψάχνοντας || *(n)* ψαχούλεμα, ψάξιμο
rumor, rumour (΄ru:mər): *(n)* φήμη, διάδοση
rump (΄rʌmp): *(n)* καπούλια
rumple (΄rʌmpəl) [-d]: *(v)* ρυτιδώνω
rumpus (΄rʌmpəs): *(n)* φασαρία
run (rʌn) [ran, run]: *(v)* τρέχω || διατρέχω || συναγωνίζομαι ως υποψήφιος || λειτουργώ, ''δουλεύω'' || εκτείνομαι || *(n)* τρέξιμο, δρόμος || διαδρομή || ''πόντος'' κάλτσας || ~ **away**: *(n)* φυγάς || φυγή || ~ **down**: *(v)* εξαντλούμαι, ''πέφτω'' || χτυπώ με όχημα, ''πατώ''|| **~ner**: *(n)* δρομέας || **~ner-up**: *(n)* δεύτερος σε αγώνα ή συναγωνισμό || **in the long** ~: σε τελική ανάλυση || ~ **out of**: *(v)* μου τελειώνει, ''μένω'' από
rung (rʌŋ): *(n)* βαθμίδα, σκαλί || see ring
runner: see run
runt (rʌnt): *(n)* μικροσκοπικό ζώο, ζωάκι || κοντούλης, κοντοστούπης
rupture (΄rʌptʃər): *(n)* ρήξη || κήλη
rural (΄rurəl): *(adj)* αγροτικός
ruse (΄ruz): *(n)* τέχνασμα
rush (rʌʃ) [-ed]: *(v)* σπεύδω, ενεργώ με σπουδή || βιάζω|| *(n)* βιασύνη || βούρλο
Russia (΄rʌʃə): *(n)* Ρωσία || **~n**: *(n)* Ρώσος || Ρωσική γλώσσα || *(adj)* ρωσικός'
rust (rʌst): *(n)* σκουριά || [-ed]: *(v)* σκουριάζω|| **~y**: *(adj)* σκουριασμένος
rustic (΄rʌstik): *(adj)* αγροτικός, άξεστος
rustle (΄rʌsəl) [-d]: *(v)* θροΐζω || κλέβω ζώα || *(n)* θρόισμα || **~r**: *(n)* ζωοκλέφτης
rust proof, rusty: see rust
rut (rʌt) [-ted]: *(v)* αυλακώνω || *(n)* αυλάκωση, αυλάκι || ρουτίνα
ruthless (΄ru:thlis): *(adj)* ανηλεής || **~ness**: *(n)* αλυπησιά, σκληρότητα
rye (rai): *(n)* σίκαλη

S

Sabba-th (´sæbəth): *(n)* Κυριακή, ημέρα ανάπαυσης ‖ Σάββατο
saber, sabre (´seibər): *(n)* σπάθη, σπαθί
sabot (´sæbət): *(n)* ξυλοπάπουτσο ‖ **~age** (´sæbəta:z): *(n)* δολιοφθορά, ''σαμποτάζ'' ‖ **~age** [-d]: *(v)* κάνω δολιοφθορά, ''σαμποτάρω'' ‖ **~eur**: *(n)* δολιοφθορέας, ''σαμποτέρ'', ''σαμποταριστής''
sabre: see saber
saccharin (´sækərin): *(n)* ζαχαρίνη
sack (sæk): *(n)* σάκος, ''τσουβάλι'' ‖ [-ed]: *(v)* βάζω σε σακί ‖ απολύω ‖ διαρπάζω, λεηλατώ
sac-rament (´sækrəmənt): *(n)* ιερό μυστήριο ‖ μετάληψη ‖ **~red** (´seikrid): *(adj)* άγιος, ιερός
sacrific-e (´sækrəfais): *(n)* θυσία ‖ [-d]: *(v)* θυσιάζω
sacrileg-e (´sækrəlidz): *(n)* ιεροσυλία ‖ βεβήλωση ‖ **~ious**: *(adj)* ιερόσυλος ‖ βέβηλος
sacrosanct (´sækrousæŋkt): *(adj)* άγιος, απαραβίαστος
sad (sæd): *(adj)* λυπημένος ‖ θλιβερός ‖ **~den** [-ed]: *(v)* λυπώ ‖ **~ness**: *(n)* λύπη, θλίψη
saddle (´sædl) [-d]: *(v)* σελώνω ‖ φορτώνω ‖ *(n)* σέλα
sadis-m (´seidizəm): *(n)* σαδισμός ‖ **~t**: *(n)* σαδιστής ‖ **~tic**: *(adj)* σαδιστικός
safe (seif): *(adj)* ασφαλής ‖ σώος,‖ *(n)* χρηματοκιβώτιο ‖ **~guard**: *(n)* προστασία, ασφάλεια‖ [-ed]: *(v)* εξασφαλίζω, προστατεύω ‖ **~ty**: *(n)* ασφάλεια ‖ προφυλακτικό *(id)* ‖ *(adj)* ασφαλιστικός, ασφάλειας ‖ **~ty belt**: *(n)* ζώνη ασφάλειας ‖ **~ty catch**: *(n)* ασφάλιστρο ‖ **~ty pin**: *(n)* ‖ παραμάνα
sag (sæg) [-ged]: *(v)* κυρτώνομαι, κάμπτομαι
saga (´sa:gə): *(n)* έπος, επικό μυθιστόρημα
sage (seidz): *(n)* σοφός ‖ φασκομηλιά
said (sed): see say ‖ *(adj)* λεχθείς, εν λόγω
sail (seil): *(n)* ιστίο, πανί καραβιού ‖ πλους ‖ [-ed]: *(v)* ταξιδεύω, πλέω ‖ αποπλέω ‖ ~ **cloth**: *(n)* καραβόπανο ‖ **~or**: *(n)* ναυτικός ‖ ναύτης ‖ **~plane**: *(n)* ανεμοπλάνο
saint (seint): *(n)* άγιος
sake (seik): *(n)* σκοπός ‖ χάρη ‖ **for the ~ of**: χάριν, προς χάριν
salad (´sæləd): *(n)* σαλάτα
salamander (´sæləmændər): *(n)* σαλαμάνδρα
salami (sə´la:mi:): *(n)* σαλάμι
sala-ried (´sæləri:d): *(adj)* έμμισθος ‖ **~ry**: *(n)* μισθός
sale (seil): *(n)* πώληση ‖ εκπτώσεις‖ **~sman**: *(n)* πωλητής ‖ **~slady, ~swoman**: *(n)* πωλήτρια ‖ **on ~**: σε έκπτωση
salien-ce (´seili:əns): *(n)* προεξοχή ‖ εξοχότητα ‖ **~t**: *(adj)* προεξέχων ‖ έξοχος, περίοπτος
saliva (sə´laivə): *(n)* σάλιο
sallow (´sælou): *(adj)* ωχρός, χλομός
sally (´sæli:([-ied]: *(v)* κάνω ορμητική έξοδο ‖ *(n)* έξοδος
salmon (´sæmən): *(n)* σολομός
saloon (sə´lu:n): *(n)* μπαρ, ταβέρνα ‖ κλειστό αυτοκίνητο
salt (sɔ:lt): *(n)* αλάτι ‖ *(adj)* αλμυρός, αλμυρισμένος ‖ [-ed]: *(v)* αλατίζω ‖ ~ **cellar**, ~ **shaker**: *(n)* αλατιέρα ‖ **~y**: *(adj)* αλμυρός
salu-tary (´sæljəteri:): *(adj)* σωτήριος ‖ **~tation**: *(n)* χαιρετισμός ‖ **~te** (sə´lu:t) [-d]: *(v)* χαιρετάω ‖ χαιρετώ στρατιωτικά ‖ *(n)* χαιρετισμός
salva-ble (´sælvəbəl): *(adj)* διασώσιμος ‖ **~ge** (´sælvidz) [-d]: *(v)* διασώζω ‖ *(n)* διάσωση ‖ **~tion**: *(n)* σωτηρία
salve (sæv): *(n)* αλοιφή
salvo (´sælvou): *(n)* ομοβροντία
same (seim): *(adj)* ίδιος, όμοιος
sample (´sæmpəl) [-d]: *(v)* δοκιμάζω ‖ *(n)* δείγμα
sanatorium (sænə´tɔ:ri:əm): *(n)* see

S

sanitarium

sanct-ify (΄sæŋktifai) [-ied]: *(v)* καθαγιάζω, καθιερώνω ‖ **~imonious** (sæŋktə΄mouni:əs): *(adj)* ψευτοευλαβής, "φαρισαίος" ‖ **~uary** (΄sæŋktʃu:əri:): *(n)* ιερό ‖ άσυλο, καταφύγιο

sanction (΄sæŋkʃən): *(n)* κύρωση

sand (sænd): *(n)* άμμος ‖ [-ed]: *(v)* στρώνω ή γεμίζω με άμμο ‖ **~dune**: *(n)* αμμόλοφος ‖ **~ pillar, ~ spout**: *(n)* αμμοσίφωνας ‖ **~ paper**: *(n)* γυαλόχαρτο ‖ **~ piper**: *(n)* νεροκότσυφας ‖ **~stone**: *(n)* ψαμμόλιθος

sandal (΄sændəl): *(n)* πέδιλο, σανδάλι

sandwich (΄sændwitʃ): *(n)* σάντουϊτς ‖ [-ed]: *(v)* παρεμβάλλω ανάμεσα σε δύο, στριμώχνω

san-e (sein): *(adj)* λογικός, στα λογικά του ‖ **~ity**: *(n)* λογική, λογικό

sangui-nary (΄sæŋgwə΄neri:): *(adj)* αιμοχαρής ‖ **~ne**: *(adj)* χαρούμενος, αισιόδοξος

sani-tarian (sænə΄teəri:ən): *(n)* υγιεινολόγος ‖ **~tarium**: σανατόριο ‖ **~tary** (΄sænəteri:): *(adj)* υγιεινός ‖ υγιειονομικός ‖ **~tation** (sænə΄teiʃən): *(n)* υγιεινή

sanity: see sane

Santa Claus (΄sæntə΄klə:z): *(n)* Άγιος Βασίλης

sap (sæp): *(n)* χυμός ‖ υπόνομος ‖ [-ped]: *(v)* υποσκάπτω, υπονομεύω ‖ **~ling**: *(n)* δενδρύλλιο, δεντράκι

sapphire (΄sæfair): *(n)* σάπφειρος, ζαφίρι

sarcas-m (΄sa:rkæzəm): *(n)* σαρκασμός ‖ **~tic, ~tical**: *(adj)* σαρκαστικός

sarcophagus (sa:r΄kəfəgəs): *(n)* σαρκοφάγος

sardine (sa:r΄di:n): *(n)* σαρδέλα

sardonic (sa:r΄dənik): *(adj)* σαρδόνιος

sash (sæʃ): *(n)* πλαίσιο παράθυρου ‖ ζώνη επίσημης στολής

Satan (΄seitn): *(n)* σατανάς ‖ **~ic, ~ical**: *(adj)* σατανικός

satchel (΄sætʃəl): *(n)* τσάντα, μικρός σάκος

sate (seit) [-d]: *(v)* χορταίνω

satellite (΄sætəlait): *(n)* δορυφόρος

satiat-e (΄seiʃi:eit) [-d]: *(v)* ικανοποιώ, χορταίνω

satin (΄sætn): *(n & adj)* σατέν

satir-e (΄sætair): *(n)* σάτιρα ‖ **~ic, ~ical** (sə΄tirik): *(adj)* σατιρικός ‖ **~ize** (΄sætəraiz) [-d]: *(v)* σατιρίζω

satis-faction (΄sætis΄fækʃən): *(n)* ικανοποίηση ‖ **~factory**: *(adj)* ικανοποιητικός ‖ **~fy** (΄sætisfai) [-ied]: *(v)* ικανοποιώ

saturat-e (΄sætʃəreit) [-d]: *(v)* διαποτίζω, διαβρέχω

Saturday (΄sætərdi:): *(n)* Σάββατο

saturnine (΄sætərnain): *(adj)* σοβαρός, λιγόλογος

satyr (΄sætər): *(n)* σάτυρος

sauc-e (sə:s): *(n)* σάλτσα ‖ **~epan**: *(n)* κατσαρόλα ‖ **~er**: *(n)* πιατάκι ‖ **~y**: *(adj)* αυθάδης, αναιδής ‖ πικάντικος, τσαχπίνικος

saunter (΄sə:ntər) [-ed]: *(v)* περπατώ αργά, πάω με το "πάσο" μου

sausage (΄sə:sidz): *(n)* λουκάνικο

savage (΄sævidz): *(adj)* άγριος ‖ *(n)* άγριος ‖ [-d]: *(v)* επιτίθεμαι με μανία ή αγριότητα ‖ **~ness, ~ry**: *(n)* αγριότητα, θηριωδία

sav-e (seiv) [-d]: *(v)* σώζω, γλυτώνω ‖ φυλάγω ‖ *(prep)* εκτός, με την εξαίρεση ‖ **~ings**: *(n)* οικονομίες, αποταμίευση ‖ **~ings bond**: *(n)* ομολογία ‖ **~ior, ~iour**: *(n)* σωτήρας

savor, savour (΄seivər): *(n)* γεύση, ουσία ‖ [-ed]: *(v)*- ‖ γεύομαι ‖ **~y**: *(adj)* γευστικός, ορεκτικός

saw (sə:): see see ‖ *(n)* πριόνι ‖ γνωμικό, ρητό ‖ [-ed]: *(v)* πριονίζω ‖ **~ mill**: *(n)* πριονιστήριο ‖ **~ toothed**: *(adj)* οδοντωτός

saxon (΄sæksən): *(n)* Σάξονας

saxophone (΄sæksəfoun): *(n)* σαξόφωνο

say (sei) [said, said]: *(v)* λέω ‖ *(n)* λόγος, κουβέντα ‖ **~ing**: *(n)* ρητό, γνωμικό

scab (skæb): *(n)* εσχάρα, "κακάδι", ‖ απεργοσπάστης ‖ [-bed]: *(v)* κακαδιάζω ‖ **~by**: *(adj)* ψωραλέος ‖ κακαδιασμένος ‖ **~ies**: *(n)* ψώρα

scabbard (΄skæbərd): *(n)* θήκη ξίφους

scaffold (΄skæfəld): *(n)* ικρίωμα ‖ σκαλωσιά

scald (skə:ld) [-ed]: *(v)* ζεματίζω ‖ *(n)* ζεμάτισμα

scal-e (skeil): *(n)* φολίδα, λέπι ‖

επικάθισμα || κλίμακα || ζυγαριά || [-d]: *(v)* απολεπίζω || αναρριχώμαι|| ~**es**: *(n)* ζυγαριά
scalene (´skeili:n): *(n)* σκαληνό τρίγωνο
scallop (´skæləp, ´skələp): *(n)* χτένι (όστρακο)
scalp (skælp): *(n)* τριχωτό μέρος του κεφαλιού || [-ed]: *(v)* αφαιρώ το τριχωτό μέρος του κεφαλιού
scalpel (´skælpəl): *(n)* νυστέρι
scaly: see scale
scamp (skæmp): *(n)* παλιάνθρωπος || [-ed]: *(v)* κάνω ή εκτελώ απρόσεκτα
scamper (´skæmpər) [-ed]: *(v)* τρέχω βιαστικά, φεύγω βιαστικά
scan (skæn) [-ned]: *(v)* εξετάζω προσεκτικά και λεπτομερώς
scandal (´skændəl): *(n)* σκάνδαλο || ~**ize** (´skændəlaiz) [-d]: *(v)* σκανδαλίζω || ~**ous**: *(adj)* σκανδαλώδης
Scandinavia (skændə´neivi:ə): *(n)* Σκανδιναβία || ~**n**: *(n)* Σκανδιναβός || *(adj)* σκανδιναβικός
scant (skænt): *(adj)* λιγοστός || ανεπαρκής || ~**y**: *(adj)* λιγοστός, γλίσχρος
scapegoat (´skeipgout): *(n)* αποδιοπομπαίος τράγος
scar (ska:r): *(n)* ουλή, σημάδι πληγής || [-red]: *(v)* σημαδεύω, αφήνω σημάδι, κάνω ουλή
scarc-e (skeərs): *(adj)* σπάνιος || ~**ely**: *(adv)* μόλις και μετά βίας, σχεδόν καθόλου || ~**eness, ~ity**: *(n)* σπανιότητα, έλλειψη
scar-e (skeər) [-d]: *(v)* φοβίζω, τρομοκρατώ || *(n)* τρομάρα, φόβισμα || ~**ecrow**: *(n)* φόβητρο, σκιάχτρο || ~**y**: *(adj)* τρομακτικός
scarf (ska:rf): *(n)* φουλάρι, κασκόλ
scarlet (´ska:rlit): *(n & adj)* ζωηρό κόκκινο || ~ **fever**: *(n)* οστρακιά
scary: see scare
scath-e (skeiδ) [-d]: *(v)* κατακαίω || επικρίνω || ~**ing**: *(adj)* δηκτικός, καυστικός
scatter (´skætər) [-ed]: *(v)* διασκορπίζω || διασκορπίζομαι || *(n)* διασπορά || ~ **brain, ~ brained**: κουφιοκέφαλος, άμυαλος
scavenge (´skævindz) [-d]: *(v)* || μαζεύω άχρηστο υλικό || ~**r**: *(n)* ζώο που τρώει ψοφίμια || ρακοσυλλέκτης
scenario (si´neəri:ou): *(n)* σενάριο
scen-e (si:n): *(n)* σκηνή || ~**ery**: *(n)* τοπίο || σκηνικά || ~**ic**: *(adj)* σκηνικός
scent (sent): *(n)* οσμή || άρωμα || όσφρηση || [-ed]: *(v)* οσφραίνομαι || αρωματίζω
scepter, sceptre (´septər): *(n)* σκήπτρο
sceptic: see skeptic
sceptre: see scepter
schedule (´skedzu:əl): *(n)* πρόγραμμα || δρομολόγιο || [-d]: *(v)* προγραμματίζω || δρομολογώ
schem-atic (ski:´mætik): *(adj)* σχηματικός || ~**e** (ski:m): *(n)* διάταξη, σύστημα || σχέδιο || μηχανορραφία || ~**e** [-d]: *(v)* σχεδιάζω || μηχανορραφώ || ~**er**: *(n)* μηχανορράφος, συνωμότης
schism (´skizəm, ´sizəm): *(n)* σχίσμα
schizophreni-a (skitsə´fri:ni:ə): *(n)* σχιζοφρένεια || ~**c**: *(n & adj)* σχιζοφρενικός
schol-ar (´skələr): *(n)* μορφωμένος, των γραμμάτων, λόγιος || ~**arly**: *(adj)* λόγιος των γραμμάτων || ~**arship**: *(n)* μόρφωση || υποτροφία
school (sku:l): *(n)* σχολείο || σχολή || [-ed]: *(v)* εκπαιδεύω || μορφώνω || ~**boy**: *(n)* μαθητής || ~**girl**: *(n)* μαθήτρια || ~**master**: *(n)* δάσκαλος || διευθυντής σχολείου || ~**mate**: *(n)* συμμαθητής || ~**mistress**: *(n)* δασκάλα
schooner (´sku:nər): *(n)* σκούνα || μεγάλο ποτήρι μπίρας
scien-ce (´saiəns): *(n)* επιστήμη || ~**tific** (saiən´tifik): *(adj)* επιστημονικός || ~**tist**: *(n)* επιστήμονας
scintillat-e (´sintəleit) [-d]: *(v)* σπινθηροβολώ
scissor (´sizər) [-ed]: *(v)* ψαλιδίζω || ~**s, pair of ~s**: *(n)* ψαλίδι
scoff (skəf) [-ed]: *(v)* ειρωνεύομαι, κοροϊδεύω
scold (skould) [-ed]: *(v)* επιπλήττω άγρια
scoop (sku:p): *(n)* κουβάς ή φτυάρι εκσκαφέα || φτυαράκι, σέσουλα || [-ed]: *(v)* φτυαρίζω
scoot (sku:t) [-ed]: *(v)* τρέχω γρήγορα || ~**er**: *(n)* πατίνι || ~**er, motor ~er**: *(n)* μοτοποδήλατο, ''σκούτερ''
scope (skoup): *(n)* έκταση, ορίζο-

ντας ‖ περιθώριο ‖ σκοπός, βλέψη
scorch (skə:rtʃ) [-ed]: *(v)* καψαλίζω ‖ *(n)* καψάλισμα, ελαφρό κάψιμο ‖ **~er**: *(n)* πολύ ζεστή μέρα
score (skə:r): *(n)* σημείο, ''πόντος'' ‖ διαφορά πόντων, ''σκορ'' ‖ εικοσάδα ‖ [-d]: *(v)* κερδίζω, κάνω ''σκορ'', κερδίζω πόντο
scorn (΄skə:rn): *(n)* περιφρόνηση ‖ [-ed]: *(v)* περιφρονώ ‖ **~ful**: *(adj)* γεμάτος περιφρόνηση ‖ περιφρονητικός
scorpion (΄skə:rpi:ən): *(n)* σκορπιός
Scot (skət): *(n)* Σκοτσέζος ‖ **~ch**: *(n)* ουΐσκι, ''σκατς'' ‖ **~ch tape**: κολλητική ταινία, ''σελοτέιπ'' ‖ **~land**: *(n)* Σκοτία‖ **~sman**: *(n)* Σκοτσέζος
scot-free (΄skətfri:): *(adj)* ελεύθερος τελείως
scoundrel (΄skaundrəl): *(n)* παλιάνθρωπος, κακοποιός
scour (skaur) [-ed]: *(v)* εκτρίβω, καθαρίζω ‖ διατρέχω ‖ ερευνώ
scourge (skə:rdz): *(n)* πληγή, μάστιγα
scout (skaut): *(n)* πρόσκοπος ‖ [-ed]: *(v)* ανιχνεύω
scow (skau): *(n)* φορτηγίδα, ''μαούνα''
scowl (skaul) [-ed]: *(v)* συνοφρυώνομαι
scrag (΄skræg): *(n)* κοκαλιάρης
scram (skræm) [-med]: *(v)* φεύγω στα γρήγορα ''στρίβω''
scramble (΄skræmbəl) [-d]: *(v)* κινούμαι ή σκαρφαλώνω βιαστικά ή αδέξια ‖ ανακατεύω ‖ *(n)* βιαστικό ή αδέξιο σκαρφάλωμα ‖ **~d eggs**: *(n)* κτυπητά αυγά
scrap (skræp): *(n)* τεμάχιο, κομμάτι ‖ παλιοσίδερο ‖ πάλη ‖ [-ped]: *(v)* πετώ ως άχρηστο ‖ παλεύω, τσακώνομαι ‖ *(adj)* άχρηστο, πεταμένο, για πέταμα
scrape (skreip) [-d]: *(v)* αποξέω ‖ γδέρνω, ξύνω ‖ *(n)* απόξεση ‖ ξύσιμο, γδάρσιμο ‖ συμπλοκή ‖ αμηχανία ‖ **~r**: *(n)* ξύστης, ξύστρα
scratch (skrætʃ) [-ed]: *(v)* γρατσουνίζω ‖ ξύνομαι ‖ γράφω πρόχειρα ‖ σβήνω, διαγράφω ‖ *(n)* ξύσιμο ‖ γρατσουνιά ‖ *(adj)* πρόχειρος‖ from ~: από την αρχή
scrawl (skrə:l) [-ed]: *(v)* γράφω άσχημα, κακογράφω ‖ *(n)* κακό γράψιμο
scrawny (΄skrə:ni:): *(adj)* κοκαλιάρης
scream (skri:m) [-ed]: *(v)* ξεφωνίζω ‖ *(n)* ξεφωνητό, τσιρίδα
screech (skri:tʃ) [-ed]: *(v)* τσιρίζω, σκούζω ‖ *(n)* τσιρίδα, ούρλιασμα
screen (skri:n): *(n)* κόσκινο ‖ επιλογή ‖ δικτυωτό, ''σήτα παραθύρου'' ‖ παραπέτασμα, ''παραβάν'' ‖ οθόνη ‖ [-ed]: *(v)* βάζω παραπέτασμα ‖ προστατεύω ‖ κοσκινίζω
screw (skru:): *(n)* κοχλίας, βίδα ‖ έλικας ‖ [-ed]: *(v)* βιδώνω ‖ **~ball**: *(n)* τρελός, παλαβός ‖ **~driver**: *(n)* κατσαβίδι
scribble (΄skribəl) [-d]: *(v)* γράφω βιαστικά και άσχημα ‖ *(n)* ορνιθοσκαλίσματα
scribe (skraib): *(n)* γραφέας, αντιγραφέας
script (skript): *(n)* γραπτό, χειρόγραφο ‖ κείμενο έργου ‖ **S~ure** (΄skriptʃər): *(n)* Αγία Γραφή
scroll (skroul): *(n)* ρόλος γραφής, ρολό περγαμηνής
scrub (skrʌb) [-bed]: *(v)* καθαρίζω με τρίψιμο ή βούρτσισμα ‖ *(n)* τρίψιμο, καθάρισμα
scruff (skrʌf): *(n)* σβέρκος ‖ **~y**: *(adj)* βρομιάρης
scrup-le (΄skru:pəl): *(n)* συνείδηση ‖ ενδοιασμός, δισταγμός ‖ **~ulous** (΄skru:pjələs): *(adj)* ευσυνείδητος
scruti-nize (΄skru;tnaiz) [-d]: *(v)* εξετάζω με μεγάλη προσοχή ‖ **~ny** (΄skru:tini:): *(n)* προσεκτική εξέταση
scuba (΄sku:bə): *(n)* αναπνευστική συσκευή
scuff (skʌf) [-ed]: *(v)* σέρνω τα πόδια μου ‖ τρίβω, φθείρω ‖ *(n)* σύρσιμο, τρίψιμο
scuffle (΄skʌfəl) [-d]: *(v)* συμπλέκομαι ‖ *(n)* συμπλοκή
sculpt (skʌlpt) [-ed]: *(v)* κατασκευάζω γλυπτό ‖ **~or**: *(n)* γλύπτης ‖ **~ure** (΄skʌlptʃər): *(n)* γλυπτική ‖ γλυπτό
scum (skʌm): *(n)* βρομιά ‖ κατακάθι
scurry (΄skə:ri:) [-ied]: *(v)* τρέχω γρήγορα και ελαφρά
scurvy (΄skə:rvi): *(n)* σκορβούτο
scuttle (΄skʌtl): *(n)* μεταλλικός

κουβάς || [-d]: *(v)* τρέχω βιαστικά || ~**butt**: *(n)* κουτσομπολιό
scythe (saiδ): *(n)* δρεπάνι
sea (si:): *(n)* θάλασσα || *(adj)* θαλάσσιος || **at** ~: χαμένος || ~ **farer**: *(n)* θαλασσοπόρος || ~ **food**: *(n)* θαλασσινά || ~ **going**: *(adj)* υπερωκεάνιος, ποντοπόρος || ~**gull**: *(n)* γλάρος || ~**horse**: *(n)* ιππόκαμπος || ~ **maiden**: *(n)* γοργόνα || ~**man**: *(n)* ναυτικός || ναύτης || ~**plane**: *(n)* υδροπλάνο || ~**scape**: *(n)* θαλασσογραφία, θαλάσσιο τοπίο || ~**sick**: *(adj)* πάσχων από ναυτία || ~**sickness**: *(n)* ναυτία || ~**side**: *(n)* παραλία || ~ **urchin**: *(n)* αχινός || ~**wall**: *(n)* κυματοθραύστης || ~**weed**: *(n)* φύκι
seal (si:l): *(n)* φώκια || σφραγίδα || [-ed]: *(v)* σφραγίζω || κλείνω ερμητικά|| ~**ing wax**: *(n)* βουλοκέρι
seam (si:m): *(n)* ραφή || [-ed]: *(v)* συνδέω || ~**stress**: *(n)* μοδίστρα, ράπτρια
sea-maiden: see sea
seaman: see sea
séance (΄seia:ns): *(n)* συγκέντρωση
sea-plane: see sea
search (sə:rtʃ) [-ed]: *(v)* ερευνώ, αναζητώ || *(n)* έρευνα, ψάξιμο || ~ **light**: *(n)* προβολέας
sea-scape, ~sick, ~sickness, ~side: see sea
season (΄si:zən): *(n)* εποχή || περίοδος, ''σαιζόν'' || [-ed]: *(v)* επεξεργάζομαι || ξηραίνω || ~**al**: *(adj)* εποχιακός || ~**ed**: *(adj)* επεξεργασμένος || ~**ing**: *(n)* επεξεργασία || καρύκευμα, μπαχαρικό
seat (si:t): *(n)* έδρα, έδρανο || κάθισμα || [-ed]: *(v)* καθίζω || εδράζω, τοποθετώ || ~**belt**: *(n)* ζώνη ασφάλειας || ~**er**: *(adj)* -θέσιος (suffix)
seclu-de(si΄klu:d)[-d]: *(v)* απομονώνω || ~**ded**: *(adj)* απόμερος, απομονωμένος || ~**sion** (si΄klu:zən): *(n)* απομόνωση
second (΄sekənd): *(adj)* δεύτερος || *(n)* δευτερόλεπτο || [-ed]: *(v)* υποστηρίζω || ~**ary**: *(adj)* δευτερεύων || ~**ary school**: *(n)* γυμνάσιο || ~ **hand**: *(n)* δευτερολεπτοδείκτης || δεύτερο χέρι, μεταχειρισμένος
secre-cy (΄si:krəsi:): *(n)* μυστικότητα || εχεμύθεια || ~**t** (΄si:krit): *(adj)* μυστικός, κρυφός || εχέμυθος || απόρρητος || *(n)* μυστικό|| ~**tariat** (sekrə΄teəri:ət): *(n)* γραμματεία || ~**tary** (΄sekrəteri:): *(n)* γραμματέας || υπουργός || ~**tive** (΄si:krətiv): *(adj)* εχέμυθος || κρυψίνους
sect (sekt): *(n)* φατρία || αίρεση
section (΄sekʃən): *(n)* τμήμα || τομή || διατομή
sector (΄sektər): *(n)* τομέας
secular (΄sekjələr): *(adj)* κοσμικός, λαϊκός || εκατονταετής || αιώνιος
secur-e (si΄kjur): *(adj)* ασφαλής || σταθερός, στερεωμένος || [-d]: *(v)* ασφαλίζω, διασφαλίζω || στερεώνω || ~**ity** (si΄kjurəti:): *(n)* ασφάλεια || εγγύηση
sedat-e (si΄deit): *(adj)* ήρεμος, ατάραχος ~**ive** (΄sedətiv): *(n)* καταπραϋντικό
sedentary (΄sednteri:): *(adj)* καθιστικός || μη μεταναστευτικός
sediment (΄sedəmənt): *(n)* ίζημα, κατακάθι
seduc-e (si΄dju:s) [-d]: *(v)* παρασύρω || διαφθείρω, αποπλανώ || ~**cement, ~tion** (si΄dʌkʃən): *(n)* αποπλάνηση || πρόκληση || ~**tive**: *(adj)* προκλητικός || αποπλανητικός
see (si:) [saw, seen]: *(v)* βλέπω || καταλαβαίνω || φροντίζω, προσέχω || ~ **through**: *(v)* διαβλέπω, αντιλαμβάνομαι την αλήθεια || φροντίζω ως το τέλος || ~ **to**: *(v)* φροντίζω || ~**r**: *(n)* προφήτης
seed (si:d): *(n)* σπόρος || σπέρμα || ~**ling**: *(n)* νεαρό φυτό || ~**y**: *(adj)* σποριασμένος || κουρελής || κατακουρασμένος
seek (si:k) [sought, sought]: *(v)* ζητώ, αναζητώ
seem (si:m) [-ed]: *(v)* φαίνομαι || ~**ingly**: *(adv)* φαινομενικά || ~**ly**: *(adj)* συμπαθητικός, όμορφος || καθώς πρέπει
seep (si:p) [-ed]: *(v)* διαποτίζω
seer: see see
seesaw (΄si:sə:): *(n)* τραμπάλα
seethe (΄si:δ) [-d]: *(v)* αναταράζομαι
segment (΄segmənt): *(n)* τμήμα
segregat-e (΄segrəgeit) [-d]: *(v)* διαχωρίζω || ~**ion**: *(n)* διαχωρισμός
seiz-e (si:z) [-d]: *(v)* συλλαμβάνω, πιάνω || ~**ure** (΄si:zər): *(n)* σύλλη-

ψη, πιάσιμο ‖ προσβολή, συγκοπή
seldom (΄seldəm): *(adv)* σπάνια
select (si΄lekt) [-ed]: *(v)* διαλέγω ‖ *(adj)* εκλεκτός ‖ **~ion**: *(n)* επιλογή, εκλογή ‖ **~ive**: *(adj)* εκλεκτικός
self (self): *(n)* εαυτός ‖ ~ **appointed**: *(adj)* αυτοδιορισμένος ‖ ~ **assured**: *(adj)* με αυτοπεποίθηση, έχων αυτοπεποίθηση ‖ **~-command, ~-control**: *(n)* αυτοέλεγχος ‖ ~ **confidence**: *(n)* αυτοπεποίθηση ‖ **~-defense**: *(n)* αυτοάμυνα ‖ **~-esteem**: *(n)* αυτοσεβασμός ‖ **~-evident**: *(adj)* αυτόδηλος, προφανής ‖ **~-interest**: *(n)* ιδιοτέλεια ‖ **~ish**: *(adj)* εγωϊστικός, φίλαυτος ‖ **~less**: *(adj)* αφιλοκερδής ‖ **~-made**: *(adj)* αυτοδημιούργητος ‖ ~ **possession**: *(n)* αταραξία, αυτοέλεγχος ‖ **~-reliance**: *(n)* αυτοπεποίθηση ‖ **~-respect**: *(n)* αυτοσεβασμός ‖ **~-righteous**: *(adj)* υποκριτικά δικαιοφανής, υποκριτικός ‖ ~ **same**: *(adj)* ίδιος, ολόιδιος ‖ **~-sufficient**: *(adj)* αυτάρκης ‖ **~-support**: *(n)* αυτοσυντήρηση ‖ **~-taught**: *(adj)* αυτοδίδακτος
sell (sel) [sold, sold]: *(v)* πουλώ ‖ πουλιέμαι ‖ *(n)* πώληση ‖ απάτη *(id)* ‖ **~er**: *(n)* πωλητής
selves: pl. self
semaphore (΄seməfɔ:r): *(n)* σηματοφόρος
semen (΄si:mən): *(n)* σπέρμα
semester (sə΄mestər): *(n)* σχολικό ή ακαδημαϊκό εξάμηνο ή τετράμηνο
semi (΄semi): ημι- ‖ **~colon**: *(n)* άνω τελεία
semolina (semə΄li:nə): *(n)* σιμιγδάλι
senat-e (΄senit): *(n)* Γερουσία ‖ **~or** (΄senətər): *(n)* γερουσιαστής
send (send) [sent, sent]: *(v)* στέλνω ‖ **~er**: *(n)* αποστολέας ‖ πομπός
senil-e (΄si:nail): *(adj)* γεροντικός ‖ γεροντικά ξεμωραμένος ‖ **~ity**: *(n)* γεράματα ‖ γεροντικό ξεμώραμα
senior (΄si:njər): *(adj)* μεγαλύτερος, ανώτερος ‖ πρεσβύτερος ‖ τεταρτοετής φοιτητής ‖ τελειόφοιτος γυμνασίου
sens-ation (sen΄seiʃən): *(n)* αίσθηση ‖ **~ational**: *(adj)* αισθησιακός ‖ που κάνει αίσθηση, εντυπωσιακός ‖ έννοια, νόημα ‖ **~e** [-d]: *(v)* αισθάνομαι ‖ **~es**: *(n)* λογικό, λογικά ‖ **~ibility** (΄sensə΄biləti:): *(n)* ευαισθησία ‖ **~ible** (΄sensəbəl): *(adj)* αισθητός ‖ λογικός ‖ **~itive** (΄sensətiv): *(adj)* ευαίσθητος, ευπαθής ‖ **~ory**: *(adj)* αισθητήριος
sentence (΄sentəns): *(n)* πρόταση ‖ καταδίκη ‖ [-d]: *(v)* καταδικάζω
sentiment (΄sentəmənt): *(n)* αίσθημα ‖ **~al**: *(adj)* αισθηματικός ‖ συναισθηματικός
sentinel (΄sentnəl): see sentry
sentry (΄sentri:): *(n)* φρουρός, σκοπός
separa-ble (΄sepərəbəl): *(adj)* διαχωριστός ‖ ~ **te** (΄sepəreit) [-d]: *(v)* χωρίζω, διαχωρίζω ‖ διαχωρίζομαι, χωρίζομαι ‖ **~te** (΄sepərit): *(adj)* χωριστός ‖ ξεχωριστός ‖ **~tion** (sepə΄reiʃən): *(n)* διαχωρισμός ‖ αποχωρισμός
September (sep΄tembər): *(n)* Σεμπτέμβριος
septic (΄septik): *(adj)* σηπτικός ‖ **~emia** (septi΄si:mi:ə): *(n)* σηψαιμία
sequel (΄si:kwəl): *(n)* συνέχεια ‖ επακόλουθο
sequence (΄si:kwəns): *(n)* ακολουθία, συνέχεια
serenade (΄serəneid): *(n)* σερενάδα ‖ [-d]: *(v)* κάνω σερενάδα
seren-e (si΄ri:n): *(adj)* γαλήνιος, ήρεμος
sergeant (΄sa:rdzənt): *(n)* λοχίας ‖ σμηνίας ‖ ενωματάρχης ‖ **~major**: επιλοχίας
seri-al (΄siri:əl): *(adj)* σε σειρές ή συνέχειες ‖ *(n)* επεισόδιο σειράς, ιστορία ή ταινία σε επεισόδια ‖ **~es** (΄siri:z): *(n)* σειρά
serious (΄siəri:əs): *(adj)* σοβαρός
sermon (΄sə:rmən): *(n)* κήρυγμα
serpent (΄sə:rpənt): *(n)* φίδι
serrat-e (΄sereit, ΄serit), **~ed**: *(adj)* οδοντωτός
serum (΄siərəm): *(n)* ορός
serv-ant (΄sə:rvənt): *(n)* υπηρέτης ‖ **civil ~ant, public ~ant**: *(n)* δημόσιος υπάλληλος ‖ **~e** (sə:rv) [-d]: *(v)* υπηρετώ ‖ σερβίρω ‖ εξυπηρετώ ‖ **~es s.b. right**: του άξιζε, καλά να πάθει ‖ **~ice** (΄sə:rvis): *(n)* υπηρεσία ‖ ένοπλες δυνάμεις ‖ εξυπηρέτηση ‖ **~ice** [-d]: *(v)* συντηρώ ή επισκευάζω ‖ **~ices**: *(n)* ένοπλες δυνάμεις ‖ **~iceman**: *(n)* στρατιώτης ‖ **~ice station**: *(n)* πρατήριο βενζίνης ‖ συνεργείο αυτοκινήτων, γκαράζ ‖ **~ile**

(´sə:rvəl, ´sə:rvail): *(adj)* δουλοπρεπής, δουλικός ǁ **~ing**: *(n)* μερίδα φαγητού
sesame (´sesəmi:): *(n)* σουσάμι
session (´seʃən): *(n)* συνεδρίαση
set (set) [set, set]: *(v)* θέτω, τοποθετώ ǁ ρυθμίζω ǁ δύω ǁ σκληρύνομαι, πήζω ǁ *(adj)* καθορισμένος ǁ σκληρός, πηγμένος ǁ *(n)* ρύθμιση ǁ σκλήρυνση, πήξη ǁ δύση ǁ σερβίτσιο, ''σετ'' ǁ συσκευή ǁ σύστημα ǁ ~ **back**: *(v)* εμποδίζω ǁ *(n)* εμπόδιο, αναποδιά ǁ ~ **about**: *(v)* αρχίζω κάτι, αρχίζω να κάνω ǁ ~ **against**: *(v)* συγκρίνω ǁ βάζω εναντίον, στρέφω εναντίον ǁ ~ **aside**: *(v)* βάζω στην μπάντα ǁ **~ting**: *(n)* σκλήρυνση, πήξη ǁ ρύθμιση ǁ τοποθέτηση ǁ δύση
settee (se´ti:): *(n)* καναπές
settle (´setl) [-d]: *(v)* διευθετώ, τακτοποιώ ǁ κατακαθίζω ǁ κατασταλάζω ǁ εγκαθίσταμαι ǁ ~ **down**: *(v)* κατασταλάζω ǁ **~ment**: *(n)* διευθέτηση, τακτοποίηση ǁ συνοικισμός ǁ **~r**: *(n)* άποικος
seven (´sevən): *(n)* επτά ǁ **~teen**: *(n)* δεκαεπτά ǁ **~teenth**: *(adj)* δέκατος έβδομος ǁ **~th**: *(adj)* έβδομος ǁ **~tieth**: *(adj)* εβδομηκοστός ǁ **~ty**: *(n)* εβδομήντα
sever (´sevər) [-ed]: *(v)* αποχωρίζω ǁ **~al** (´sevərəl): *(adj)* ξεχωριστός ǁ κάμποσοι, μερικοί
sever-e (sə´viər): *(adj)* αυστηρός ǁ δριμύςǁ **~eness, ~ity**: *(n)* αυστηρότητα ǁ δριμύτητα
sew (sou) [~ed, sewn]: *(v)* ράβω
sew-age (´su:idz): *(n)* νερό αποχετεύσεως, αποχέτευση ǁ **~er** (´su:ər): *(n)* υπόνομος, οχετός
sex (seks): *(n)* φύλο, ''σεξ'' ǁ γενετήσια ορμή ǁ συνουσία ǁ ~ **appeal**: *(n)* έλξη, ''σεξ απίλ'' ǁ **~y**: *(adj)* προκλητικός, ''σέξυ''
shab-by (´ʃæbi:): *(adj)* κουρελής ǁ ταπεινός, τιποτένιος ǁ **~biness**: *(n)* αθλιότητα
shack (ʃæk): *(n)* καλύβα
shackle (´ʃækəl): *(n)* χειροπέδη ǁ [-d]: *(v)* δεσμεύω ǁ ~s: *(n)* δεσμά, ''σίδερα''
shad-e (´ʃeid): *(n)* σκιά, ίσκιος ǁ σκιάδα ǁ αμπαζούρ ǁ απόχρωση ǁ ίχνος, λιγάκι ǁ [-d]: *(v)* σκιάζω ǁ **~ow** (´ʃædou): *(n)* σκιά ǁ **~ow** [-ed]: *(v)* ρίχνω σκιά ǁ **~owy**: *(adj)* σκιασμένος, σκιερός ǁ αμυδρός
shaft (ʃæft): *(n)* άτρακτος, στέλεχος ǁ άξονας ǁ δέσμη ακτίνων ǁ φρέαρ, φρεάτιο
shag (ʃæg): *(n)* ανακατεμένα μαλλιά, τσουλούφια ǁ **~gy**: *(adj)* τριχωτός
shak-e (ʃeik) [shook, shaken]: *(v)* σείω, κουνώ ǁ τρέμω ǁ *(n)* κούνημα ǁ τίναγμα ǁ χειραψία ǁ τρεμούλα ǁ **~er**: *(n)* αναμεικτήρας ǁ **~y**: *(adj)* τρεμουλιάρης ǁ ασταθής
shale (ʃeil): *(n)* σχιστόλιθος
shall (ʃæl) [should]: θα
shallow (´ʃælou): *(adj)* ρηχός
sham (ʃæm): *(n)* απομίμηση ǁ προσποίηση ǁ *(adj)* ψεύτικος ǁ προσποιητός ǁ [-med]: *(v)* προσποιούμαι
shamble (´ʃæmbəl) [-d]: *(v)* περπατώ σέρνοντας τα πόδια ǁ ~s: *(n)* συντρίμμια ǁ μακελειό
shame (ʃeim) [-d]: *(v)* ντροπιάζω ǁ *(n)* ντροπή ǁ **~ful**: *(adj)* επαίσχυντος ǁ **~less**: *(adj)* ξεδιάντροπος, αναίσχυντος
shampoo (ʃæm´pu:): *(n)* ''σαμπουάν'' ǁ [-ed]: *(v)* λούζομαι με ''σαμπουάν''
shamrock (´ʃæmrək): *(n)* τριφύλλι
shank (ʃæŋk): *(n)* σκέλος ǁ στέλεχος
shan't: shall not: see shall
shanty (´ʃænti): *(n)* παράγκα
shape (ʃeip): *(n)* σχήμα, μορφή ǁ σωματική κατάσταση, ''φόρμα'' ǁ [-d]: *(v)* διαμορφώνω ǁ σχηματίζω ǁ σχηματίζομαι ǁ **~less**: *(adj)* άμορφος ǁ **~ly**: *(adj)* καλοσχηματισμένος
shard (ʃa:rd): *(n)* κομμάτι
share (ʃeər): *(n)* μερίδιο ǁ μέρισμα ǁ [-d]: *(v)* μοιράζομαι ǁ συμμερίζομαι
shark (ʃa:rk): *(n)* καρχαρίας
sharp (ʃa:rp): *(adj)* οξύς, αιχμηρός ǁ κοφτερός ǁ οξύνους, έξυπνος ǁ *(adv)* ακριβώς ǁ **~en** [-ed]: *(v)* τροχίζω ǁ ξύνω, κάνω μυτερό ǁ **~ener**: *(n)* ξυστήρας, ξύστρα ǁ ~ **shooter**: *(n)* σκοπευτής
shatter (´ʃætər) [-ed]: *(v)* συντρίβω ǁ συντρίβομαι
shav-e (ʃeiv) [-d]: *(v)* ξυρίζω ǁ ξυρίζομαι ǁ *(n)* ξύρισμα ǁ **~er**: *(n)*

ξυριστική μηχανή ‖ ~**ing**: *(n)* ξέσμα ‖ ξύρισμα
shawl (ʃɔ:l): *(n)* σάρπα, σάλι
she (ʃi:): *(pron)* αυτή
sheaf (ʃi:f): *(n)* δέσμη, δεσμίδα
shear (ʃiər) [-ed]: *(v)* κουρεύω ‖ ~**s**: *(n)* μεγάλο ψαλίδι, ψαλίδα
sheath (ʃi:θ): *(n)* θήκη ξίφους ή μαχαιριού ‖ περίβλημα
shed (ʃed) [shed, shed]: *(v)* αποβάλλω, βγάζω ‖ χύνω ‖ *(n)* υπόστεγο
she'd (ʃi:d): she had: see have ‖ she would: see would
sheen (ʃi:n): *(n)* γυαλάδα
sheep (ʃi:p): *(n)* πρόβατο ‖ ~**ish**: *(adj)* συνεσταλμένος ‖ αμήχανος
sheer (ʃiər) [-ed]: *(v)* αγνός, καθαρός, γνήσιος ‖ απότομος, απόκρημνος
sheet (ʃi:t): *(n)* φύλλο, έλασμα ‖ φύλλο χαρτιού ‖ σεντόνι
shelf (ʃelf): *(n)* ράφι ‖ χείλος, προεξοχή
shell (ʃel): *(n)* κέλυφος, τσόφλι ‖ περίβλημα ‖ βλήμα, οβίδα ‖ [-ed]: *(v)* βομβαρδίζω ‖ ξεφλουδίζω
she'll: she will ‖ she shall
shelter (ˊʃeltər) [-ed]: *(v)* καλύπτω, προστατεύω ‖ καλύπτομαι, προστατεύομαι
shepherd (ˊʃepərd): *(n)* βοσκός ‖ ~**ess**: *(n)* βοσκοπούλα
sheriff (ˊʃerif): *(n)* αρχηγός αστυνομίας υπαίθρου, "σέριφ", "σερίφης"
sherry (ˊʃeri:): *(n)* κρασί σέρυ
shield (ʃi:ld): *(n)* ασπίδα ‖ θωράκιση ‖ [-ed]: *(v)* προασπίζω
shift (ʃift) [-ed]: *(v)* μετατοπίζω ‖ μετατοπίζομαι, αλλάζω θέση ‖ *(n)* μετατόπιση ‖ μετάπτωση ‖ βάρδια
shill (ʃil): *(n)* αβανταδόρος
shilling (ˊʃiliŋ): *(n)* σελίνι
shimmer (ˊʃimər) [-ed]: *(v)* λαμπυρίζω ‖ *(n)* μαρμαρυγή
shin (ʃin): *(n)* αντικνήμιο, "καλάμι"
shin-e (ʃain) [-d or shone]: *(v)* λάμπω ‖ γυαλίζω ‖ *(n)* λάμψη ‖ γυάλισμα ‖ ~**y**: *(adj)* λαμπερός, ακτινοβόλος
shingle (ˊʃingəl): *(n)* ‖ χαλίκι, βότσαλο ‖ ξυλοκέραμος, ταβανόπλακα ‖ σκεπάζω με ταβανόπλακες
ship (ʃip): *(n)* πλοίο ‖ [-ped]: *(v)* επιβιβάζω ‖ αποστέλλω ‖ ~ **builder**: *(n)* ναυπηγός ‖ ~ **building**: *(n)* ναυπηγική ‖ ~ **chandler**: *(n)* προμηθευτής πλοίων ‖ ~**ment**: *(n)* αποστολή ‖ φόρτωση ‖ ~**ping**: *(n)* αποστολή, φόρτωση ‖ ~ **shape**: *(adj)* τακτικός, νοικοκυρεμένος ‖ ~**yard**: *(n)* ναυπηγείο
shirk (ʃə:rk) [-ed]: *(v)* αποφεύγω υποχρέωση, καθήκον ή εργασία ‖ ~**er**: *(n)* φυγόπονος
shirt (ʃə:rt): *(n)* πουκάμισο
shit (ʃit) [-ted or shat]: *(v)* αφοδεύω, "χέζω" ‖ *(n)* σκατά ‖ *(n)* "τρίχες", "μπούρδες"
shiver (ˊʃivər) [-ed]: *(v)* τρέμω, ριγώ‖ *(n)* ρίγος, τρεμούλα
shoal (ʃoul): *(n)* ρηχό μέρος, τα ρηχά ‖ κοπάδι ψαριών
shock (ʃɔk): *(n)* απότομη σύγκρουση ‖ τράνταγμα ‖ δόνηση ‖ συγκλονισμός, "σοκ" ‖ πυκνά μαλλιά ‖ [-ed]: *(v)* συγκλονίζω
shoe (ʃu:): *(n)* παπούτσι ‖ βάση, έδρανο ‖ πέταλο ‖ ~**lace**, ~**string**: *(n)* κορδόνι παπουτσιού ‖ ~**maker**: *(n)* υποδηματοποιός
shook: see **shake**
shoot (ʃu:t) [shot, shot]: *(v)* πυροβολώ ‖ πετώ, εκσφενδονίζω ‖ βλασταίνω ‖ *(n)* βλαστός ‖ ~**ing star**: *(n)* διάττοντας αστέρας
shop (ʃɔp): *(n)* κατάστημα ‖ εργαστήριο ‖ [-ped]: *(v)* ψωνίζω ‖ ~ **lifter**: *(n)* κλέφτης από καταστήματα ‖ ~ **lifting**: *(n)* κλοπή από κατάστημα ‖ ~**per**: *(n)* πελάτης καταστήματος ‖ ~**ping**: *(n)* αγορά, ψώνια ‖ ~ **window**: *(n)* βιτρίνα ‖ **window** ~: *(v)* χαζεύω στις βιτρίνες
shore (ʃɔ:r): *(n)* ακτή ‖ όχθη ‖ [-d]: *(v)* βγάζω στην ακτή ‖ υποστηρίζω, αντιστηρίζω ‖ ~ **up**: *(v)* υποστηλώνω, βάζω αντέρεισμα
short (ʃɔ:rt): *(adj)* βραχύς, κοντός ‖ σύντομος ‖ ανεπαρκής, ελλειπής ‖ ~**age**: *(n)* ανεπάρκεια ‖ ~ **bread**: *(n)* κουλουράκια ‖ ~ **cake**: *(n)* φρουτόπιτα ‖ ~ **change**: *(v)* κλέβω στα ρέστα ‖ εξαπατώ ‖ ~ **circuit**: *(n)* βραχυκύκλωμα ‖ ~**coming**: *(n)* ατέλεια, μειονέκτημα ‖ ~**cut**: *(n)* ο σύντομος δρόμος‖ ~**en** [-ed]: *(v)* κονταίνω ‖ ~**hand**: *(n)* στενογραφία ‖ ~ **sighted**: *(adj)* μύωπας ‖ ~ **story**: *(n)* διήγημα ‖ ~ **tempered**: *(adj)* οξύθυμος,

ευέξαπτος || **~-winded**: *(adj)* που λαχανιάζει εύκολα
shot (ʃɔt): see shoot || *(n)* πυροβολισμός || σφαίρα αγώνων || ένεση || σκάγια || **~-put**: *(n)* σφαιροβολία || **~-putter, ~ thrower**: *(n)* σφαιροβόλος
should (ʃud): see shall || θα έπρεπε, θα πρέπει να
shoulder (΄ʃouldər): *(n)* ώμος || [-ed]: *(v)* επωμίζομαι || ~ **blade**: *(n)* ωμοπλάτη
shouldn't: should not: see should
shout (ʃaut): *(n)* κραυγή, δυνατή φωνή || [-ed]: *(v)* φωνάζω
shove (ʃuv) [-d]: *(v)* σπρώχνω || *(n)* σπρωξιά, σπρώξιμο
shovel (΄ʃʌvəl): *(n)* φτυάρι || κάδος γερανού ή εκσκαφέα || [-ed]: *(v)* φτυαρίζω
show (ʃou) [-ed]: *(v)* δείχνω || επιδεικνύω || αποδεικνύω || εμφανίζομαι, προβάλλω || θέαμα || επίδειξη || ~ **bill**: *(n)* αφίσα διαφημιστική || **~case**: *(n)* βιτρίνα || **~man**: *(n)* θεατρικός παραγωγός || επιδειξίας || ~ **off**: *(v)* επιδεικνύομαι, κάνω ψευτοεπίδειξη
shower (΄ʃauər): *(n)* απότομη, ραγδαία βροχή, μπόρα || ''ντους'' || [-ed]: *(v)* κάνω ''ντους''
shred (ʃred) [-ded]: *(v)* κομματιάζω || *(n)* κουρέλι
shrewd (ʃru:d): *(adj)* οξυδερκής || **~ness**: *(n)* οξυδέρκεια || διορατικότητα
shriek (ʃri:k) [-ed]: *(v)* τσιρίζω, ουρλιάζω || *(n)* τσιρίδα, ούρλιασμα
shrill (ʃril): *(adj)* οξύς, διαπεραστικός ήχος
shrimp (ʃrimp): *(n)* γαρίδα
shrine (ʃrain): *(n)* βωμός, ιερό
shrink (ʃriŋk) [shrank, shrunk]: *(v)* συστέλλομαι, μαζεύομαι || μαζεύω, ''μπάζω'' || *(n)* συρρίκνωση, συστολή || **~age**: *(n)* συρρίκνωση, συστολή || μάζεμα, ''μπάσιμο''
shrivel (΄ʃrivəl) [-ed]: *(v)* συρρικνούμαι
shroud (ʃraud) [-ed]: *(v)* σαβανώνω || *(n)* σάβανο
shrove (ʃrouv): ~ **Sunday**: Κυριακή της Τυρινής || ~ **Monday**: Καθαρά Δευτέρα
shrub (ʃrʌb): *(n)* θάμνος
shrug (ʃrʌg) [-ged]: *(v)* σηκώνω τους ώμους || *(n)* ανασήκωμα των ώμων
shrunk (ʃrʌnk): see shrink || **~en**: *(adj)* μαζεμένος, ζαρωμένος
shudder (΄ʃʌdər) [-ed]: *(v)* τρέμω || *(n)* τρεμούλα
shuffle (ʃʌfəl) [-d]: *(v)* σέρνω τα πόδια || ανακατεύω || *(n)* σύρσιμο || ανακάτεμα
shun (ʃun) [-ned]: *(v)* αποφεύγω
shut (ʃʌt) [shut, shut]: *(v)* κλείνω || *(n)* κλείσιμο || ~ **eye**: *(n)* υπνάκος || ~ **off**: *(n)* διακόπτης || διακοπή || **~ter**: *(n)* παραθυρόφυλλο
shy (ʃai): *(adj)* συνεσταλμένος
sibling (΄sibling): *(n)* αδελφός ή αδελφή
sick (sik): *(adj)* άρρωστος, ασθενής || ναυτιών, ζαλισμένος πολύ || αηδιαστικός || αηδιασμένος || έχων τάση προς εμετό || **~en** [-ed]: *(v)* αρρωσταίνω || αηδιάζω || **~ening**: *(adj)* αηδιαστικός|| **~ness**: *(n)* ασθένεια || ναυτία, αηδία, ζάλη
sickle (΄sikəl): *(n)* δρεπάνι
side (said): *(n)* πλευρά || *(adj)* πλευρικός || ~ **board**: *(n)* μπουφές || ~ **burns**: *(n)* μακριές φαβορίτες || ~ **splitting**: *(adj)* που σπάει τα πλευρά || ~ **step** [-ped]: *(v)* παραμερίζω || υπεκφεύγω || ~ **walk**: *(n)* πεζοδρόμιο
sidle (΄saidl) [-d]: *(v)* || προσεγγίζω δουλικά ή κολακευτικά
siege (si:dz): *(n)* πολιορκία
sieve (siv) [-d]: *(v)* κοσκινίζω || *(n)* κόσκινο
sift (sift) [-ed]: *(v)* διαχωρίζω, ξεχωρίζω || κοσκινίζω
sigh (sai) [-ed]: *(v)* αναστενάζω || *(n)* στεναγμός
sight (sait): *(n)* όραση || θέα, θέαμα || αξιοθέατο || στόχαστρο || [-ed]: *(v)* βλέπω || σκοπεύω || **~less**: *(adj)* αόμματος || **~ly**: *(adj)* ευχάριστος, ευπαρουσίαστος || **~seeing**: *(n)* περιοδεία στα αξιοθέατα
sign (sain): *(n)* σημείο || σήμα || νεύμα || πινακίδα || [-ed]: *(v)* υπογράφω || ~ **board**: *(n)* ταμπέλα
signal (΄signəl): *(n)* σήμα || σύνθημα || [-ed]: *(v)* κάνω σημείο, κάνω σύνθημα
signature (΄signətʃur): *(n)* υπογραφή
signif-icance (sig΄nifikəns) **~icancy**:

(n) σπουδαιότητα || σημασία || **~icant**: *(adj)* σημαντικός, σπουδαίος || **~y** (ˊsignəfai) [-ied]: *(v)* σημαίνω
silen-ce (ˊsailəns): *(n)* σιωπή, σιγή || ησυχία || [-d]: *(v)* σιωπώ || **~t**: *(adj)* σιωπηλός || βουβός, άλαλος
silhouette (silu:ˊet): *(n)* περίγραμμα, "σιλουέττα"
silk (silk): *(n)* μετάξι || *(adj)* μεταξωτός || **~en**: *(adj)* μεταξωτός || μεταξένιος, απαλός || **~ worm**: *(n)* μεταξοσκώληκας || **~y**: *(adj)* μεταξένιος
sill (sil): *(n)* περβάζι
sil-ly (ˊsili:): *(adj)* ανόητος, χαζός || **~liness**: *(n)* ανοησία
silo (ˊsailou): *(n)* αναρροφητήρας, "σιλό"
silt (silt): *(n)* πρόσχωση || λάσπη
silver (ˊsilvər): *(n)* άργυρος, ασήμι || *(adj)* ασημένιος || **~ware**: *(n)* ασημικά || **~y**: *(adj)* ασημένιος
simil-ar (ˊsimilər): *(adj)* όμοιος || **~arity, ~itude**: *(n)* ομοιότητα
simmer (ˊsimər) [-ed]: *(v)* σιγοβράζω
simpl-e (ˊsimpəl): *(adj)* απλός || απλοϊκός || **~eton** (ˊsimpltən): *(n)* βλάκας, ανόητος || **~icity** (simˊplisəti:): *(n)* απλότητα || απλοϊκότητα || **~ify** (ˊsimplifai) [-ied]: *(v)* απλοποιώ || **~ification** (simpləfiˊkeiʃən): *(n)* απλοποίηση, απλούστευση
simu-lacrum (simjəˊleikrəm): *(n)* ομοίωμα || **~late** [-d]: *(v)* προσποιούμαι
simultaneous (saiməlˊteini:əs): *(adj)* ταυτόχρονος || **~ly**: *(adv)* ταυτόχρονα
sin (sin): *(n)* αμαρτία || [-ned]: *(v)* αμαρτάνω || **~ner**: αμαρτωλός
since (sins): *(adv)* έκτοτε, από τότε || πριν, στα παλιά || *(prep)* από || *(conj)* από τότε || αφού
sincer-e (sinˊsiər): *(adj)* ειλικρινής || **~ity**: *(n)* ειλικρίνεια
sinecur-e (ˊsainəkjur, ˊsinəkjur): *(n)* αργομισθία
sinew (ˊsinju:): *(n)* τένοντας || δύναμη || **~y**: *(adj)* νευρώδης
sing (siŋ) [sang, sung]: *(v)* τραγουδώ || **~er**: *(n)* τραγουδιστής
singe (sindz) [-d]: *(v)* καψαλίζω
singer: see sing
single (ˊsiŋgəl): *(adj)* απλούς, μονός || άγαμος || **~-breasted**: *(adj)* μονόπετο || **~ handed**: *(adj)* χρησιμοποιώντας το ένα χέρι || **~ minded**: *(adj)* με ένα μοναδικό σκοπό || **~ out**: *(v)* επιλέγω
singular (ˊsiŋgjələr): *(adj)* ξεχωριστός, μοναδικός || *(n)* ενικός αριθμός
sinister (ˊsinistər): *(adj)* κακός, διαβολικός
sink (siŋk) [sank, sunk or sunken]: *(v)* βυθίζω || βυθίζομαι || σκάβω, διατρυπώ || επενδύω || καταστρέφομαι, "βουλιάζω" || *(n)* νεροχύτης
sinner: see sin
sip (sip) [-ped]: *(v)* ρουφώ || *(n)* ρουφηξιά, γουλιά
siphon (ˊsaifən): *(n)* σίφωνας || [-ed]: *(v)* μεταγγίζω με σίφωνα
sir (sə:r): *(n)* κύριε || Σέρ (τίτλος)
siren (ˊsairən): *(n)* σειρήνα
sirloin (ˊsə:rloin): *(n)* φιλέτο, κόντρα φιλέτο
sirocco (siˊrəkou): *(n)* νότιος ή νοτιοανατολικός άνεμος, σιρόκος
sister (ˊsistər): *(n)* αδελφή || **~hood**: *(n)* αδελφότητα || **~-in-law**: *(n)* νύφη από αδελφό || γυναικαδέλφη, κουνιάδα
sit (sit) [sat, sat]: *(v)* κάθομαι || **~ting room**: *(n)* καθημερινό δωμάτιο
site (sait): *(n)* τοποθεσία, θέση
situat-e (ˊsitʃu:eit) [-d]: *(v)* θέτω, τοποθετώ || **~ion** (sitʃu:ˊeiʃən): *(n)* θέση || τοποθεσία || κατάσταση
six (siks): *(n)* έξι || **~teen**: *(n)* δεκαέξι || **~teenth**: *(n & adj)* δέκατος έκτος || **~th**: *(n & adj)* έκτος || **~tieth**: *(n & adj)* εξηκοστός || **~ty**: εξήντα
siz-able, ~ eable (ˊsaizəbəl): *(adj)* ογκώδης, μεγάλος || **~e**: *(n)* μέγεθος, διάσταση || κόλλα || μέγεθος, νούμερο || **~e up**: *(v)* εκτιμώ, υπολογίζω
sizzle (ˊsizəl) [-d]: *(v)* σιγοσφυρίζω, τσιτσιρίζω || σιγοβράζω από θυμό || *(n)* σιγοσφύριγμα, τσιτσίρισμα
skat-e (skeit) [-d]: *(v)* παγοδρομώ || *(n)* παγοπέδιλο || πατίνι || **~ing rink**: *(n)* πίστα παγοδρομίας, πίστα πατινάζ
skele-tal (ˊskelətəl): *(adj)* σκελετω-

μένος || ~**ton**: *(n)* σκελετός
skeptic (΄skeptik): *(n)* σκεπτικιστής || ~**al**: *(adj)* αμφίβολος || δύσπιστος || ~**ism**: *(n)* σκεπτικισμός
sketch (sketʃ): *(n)* πρόχειρο σχέδιο, ''σκίτσο'' || μικρό μονόπρακτο, ''σκετς'' || [-ed]: *(v)* ιχνογραφώ, ''σκιτσάρω'', φτιάνω το σκίτσο || ~**y**: *(adj)* προχειροσχεδιασμένος || όχι πλήρης
skewer (΄skju:ər): *(n)* σούβλα || σουβλάκι
ski (ski:): *(n)* χιονοπέδιλο, ''σκι'' || [-ed]: *(v)* χιονοδρομώ, κάνω ''σκι'' || ~**er**: *(n)* χιονοδρόμος, ''σκιέρ''
skid (skid) [-ded]: *(v)* γλυστρώ προς τα πλάγια, ''ντελαπάρω'' || *(n)* πλάγιο γλίστρημα, ''ντελαπάρισμα'' || ανασταλτικό πέδιλο
skill (skil): *(n)* ικανότητα, δεξιοτεχνία || ~**ed**: *(adj)* ειδικευμένος || επιδέξιος || ~**ful**: *(adj)* επιδέξιος, ικανός
skillet (΄skilit): *(n)* τηγάνι
skim (skim) [-med]: *(v)* ξαφρίζω || χτυπώ ή ρίχνω ξυστά || ~**milk**: *(n)* γάλα αποβουτυρωμένο || ~ **over**, ~ **through**: *(v)* διαβάζω ή κοιτάζω γρήγορα και πρόχειρα, ''περνώ'' βιαστικά
skin (skin): δέρμα || φλοιός, κέλυφος, || [-ned]: *(v)* γδέρνω || ~-**deep**: *(adj)* επιφανειακός || ~ **flint**: *(n)* τσιγκούνης
skip (skip) [-ped]: *(v)* αναπηδώ || παραλείπω, ''πηδώ'' || φεύγω βιαστικά || *(n)* χοροπήδημα || παράλειψη, ''πήδημα''
skipper (΄skipər): *(n)* κυβερνήτης πλοίου, καπετάνιος
skirmish (΄skə:rmiʃ) [-ed]: *(v)* αψιμαχώ || *(n)* αψιμαχία
skirt (skə:rt): *(n)* φούστα || [-ed]: *(v)* περιβάλλω, σχηματίζω όριο || περιτρέχω
skit (skit): *(n)* κωμικό θεατρικό σκετς || παρωδία
skittish (΄skitiʃ): *(adj)* ευερέθιστος || ντροπαλός
skulk (skʌlk) [-ed]: *(v)* ενεδρεύω || αποφεύγω δουλειά
skull (skʌl): *(n)* κρανίο
sky (skai): *(n)* ουρανός || ~ **jack** [-ed]: *(v)* κάνω αεροπειρατεία || ~**jacker**: *(n)* αεροπειρατής || ~**lark** [-ed]: *(v)* γλεντοκοπώ || ~**light**: *(n)* φεγγίτης || ~**line**: *(n)* ορίζοντας || σιλουέτα αντικειμένου ή βουνού με φόντο τον ουρανό || ~**scraper**: *(n)* ουρανοξύστης
slab (slæb): *(n)* πλάκα
slack (slæk): *(adj)* χαλαρός || αδρανής || χαλαρότητα, ''λάσκα'' || [-ed]: *(v)* see slake || χαλαρώνω || αδρανώ || ~**en** [-ed]: *(v)* χαλαρώνω || χαμηλώνω, μετριάζω || χαλαρώνομαι || ~**ness**: *(n)* χαλαρότητα || νωθρότητα || πτώση || ~**s**: *(n)* σπορ παντελόνι
slag (slæg): *(n)* κατάλοιπο μετάλλου, σκουριά
slake (sleik) [-d]: *(v)* σβήνω || μετριάζω
slam (slæm) [-med]: *(v)* χτυπώ με δύναμη || πετάω ή ρίχνω με δύναμη και κρότο || *(n)* βρόντος, χτύπημα δυνατό
slander (΄slændər) [-ed]: *(v)* συκοφαντώ || *(n)* συκοφαντία
slang (slæŋg): *(n)* λεξιλόγιο λαϊκών, κοινών εκφράσεων είτε χυδαίων είτε του υποκόσμου, ''αργκό''
slant (slænt) [-ed]: κλίνω, δίνω κλίση || || *(n)* κλίση
slap (slæp) [-ped]: *(v)* μπατσίζω, χαστουκίζω || *(n)* μπάτσος, χαστούκι || ~**dash**: *(adj)* βιαστικός και απρόσεκτος || *(adv)* απρόσεκτα, πρόχειρα || ~**jack**: *(n)* τηγανίτα
slash (slæʃ) [-ed]: *(v)* χτυπώ με βίαιες κινήσεις || αποκόπτω, ''πετσοκόβω'' || *(n)* δυνατό, βίαιο χτύπημα || κόψιμο,
slate (sleit): *(n)* σχιστόλιθος || αβάκιο, ''πλάκα'' μαθητή
slaughter (΄slɔ:tər) [-ed]: *(v)* σφάζω || σφαγιάζω, κάνω μακελειό || *(n)* σφαγή || ~**er**: *(n)* σφαγέας || ~**ous**: *(adj)* σφαγιαστικός || ~**house**: *(n)* σφαγείο
Slav (sla:v): *(n)* Σλάβος || ~**ic**: *(adj)* σλαβικός || ~**ism**: *(n)* Σλαβισμός
slav-e (sleiv): *(n)* σκλάβος || δούλος || [-d]: *(v)* δουλεύω σα σκλάβος, δουλεύω σκληρά || ~**ery**: *(n)* σκλαβιά, δουλεία
slay (slei) [slew, slain]: *(v)* σκοτώνω || σφάζω
sled (sled): *(n)* μικρό έλκηθρο || ~**ge** (sledz): *(n)* έλκηθρο || ~**ge**-

hammer: *(n)* μεγάλο βαρύ σφυρί, βαριά
sleek (sli:k): *(adj)* απαλός ‖ περιποιημένος ‖ ψευτοευγενής
sleep (sli:p) [slept, slept]: *(v)* κοιμάμαι ‖ *(n)* ύπνος ‖ **~iness**: *(n)* νύστα ‖ **~ing car**: *(n)* κλινάμαξα, "βαγκόν-λι" ‖ **~y**: *(adj)* νυσταγμένος ‖ κοιμισμένος
sleet (sli:t): *(n)* χιονόνερο
sleeve (sli:v): *(n)* μανίκι
sleigh (slei): *(n)* έλκηθρο
sleight (slait): *(n)* επιδεξιότητα ‖ κόλπο ‖ **~ of hand**: *(n)* ταχυδακτυλουργία
slender (΄slendər): *(adj)* λεπτοκαμωμένος, λεπτός ‖ ισχνός
slept: see sleep
slice (slais): *(n)* φέτα ‖ μερίδιο, κομμάτι ‖ [-d]: *(v)* κόβω σε φέτες ‖ τεμαχίζω
slick (slik): *(adj)* γλιστερός ‖ πονηρός, δόλιος ‖ [-ed]: *(v)* γυαλίζω
slid-e (slaid) [slid, slid]: *(v)* κατολισθαίνω ‖ γλιστρώ ‖ *(n)* κατολίσθηση ‖ γλίστρημα ‖ φωτ. διαφάνεια, "σλάιντ" ‖ **~ing door**: *(n)* συρταρωτή πόρτα
slight (slait): *(adj)* μικροσκοπικός ‖ ασήμαντος ‖ λεπτοκαμωμένος ‖ [-ed]: *(v)* ενεργώ με αμέλεια ‖ θίγω, υποτιμώ ‖ *(n)* υποτίμηση, προσβολή
slim (slim): *(adj)* λεπτός ‖ μικρός, πενιχρός ‖ [-med]: *(v)* λεπτύνω
slim-e (slaim): *(n)* βόρβορος, λάσπη
sling (sliŋ): *(n)* σφενδόνη ‖ κρεμαστός επίδεσμος ή στήριγμα του μπράτσου, κρεμαστάρι ‖ [slung, slung]: *(v)* εκσφενδονίζω ‖ **~shot**: *(n)* σφενδόνα παιδική, "λάστιχο"
slip (slip) [-ped]: *(v)* ολισθαίνω ‖ γλιστρώ, παραπατώ ‖ *(n)* γλίστρημα ‖ ολίσθημα, παρεκτροπή ‖ κομπινεζόν, μισοφόρι ‖ **~over**: *(n)* πουλόβερ ή μπλούζα χωρίς κουμπιά ‖ **~per**: *(n)* παντόφλα ‖ **~pery**: *(adj)* ολισθηρός, γλιστερός ‖ **~shod**: *(adj)* κακοφτιαγμένος ‖ ακατάστατος
slit (slit) [-ted]: *(v)* κάνω τομή ‖ κόβω, σχίζω ‖ *(n)* σχισμή ‖ κόψιμο
slither (΄sliðər) [-ed]: *(v)* γλιστρώ
sliver (΄slivər):*(n)* κομματάκι
slob (sləb): *(n)* αντιπαθητικός ή βρόμικος άνθρωπος
slog (sləg) [-ged]: *(v)* περπατώ βαριά ‖ δουλεύω σκληρά ‖ *(n)* σκληρή και παρατεταμένη δουλειά, αγγαρεία
slogan (΄slougən): *(n)* σύνθημα
slop (sləp) [-ped]: *(v)* πιτσιλίζω, ξεχύνομαι ‖ ξεχειλίζω ‖ *(n)* ‖ αποφάγια ‖ **~py**: *(adj)* λασπωμένος ‖ νερουλιασμένος, νερομπούλικος ‖ ακατάστατος
slop-e (sloup) [-d]: *(v)* κλίνω, ‖ κατηφορίζω ‖ ανηφορίζω ‖ *(n)* κλιτύς, πλαγιά ‖ κλίση
slop-py: see slop
slot (slət): *(n)* εγκοπή ‖ σχισμή ‖ [-ted]: *(v)* κάνω εντομή ‖ **~machine**: *(n)* αυτόματη μηχανή πωλήσεων ή τυχερών παιχνιδιών
slouch (slautʃ) [-ed]: *(v)* περπατώ ή στέκομαι σκυφτός και άχαρος ‖ *(n)* άχαρη ή σκυφτή στάση
sloven (΄slʌvən): *(n)* τσαπατσούλης ‖ **~ly**: *(adj)* τσαπατσούλικος
slow (slou): *(adj)* βραδύς, σιγανός ‖ χοντροκέφαλος, "αργόστροφος" ‖ [-ed]: *(v)* βραδύνω ‖ **~ down**: επιβραδύνω ‖ **~ly**: *(adv)* αργά, σιγανά ‖ **~ witted**: *(adj)* χαζός, καθυστερημένος
sludge (slʌdz): *(n)* βόρβορος, λάσπη
slug (slʌg): *(n)* σφαίρα ‖ γυμνοσάλιαγκας ‖ **~gard**: *(n)* τεμπέλης ‖ **~gish**: *(adj)* αδρανής ‖ νωθρός
sluice (slu:s): *(n)* υδατοφράκτης ‖ δικλείδα, θυρίδα
slum (slʌm): *(n)* φτωχογειτονιά
slumber (΄slʌmbər) [-ed]: *(v)* κοιμάμαι ‖ *(n)* ύπνος
slump (slʌmp) [-ed]: *(v)* γλιστρώ ή πέφτω ξαφνικά ή απότομα ‖ *(n)* πτώση
slur (slə:r) [-red]: *(v)* προφέρω όχι καθαρά ‖ μιλώ περιφρονητικά ‖ *(n)* περιφρονητική παρατήρηση, ύβρη
slush (slʌʃ): *(n)* λασπόχιονο, λιωμένο χιόνι με λάσπη
slut (slʌt): *(n)* βρομιάρα, βρομογυναίκα
sly (slai): *(adj)* πονηρός ‖ ύπουλος ‖ **~ness**: *(n)* πονηρία, πανουργία ‖ υπουλότητα
smack (smæk) [-ed]: *(v)* πλαταγίζω τα χείλη ‖ χτυπώ ‖ *(n)* πλατάγισμα ‖ δυνατό χτύπημα
small (smə:l): *(adj)* μικρός ‖ **~ change**: *(n)* ψιλά ‖ **~ fry**: *(n)* ψα-

ράκια || παϊδάκια || λαουτζίκος, οι ''μικροί'' || **~ish**: *(adj)* μικρούτσικος || **~pox**: *(n)* ευλογιά
smalt (smə:lt): *(n)* σμάλτο
smart (sma:rt) [-ed]: *(v)* τσούζω || πονώ, υποφέρω || *(n)* τσούξιμο, ''σουβλιά'' || *(adj)* έξυπνος, οξύνους || μοντέρνος, κομψός || **~ness**: *(n)* εξυπνάδα || κομψότητα
smash (smæʃ) [-ed]: *(v)* συντρίβω || *(n)* συντριβή || σύγκρουση || καταπληκτική επιτυχία *(id)* || **~ing**: *(adj)* συντριπτικός || καταπληκτικός, εξαιρετικός *(id)*
smatter (΄smætər) [-ed]: *(v)* μιλώ ''σπασμένα'', μιλώ με δυσχέρεια || προχειρομελετώ ή προχειροεξετάζω || **~ing**: *(n)* πρόχειρη ή επιπόλαιη γνώση
smear (smiər) [-ed]: *(v)* αλείβω || κηλιδώνω || *(n)* κηλίδα, λεκές
smell (smel) [-ed]: *(v)* οσφραίνομαι || μυρίζω, αναδίνω μυρωδιά || *(n)* οσμή, μυρωδιά || όσφρηση
smelt (smelt) [-ed]: *(v)* τήκω, λιώνω || *(n)* μαρίδα
smil-e (smail) [-d]: *(v)* χαμογελώ || *(n)* χαμόγελο
smirk (smə:rk) [-ed]: *(v)* κρυφογελώ || χαμογελώ κοροϊδευτικά ή περιφρονητικά || *(n)* ψεύτικο χαμόγελο, κρυφό χαμόγελο
smith (smith): *(n)* σιδηρουργός, σιδεράς
smock (smək): *(n)* ποδιά ή μπλούζα εργασίας
smog (sməg): *(n)* ομιχλόκαπνος, ομίχλη και καπνιά [smoke and fog]
smok-e (smouk) [-d]: *(v)* καπνίζω || *(n)* καπνός || κάπνισμα || **~er**: *(n)* καπνιστής || **~estack**: *(n)* φουγάρο
smolder (΄smouldər) [-ed]: *(v)* σιγοκαίω, κρυφοκαίω
smooth (smu:δ): *(adj)* λείος, ομαλός || μαλακός || [-ed]: *(v)* εξομαλύνω || **~ness**: *(n)* ομαλότητα || απαλότητα
smother (΄smʌδər) [-ed]: *(v)* πνίγω || καταπνίγω
smoulder: see smolder
smudge (smʌdz) [-d]: *(v)* λερώνω, μουντζουρώνω
smuggle (΄smʌgəl) [-d]: *(v)* κάνω λαθρεμπόριο || **~r**: *(n)* λαθρέμπορος
snack (snæk) [-ed]: *(v)* κολατσίζω || *(n)* κολατσιό
snag (snæg) [-ged]: *(v)* εμποδίζω|| *(n)* εμπόδιο || σκίσιμο ή τράβηγμα σε ύφασμα
snail (sneil): *(n)* σαλιγκάρι
snake (sneik): *(n)* φίδι
snap (snæp) [-ped]: *(v)* πλαταγίζω || σπάζω απότομα || μιλώ απότομα|| τραβώ φωτογραφία || *(n)* πλατάγισμα || απότομο ή θορυβώδες σπάσιμο || δαγκωνιά || τράβηγμα φωτογραφίας, στιγμιότυπο || **~per**: *(n)* δαγκανιάρης || λυθρίνι || **~py**: *(adj)* ζωηρός|| δηκτικός || **~ shot**: *(n)* στιγμιότυπο, ''ενσταντανέ''
snare (sneər) [-d]: *(v)* παγιδεύω || *(n)* παγίδα
snarl (sna:rl) [-ed]: *(v)* γρυλίζω || *(n)* γρύλισμα
snatch (snætʃ) [-ed]: *(v)* αρπάζω || *(n)* άρπαγμα,|| μικρό κομμάτι
sneak (sni:k) [-ed]: *(v)* κινούμαι ή φέρομαι ύπουλα ή κρυφά || *(n & adj)* ύπουλος, δόλιος || **~ers**: *(n)* παπούτσια του τένις
sneer (sniər) [-ed]: *(v)* ειρωνεύομαι, κοροϊδεύω || μιλώ ή φέρομαι περιφρονητικά || *(n)* ειρωνεία, κοροϊδία || περιφρονητική ομιλία ή μορφασμός
sneeze (sni:z) [-d]: *(v)* φτερνίζομαι || *(n)* φτέρνισμα
snicker (΄snikər) [-ed]: *(v)* γελώ πνιχτά, κοροϊδευτικά ή περιφρονητικά
snide (snaid): *(adj)* σαρκαστικός, περιφρονητικός
sniff (snif) [-ed]: *(v)* ρουφώ από τη μύτη || ξεφυσώ περιφρονητικά ή σαρκαστικά || *(n)* μύρισμα, μυρουδιά || περιφρονητικό ή σαρκαστικό ξεφύσημα
snip (snip) [-ped]: *(v)* αποκόπτω || ψαλιδίζω || *(n)* ψαλίδισμα || εύκολη δουλειά
snipe (snaip) [-d]: *(v)* πυροβολώ από ενέδρα || *(n)* μπεκάτσα || **~r**: *(n)* ελεύθερος σκοπευτής
snivel (΄snivəl) [-ed]: *(v)* κλαψουρίζω || παραπονιέμαι
snob (snəb): *(n)* ψευτοαριστοκράτης, ''σνομπ'' || **~bery**: *(n)* σνομπισμός || **~bish**: *(adj)* ψευτοαριστοκρατικός, ''σνομπ'' || **~ bism**: *(n)* σνομπισμός
snoop (snu:p) [-ed]: *(v)* κατασκο-

πεύω, ''χώνω τη μύτη μου'' ‖ **~er**: *(n)* χαφιές ‖ **~y**: *(adj)* περίεργος, που χώνει τη μύτη του
snooty (΄snu:ti:): *(adj)* ψωροπερήφανος
snooze (snu:z) [-d]: *(v)* ελαφροκοιμάμαι, παίρνω υπνάκο ‖ *(n)* μικρός υπνάκος
snor-e (snɔ:r) [-d]: *(v)* ροχαλίζω ‖ *(n)* ροχαλητό
snorkel (΄snɔ:rkəl): *(n)* εξαεριστήρας υποβρυχίου ‖ αναπνευστική συσκευή
snort (snɔ:rt) [-ed]: *(v)* ρουθουνίζω ‖ *(n)* ρουθούνισμα'
snot (snɔt): *(n)* μύξα ‖ **~ty**: *(adj)* μυξιάρης, μυξωμένος ‖ ψηλομύτης
snout (snaut): *(n)* ρύγχος ‖ ακροφύσιο
snow (snou): *(n)* χιόνι ‖ [-ed]: *(v)* χιονίζω ‖ **~bank, ~drift**: *(n)* χιονοστιβάδα‖ **~flake**: *(n)* νιφάδα χιονιού
snub (snʌb) [-bed]: *(v)* φέρομαι ή μιλώ υποτιμητικά ή περιφρονητικά ‖ αποκρούω ‖ επιπλήττω ‖ *(n)* περιφρόνηση ‖ επίπληξη ‖ **~-nosed**: *(adj)* πλατσομύτης ‖ με ανασηκωμένη μύτη
snuff (snʌf) [-ed]: *(v)* ρουφώ από τη μύτη ‖ *(n)* ταμπάκος ‖ **~ out**: *(v)* σβήνω λάμπα, κερί ή καντήλι ‖ **~ box**: *(n)* ταμπακιέρα
snug (snʌg) ‖ *(adj)* βολικός, άνετος, ζεστός
so (sou): *(adv)* ούτως, έτσι ‖ τόσο ‖ **~ long**: χαίρετε, αντίο ‖ **~-and-so**: τάδε, δείνας ‖ **~-called**: *(adj)* ο λεγόμενος, ο ονομαζόμενος, ο δήθεν
soak (souk) [-ed]: *(v)* διαβρέχω ‖ μουσκεύω ‖ *(n)* εμποτισμός ‖ διαποτισμός ‖ **~ing wet**: μούσκεμα ως το κόκαλο
soap (soup): *(n)* σαπούνι ‖ [-ed]: *(v)* σαπουνίζω ‖ **~ opera**: δακρύβρεχτο μελό
soar (sɔ:r) [-ed]: *(v)* ανεβαίνω ψηλά
sob (sɔb) [-bed]: *(v)* κλαίω με λυγμούς ‖ *(n)* λυγμός
sober (΄soubər): *(adj)* εγκρατής ‖ νηφάλιος
sobriety (sou΄braiəti:): *(n)* νηφαλιότητα
soccer (΄sɔkər): *(n)* ποδόσφαιρο
soci-ability (souʃə΄biləti:): *(n)* κοινωνικότητα ‖ **~able** (΄souʃəbəl): *(adj)* κοινωνικός ‖ **~al** (΄souʃəl): *(adj)* κοινωνικός‖ **~alism**: *(n)* σοσιαλισμός ‖ **~alist**: *(n)* σοσιαλιστής ‖ **~ety** (sə΄saiəti:): *(n)* κοινωνία ‖ εταιρεία, σύνδεσμος ‖ **~ology** (sousi:΄ələdzi:): *(n)* κοινωνιολογία
sock (sɔk) [-ed]: *(v)* δίνω γροθιά ‖ *(n)* γροθιά, χτύπημα ‖ κάλτσα κοντή
socket (΄sɔkit): *(n)* υποδοχή ‖ πρίζα
soda (΄soudə): *(n)* σόδα
sodden (΄sɔdn): *(adj)* μουσκεμένος
sofa (΄soufə): *(n)* καναπές
soft (sɔft): *(adj)* μαλακός ‖ απαλός ‖ σιγανός, χαμηλόφωνος‖ **~-boiled**: *(adj)* μελάτο (αυγό) ‖ **~drink**: *(n)* μη οινοπνευματώδες αναψυκτικό ποτό ‖ **~en** [-ed]: *(v)* μαλακώνω
soggy (΄sɔgi:): *(adj)* μουσκεμένος
soil (soil): *(n)* έδαφος ‖ χώμα ‖ [-ed]: *(v)* λερώνω
solace (΄sɔlis) [-d]: *(v)* παρηγορώ ‖ *(n)* παρηγοριά
solder (΄sɔdər) [-ed]: *(v)* συγκολλώ ‖ *(n)* συγκόλληση
soldier (΄souldzər): *(n)* στρατιώτης
sole (soul): *(adj)* μόνος‖ *(n)* γλώσσα (ψάρι) ‖ πέλμα ‖ σόλα
solemn (΄sɔləm): *(adj)* σοβαρός ‖ επίσημος ‖ **~ity**: *(n)* σοβαρότητα ‖ επισημότητα
solicit (sə΄lisit) [-ed]: *(v)* κάνω τον ''πλασιέ'', ''πλασάρω'' ‖ επικαλούμαι, ζητώ ‖ κάνω τον προαγωγό ‖ **~or**: *(n)* ''πλασιέ'' ‖ (British) δικηγόρος κατώτερου δικαστηρίου
solid (΄sɔlid): *(n)* στερεό ‖ *(adj)* στερεός, συμπαγής ‖ **~arity**: *(n)* αλληλεγγύη ‖ **~ify** (sə΄lidifai) [-ied]: *(v)* στερεοποιώ ‖ στερεοποιούμαι
soli-taire (΄sɔləteər): *(n)* μονόπετρο κόσμημα ‖ πασιέντσα (χαρτιά) ‖ **~tary**: *(adj)* μόνος, μοναχικός ‖ **~tude** (΄sɔlitu:d): *(n)* μοναξιά ‖ απομόνωση
solo (΄soulou): *(n)* μονωδία, ''σόλο''
so long: see so
solstice (΄sɔlstis): *(n)* ηλιοστάσιο
solu-bility (sɔljə΄biləti:): *(n)* διαλυτότητα ‖ **~ble**: *(adj)* διαλυτός ‖ **~tion** (sə΄lu:ʃən): *(n)* διάλυση ‖ λύση
solv-able (΄sɔlvəbəl): *(adj)* λυτός, που έχει λύση ‖ **~e** [-d]: *(v)* λύω ‖ **~ent** (΄sɔlvənt): *(adj)* διαλυτικός ‖

αξιόχρεος, φερέγγυος
somber (΄səmbər): *(adj)* μελαγχολικός
some (sʌm): *(adj)* μερικοί ‖ κάποιος, κάποιοι ‖ **~body, ~one**: *(pron)* κάποιος ‖ **~how**: *(pron)* κάπως, κατά κάποιο τρόπο ‖ **~thing**: *(pron)* κάτι ‖ **~time**: *(adv)* κάποτε, κάποια μέρα‖ **~times**: *(adv)* πότε-πότε, κάπου-κάπου ‖ **~what**: *(adv)* κάπως ‖ **~where**: *(adv)* κάπου
somersault (΄sʌmərsə:lt) [-ed]: *(v)* κάνω τούμπα ‖ *(n)* τούμπα
some-thing, ~time, ~times, ~way, ~what, ~where: see some
somnambu-lism (səm΄næmbjəlizəm): *(n)* υπνοβασία ‖ **~list**: *(n)* υπνοβάτης
son (sʌn): *(n)* γιός ‖ **~in-law**: *(n)* γαμπρός
song (sə:ŋ): *(n)* τραγούδι
son-in-law: see son
sonnet (΄sənit): *(n)* σονέτο
soon (su:n): *(adv)* σύντομα ‖ νωρίς‖ **~er**: καλύτερα, προτιμότερα ‖ συντομότερα ‖ **as ~ as**: μόλις
soot (sut): *(n)* αιθάλη, κάπνα
sooth-e (su:θ) [-d]: *(v)* καταπραΰνω ‖ παρηγορώ ‖ **~ing**: *(adj)* καταπραΰντικός
sophist (΄səfist): *(n)* σοφιστής ‖ **~icated**: *(adj)* γνώστης, έμπειρος, του κόσμου ‖ πολύπλοκος, τελειοποιημένος ‖ **~ication**: *(n)* γνώση του κόσμου, εμπειρία
sophomore (΄səfəmə:r): *(n)* δευτεροετής φοιτητής
sopor (΄soupə:r): *(n)* νάρκη, βαθύς ύπνος ‖ **~iferous, ~ific**: *(adj)* υπνωτικός, ναρκωτικός
soprano (sə΄prænou): *(n)* υψίφωνος, ''σοπράνο''
sorcer-er (΄sə:rsərər): *(n)* μάγος ‖ **~ess**: *(n)* μάγισσα ‖ **~y**: *(n)* μαγεία
sordid (΄sə:rdid): *(adj)* βρομερός ‖ καταθλιπτικός, άθλιος ‖ χυδαίος ‖ τσιγκούνης
sore (sə:r): *(adj)* πονεμένος ‖ θυμωμένος ή προσβεβλημένος ‖ *(n)* τραύμα, πληγή ‖ έλκος ‖ **~ throat**: *(n)* πονόλαιμος
sor-row (΄sə:rou): *(n)* λύπη, θλίψη ‖ **~rowful**: *(adj)* λυπημένος, θλιμμένος ‖ **~ry** (΄səri:): *(adj)* λυπημένος ‖ θλιβερός, πενιχρός ‖ **~ry !**: συγνώμη ! .
sort (sə:rt): *(n)* είδος ‖ [-ed]: *(v)* ταξινομώ ‖ **~ out**: *(v)* ξεχωρίζω ‖ τακτοποιώ
sought: see seek
soul (soul): *(n)* ψυχή ‖ **~ful**: *(adj)* πολύ αισθηματικός
sound (saund): *(adj)* αβλαβής ‖ υγιής ‖ στερεός ‖ λογικός, ορθός ‖ *(n)* ήχος ‖ πορθμός ‖ [-ed]: *(v)* ηχώ, αντηχώ ‖ βυθομετρώ ‖ βολιδοσκοπώ ‖ **~proof**: *(adj)* αντιηχητικός, ηχομονωτικός
soup (su:p): *(n)* σούπα ‖ **in the ~**: σε μπελάδες ‖ **~ spoon**: *(n)* κουτάλι σούπας
sour (sauər): *(adj)* ξινός ‖ στριφνός ‖ [-ed]: *(v)* ξινίζω
source (sə:rs): *(n)* πηγή ‖ προέλευση
south (sauth): *(n)* νότος ‖ *(adj)* νότιος‖ **~east**: *(adj)* νοτιοανατολικός ‖ **~easter**: *(n)* νοτιοανατολικός άνεμος‖ **~er**: *(n)* νοτιάς ‖ **~ern**: *(adj)* νότιος ‖ **~ern lights**: *(n)* νότιο σέλας ‖ **~west**: *(adj)* νοτιοδυτικός ‖ **~wester**: *(n)* νοτιοδυτικός άνεμος
souvenir (su:və΄niər): *(n)* ενθύμιο, ''σουβενίρ''
sovereign (΄səvərən): *(n)* ηγεμόνας ‖ *(adj)* ανώτατος ‖ κυρίαρχος‖ **~t**: *(n)* ηγεμονία ‖ κυριαρχία ‖ ανεξαρτησία
soviet (΄souvi:et): *(adj)* σοβιετικός ‖ **S~ Union**: *(n)* Σοβιετική Ένωση
sow (sou) [-ed]: *(v)* σπέρνω ‖ *(n)* γουρούνα
spa (spa:): *(n)* ιαματική πηγή ‖ μέρος ιαματικών πηγών, λουτρόπολη
spac-e (speis): *(n)* διάστημα ‖ χώρος ‖ **~ecraft, ~evehicle, ~eship**: *(n)* διαστημόπλοιο ‖ **~eman**: *(n)* αστροναύτης ‖ **~ious**: *(adj)* ευρύχωρος
spade (speid): *(n)* σκαπάνη, τσάπα ‖ μπαστούνι τράπουλας
spaghetti (spə΄geti): *(n)* σπαγγέτο
Spain (spein): *(n)* Ισπανία
span (spæn): *(n)* άνοιγμα ‖ απόσταση ‖ περίοδος
Span-iard (΄spænjərd): *(n)* Ισπανός ‖ **~ish**: *(adj)* ισπανικός ‖ *(n)* ισπανική γλώσσα
spank (spæŋk) [-ed]: *(v)* ‖ ξυλίζω στον πισινό
spanner (΄spænər): *(n)* κλειδί περικοχλίων
spare (speər) [-d]: *(v)* φείδομαι ‖ φέρνομαι με επιείκεια ‖ μου πε-

ρισσεύει, διαθέτω || εξοικονομώ || *(adj)* εφεδρικός || περισσευούμενος, παραπανίσιος || ~**part**: *(n)* ανταλλακτικό || ~**wheel**: *(n)* ρεζέρβα, εφεδρικός τροχός
spark (spa:rk): *(n)* σπινθήρας || [-ed]: *(v)* σπινθηρίζω || ~ **plug**: *(n)* πώμα σπινθήρων, ''μπουζί''
sparkl-e (΄spa:rkəl) [-d]: *(v)* σπινθηροβολώ || αστράφτω || *(n)* σπινθήρας || λάμψη
sparling (΄spa:rliŋ): *(n)* μαρίδα
sparrow (΄spærou): *(n)* σπουργίτης
sparse (spa:rs): *(adj)* αραιός
spasm (΄spæzəm): *(n)* σπασμός || ~**odic**: *(adj)* σπασμωδικός
spatter (΄spætər) [-ed]: *(v)* πιτσιλίζω || *(n)* πιτσίλισμα, ράντισμα
spawn (spɔ:n): *(n)* αυγά ψαριών ή αμφιβίων || γενιά, γένος
speak (spi:k) [spoke, spoken]: *(v)* μιλώ || ~**er**: *(n)* ομιλητής || μεγάφωνο
spear (spiər): *(n)* δόρυ || λεπτό κοτσάνι || [-ed]: *(v)* τρυπώ με ακόντιο || πιάνω με αιχμηρό όργανο, πηρουνιάζω || ~**mint**: *(n)* δυόσμος
special (΄speʃəl): *(adj)* ειδικός || ιδιαίτερος || εξαιρετικός || ~ **delivery**: *(n)* επείγουσα ταχυδρομική αποστολή, ''εξπρές'' || ~**ist**: *(n)* ειδικός || ~**ity**: *(n)* ιδιαίτερο χαρακτηριστικό || ειδικότητα || ''σπεσιαλιτέ'' || ~**ize** (΄speʃəlaiz) [-d]: *(v)* ειδικεύομαι || ~**ty**: *(n)* ειδικότητα
specie (΄spi:ʃi:): *(n)* κέρμα || ~**s**: *(n)* είδος
specif-ic (spə΄sifik): *(adj)* ειδικός || ορισμένος || ~**ication** (spesifi΄keiʃən): *(n)* καθορισμός || ρήτρα || προδιαγραφή || ~**y** (΄spesifai) [-ied]: *(v)* καθορίζω, προσδιορίζω
specimen (΄spesəmən): *(n)* τύπος || δείγμα
speck (spek): *(n)* κόκκος || μόριο || κηλίδα || [-ed]: *(v)* κηλιδώνω || ~**le**: *(n)* βούλα, σημαδάκι
specta-cle (΄spektəkəl): *(n)* θέαμα || ~**cled**: *(adj)* διοπτροφόρος || ~**cles**: *(n)* γυαλιά || ~**cular** (spek΄tækjələr): *(adj)* θεαματικός || ~**tor** (΄spekteitər): *(n)* θεατής
spect-er (΄spektər), **spectre**: *(n)* φάντασμα
specula-te (΄spekjəleit) [-d]: *(v)* σκέπτομαι || κερδοσκοπώ
speech (spi:tʃ): *(n)* ομιλία, λόγος
speed (spi:d): *(n)* ταχύτητα || [~ ed or sped]: *(v)* σπεύδω || ~**boat**: *(n)* βενζινάκατος || ~**ometer**: *(n)* ταχύμετρο, δείκτης ταχύτητας
spell (spel) [-ed or spelt]: *(v)* γράφω ή λέω τα γράμματα μιας λέξης, λέω ή γράφω την ορθογραφία || αντικαθιστώ για λίγο || *(n)* μαγεία, γοητεία || μικρό χρονικό διάστημα || ~**bind** [~**bound**]: *(v)* γοητεύω, μαγεύω || ~**ing**: *(n)* ορθογραφία || ~ **out**: *(v)* ξεκαθαρίζω, διασαφηνίζω || αντιλαμβάνομαι
spelt: see spell
spend (spend) [spent, spent]: *(v)* δαπανώ|| εξαντλώ || περνώ || ~**thrift**: *(n)* σπάταλος
spent (spent): see spend || *(adj)* καταναλωμένος || εξαντλημένος
spew (spju:) [-ed]: *(v)* βγάζω ή πετώ με δύναμη || εξεμώ
spher-al (΄sfiərəl): *(adj)* συμμετρικός || σφαιροειδής || ~**e** (sfiər): *(n)* σφαίρα || ~**ical, ~ic**: *(adj)* σφαιρικός
sphinx (sfinks): *(n)* σφίγγα
spic-e (spais): *(n)* μπαχαρικό || πικάντικο άρωμα || [-d]: *(v)* καρυκεύω, βάζω μπαχαρικά || ~**y**: *(adj)* με μπαχαρικά, αρωματισμένος, νόστιμος || πικάντικος
spider (΄spaidər): *(n)* αράχνη
spigot (΄spigət): *(n)* πείρος || στρόφιγγα, κάνουλα
spike (spaik): *(n)* ήλος, μεγάλο καρφί || στάχυ || ~**s**: *(n)* αθλητικά παπούτσια με καρφιά
spill (spil) [-ed or spilt]: *(v)* χύνω || σκορπίζω || ~**age**: *(n)* χύσιμο || ρίξιμο
spin (spin) [spun or span, spun]: *(v)* περιδινούμαι || παραπατώ|| κλώθω, γνέθω || περιστρέφω || *(n)* περιδίνηση || στροφή || ~**dle**: *(n)* άτρακτος || αδράχτι || ~**ner**: *(n)* κλώστης, υφαντής || ~**ning wheel**: *(n)* ανέμη
spinach (΄spinitʃ): *(n)* σπανάκι
spin-al (΄spainəl): *(adj)* νωτιαίος || ~**al column**: *(n)* σπονδυλική στήλη || ~**al cord**: *(n)* νωτιαίος μυελός || ~**e** (spain): *(n)* σπονδυλική στήλη || αγκάθι
spin-dle: see under spin
spine: see spinal
spin-ner, ~ning: see under spin
spinster (΄spinstər): *(n)* γεροντοκόρη
spiral (΄spairəl): *(n)* σπείρα, έλικας

|| *(adj)* σπειροειδής
spire (spaiər): *(n)* πύργος || οβελίσκο
spirit (΄spirit): *(n)* πνεύμα || σθένος || οινόπνευμα, ''σπίρτο'' || ~ **away**: *(v)* απομακρύνω ή φυγαδεύω μυστηριωδώς ή κρυφά || ~**lessly**: *(adv)* άτονα, χωρίς ψυχή || χωρίς ενθουσιασμό || ~ **level**: *(n)* αεροστάθμη, ''αλφάδι'' || ~**ual** (΄spiritʃu:əl): *(adj)* πνευματικός || ~**ualism**: *(n)* πνευματισμός
spit (spit) [spat, spat]: *(v)* φτύνω || *(n)* φτύσιμο || σούβλα || ~**fire**: *(n)* ευέξαπτος || ~**ting image**: *(n)* παρόμοιος, ''ολόφτυστος'' || ~**tle**: *(n)* σάλιο || ~**toon**: *(n)* πτυελοδοχείο
spite (spait) [-d]: *(v)* πεισμώνω πικάρω || *(n)* κακία || ~**ful**: *(adj)* κακός || εκδικητικός || **in ~ of**: παρά, παρόλα αυτά
spit-fire, ~ting, ~tle, ~toon: see under spit
splash (splæʃ) [-ed]: *(v)* πιτσιλίζω || τσαλαβουτώ
spleen (spli:n): *(n)* σπλήνα || κακοκεφιά
splend-id (΄splendid): *(adj)* λαμπρός || έξοχος || ~**or, ~our**: *(n)* λαμπρότητα, αίγλη || μεγαλοπρέπεια
splice (splais) [-d]: *(v)* συνδέω, ενώνω
splint (splint): *(n)* νάρθηκας || ~**er**: *(n)* σχίζα, πελεκούδι
split (split) [-ted]: *(v)* σχίζω || σπάζω απότομα || διασπώ || μοιράζω|| *(n)* σχίσιμο || σχίσμα, διάσπαση || μερίδιο || σπάσιμο
splutter (΄splʌtər) [-ed]: *(v)* τραυλίζω, μιλώ συγκεχυμένα
spoil (spoil) [-ed]: *(v)* καταστρέφω, χαλώ || κακομαθαίνω|| ~**s**: *(n)* λεία, πλιάτσικο || ~**age**: *(n)* καταστροφή, χάλασμα || ~ **sport**: *(n)* άνθρωπος που χαλά τη διασκέδαση ή το κέφι
spoke (spouk): see speak || *(n)* ακτίνα τροχού || ~**sman**: *(n)* ομιλητής, εκπρόσωπος
spong-e (spʌndz): *(n)* σπόγγος || [-d]: *(v)* σφουγγίζω
sponsor (΄spənsər): *(n)* υποστηρικτής, πάτρονας || ανάδοχος || [-ed]: *(v)* υποστηρίζω, πατρονάρω
spontane-ity (spəntə΄ni:əti:): *(n)* αυθορμητισμός || ~**ous** (spən teini:əs): *(adj)* αυθόρμητος
spook (spu:k) [-ed]: *(v)* τρομάζω, σκιάζω || ~**y**: *(adj)* τρομακτικός || στοιχειωμένος
spool (spu:l): *(n)* πηνίο || κουβαρίστρα, καρούλι
spoon (spu:n): *(n)* κουτάλι|| ~**feed**: *(v)* δίνω κουταλιά, ταΐζω κουταλιά-κουταλιά || ~**ful**: *(n)* κουταλιά
sporadic (spə:΄rædik): *(adj)* σποραδικός
sport (spə:rt): *(n)* αθλητισμός, ''σπορ'' || ~**ing chance**: *(n)* κάμποση πιθανότητα επιτυχίας || ~**sman**: *(n)* αθλητής || φίλαθλος
spot (spət): *(n)* σημείο || κηλίδα || μέρος || λίγο, λιγουλάκι || [-ted]: *(v)* κηλιδώνω || εντοπίζω, διακρίνω την τοποθεσία || ~**light**: *(n)* προβολέας, ''σποτ'' || κέντρο ενδιαφέροντος
spous-al (΄spauzəl): *(adj)* γαμήλιος || ~**e**: *(n)* σύζυγος
spout (spaut) [-ed]: *(v)* αναπηδώ, ξεπηδώ ορμητικά || εκτοξεύω, ξεχύνω || *(n)* σωλήνα εκροής
sprain (sprein) [-ed]: *(v)* στραμπουλίζω || *(n)* στραμπούλιγμα
sprawl (sprə:l) [-ed]: *(v)* ξαπλώνω, τεντώνομαι || εκτείνομαι
spray (sprei) [-ed]: *(v)* ψεκάζω || *(n)* ψεκασμός || ψεκαστήρας
spread (spred) [spread, spread]: *(v)* εκτείνω || διαδίδω || επιστρώνω, επαλείφω || *(n)* έκταση || διάδοση
spree (spri:): *(n)* ξεφάντωμα
sprig (sprig): *(n)* βλαστάρι
spring (spriŋ) [sprang, sprung]: *(v)* πηδώ, αναπηδώ || πετάγομαι || πηγάζω || *(n)* ελατήριο || πήδημα || πηγή || άνοιξη || ~ **balance**: *(n)* ζυγαριά με ελατήριο, πλάστιγγα
sprinkl-e (΄spriŋkəl) [-d]: *(v)* ραντίζω || *(n)* ράντισμα || ~**er**: *(n)* ραντιστήρι || ~**ing**: *(n)* ράντισμα || ελάχιστη ποσότητα
sprint (sprint) [-ed]: *(v)* τρέχω με μεγάλη ταχύτητα || *(n)* || δρόμος ταχύτητας || ~**er**: *(n)* δρομέας ταχύτητας
sprite (sprait): *(n)* στοιχειό, καλικάντζαρος, νεράιδα
sprout (spraut) [-ed]: *(v)* εκβλαστάνω || ξεπετάγομαι || *(n)* βλαστός
spruce (spru:s): *(n)* έλατο
spry (sprai): *(adj)* ζωηρός, γεμάτος ζωντάνια
spume (spju:m) [-d]: *(v)* αφρίζω ||

(n) αφρός
spunk (spʌŋk): *(n)* θάρρος ‖ **~y**: *(adj)* θαρραλέος, γενναίος
spur (spə:r): *(n)* σπιρούνι ‖ κίνητρο ‖ [-red]: *(v)* σπιρουνίζω ‖ κεντρίζω, παρακινώ ‖ **on the ~ of the moment**: ξαφνικά, χωρίς προηγούμενη σκέψη
spurious (΄spjouri:əs): *(adj)* ψεύτικος, κίβδηλος
spurn (spə:rn) [-ed]: *(v)* απορρίπτω ή αποκρούω περιφρονητικά
spurt (spə:rt): *(n)* ανάβλυση, ξεπήδημα ορμητικό ‖ ξέσπασμα ξαφνικό ‖ [-ed]: *(v)* ξεπηδώ ‖ ξεχύνω
sputter (΄spʌtər) [-ed]: *(v)* μιλώ γρήγορα και συγκεχυμένα, τραυλίζω από θυμό ή φόβο
spy (spai): *(n)* κατάσκοπος ‖ [-ied]: *(v)* κατασκοπεύω
squabble (skwəbəl) [-d]: *(v)* φιλονικώ, τσακώνομαι ‖ *(n)* μικροφιλονικία
squad (skəd): *(n)* διμοιρία ‖ ομάδα δίωξης ‖ **~ car**: *(n)* περιπολικό αστυνομίας ‖ **~ron**: *(n)* μοίρα
squalid (΄skwəlid): *(adj)* απεχθής, αποκρουστικός
squall (skwə:l): *(n)* δυνατή κραυγή ‖ θύελλα
squalor (΄skwələr): *(n)* βρομιά
square (skweə:r): *(n)* τετράγωνο ‖ πλατεία ‖ [-d]: *(v)* τετραγωνίζω ‖ **set ~**: *(n)* τρίγωνο σχεδιάσεως
squash (skwəʃ) [-ed]: *(v)* συνθλίβω, στύβω ‖ *(n)* κολοκυθάκι ‖ ζούληγμα, στύψιμο
squat (skwət) [-ted]: *(v)* κάθομαι στις φτέρνες ‖ κοντόχοντρος
squawk (skwə:k) [-ed]: *(v)* κρώζω, σκούζω ‖ *(n)* κρώξιμο, σκούξιμο
squeak (skwi:k) [-ed]: *(v)* τσιρίζω ‖ τρίζω ‖ *(n)* τσίριγμα ‖ τρίξιμο
squeal (skwi:l) [-ed]: *(v)* τσιρίζω ‖ *(n)* τσιρίδα
squeamish (΄skwi:miʃ): *(adj)* ευκολοπρόσβλητος ‖ φοβιτσιάρης ‖ ευκολοζάλιστος
squeeze (skwi:z) [-d]: *(v)* συνθλίβω, στύβω ‖ σφίγγω ‖ *(n)* σύνθλιψη, στύψιμο
squelch (skweltʃ) [-ed]: *(v)* λιώνω
squid (skwid): *(n)* σουπιά
squint (skwint) [-ed]: *(v)* κοιτάζω με μισόκλειστα μάτια ‖ στραβοκοιτάζω ‖ αλληθωρίζω ‖ στραβοκοίταγμα ‖ αλληθώρισμα
squire (skwaiər): *(n)* επαρχιώτης ευπατρίδης
squirm (skwə:rm) [-ed]: *(v)* σαλεύω, στριφογυρίζω ‖ νιώθω ντροπή ή φόβο
squirrel (΄skwə:rəl, ΄skwirəl): *(n)* σκίουρος
squirt (skwə:rt) [-ed]: *(v)* εκτοξεύομαι ‖ εκτοξεύω ‖ *(n)* εκτόξευση ‖ πιτσίλισμα
stab (stæb) [-bed]: *(v)* τρυπώ ‖ μαχαιρώνω ‖ μαχαιριά ‖ απόπειρα ‖ **~bing pain**: *(n)* διαπεραστικός πόνος, "σουβλιά"
stabili-ty (stə΄biləti:): *(n)* ευστάθεια ‖ σταθερότητα ‖ ισορροπία ‖ **~ze** (΄steibəlaiz) [-d]: *(v)* σταθεροποιώ
stable (΄steibəl): *(adj)* ευσταθής ‖ σταθερός ‖ *(n)* στάβλος
staccato (stə΄ka:tou): *(adj)* κοφτός και επαναλαμβανόμενος
stack (stæk) [-ed]: *(v)* συσσωρεύω ‖ κάνω θημωνιά ‖ *(n)* θημωνιά ‖ σωρός‖ φουγάρο
stadium (΄steidi:əm): *(n)* στάδιο
staff (stæf): *(n)* ράβδος ‖ κοντός σημαίας ‖ επιτελείο ‖ προσωπικό ‖ [-ed]: *(v)* επανδρώνω ‖ **~ sergeant**: *(n)* επιλοχίας
stag (stæg): *(n)* αρσενικό ελάφι
stage (steidz): *(n)* σκηνή θεάτρου ‖ θέατρο ‖ στάδιο, βαθμός, φάση ‖ [-d]: *(v)* οργανώνω, ανεβάζω
stagger (΄stægər) [-ed]: *(v)* παραπατώ, τρικλίζω ‖ κλονίζω, "ταρακουνώ" ‖ τοποθετώ εναλλάξ ‖ εναλάσσω χρονικά διαστήματα ‖ *(n)* παραπάτημα, τρίκλισμα
stagna-nt (΄stægnənt): *(adj)* στάσιμος, λιμνάζων ‖ **~te** (΄stægneit) [-d]: *(v)* λιμνάζω, γίνομαι στάσιμος
staid (steid): *(adj)* μαζεμένος, συγκρατημένος
stain (stein) [-ed]: *(v)* λερώνω ‖ κηλιδώνω ‖ *(n)* βρομιά ‖ κηλίδα ‖ **~less**: *(adj)* ανοξίδωτος ‖ ακηλίδωτος
stair (steər): *(n)* σκαλοπάτι ‖ σκάλα ‖ **~case, ~way**: *(n)* σκάλα ‖ **~well**: *(n)* κλιμακοστάσιο
stake (steik): *(n)* πάσσαλος ‖ χρήματα τοποθετημένα σε στοίχημα ή τυχερό παιχνίδι, "ποτ" ‖ "διακυβεύω", "ποντάρω"
stalactite (΄stæləktait): *(n)* σταλακτίτης

stalagmite (΄stæləgmait): *(n)* σταλαγμίτης
stale (steil): *(adj)* μπαγιάτικος || **~mate**: *(n)* αδιέξοδο
stalk (stɔ:k): *(n)* μίσχος, κοτσάνι || στέλεχος || [-ed]: *(v)* περπατώ καμαρωτά ή θυμωμένα ή απειλητικά || παρακολουθώ
stall (stɔ:l): *(n)* φάτνη, παχνί || πάγκος, περίπτερο || παρακωλυτική επινόηση || [-ed]: *(v)* κωλυσιεργώ, καθυστερώ || || μένω στο δρόμο
stallion (΄stæljən): *(n)* άλογο βαρβάτο
stalwart (΄stɔ:lwɑrt): *(adj)* στιβαρός, ρωμαλέος || σθεναρός
stamina (΄stæminə): *(n)* δύναμη, ηθική ή φυσική
stammer (΄stæmər) [-ed]: *(v)* τραυλίζω || *(n)* τραύλισμα
stamp (stæmp) [-ed]: *(v)* χτυπώ τα πόδια || σφραγίζω || γραμματοσημαίνω || *(n)* "σταμπάρισμα" || σφραγίδα || γραμματόσημο || ένσημο || χτύπημα του ποδιού
stampede (stæm΄pi:d) [-d]: *(v)* πανικοβάλλω, τρέπω σε άτακτη φυγή|| πανικόβλητη φυγή
stance (stæns): *(n)* στάση
stanch (stæntʃ) [-ed]: *(v)* σταματώ αιμορραγία
stand (stænd) [stood, stood]: *(v)* στέκομαι || σηκώνομαι || βάζω όρθιο|| ανθίσταμαι, αντέχω || *(n)* στάση || βάση || εξέδρα || περίπτερο ή πάγκος πωλητή || ~ **on one's own feet,** ~ **on one's own legs**: *(v)* είμαι ανεξάρτητος, ενεργώ ανεξάρτητα ή υπεύθυνα || ~ **pat**: *(v)* μένω αμετάβλητος || ~ **up to**: *(v)* είμαι στο ύψος των περιστάσεων ή προσδοκιών || ~ **by**: *(v)* είμαι σε κατάσταση ετοιμότητας || **~-in**: *(n)* αντικαταστάτης || ~ **off**: *(v)* κρατώ απόσταση || **~-off**: *(n)* ισοπαλία || ~ **out**: *(v)* προεξέχω || διακρίνομαι || **~point**: *(n)* άποψη, σκοπιά, τρόπος αντίληψης || ~ **up**: *(v)* σηκώνομαι
standard (΄stændərd): *(n)* σημαία, λάβαρο || μέτρο, υπόδειγμα || στερεότυπο || *(adj)* στερεότυπος || **~ize** (΄stændərdaiz) [-d]: *(v)* κάνω στερεότυπο, τυποποιώ
stand-by, ~ **in,** ~ **off,** ~ **out,** ~ **point,** ~ **up**: see under stand
stanza (΄stænzə): *(n)* στροφή ποιήματος
staple (΄steipəl): *(n)* συνδετήρας || άγκιστρο || [-d]: *(v)* συνδέω || **~r**: *(n)* συρραπτικό εργαλείο
star (sta:r): *(n)* άστρο || αστέρας, "σταρ" || [-red]: *(v)* πρωταγωνιστώ || **~board**: *(n)* το δεξί μέρος του πλοίου ή αεροσκάφους || **~fish**: *(n)* αστερίας, άστρο της θάλασσας || **~gaze**: *(v)* ονειροπολώ || **~let**: *(n)* αστεράκι || νεαρή "σταρ", "στάρλετ" || **S~s and stripes**, **~-spangled Banner**: *(n)* η σημαία των ΗΠΑ, αστερόεσσα
starch (sta:rtʃ): *(n)* άμυλο || κόλλα κολλαρίσματος | [-ed]: *(v)* κολλαρίζω
stare (steər) [-d]: *(v)* ατενίζω, κοιτάζω παρατεταμένα || *(n)* ατενές βλέμμα
star-fish, ~gaze: see under star
stark (sta:rk): *(adj)* γυμνός, καθαρός || ~ **naked**: ολόγυμνος
star-let, ~s and stripes, ~ spangled: see under star
start (sta:rt) [-ed]: *(v)* αρχίζω || ξεκινώ || τινάζομαι || *(n)* αρχή || ξεκίνημα || τίναγμα, ξάφνιασμα || **~er**: *(n)* εκκινητήρας, εκκινητής "στάρτερ" || **~ing΄line**: *(n)* αφετηρία || ~ **off**: *(v)* ξεκινώ για ταξίδι || ~ **out**: *(v)* αρχίζω ταξίδι, εργασία ή καριέρα
startle (΄sta:rtəl) [-d]: *(v)* ξαφνιάζω, τρομάζω || *(n)* ξάφνιασμα
starv-ation (sta:r΄veiʃən): *(n)* πείνα, λιμός || **~e** [-d]: *(v)* λιμοκτονώ || πεινώ υπερβολικά, "πεθαίνω" από πείνα || **~ing**: *(adj)* πεθαμένος από πείνα, πεινασμένος
state (steit): *(n)* κατάσταση || θέση || πολιτεία || [-d]: *(v)* δηλώνω || **~ly**: *(adj)* μεγαλοπρεπής || **~ment**: *(n)* δήλωση || **~sman**: *(n)* πολιτικός
static (΄stætik), **~al**: *(adj)* στατικός || *(n)* διαταραχή, "παράσιτα"
station (΄steiʃən): *(n)* θέση, "πόστο" || σταθμός || [-ed]: *(v)* εγκαθιστώ || **~ary**: *(adj)* στατικός, ακίνητος || ~ **house, police** ~: *(n)* αστυνομικό τμήμα ή σταθμός || ~ **master**: *(n)* σταθμάρχης
stationer (΄steiʃənər): *(n)* χαρτοπώλης || **~y**: *(n)* γραφική ύλη || χαρτοπωλείο

station-house, ~ master, : see under station
statistic (stə΄tistik): *(n)* στατιστικό στοιχείο || **~al**: *(adj)* στατιστικός || **~s**: *(n)* στατιστική
statu-ary (΄stætʃu:əri:): *(n)* γλυπτική || **~e** (΄stætʃu:): *(n)* άγαλμα || **~esque**: *(adj)* αγαλματώδης, αγαλματένιος || **~ette**: *(n)* αγαλματίδιο, αγαλματάκι
stature (΄stætʃər): *(n)* ανάστημα || επίπεδο, ύψος
status (΄steitəs): *(n)* θέση, κατάσταση || ~ **quo** (΄steitəs kwou): *(n)* υπάρχουσα τάξη, καθεστώς
statut-able (΄stætʃutəbəl): *(adj)* νομοθετήσιμος || **~e** (΄stætʃu:t): *(n)* νόμος || διάταγμα || **~ory** (΄stætʃətə:ri:): *(adj)* νομοθετικός || νομοθετημένος
staunch (stə:ntʃ): *(adj)* σταθερός, πιστός
stay (stei) [-ed]: *(v)* παραμένω || μένω, διαμένω || *(n)* παραμονή || αναβολή || στήριγμα
steadfast (΄stedfæst): *(adj)* σταθερός
stead-y (΄stedi:): *(adj)* σταθερός || συνεχής || [-ied]: *(v)* σταθεροποιώ || σταθεροποιούμαι|| **~iness**: *(n)* σταθερότητα
steak (steik): *(n)* μπριζόλα μοσχαρίσια || φιλέτο ψαριού
steal (sti:l) [stole, stolen]: *(v)* κλέβω || κινούμαι ή βάζω στα κλεφτά || **~th** (stelth): *(n)* κρυφότητα, υπουλότητα || **~thy**: *(adj)* κρυφός, μυστικός
steam (sti:m): *(n)* ατμός || [-ed]: *(v)* βγάζω ατμό || **~er, ~ship**: *(n)* ατμόπλοιο || ~ **roller**: *(n)* οδοστρωτήρας
steel (sti:l): *(n)* χάλυβας, ατσάλι || **~yard**: *(n)* στατήρας, ρωμαϊκός ζυγός
steep (sti:p) [-ed]: *(v)* εμποτίζω, εμβαπτίζω || απότομη κλίση || *(adj)* απότομος
steeple (΄sti:pəl): *(n)* κωδωνοστάσι
steer (stiər) [-ed]: *(v)* κατευθύνω || οδηγώ με πηδάλιο || κατευθύνομαι || μοσχάρι || ~ **clear of**: *(n)* αποφεύγω || **~ing wheel**: *(n)* τιμόνι
stem (stem): *(n)* στέλεχος || κορμός || μίσχος || [-med]: *(v)* ελέγχω, ανακόπτω || ~ **from**: *(v)* προέρχομαι
stench (stentʃ): *(n)* δυσοσμία, βρόμα
stencil (΄stensəl): *(n)* διάτρητο πρότυπο || μεμβράνη πολυγράφου || [-ed]: *(v)* γράφω με διάτρητο πρότυπο
steno (΄stenou), **~grapher** (stə΄nəgrəfər): *(n)* στενογράφος || **~graphy**: *(n)* στενογραφία
step (step) [-ped]: *(v)* πατώ || βηματίζω || βαδίζω || *(n)* βήμα || πάτημα || σκαλοπάτι || ~ **brother**: *(n)* ετεροθαλής αδελφός || ~ **child**: *(n)* προγόνι || ~ **daughter**: *(n)* προγονή || ~ **father**: *(n)* πατριός || ~ **ladder**: *(n)* φορητή σκάλα || ~ **mother**: *(n)* μητριά || ~ **parent**: *(n)* πατριός ή μητριά || ~ **sister**: *(n)* ετεροθαλής αδελφή || ~ **son**: *(n)* προγονός
stereo (΄steri:ou): *(n)* στερεοφωνικό σύστημα || στερεοσκοπική εικόνα || **~phonic**: *(adj)* στερεοφωνικός
steril-e (΄sterəl): *(adj)* στείρος || άγονος || αποστειρωμένος || **~ity**: *(n)* στειρότητα || **~ization** (sterələ΄zeiʃən): *(n)* αποστείρωση || **~ize** (΄sterəlaiz) [-d]: *(v)* αποστειρώνω
sterling (΄stə:rliŋ): *(adj)* ανώτερης ποιότητας || αμιγής, καθαρός || αγγλικής λίρας, στερλίνας
stern (stə:rn): *(adj)* αυστηρός || σκυθρωπός || *(n)* πρύμη
stethoscope (΄stethəskoup): *(n)* στηθοσκόπιο
stevedore (΄sti:vədə:r): *(n)* φορτοεκφορτωτής λιμένος
stew (stju:) [-ed]: *(v)* σιγοβράζω || *(n)* κρέας η ψάρι με χόρτα σε κατσαρόλα
steward (΄stu:ərd): *(n)* οικονόμος || καμαρότος || ιπτάμενος συνοδός || **~ess**: *(n)* ιπτάμενη συνοδός
stick (stik) [stuck, stuck]: *(v)* μπήγω, χώνω || κολλώ || καρφώνω || μπήγομαι || πιάνομαι, ''κολλάω'' || εμμένω || *(n)* ράβδος || βέργα || μπαστούνι || ~ **it out**: *(v)* επιμένω ως το τέλος || **~le** [-d]: *(v)* επιμένω σε μικρολεπτομέρειες || **~ler**: *(n)* επίμονος, άκαμπτος || ~ **pin**: *(n)* καρφίτσα γραβάτας || ~ **up**: *(v)* ληστεύω || ~ **up for**: *(v)* υποστηρίζω, υπερασπίζομαι
stiff (stif): *(adj)* άκαμπτος || δύσκαμπτος || σφιχτός || δυνατός || δύσκολος || **~en** [-ed]: *(v)* σκληραίνω || γίνομαι σφιχτός
stifl-e (΄staifəl) [-d]: *(v)* προκαλώ ασφυξία || ασφυκτιώ || καταπνίγω

|| ~**ing**: *(adj)* αποπνικτικός
stigma (΄stigmə): *(n)* στίγμα || ~**tize** (΄stigmətaiz) [-d]: *(v)* στιγματίζω
stile (stail): *(n)* παραστάτης || σκαλωσιά
still (stil): *(adj)* σιωπηλός, αθόρυβος || ακίνητος || ακόμη || εντούτοις, παρόλα αυτά || ~**born**: *(adj)* θνησιγενής || ~**life**: *(n)* νεκρή φύση
stilt (stilt): *(n)* ξυλοπόδαρο || ~**ed**: *(adj)* προσποιητά πομπώδης
stimul-ant (΄stimjulənt): *(n)* διεγερτικό, τονωτικό || ~**ate** (΄stimjuleit) [-d]: *(v)* διεγείρω, εξάπτω || ~**ating**: *(adj)* διεγερτικός, τονωτικός || ~**ation**: *(n)* διέγερση || τόνωση || ~**us** (΄stimjuləs): *(n)* κίνητρο, ελατήριο
sting (stiŋ) [stung, stung]: *(v)* τσιμπώ, κεντρίζω || *(n)* κέντημα, τσίμπημα || κεντρί
sting-y (΄stindzi:): *(adj)* τσιγκούνης || ~**iness**: *(n)* τσιγκουνιά
stink (stiŋk) [stank, stunk]: *(v)* βρομάω, μυρίζω άσχημα || *(n)* βρόμα, δυσοσμία || ~**er**: *(n)* βρομιάρης || κοπρίτης || φοβερά δύσκολος
stint (stint) [-ed]: *(v)* περιορίζω || *(n)* όριο ή μερίδα εργασίας ή καθήκοντος
stipend (΄staipend): *(n)* μισθός || επιμίσθιο
stipulat-e (΄stipjəleit) [-d]: *(v)* ορίζω || συμφωνώ, συνομολογώ || ~**ion**: *(n)* όρος, διάταξη, ρήτρα
stir (stə:r) [-red]: *(v)* ανακατεύω, ανακατώνω || σαλεύω || αναστατώνω, ξεσηκώνω, || *(n)* ανακάτωμα || αναστάτωση || ~**ring**: *(adj)* συγκινητικός
stirrup (΄stə:rəp): *(n)* αναβολέας
stitch (stitʃ): *(n)* βελονιά || [-ed]: *(v)* ράβω, κάνω βελονιές
stock (stək): *(n)* απόθεμα, στοκ || μετοχές, χρεώγραφα || ύλη, υλικό || *(adj)* κοινός, κοινότυπος || [-ed]: *(v)* εφοδιάζω || ~ **broker**: *(n)* χρηματιστής || ~ **exchange**: *(n)* χρηματιστήριο || ~ **holder**: *(n)* μέτοχος || ~**market**: *(n)* χρηματιστήριο
stockade (΄stəkeid): *(n)* φράχτης, μάντρα || [-d]: *(v)* περιφράζω
stock-broker, ~ exchange, ~ holder: see under stock
stocking (΄stəkiŋ): *(n)* κάλτσα
stock-market: see under stock
stocky (΄stəki:): *(adj)* γεμάτος, σωματώδης
stodgy (΄stədzi:): *(adj)* ανιαρός || βαρύς
stoic (΄stouik): *(n)* στωικός || ~**al**: *(adj)* στωικός || ~**ism**: *(n)* στωικισμός
stoke (stouk) [-d]: *(v)* τροφοδοτώ ή συντηρώ φωτιά || ~**r**: *(n)* θερμαστής
stole (stoul): *(n)* άμφια || γούνα, σάρπα
stolid (΄stəlid): *(adj)* απαθής, ψύχραιμος || ~**ity, ~ness**: *(n)* απάθεια, ψυχραιμία || ~**ly**: *(adv)* με απάθεια
stomach (΄stʌmək): *(n)* στόμαχος, στομάχι || [-ed]: *(v)* χωνεύω || ανέχομαι, ''χωνεύω'' || ~**ache**: *(n)* στομαχόπονος
ston-e (stoun): *(n)* πέτρα || κουκούτσι || μονάδα βάρους (14 λίμπρες)
stood: see stand
stool (stu:l): *(n)* σκαμνί
stoop (stu:p) [-ed]: *(v)* σκύβω || *(n)* σκύψιμο || κατώφλι
stop (stəp) [-ped]: *(v)* σταματώ || *(n)* στάση || παραμονή || τελεία, στιγμή || ~**page**: *(n)* διακοπή || έμφραξη, βούλωμα || ~**per**: *(n)* πώμα || ~**watch**: *(n)* χρονόμετρο
stor-age (΄stə:ridz): *(n)* αποθήκευση || ~**age battery**: *(n)* συσσωρευτής || ~**e** (stə:r): *(n)* κατάστημα, μαγαζί || παρακαταθήκη || ~**e** [-d]: *(v)* αποθηκεύω || ~**e-house**: *(n)* κτίριο αποθήκης || παρακαταθήκη || ~**ekeeper**: *(n)* καταστηματάρχης || ~**eroom**: *(n)* αποθήκη
storey (΄stə:ri): *(n)* όροφος, πάτωμα
stork (stə:rk): *(n)* πελαργός
storm (stə:rm): *(n)* καταιγίδα, θύελλα || [-ed]: *(v)* μαίνομαι || επιτίθεμαι αιφνιδιαστικά και βίαια || ~**y**: *(adj)* θυελλώδης
story (΄stə:ri:): *(n)* ιστορία
stout (staut): *(adj)* γενναίος || γερός || σωματώδης || *(n)* δυνατή, σκούρα μπύρα
stove (stouv): *(n)* θερμάστρα, σόμπα
stow (stou) [-ed]: *(v)* αποθηκεύω || γεμίζω ως επάνω, παραγεμίζω || ~ **away**: *(n)* λαθρεπιβάτης
straddle (΄strædl) [-d]: *(v)* καβαλικεύω, κάθομαι καβαλικευτά
straggle (΄strægəl) [-d]: *(v)* παραστρατίζω || βραδυπορώ || ~**r**: *(n)* βραδυπορών

straight (streit): *(adj)* ευθύς, ίσιος || καθαρός, αγνός || *(adv)* κατευθείαν || τίμια, ''ντόμπρα'' || ~ **away**: *(adv)* αμέσως || ~**en** [-ed]: *(v)* ευθυγραμμίζω || ~ **forward**: *(adj)* κατευθείαν || ευθύς, ''ντόμπρος'', χωρίς περιστροφές || ~ **jacket**: *(n)* ζουρλομανδύας
strain (strein) [-ed]: *(v)* εντείνω, τείνω || στραγγίζω, φιλτράρω || *(n)* ένταση, τάση || υπερένταση
strait (streit): *(n)* πορθμός || ~**en** [-ed]: *(v)* στενεύω || βάζω σε οικονομική δυσχέρεια || ~jacket: *(n)* see straight jacket || ~**s**: *(n)* πορθμός, στενό
strand (strænd) [-ed]: *(v)* εξοκέλλω|| αφήνω στα ''κρύα του λουτρού'' || *(n)* ακρογιαλιά || κλωστή, ίνα || πλεξούδα || ~**ed**: *(adj)* εγκαταλειμμένος
strange (streindz): *(adj)* παράξενος, περίεργος || άγνωστος, ξένος || ~**r**: *(n)* άγνωστος || ξένος
strang-le (΄stræŋgəl) [-d]: *(v)* στραγγαλίζω || ~**ler**: *(n)* στραγγαλιστής || ~**ulate** (΄stræŋgjəleit) [-d]: *(v)* στραγγαλίζω || ~**ulation**: *(n)* στραγγαλισμός
strap (stræp) [-ped]: *(v)* δένω με ιμάντα || δέρνω με λουρί || *(n)* ιμάντας, λουρί || ~**less**: *(n)* φόρεμα χωρίς ώμους || ~**per**, ~**ping**: ψηλός και δυνατός
strata: see stratum *(pl)*
strat-agem (΄strætədzəm): *(n)* στρατήγημα || ~**egic** (strə΄ti:dzik), ~**egical**: *(adj)* στρατηγικός|| ~**egy**: *(n)* στρατηγική
stratosphere (΄strætəsfiər): *(n)* στρατόσφαιρα
stratum (΄streitəm): *(n)* στρώμα
straw (strə:): *(n)* άχυρο || ψάθα || καλαμάκι || ~**berry**: *(n)* φράουλα
stray (strei) [-ed]: *(v)* περιπλανιέμαι || παραστρατώ, παίρνω τον κακό δρόμο || αλλάζω θέμα || *(n)* χαμένος, περιπλανηθείς || αδέσποτο ζώο, ζώο που χάθηκε
streak (stri:k): *(n)* γραμμή, σημάδι|| ίχνος, δόση || [-ed]: *(v)* σχηματίζω ραβδώσεις || τρέχω σαν αστραπή
stream (stri:m): *(n)* ρεύμα, ροή, ρους || ποταμάκι || [-ed]: *(v)* κυλώ, ρέω
street (stri:t): *(n)* οδός, δρόμος || ~**car**: *(n)* τραμ
strength (΄streŋth): *(n)* δύναμη || ~**en** [-ed]: *(v)* δυναμώνω, ενισχύω
strenuous (΄strenju:əs): *(adj)* κοπιώδης || δραστήριος
stress (stres): *(n)* έμφαση, τόνος || τάση, ένταση || [-ed]: *(v)* εντείνω || τονίζω
stretch (stretʃ) [-ed]: *(v)* απλώνω || απλώνομαι || *(n)* άπλωμα || έκταση || ~**er**: *(n)* || φορείο
stricken (΄strikən): *(adj)* χτυπημένος
strict (strikt): *(adj)* ακριβής || αυστηρός || ~**ness**: *(n)* ακρίβεια || αυστηρότητα
stride (straid) [strode, stridden]: *(v)* διασκελίζω || *(n)* διασκελισμός || μεγάλο βήμα, δρασκελιά
striden-t (΄straidənt): *(adj)* οξύς, διαπεραστικός, ''στριγκιός'' || ~**ce**, ~**cy**: *(n)* οξύτητα, ''στριγκιά''
strife (straif): *(n)* αγώνας, πάλη
strik-e (straik) [struck, struck or stricken]: *(v)* χτυπώ || απεργώ || *(n)* απεργία|| ~**er**: *(n)* απεργός || ~**ing**: *(adj)* χτυπητός || ~**e dumb**: *(v)* καταπλήσσω, κάνω να ''βουβαθεί'' || ~**e it rich**: κάνω την ''καλή''
string (striŋ): *(n)* χορδή || σπάγκος || σειρά || ~ **bean**: *(n)* φασολάκι φρέσκο || ~**ed**: *(adj)* έγχορδο || ~ **quartet**: *(n)* κουαρτέτο εγχόρδων
strip (strip) [-ped]: *(v)* γδύνω || απογυμνώνω || αποσυνδέω || γδύνομαι || *(n)* λουρίδα || **comic**~, ~**cartoon**: *(n)* ιστορία με σκίτσα
stripe (straip): *(n)* λουρίδα, ράβδωση
strive (straiv) [strove, striven or strived]: *(v)* αγωνίζομαι, μοχθώ, προσπαθώ
strode: see stride
stroke (strouk): *(n)* χτύπημα || πλήγμα || χτύπος || προσβολή || χάδι || [-d]: *(v)* χαϊδεύω
stroll (stroul) [-ed]: *(v)* κάνω περίπατο, ''βολτάρω'' || *(n)* περίπατος, ''βόλτα''
strong (strə:ŋ): *(adj)* δυνατός || ~ **box**: *(n)* χρηματοκιβώτιο || ~ **hold**: *(n)* οχυρό
strove: see strive
struck: see strike
structur-al (΄strʌktʃərəl): *(adj)* δομήσιμος || ~**e** (΄strʌktʃər): *(n)* δομή || οικοδομή || υφή

struggle (΄strʌgəl) [-d]: *(v)* αγωνίζομαι, παλεύω ‖ *(n)* αγώνας, πάλη
strumpet (΄strʌmpət): *(n)* πόρνη
strung: see string
strut (strʌt) [-ted]: *(v)* περπατώ καμαρωτά ‖ *(n)* καμαρωτό περπάτημα ‖ αντηρίδα, στήριγμα
strychnine (΄striknin, ΄striknain): *(n)* στρυχνίνη
stub (stʌb): *(n)* υπόλειμμα ‖ αποτσίγαρο ‖ στέλεχος επιταγής ή απόδειξης
stubble (΄stʌbəl): *(n)* κοτσάνια, καλάμια ‖ αξύριστα γένια
stubborn (΄stʌbərn): *(adj)* πεισματάρης ‖ επίμονος ‖ **~ness:** *(n)* πείσμα ‖ επιμονή
stubby (΄stʌbi:): *(adj)* κοντόχοντρος
stucco (΄stʌkou): *(n)* μαρμαροκονίαμα
stuck (stʌk): see stick
stud (stʌd): *(n)* ‖ πλατυκέφαλο καρφί ‖ κουμπί ‖ επιβήτορας ‖ [-ded]: *(v)* βάζω πλατυκέφαλα καρφιά
stud-ent (΄stu:dənt): *(n)* μαθητής ‖ φοιτητής ‖ σπουδαστής ‖ **~y** (΄stʌdi:) [-ied]: *(v)* μελετώ ‖ σπουδάζω ‖ *(n)* μελέτη ‖ σπουδή ‖ γραφείο
stuff (stʌf) [-ed]: *(v)* γεμίζω ‖ παρατρώω ‖ *(n)* ουσία, ύλη, υλικό ‖ ανοησίες, "τρίχες" ‖ **~y:** *(adj)* πνιγερός, χωρίς αερισμό ‖ ανιαρός
stumbl-e (΄stʌmbəl) [-d]: *(v)* σκοντάφτω ‖ *(n)* σκόνταμμα
stump (stʌmp) [-ed]: *(v)* κόβω ‖ φέρω σε αδιέξοδο ‖ *(n)* κούτσουρο ‖ κομμάτι
stun (stʌn) [-ned]: *(v)* ζαλίζω ‖ **~ning:** *(adj)* καταπληκτικός
stung: see sting
stunk: see stink
stunt (stʌnt) [-ed]: *(v)* παρεμποδίζω, περιστέλλω ‖ *(n)* επιδεικτική ή διαφημιστική πράξη
stupefy (΄stu:pəfai) [-ied]: *(v)* καταπλήσσω ‖ ζαλίζω
stupendous (stu:΄pendəs): *(adj)* φοβερός, καταπληκτικός
stupid (΄stu:pid): *(adj)* βλάκας ‖ **~ity, ~ness:** *(n)* βλακεία, ηλιθιότητα
stupor (΄stu:pər): *(n)* νάρκη, λήθαργος
sturd-y (΄stə:rdi:): *(adj)* γερός, ανθεκτικός ‖ **~iness:** *(n)* ανθεκτικότητα ‖ δύναμη, ρώμη
stutter (΄stʌtər) [-ed]: *(v)* τραυλίζω ‖ *(n)* τραύλισμα ‖ **~er:** *(n)* τραυλός
sty (stai): *(n)* χοιροστάσιο
styl-e (stail): *(n)* ρυθμός ‖ τεχνοτροπία, "στυλ" ‖ [-d]: *(v)* ‖ δίνω "στυλ" ‖ **~ish:** *(adj)* μοντέρνου ρυθμού ‖ **~ize** (΄stailaiz) [-d]: *(v)* στυλιζάρω, δίνω "στυλ"
styptic (΄stiptik), **~al:** *(adj)* στυπτικός ‖ **~ pencil:** *(n)* στύψη για αιμοστατική χρήση
suave (sweiv, swa:v): *(adj)* ευγενής, του κόσμου
subconscious (sʌb΄kənʃəs): *(n)* το υποσυνείδητο ‖ *(adj)* υποσυνείδητος
subcontract (sʌb΄kəntrækt) [-ed]: *(v)* δίνω με υπεργολαβία ‖ *(n)* υπεργολαβία
subdivi-de (΄sʌbdi΄vaid) [-d]: *(v)* υποδιαιρώ ‖ **~sion** (sʌbdi΄vizən): *(n)* υποδιαίρεση
subdue (səb΄dju:) [-d]: *(v)* καταβάλλω, κατανικώ
subhuman (sʌb΄hju:mən): *(adj)* υπάνθρωπος
subject (΄sʌbdzikt): *(n)* υπήκοος ‖ θέμα ‖ υποκείμενο ‖ (sʌb΄dzekt) [-ed]: *(v)* υποβάλλω ‖ υποτάσσω ‖ **~ion:** *(n)* υποταγή ‖ υποβολή ‖ **~ive:** *(adj)* υποκειμενικός ‖ **~iveness, ~ivity:** *(n)* υποκειμενικότητα ‖ **~matter:** *(n)* θέμα, αντικείμενο, περιεχόμενο
subjugat-e (΄sʌbdzəgeit) [-d]: *(v)* υποτάσσω, καθυποτάσσω ‖ **~ion:** *(n)* καθυπόταξη
subjunctive (sʌb΄dzʌŋktiv): *(n)* υποτακτική
sub-lease (΄sʌbli:s) [-d], **~let** (΄sʌblet) [~let]: *(v)* υπενοικιάζω, υπομισθώνω ‖ *(n)* υπενοικίαση, υπεκμίσθωση
sublime (səb΄laim): *(adj)* υπέροχος, έξοχος
submachine gun (΄sʌbmə΄ʃi:n gʌn): *(n)* αυτόματο όπλο
submarine (΄sʌbməri:n): *(adj)* υποβρύχιος ‖ *(n)* υποβρύχιο
submerge (səb΄mə:rdz) [-d]: *(v)* βυθίζω ‖ **~nce:** *(n)* βύθιση
submerse (səb΄mə:rs) [-d]: see submerge
sub-mission (səb΄miʃən): *(n)* υποταγή ‖ υποβολή ‖ **~missive**

(səb´misiv): *(adj)* υπάκουος, ευκολοϋπότακτος || **~mit** (səb´mit) [-ted]: *(v)* υποτάσσομαι || υποβάλλω
subordinate (sə´bə:rdinit): *(adj)* υποδεέστερος || κατώτερος || δευτερεύων
sub-scribe (səb´skraib) [-d]: *(v)* γράφομαι συνδρομητής || **~scriber:** *(n)* συνδρομητής || **~script** (´sʌbskript): υποσημείωση || **~scription:** *(n)* συνδρομή
subsequen-ce (´sʌbsəkwəns): *(n)* ακολουθία, επακόλουθο || **~t:** *(adj)* επακόλουθος
subside (səb´said) [-d]: *(v)* παθαίνω καθίζηση, καταρρέω || κατακαθίζω || κοπάζω
subsist (səb´sist) [-ed]: *(v)* υπάρχω || **~ence:** *(n)* ύπαρξη || υπόσταση
substance (´sʌbstəns): *(n)* ύλη || ουσία || έννοια, ουσία
substanti-al (səb´stænʃəl): *(adj)* υλικός || ουσιώδης || **~ate** [-d]: *(v)* υλοποιώ || επαληθεύω, αιτιολογώ
substitu-ent (səb´stitʃu:ənt): υποκατάστατο || **~te** (´sʌbstitju:t) [-d]: *(v)* αντικαθιστώ, υποκαθιστώ || *(n)* αντικαταστάτης || **~tion:** *(n)* αντικατάσταση
subtenant (sʌb´tenənt): *(n)* υπενοικιαστής
subterfuge (´sʌbtərfju:dz): *(n)* υπεκφυγή
subterranean (sʌbtə´reini:ən): *(adj)* υπόγειος
subtitle (´sʌbtaitl): *(n)* υπότιτλος
subtle (´sʌtl): *(adj)* λεπτός, απειροελάχιστος || δυσνόητος || έξυπνος || πονηρός
subtract (səb´trækt) [-ed]: *(v)* αφαιρώ || **~ion:** *(n)* αφαίρεση
subtrahend (´sʌbtrəhend): *(n)* αφαιρετέος
suburb (´sʌbərb): *(n)* προάστιο
subver-sion (səb´və:rzən): *(n)* υπονόμευση || ανατροπή || **~sive:** *(adj)* υπονομευτικός || ανατρεπτικός || **~t** (səb´və:rt) [-ed]: *(v)* υπονομεύω || ανατρέπω
subway (´sʌbwei): *(n)* υπόγειος σιδηρόδρομος || υπόγεια διάβαση
suc-ceed (sək´si:d) [-ed]: *(v)* πετυχαίνω || διαδέχομαι || **~cess** (sək´ses): *(n)* επιτυχία || **~cessful:** *(adj)* επιτυχής, πετυχημένος || **~cession:** *(n)* διαδοχή, αλληλουχία || **~cessive:** *(adj)* διαδοχικός, αλλεπάλληλος|| **~cessor:** *(n)* διάδοχος
succint (sək´siŋkt): *(adj)* λακωνικός και σαφής
succulent (´sʌkjələnt): *(adj)* ζουμερός
succumb (sə´kʌm) [-ed]: *(v)* υποκύπτω
such (sʌtʃ): *(adj)* τέτοιος || τόσος
suck (sʌk) [-ed]: *(v)* ρουφώ || γλείφω || πιπιλίζω || **~er:** *(n)* κορόιδο
suckle (´sʌkəl) [-d]: *(v)* θηλάζω
suction (´sʌkʃən): *(n)* αναρρόφηση || ρούφηγμα
sudden (´sʌdn): *(adj)* αιφνίδιος, ξαφνικός
suds (sʌdz): *(n)* σαπουνάδα, αφρός
sue (su:) [-d]: *(v)* ενάγω, κάνω μήνυση
suede (sweid): *(n)* κάστορι, ''σουέτ''
suet (´su:it): *(n)* λίπος
suffer (´sʌfər) [-ed]: *(v)* υποφέρω || **~ing:** *(n)* πάθος, δεινά
suffic-e (sə´fais) [-d]: *(v)* αρκώ || **~iency** (sə´fiʃənsi:): *(n)* επάρκεια || **~ient:** *(adj)* επαρκής, αρκετός
suffocat-e (´sʌfəkeit) [-d]: *(v)* ασφυκτιώ, πνίγομαι || **~ion:** *(n)* ασφυξία
sugar (´ʃu:gər): *(n)* ζάχαρη || [-ed]: *(v)* ζαχαρώνω || **~beet:** *(n)* ζαχαρότευτλο || **~cane:** *(n)* ζαχαροκάλαμο
suggest (sə´dzest) [-ed]: *(v)* προτείνω || υποδηλώνω, υπονοώ || **~ion:** *(n)* πρόταση || εισήγηση
suici-dal (su:ə´saidəl): *(adj)* αυτοκτόνος, της αυτοκτονίας || **~de** (´su:əsaid): *(n)* αυτοκτονία || αυτόχειρας || **commit ~:** αυτοκτονώ
suit (su:t): *(n)* κοστούμι || σειρά ποινική αγωγή || [-ed]: *(v)* ταιριάζω || **~able:** *(adj)* κατάλληλος, πρέπων || **~case:** *(n)* βαλίτσα || **~e** (swi:t): *(n)* ακολουθία || διαμέρισμα, ''σουΐτα'' || **~or:** *(n)* ενάγων || υποψήφιος μνηστήρας
sulfur, sulphur (´sʌlfər): *(n)* θειάφι || **~ic:** *(adj)* θειϊκός || **~ous:** *(adj)* θειούχος
sullen (´sʌlən): *(adj)* κατσουφιασμένος, σκυθρωπός || μελαγχολικός
sulphur: see sulfur
sultan (´sʌltən): *(n)* σουλτάνος || **~a:** *(n)* σουλτάνα || σουλτανίνα σταφίδα

sul-try (΄sʌltri:): *(adj)* καυτερός ‖ πνιγερός
sum (sʌm): *(n)* άθροισμα, σύνολο ‖ ποσό ‖ [-med]: *(v)* προσθέτω ‖ ~ **up:** *(v)* συνοψίζω ‖ **~marize** (΄sʌməraiz) [-d]: *(v)* συνοψίζω ‖ ανακεφαλαιώνω ‖ **~mary:** *(n)* περίληψη, σύνοψη ‖ **~mation:** *(n)* πρόσθεση, άθροιση
summer (΄sʌmər): *(n)* καλοκαίρι, θέρος ‖ *(adj)* θερινός ‖ **~sault:** see somersault
summit (΄sʌmit): *(n)* κορυφή
summon (΄sʌmən) [-ed]: *(v)* συγκαλώ ‖ καλώ ‖ **~s:** *(n)* κλήση
sun (sʌn): *(n)* ήλιος ‖ [-ned]: *(v)* λιάζω ‖ **~bath:** *(n)* ηλιόλουτρο ‖ **~-bathe** [-d]: *(v)* κάνω ηλιοθεραπεία ‖ **~burn:** *(n)* ηλιόκαμα ‖ ~ **dial:** *(n)* ηλιακό ρολόγι ‖ ~ **flower:** *(n)* ηλίανθος‖ **~ny:** *(adj)* ηλιόλουστος ‖ **~rise:** *(n)* ανατολή ηλίου ‖ **~set:** *(n)* δύση ηλίου ‖ **~shine:** *(n)* λιακάδα ‖ **~stroke:** *(n)* ηλίαση ‖ **~tan:** *(n)* μαύρισμα από ήλιο
Sunday (΄sʌndei, ΄Sʌndi:): *(n)* Κυριακή
sun-dial: see under sun
sundry (΄sʌndri:): *(adj)* διάφορος
sunflower: see under sun
sung: see sing
sunk (΄sʌŋk): see sink ‖ **~en:** *(adj)* βαθουλωμένος
super (΄su:pər): *(n)* θυρωρός ή διαχειριστής πολυκατοικίας ‖ έκτακτος, παραπανίσιος ‖ εξαιρετικός, υπέροχος ‖ υπέρ
superb (su΄pə:rb): *(adj)* εξαιρετικός, έξοχος
supercilious (su:pər΄sili:əs): *(adj)* υπεροπτικός
superficial (su:pər΄fiʃəl): *(adj)* επιφανειακός
superfluous (su΄pə:rfluəs): *(adj)* παραπανίσιος ‖ περιττός
superhuman (΄su:pər΄hju:mən): *(adj)* υπεράνθρωπος
superintend (su:pərin΄tend) [-ed]: *(v)* εποπτεύω ‖ **~ent:** *(n)* αρχιεπόπτης, επόπτης
superior (sə΄piəriər): *(adj)* ανώτερος ‖ **~ity:** *(n)* ανωτερότητα ‖ υπεροχή
superlative (su΄pə:rlətiv): *(adj)* ανώτατος ‖ *(n)* υπερθετικός βαθμός
superman (΄su:pərmæn): *(n)* υπεράνθρωπος, ''σούπερμαν''
supermarket (΄su:pərma:rkit): *(n)* υπεραγορά, ''σουπερμάρκετ''
supernatural (su:pər΄nætʃərəl): *(adj)* υπερφυσικός
superpower (΄su:pərpauər): *(n)* υπερδύναμη
supersede (su:pər΄si:d) [-d]: *(v)* εκτοπίζω ‖ αντικαθιστώ
supersonic (su:pər΄sənik): *(adj)* υπερηχητικός
supersti-tion (su:pər΄stiʃən): *(n)* πρόληψη, δεισιδαιμονία ‖ **~tious** (su:pər΄stiʃəs): *(adj)* προληπτικός, δεισιδαίμονας
supervis-e (΄su:pərvaiz) [-d]: *(v)* επιβλέπω, εποπτεύω ‖ **~ion:** *(n)* εποπτεία, επίβλεψη
supine (΄su:pain): *(adj)* ανάσκελα, ύπτιος
supper (΄sʌpər): *(n)* ελαφρό βραδινό φαγητό
supple (΄sʌpəl): *(adj)* ευλύγιστος
supplement (΄sʌpləmənt): *(n)* συμπλήρωμα ‖ (΄sʌplə΄ment) [-ed]: *(v)* συμπληρώνω ‖ **~al:** *(adj)* επιπρόσθετος
suppli-ant (΄sʌpliənt), **~cant** (΄sʌplikənt): *(n)* ικέτης ‖ **~cate** [-d]: *(v)* ικετεύω
suppl-y (sə΄plai) [-ied]: *(v)* εφοδιάζω ‖ προμηθεύω ‖ *(n)* εφόδιο ‖ προμήθεια ‖ **~ier:** *(n)* προμηθευτής
support (sə΄pə:rt) [-ed]: *(v)* στηρίζω ‖ υποστηρίζω ‖ *(n)* υποστήριξη ‖ υποστήριγμα
suppos-able (sə΄pouzəbəl): *(adj)* υποθετικός ‖ **~e** [-d]: *(v)* υποθέτω ‖ **~ition** (supə΄ziʃən): *(n)* υπόθεση
suppository (sə΄pəzətə:ri:): *(n)* υπόθετο
suppress (sə΄pres) [-ed]: *(v)* καταστέλλω ‖ αποκρύπτω, ''σκεπάζω''
suppurat-e (΄supjəreit) [-d]: *(v)* πυορροώ ‖ **~ion:** *(n)* πυόρροια
supra (΄su:prə): υπέρ ‖ **~renal** (su:prə΄ri:nəl): *(adj)* επινεφρίδιος
suprem-acy (sə΄preməsi:): *(n)* υπεροχή ‖ **~e** (sə΄pri:m): *(adj)* υπέρτατος, ανώτατος
surcharge (΄sə:rtʃa:rdz) [-d]: *(v)* επιβαρύνω ‖ *(n)* επιβάρυνση
sure (ʃur): *(adj)* βέβαιος ‖ **make** ~: *(v)* βεβαιώνω

surf (sə:rf): *(n)* κύμα, κυματισμός || [-ed]: *(v)* ισορροπώ πάνω στα κύματα σε σανίδα κολύμβησης || **~board:** *(n)* σανίδα για ισορροπία πάνω στα κύματα, σανίδα κολύμβησης
surface (΄sə:rfəs): *(n)* επιφάνεια
surf-board: see under surf
surge (sə:rdz) [-d]: *(v)* κυματίζω, ορμώ σαν κύμα || *(n)* μεγάλο κύμα
sur-geon (΄sə:rdzən): *(n)* χειρούργος || **~geon General:** *(n)* Υπουργός Υγιεινής || αρχηγός υγ. υπηρ. στρατού || **~gery:** *(n)* χειρουργική || χειρουργείο || **~gical** (΄sə:rdzikəl): *(adj)* χειρουργικός
surl-y (΄sə:rli:): *(adj)* σκυθρωπός και απότομος, κατσούφης
surmise (sər΄maiz) [-d]: *(v)* εικάζω, υποθέτω || *(n)* εικασία
surmount (sər΄maunt) [-ed]: υπερνικώ
surname (΄sə:rneim): *(n)* επώνυμο
surpass (sər΄pæs) [-ed]: *(v)* ξεπερνώ, υπερβαίνω
surplus (΄sə:rpləs): *(adj)* υπερβάλλων || πλεονάζων || *(n)* πλεόνασμα
surpris-e (sər΄praiz) [-d]: *(v)* εκπλήσσω || αιφνιδιάζω || *(n)* έκπληξη || **~ing:** *(adj)* εκπληκτικός
surrender (sə΄rendər) [-ed]: *(v)* εγκαταλείπω || παραδίδω || παραδίνομαι || *(n)* εγκατάλειψη || παράδοση
surreptitious (sə:rəp΄tiʃəs): *(adj)* ύπουλος || λαθραίος
surround (sə΄raund) [-ed]: *(v)* περιβάλλω || περικυκλώνω|| **~ings:** *(n)* το περιβάλλον
surveillan-ce (sər΄veiləns): *(n)* επιτήρηση || **~t** *(n)* επιτηρητής
survey (sər΄vei, ΄sə:rvei) [-ed]: *(v)* εξετάζω προσεκτικά || τοπογραφώ || *(n)* επισκόπηση || τοπογράφηση, τοπογραφία|| **~or:** *(n)* τοπογράφος
surviv-al (sər΄vaivəl): *(n)* επιβίωση || **~e** [-d]: *(v)* επιβιώνω || επιζώ || **~or:** *(n)* επιζήσας, επιζών, επιβιώσας
suscepti-bility (səseptə΄biləti:): *(n)* επιδεκτικότητα || **~ble** (sə΄septəbəl): *(adj)* επιδεκτικός || ευκολοεπηρέαστος
suspect (sə΄spekt) [-ed]: *(v)* υποπτεύομαι, υποψιάζομαι || (΄sʌspekt): *(n & adj)* ύποπτος
suspen-d (sə΄spend) [-ed]: *(v)* θέτω σε διαθεσιμότητα, αναστέλλω || αναρτώ, κρεμώ || **~ders:** *(n)* τιράντες || καλτσοδέτες || **~se** (sə΄spens): *(n)* εκκρεμότητα || αγωνία || αβεβαιότητα || **~sion** (səs΄penʃən): *(n)* αναστολή || διαθεσιμότητα, παύση, αργία || ανάρτηση || **~sion points:** *(n)* αποσιωπητικά
suspi-cion (sə΄spiʃən): *(n)* υποψία, υπόνοια || **~cious** (sə΄spiʃəs): *(adj)* ύποπτος || φιλύποπτος, καχύποπτος
sustain (sə΄stein) [-ed]: *(v)* στηρίζω || συντηρώ || υφίσταμαι
sustenance (΄sʌstənəns): *(n)* διατήρηση || διατροφή
swab (swɔb): *(n)* ψήκτρα || σφουγγαρόπανο || [-bed]: *(v)* σφουγγαρίζω
swagger (΄swægər) [-ed]: *(v)* περπατώ καμαρωτά || καυχιέμαι, κομπάζω
swallow (΄swa:lou) [-ed]: *(v)* καταπίνω || *(n)* καταπιά, μπουκιά || χελιδόνι
swam: see swim
swamp (swa:mp): *(n)* τέλμα || [-ed]: *(v)* πλημμυρίζω
swan (swa:n): *(n)* κύκνος
swap (swa:p) [-ped]: *(v)* ανταλλάσσω || *(n)* ανταλλαγή
swarm (swɔ:rm): *(n)* σμήνος || ομάδα, ''μπουλούκι''
swarthy (΄swɔ:rði:): *(adj)* μελαψός
swastika (΄swa:stikə): *(n)* αγκυλωτός σταυρός, ''σβάστικα''
swat (swa:t) [-ted]: *(v)* χτυπώ απότομα, ''κοπανάω'' || *(n)* χτύπημα
sway (swei) [-ed]: *(v)* ταλαντεύομαι || *(n)* ταλάντωση
swear (sweər) [swore, sworn]: *(v)* ορκίζομαι || βλαστημώ
sweat (swet) [-ed]: *(v)* ιδρώνω || *(n)* ιδρώτας || **~er:** *(n)* ''πουλόβερ'', ''ζιλέ'', φανέλα
sweep (swi:p) [swept, swept]: *(v)* σαρώνω, σκουπίζω || *(n)* σάρωμα
sweet (swi:t): *(adj)* γλυκός || *(inter)* γλύκα μου, γλυκιά μου || *(n)* γλυκό, γλύκισμα || **~bread:** *(n)* εντόσθιο, γλυκάδι || **~ briar:** *(n)* αγριοτριανταφυλλιά || **~en** [-ed]: *(v)* γλυκαίνω || **~heart:** *(n)* αγαπημένος || **~meat:** *(n)* γλύκισμα, ζαχαρωτό
swell (swel) [-ed, swollen]: *(v)* διο-

γκώνομαι, εξογκώνομαι || πρήζομαι || *(n)* διόγκωση || εξόγκωμα || πρήξιμο || φουσκωμένο κύμα
swelter (´sweltər) [-ed]: *(v)* ιδροκοπώ, σκάω από τη ζέστη || *(n)* αποπνικτική ζέστη || **~ing:** *(adj)* αποπνικτικός
swerve (swə:rv) [-d]: *(v)* παρεκκλίνω || *(n)* παρέκκλιση, στρίψιμο
swift (swift): *(adj)* γρήγορος
swig (swig) [-ged]: *(v)* καταπίνω, ρουφώ || *(n)* ρουφηξιά
swill (swil) *(n)* αποφάγια
swim (swim) [swam, swum]: *(v)* κολυμπώ || *(n)* κολύμπι || **~mer:** *(n)* κολυμβητής || **~ming:** *(n)* κολύμπι
swindle (´swindl) [-d]: *(v)* εξαπατώ || *(n)* απάτη || **~r:** *(n)* απατεώνας
swine (swain): *(n)* γουρούνι
swing (swiŋ) [swung, swung]: *(v)* ταλαντεύομαι || αιωρούμαι || αιωρώ, κουνώ πέρα-δώθε || *(n)* ταλάντευση || αιώρηση || κούνημα || κούνια
swipe (swaip) [-d]: *(v)* χτυπώ με φόρα || κλέβω, ''βουτάω'' || *(n)* δυνατό χτύπημα
swirl (swə:rl) [-ed]: *(v)* περιδινούμαι, στροβιλίζομαι || *(n)* δίνη, στρόβιλος
swish (swiʃ) [-ed]: *(v)* θροΐζω, κάνω σφυριχτό θόρυβο
switch (switʃ): *(n)* βέργα || φούντα ουράς || διακόπτης || [-ed]: *(v)* δέρνω || αλλάζω, γυρίζω || γυρίζω διακόπτη || **~ off:** *(v)* διακόπτω, κλείνω, σβήνω || **~ on:** *(v)* ανοίγω, ανάβω
swivel (´swivəl) [-ed]: *(v)* περιστρέφομαι || *(n)* στροφέας
swollen (´swoulən): see swell || *(adj)* πρησμένος || διογκωμένος
swoon (swu:n) [-ed]: *(v)* λιποθυμώ || *(n)* λιποθυμία
swoop (swu:p) [-ed]: *(v)* εφορμώ κάθετα || *(n)* εφόρμηση, πέσιμο επάνω
sword (sə:rd): *(n)* ξίφος || **~fish:** *(n)* ξιφίας || **~ play:** *(n)* ξιφομαχία
swore: see swear
sworn: see swear
swum: see swim
swung: see swing
sycamore (´sikəmə:r): *(n)* πλάτανος || συκομουριά
symbol (´simbəl): *(n)* σύμβολο || **~ic, ~ical** (sim´bəlik, ~əl): *(adj)* συμβολικός || **~ism:** *(n)* συμβολισμός || **~ize** [-d]: *(v)* συμβολίζω
symmet-ric (si´metrik) **~rical:** *(adj)* συμμετρικός|| **~ry** (´simətri:): *(n)* συμμετρία
sympa-thetic (simpə´thetik), **~thetical:** *(adj)* συμπαθητικός || **~thetically:** *(adv)* με συμπάθεια, με κατανόηση || **~thetic ink:** *(n)* συμπαθητική ή αόρατη μελάνη || **~thize** (´simpəthaiz) [-d]: *(v)* συμπάσχω, συμπονώ || δείχνω κατανόηση || **~thizer:** *(n)* συμπαθών, οπαδός || **~thy** (´simpəthi:): *(n)* συμπάθεια || κατανόηση
symphon-ic (sim´fənik): *(adj)* συμφωνικός || **~y** (´simfəni:): *(n)* μουσική συμφωνία || συμφωνική ορχήστρα
symptom (´simtəm): *(n)* σύμπτωμα || **~atic:** *(adj)* συμπτωματικός || **~atically:** *(adv)* συμπτωματικά
synagogue (´sinəgəg): *(n)* συναγωγή
synchro (´sinkrou): *(prep)* σύγχρονος || **~nic** (sin´krənik), **~nical:** *(adj)* σύγχρονος, σε συγχρονισμό || **~nism** (´sinkrənizəm): *(n)* συγχρονισμός || **~nize** (´sinkrənaiz) [-d]: *(v)* συγχρονίζω || συγχρονίζομαι,|| **~nization:** *(n)* συγχρονισμός || **~nous:** *(adj)* σύγχρονος || ταυτόχρονος
syndic (´sindik): *(n)* σύνδικος || **~alism:** *(n)* συνδικαλισμός || **~ate** (´sindikit): *(n)* συνδικάτο
syndrome (´sindroum): *(n)* σύνδρομο
synonym (´sinənim): *(n)* συνώνυμο || **~ous:** *(adj)* συνώνυμος
synop-sis (si´nəpsis): *(n)* σύνοψη
syntax (´sintæks): *(n)* σύνταξη || συντακτικό
synthe-sis (´sinthəsis): *(n)* σύνθεση || **~size** (´sinthəsaiz) [-d]: *(v)* συνθέτω || **~tic** (sin´thetik), **~tical:** *(adj)* συνθετικός
syphi-lis (´sifəlis): *(n)* σύφιλη
syphon: see siphon
syringe (sə´rindz): *(n)* σύριγγα
syrup (´sə:rəp): *(n)* σιρόπι
system (´sistəm): *(n)* σύστημα || **~atic, ~atical:** *(adj)* συστηματικός

T

tab (tæb): *(n)* ταμπελίτσα || πρόσθετη θηλιά
tabby (ˊtæbi:): *(n)* γάτα
tabernacle (ˊtæbərnækəl): *(n)* Ιερό || ιεροφυλάκιο
table (ˊteibəl): *(n)* τραπέζι ||, οροπέδιο || πίνακας || ~ **cloth:** *(n)* τραπεζομάντηλο || ~**spoon:** *(n)* κουτάλα σερβιρίσματος || κουτάλι σούπας || ~**t** (ˊtæblit): *(n)* || σημειωματάριο, "μπλοκ" || δισκίο, χάπι
tabloid (ˊtæbloid): *(n)* φτηνή, λαϊκή εφημερίδα || σκανδαλοθηρικό φύλλο
taboo (təˊbu:): *(n & adj)* απαγορευμένο, "ταμπού" || [-ed]: *(v)* βάζω σε απαγόρευση, κάνω "ταμπού"
tacit (ˊtæsit): *(adj)* σιωπηρός || ~**urn:** *(adj)* σιωπηλός, λιγόλογος
tack (tæk): *(n)* πλατυκέφαλο καρφί|| **thumb** ~: *(n)* πινέζα
tackle (ˊtækəl) [-d]: *(v)* αρπάζομαι || αντιμετωπίζω || καταπιάνομαι|| σύσπαστο
tact (tækt): *(n)* λεπτότητα, "τακτ" || ~**ful:** *(adj)* λεπτός, με "τακτ" || ~**less:** *(adj)* χωρίς "τακτ"
tactic (ˊtæktik): *(n)* τακτική κίνηση ή ελιγμός || ~**al:** *(adj)* τακτικός || ~**ian** (tækˊtiʃən): *(n)* τακτικός, ειδικός στην τακτική || ~**s:** *(n)* τακτική
tactless: see under tact
tad (tæd): *(n)* αγοράκι || ~**pole** (ˊtædpoul): *(n)* γυρίνος
tag (tæg): *(n)* ταμπελίτσα
tail (teil): *(n)* ουρά || οπίσθιο μέρος || [-ed]: *(v)* ακολουθώ
tailor (ˊteilər): *(n)* ράφτης || ~**made:** *(adj)* φτιασμένο με ειδική παραγγελία
taint (teint) [-ed]: *(v)* κηλιδώνω, ατιμάζω
take (teik) [took, taken]: *(v)* παίρνω || δέχομαι, συμπεραίνω || ~ **advantage of:** *(v)* εκμεταλλεύομαι || ~ **after:** *(v)* μοιάζω || ~ **amiss:** *(v)* παρεξηγώ || ~ **apart:** *(v)* διαλύω || ~ **for granted:** παίρνω ως δεδομένο || ~ **off:** βγάζω || φεύγω || ~ **out:** βγάζω || ~ **over:** παίρνω υπό έλεγχο || ~ **place:** συμβαίνω, λαμβάνω χώρα
talc (tælk): *(n)* τάλκης, "ταλκ" || ~**um powder:** *(n)* σκόνη "ταλκ", πούδρα "ταλκ"
tale (teil): *(n)* ιστορία
talent (ˊtælənt): *(n)* προσόν, ταλέντο
talisman (ˊtælismən): *(n)* φυλαχτό
talk (tə:k) [-ed]: *(v)* μιλώ || συνομιλώ || *(n)* ομιλία || συνομιλία || ~ **back:** *(v)* αντιμιλώ || ~**ative:** *(adj)* ομιλητικός || φλύαρος || ~**ativeness:** *(n)* ομιλητικότητα || φλυαρία || ~**er:** ομιλητής || πολυλογάς || ~**ie:** *(n)* ομιλούσα ταινία || ~**ing-to:** επίπληξη || ~**y:** *(adj)* ομιλητικός
tall (tə:l): *(adj)* ψηλός
tallow (ˊtælou): *(n)* λίπος
tally (ˊtæli:) [-ied]: *(v)* καταγράφω || αντιστοιχώ, συμφωνώ || *(n)* καταγραφή πόντων || αντιστοιχία
talon (ˊtælən): *(n)* νύχι αρπακτικού
tame (teim): *(n)* ήμερος || εξημερωμένος || ήπιος, μαλακός || άτονος, νωθρός || [-d]: *(v)* εξημερώνω || δαμάζω
tamper (ˊtæmpər) [-ed]: *(v)* ~ **with:** ανακατεύομαι, χώνομαι || επιφέρω αλλοίωση
tan (tæn) [-ned]: *(v)* κατεργάζομαι δέρμα || ηλιοκαίω, μαυρίζω στον ήλιο || ηλιόκαμα, μαύρισμα από ήλιο || ~**nery:** *(n)* βυρσοδεψείο
tang (tæŋ) [-ed]: *(v)* ταγκίζω || *(n)* ταγκάδα, ταγκίλα
tangerine (ˊtændzəri:n): *(n)* μανταρίνι
tangible (ˊtændzəbəl): *(adj)* απτός || χειροπιαστός
tangle (ˊtængəl) [-d]: *(v)* ανακατεύω, μπερδεύω || ανακατεύομαι, μπερδεύομαι || *(n)* ανακάτεμα, μπέρδεμα
tango (ˊtæŋgou): *(n)* ταγκό
tank (tæŋk): *(n)* δεξαμενή, ντεπόζιτο || άρμα μάχης, "τανκ" || ~**ard:**

(n) κύπελλο || **~er:** *(n)* δεξαμενόπλοιο, ''τάνκερ''
tantaliz-e (΄tæntəlaiz) [-d]: *(v)* προκαλώ, επιδεικνύω βασανιστικά || **~ing:** *(adj)* βασανιστικός
tantamount (΄tæntəmaunt): *(adj)* ισοδύναμος
tantrum (΄tæntrəm): *(n)* παροξυσμός νεύρων ή θυμού
tap (tæp) [-ped]: *(v)* χτυπώ ελαφρά || τραβώ υγρό || *(n)* ελαφρό χτύπημα || ''πέταλο'' παπουτσιού ή αρβύλας || κρουνός, στρόφιγγα, βρύση
tape (teip): *(n)* ταινία, κορδέλα || [-d]: *(v)* || ηχογραφώ || ~ **measure:** *(n)*μετροταινία, ''μεζούρα'' || **~recorder:** *(n)* μαγνητόφωνο
taper (΄teipər): *(n)* κερί || βαθμιαίο στένεμα || [-ed]: *(v)* στενεύω βαθμηδόν
tapestry (΄tæpistri): *(n)* τάπητας, χαλί του τοίχου
tar (ta:r): *(n)* πίσσα || ~ **paper:** *(n)* πισσόχαρτο
tard-y (΄ta:rdi:): *(adj)* καθυστερημένος
target (΄ta:rgit): *(n)* στόχος
tariff (΄tærif): *(n)* δασμός || τιμολόγιο, ''ταρίφα'
tarnish (΄ta:rniʃ) [-ed]: *(v)* ξεθωριάζω || κηλιδώνω
tar paper: see under tar
tarpaulin (ta:r΄pɔ:lin, ΄ta:rpəlin): *(n)* μουσαμάς
tarry (΄tæri:) [-ied]: *(v)* καθυστερώ || κοντοστέκομαι
tart (ta:rt): *(n)* τούρτα, κέικ
task (tæsk): *(n)* έργο, καθήκον
tassel (΄tæsəl): *(n)* φούντα
tast-e (teist) [-d]: *(v)* γεύομαι || δοκιμάζω με το στόμα || **have good** ~: *(v)* έχω καλό γούστο || *(n)* γεύση || γούστο || προτίμηση || **~eful:** *(adj)* καλαίσθητος, με καλό γούστο || **~eless:** *(adj)* άνοστος || κακόγουστος || **~y** (΄teisti): *(adj)* νόστιμος, γευστικός || καλαίσθητος
tatter (΄tætər) [-ed]: *(v)* κουρελιάζω || σκίζομαι || *(n)* κουρέλι || **~ed:** *(adj)* κουρελιάρης
tattoo (tæ΄tu:): *(n)* αποχώρηση, σιωπητήριο || στιγματισμός δέρματος, ''τατουάζ'
taught: see teach
taunt (tɔ:nt) [-ed]: *(v)* εμπαίζω, || *(n)* εμπαιγμός
taut (tɔ:t): *(adj)* τεντωμένος || σε υπερένταση
tavern (΄tævərn): *(n)* ταβέρνα
tawdry (΄tɔ:dri:): *(adj)* φτηνός και φανταχτερός
tawny (΄tɔ:ni:): *(adj)* καστανόξανθος
tax (tæks) [-ed]: *(v)* φορολογώ || βάζω σε δοκιμασία || *(n)* φόρος || **~ation:** *(n)* φορολογία
taxi (΄tæksi:): *(n)* ταξί || ~ **cab:** *(n)* ταξί || **~meter:** *(n)* ταξίμετρο || ~ **stand:** *(n)* στάση ταξί
taxider-mist (΄tæksə΄də:rmist): *(n)* βαλσαμωτής || **~my:** *(n)* ταρίχευση, βαλσάμωμα
taximeter: see under taxi
taxi stand: see under taxi
tea (ti:): *(n)* τσάι || **~cup:** *(n)* φλιτζάνι τσαγιού || **~kettle, ~pot:** *(n)* τσαγιέρα || **~spoon:** κουταλάκι του τσαγιού
teach (ti:tʃ) [taught, taught]: *(v)* διδάσκω || **~er:** *(n)* δάσκαλος, δασκάλα
tea-cup: see under tea
teak (ti:k): *(n & adj)* τεκτονία, τικ
teakettle: see tea
team (ti:m): *(n)* || ομάδα || [-ed]: *(v)* σχηματίζω ομάδα || **~work:** *(n)* συνεργασία
teapot: see tea
tear (teər) [tore, torn]: *(v)* σχίζω || σχίζομαι || *(n)* σκίσιμο || ~ **down:** κατεδαφίζω || (tiər): *(n)* δάκρυ || **~ful:** *(adj)* δακρυσμένος || κλαμένος || **~gas:** *(n)* δακρυγόνο αέριο
tease (ti:z) [-d]: *(v)* πειράζω || ειρωνεύομαι || *(n)* πείραγμα
tech (tek): τεχνικός || **~nical** (΄teknikəl): *(adj)* τεχνικός || **~nicality:** *(n)* τεχνική λεπτομέρεια || τεχνικότητα || **~nician** (tek΄niʃən): *(n)* τεχνίτης || **~nique** (tek΄ni:k): *(n)* τεχνική || **~nologic** (teknə΄lɔdzik), **~nological:** *(adj)* τεχνολογικός || **~nology:** *(n)* τεχνολογία
tectonic (tek΄tɔnik): *(adj)* τεκτονικός
teddy (΄tedi:): *(n)* εσώρουχο γυναικείο || **~bear:** *(n)* αρκουδάκι παιδικό
tedi-ous (΄ti:di:əs): *(adj)* κουραστικός || μονότονος
teem (ti:m) [-ed]: *(v)* βρίθω, είμαι γεμάτος
teen (ti:n): *(n)* έφηβος || *(adj)* εφηβι-

T

κός || ~-age: *(adj)* εφηβικός (από 13 έως 19 ετών) || ~-ager: *(n)* έφηβος
teeth (ti:th): pl. see tooth || **~e** (ti:δ) [-d]: *(v)* βγάζω δόντια || **~ing:** *(n)* οδοντοφυΐα
tele-cast (΄teləkæst) [-ed or telecast]: *(v)* κάνω τηλεκπομπή || *(n)* τηλεκπομπή || **~communication** (΄telə kəmju:ni΄keiʃən): *(n)* τηλεπικοινωνία || **~gram** (΄teləgræm): *(n)* τηλεγράφημα || **~graph** (΄teləgræf): *(n)* τηλέγραφος || **~pathic** (telə΄pæthik): *(adj)* τηλεπαθητικός || **~pathy** (tə΄lepəthi:): *(n)* τηλεπάθεια || **~phone** (΄teləfoun): *(n)* τηλέφωνο || [-d]: *(v)* τηλεφωνώ || **~phone exchange:** *(n)* τηλεφωνικό κέντρο || **~phone receiver:** *(n)* ακουστικό || **~photograph:** *(n)* τηλεφωτογραφία || **~printer, ~typewriter:** *(n)* τηλέτυπο || **~scope** (΄teləskoup): *(n)* τηλεσκόπιο || **~scopic:** *(adj)* τηλεσκοπικός || **~vision** (΄teləvizən): *(n)* τηλεόραση
tell (tel) [told, told]: *(v)* λέω || ξεχωρίζω, διακρίνω || **~er:** *(n)* ταμίας τραπέζης || **~ on:** *(v)* || μαρτυρώ, προδίδω
telpher (΄telfər): *(n)* "τελεφερίκ"
temper (΄tempər) [-ed]: *(v)* απαλύνω, μαλακώνω || βάφω ή σκληρύνω μέταλλο || *(n)* διάθεση || θυμός || σκλήρυνση || **~ament:** *(n)* ιδιοσυγκρασία, "ταμπεραμέντο" || **~amental:** *(adj)* ευερέθιστος || **~ance** (΄tempərəns): *(n)* εγκράτεια || μετριοπάθεια || **~ate** (΄tempərit): *(adj)* μετριοπαθής || εύκρατος || **~ate zone:** *(n)* εύκρατη ζώνη || **~ature** (΄tempərətʃur): *(n)* θερμοκρασία
tempest (΄tempist): *(n)* θύελλα|| **~uous** (tem΄pestʃu:əs): *(adj)* θυελλώδης
temple (΄tempəl): *(n)* ιερό || ναός || κρόταφος
tempo (΄tempou): *(n)* ρυθμός, "τέμπο", χρόνος || **~ral** (΄tempərəl): *(adj)* χρονικός || **~rary** (΄tempə reri:): *(adj)* προσωρινός
tempt (tempt) [-ed]: *(v)* δελεάζω || βάζω σε πειρασμό || παροτρύνω || **~ation:** *(n)* πειρασμός
ten (ten): *(n)* δέκα || **~th:** δέκατος
tena-cious (tə΄neiʃəs): *(adj)* επίμονος || ανθεκτικός || συνεκτικός || **~city:** *(n)* επιμονή, εμμονή || συνεκτικότητα
tenan-cy (΄tenənsi:): *(n)* κατοχή || εκμίσθωση || **~t:** *(n)* μισθωτής || ενοικιαστής
tend (tend) [-ed]: *(v)* ρέπω, κλίνω || τείνω || φροντίζω || **~ency:** *(n)* τάση, ροπή
tender (΄tendər): *(adj)* τρυφερός
tendon (΄tendən): *(n)* τένοντας
tenement (΄tenəmənt): *(n)* κατοικία
tennis (΄tenis): *(n)* αντισφαίριση, "τένις"
tens-e (tens): *(adj)* τεντωμένος || σε υπερένταση || *(n)* χρόνος ρήματος || **~ion** (΄tenʃən): *(n)* τάση || ένταση || υπερένταση
tent (tent): *(n)* σκηνή
tentacle (΄tentəkəl): *(n)* πλόκαμος
tentative (΄tentətiv): *(adj)* πειραματικός || δοκιμαστικός
tenth: see under ten
tenure (΄tenjər): *(n)* κατοχή
tepid (΄tepid): *(adj)* χλιαρός
term (tə:rm): *(n)* περίοδος || όρος || [-ed]: *(v)* ονομάζω, αποκαλώ || **~inal:** *(adj)* τελικός || μοιραίος, θανάσιμος || **~inate** [-d]: *(v)* βάζω τέλος || τελειώνω || **~ination** (tə:rmə΄neiʃən): *(n)* περάτωση || κατάληξη || **~inology:** *(n)* ορολογία
termite (΄tə:rmait): *(n)* τερμίτης
terrace (΄teris): *(n)* ταράτσα || πλακόστρωτη αυλή
terracotta (΄terə΄kətə): *(n)* οπτή γη, κεραμεικά, "τερρακόττα"
terrain (tə΄rein): *(n)* έδαφος || περιοχή
terrestrial (tə΄restri:əl): *(adj)* γήινος || χερσαίος
ter-rible (΄terəbəl): *(adj)* τρομερός, τρομακτικός || **~rific** (tə΄rifik): *(adj)* τρομερός || υπέροχος || **~rify** (΄terəfai) [-ied]: *(v)* τρομοκρατώ, φοβίζω
territo-rial (terə΄tə:riəl): *(adj)* τοπικός || χωρικός || **~rial waters:** *(n)* χωρικά ύδατα || **~ry** (΄terət-ə:ri:): *(n)* περιοχή
terror (΄terər): *(n)* τρόμος || **~ism:** *(n)* τρομοκρατία || **~ist:** *(n)* τρομοκράτης || **~ize** (΄terəraiz) [-d]: *(v)* τρομοκρατώ
terse (΄tə:rs): *(adj)* βραχύς και περιληπτικός

test (test) [-ed]: *(v)* δοκιμάζω || εξετάζω || *(n)* δοκιμή || εξέταση, "τεστ"
testa-ment (΄testəmənt): *(n)* διαθήκη
testicle (΄testikəl): *(n)* όρχης
testi-fy (΄testəfai) [-ied]: *(v)* καταθέτω || **~monial** (testə΄mouni:əl): *(n)* πιστοποιητικό || **~mony** (΄testəmouni:): *(n)* κατάθεση || μαρτυρία, ένδειξη
testy (΄testi:): *(adj)* ευέξαπτος
tetanus (΄tetənəs): *(n)* τέτανος
tetrahe-dral (tetrə΄hi:drəl): *(adj)* τετράεδρος || **~dron:** *(n)* τετράεδρο
text (tekst): *(n)* κείμενο
textile (΄tekstail, ΄tekstil): *(n)* ύφασμα || *(adj)* υφαντό
textual: see text
texture (΄tekstʃər): *(n)* υφή
Thames (temz): *(n)* Τάμεσης
than (δæn): *(conj)* από, παρά
thank (thæŋk) [-ed]: *(v)* ευχαριστώ || **~ful:** *(adj)* με ευχαριστίες || ευγνώμονας|| **~less:** *(adj)* αχάριστος || **~s:** *(n)* ευχαριστίες || *(v)* ευχαριστώ
that (δæt, δət): *(adj)* εκείνος || *(pron)* ο οποίος, που, ότι
thatch (thætʃ): *(n)* καλαμωτή || ψάθα, ψαθόχορτο
thaw (thə:) [-ed]: *(v)* λιώνω || *(n)* λιώσιμο, τήξη
the (δi:, δə): *(article)* ο, η, το, οι, οι, τα || *(adv)* όσο ... τόσο
theat-er (΄thi:ətər): *(n)* θέατρο || αίθουσα κινηματογράφου || **~rical** (thi:΄ætrikəl): *(adj)* θεατρικός || θεατρινίστικος || **~rics:** *(n)* θεατρινισμοί
theft (theft): *(n)* κλοπή
their (δeər): *(adj)* τους, δικός τους || **~s:** *(pron)* δικούς τους, δικοί τους
them (δem): *(pron)* αυτούς, αυτές, αυτά, τους, τις, τα || **~selves:** *(pron)* οι ίδιοι || αυτούς, τους εαυτούς των
theme (thi:m): *(n)* θέμα || μουσική υπόκρουση έργου
themselves: see them
then (δen): *(adv)* τότε || έπειτα, μετά || λοιπόν || **~ce:** *(adv)* από κει || από τότε
theolo-gian (thi:ə΄loudzən): *(n)* θεολόγος || **~gic, ~gical:** *(adj)* θεολογικός || **~gy:** *(n)* θεολογία
theo-rem (΄thi:ərəm): *(n)* θεώρημα || **~retic, ~retical:** *(adj)* θεωρητικός || **~rize** (΄thi:əraiz) [-d]: *(v)* κάνω ή σχηματίζω θεωρία || **~ry** (΄thi:əri:): *(n)* θεωρία
thera-peutic (there΄pju:tik), **~peutical:** *(adj)* θεραπευτικός || **~py:** *(n)* θεραπεία
there (δeər): *(adv)* εκεί || *(inter)* να, επιτέλους || **~ about, ~ abouts:** κάπου εκεί κοντά, περίπου, κατά προσέγγιση || **~fore:** *(adv)* όθεν, άρα, συνεπώς, επομένως || **~ is:** υπάρχει || **~ are:** υπάρχουν
therm-al (΄thə:rməl), **~ic** (΄thə:rmik): *(adj)* θερμικός
thermo-meter (thər΄məmətər): *(n)* θερμόμετρο||**~dynamic**(thə:rmoudai΄næmik): *(adj)* θερμοδυναμικός || **~dynamics:** *(n)* θερμοδυναμική || **~stat** (΄thə:rməstæt): *(n)* θερμοστάτης
these (δi:z): *(pron)* αυτοί, αυτές, αυτά
thesis (΄thi:sis): *(n)* πραγματεία, διατριβή
they (δei): *(pron)* αυτοί, αυτές, αυτά
thick (thik): *(adj)* χοντρός || παχύς || **~en** [-ed]: *(v)* χοντραίνω, παχαίνω || πυκνώνω || πήζω || **~et:** *(n)* πύκνωμα || **~ head:** *(n)* χοντροκέφαλος || **~ set:** *(adj)* κοντόχοντρος
thief (thi:f): *(n)* κλέφτης
thieves (thi:vz): pl. of thief
thigh (thai): *(n)* μηρός
thimble (΄thimbəl): *(n)* δαχτυλήθρα
thin (thin): *(adj)* λεπτός, αδύνατος || αραιός, όχι πυκνός
thing (thiŋ): *(n)* πράγμα
think (thiŋk) [thought, thought]: *(v)* νομίζω || σκέφτομαι
third (thə:rd): *(adj & n)* τρίτος || τρίτο || **~ly:** *(adv)* τρίτον || **~ degree:** τρίτου βαθμού
thirst (thə:rst): *(n)* δίψα || πόθος, "δίψα" || [-ed]: *(v)* διψώ || ποθώ έντονα, "διψώ"
thirt-een (thə:r΄ti:n): *(n)* δεκατρία || **~eenth:** *(adj)* δέκατος τρίτος || **~ieth:** *(adj)* τριακοστός || **~y:** *(n)* τριάντα
this (δis): *(pron)* αυτός, -ή, -ό || τόσο
thorn (thə:rn): *(n)* αγκάθι || **~y:** *(adj)* αγκαθωτός || ακανθώδης, δύσκολος
thorough (΄thə:rou): *(adj)* πλήρης, || διεξοδικός || **~bred:** *(adj & n)* καθαρόαιμος || **~ fare:** *(n)* κεντρικός δρόμος, αρτηρία
those (δouz): *(pron)* εκείνοι, -ες, -α

though (δou): *(conj)* αν και, μολονότι || *(adv)* όμως, παρόλα αυτά
thought (thə:t): see think || *(n)* σκέψη || ιδέα, γνώμη || **~ful:** *(adj)* σκεπτικός || λεπτός, διακριτικός, με "τακτ" || **~less:** *(adj)* απερίσκεπτος || αδιάκριτος, χωρίς "τακτ"
thousand (΄thauzənd): *(n)* χίλιοι || **~th:** *(adj)* χιλιοστός
thrash (thræʃ) [-ed]: *(v)* δέρνω, ξυλοκοπώ || κοπανίζω
thread (thred) [-ed]: *(v)* βελονιάζω, περνώ κλωστή || *(n)* κλωστή, νήμα || ίνα || ειρμός || ~ **bare:** *(adj)* ξεφτισμένος
threat (thret): *(n)* απειλή || φοβέρα || **~en** [-ed]: *(v)* απειλώ, φοβερίζω || **~ening:** *(adj)* απειλητικός
three (thri:): *(n)* τρεις, τρία || **~-D, ~-dimensional:** *(adj)* τρισδιάστατος
thresh (threʃ) [-ed]: *(v)* αλωνίζω || κοπανίζω || **~er, ~ing machine:** *(n)* αλωνιστική μηχανή
threshold (΄threʃhould): *(n)* κατώφλι
threw: see throw
thrice (thrais): *(adv)* τρεις φορές
thrift (thrift): *(n)* οικονομία, λιτότητα || **~y:** *(adj)* οικονόμος
thrill (thril) [-ed]: *(v)* συναρπάζω, συγκινώ || *(n)* συγκίνηση, συνάρπαση
thriv-e (thraiv) [-ed or throve, thriven]: *(v)* ευδοκιμώ || **~ing:** *(adj)* σε πλήρη άνθηση, ακμαίος
throat (throut): *(n)* λαιμός
throb (thrəb) [-bed]: *(v)* πάλλω || *(n)* χτύπος, παλμός
throes (throuz): *(n)* οξύς πόνος, "σουβλιά" || πάλη, αγώνας
throne (throun): *(n)* θρόνος
throng (thrəŋg): *(n)* πλήθος
throttle (΄thrətl) [-d]: *(v)* στραγγαλίζω, πνίγω
through (thru:): *(prep)* δια, δια μέσου || σ' όλη τη διάρκεια, από την αρχή ως το τέλος|| **~out:** *(prep)* σ' όλη τη διάρκεια
throve: see thrive
throw (throu) [threw, thrown]: *(v)* ρίχνω || εξακοντίζω || απορρίπτω || *(n)* ρίξιμο || βολή || ~ **off:** απορρίπτω || ~ **over:** ανατρέπω
thru: see **through**
thrush (thrʌʃ): *(n)* τσίχλα (πτ.)
thrust (thrʌst) [thrust]: *(v)* σπρώχνω βίαια || χώνω, μπήγω || *(n)* βίαιο σπρώξιμο || ώθηση || μπήξιμο
thud (thʌd): *(n)* γδούπος
thug (thʌg): *(n)* μαχαιροβγάλτης, κακοποιός
thumb (thʌm): *(n)* αντίχειρας || ~ **tack:** *(n)* πινέζα
thump (thʌmp): *(n)* χτύπημα || υπόκωφος βρόντος, γδούπος
thunder (΄thʌndər): *(n)* βροντή || [-ed]: *(v)* βροντώ || βροντοφωνάζω || **~bolt:** *(n)* κεραυνός || **~clap:** *(n)* βροντή || **~struck:** *(adj)* κεραυνόπληκτος, εμβρόντητος
Thursday (΄thə:rzdei, ΄thə:rzdi:): *(n)* Πέμπτη
thus (δʌs): *(adv)* έτσι || λοιπόν, συνεπώς
thwart (thwə:rt) [-ed]: *(v)* ματαιώνω || ανατρέπω
thyme (taim): *(n)* θυμάρι
thyroid (΄thairoid): *(n)* θυρεοειδής αδένας
tic (tik): *(n)* νευρικός σπασμός, "τικ"
tick (tik): *(n)* ελαφρός χτύπος, "τικ" || τσιμούρι || [-ed]: *(v)* χτυπώ ελαφρά, κάνω "τικ-τακ"
ticket (΄tikit): *(n)* εισιτήριο || κλήση
tickl-e (΄tikəl) [-d]: *(v)* γαργαλώ || *(n)* γαργάλισμα
tidal (΄taidl): *(adj)* παλιρροϊκός
tidbit (΄tidbit): *(n)* εκλεκτό κομμάτι τροφής, νόστιμος μεζές || κουβεντούλα
tide (taid): *(n)* παλίρροια
tid-y (΄taidi:): *(adj)* νοικοκυρεμένος || συγυρισμένος || [-ied]: *(v)* νοικοκυρεύω
tie (tai) [-d]: *(v)* δένω || *(n)* δέσιμο || γραβάτα || ισοπαλία
tier (tiər): *(n)* σειρά
tiger (΄taigər): *(n)* τίγρης
tight (tait): *(adj)* σφιχτός || στερεός || τεντωμένος || περιορισμένος || στεγανός || τσιγκούνης, "σφιχτός"|| **~en** [-ed]: *(v)* σφίγγω || ~ **fisted:** *(adj)* τσιγκούνης, "σφιχτοχέρης" || ~ **lipped:** *(adj)* λιγομίλητος, αμίλητος
tigress (΄taigris): *(n)* θηλ. τίγρη
tile (tail): *(n)* πλακάκι || κεραμίδι || [-d]: *(v)* πλακοστρώνω || βάζω κεραμίδια
till (til) [-ed]: *(v)* οργώνω, καλλιεργώ || *(prep)* έως, μέχρι || *(n)* ταμείο, συρτάρι
tilt (tilt) [-ed]: *(v)* γέρνω, κλίνω ||

(n) κλίση

timber (΄timbər): *(n)* δάσος, δασώδης έκταση || ξυλεία

timbre (΄timbər): *(n)* ποιότητα ήχου, τόνος

time (taim): *(n)* χρόνος || ώρα || φορά, περίπτωση || χρόνος, ρυθμός || [-d]: *(v)* χρονομετρώ || ρυθμίζω || **for the ~ being:** προς το παρόν || **high ~:** καιρός πια, ήταν καιρός || **make ~:** προχωρώ, προοδεύω || **on ~:** στην ώρα || **~ clock:** *(n)* ωρογράφος || **~ly:** *(adj)* έγκαιρος || στην κατάλληλη στιγμή || **~ piece:** *(n)* ρολόι || **~table:** *(n)* δρομολόγιο || πίνακας γεγονότων, πρόγραμμα, ωρολόγιο πρόγραμμα|| **~zone:** *(n)* ωριαία άτρακτος

timid (΄timid): *(adj)* δειλός, συνεσταλμένος || **~ity, ~ ness:** *(n)* δειλία, συστολή

tin (tin): *(n)* κασσίτερος || τενεκές || κονσέρβα || [-ned]: *(v)* κασσιτερώνω || **~ foil:** *(n)* αλουμινόχαρτο || **~ner:** *(n)* τενεκετζής|| **~ smith:** *(n)* τενεκετζής

tinder (΄tindər): *(n)* προσάναμμα

tinge (΄tindz) [-d]: *(v)* χρωματίζω || *(n)* χροιά

tingle (΄tiŋgəl) [-d]: *(v)* τσούζω || διεγείρω

tinker (΄tiŋkər): *(n)* γανωτής || [-ed]: *(v)* γανώνω || καταπιάνομαι, ψευτοδουλεύω

tinkle (΄tiŋkəl) [-d]: *(v)* κουδουνίζω || *(n)* κουδούνισμα

tin-ner, ~ny: see tin

tinsel (΄tinsəl): *(n)* γυαλιστερή ταινία, ''στρας''

tinsmith: see tin

tint (tint) [-ed]: *(v)* δίνω απόχρωση || *(n)* χροιά, απόχρωση

tiny (΄taini:): *(adj)* μικροσκοπικός

tip (tip) [-ped]: *(v)* αναποδογυρίζω || γέρνω, κλίνω || δίνω φιλοδώρημα, δίνω πουρμπουάρ || δίνω πληροφορία || *(n)* άκρη || λαβή || κλίση || αναποδογύρισμα || ελαφρό χτύπημα || φιλοδώρημα, πουρμπουάρ || πληροφορία || **~ -off:** *(v)* δίνω πληροφορία

tipsy (΄tipsi:): *(adj)* ασταθής

tiptoe (΄tiptou) [-d]: *(v)* περπατώ στα νύχια

tiptop (΄tiptəp): *(n)* το ψηλότερο σημείο || άριστη κατάσταση

tirade (΄taireid): *(n)* τα εξ αμάξης, ''εξάψαλμος'', ''κατσάδα''

tire (taiər) [-d]: *(v)* κουράζω || κουράζομαι || *(n)* ρόδα || *(n)* see tyre || **~d:** *(adj)* κουρασμένος || **~dness:** *(n)* κούραση || **~less:** *(adj)* ακούραστος || **~some:** *(adj)* κουραστικός || βαρετός

tissue (΄tiʃu:): *(n)* ιστός || υφή || **~ paper:** *(n)* ψιλό χαρτί περιτυλίγματος

titan (΄taitn): *(n)* τιτάνας, κολοσσός || **~ic:** *(adj)* τιτάνιος

title (΄taitl): *(n)* τίτλος || επικεφαλίδα

titular (΄titʃulər): *(adj)* επίτιμος || *(n)* τιτλούχος

to (tu, tə) *(prep):* εις, σε, προς || ως προς, προς || μέχρις || για να, να || **~ and fro:** πέρα δώθε, πηγαινέλα

toad (toud): *(n)* φρύνος || **~stool:** *(n)* δηλητηριώδες μανιτάρι

toast (toust) [-ed]: *(v)* ψήνω, ξεροψήνω || κάνω πρόποση || *(n)* φρυγανιά || πρόποση || **~er:** *(n)* φρυγανιέρα

tobacco (tə΄bækou): *(n)* καπνός || **~nist:** *(n)* καπνοπώλης

toboggan (tə΄bəgən): *(n)* έλκηθρο

today (tə΄dei): *(adv)* σήμερα

toddle (΄tədl) [-d]: *(v)* περπατώ αδέξια, || **~r:** *(n)* νήπιο που μόλις περπατά

toe (tou): *(n)* δάχτυλο ποδιού || μύτη κάλτσας ή παπουτσιού || **~ the mark, ~ the line:** συμμορφώνομαι, υπακούω σε κανονισμούς

toga (΄tougə): *(n)* τήβεννος

together (tə΄gedər): *(adv)* μαζί || **get ~:** συγκεντρώνομαι

toil (toil) [-ed]: *(v)* μοχθώ, εργάζομαι κοπιωδώς || *(n)* μόχθος || σκληρή δουλειά

toilet (΄toilit): *(n)* αποχωρητήριο, τουαλέτα || περιποίηση, ''τουαλέτα'' || τραπέζι τουαλέτας || **~paper:** *(n)* χαρτί υγείας

token (΄toukən): *(n)* τεκμήριο || ένδειξη

told: see tell

tolera-ble (΄tələrəbəl): *(adj)* ανεκτός, υποφερτός || **~nce** (΄tələrəns): *(n)* ανοχή || ανεκτικότητα || **~te** (΄tələreit) [-d]: *(v)* ανέχομαι, υποφέρω

toll (toul) [-ed]: *(v)* χτυπώ καμπάνα

|| *(n)* καμπανοκρουσία || φόρος διοδίων || ~ **call:** *(n)* υπεραστικό τηλεφώνημα
tomato (tə´meitou): *(n)* ντομάτα
tomb (tu:m): *(n)* τύμβος || τάφος || ~**stone:** *(n)* ταφόπλακα
tom-boy (´təmboi): *(n)* αγοροκόριτσο || ~**cat:** *(n)* γάτος
tombstone: see tomb
tome (toum): *(n)* τόμος
tommyrot (´təmi:rət): *(n)* ανοησία, τρέλα
tomorrow (tə´mə:rou): *(n & adv)* αύριο
ton (tʌn): *(n)* τόνος || ~**nage:** *(n)* χωρητικότητα, ''τονάζ''
tone (toun): *(n)* τόνος || [-d]: *(v)* δίνω τόνο || τονίζω
tong (tə:ŋg) [-ed]: *(v)* πιάνω με τσιμπίδα || ~**s:** *(n)* τσιμπίδα, λαβίδα
tongue (tʌŋ): *(n)* γλώσσα || ~ **twister:** *(n)* γλωσσοδέτης
tonic (´tənik): *(n)* τονωτικό || τονική
tonight (tə´nait): *(n) (adv)* απόψε
tonnage: see ton
tonsil (´tənsəl): *(n)* αμυγδαλή
too (tu:): *(adv)* επίσης, και || πάρα πολύ, υπερβολικά
took: see take
tool (tu:l): *(n)* εργαλείο
toot (tu:t) [-ed]: *(v)* κορνάρω || σφυρίζω || *(n)* κορνάρισμα || σφύριγμα
tooth (tu:th): *(n)* δόντι || ~**ache:** *(n)* πονόδοντος || ~ **and nail:** μ' όλη τη δύναμη || ~**paste:** *(n)* οδοντόκρεμα || ~**pick:** *(n)* οδοντογλυφίδα
top (təp): *(n)* κορυφή || σβούρα || *(adj)* πρώτος, κορυφαίος || ~ **coat:** *(n)* πανωφόρι, παλτό || ~**hat:** *(n)* ψηλό καπέλο || ~**less:** *(adj)* ''τόπλες'' || ~**-secret:** *(adj)* αυστηρώς απόρρητο
topic (´təpik): *(n)* θέμα, ζήτημα || ~**al:** *(adj)* τοπικός
topogra-pher (tə´pəgrəfər): *(n)* τοπογράφος || ~**phic,** ~**phical:** *(adj)* τοπογραφικός || ~**phy:** *(n)* τοπογραφία
topple (´təpəl) [-d]: *(v)* αναποδογυρίζω
topsy-turvy (´təpsi:´tə:rvi): *(adv)* άνω-κάτω
torch (´tə:rtʃ): *(n)* πυρσός
tore: see tear
torment (´tə:rment): *(n)* βάσανο, βασανιστήριο || (tə:r´ment, ´tə:rment) [-ed]: *(v)* βασανίζω || ~**or:** *(n)* βασανιστής
torn: see tear
tornado (tə:r´neidou): *(n)* κυκλώνας
torpedo (tə:r´pi:dou): *(n)* τορπίλα || [-ed]: *(v)* τορπιλίζω
torp-id (´tə:rpid): *(adj)* ναρκωμένος || αδρανής || ~**or** (´tə:rpər): *(n)* νάρκη || λήθαργος
torrent (´tə:rənt): *(n)* χείμαρρος || ~**ial** (tə:´renʃəl): *(adj)* χειμαρρώδης
torrid (´tə:rid): *(adj)* καυτός || ~ **zone:** *(n)* διακεκαυμένη ζώνη
torso (´tə:rsou): *(n)* κορμός
tortoise (´tə:rtəs): *(n)* χελώνα
torture (´tə:rtʃər): *(n)* βασανιστήριο || [-d]: *(v)* βασανίζω || ~**r:** *(n)* βασανιστής
toss (tə:s) [-ed]: *(v)* πετώ, ρίχνω || στριφογυρίζω || τινάζομαι || ρίχνω ''κορόνα-γράμματα'' || *(n)* ρίξιμο || στριφογύρισμα || τίναγμα
total (´toutl): *(n)* σύνολο || [-ed]: *(v)* αθροίζω || ανέρχομαι, συμποσούμαι || ~**itarian:** *(n)* ολοκληρωτικός || ~**itarianism:** *(n)* ολοκληρωτισμός
totter (´tətər) [-ed]: *(v)* τρικλίζω || παραπαίω, είμαι έτοιμος να πέσω
touch (tʌtʃ) [-ed]: *(v)* αγγίζω || εφάπτομαι || συγκινώ || *(n)* άγγιγμα || επαφή || ίχνος, σημάδι || ~ **and-go:** επισφαλής, επικίνδυνος || ~ **down:** *(v)* προσγειώνομαι || ~**ing:** *(adj)* συγκινητικός || ~**-me-not:** *(n)* μη μου άπτου
tough (tʌf): *(adj)* σκληρός || τραχύς || δύσκολος|| ~**en** [-ed]: *(v)* σκληραίνω || σκληραίνομαι
toupee (tu:´pei): *(n)* περούκα
tour (tur): *(n)* περιήγηση || περιοδεία || [-ed]: *(v)* περιοδεύω || ~**ism:** *(n)* περιήγηση, τουρισμός || ~**ist:** *(n)* περιηγητής, τουρίστας || ~**nament** (´turnəmənt): *(n)* ''τουρνουά''
tourniquet (´turnikit): *(n)* επίδεσμος αιμοστατικός
tousle (´tauzəl) [-d]: *(v)* ανακατώνω, ξεχτενίζω
tow (tou) [-ed]: *(v)* ρυμουλκώ || *(n)* ρυμούλκηση || ~ **boat:** *(n)* ρυμουλκό
toward (´tə:rd, tə´wə:rd), ~**s:** *(prep)* προς, κατά

towel (΄tauəl): *(n)* πετσέτα
tower (΄tauər): *(n)* πύργος
town (taun): *(n)* κωμόπολη ‖ πόλη ‖ ~ **hall:** *(n)* δημαρχείο
toxic (΄təksik): *(adj)* τοξικός ‖ ~**ology:** *(n)* τοξικολογία
toy (toi): *(n)* παιχνίδι, άθυρμα ‖ [-ed]: *(v)* παίζω
trace (treis): *(n)* ίχνος ‖ [-d]: *(v)* ‖ τραβώ γραμμή ‖ αντιγράφω, ''ξεσηκώνω''
trachea (΄treiki:ə): *(n)* τραχεία αρτηρία
track (træk): *(n)* ίχνος ‖ μονοπάτι ‖ [-ed]: *(v)* ιχνηλατώ ‖ ~**events:** *(n)* αγώνες δρόμου
tract (trækt): *(n)* έκταση
tract-able (΄træktəbəl): *(adj)* ευκολομεταχείριστος ‖ ~**ion** (΄trækʃən): *(n)* έλξη ‖ ~**or:** *(n)* ελκυστήρας, τρακτέρ
trad-e (treid): *(n)* επάγγελμα, τέχνη ‖ εμπόριο, συναλλαγή ‖ συντεχνία ‖ [-d]: *(v)* εμπορεύομαι ‖ συναλλάσσομαι ‖ ~**emark:** *(n)* σήμα κατατεθέν ‖ ~**e union:** *(n)* εργατικό συνδικάτο
tradition (trə΄diʃən): *(n)* παράδοση ‖ ~**al:** *(adj)* παραδοσιακός ‖ πατροπαράδοτος ‖ ~**ally:** *(adv)* πατροπαράδοτα ‖ παραδοσιακά ‖ ~**alize** [-d]: *(v)* κάνω παραδοσιακό
traffic (΄træfik): *(n)* κυκλοφορία ‖ τροχαία κίνηση ‖ συναλλαγές ‖ [-ked]: *(v)* συναλλάσσομαι ‖ διακινώ
tragedy (΄trædzədi:): *(n)* τραγωδία
tragic (΄trædzik), ~**al:** *(adj)* τραγικός
trail (treil) [-ed]: *(v)* σέρνω ‖ αφήνω ίχνη ‖ παρακολουθώ ίχνη ‖ *(n)* ίχνος, αχνάρι ‖ μονοπάτι ‖ ~**er:** *(n)* ρυμουλκούμενο ‖ τροχόσπιτο
train (trein): *(n)* αμαξοστοιχία, τρένο ‖ αλληλουχία, σειρά ‖ ακολουθία ‖ [-ed]: *(v)* εκπαιδεύω, γυμνάζω ‖ κατευθύνω ‖ σκοπεύω ‖ ~**ee** (trei΄ni:): *(n)* εκπαιδευόμενος, μαθητευόμενος, δόκιμος ‖ ~**er:** *(n)* εκπαιδευτής ‖ ~**ing:** *(n)* εκπαίδευση, μαθητεία
traipse (treips) [-d]: *(v)* περπατώ άσκοπα
trait (treit): *(n)* ιδιαίτερο χαρακτηριστικό
traitor (΄treitər): *(n)* προδότης
traject (trə΄dzekt) [-ed]: *(v)* μεταδίδω ‖ ~**ory** (trə΄dzektəri:): *(n)* τροχιά βλήματος
tram (træm): *(n)* τροχιόδρομος, ''τραμ''
tramp (træmp) [-ed]: *(v)* περπατώ με σταθερό ή βαρύ βήμα ‖ αλητεύω ‖ αλήτης ‖ ~**le** [-d]: *(v)* τσαλαπατώ, ποδοπατώ
trance (træns): *(n)* έκσταση
tranquil (΄træŋkwəl): *(adj)* γαλήνιος, ήρεμος ‖ ~**ity,** ~**ness:** *(n)* γαλήνη, ηρεμία ‖ ~**ize** [-d]: *(v)* καταπραΰνω, ηρεμώ ‖ ~**izer:** *(n)* ηρεμιστικό
trans (træns): *(prep)* πέρα, δια, διαμέσου
transact (træn΄sækt) [-ed]: *(v)* διεξάγω, διεκπεραιώνω ‖ συναλλάσσομαι ‖ ~**ion:** *(n)* διεξαγωγή ‖ συναλλαγή
transatlantic (trænsət΄læntik): *(adj)* υπερατλαντικός
transcend (træn΄send) [-ed]: *(v)* ξεπερνώ
transcontinental (trænskəntə΄-nentəl): *(adj)* διηπειρωτικός
transcript (΄trænskript): *(n)* αντίγραφο
transfer (træns΄fə:r) [-red]: *(v)* μεταθέτω ‖ μεταβιβάζω ‖ (΄trænsfər): *(n)* μετάθεση ‖ μεταβίβαση
transfiguration (trænsfigjə΄reiʃən): *(n)* μεταμόρφωση
transfix (træns΄fiks) [-ed]: *(v)* καρφώνω, διαπερνώ
transform (træns΄fə:rm) [-ed]: *(v)* μεταμορφώνω ‖ μετασχηματίζω ‖ ~**ation:** *(n)* μεταμόρφωση ‖ μετασχηματισμός ‖ ~**er:** *(n)* μετασχηματιστής
trans-fuse (træns΄fju:z) [-d]: *(v)* μεταγγίζω ‖ ~**fusion:** *(n)* μετάγγιση
transgress (træns΄gres) [-ed]: *(v)* παραβαίνω ‖ ξεπερνώ τα όρια ‖ ~**ion:** *(n)* παράβαση ‖ υπέρβαση ορίων
transient (΄trænziənt): *(adj)* παροδικός ‖ περαστικός, διαβατάρικος
transistor (træn΄zistər): *(n)* ενισχυτής ηλεκτρικής δύναμης, ''τρανζίστορ''
transit (΄trænzit): *(n)* διαμετακόμιση ‖ [-ed]: *(v)* περνώ, διέρχομαι ‖ ~**ion:** *(n)* μεταβατική περίοδος ‖ ~**ive** (΄trænzitiv): *(adj)* μεταβατικός ‖ ~**ory:** *(adj)* παροδικός
translat-e (træns΄leit) [-d]: *(v)* μεταφράζω ‖ ~**ion:** *(n)* μετάφραση ‖

~**or:** *(n)* μεταφραστής
trans-missible (΄træns΄misəbəl): *(adj)* μεταβιβάσιμο ‖ ~**mission:** *(n)* μεταβίβαση ‖ μετάδοση ‖ ~**mit** (træns΄mit) [-ted]: *(v)* μεταβιβάζω, διαβιβάζω ‖ μεταδίνω ‖ ~**mitter:** *(n)* πομπός
transoceanic (trænsouʃi:΄ænik): *(adj)* υπερωκεάνειος
transom (΄trænsəm): *(n)* φεγγίτης πόρτας
transparen-ce (træns΄pærəns), ~**cy** (træns΄pærənsi:): *(n)* διαφάνεια ‖ διαφανής πλάκα, ''σλάιντ'' ‖ ~**t:** *(adj)* διαφανής ‖ φανερός
transpire (træn΄spaiər) [-d]: *(v)* συμβαίνω, επισυμβαίνω
transplant (træns΄plænt) [-ed]: *(v)* μεταμοσχεύω ‖ (΄trænsplænt): *(n)* μεταμόσχευση ‖ μεταμόσχευμα
transport (træns΄pə:rt) [-ed]: *(v)* μεταφέρω ‖ (΄trænspə:rt): *(n)* μεταφορά ‖ ~**ation:** *(n)* μεταφορά ‖ συγκοινωνία
transverse (træns΄və:rs): *(adj)* εγκάρσιος
transvestite (træns΄vestait): *(n)* άντρας που ντύνεται γυναικεία, ''τρανσβεστί''
trap (træp): *(n)* παγίδα ‖ [ped] παγιδεύω
trash (træʃ): *(n)* σκουπίδια, απορρίμματα ‖ ανοησίες, ''μπούρδες''
trauma (΄troumə): *(n)* τραύμα ‖ ~**tic:** *(adj)* τραυματικός ‖ ~**tism:** *(n)* τραυματισμός
travel (΄trævəl) [-ed or - led]: *(v)* ταξιδεύω ‖ ~**er:** *(n)* ταξιδιώτης
traverse (trə΄ve:rs, ΄trævərs) [-d]: *(v)* διασχίζω ‖ περνώ και ξαναπερνώ
travesty (΄trævisti:): *(n)* παρωδία
trawl (trə:l): *(n)* δίχτυ ψαρέματος, τράτα ‖ ~**er:** *(n)* ψαρόβαρκα, τράτα
tray (trei): *(n)* δίσκος
treacher-ous (΄tretʃərəs): *(adj)* προδοτικός ‖ ύπουλος ‖ ~**y** (΄tretʃəri:): *(n)* προδοσία
treacle (΄tri:kəl): *(n)* μελάσα ‖ ''σορόπιασμα''
tread (tred) [trod, trodden]: *(v)* πατώ ‖ *(n)* βήμα ‖ πάτημα
treason (΄tri:zən): *(n)* προδοσία ‖ **high** ~: εσχάτη προδοσία
treasur-e (΄trezər): *(n)* θησαυρός ‖ [-d]: *(v)* εκτιμώ πολύ ‖ αποθησαυρίζω ‖ ~**er:** *(n)* θησαυροφύλακας ‖ ταμίας ‖ ~**y:** *(n)* θησαυροφυλάκιο
treat (tri:t) [-ed]: *(v)* μεταχειρίζομαι ‖ φέρνομαι ‖ κερνώ ‖ χειρίζομαι ‖ ~**ise** (΄tri:tis): *(n)* πραγματεία, διατριβή ‖ ~**ment:** *(n)* συμπεριφορά, φέρσιμο ‖ μεταχείριση
treaty (΄tri:ti:): *(n)* συνθήκη ‖ συμφωνία
tree (tri:): *(n)* δέντρο
trek (trek) [-ked]: *(v)* αργοταξιδεύω ‖ *(n)* σιγανό ταξίδι ‖ μετανάστευση
trellis (΄trelis): *(n)* πλέγμα, ''καφάσι''
tremble (΄trembəl) [-d]: *(v)* τρέμω ‖ *(n)* τρόμος, τρεμούλα
tremendous (tri΄mendəs): *(adj)* τρομερός ‖ μεγάλος, φοβερός ‖ θαυμάσιος
tremor (΄tremər): *(n)* τρέμισμα, τρεμούλα
trench (trentʃ) [-ed]: *(v)* κάνω χαράκωμα ή χαντάκι ‖ *(n)* αυλάκι ‖ χαράκωμα
trend (trend) [-ed]: *(v)* τείνω, έχω τάση ‖ *(n)* τάση ‖ πορεία
trepid (trepid): *(adj)* δειλός ‖ ~**ation** (trepə΄deiʃən): *(n)* φόβος
trespass (΄trespəs) [-ed]: *(v)* παραβαίνω ‖ καταπατώ ‖ ~**er:** *(n)* παραβάτης
tress (tres): *(n)* βόστρυχος
trestle (΄tresəl): *(n)* στήριγμα ή βάθρο από σανίδες και τρίποδα
trial (΄traiəl): *(n)* δίκη ‖ δοκιμασία ‖ δοκιμή
trian-gle (΄traiæŋgəl): *(n)* τρίγωνο ‖ ~**gular** (trai΄æŋgjələr): *(adj)* τριγωνικός
trib-al (΄traibəl): *(adj)* φυλετικός ‖ ~**e:** *(n)* φυλή
tribunal (trai΄bju:nəl): *(n)* δικαστήριο
tribu-tary (΄tribjəteri:): *(adj)* υποτελής ‖ *(n)* παραπόταμος ‖ ~**te:** *(n)* φόρος υποτελείας ή τιμής
trice (trais): *(n)* στιγμούλα
trick (trik): *(n)* τέχνασμα, κόλπο ‖ [-ed]: *(v)* εξαπατώ ‖ ~**ery:** *(n)* απάτη
trickle (΄trikəl) [-d]: *(v)* αργοκυλώ, αργοσταλάζω
tricycle (΄traisikəl): *(n)* τρίκυκλο
trident (΄traidənt): *(n)* τρίαινα
trifl-e (΄traifəl): *(n)* μηδαμινό πράγμα ή γεγονός ‖ ~**ing:** *(adj)*

μηδαμινός, ασήμαντος || ελαφρός, όχι σοβαρός
trigger (΄trigər): *(n)* σκανδάλη
trigonome-tric (trigənə΄metrik), **~trical:** *(adj)* τριγωνομετρικός || **~try** (trigə΄nəmətri:): *(n)* τριγωνομετρία
trillion (΄triljən): *(n)* τρισεκατομμύριο
trilogy (΄trilədzi:): *(n)* τριλογία
trim (trim) [-med]: *(v)* ευπρεπίζω || περικόβω || στολίζω
trinity (΄trinəti:): *(n)* τριάδα
trinket (΄triŋkit): *(n)* μπιχλιμπίδι || μικροκόσμημα
trip (trip): *(n)* ταξίδι || παραπάτημα, σκόνταμα || τρικλοποδιά || [-ped]: *(v)* σκοντάφτω || βάζω τρικλοποδιά
tri-ple (΄tripəl): *(adj)* τριπλός || τρίδιπλος || [-d]: *(v)* τριπλασιάζω || **~plets:** *(n)* τρίδυμα
tripod (΄traipəd): *(n)* τρίποδο
trite (trait): *(adj)* κοινότυπος, τετριμμένος
triumph (΄traiəmf) [-ed]: *(v)* θριαμβεύω || *(n)* θρίαμβος
trivet (΄trivit): *(n)* πυροστιά
trivia (΄trivi:ə): *(n)* ασήμαντα πράγματα || **~l:** *(adj)* μηδαμινός, ασήμαντος
trod (trəd): see tread || **~den:** *(adj)* πατημένος || see tread
trolley (΄trəli:): *(n)* τρόλεϊ || **~ bus, ~ car:** τρόλεϊ
troop (tru:p): *(n)* ομάδα || στράτευμα || **~er:** *(n)* αστυνομικός || έφιππος, ιππέας
trophy (΄troufi:): *(n)* τρόπαιο || έπαθλο
tropic (΄trəpik): *(n)* τροπικός || **~al:** *(adj)* τροπικός
trot (trət) [-ted]: *(v)* τριποδίζω || προχωρώ γρήγορα ή βιαστικά || *(n)* τριποδισμός || τρεχάλα
trouble (΄trʌbəl): *(n)* φασαρία || σκοτούρα || ταραχή || [-d]: *(v)* ταράζω || στενοχωρώ || **~maker:** *(n)* ταραξίας || **~some:** *(adj)* οχληρός || μπελαλίδικος
trough (trə:f): *(n)* σκάφη ποτίσματος
troupe (tru:p): *(n)* θίασος
trousers (΄trauzərz): *(n)* παντελόνι
trout (traut): *(n)* πέστροφα || τζαντόγρια
trowel (΄trauəl): *(n)* μυστρί
truan-cy (΄tru:ənsi:), **~try:** *(n)* σκασιαρχείο || **~t:** *(n)* σκασιάρχης, ''σμπομπατζής''
truce (tru:s): *(n)* ανακωχή
truck (trʌk): *(n)* φορτηγό
truculen-ce (΄trʌkjələns): *(n)* επιθετικότητα || **~t:** *(adj)* επιθετικός
trudge (΄trʌdz) [-d]: *(v)* βαδίζω βαριά ή δύσκολα
tru-e (tru:): *(adj)* αληθινός || γνήσιος
trump (trʌmp): *(n)* ατού
trumpet (΄trʌmpit): *(n)* τρομπέτα
truncate (΄trʌŋkeit) [-d]: *(v)* κολοβώνω
truncheon (΄trʌntʃən): *(n)* ράβδος αξιώματος || ρόπαλο, ''κλομπ''
trunk (trʌŋk): *(n)* κορμός || κιβώτιο, μπαούλο || ''πορτ-μπαγκάζ'' || προβοσκίδα
truss (trʌs): *(n)* δεσμός, δικτυωτό στήριγμα
trust (trʌst): *(n)* πίστη, εμπιστοσύνη || σύμπραξη εταιρειών, ''τραστ'' || [-ed]: *(v)* εμπιστεύομαι || πιστεύω, ελπίζω|| **~ worthy:** *(adj)* αξιόπιστος || **~y:** *(adj)* αξιόπιστος, έμπιστος
truth (tru:th): *(n)* αλήθεια || **~ful:** *(adj)* φιλαλήθης, ειλικρινής || αληθινός
try (trai) [-ied]: *(v)* δοκιμάζω || δικάζω || προσπαθώ || **~ing:** *(adj)* δύσκολος || *(n)* δοκιμή, πρόβα
tub (tʌb): *(n)* μπανιέρα || λεκάνη
tube (tju:b): *(n)* σωλήνας || αγωγός || σωληνάριο || εσωτερικό ελαστικού, σαμπρέλα
tuber-cle (΄tju:bərkəl): *(n)* φύμα, φυμάτιο || **~cular:** *(adj)* φυματιώδης || φυματικός || **~culosis** (tubə:rkjə΄lousis): *(n)* φυματίωση
tuck (tʌk) [-ed]: *(v)* πτυχώνω || μαζεύω || **~in:** τρώω *(id)* || *(n)* πτυχή, πιέτα || λιχουδιές *(id)* || **~ in bed, ~ into bed:** κουκουλώνω στο κρεβάτι
Tuesday (΄tju:zdei, ΄tju:zdi:): *(n)* Τρίτη
tuft (tʌft): *(n)* θύσανος, φούντα
tug (tʌg) [-ged]: *(v)* τραβώ δυνατά ή με δυσκολία || ρυμουλκώ || *(n)* τράβηγμα || ρυμουλκό || **~ boat:** *(n)* ρυμουλκό πλοίο || **~ of war:** *(n)* διελκυστίνδα
tuition (tu:΄iʃən): *(n)* διδασκαλία || δίδακτρα || **~ fee:** *(n)* δίδακτρα
tulip (΄tu:lip): *(n)* τουλίπα

tumble (´tʌmbəl) [-d]: *(v)* κάνω τούμπες ‖ κουτρουβαλώ ‖ *(n)* τούμπα ‖ κοντρουβάλα, κατρακύλισμα
tummy (´tʌmi:): *(n)* στομάχι
tumor (´tu:mər, ´tju:mər): *(n)* όγκος
tumult (´tu:məlt): *(n)* θόρυβος, φασαρία ‖ **~uous:** *(adj)* θορυβώδης ‖ ταραχώδης
tuna (´tu:nə): *(n)* τόνος (ψάρι)
tune (tju:n): *(n)* τόνος ‖ σκοπός, μελωδία ‖ [-d]: *(v)* κουρδίζω ‖ συντονίζω
tunic (´tu:nik): *(n)* χιτώνιο ‖ χιτώνας ‖ μπλούζα
tunnel (´tʌnəl): *(n)* σήραγγα, τούνελ
tunny (´tʌni:): see tuna
turban (´tə:rbən): *(n)* τουρμπάνι, σαρίκι
turbid (´tə:rbid): *(adj)* θολός ‖ ταραχώδης
turbine (´tə:rbin, ´tə:rbain): *(n)* στρόβιλος, ''τουρμπίνα''
turbulen-ce (´tə:rbjələns): *(n)* αναταραχή ‖ **~t:** *(adj)* ταραχώδης
tureen (tu´:rin): *(n)* σουπιέρα
turf (tə:rf): *(n)* χλόη
turgid (´tə:rdzid): *(adj)* πρησμένος ‖ πομπώδης, με στόμφο
turk (tə:rk): *(n)* κτηνώδης άνθρωπος ‖ **T~**: *(n)* Τούρκος ‖ **T~ey:** *(n)* Τουρκία ‖ **~ey:** *(n)* διάνος, κούρκος, γαλοπούλα ‖ **T~ish:** *(adj)* Τουρκικός ‖ *(n)* Τουρκική γλώσσα
turmoil (´tə:rmoil): *(n)* σύγχυση, ταραχή
turn (tə:rn) [-ed]: *(v)* περιστρέφω, στρέφω ‖ αλλάζω ‖ περιστρέφομαι ‖ στρέφομαι ‖ *(n)* περιστροφή, στροφή ‖ μεταστροφή ‖ σειρά ‖ **~ coat:** *(n)* αποστάτης ‖ **~ down:** *(v)* κατεβάζω, χαμηλώνω ‖ απορρίπτω ‖ **~er:** *(n)* στροφέας ‖ τορναδόρος ‖ **~ off:** *(v)* σταματώ, κλείνω ‖ **~ on:** *(v)* ανοίγω, βάζω μπρος, ανάβω ‖ **~ pike:** *(n)* δημόσιος δρόμος με διόδια ‖ **~ tail:** *(v)* το βάζω στα πόδια
turnip (´tə:rnip): *(n)* γογγύλι
turpentine (´tə:rpəntain): *(n)* νέφτι
turquoise (´tə:rkwoiz): *(adj)* γαλαζοπράσινος ‖ *(n)* ''τουρκουάζ''
turret (´tə:rit): *(n)* πυργίσκος
turtle (´tə:rtl): *(n)* χελώνα ‖ **~ neck:** *(n)* πουλόβερ με κλειστό γιακά
tusk (tʌsk): *(n)* χαυλιόδοντο
tussle (´tʌsəl) [-d]: *(v)* τσακώνομαι, μαλώνω
tutor (´tju:tər): *(n)* προγυμναστής, δάσκαλος ιδιαίτερος ‖ [-ed]: *(v)* προγυμνάζω
tuxedo (tʌk´si:dou): *(n)* σμόκιν
tweed (twi:d): *(n)* μάλλινο ύφασμα ''τουΐντ''
tweet (twi:t): *(v)* τιτιβίζω ‖ *(n)* τιτίβισμα
tweezers (´twi:zərz): *(n)* τσιμπιδάκι
twel-fth (twelfth): δωδέκατος ‖ **~ve** (twelv): *(n)* δώδεκα
twen-tieth (´twenti:th): εικοστός ‖ **~ty:** *(n)* είκοσι
twice (twais): *(adv)* δύο φορές
twig (twig): *(n)* κλαδάκι ‖ **~gy:** *(adj)* λεπτούλης, λεπτοκαμωμένος
twilight (´twailait): *(n)* λυκόφως
twin (twin): *(n & adj)* δίδυμος
twine (twain) [-d]: *(v)* τυλίγω ‖ *(n)* σπάγκος
twinge (twindz) [-d]: *(v)* πονώ έντονα και ξαφνικά ‖ *(n)* έντονος ξαφνικός πόνος, ''σουβλιά''
twinkle (´twiŋkəl) [-d]: *(v)* λαμπυρίζω
twirl (twə:rl) [-ed]: *(v)* περιδινώ ‖ *(n)* περιδίνηση
twist (twist) [-ed]: *(v)* συστρέφω, στρίβω ‖ στραμπουλίζω ‖ διαστρέφω ‖ *(n)* συστροφή, στρίψιμο ‖ στραμπούλιγμα ‖ διαστρέβλωση
twitch (twitʃ) [-ed]: *(v)* συσπώμαι ‖ *(n)* σύσπαση
twitter (´twitər) [-ed]: *(v)* τιτιβίζω, κελαϊδώ ‖ *(n)* κελάηδημα
two (tu:): *(n)* δύο ‖ **~-fisted:** *(adj)* επιθετικός, ορμητικός ‖ **~ fold:** *(adj)* διπλός, διπλάσιος
tycoon (tai´ku:n): *(n)* μεγιστάνας
type (taip): *(n)* τύπος ‖ τυπογραφικό στοιχείο ‖ [-d]: *(v)* δακτυλογραφώ
typhoid (´taifoid): *(n)* τυφοειδής
typhoon (tai´fu:n): *(n)* τυφώνας
typhus (´taifəs): *(n)* τύφος
typi-cal (´tipikəl): *(adj)* τυπικός
typist (´taipist): *(n)* δακτυλογράφος
typogra-pher (tai´pəgrəfər): *(n)* τυπογράφος
tyran-nic (ti´rænik), **~nical:** *(adj)* τυραννικός ‖ **~ny:** *(n)* τυραννία ‖ **~t:** *(n)* τύραννος
tyre (taiər): *(n)* λάστιχο, ελαστικό, ρόδα

U

udder (´ʌdər): *(n)* μαστός ζώου
UFO: (Unidentified flying objects) ανεξιχνίαστα ιπτάμενα αντικείμενα, ιπτάμενοι δίσκοι
ugh (uk): *(interj)* ου! πιφ!
ug-lify (´ʌglifai) [-ied]: *(v)* ασχημίζω || **~liness:** *(n)* ασχήμια || **~ly** (´ʌgli): *(adj)* άσχημος || κακός, απαίσιος
ulcer (´ʌlsər): *(n)* έλκος
ulterior (ʌl´tiəri:ər): *(adj)* κρύφιος, κρυφός || απώτερος
ulti-ma (´ʌltəmə): *(n)* λήγουσα || **~matum** (ʌltə´meitəm): *(n)* τελεσίγραφο
ultra (´ʌltrə): *(adj)* άκρος || *(pref)* υπερ || **~violet:** *(adj)* υπεριώδης
umbilical (ʌm´bilikəl): *(adj)* ομφάλιος || ~ **cord:** *(n)* ομφάλιος λώρος
umbrella (ʌm´brelə): *(n)* ομπρέλα
umpir-age (´ʌmpiridz):*(n)* διαιτησία || **~e** (´ʌmpaiər): *(n)* κριτής
unabashed (ʌnə´bæʃt): *(adj)* ατάραχος
unable (ʌn´eibəl): *(adj)* ανίκανος
unabridged (ʌnə´bridzd): *(adj)* μη συντομευμένος
unaccount-able (ʌnə´kauntəbəl): *(adj)* ανεξήγητος || ανεξάρτητος || **~ably:** *(adv)* ανεξήγητα
unaccustomed (ʌnə´kʌstəmd): *(adj)* ασυνήθιστος
unadulterated (ʌnə´dʌltəreitid): *(adj)* ανόθευτος
unaffected (ʌnə´fektid): *(adj)* ανεπηρέαστος || μη εξεζητημένος, φυσικός
unanim-ity (junə´niməti:): *(n)* ομοφωνία || παμψηφία || **~ous** (ju´nænəməs): *(adj)* ομόφωνος, με παμψηφία
unapproachable (ʌnə´proutʃəbəl): *(adj)* απλησίαστος || απρόσιτος
unarmed (ʌn´a:rmd): *(adj)* άοπλος
unassailable (ʌnə´seiləbəl): *(adj)* αδιάσειστος || απρόσβλητος
unauthorized (ʌn´ə:thəraizd): *(adj)* μη εξουσιοδοτημένος || χωρίς ειδική άδεια
unavoida-ble (ʌnə´voidəbəl): *(adj)* αναπόφευκτος
unaware (´ʌnə´weər): *(adj)* αγνοών, ανίδεος || **~s:** *(adv)* απροσδόκητα
unbalanced (ʌn´bælənst): *(adj)* μη ισορροπημένος || ανισόρροπος
unbeara-ble (ʌn´beərəbəl): *(adj)* ανυπόφορος
unbeat-able (ʌn´bi:təbəl): *(adj)* ανίκητος || αξεπέραστος || **~en:** *(adj)* αήττητος || απάτητος
unbecoming (ʌnbi´kʌmiŋ): *(adj)* ανάρμοστος
unbe-lief (ʌnbi´li:f): *(n)* απιστία || **~lievable:** *(adj)* απίστευτος
unbend (ʌn´bend) [unbent, unbent]: *(v)* χαλαρώνω, κάνω ''ριλάξ'' || **~ing:** *(adj)* αλύγιστος, άκαμπτος
unbiased (ʌn´baiəst): *(adj)* αμερόληπτος
unbound (ʌn´baund): *(adj)* άδετος || ελεύθερος
unbreakable (ʌn´breikəbəl): *(adj)* άθραυστος
unbridled (ʌn´braidld): *(adj)* αχαλίνωτος
unbroken (ʌn´broukən): *(adj)* ακέραιος || αδιάκοπος || αδιατάρακτος
unburden (ʌn´bə:rdn) [-ed]: *(v)* ξαλαφρώνω
unbutton (ʌn´bʌtn) [-ed]: *(v)* ξεκουμπώνω
uncalled-for (ʌn´kə:ld´fə:r): *(adj)* αδικαιολόγητος || περιττός
uncanny (ʌn´kæni:): *(adj)* ανεξήγητος, μυστηριώδης
unceasing (ʌn´si:siŋ): *(adj)* ακατάπαυστος
uncertain (ʌn´sə:rtn): *(adj)* αβέβαιος || αναποφάσιστος || **~ty:** *(n)* αβεβαιότητα || αναποφασιστικότητα
unchain (ʌn´tʃein) [-ed]: *(v)* απελευθερώνω
uncivil (ʌn´sivəl): *(adj)* αγενής || άξεστος || **~ized:** *(adj)* απολίτιστος
uncle (´ʌŋkəl): *(n)* θείος || ενεχυ-

ροδανειστής *(id)* || **U~ Sam:** *(n)* Αμερικανική κυβέρνηση
uncomfortable (ʌn΄kʌmftəbəl): *(adj)* ανήσυχος || ενοχλητικός, δυσάρεστος
uncommon (ʌn΄kəmən): *(adj)* ασυνήθιστος
uncompromising (ʌn΄kəmprəmaiziŋ): *(adj)* αδιάλλακτος || ανένδοτος
unconditional (ʌnkən΄diʃənəl): *(adj)* άνευ όρων
unconquerable (ʌn΄kəŋkərəbəl): *(adj)* αήττητος || απόρθητος, απάτητος
uncon-scionable (ʌn΄kənʃənəbəl): *(adj)* ασυνείδητος || **~scious** (ʌn΄kənʃəs): *(adj)* αναίσθητος || χωρίς να έχει συνείδηση του ...
unconstitutional (ʌnkənsti΄tu:ʃənəl): *(adj)* αντισυνταγματικός
uncontrollable (ʌnkən΄troulәbəl): *(adj)* ακατάσχετος, ασυγκράτητος
uncork (ʌn΄kə:rk) [-ed]: *(v)* ξεβουλώνω
uncouth (ʌn΄ku:th): *(adj)* άξεστος || άχαρος
uncover (ʌn΄kʌvər) [-ed]: *(v)* αποκαλύπτω || ξεσκεπάζω
unctuous (΄ʌŋktʃu:əs): *(adj)* γλοιώδης || ανειλικρινής
undaunted (ʌn΄də:ntid): *(adj)* απτόητος || ατρόμητος
undecided (ʌndi΄saidid): *(adj)* αναποφάσιστος || ανοιχτός, εκκρεμής
undenia-ble (ʌndi΄naiəbəl): *(adj)* αναμφισβήτητος
under (΄ʌndər): υπό, κάτω από, από κάτω από
under-age (ʌndər΄eidz): *(adj)* ανήλικος
undercarriage (΄ʌndər΄kæridz): *(n)* αμάξωμα || σύστημα προσγείωσης
underclothes (΄ʌndərkloudz): *(n)* εσώρουχα
undercover (ʌndər΄kʌvər): *(adj)* μυστικός
undercurrent (΄ʌndərkə:rənt): *(n)* κατώτερο ρεύμα ή ρεύμα υπό επιφάνεια || νύξη, υπαινιγμός, κρυφή τάση
underdeveloped (ʌndərdi΄veləpt): *(adj)* υποανάπτυκτος
underdo (ʌndər΄du:) [-did, -done]: *(v)* μισοψήνω || **~ne:** *(adj)* μισοψημένος
underdone: see underdo
underestimate (ʌndər΄estəmeit) [-d]: *(v)* υποτιμώ
under-feed (ʌndər΄fi:d) [-fed]: *(v)* υποσιτίζω || **~fed:** *(adj)* υποσιτισμένος
undergament (΄ʌndərga:rmənt): *(n)* εσώρουχο
undergo (ʌndər΄gou) [~went, ~gone]: *(v)* υφίσταμαι
undergraduate (ʌndər΄grædzu:it): *(n)* φοιτητής σχολής τετραετούς φοίτησης
underground (΄ʌndərgraund): *(adj)* υπόγειος || μυστικός || αντιστασιακός || *(n)* μυστική οργάνωση αντίστασης || υπόγειος σιδηρόδρομος
undergrowth (΄ʌndərgrouth): *(n)* χαμηλή βλάστηση
underhand (΄ʌndərhænd), **~ed:** *(adj)* ύπουλος
underlie (΄ʌndərlai) [underlay, underlain]: *(v)* υπόκειμαι || αποτελώ βάση
underline (΄ʌndərlain) [-d]: *(v)* υπογραμμίζω
underling (΄ʌndərliŋ): *(n)* υφιστάμενος, ''λακές'', ''τσιράκι''
undermine (ʌndər΄main) [-d]: *(v)* υπονομεύω
underneath (ʌndər΄ni:th): *(adv)* από κάτω
undernourish (ʌndər΄nə:riʃ) [-ed]: *(v)* υποσιτίζω
underpaid (΄ʌndər΄peid): *(adj)* κακοπληρωμένος
underpants (΄ʌndərpænts): *(n)* βρακί || κιλότα
underpass (΄ʌndərpæs): *(n)* διάβαση κάτω από δρόμο ή σιδηρόδρομο
underprivileged (ʌndər΄privəlidzd): *(adj)* με λιγότερες ευκαιρίες ή προνόμια || στερημένος
underrate (ʌndər΄reit) [-d]: *(v)* υποτιμώ
understand (ʌndər΄stænd) [understood, understood]: *(v)* καταλαβαίνω || έχω κατανόηση || **~able:** *(adj)* αντιληπτός, κατανοητός || ευνόητος || **~ing:** *(adj)* με κατανόηση || αντίληψη
understate (ʌndər΄steit) [-d]: *(v)* εκφράζομαι συγκρατημένα || **~ment:** *(n)* συγκρατημένη έκφραση

understood: see understand
undertak-e (ʌndər´teik) [undertook, undertaken]: *(v)* αναλαμβάνω || **~er:** *(n)* εργολάβος κηδειών
underwater (´ʌndərwɔ:tər): *(adj)* υποβρύχιος
underwear (´ʌndərweər): *(n)* εσώρουχα
underweight (´ʌndərweit): *(adj)* λιποβαρής
underwent: see undergo
underworld (´ʌndərwə:rld): *(n)* ο κάτω κόσμος || υπόκοσμος
underwrite (´ʌndərrait) [underwrote, underwritten]: *(v)* || υποστηρίζω οικονομικά || ασφαλίζω || **~r:** *(n)* ασφαλιστής
undeserved (ʌndi´zə:rvd): *(adj)* άδικος || αδικαιολόγητος
undesirable (ʌndi´zairəbəl): *(adj)* ανεπιθύμητος
undies (´ʌndi:z): *(n)* εσώρουχα
undiminished (ʌndə´miniʃəd): *(adj)* αμείωτος
undiscovered (ʌndis´kʌvərd): *(adj)* μη ανακαλυφθείς
undisputed (ʌndis´pju:tid): *(adj)* αδιαφιλονίκητος
undo (ʌnd´u:) [undid, undone]: *(v)* σβήνω, ακυρώνω,
undoubted (ʌn´dautid): *(adj)* αναμφίβολος || αναμφισβήτητος
undress (ʌn´dres) [-ed]: *(v)* ξεντύνω || ξεντύνομαι
undue (ʌn´dju:): *(adj)* υπερβολικός || αδικαιολόγητος
undu-lant (´ʌndjələnt): *(adj)* κυματοειδής || **~late** [-d]: *(v)* κυμαίνομαι || **~lation:** *(n)* κυματισμός || διακύμανση || **~lating:** *(adj)* κυμαινόμενος
unduly (ʌn´du:li): *(adv)* άδικα, αδικαιολόγητα || υπερβολικά
unearth (ʌn´ə:rth) [-ed]: *(v)* ξετρυπώνω, ξεχώνω || **~ly:** *(adj)* υπερφυσικός || απίθανος
uneas-y (ʌn´i:zi:): *(adj)* ανήσυχος || **~iness:** *(n)* ανησυχία
uneducated (ʌn´edzu´keitid): *(adj)* αμόρφωτος
unemploy-ed (ʌnim´ploid): *(adj)* άνεργος, άεργος || **~ment:** *(n)* ανεργία
unequal (ʌn´i:kwəl): *(adj)* άνισος || **~ed:** *(adj)* απαράμιλλος
unerring (ʌn´ə:riŋ): *(adj)* αλάνθαστος
unessential (ʌnə´senʃəl): *(adj)* επουσιώδης
uneven (ʌn´i:vən): *(adj)* ανώμαλος || ακανόνιστος || άνισος
unexpected (ʌnik´spektid): *(adj)* απροσδόκητος || **~ly:** *(adv)* απροσδόκητα
unfailing (ʌn´feiliŋ): *(adj)* αλάνθαστος
unfair (ʌn´feər): *(adj)* μεροληπτικός || άδικος, άνισος
unfaithful (ʌn´feithfəl): *(adj)* άπιστος
unfasten (ʌn´fæsən) [-ed]: *(v)* λύνω || αποσυνδέω || ξεκουμπώνω
unfathomable (ʌn´fæðəməbl): *(adj)* ανεξιχνίαστος
unfavorable (ʌn´feivərəbl): *(adj)* δυσμενής
unfeeling (ʌn´fi:liŋ): *(adj)* αναίσθητος
unfinished (ʌn´finiʃt): *(adj)* ατελείωτος, ημιτελής
unfit (ʌn´fit): *(adj)* ακατάλληλος || ανίκανος
unflappable (ʌn´flæpəbəl): *(adj)* ατάραχος, που δεν ''του καίγεται καρφί''
unflinching (ʌn´flintʃiŋ): *(adj)* ατάραχος
unfold (ʌn´fould) [-ed]: *(v)* ξετυλίγω || αναπτύσσω || ξετυλίγομαι || αναπτύσσομαι
unforeseen (´ʌnfɔ:r´si:n): *(adj)* απρόβλεπτος
unforgettable (ʌnfər´getəbəl): *(adj)* αλησμόνητος, αξέχαστος
unforgivable (ʌnfər´givəbəl): *(adj)* ασυγχώρητος
unformed (ʌn´fɔ:rmd): *(adj)* ασχημάτιστος
unfortunate (ʌn´fɔ:rtʃənit): *(adj)* άτυχος, ατυχής
unfounded (ʌn´faundid): *(adj)* αβάσιμος
unfriendly (ʌn´frendli:): *(adj)* εχθρικός, μη φιλικός
unfurl (ʌn´fə:rl) [-ed]: *(v)* ξεδιπλώνω || ξεδιπλώνομαι, απλώνομαι
unfurnished (ʌn´fə:rniʃt): *(adj)* χωρίς έπιπλα
ungainly (ʌn´geinli:): *(adj)* άχαρος || αδέξιος
ungodly (ʌn´gədli:): *(adj)* ασεβής, άθεος

ungrateful (ʌn´greitfəl): *(adj)* αχάριστος
unguarded (ʌn´ga:rdid): *(adj)* αφύλαχτος ‖ απερίσκεπτος
unhap-py (ʌn´hæpi:): *(adj)* δυστυχισμένος ‖ όχι ευχαριστημένος
unharmed (ʌn´ha:rmd): *(adj)* απείραχτος, σώος
unhealthy (ʌn´helthi:): *(adj)* ανθυγιεινός ‖ νοσηρός
unheard (ʌn´hə:rd): *(adj)* μη ακουστός ‖ **~-of:** *(adj)* ανήκουστος
unhesitating (ʌn´hezəteitiŋ): *(adj)* αδίστακτος
unholy (ʌn´houli:): *(adj)* ανίερος
unhoped-for (ʌn´houpt´fɔ:r): *(adj)* ανέλπιστος
unhurt (ʌn´hə:rt): *(adj)* σώος, χωρίς να χτυπηθεί
unification (ju:nifi´keiʃən): *(n)* ενοποίηση
uniform (´ju:nifɔ:rm): *(adj)* ομοιόμορφος ‖ *(n)* στολή
unify (´ju:nifai) [-ied]: *(v)* ενοποιώ
unilateral (ju:ni´lætərəl): *(adj)* μονόπλευρος
unimaginable (ʌni´mædzinəbl): *(adj)* αφάνταστος
unimportant (ʌnim´pɔ:rtənt): *(adj)* ασήμαντος, όχι σπουδαίος
uninhabited (ʌnin´hæbitid): *(adj)* ακατοίκητος
unintelligible (ʌnin´telidzibəl): *(adj)* ακατάληπτος
uninvited (ʌnin´vaitid): *(adj)* απρόσκλητος
union (´ju:njən): *(n)* ένωση ‖ σωματείο
unique (ju:´ni:k): *(adj)* μοναδικός
unit (´ju:nit): *(n)* μονάδα
unite (ju:´nait) [-d]: *(v)* ενώνω ‖ ενώνομαι
unity (´ju:nəti:): *(n)* ενότητα ‖ σύμπνοια
universal (ju:ni´və:rsəl): *(adj)* παγκόσμιος ‖ γενικός
universe (´ju:nivə:rs): *(n)* σύμπαν
university (ju:ni´və:rsəti:): *(n)* πανεπιστήμιο
unjust (ʌn´dzʌst): *(adj)* άδικος ‖ **~ifiable** (ʌn´dzʌstəfaiəbəl): *(adj)* αδικαιολόγητος
unkempt (ʌn´kempt): *(adj)* απεριποίητος, ακατάστατος
unknown (ʌn´noun): *(adj)* άγνωστος
unlawful (ʌn´lɔ:fəl): *(adj)* παράνομος, άνομος
unleaded (ʌn´ledid): *(adj)* χωρίς μόλυβδο, αμόλυβδος
unless (ʌn´les): *(conj)* εκτός αν
unlike (ʌn´laik): *(adj)* ανόμοιος ‖ **~ly:** *(adj)* απίθανος
unlisted (ʌn´listid): *(adj)* μη γραμμένος σε κατάλογο
unload (ʌn´loud) [-ed]: *(v)* ξεφορτώνω ‖ ξαλαφρώνω
unlock (ʌn´lɔk) [-ed]: *(v)* ξεκλειδώνω
unlucky (ʌn´lʌki:): *(adj)* άτυχος
unmerciful (ʌn´mə:rsifəl): *(adj)* ανηλεής
unmistak-able (ʌnmis´teikəbəl): *(adj)* φανερός, πρόδηλος
unmitigated (ʌn´mitigeitid): *(adj)* αμετρίαστος ‖ απόλυτος
unnatural (ʌn´nætʃərəl): *(adj)* αφύσικος
unnecessary (ʌn´nesəseri:): *(adj)* περιττός
unnerve (ʌn´nə:rv) [-d]: *(v)* συγχύζω, εκνευρίζω
unobtrusive (ʌnəb´tru:siv): *(adj)* διακριτικός
unoccupied (ʌn´ɔkjəpaid): *(adj)* ελεύθερος, μη κατειλημμένος ‖ άνεργος
unofficial (ʌnə´fiʃəl): *(adj)* ανεπίσημος
unpack (ʌn´pæk) [-ed]: *(v)* ξεαμπαλάρω, ανοίγω βαλίτσες ή αποσκευές
unparalleled (ʌn´pærələld): *(adj)* απαράμιλλος, μοναδικός
unpardonable (ʌn´pa:rdənəbəl): *(adj)* ασυγχώρητος
unpleasant (ʌn´plezənt): *(adj)* δυσάρεστος
unplug (ʌn´plʌg) [-ged]: *(v)* ξεβουλώνω ‖ αποσυνδέω, βγάζω από την πρίζα
unpopular (ʌn´pɔpjələr): *(adj)* μη δημοφιλής
unprecedented (ʌn´presidentid): *(adj)* άνευ προηγουμένου
unpredictable (ʌnpri´diktəbəl): *(adj)* απρόβλεπτος
unprejudiced (ʌn´predzudist): *(adj)* αμερόληπτος, χωρίς προκατάληψη
unpremeditated (ʌnpri´mediteitid): *(adj)* απρομελέτητος

unprepossessing (ʌnpri:pə´zesiŋ): *(adj)* με κοινή εμφάνιση, όχι χτυπητός
unpretentious (ʌnpri´tenʃəs): *(adj)* σεμνός, χωρίς επίδειξη
unprincipled (ʌn´prinsipəld): *(adj)* χωρίς αρχές
unprintable (ʌn´printəbəl): *(adj)* ακατάλληλος για δημοσίευση, "σόκιν", χυδαίος
unprofitable (ʌn´prəfitəbəl): *(adj)* ανεπικερδής ‖ ασύμφορος
unpronounceable (ʌnprə´naunsəbəl): *(adj)* δυσκολοπρόφερτος
unprovoked (ʌnprə´voukt): *(adj)* απρόκλητος
unquenchable (ʌn´kwentʃəbəl): *(adj)* άσβηστος
unquote (ʌn´kwout) [-d]: *(v)* κλείνω τα εισαγωγικά
unravel (ʌn´rævəl) [-ed]: *(v)* ξηλώνω ‖ ξεδιαλύνω
unreadable (ʌn´ri:dəbəl): *(adj)* αδιάβαστος ‖ ακατανόητος
unreal (ʌn´ri:əl): *(adj)* μη πραγματικός, φανταστικός
unreasonable (ʌn´ri:zənəbəl): *(adj)* παράλογος
unreel (ʌn´ri:l) [-ed]: *(v)* ξετυλίγω
unrelenting (ʌnri´lentiŋ): *(adj)* αδυσώπητος, ανηλεής
unreliable (ʌnri´laiəbəl): *(adj)* αναξιόπιστος, μη έμπιστος
unremitting (ʌnri´mitiŋ): *(adj)* ακατάπαυστος
unrest (ʌn´rest): *(n)* ανησυχία
unrestrained (ʌnri´streind): *(adj)* αχαλίνωτος ‖ φυσικός
unripe (ʌn´raip): *(adj)* ανώριμος
unrivaled (ʌn´raivəld): *(adj)* απαράμιλλος
unroll (ʌn´roul) [-ed]: *(v)* ξετυλίγω ‖ εκτυλίσσομαι
unruffled (ʌn´rʌfəld): *(adj)* γαλήνιος, ήρεμος, ατάραχος
unruly (ʌn´ru:li:): *(adj)* ανυπότακτος ‖ άτακτος
unsafe (ʌn´seif): *(adj)* επισφαλής ‖ μη ασφαλής, επικίνδυνος
unsaid (ʌn´sed): *(adj)* ανείπωτος ‖ παρασιωπηθείς, αποσιωπηθείς
unsatisfactory (ʌnsætis´fæktəri:): *(adj)* μη ικανοποιητικός ‖ όχι αρκετός, ανεπαρκής
unsavory (ʌn´seivəri:): *(adj)* άνοστος ‖ δυσάρεστος ‖ ύποπτος
unscathed (ʌn´skeiδd): *(adj)* αβλαβής, σώος
unscramble (ʌn´skræmbəl) [-d]: *(v)* ξεμπερδεύω ‖ ξεδιαλύνω
unscrupulous (ʌn´skru:pjələs): *(adj)* ασυνείδητος
unselfish (ʌn´selfiʃ): *(adj)* αφιλοκερδής
unsettle (ʌn´setl) [-d]: *(v)* διαταράσσω
unshaken (ʌn´ʃeikn): *(adj)* ακλόνητος
unshaven (ʌn´ʃeivn): *(adj)* αξύριστος
unsightly (ʌn´saitli:): *(adj)* άσχημος, απεχθής
unskill-ed (ʌn´skild): *(adj)* ανειδίκευτος ‖ **~ful:** *(adj)* άπειρος, άτεχνος
unsociable (ʌn´souʃəbəl): *(adj)* ακοινώνητος
unsound (ʌn´saund): *(adj)* επισφαλής ‖ ασθενής
unspeakable (ʌn´spi:kəbəl): *(adj)* ανείπωτος, ακατανόμαστος
unstable (ʌn´steibəl): *(adj)* ασταθής ‖ άστατος
unsteady (ʌn´stedi:): see unstable ‖ μη σταθεροποιημένος
unstring (ʌn´striŋ) [unstrung, unstrung]: *(v)* εκνευρίζω
unstrung (ʌn´strʌŋ): *(adj)* εκνευρισμένος ‖ see unstring
unsuccessful (ʌnsək´sesfəl): *(adj)* ανεπιτυχής
unsuitable (ʌn´su:təbəl): *(adj)* ακατάλληλος
unswerving (ʌn´swə:rviŋ): *(adj)* σταθερός, ακλόνητος
untangle (ʌn´tæŋgəl) [-d]: *(v)* ξεμπερδεύω ‖ ξεδιαλύνω
unthinkable (ʌn´thiŋkəbəl): *(adj)* αδιανόητος
untidy (ʌn´taidi:): *(adj)* ακατάστατος, ανοικοκύρευτος
untie (ʌn´tai) [-d]: *(v)* λύνω ‖ λύνομαι
until (ʌn´til): *(prep & conj)* μέχρις, ως, έως ότου
untimely (ʌn´taimli:): *(adj)* άκαιρος ‖ πρόωρος
untold (ʌn´tould): *(adj)* ανείπωτος, μη ειπωμένος ‖ απερίγραπτος
untouchable (ʌn´tʌtʃəbəl): *(adj)* ανεπίτευκτος ‖ υπεράνω μομφής ή υποψίας

untoward (ʌn´tə:rd): *(adj)* δυσμενής ‖ ανάποδος
untrue (ʌn´tru:): *(adj)* αναληθης
unused (ʌn´ju:zd): *(adj)* αχρησιμοποίητος
unusual (ʌn´ju:zuəl): *(adj)* ασυνήθης
unveil (ʌn´veil) [-ed]: *(v)* αποκαλύπτω
unwarrant-able (ʌn´wɔ:rəntəbəl): *(adj)* ασυγχώρητος ‖ **~ed:** *(adj)* αδικαιολόγητος
unwary (ʌn´weəri:): *(adj)* απρόσεκτος
unwashed (ʌn´wɔʃt): *(adj)* άπλυτος
unwavering (ʌn´weivəriŋ): *(adj)* ακλόνητος, ασάλευτος
unwearied (ʌn´wiəri:d): *(adj)* ακούραστος
unwed (ʌn´wed): *(adj)* άγαμος
unwelcome (ʌn´welkʌm): *(adj)* ανεπιθύμητος ‖ μη ευπρόσδεκτος
unwell (ʌn´wel): *(adj)* αδιάθετος, άρρωστος
unwholesome (ʌn´houlsəm): *(adj)* ανθυγιεινός ‖ νοσηρός
unwieldy (ʌn´wi:ldi:): *(adj)* δυσκίνητος ‖ άγαρμπος
unwill-ed (ʌn´wild): *(adj)* άθελος ‖ **~ing:** *(adj)* ακούσιος ‖ απρόθυμος ‖ διστακτικός
unwise (ʌn´waiz): *(adj)* ασύνετος
unwitting (ʌn´witiŋ): *(adj)* αγνοών ‖ ακούσιος, άθελος
unworthy (ʌn´wə:rði:): *(adj)* ανάξιος
unwrap (ʌn´ræp) [-ped]: *(v)* ξετυλίγω, ανοίγω πακέτο
unwritten (ʌn´ritn): *(adj)* άγραφος
unyielding (ʌn´ji:ldiŋ): *(adj)* ανυποχώρητος ‖ ανένδοτος
up (ʌp): *(adj & adv)* επάνω, άνω ‖ *(prep)* προς τα επάνω ‖ [-ped]: *(v)* αυξάνω ‖ ~ **to:** έτοιμος για ‖ εξαρτώμενος από
upbringing (ʌp´bringiŋ): *(n)* ανατροφή
update (ʌp´deit) [-d]: *(v)* ενημερώνω
upheaval (ʌp´hi:vəl): *(n)* αναστάτωση, αναταραχή
upheld: see uphold
uphill (´ʌphil): *(adj)* ανηφορικός ‖ παρατεταμένος και κουραστικός
uphold (ʌp´hould) [upheld, upheld]: *(v)* κρατώ ψηλά ‖ υποστηρίζω
upholster (ʌp´houlstər) [-ed]: *(v)* βάζω ταπετσαρία σε καθίσματα ‖ **~y:** *(n)* ταπετσαρία
uplift (ʌp´lift) [-ed]: *(v)* σηκώνω ‖ ανεβάζω το επίπεδο
upon (ə´pɔn): *(prep)* επί, σε, επάνω
upper (´ʌpər): *(adj)* ανώτερος ‖ ψηλότερος, πιο πάνω
upright (´ʌprait): *(adj)* κατακόρυφος ‖ όρθιος ‖ ευθύς, τίμιος ‖ *(n)* ορθοστάτης
uprising (´ʌpraiziŋ): *(n)* εξέγερση
uproar (´ʌprɔ:r): *(n)* αναταραχή, φασαρία
uproot (ʌp´ru:t) [-ed]: *(v)* ξεριζώνω
upset (ʌp´set) [upset, upset]: *(v)* αναποδογυρίζω ‖ αναταράζω ‖ αναστατώνω ‖ ανατρέπομαι ‖ (´ʌpsət): *(n)* ανατροπή ‖ αναστάτωση ‖ (ʌp´set): *(adj)* αναστατωμένος, ταραγμένος ‖ αναποδογυρισμένος ‖ **~ting:** *(adj)* ανησυχητικός
upshot (´ʌpʃɔt): *(n)* έκβαση
upside-down (´ʌpsaid´daun): ‖ *(adv)* άνω-κάτω
upstairs (´ʌp´steərz): *(adv)* επάνω, στο επάνω πάτωμα
up-to-date (´ʌptə´deit): *(adj)* σύγχρονος, μοντέρνος
upward (´ʌpwərd), **~s:** *(adv)* προς τα επάνω ‖ ~ **of:** περισσότερο από
uranium (ju´reini:əm): *(n)* ουράνιο
urban (´ə:rbən): *(adj)* αστικός ‖ **~e** (ə:r´bein): *(adj)* ευγενής, με τρόπους
urchin (´ə:rtʃin): *(n)* χαμίνι ‖ **sea** ~: *(n)* αχινός
urge (´ə:rdz) [-d]: *(v)* προτρέπω, παρακινώ ‖ ώθηση, σφοδρή επιθυμία ‖ **~ncy** (´ə:rdzənsi:): *(n)* επείγουσα ανάγκη, το επείγον ‖ **~nt** (´ə:rdzənt): *(adj)* επείγων ‖ **~ntly:** *(adv)* επειγόντως
urin-al (´ju:rənəl): *(n)* λεκάνη αποχωρητηρίου ‖ δοχείο νυκτός ‖ αποχωρητήριο ‖ **~ate** (´ju:rineit) [-d]: *(v)* ουρώ ‖ **~e** (´ju:rin): *(n)* ούρα
urn (´ə:rn): *(n)* αγγείο, δοχείο ‖ τσαγιέρα, "σαμοβάρι"
us (ʌs): *(pron)* εμάς, μας
usage (´ju:sidz): *(n)* χρήση
use (ju:z) [-d]: *(v)* χρησιμοποιώ ‖ συνηθίζω να κάνω ‖ μεταχειρίζομαι ‖ (ju:s): *(n)* χρήση ‖ χρησιμοποίηση ‖ χρησιμότητα ‖ **~d** (ju:zd): *(adj)* μεταχειρισμένος ‖ **~ful** (´ju:sfəl): *(adj)* χρήσιμος ‖ **~less**

('ju:slis): *(adj)* άχρηστος || μάταιος || **~d to:** συνηθισμένος σε
usher ('ʌʃər): *(n)* κλητήρας δικαστηρίου || ταξιθέτης
usual ('ju:zuəl): *(adj)* συνηθισμένος || **~ly:** *(adv)* συνήθως
usu-rer ('ju:zərər): *(n)* τοκογλύφος
usurp (ju'sə:rp) [-ed]: *(v)* σφετερίζομαι
utensil (ju:'tensil): *(n)* εργαλείο || σκεύος
util-itarian (ju:tilə'teəri:ən): *(adj)* πρακτικός || ωφέλιμος, κοινωφελής || **~ity** (ju:'tiləti:): *(n)* χρησιμότητα || κοινωφελής υπηρεσία ή επιχείρηση|| **~ize** ('ju:təlaiz) [-d]: *(v)* χρησιμοποιώ για ορισμένο σκοπό
utmost ('ʌtmoust): *(adj)* άκρος, τελευταίος || ανωτάτου βαθμού
utter ('ʌtər) [-ed]: *(v)* προφέρω || εκφράζω || *(adj)* πλήρης, τέλειος, ολοσχερής

V

vaca-ncy ('veikənsi:): *(n)* κενό || κενή θέση || "δωμάτιο για νοίκιασμα" || **~t:** *(adj)* κενός, άδειος || ανέκφραστος, "κενός", "άδειος" || **~te** ('veikeit) [-d]: *(v)* αδειάζω, εγκαταλείπω || **~tion** (vei'keiʃən): *(n)* διακοπές || αργία || άδεια || **~tion** [-ed]: *(v)* περνώ τις διακοπές
vacci-nate ('væksəneit) [-d]: *(v)* μπολιάζω || **~nation:** *(n)* εμβολιασμός || **~ne** (væ'ksi:n): *(n)* εμβόλιο, "βατσίνα"
vacillat-e ('væsəleit) [-d]: *(v)* κυμαίνομαι || αμφιταλαντεύομαι|| **~ion:** *(n)* κύμανση, διακύμανση || ταλάντευση
vacu-ity (væ'kju:əti:): *(n)* κενό || **~um** ('vækju:əm): *(n)* κενό || **~um** [-ed]: *(v)* σκουπίζω με ηλεκτρική σκούπα || **~um cleaner:** *(n)* ηλεκτρική σκούπα
vagary ('veigəri:): *(n)* ιδιοτροπία, φαντασιοπληξία
vagran-cy ('veigrənsi:): *(n)* αλητεία || **~t:** *(n)* αλήτης
vague ('veig): *(adj)* ασαφής || ακαθόριστος || αμυδρός
vain (vein): *(adj)* μάταιος || ματαιόδοξος|| **~ glorious:** *(adj)* ματαιόδοξος
valet (væ'lei, 'vælit): *(n)* υπηρέτης
valiant ('væliənt): *(adj)* ιπποτικός, ευγενής || γενναίος
valid ('vælid): *(adj)* βάσιμος || έγκυρος || **~ate** [-d]: *(v)* κάνω έγκυρο || θέτω σε ισχύ || **~ity:** *(n)* βασιμότητα, το βάσιμο || εγκυρότητα
valley ('væli:): *(n)* κοιλάδα || λεκάνη
valor ('vælər): *(n)* ανδρεία, γενναιότητα
valu-able ('vælju:əbəl): *(adj)* πολύτιμος || **~ation** (vælju:'eiʃən): *(n)* εκτίμηση || αξία || **~e** ('vælju:): *(n)* αξία || τιμή || **~e** [-d]: *(v)* εκτιμώ
valve ('vælv): *(n)* βαλβίδα, δικλίδα || λυχνία
vampire ('væmpaiər): *(n)* βρυκόλακας
van (væn): *(n)* φορτηγό
vandal ('vændl): *(n)* βάνδαλος || **~ism:** *(n)* βανδαλισμός
vane (vein): *(n)* πτερύγιο || ανεμοδείκτης
vanguard ('vænga:rd): *(n)* εμπροσθοφυλακή || εμπροσθοφύλακας
vanilla (və'nilə): *(n)* βανίλια
vanish ('væniʃ) [-ed]: *(v)* εξαφανίζομαι
vanity ('vænəti:): *(n)* ματαιοδοξία || ματαιότητα || **~ case:** *(n)* θήκη καλλυντικών || πουδριέρα
vanquish ('væŋkwiʃ) [-ed]: *(v)* κατατροπώνω
vantage ('væntidz): *(n)* πλεονέκτημα
vapid ('væpid): *(adj)* χλιαρός || ανούσιος
vapor, vapour ('veipər): *(n)* ατμός || [-ed]: *(v)* βγάζω ατμό || **~ization** (veipərai'zeiʃən): *(n)* εξάτμιση, ατμοποίηση || **~ize** [-d]: *(v)* εξατμίζω || εξατμίζομαι || **~izer:** *(n)* ψεκαστήρας

varia (΄veəri:ə): *(n)* συλλογή λογοτεχνικών έργων, ανθολογία || **~bility:** *(n)* μεταβλητότης || **~ble** (΄veəri:əbəl): *(adj)* μεταβλητός || **~tion:** *(n)* μεταβολή || παραλλαγή
vari-ed (΄veəri:d): *(adj)* ποικίλος || διάφορος || **~ety** (və΄raiəti:): *(n)* ποικιλία || **~ous** (΄veəri:əs): *(adj)* ποικίλος || διάφορα, κάμποσα
vary (΄veəri:) [-ied]: *(v)* ποικίλλω || παρεκκλίνω, εκτρέπομαι
vase (΄vaz, ΄veiz): *(n)* δοχείο, βάζο
vast (væst): *(adj)* τεράστιος, πελώριος
vat (væt): *(n)* βαρέλι || δεξαμενή
vault (və:lt) [-ed]: *(v)* υπερπηδώ, πηδώ από πάνω || *(n)* πήδημα, || θόλος
veal (vi:l): *(n)* μοσχαρίσιο κρέας || *(n)* μοσχάρι, θρεφτάρι
veer (viər) [-ed]: *(v)* αλλάζω κατεύθυνση || αλλάζω γνώμη ή σκοπό ή πεποίθηση
vegeta-ble (΄vedztəbəl): *(n)* λαχανικό || φυτό || **~rian** (vedzə΄teəri:ən): *(n & adj)* χορτοφάγος || **~tion:** *(n)* βλάστηση
vehemen-ce (΄vi:əməns), **~cy:** *(n)* βιαιότητα || ορμητικότητα || **~t:** *(adj)* βίαιος || ορμητικός, σφοδρός
vehic-le (΄vi:ikəl):*(n)* όχημα || φορέας
veil (veil): *(n)* πέπλος || βέλο || [-ed]: *(v)* καλύπτω, κρύβω
vein (vein): *(n)* φλέβα
velocity (və΄ləsəti:): *(n)* ταχύτητα
velvet (΄velvit): *(n)* βελούδο
venal (΄vi:nəl): *(adj)* ''πουλημένος'', αργυρώνητος
vend (vend) [-ed]: *(v)* πουλώ || **~ee:** *(n)* αγοραστής || **~er, ~or:** *(n)* πωλητής
veneer (və΄niər): *(n)* επίστρωμα, επικολλητό, ''καπλαμάς'' || ''λούστρο''
venera-ble (΄venərəbəl): *(adj)* σεβάσμιος || αξιοσέβαστος || **~te** [-d]: *(v)* σέβομαι || **~tion:** *(n)* σεβασμός
venereal (və΄niəri:əl): *(adj)* αφροδίσιος
vengeance (΄vendzəns): *(n)* εκδίκηση
venison (΄venəsən): *(n)* κρέας ελαφιού
venom (΄venəm): *(n)* δηλητήριο || κακεντρέχεια, ''δηλητήριο'' || **~ous:** *(adj)* δηλητηριώδης, φαρμακερός
vent (vent): *(n)* έξοδος, οπή διαφυγής|| διέξοδος || [-ed]: *(v)* δίνω διέξοδο, ξεθυμαίνω || **~ilate** (΄ventileit) [-d]: *(v)* αερίζω, κάνω εξαερισμό || **~ilator:** *(n)* εξαεριστήρας
ventriloquist (ven΄triləkwist): *(n)* εγγαστρίμυθος
venture (΄ventʃər) [-d]: *(v)* αποτολμώ || ριψοκινδυνεύω || *(n)* τόλμημα || εγχείρημα
veraci-ous (və΄reiʃəs): *(adj)* φιλαλήθης || **~ty:** *(n)* φιλαλήθεια
veranda (və΄rændə), **~h:** *(n)* βεράντα
verb (və:rb): *(n)* ρήμα || **~al:** *(adj)* λεκτικός || προφορικός || κατά γράμμα || ρηματικός || **~atim** (və:r΄beitim): *(adj & adv)* λέξη προς λέξη, κατά λέξη || **~ose** (vər΄bous): *(adj)* μακροσκελής
verdict (΄və:rdikt): *(n)* ετυμηγορία
verge (΄və:rdz): *(n)* άκρη || όριο
veri-fication (verifi΄keiʃən): *(n)* επαλήθευση || **~fy** (΄verifai) [-ied]: *(v)* επαληθεύω || **~table** (΄veritabl): *(adj)* πραγματικός, ''βεριτάμπλ''
vermi-celli (və:rmə΄tʃeli:): *(n)* φιδές || **~form appendix:** *(n)* σκωληκοειδής απόφυση
vermouth, vermuth (vər΄mu:th): *(n)* βερμούτ
vernacular (vər΄nækjələr): *(n)* επίσημη γλώσσα || δημοτική, καθομιλουμένη
vernal (΄və:rnal): *(adj)* εαρινός
versatil-e (΄və:rsətəl): *(adj)* εύστροφος
verse (və:rs): *(n)* στίχος
version (΄və:rzən, ΄və:rʃən): *(n)* έκδοση, άποψη
vertebra (΄və:rtəbrə): *(n)* σπόνδυλος || **~te** (΄və:rtəbreit): *(adj)* σπονδυλωτός
vertex (΄və:rteks): *(n)* κορυφή
vertical (΄və:rtikəl): *(adj)* κατακόρυφος || κάθετος
vertig-inous (vər΄tidzinəs): *(adj)* στροβιλιζόμενος || ιλιγγιών || **~o** (΄və:rtigou): *(n)* ίλιγγος
very (΄veri:): *(adv)* πολύ || ίδιος, αυτός ο ίδιος
vesper (΄vespər): *(n)* έσπερος || **~s:** *(n)* εσπερινός
vessel (΄vesəl): *(n)* αγγείο || δοχείο || σκάφος
vest (vest): *(n)* γιλέκο || φανέλα
vestibule (΄vestibju:l): *(n)* είσοδος ||

προθάλαμος, χωλ

vestige (΄vestidz): *(n)* ίχνος, υπόλειμμα

veteran (΄vetərən): *(n & adj)* παλαίμαχος, "βετεράνος" ‖ παλαιός πολεμιστής

veterinar-ian (vetəri΄neəri:ən): *(n)* κτηνίατρος

veto (΄vi:tou): *(n)* αρνησικυρία, "βέτο" ‖ δικαίωμα "βέτο" ‖ [-ed]: *(v)* απορρίπτω, απαγορεύω ‖ εξασκώ το δικαίωμα του "βέτο"

vex (veks) [-ed]: *(v)* ενοχλώ ‖ ταράζω ‖ **~ation:** *(n)* ενόχληση ‖ ταραχή ‖ αμηχανία

via (΄vaiə): *(prep)* μέσω, δια μέσου

viaduct (΄vaiədʌkt): *(n)* οδογέφυρα

vial (΄vaiəl): *(n)* φιαλίδιο

vibra-nt (΄vaibrənt): *(adj)* πάλλων, δονούμενος ‖ **~te** (΄vaibreit) [-d]: *(v)* πάλλω, δονώ ‖ πάλλομαι, δονούμαι ‖ **~tion** (vai΄breiʃən): *(n)* κραδασμός, δόνηση, παλμός

vicar (΄vikər): *(n)* εφημέριος

vice (vais): *(n)* ελάττωμα ‖ διαστροφή, "βίτσιο" ‖ see vise ‖ *(prep)* αντί, υπό ‖ ~ **admiral:** *(n)* αντιναύαρχος ‖ ~ **consul:** *(n)* υποπρόξενος ‖ ~ **president:** *(n)* αντιπρόεδρος ‖ ~ **squad:** *(n)* τμήμα ηθών ‖ ~ **versa:** και τανάπαλιν, και αντίστροφα

vicin-al (΄visənəl): *(adj)* γειτονικός ‖ **~ity** (vi΄sinəti:): *(n)* γειτονιά

vicious (΄viʃəs): *(adj)* διεστραμμένος ‖ κακός ‖ βίαιος ‖ ~ **circle:** *(n)* φαύλος κύκλος

victim (΄viktim): *(n)* θύμα ‖ **~ize** (΄viktimaiz) [-d]: *(v)* κάνω θύμα, εξαπατώ ‖ θυσιάζω ‖ καταδυναστεύω, βασανίζω

victor (΄victər): *(n)* νικητής ‖ **~ious** (vik΄tə:ri:əs): *(adj)* νικηφόρος ‖ **~y** (΄viktəri:): *(n)* νίκη

vie (vai) [-d]: *(v)* αμιλλώμαι ‖ στοιχηματίζω

view (vju:): *(n)* εξέταση ‖ άποψη ‖ θέα ‖ [-ed]: *(v)* κοιτάζω ‖ βλέπω ‖ ~ **point, point of** ~: *(n)* άποψη

vigil (΄vidzil): *(n)* αγρυπνία ‖ **~ance** (΄vidziləns): *(n)* επαγρύπνηση ‖ **~ant:** *(adj)* άγρυπνος, σε επαγρύπνηση

vigor (΄vigər), **vigour:** *(n)* σφρίγος, ζωτικότητα ‖ **~ous:** *(adj)* σφριγηλός, ζωντανός, ζωηρός

vile (΄vail): *(adj)* δυστυχισμένος ‖ αχρείος, βρομερός

villa (΄vilə): *(n)* έπαυλη, βίλα

village (΄vilidz): *(n)* χωριό ‖ **~r:** *(n)* χωρικός

villain (΄vilən): *(n)* ο "κακός" της ιστορίας ή του έργου

vindi-cate (΄vindikeit) [-d]: *(v)* δικαιώνω ‖ δικαιολογώ ‖ **~cation:** *(n)* δικαίωση

vine (vain): *(n)* αναρριχητικό φυτό ‖ κλήμα, κληματαριά ‖ **~gar** (΄vinigər): *(n)* ξίδι ‖ **~yard** (΄vinjərd): *(n)* αμπέλι

viola (vi:΄oulə): *(n)* βιόλα

viol-able (΄vaiələbəl): *(adj)* παραβιάσιμος ‖ **~ate** (΄vaiəleit) [-d]: *(v)* παραβιάζω ‖ αθετώ ‖ βιάζω ‖ **~ator:** *(n)* παραβιαστής ‖ βιαστής ‖ **~ation:** *(n)* παραβίαση ‖ αθέτηση ‖ **~ence** (΄vaiələns): *(n)* βία ‖ βιαιότητα ‖ **~ent:** *(adj)* βίαιος ‖ σφοδρός, έντονος

violet (΄vaiəlit): *(n)* μενεξές, βιολέτα

violin (΄vaiəlin): *(n)* βιολί ‖ **~ist:** *(n)* βιολιστής

viper (΄vaipər): *(n)* οχιά

virgin (΄və:rdzin): *(n)* παρθένος ‖ **~al:** *(adj)* παρθενικός ‖ **~ity:** *(n)* παρθενιά

virgule (΄və:rgjul): *(n)* κάθετη διαχωριστική γραμμή (/) (see slash)

viril-e (΄virəl): *(adj)* ανδροπρεπής ‖ **~ity:** *(n)* ανδρισμός

virtual (΄və:rtʃu:əl): *(adj)* ουσιαστικός

virtue (΄və:rtʃu:): *(n)* αρετή ‖ **by ~ of, in ~ of:** δυνάμει του, λόγω του

virtuous (΄və:rtʃu:əs): *(adj)* ενάρετος

viru-lence (΄viərələns): *(n)* ‖ παθογόνα κατάσταση ‖ κακεντρέχεια ‖ **~s** (΄vairəs): *(n)* παθογόνος ιός

visa (΄vi:zə): *(n)* θεώρηση διαβατηρίου, "βίζα"

visage (΄vizidz): *(n)* φυσιογνωμία ‖ όψη

viscous (΄viskəs): *(adj)* κολλώδης, πηχτός

vise (vais): *(n)* συνδήκτορας, "μέγκενη'

visi-bility (vizə΄biləti:): *(n)* ορατότητα ‖ **~ble** (΄vizəbəl): *(adj)* ορατός

vision (΄vizən): *(n)* όραση ‖ όραμα ‖ **~ary:** *(n)* οραματιστής

visit (΄vizit) [-ed]: *(v)* επισκέπτομαι ‖ *(n)* επίσκεψη ‖ **~or:** *(n)* επισκέπτης

visor (΄vaizər): *(n)* προσωπείο ‖ πιλήκιο προστατευτικό
vista (΄vistə): *(n)* θέα ‖ άποψη
visual (΄vizu:əl): *(adj)* οπτικός ‖ ~ **aid:** *(n)* οπτικό μέσο διδασκαλίας
vital (΄vaitəl): *(adj)* ζωτικός ‖ γεμάτος ζωή ‖ θανάσιμος, θανατηφόρος ‖ ~ **statistics:** ληξιαρχείο
vitamin (΄vaitəmən): *(n)* βιταμίνη
vivac-ious (vi΄veiʃəs): *(adj)* ζωντανός, ζωηρός
vivid (΄vivid): *(adj)* λαμπρός ‖ ζωντανός, ζωηρός
vocabulary (vou΄kæbjələri:): *(n)* λεξιλόγιο
vocal (΄voukəl): *(adj)* φωνητικός
vocation (vou΄keiʃən): *(n)* τέχνη, επάγγελμα ‖ **~al:** *(adj)* επαγγελματικός
vocative (΄vəkətiv): *(n)* κλητική
vodka (΄vədkə): *(n)* βότκα
vogue (΄voug): *(n)* μόδα ‖ δημοτικότητα, διάδοση
voice (vois): *(n)* φωνή ‖ [-d]: *(v)* αρθρώνω, εκφράζω δια λόγου
void (void): *(adj)* κενός ‖ άκυρος ‖ [-ed]: *(v)* ακυρώνω
volatile (΄vələtail): *(adj)* πτητικός, ευκολοεξάτμιστος ‖ ευμετάβλητος
volcan-ic (vəl΄kænik): *(adj)* ηφαιστειώδης ‖ **~o** (vəl΄keinou): *(n)* ηφαίστειο
voliton (və΄liʃən): *(n)* βούληση, θέληση
volley (΄vəli:): *(n)* ομοβροντία ‖ [-ed]: *(v)* ρίχνω ομοβροντία ‖ χτυπώ ''βολέ'' ‖ ~ **ball:** *(n)* πετόσφαιρα, ''βόλεϊ''
volt (΄voult): *(n)* βολτ
voluble (΄vəljəbəl): *(adj)* ευφραδής ‖ εύστροφος
volume (΄vəlju:m): *(n)* όγκος ‖ τόμος
volun-tary (΄vələnteri:): *(adj)* εθελοντικός ‖ **~teer** (΄vələn΄tiər): *(n)* εθελοντής ‖ **~teer** [-ed]: *(v)* προσφέρομαι εθελοντικά
voluptuous (və΄lʌptʃu:əs): *(adj)* φιλήδονος ‖ ηδυπαθής
vomit (΄vəmit) [-ed]: *(v)* κάνω εμετό ‖ *(n)* εμετός
voraci-ous (və:΄reiʃəs): *(adj)* αδηφάγος
vortex (΄və:rteks): *(n)* δίνη
vote (vout) [-d]: *(v)* ψηφίζω ‖ *(n)* ψήφος ‖ **~r:** *(n)* ψηφοφόρος
vouch (vautʃ) [-ed]: *(v)* επαληθεύω ‖ εγγυώμαι ‖ **~er:** *(n)* εγγυητής ‖ απόδειξη, δικαιολογητικό
vow (vau) [-ed]: *(v)* ορκίζομαι ‖ υπόσχομαι ‖ *(n)* υπόσχεση ‖ όρκος
vowel (΄vauəl): *(n)* φωνήεν
voyage (΄vəidz): *(n)* θαλασσινό ταξίδι ‖ [-d]: *(v)* ταξιδεύω ‖ **~r:** *(n)* ταξιδιώτης
vulgar (΄vʌlgər): *(adj)* χυδαίος ‖ **~ism, ~ity:** *(n)* χοντροκοπιά ‖ χυδαιότητα
vulnera-ble (΄vʌlnərəbəl): *(adj)* τρωτός
vulture (΄vʌltʃər): *(n)* γύπας, ''όρνιο''

W

wad (wəd): *(n)* μάτσο ‖ στουπί ‖ **~ding:** *(n)* βάτα
waddle (΄wədl) [-d]: *(v)* περπατώ αδέξια
wade (weid) [-d]: *(v)* περπατώ μέσα σε νερό, περνώ τα ρηχά ‖ περνώ δύσκολα μέσα από κάτι
waffle (΄wəfəl): *(n)* τηγανίτα
wag (wæg) [-ged]: *(v)* κουνώ πέρα δώθε ‖ *(n)* κούνημα
wage (weidz): *(n)* ημερομίσθιο ‖ [-d]: *(v)* διεξάγω
wager (΄weidzər) [-ed]: *(v)* στοιχηματίζω ‖ *(n)* στοίχημα
wagon (΄wægən): *(n)* φορτηγό ‖ βαγόνι ‖ **~lit** (vagon΄li:): *(n)* κλινάμαξα, βαγκόνλι
wagtail (΄wægteil): *(n)* σουσουράδα
wail (weil) [-ed]: *(v)* θρηνώ ‖ *(n)* θρήνος
waist (weist): *(n)* οσφύς, μέση ‖ ~ **coat:** *(n)* γιλέκο
wait (weit) [-ed]: *(v)* περιμένω ‖ *(n)* αναμονή ‖ **~er:** *(n)* σερβιτόρος ‖ **~ress:** *(n)* σερβιτόρα ‖ ~ **on,** ~ **upon:** *(v)* περιποιούμαι
waive (weiv) [-d]: *(v)* παραιτούμαι από δικαίωμα

wake (weik) [woke, waked or woken]: *(v)* ξυπνώ ‖ αγρυπνώ ‖ **~n** [-ed]: *(v)* ξυπνώ
walk (wɔ:k) [-ed]: *(v)* βαδίζω, περπατώ ‖ *(n)* περίπατος ‖ βάδισμα ‖ **~er:** *(n)* περιπατητής ‖ **~ie-talkie:** *(n)* φορητός ασύρματος, ''γουόκιτόκι'' ‖ **~ing papers:** *(n)* διώξιμο, ''πασαπόρτι''
wall (wɔ:l): *(n)* τοίχος ‖ τείχος ‖ [-ed]: *(v)* περιτειχίζω
wallet (΄wɔlit): *(n)* πορτοφόλι
wallow (΄wɔlou) [-ed]: *(v)* κυλιέμαι ‖ σκαμπανεβάζω ‖ *(n)* κύλισμα
walnut (΄wɔ:lnʌt): *(n)* καρύδι ‖ **~ tree:** *(n)* καρυδιά
walrus (΄wɔ:lrəs): *(n)* θαλάσσιος ίππος, μεγάλη φώκια
waltz (wɔ:lts) [-ed]: *(v)* χορεύω βαλς ‖ *(n)* βαλς
wan (wɔn): *(adj)* χλωμός ‖ κουρασμένος, ''τραβηγμένος''
wander (΄wɔndər) [-ed]: *(v)* περιπλανιέμαι
want (wɔnt) [-ed]: *(v)* θέλω ‖ έχω έλλειψη, στερούμαι ‖ *(n)* έλλειψη
wanton (΄wɔntən): *(adj)* ασελγής, ακόλαστος
war (wɔ:r): *(n)* πόλεμος ‖ [-red]: *(v)* πολεμώ, διεξάγω πόλεμο ‖ **~ fare:** *(n)* πολεμικές επιχειρήσεις, πόλεμος ‖ **~ monger:** *(n)* πολεμοκάπηλος ‖ **~rior:** *(n)* πολεμιστής
warble (΄wɔ:rbəl) [-d]: *(v)* τιτιβίζω ‖ *(n)* τιτίβισμα
ward (wɔ:rd): *(n)* διοικητική περιφέρεια ‖ τμήμα ή θάλαμος νοσοκομείου ‖ **~ off:** *(v)* αποκρούω
wardrobe (΄wɔ:rdroub): *(n)* ντουλάπα ρούχων
ware (weər): *(n)* είδη ‖ **~house:** *(n)* αποθήκη
war-fare, ~ head, ~ like, ~ lord: see war
warily (΄weərili): *(adv)* προσεκτικά ‖ με επιφύλαξη
warm (wɔ:rm): *(adj)* θερμός, ζεστός ‖ [-ed]: *(v)* θερμαίνω, ζεσταίνω ‖ **~th:** *(n)* ζέστη ‖ ζεστασιά
warmonger: see war
warn (wɔ:rn) [-ed]: *(v)* προειδοποιώ ‖ **~ing:** *(n)* προειδοποίηση, ειδοποίηση
warp (wɔ:rp) [-ed]: *(v)* στρεβλώνω
warrant (΄wɔ:rənt): *(n)* ένταλμα ‖ [-ed]: *(v)* εγγυώμαι ‖ δικαιολογώ ‖ **~ officer:** *(n)* υπαξιωματικός
war-rior, ~ ship: see war
wart (wɔ:rt): *(n)* κρεατοελιά
wary (΄weəri:): *(adj)* προσεκτικός ‖ επιφυλακτικός
was (wɔz): see be
wash (wɔʃ) [-ed]: *(v)* πλένω ‖ πλένομαι ‖ *(n)* πλύσιμο ‖ πλύση ‖ άσπρισμα, ασβέστωμα ‖ **~ out:** *(v)* ξεθωριάζω ή ξεβάφω στο πλύσιμο ‖ **~ basin, ~ bowl:** *(n)* νιπτήρας ‖ **~er:** *(n)* πλυντήριο ‖ πλύστρα ‖ ροδέλα ‖ **~ room:** *(n)* τουαλέτα, αποχωρητήριο ‖ **~ stand:** *(n)* νιπτήρας
wasp (wɔsp): *(n)* σφήκα
waste (weist) [-d]: *(v)* σπαταλώ ‖ *(n)* σπατάλη ‖ **~ful:** *(adj)* σπάταλος ‖ **~land:** *(n)* έρημη περιοχή, χέρσος τόπος
watch (wɔtʃ) [-ed]: *(v)* παρατηρώ ‖ παρακολουθώ ‖ προσέχω ‖ φυλάγω, φρουρώ ‖ *(n)* προσοχή ‖ παρακολούθηση, επιτήρηση ‖ φρουρά ‖ βάρδια ‖ ρολόι ‖ κοπάδι από αηδόνια ‖ **~ cap:** *(n)* μάλλινο καπέλο στρατιώτη ‖ **~dog:** *(n)* σκύλος φύλακας ‖ φύλακας, επόπτης, επιστάτης ‖ **~ful:** *(adj)* προσεκτικός ‖ **~fully:** *(adv)* προσεκτικά ‖ **~fullness**¨*(n)* προσοχή ‖ **~maker:** *(n)* ωρολογοποιός ‖ **~man:** *(n)* φύλακας ‖ **~night:** *(n)* παραμονή Πρωτοχρονιάς ‖ **~tower:** *(n)* πύργος φρουράς ‖ **~ word:** *(n)* παρασύνθημα ‖ σύνθημα, πολεμική κραυγή ‖ **~ for:** *(v)* καραδοκώ
water (΄wɔ:tər): *(n)* νερό ‖ υγρό ‖ ποιότητα ‖ [-ed]: *(v)* βρέχω ‖ καταβρέχω ‖ ποτίζω ‖ νερώνω ‖ **~bird:** *(n)* νεροπούλι, υδρόβιο πουλί ‖ **~borne:** *(adj)* μεταφερόμενος από νερό ή θάλασσα ‖ **~ clock:** *(n)* κλεψύδρα ‖ **~ closet:** *(n)* αποχωρητήριο, τουαλέτα ‖ **~ color:** *(n)* νερομπογιά, ''ακουαρέλα'' ‖ **~-cool** [-ed]: *(v)* ψύχω με νερό ‖ **~ course, ~ way:** *(n)* δίαυλος, κανάλι πλωτό ‖ **~ course:** κοίτη ποταμού ‖ **~cress:** *(n)* κάρδαμο ‖ **~fall:** *(n)* καταρράκτης ‖ **~fowl:** *(n)* υδρόβιο πουλί ‖ **~gate:** *(n)* υδατοφράκτης ‖ **~gauge:** *(n)* υδροδείκτης, υδρόμετρο ‖ **~glass:** *(n)* νεροπότηρο ‖ κλεψύδρα ‖ **~hen:** *(n)* νερόκοτα ‖ **~hole:** *(n)* νερόλακκος, λάκκος με

νερό || ~ing: *(n)* πότισμα || ~ing place: *(n)* θέρετρο || ~ing pot, ~ing can: *(n)* ποτιστήρι || ~ish: *(adj)* νερουλιάρικος || ~ jacket: *(n)* υδροθάλαμος || ~less: *(adj)* άνυδρος || ~ level: *(n)* στάθμη ύδατος || see ~line || ~ lily: *(n)* νούφαρο || ~line: *(n)* ίσαλη γραμμή || ~log [-ged]: *(v)* πλημμυρίζω, γεμίζω νερό || ~main: *(n)* κεντρικός αγωγός νερού || ~melon: *(n)* καρπούζι || ~mill: *(n)* υδρόμυλος || ~ moccasin: *(n)* νεροφίδα || ~ pipe: *(n)* υδροσωλήνας || ναργιλές || ~ polo: *(n)* υδατοσφαίριση || ~proof: *(adj)* αδιάβροχος || ~ rat: *(n)* αλήτης του λιμανιού || ~scape: *(n)* υδατογραφία, θαλασσογραφία || ~shed: *(n)* διαχωριστική γραμμή υδάτων || περιοχή ποταμού || ~side: *(n)* ακτή, όχθη || παρόχθια περιοχή || ~ ski, ~ skiing: *(n)* θαλάσσιο σκι || ~ snake: *(n)* νεροφίδα || ~spout: *(n)* σίφωνας || κρουνός || ~tight: *(adj)* υδατοστεγής || ~way: *(n)* πλωτός ποταμός ή κανάλι || ~works: *(n)* υδραυλική εγκατάσταση || σιντριβάνι || γερανός ύδρευσης || ~y: *(adj)* νερουλιασμένος, νερουλός, νερουλιάρικος || αδύναμος, ''νερουλιασμένος''

watt (wɘt): *(n)* βατ

wattle (΄wɘtl): *(n)* πλέγμα από βέργες ή καλάμια || κάλλαιο του κόκκορα, κρόσι, το κάτω λειρί || [-d]: *(v)* κάνω πλέγμα με βέργες

wave (weiv) [-d]: *(v)* κυματίζω || κουνώ το χέρι για σινιάλο || γνέφω ή χαιρετώ με το χέρι || κατσαρώνω || *(n)* κύμα || κυματιστός, || κούνημα του χεριού σε σινιάλο ή χαιρετισμό || ~band: *(n)* ζώνη κύματος || ~length: *(n)* μήκος κύματος || ~let: *(n)* κυματάκι

waver (΄weivər) [-ed]: *(v)* ταλαντεύομαι || αμφιταλαντεύομαι || χάνω την ισορροπία μου, κλονίζομαι || τρεμουλιάζω, τρέμω || *(n)* ταλάντευση || αμφιταλάντευση || τρεμούλιασμα

wax (wæks): *(n)* κηρός, κερί || [-ed]: *(v)* κηρώνω

way (wei): *(n)* δρόμος || τρόπος || κατεύθυνση, μεριά || **by the** ~: παρεπιπτόντως, εδώ που τα λέμε || **give** ~: υποχωρώ, ενδίδω || ~bill: *(n)* κατάλογος αποστολής

we (wi:): *(pron)* εμείς

weak (wi:k): *(adj)* ασθενικός, αδύνατος || ελαφρός, όχι δυνατός || ~en [-ed]: *(v)* εξασθενίζω || εξασθενώ, αδυνατίζω

wealth (welth): *(n)* πλούτος || ~y: *(adj)* πλούσιος

weapon (΄wepən): *(n)* όπλο

wear (weər) [wore, worn]: *(v)* φορώ || φθείρω από χρήση, λιώνω || εξαντλώ || *(n)* χρήση || φθορά από χρήση || ρούχα

wea-riful (΄wiərifəl): *(adj)* κουραστικός || ~ry (΄wiəri:): *(adj)* κουρασμένος || κουραστικός || [-ied]: *(v)* κουράζω

weasel (΄wi:zəl): *(n)* νυφίτσα

weather (΄wedər): *(n)* καιρός || ~cast: *(n)* πρόβλεψη καιρού || ~ cock: *(n)* ανεμοδείκτης || ~ glass: *(n)* βαρόμετρο || ~ station: *(n)* μετεωρολογικός σταθμός

weave (wi:v) [-d or wove, woven]: *(v)* υφαίνω || πλέκω || ~r: *(n)* υφαντής

web (web): *(n)* ιστός, δίχτυ || υφαντό || μεμβράνη

wed (wed) [-ded]: *(v)* παντρεύω || παντρεύομαι || ~lock: *(n)* γάμος

wedge (wedz): *(n)* σφήνα || [-d]: *(v)* σφηνώνω

wedlock: see wed

Wednesday (΄wenzdei, ΄wendzi:): *(n)* Τετάρτη

weed (wi:d): *(n)* αγριόχορτο, ζιζάνιο || [-ed]: *(v)* καθαρίζω αγριόχορτα, ξεχορταριάζω

week (wi:k): *(n)* εβδομάδα || ~day: *(n)* καθημερινή || ~end: *(n)* Σαββατοκύριακο || ~ly: *(adv)* κάθε βδομάδα || *(adj)* εβδομαδιαίος

weep (wi:p) [wept, wept]: *(v)* κλαίω || ~ing willow: *(n)* κλαίουσα, ιτιά

weigh (wei) [-ed]: *(v)* ζυγίζω || σηκώνω την άγκυρα || ~ down: *(v)* πιέζω, βαραίνω || ~t (weit): *(n)* βάρος || βαρύτητα

weird (wiərd): *(adj)* υπερφυσικός || αλλόκοτος

welcome (΄welkəm) [-d]: *(v)* καλωσορίζω || *(n)* καλωσόρισμα || *(adj)* ευπρόσδεκτος

weld (weld) [-ed]: *(v)* κολλώ, συγκολλώ

welfare (΄welfeər): *(n)* ευημερία

well (wel): *(n)* πηγάδι, φρέαρ || πηγή

|| [-ed]: *(v)* πηγάζω || *(adv)* καλώς, καλά || *(adj)* σε καλή υγεία, καλά || *(interj)* λοιπόν, έτσι λοιπόν || **as ~**: επίσης, ομοίως || **as ~ as:** επιπροσθέτως, επιπλέον || **~-done:** *(adj)* καλοψημένος || τέλειος, καλός || **~ head:** *(n)* πηγή ποταμού || **~-off:** *(adj)* εύπορος || τυχερός || **~-to-do:** *(adj)* εύπορος

welt (welt) [-ed]: *(v)* ξυλοκοπώ άγρια || *(n)* σημάδι από χτύπημα

welter (΄weltər) [-ed]: *(v)* κυλιέμαι || *(n)* ανακάτωμα, ταραχή

west (west): *(n)* δύση || *(adj)* δυτικός || *(adv)* δυτικά || **~erly:** *(adj)* δυτικός || *(n)* δυτικός άνεμος || **~ern:** *(adj)* δυτικός || **~ward, ~wards:** *(adv)* προς τα δυτικά

wet (wet): *(adj)* υγρός || νωπός, βρεγμένος || βροχερός || **~ nurse:** *(n)* τροφός, παραμάνα

whale (hweil): *(n)* φάλαινα || **~ bone:** *(n)* μπανέλα

wharf (hwə:rf): *(n)* αποβάθρα

what (hwət, hwʌt, hwət): *(pron)* τι? || ό,τι || όσος || ποιός? || **~ever:** *(pron)* οποιοσδήποτε || ο,τιδήποτε || **~ soever:** *(pron)* ο,τιδήποτε

wheat (hwi:t): *(n)* σιτάρι

wheel (hwi:l): *(n)* τροχός, ρόδα || [-ed]: *(v)* κινώ ή μεταφέρω με τροχούς || **~ barrow:** *(n)* χειράμαξα || **~ chair:** *(n)* αναπηρική πολυθρόνα

wheeze (hwi:z) [-d]: *(v)* ασθμαίνω, κονταvασαίνω

whelp (hwelp): *(n)* κουτάβι || λυκόπουλο

when (hwen): *(adv)* πότε || όταν || **~ce** (hwens): *(adv)* από όπου || από που || **~ever:** *(adv)* οποτεδήποτε

where (hweər): *(adv)* που || όπου, που || **~as:** *(conj)* ενώ || **~ in:** *(adv)* όπου|| **~ever:** *(adv)* οπουδήποτε

whet (hwet) [-ted]: *(v)* τροχίζω

whether (΄hweδər): *(conj)* εάν, είτε

whew (hwu:): *(inter)* ουφ!

which (hwitʃ): *(pron)* ποιό || ποιός από || οποίος || **~ever:** *(pron)* οποιοδήποτε

while (hwail): *(n)* χρονικό διάστημα || *(conj)* ενώ || **~ away:** *(v)* περνώ την ώρα

whim (hwim): *(n)* ιδιοτροπία, ''καπρίτσιο''

whimper (΄hwimpər) [-ed]: *(v)* κλαψουρίζω

whimsical (΄hwimzikəl): *(adj)* ιδιότροπος

whine (hwain) [-d]: *(v)* κλαψουρίζω

whinny (΄hwini:) [-ied]: *(v)* χλιμιντρίζω || *(n)* χλιμίντρισμα

whip (hwip) [-ped]: *(v)* μαστιγώνω || *(n)* μαστίγιο

whirl (hwə:rl) [-ed]: *(v)* στροβιλίζομαι || στριφογυρίζω || *(n)* στροβίλισμα || στριφογύρισμα|| **~ pool:** *(n)* δίνη, ρουφήχτρα || **~ wind:** *(n)* ανεμοστρόβιλος

whisker (΄hwiskər): *(n)* τρίχα από γένια || **~s:** *(n)* γένια || μουστάκια || φαβορίτες

whiskey (΄hwiski:), **whisky:** *(n)* ουΐσκι || **~ sour:** *(n)* ουΐσκι με χυμό λεμονιού

whisper (΄hwispər) [-ed]: *(v)* ψιθυρίζω || *(n)* ψίθυρος

whistle (΄hwisəl) [-d]: *(v)* σφυρίζω || *(n)* σφυρίχτρα || σφύριγμα

white (΄hwait): *(adj)* λευκός, άσπρος || τίμιος, ''ντόμπρος'' || λεύκωμα, ασπράδι || **~en** [-ed]: *(v)* ασπρίζω || **~ wash** [-ed]: *(v)* ασπρίζω, ασβεστώνω || *(n)* ασβέστωμα, άσπρισμα, ασβεστόχρωμα

Whitsunday (΄hwitsəndi:): *(n)* Κυριακή της Πεντηκοστής

whittle (΄hwitl) [-d]: *(v)* πελεκώ με μαχαίρι, σκαλίζω

whiz (hwiz) [-zed]: *(v)* σφυρίζω || περνώ σφυρίζοντας || περνώ γρήγορα

who (hu:): *(pron)* ποιός || οποίος, που || **~ever:** *(pron)* οποιοσδήποτε

whole (΄houl): *(adj)* ολόκληρος || ακέραιος, αβλαβής || *(n)* || **~sale:** *(n)* χονδρική πώληση || **~some:** *(adj)* υγιεινός || υγιής

wholly (΄houli:): *(adv)* εξ ολοκλήρου, εντελώς

whom (hu:m): *(pron)* ποιόν || οποίον || **~ever:** *(pron)* οποιονδήποτε

whore (΄hɔ:r): *(n)* πόρνη

whose (hu:z): *(pron)* τίνος || του οποίου

why (hwai): *(adj)* γιατί? || πού, γιατί

wick (wik): *(n)* φιτίλι

wicked (΄wikid): *(adj)* κακοήθης || απαίσιος, κακός

wicker (΄wikər): *(n)* πλέγμα από βέργες ή καλάμια

wide (waid): *(adj)* πλατύς, φαρδύς || έξω από, μακρυά || **~-awake:** *(adj)* εντελώς ξυπνητός || **~n** [-ed]: *(v)* διευρύνω || πλαταίνω
widow (΄widou): *(n)* χήρα || **~ed:** *(adj)* χήρος, χηρεύων || **~er:** *(n)* χήρος
width (width): *(n)* πλάτος, φάρδος
wield (wi:ld) [-ed]: *(v)* κραδαίνω, κρατώ όπλο || εξασκώ επίδραση ή επιβολή
wife (waif): *(n)* η σύζυγος
wig (wig): *(n)* περούκα
wiggle (΄wigəl) [-d]: *(v)* προχωρώ ή κινώ ή κινούμαι σαν φίδι
wild (waild): *(adj)* άγριος || ανυπότακτος || *(n)* άγρια περιοχή, ερημιά || **~erness** (΄wildərnis): *(n)* άγρια περιοχή, ερημιά || **~-goose chase:** *(n)* άσκοπη ή μάταιη αναζήτηση || **~ life:** *(n)* άγρια ζώα και φυτά
wile (wail): *(n)* κόλπο, πονηρό τέχνασμα
will (wil): *(n)* βούληση, θέληση || εκλογή || διαθήκη || [-ed]: *(v)* επιτάσσω || αφήνω σε διαθήκη, κληροδοτώ || θέλω || [would]: *(v)* θα ... || **~ful:** *(adj)* ισχυρογνώμονας, πεισματάρης || με θέληση, με δυνατή θέληση || εσκεμμένος, προμελετημένος || **~ing:** *(adj)* εκούσιος || πρόθυμος
willow (΄wilou): *(n)* ιτιά
wilt (wilt) [-ed]: *(v)* μαραίνομαι || μαραίνω
wily (΄waili:): *(adj)* πονηρός, πανούργος
wimble (΄wimbəl): *(n)* τρυπάνι
wimple (΄wimpəl): *(n)* ''τσεμπέρι''
win (win) [won, won]: *(v)* νικώ || κερδίζω || **~ner:** *(n)* νικητής || κερδισμένος || **~nings:** *(n)* κέρδη
wince (wins) [-d]: *(v)* μορφάζω || τινάζομαι, συσπώμαι || *(n)* μορφασμός || σύσπαση
winch (wintʃ): *(n)* γερανός, βαρούλκο, ''βίντσι''
wind (wind): *(n)* άνεμος, αέρας || **break ~**: *(v)* κλάνω || **~ed:** *(adj)* λαχανιασμένος || **~ breaker:** *(n)* αντιανέμιο || **~ fall:** *(n)* τυχερό, ''κελεπούρι''
wind (waind) [wound, wound]: *(v)* τυλίγω || κουρδίζω
windlass (΄windləs): *(n)* γερανός, βαρούλκο
window (΄windou): *(n)* παράθυρο || άνοιγμα, θυρίδα || βιτρίνα || **~ dressing:** *(n)* στόλισμα
wine (wain): *(n)* οίνος, κρασί
wing (wiŋ): *(n)* φτερούγα || πτέρυγα || πτερύγιο
wink (wiŋk) [-ed]: *(v)* κλείνω το μάτι για σινιάλο || ανοιγοκλείνω τα΄ μάτια || *(n)* κλείσιμο ματιού, ''ματιά''
winter (΄wintər): *(n)* χειμώνας || *(adj)* χειμερινός, χειμωνιάτικος
wipe (waip) [-d]: *(v)* σφουγγίζω || στεγνώνω, σκουπίζω || **~r:** *(n)* καθαριστήρας
wire (waiər): *(n)* σύρμα || καλώδιο || τηλεγράφημα || [-d]: *(v)* ενώνω με σύρμα ή καλώδιο || τοποθετώ σύρματα ή καλώδια || στέλνω τηλεγράφημα || **~less:** *(n)* ασύρματος || ραδιόφωνο
wiry (΄waiəri:): *(adj)* άκαμπτος, άγριος || νευρώδης
wisdom (΄wizdəm): *(n)* σοφία || φρόνηση, κοινός νους || **~ tooth:** *(n)* φρονιμίτης
wise (waiz): *(adj)* σοφός || συνετός, φρόνιμος || **~ crack:** *(n)* ''εξυπνάδα'' || ''καλαμπούρι''
wish (wiʃ): *(n)* επιθυμία || ευχή || [-ed]: *(v)* επιθυμώ || εύχομαι
wisp (wisp): *(n)* || απειροελάχιστη ποσότητα || τουλίπα || ίχνος, υποψία
wistful (΄wistfəl): *(adj)* μελαγχολικά νοσταλγικός
wit (wit): *(n)* ευφυΐα || πνεύμα || **~ticism:** *(n)* ευφυολόγημα || **~ty:** *(adj)* πνευματώδης
witch (witʃ): *(n)* μάγισσα || **~craft:** *(n)* μαγεία
with (with, wiδ): *(prep)* με, μαζί, μετά
withdraw (with΄drə:) [withdrew, withdrawn]: *(v)* αποσύρω || ανακαλώ || αποσύρομαι || **~al:** *(n)* απόσυρση, αποχώρηση || ανάκληση
withdrew: see withdraw
wither (΄wiδər) [-ed]: *(v)* μαραίνω || μαραίνομαι
withhold (with΄hould) [withheld, withheld]: *(v)* αναχαιτίζω || κατακρατώ || συγκρατώ
within (with΄in, wiδ΄in): *(adv)* εντός, μέσα
without (with΄aut, wiδ΄aut): *(adv)* έξω, απ' έξω || *(prep)* άνευ, χωρίς
withstand (with΄stænd) [withstood,

withstood]: *(v)* ανθίσταμαι || αντέχω, "βαστάω"
witness (΄witnis): *(n)* μάρτυρας || μαρτυρία || [-ed]: *(v)* είμαι μάρτυρας γεγονότος
wives: pl. of wife (see)
wobble (΄wəbəl) [-d]: *(v)* παραπαίω || αμφιταλαντεύομαι || *(n)* παραπάτημα
woe (wou): *(n)* βαθιά λύπη, δυστυχία
woke: see wake
wolf (wulf): *(n)* λύκος || [-ed]: *(v)* καταβροχθίζω
wolves: pl. of wolf (see)
woman (΄wu:mən): *(n)* γυναίκα || **~ize** (΄wumənaiz) [-d]: *(v)* κυνηγώ γυναίκες || **~izer:** *(n)* γυναικάς
womb (wu:m): *(n)* μήτρα
women (΄wimin): pl. of woman (see)
won (wʌn): see win
wonder (΄wʌndər) [-ed]: *(v)* απορώ || διερωτώμαι, αναρωτιέμαι || *(n)* θαύμα || απορία || **~ful:** *(adj)* θαυμάσιος
woo (wu:) [-ed]: *(v)* ερωτοτροπώ, "φλερτάρω"
wood (wud): *(n)* ξύλο || δάσος || *(adj)* ξύλινος || **~cock:** *(n)* μπεκάτσα || **~en:** *(adj)* ξύλινος || **~lark:** *(n)* κορυδαλλός || **~pecker:** *(n)* δρυοκολάπτης || **~worm:** *(n)* σαράκι
woof (wuf): *(n)* γάβγισμα, "γαβ"
wool (wul): *(n)* μαλλί, έριο || μάλλινο ύφασμα || *(adj)* μάλλινος || **~en, ~len:** *(adj)* μάλλινος
word (wə:rd) [-ed]: *(v)* εκφράζω, διατυπώνω || *(n)* λέξη || λόγος
wore (wə:r): see wear
work (wə:rk) [-ed]: *(v)* εργάζομαι, δουλεύω || κατεργάζομαι || *(n)* εργασία || έργο || **~s** *(n)* εγκατάσταση || εργοστάσιο || **~day:** *(n)* εργάσιμη, καθημερινή || ώρες εργασίας || **~er:** *(n)* εργάτης || υπάλληλος || **~ house:** *(n)* σωφρονιστικό ίδρυμα || **~ingman:** *(n)* εργάτης || **~man:** *(n)* εργάτης || **~manship:** *(n)* τέχνη
world (wə:rld): *(n)* κόσμος || σύμπαν || *(adj)* παγκόσμιος || **~ly:** *(adj)* εγκόσμιος || του κόσμου, κοσμοπολιτικός
worm (wə:rm):*(n)* σκουλήκι
worn (wə:rn): see wear || *(adj)* φθαρμένος || φορεμένος, μεταχειρισμένος || **~-out:** *(adj)* τριμμένος, φθαρμένος
wor-ried (΄wʌrid): *(adj)* ανήσυχος || **~risome:** *(adj)* ανησυχητικός || **~ry** (΄wʌri) [-ied]: *(v)* ανησυχώ || ενοχλώ, πειράζω || στενοχωριέμαι || *(n)* ανησυχία, σκοτούρα
worse (wə:rs): *(adj)* χειρότερος || *(adv)* χειρότερα || **~n** [-ed]: *(v)* χειροτερεύω || επιδεινώνομαι
worship (΄wə:rʃip): *(n)* λατρεία|| [-ed or -ped]: *(v)* λατρεύω
worst (wə:rst): *(adj)* χείριστος, ο χειρότερος || *(adv)* χείριστα, χειρότερα από όλους
worth (wə:rth): *(n)* αξία || *(adj)* άξιος, που αξίζει || **~less:** *(adj)* ανάξιος, χωρίς αξία || **~while:** *(adj)* που αξίζει τον κόπο, άξιος λόγου || **~y** (΄wə:rði:): *(adj)* άξιος || αντάξιος
would (wud): see will || θα, θαλα- || **~like:** *(v)* θέλω || θα ήθελα
wound (΄wu:nd): τραύμα || [-ed]: *(v)* τραυματίζω, πληγώνω
wow (wau): *(inter)* ω! πώ! πώ!
wrack (ræk) [-ed]: *(v)* καταστρέφω || *(n)* καταστροφή || ναυάγιο, ερείπιο
wrangle (΄ræŋgəl) [-d]: *(v)* καβγαδίζω, τσακώνομαι
wrap (ræp) [-ped]: *(v)* τυλίγω || κάνω πακέτο || *(n)* ρόμπα, σάρπα, σάλι || κουβέρτα || τύλιγμα || **~ping:** *(n)* υλικό περιτυλίγματος
wrath (ræth): *(n)* οργή
wreath (ri:th): *(n)* στεφάνι
wreck (rek) [-ed]: *(v)* καταστρέφω || ναυαγώ || *(n)* ερείπιο || ναυάγιο || **~age:** *(n)* ναυάγιο || σύντριμμα
wren (ren): *(n)* τρυποφράχτης
wrench (rentʃ) [-ed]: *(v)* συστρέφω απότομα || στραμπουλώ || *(n)* απότομο στρίψιμο
wrestl-e (΄resl) [-d]: *(v)* παλεύω || *(n)* πάλη || **~ing:** *(n)* πάλη
wretch (retʃ): *(n)* δυστυχισμένο πλάσμα || **~ed:** *(adj)* δύστυχος, δυστυχισμένος
wriggle (΄rigəl) [-d]: *(v)* στριφογυρίζω || προχωρώ ελικοειδώς σα φίδι
wring (riŋ) [wrung, rung]: *(v)* συστρέφω || στύβω
wrinkle (΄riŋkəl) [-d]: *(v)* ρυτιδώνομαι, ζαρώνω || *(n)* ρυτίδα || πτυχή
wrist (rist): *(n)* καρπός χεριού
write (rait) [wrote, written]: *(v)* γράφω || **~ off:** *(v)* ξεγράφω || υποτιμώ || **~r:** *(n)* συγγραφέας || ο

συντάκτης, ο συντάξας
writhe (raiδ) [-d]: *(v)* σπαρταρώ
writing (΄raitiŋ): *(n)* γραπτό
written (΄ritn): see write
wrong (rɔ:ŋ): *(n)* άδικο ‖ *(adj)* άδικος ‖ λανθασμένος, ανακριβής ‖ [-ed]: *(v)* αδικώ
wrote (rout): see write
wrought (rɔ:t): *(adj)* κατεργασμένος
wrung (rʌŋ): see wring
wry (rai): *(adj)* στραβός, στρεβλωμένος ‖ ειρωνικός και χιουμοριστικός

X

xerox (΄ziroks): *(n)* φωτοαντίγραφο ‖ [-ed]: *(v)* κάνω φωτοτυπία
Xmas (΄krisməs, ΄eksməs): *(n)* Χριστούγεννα
X-rated (΄eksreitid): *(adj)* χαρακτηρισμένο ως ακατάλληλο ‖ **~ray:** *(n)* ακτίνα X, ακτινοσκόπηση
xylograph (΄zailəgræf): *(n)* ξυλογραφία ‖ **~y:** *(n)* ξυλογραφική τέχνη
xylophone (΄zailəfoun): *(n)* ξυλόφωνο

Y

yacht (jat): *(n)* θαλαμηγός, ''γιοτ''
yah (ja:): *(adv)* ναι
yammer (΄jæmər) [-ed]: *(v)* γκρινιάζω, κλαψουρίζω ‖ πολυλογώ ‖ *(n)* γκρίνια
yank (jæŋk) [-ed]: *(v)* τραβώ απότομα ‖ **Y~, Y~ee:** *(n)* Γιάγκης
yap (jæp) [-ped]: *(v)* γαβγίζω ‖ φλυαρώ ‖ *(n)* γάβγισμα
yard (ja:rd): *(n)* γιάρδα (0,9144 μ) ‖ αυλή, προαύλιο
yarn (ja:rn): *(n)* νήμα ‖ μαλλί πλεξίματος ‖ ιστορία
yawn (jɔ:n) [-ed]: *(v)* χασμουριέμαι ‖ ανοίγω διάπλατα, στέκω ολάνοιχτος, χάσκω ‖ *(n)* χασμουρητό
yea (jei): *(adv)* ναι ‖ *(n)* καταφατική ψήφος, ψήφος υπέρ
year (jiər): *(n)* έτος, χρονιά ‖ **~ly:** *(adj)* ετήσιος
yearn (jɔ:rn) [-ed]: *(v)* επιθυμώ πολύ, λαχταρώ ‖ νοσταλγώ ‖ *(n)* πόθος, λαχτάρα ‖ **~ing:** *(n)* νοσταλγία
yeast (ji:st): *(n)* μαγιά
yell (jel) [-ed]: *(v)* φωνάζω δυνατά, βγάζω δυνατή φωνή ‖ *(n)* δυνατή φωνή
yellow (΄jelou): *(adj)* κίτρινος ‖ *(n)* κιτρινάδι, κρόκος
yelp (jelp) [-ed]: *(v)* γαβγίζω ‖ *(n)* γάβγισμα
yen (jen): *(n)* πόθος, λαχτάρα
yes (jes): *(adv)* ναι ‖ *(n)* ναι
yesterday (΄jestərdei, ΄jestərdi:): *(n & adv)* χθες
yet (jet): *(adv)* ακόμη ‖ παρόλα αυτά, εντούτοις, και όμως
yield (ji:ld) [-ed]: *(v)* αποδίδω ‖ παραχωρώ ‖ ενδίδω, υποκύπτω ‖ *(n)* απόδοση, παραγωγή
yogurt (΄jougərt): *(n)* γιαούρτι
yoke (jouk): *(n)* ζυγός ‖ ζεύγμα, ζευκτήρας ‖ νωμίτης ‖ [-d]: *(v)* ζεύω
yolk (jouk): *(n)* κρόκος αυγού
you (ju:): *(pron)* εσύ, εσείς ‖ εσένα, εσάς
young (jʌŋ): *(adj)* νέος, νεαρός ‖ **~ster:** *(n)* νέος, νεαρός
your (jɔ:r, jər): *(pron)* δικός σου, σου, σας
yours (juə:rz): *(pron)* δικός σου ‖ **~elf** (jər΄self): *(pron)* εσύ ο ίδιος

|| μόνος σου || **~elves:** *(pron)* σεις οι ίδιοι || μόνοι σας
youth (ju:th): *(n)* νεότητα || νέος, νεαρός
Yule (ju:l): *(n)* Χριστούγεννα

Z

zeal (zi:l): *(n)* ζήλος || **~ot:** *(n)* φανατικός οπαδός
zebra (΄zi:brə): *(n)* όναγρος, "ζέβρα"
zenith (΄zi:nith): *(n)* ζενιθ || κολοφώνας
zephyr (΄zefər): *(n)* ζέφυρος
zero (΄zi:rou): *(n)* μηδέν
zest (zest): *(n)* ζέση, ενθουσιασμός
zigzag (΄zigzæg): *(n)* ελικοειδής πορεία, ζιγκ-ζαγκ
zinc (ziŋk): *(n)* ψευδάργυρος, τσίγκος
zip (zip): *(n)* σφυριχτός ήχος || **Z~ Code:** *(n)* αριθμός ταχυδρομικού τομέα || **~per:** *(n)* φερμουάρ
zodiac (΄zoudi:æk): *(n)* ζωδιακός κύκλος || **~al:** *(adj)* ζωδιακός
zone (zoun): *(n)* ζώνη
zoo (zu:): *(n)* ζωολογικός κήπος || **logical** (zouə΄lədzikəl): *(adj)* ζωολογικός || **~logical garden:** see zoo || **~logy** (zou΄ələdzi:): *(n)* ζωολογία

Greek - English
Ελληνο - Αγγλικό

A

αβαθής, -ές: shallow *(και μτφ)*
αβαθμολόγητος, -η, -ο: (γραπτό) unmarked
αβάντα, η: (πλεονέκτημα) advantage || (κέρδος) profit
αβανταδόρος, ο: (χαρτοπ. λέσχης) hustler || (απάτης) decoy || (που προσελκύει πελάτες) shill, capper
αβαρία, η: *(ναυτ)* average || (ζημιά) damage || (υποχώρηση) sacrifice
αβασίλευτος, -η, -ο: (χωρίς βασιλιά) without a king
αβάσιμος, -η, -ο: groundless
αβάστακτος, -η, -ο: unbearable, intolerable
αβάσταχτος: βλ. **αβάστακτος**
άβατος, -η, -ο: impassable, inaccessible
άβαφος, -η, -ο: undyed
άβγαλτος, -η, -ο: inexperienced, unsophisticated
αβέβαια *(επίρ)* doubtfully
αβέβαιος, -η, -ο: uncertain, doubtful
αβεβαιότητα, η: uncertainty
αβίωτος, -η, -ο: βλ. **αβάστακτος** || (δυστυχισμένος) wretched, miserable
αβλαβής, -ές: (που δεν έχει βλάβη) unharmed, unhurt || (που δεν βλάπτει) harmless
αβλεψία, η: inadvertence, carelessness
αβοήθητος, -η, -ο: unassisted, unaided, helpless
άβολος, -η, -ο: (μη άνετος) uncomfortable || (μη βολικός) inconvenient
αβουλία η: lack of will power, irresolution, indecision
αβούλιαχτος, -η, -ο: (που δεν έχει βουλιάξει) unsunk, not sunk || (που δεν βουλιάζει) unsinkable
άβουλος, -η, -ο: irresolute, undecided, weak-willed
άβραστος, -η, -ο: unboiled, uncooked || (μισοβρασμένος) undercooked || (ωμός) raw
αβρός, -η, -ο: polite, courteous
αβρότητα, η: politeness, courteousness, tact || **με ~:** tactfully, courteously, politely
αβροφροσύνη, η: courtesy, politeness
αβύθιστος, -η, -ο: βλ. **αβούλιαχτος**
άβυσσος, η: abyss || (χάσμα) chasm, gulf
αγαθά, τα: wealth, riches
αγαθοεργία, η: charity
αγαθοεργός, -η, -ο: charitable
αγαθός, -η, -ο: kind, good, kindhearted || (απλοϊκός): naive, simple
αγαθοσύνη, η: naiveté, naivety
αγαθότητα, η: goodness, kindness || βλ. **αγαθοσύνη**
αγάλι (και **αγάλια**): slowly
αγαλλιάζω: rejoice, exult
αγαλλίαση, η: exultation, rejoicing
άγαλμα, το: statue
αγαλματάκι, το: statuette
αγαλματένιος, -α, -ο: statuesque
αγαλματώδης, -ες: βλ. **αγαλματένιος**
αγαμία, η: bachelorship, bachelorhood || (κληρικού) celibacy
άγαμος, -η, -ο: unmarried, single || (εργένης) bachelor || (γεροντοκόρη) spinster || (κληρικός) celibate
αγανάκτηση, η: indignation || (θυμός) anger, wrath
αγανακτισμένος, -η, -ο: indignant || (θυμωμένος) angry
αγανακτώ: be indignant || (θυμώνω) get angry, be mad
αγάπη, η: love || (στοργή) affection || **μου:** my love, my darling
αγαπημένος, -η, -ο: beloved, dear
αγαπητικιά, η: girl friend, lover || (ερωμένη) mistress
αγαπητικός, -ή, -ό: boy friend, lover
αγαπητός, -ή, -ό: dear
αγαπίζω: reconcile, be reconciled, make up
αγαπώ: love || (είμαι ερωτευμένος) be in love
άγαρμπος, -η, -ο: graceless, ungainly, awkward
αγγαρεία, η: *(στρ)* fatigue, fatigue duty || (βαριά δουλειά) drudgery, tedious work
αγγαρεύω: *(στρ)* assign on fatigue duty || (αναθέτω δουλειά) charge with
αγγείο, το: vessel, pot
αγγειοπλάστης, ο: potter
αγγειοπλαστική, η: pottery
αγγελία, η: (ανακοίνωση) announcement || *(εφημ)* advertise-

ment, ad
αγγελιοφόρος, ο: messenger ‖ (στρ) orderly
αγγελικός, -ή, -ό: angelic, angelical
αγγέλλω: announce, proclaim, declare
άγγελμα, το: message, announcement
αγγελόμορφος, -η, -ο: angel-face
άγγελος, ο: angel ‖ αγγελιοφόρος) bearer
αγγελούδι, το: little angel
άγγιγμα, το: touch
αγγίζω: touch
άγγιχτος, -η, -ο: (που δεν τον άγγιξαν) untouched ‖ (που δεν μπορούν να τον αγγίξουν) untouchable ‖ (απείραχτος) intact
Αγγλία, η: England
αγγλικά, τα: English
Αγγλίδα, η: Englishwoman
Αγγλικός, -ή, -ό: English ‖ **~ή γλώσσα:** English, English language
Άγγλος, ο: Englishman
αγγόνι, το: βλ. **εγγόνι**
αγγουράκι, το: gherkin, small cucumber
αγγούρι, το: cucumber
αγγουριά, η: cucumber, cucumber vine
αγελάδα, η: cow
αγελαδάρης, ο: cowboy, cowhand
αγέλαστος, -η, -ο: (σκυθρωπός) sullen, morose ‖ (που δεν γελιέται) undeceived
αγέλη, η: herd ‖ (προβάτων κλπ) flock ‖ (λύκων κλπ) pack ‖ (λιονταριών) pride ‖ (θαλασσινών) school
αγένεια, η: impoliteness, rudeness
αγένειος, ο: beardless
αγενής, -ες: impolite, rude
αγενώς: rudely, discourteously
αγέραστος, -η, -ο: ageless
αγέρωχος, -η, -ο: arrogant, haughty
αγεφύρωτος, -η, -ο: unbridged
άγημα, το: detachment
αγιάζι, το: hoarfrost ‖ (ψύχρα) chill
αγίασμα, το: Holy Water
αγιασμός, ο: βλ. **αγίασμα** ‖ blessing of Holly Water
αγιαστούρα, η: aspergillum, aspergill
αγιάτρευτα *(επίρ)* incurably
αγιάτρευτος, -η, -ο: (που δεν γιατρεύτηκε) uncured ‖ (που δεν γιατρεύεται) incurable
αγίνωτος, -η, -ο: (άγουρος) unripe
αγιογδύτης, thief, robber
αγιογραφία, η: icon
αγιοκέρι, το: taper, candle
αγιόκλημα, το: honey-suckle
άγιος, -α, -ο: holy, sacred ‖ *(ουσ)* saint
αγιότητα, η: holiness, saintliness, sanctity
αγκαζάρω: engage, reserve
αγκαζέ: (κρατημένο) reserved ‖ (πιασμένο) taken, occupied ‖ (μπράτσο) arm in arm
αγκάθι, το: thorn
αγκαθωτός, -ή, -ό: thorny ‖ (σύρμα) barbed
αγκαλιά, η: bosom ‖ (αγκάλιασμα) embrace ‖ (φορτίο) armful
αγκαλιάζω: embrace, hug
αγκάλιασμα, το: embrace, hug
αγκίδα, η: splinter
αγκινάρα, η: artichoke
αγκίστρι, το: hook
άγκιστρο, το: βλ. **αγκίστρι**
αγκιστρώνω: hook
αγκίστρωση, η: hooking
αγκιστρωτός, -ή, -ό: hooked
αγκομαχητό, το: moan, groan
αγκομαχώ: moan, groan
αγκράφα, η: clasp ‖ (πόρπη ζώνης) buckle
αγκύλη, η: bracket
αγκυλώνω: prickle, prick
αγκύλωση, η: ankylosis, anchylosis
αγκυλωτός, -ή, -ό: crooked, hooked ‖ **~ σταυρός:** swastica, swastika
άγκυρα, η: anchor
αγκυροβόλημα, το: anchoring, mooring
αγκυροβόληση, η: βλ. **αγκυροβόλημα**
αγκυροβολία, η: βλ. **αγκυροβόλημα**
αγκυροβόλιο, το: anchorage, moorage, mooring
αγκυροβολώ: cast anchor, drop anchor, moor
αγκωνάρι, το: corner-stone *(και μτφ)*
αγκώνας, ο: elbow
αγνάντεμα, το: watching, gazing
αγναντεύω: watch, gaze
αγνεία, η: purity, chastity
άγνοια, η: ignorance ‖ *(στρ)* AWOL
αγνός, -ή, -ό: pure, chaste
αγνότητα, η: βλ. **αγνεία**
αγνοώ: ignore, be unaware
αγνωμοσύνη, η: ingratitude, ungratefulness
αγνώμων, -ον: ingrate, unthankful
αγνώριστος, -η, -ο: unrecognizable
άγνωστος, -η, -ο: unknown, stranger
άγονος, -η, -ο: infertile, sterile ‖ (μη επικερδής) unprofitable

αγορά, η: market, market place || (ψώνιο) buy, purchase
αγοράζω: buy, purchase
αγοραίος, -α, -ο: for hire, for rent
αγοραστής, ο: buyer, purchaser
αγόρευση, η: rhetoric, oration
αγορεύω: orate
αγόρι, το: boy
αγορανομία, η: market inspection (police)
αγουρίδα, η: unripe grape
άγουρος, -η, -ο: unripe, green || *(μτφ)* unripe, green, immature
αγράμματος, -η, -ο: illiterate, uneducated
αγραμματοσύνη, η: illiteracy
άγραφος, -η, -ο: unwritten || (λευκός) blank
αγριάδα, η: fierceness, ferocity, savagery || (φυτό) grass
αγριάνθρωπος, ο: savage
αγριεύω: get angry || *(μτβ)* infuriate
αγρίμι, το: wild beast, wild animal
αγριόγατος, ο: wild cat
αγριογούρουνο, το: wild boar
αγριοκάτσικο, το: wild goat || *(μτφ)* wild, unruly
αγριοκοιτάζω: glare, look angrily
άγριος, -α, -ο: savage || (όχι ήμερος) wild
αγριότητα, η: βλ. **αγριάδα**
αγριότοπος, ο: wild, wilderness
αγριόχοιρος, ο: βλ. **αγριογούρουνο**
αγριωπός, -ή, -ό: fierce
αγροικία, η: cottage, farm house
αγροίκος, -α, -ο: coarse, rough
αγρόκτημα, το: farm, ranch
αγρονομία, η: agronomy
αγρός, ο: field
αγρότης, ο: *(θηλ.* **αγρότισσα, η**): countryman, peasant
αγρότισσα, η: βλ. **αγρότης**
αγροτικός, -ή, -ό: agrarian, rustic, rural
αγροφυλακή, η: agrarian police
αγροφύλακας, ο: agrarian guard
αγρυπνία, η: wakefulness || *(θρησκ)* vigil || (άγρυπνη προσοχή) vigilance, wakefulness
άγρυπνος, -η, -ο: wakeful, sleepless || (προσεκτικός) vigilant, watchful
αγρυπνώ: lie awake, keep awake || (είμαι προσεκτικός) watch, be watchful
αγύμναστος, -η, -ο: untrained
αγύρευτος, -η, -ο: unclaimed, unsaught || (μη επιθυμητός) undesirable
αγύριστος, -η, -ο: (μη επιστραφείς) unreturned || (απλήρωτος) unpaid || (πεισματάρης) **~ο κεφάλι:** stubborn, obstinate, headstrong
αγυρτεία, η: charlatanism, charlatanry, quackery
αγύρτης, ο: charlatan, quack
αγύρτικος, -η, -ο: charlatanic
αγχιστεία, η: relationship by marriage
αγχόνη, η: gallows
άγω: lead, conduct
αγωγή, η: (ανατροφή) breeding || (διαγωγή) conduct || *(νομ)* lawsuit, action
αγώγι, το: (μεταφορά) carriage || (φορτίο) load || (μεταφορικά) fare
αγωγιάτης, ο: (*θηλ.* **αγωγιάτισσα**): driver, muleteer, carter
αγωγός, ο: (μεταφορέας) conductor || (σωλήνας) pipe, pipeline
αγώνας, ο: fight, struggle || *(αθλ)* contest, game, match
αγωνία, η: (ανησυχία) anxiety || (οδύνη) anguish, agony || (αγωνιώδης αναμονή) suspense
αγωνίζομαι: struggle, strive, fight
αγώνισμα, το: contest, game, sport
αγωνιστής, ο: (*θηλ.* **αγωνίστρια**): contestant, fighter
αγωνιστικός, -ή, -ό: agonistic, combative
αγωνιώ: (ανησυχώ) be anxious || (νιώθω οδύνη) feel anguish be in agony || (περιμένω με αγωνία) be in suspense
αγωνιώδης, -ες: (ανήσυχος) anxious
αδαής, -ές: (αγνοών) ignorant
αδάμαστος, -η, -ο: (μη καταβαλλόμενος) indomitable|| (μη δαμασμένος) untamed
αδάπανος, -η, -ο: inexpensive, free
αδασμολόγητος, -η, -ο: duty free
άδεια, η: (συγκατάθεση) permission, consent || (απουσία, διακοπές) leave of absence, leave, vacation || (γραπτή) permit, licence || *(στρ)* furlough
αδειάζω: empty, vacate, evacuate || (έχω καιρό) be free, have time
αδειανός, -ή, -ό: βλ. **άδειος**
άδειος, -α, -ο: empty || (όχι πιασμένος) unoccupied, free || (θέση, δωμάτιο κλπ) vacant
αδειούχος, -α, -ο: on leave, on vacation || *(στρ)* on furlough
αδέκαρος, -η, -ο: penniless, broke, destitute

αδέκαστος, -η, -ο: (μη δωροδοκούμενος) incorruptible, || (αμερόληπτος) unbiased, impartial
αδελφάτο, το: βλ. **αδελφότητα**
αδελφή, η: sister
αδέλφια, τα: brothers, sisters || (και των δύο φύλων) siblings
αδελφικός, -ή, -ό: brotherly
αδελφοκτονία, η: fratricide
αδελφοκτόνος, ο: fratricide
αδελφοποίηση, η: fraternization
αδελφός, ο: brother
αδελφότητα, η: *(αρσ)* brotherhood || *(θηλ)* sisterhood || *(οργ)* fraternity
αδελφώνω: fraternize
αδένας, ο: gland
άδεντρος, -η, -ο: treeless
αδέξιος, -α, -ο: clumsy, awkward
αδέσμευτος, -η, -ο: unbound
αδέσποτος, -η, -ο: masterless, stray
αδημιούργητος, -η, -ο: unscucessful, starting on a career
αδημονία, η: anxiety, impatience
αδημονώ: be anxious, be impatient, fret
Άδης, ο: Hades || hell
αδηφαγία, η: greediness, voracity, gluttony
αδηφάγος, -ο: greedy, voracious, gluttonous
αδιάβαστος, -η, -ο: (που δεν διαβάζεται) unreadable, illegible || (μαθητής) unprepared
αδιάβατος, -η, -ο: impassable
αδιάβροχο, το: raincoat, mackintosh
αδιάβροχος, -η, -ο: waterproof
αδιαθεσία, η: indisposition
αδιάθετος, -η, -ο: (ασθενής) indisposed, unwell || (μη διατεθείς) indisposed
αδιαθετώ: be indisposed
αδιαίρετος, -η, -ο: indivisible || undivided
αδιάκοπος, -η, -ο: uninterrupted, incessant, ceaseless
αδιακρισία, η: indiscretion
αδιάκριτος, -η, -ο: indiscreet || (άτοπα περίεργος) inquisitive || (χωρίς διάκριση) indiscriminate, undiscriminating
αδιάλλακτος, -η, -ο: irreconcilable, uncompromising
αδιάλυτος, -η, -ο: insoluble, undisolved
αδιαμαρτύρητος, -η, -ο: uncomplaining, unprotesting || unprotested
αδιανόητος, -η, -ο: unthinkable
αδιαντροπιά, η: shamelessness
αδιαπέραστος, -η, -ο: impenetrable, impervious
αδιάπτωτος, -η, -ο: undiminished, unabated
αδιάρρηκτος, -η, -ο: unbreakable
αδιάσειστος, -η, -ο: unshakable, unshaken
αδιάσπαστος, -η, -ο: inseparable, unbreakable
αδιατάραχτος, -η, -ο: undisturbed
αδιαφάνεια, η: opacity, opaqueness
αδιαφανής, -ές: opaque
αδιάφθορος, -η, -ο: incorruptible
αδιαφιλονίκητος, -η, -ο: indisputable, unquestioned
αδιαφορία, η: indifference, unconcern, apathy, lack of interest
αδιάφορος, -η, -ο: indifferent, unconcerned
αδιαφορώ: be indifferent, ignore
αδιαχώριστος, -η, -ο: inseparable
αδιάψευστος, -η, -ο: undeniable, uncontradicted
αδίδακτος, -η, -ο: untaught
αδιεκδίκητος, -η, -ο: unclaimed
αδιέξοδο, το: impasse, dead end
αδιέξοδος, -η, -ο: blind, dead end
αδικαιολόγητος, -η, -ο: unwarranted, unjustifiable, unjustified
αδίκημα, το: offence
αδικία, η: injustice, wrong
άδικο, το: wrong, injustice || **έχω ~:** I am wrong
άδικος, -η, -ο: unjust, unfair
αδικώ: do wrong, wrong, be unfair
αδιόρατος, -η, -ο: imperceptible
αδιοργάνωτος, -η, -ο: unorganized
αδιόρθωτος, -η, -ο: incorrigible
αδιόριστος, -η, -ο: unappointed, unemployed
αδίστακτος, -η, -ο: unhesitating
αδοκίμαστος, -η, -ο: untried, untested
άδολος, -η, -ο: guileles, innocent
άδοξος, -η, -ο: inglorious
αδούλευτος, -η, -ο: unwrought, raw
αδούλωτος, -η, -ο: unconquered, indomitable || free
αδράνεια, η: inertness, inertia || *(μτφ)* inactivity
αδρανής, -ές: inert || inactive
αδρανώ: be inert || be inactive
αδράχτι, το: spindle
αδρός, -η, -ο: (άφθονος) generous, abundant || (χαρακτηριστικό) rugged
αδυναμία, η: weakness, feebleness || (λεπτότητα) thinness, slimness,

slenderness
αδυνατίζω: weaken || (χάνω βάρος) grow thin, lose weight
αδυνάτισμα, το: weakening || (απώλεια βάρους) loss of weight
αδύνατος, -η, -ο: weak, feeble || (όχι δυνατός) impossible || (λεπτός) thin, slim, slender, || (*ουσ* το αδύνατον:) impossibility
αδυνατώ: be unable, cannot, be incapable
αδυσώπητος, -η, -ο: implacable, inexorable
άδυτο, το: sanctuary || sanctum || άδυτα των αδύτων: sanctum sanctorum
αειθαλής, -ές: evergreen || *(μτφ)* ageless
αεικίνητος, -η, -ο: perpetually moving || *(μτφ)* restless, never still
αείμνηστος, -η, -ο: unforgettable
αεράγημα, το: air-borne party (troops)
αεραγωγός, ο: air-shaft, ventilating shaft, air duct
αεράκι το: breeze, light breeze
αεράμυνα, η: air defence
αεραντλία, η: air-pump
αέρας, ο: air || (άνεμος) wind
άεργος, -η, -ο: unemployed
αερίζομαι: be aired, be ventilated || (με βεντάλια) fan myself
αερίζω: air, ventilate || fan
αέριο, το: gas
αεριούχος, -α, -ο: gaseous || (ποτό) carbonated
αερισμός, ο: airing, ventilating || fanning
αεριστήρας, ο: ventilator
αεριοθούμενος, -η, -ο: jet-propelled
αεροβατώ: dayream, build castles in the air
αεροδρόμιο, το: aerodrome, airfield
αεροδυναμική, η: aerodynamics
αεροθάλαμος, ο: air-chamber
αερόλιθος, ο: aerolite, aerolith
αερολιμένας, ο: airport
αερολογία, η: idle talk, rot, rubbish
αερολόγος, -α, -ο: a gasbag
αερομαχία, η: air battle, air fight
αερομεταφορά, η: air transportation
αερομεταφερόμενος, -η, -ο: air-borne, air-transported
αεροναύτης, ο: aeronaut
αεροπειρατεία, η: highjack
αεροπειρατής, ο: highjacker
αεροπλάνο το: airplane, aeroplane, air-craft
αεροπλανοφόρο, το: air-craft carrier
αερόπλοιο, το: airship, dirigible
αεροπορία, η: aviation || *(στρ)* air force
αεροπορικός, -η, -ο: air, aerial
αεροπορικώς *(επίρ):* by air
αεροπόρος, ο: aviator, airman
αεροσκάφος, το: aircraft
αεροστατική, η: aerostatics
αερόστατο, το: balloon
αεροστεγής, -ές: air-tight, air-proof
αερόφρενο, το: air brake
αέτειος, -α, -ο: aquiline
αετός, ο: eagle || (χαρταετός) kite
αέτωμα, το: gable
αζημίωτος, -η, -ο: uninjured, undamaged
αζήτητος, -η, -ο: unclaimed, unsought
αζιμούθιο, το: azimuth
άζυμος, -η, -ο: unleavened
άζωτο, το: nitrogen
αηδής: βλ. **αηδιαστικός**
αηδία, η: aversion, disgust, distaste
αηδιάζω: disgust, repel || *(αμτβ)* be disgusted, be sick, loathe
αηδιαστικός, -ή, -ό: loathsome, disgusting, nauseating, repulsive, revolting
αηδόνι, το: nightingale
αήρ, ο: βλ. **αέρας**
αήττητος, -η, -ο: invincible, undefeated, unbeatable
αθανασία, η: immortality
αθάνατος, -η, -ο: immortal
αθέατος, -η, -ο: unseen, invisible
αθεΐα, η: atheism
αθέλητος, -η, -ο: unintentional, unwitting, involuntary, unwilling
άθελος, -η, -ο: βλ. **αθέλητος**
αθέμιτος, -η, -ο: illegal, illicit, unlawful
άθεος, -η, -ο: atheist, atheistic
αθεόφοβος, -η, -ο: impious || *(μτφ)* rascal, scoundrel
αθεράπευτος, -η, -ο: incurable
αθέρας, ο: (φυτού) awn, barb, spike || (κόψη) edge
αθέτηση, η: violation, breach
αθετώ: violate, break
αθήρ, ο: βλ. **αθέρας**
άθικτος, -η, -ο: intact, untouched || (αβλαβής) unharmed, undamaged
άθλημα, το: βλ. **αγώνισμα**
αθλητής, ο: (*θηλ.* **αθλήτρια, η**): athlete
αθλητικός, -η, -ο: athletic
αθλητισμός, ο: athletics, sport
άθλιος, -α, -ο: miserable, wretched
αθλιότητα, η: wretchedness, misery
άθλος, ο: feat, heroic deed, act of courage || (του Ηρακλή) labor

αθόρυβος, -η, -ο: noiseless ‖ (σιωπηλός) silent, quiet
άθραυστος, -η, -ο: unbreakable ‖ (που δεν έχει σπάσει) unbroken
άθρησκος, -η, -ο: irreligious
αθροίζω: add up, sum up
άθροιση, η: addition
άθροισμα, το: sum, total
αθρόος, -α, -ο: numerous, plentiful ‖ (μαζί) all together, in a body
άθυρμα, το: toy, plaything
αθυροστομία, η: indiscretion, indiscreetness
αθυρόστομος, -η, -ο: indiscreet, loosetongued
αθώος, -α, -ο: innocent ‖ *(νομ)* not guilty
αθωότητα, η: innocence
αθωώνω: absolve, acquit, exonerate
αθώωση, η: acquittal, exoneration
αίγαγρος, ο: chamois, wild goat
αιγιαλός, ο: βλ. **γιαλός**
αιγίδα, η: aegis, sponsorship, auspices
αίγλη, η: splendor, glory
αιγόκερως, ο: capricorn
αιγόκλημα, το: βλ. **αγιόκλημα**
αιδοίο, το: pudenda ‖ *(γυν)* pudendum, pussy
αιθάλη, η: soot
αιθέρας, ο: ether
αιθέριος, -α, -ο: ethereal
αιθήρ, ο: βλ. **αιθέρας**
αίθουσα, η: hall, room ‖ *(σχολ)* classroom
αίθριος, -α, -ο: clear, bright, cloudless
αίλουρος, ο: wild cat
αίμα, το: blood
αιματηρός, -ή, -ό: bloody
αιματοχυσία, η: bloodshed
αιμοβόρος, -α, -ο: bloodthirsty
αιμοδοσία, η: blood donation
αιμοδότης, ο: blood donor
αιμομείκτης, ο: incestuous
αιμομειξία, η: incest
αιμόπτυση, η: hemoptysis
αιμορραγία, η: hemorrhage, bleeding
αιμορραγώ: bleed
αιμορροΐδες, οι: hemorrhoids, piles
αιμοσταγής, -ές: blood-stained
αιμοσφαίριο, το: blood corpuscle ‖ **ερυθρό** ~: erythrocyte, red blood corpuscle ‖ **λευκό** ~: leukocyte, white blood corpuscle
αιμοφόρο αγγείο, το: blood vessel
αιμόφυρτος, -η, -ο: bloody, bleeding
αιμοχαρής, ες: βλ. **αιμοβόρος**
αίνιγμα, το: enigma, riddle
αινιγματικός, -ή, -ό: enigmatic, enigmatical
άιντε *(επιφ)*: come on! come now!
αίρεση, η: heresy, sect
αιρετικός, -ή, -ό: heretic, heretical
αιρετός, -ή, -ό: elected
αισθάνομαι: feel
αίσθημα, το: sentiment, feeling ‖ (ρομάντσο), romance, love affair
αισθηματίας, ο: sentimentalist
αισθηματικός, -ή, -ό: sentimental
αισθηματικότητα, η: sentimentality
αίσθηση, η: sense, feeling, sensation
αισθητήριο όργανο, το: sense organ
αισθητική, η: esthetics
αισθητικός, -ή, -ό: esthetic
αισθητός, -ή, -ό: perceptible, noticeable
αισιοδοξία, η: optimism
αισιόδοξος, -η, -ο: optimistic ‖ *(ουσ)* optimist
αισιοδοξώ: be optimistic
αίσχος, το: shame, disgrace
αισχοκέρδεια, η: illicit profit, illicit gain, profiteering
αισχροκερδής, ο: profiteer
αισχρολογία, η: obscenity
αισχρολόγος, ο: foul-mouthed
αισχρός, -ή, -ό: filthy, obscene
αισχρότητα, η: obscenity, filth
αίτημα, το: request, demand
αίτηση, η: request, demand ‖ (γραπτή) application ‖ *(νομ)* petition
αιτία, η: cause ‖ (λόγος) reason ‖ (δικαιολογία, λόγος) ground
αιτιατική, η: accusative
αίτιο, το: βλ. **αιτία**
αίτιος, -α, -ο: cause, author ‖ (υπεύθυνος) responsible
αϊτός, ο: βλ. **αετός**
αιτούμαι: request, apply for
αϊτοφωλιά, η: eyry, eagle's nest
αιτώ: demand, request
αιφνιδιάζομαι, be surprised, be taken by surprise, be caught unawares
αιφνιδιάζω: surprise, take by surprise, catch unawares
αιφνιδιασμός, ο: surprise ‖ *(στρ)* surprise attack
αιχμαλωσία, η: captivity ‖ (σύλληψη) capture
αιχμαλωτίζω: capture, take prisoner
αιχμάλωτος, -η, -ο: prisoner, captive ‖ (πολέμου) prisoner of war

αιχμή, η: point
αιώνας, ο: century
αιώνιος, -α, -ο: eternal, perpetual
αιωνιότητα, η: eternity
αιώρηση, η: swinging, rocking
αιωρούμαι: swing, dangle
ακαδημαϊκός, -ή, -ό: academic(al) || *(ουσ)* academician
ακαδημία, η: academy
ακαθαρσία, η: dirt, filth
ακάθαρτος, -η, -ο: dirty, filthy, unclean
ακάθεκτος, -η, -ο: uncontrollable, unbridled, unrestrained
ακάθιστος (ύμνος), ο: the Acathist
ακαθόριστος, -η, -ο: vague, indefinable, undefined
άκαιρος, -η, -ο: untimely, inopportune, unseasonable
ακακία, η: (δέντρο) acacia
άκακος, -η, -ο: harmless
ακαλαισθησία, η: tastelessness
ακαλαίσθητος, -η, -ο: tasteless
ακάλεστος, -η, -ο: uninvited
ακαλλιέργητος, -η, -ο: (γη) uncultivated || *(ανθρ)* uncultivated, uncultured, unrefined
ακάλυπτος, -η, -ο: uncovered
ακαμάτης, -ικο: lazy, loafer, idler
άκαμπτος, -η, -ο: unbending, inflexible, rigid
ακαμψία, η: inflexibility, rigidity, stiffness || **νεκρική ~**: rigor mortis
άκανθα, η: βλ. **αγκάθι**
ακανθώδης, -ες: *(μτφ)* thorny
ακανόνιστος, -η, -ο: irregular, uneven || (χρον. διαστ.) erratic, uneven || (μη συμμετρικός) asymmetric(al)
άκαπνος, -η, -ο: smokeless
άκαρδος, -η, -ο: heartless, cruel
ακαριαίος, -α, -ο: instantaneous
άκαρπος, -η, -ο: fruitless
ακατάβλητος, -η, -ο: indomitable, unconquerable
ακαταγώνιστος, -η, -ο: βλ. **ακατάβλητος**
ακαταδεξία, η: haughtiness, disdain
ακατάδεχτος, -η, -ο: haughty, disdainful
ακαταλαβίστικος, -η, -ο: βλ. **ακατάληπτος**
ακατάληπτος, -η, -ο: incomprehensible
ακατάλληλος, -η, -ο: unfit, unsuitable
ακαταλόγιστος, -η, -ο: (ανεύθυνος) irresponsible
ακαταμάχητος, -η, -ο: (ανίκητος) invincible, indomitable || *(μτφ)* irresistible || (επιχείρημα) irrefutable
ακατανόητος, -η, -ο: inconceivable
ακατάπαυστος, -η, -ο: incessant, unceasing, endless
ακαταστασία, η: (αταξία) disorder, untidiness, slovenliness
ακατάστατος, -η, -ο: untidy, slovenly, discorderly
ακατάσχετος, -η, -ο: unrestrainable, violent
ακατέργαστος, -η, -ο: unwrought, unshaped, raw
ακατοίκητος, -η, -ο: uninhabited || (μη κατοικήσιμος) uninhabitable
ακατόρθωτος, -η, -ο: impracticable, infeasible
ακέραιος, -α, -ο: whole, entire, intact, integral || (χαρακτήρας) honest, upright, honorable || (αριθμός) integral
ακεραιότητα, η: *(και μτφ)* integrity
ακέφαλος, -η, -ο: headless || *(μτφ)* leaderless
ακεφιά, η: depression, low spirits, gloom, dejection
άκεφος, -η, -ο: depressed, gloomy, low-spirited, dejected
ακηλίδωτος, -η, -ο: spotless, immaculate
ακήρυκτος, -η, -ο: undeclared
ακιδωτός, -η, -ο: βλ. **αγκαθωτός**
ακίνδυνος, -η, -ο: safe, harmless
ακινησία, η: immobility
ακίνητα, τα: βλ. **ακίνητη περιουσία**
ακινητοποίηση, η: immobilization
ακινητοποιώ: immobilize
ακίνητος, -η, -ο: still, motionless, immobile || **~ περιουσία:** real estate, property
ακίδα, η: point, barb
άκληρος, -η, -ο: (χωρίς διαθήκη) intestate || (χωρίς κληρονόμους) heirless, without heirs
ακλόνητος, -η, -ο: unshaken, unmoved, steady || (που δεν μπορεί να κλονιστεί) unshakable, immovable
ακμάζω: prosper, flourish, thrive
ακμαίος, -α, -ο: (στην ακμή) flourishing, thriving || (γερός) robust, strong, powerful
ακμή, η: (κόψη) edge || (μύτη) point || *(μτφ)* height, peak, acme
ακοή, η: hearing || **εξ ~ς**: hearsay
ακοίμητος, -η, -ο: *(μτφ)* vigilant
ακοινώνητος, -η, -ο: unsociable
ακολασία, η: licentiousness, dissoluteness, debauchery
ακόλαστος, -η, -ο: licentious,

dissolute, debauchee
ακολουθία, η: escort, retinue || (αλληλουχία) suite, consequence || *(εκκλ)* divine service
ακόλουθος, -η, -ο: following, next || *(ουσ)* attendant || *(διπλωμ)* attaché
ακολουθώ: follow, go after
ακόμα: still, yet || (περισσότερο) more
ακόμη: βλ. **ακόμα**
ακομπανιάρω: accompany
ακομπανιαμέντο, το: accompaniment
άκομψος, -η, -ο: inelegant, sloppy
ακόνι, το: whetstone, hone
ακονίζω: sharpen, whet, hone
ακόνισμα, το: sharpening, whetting, honing
ακονιστής, ο: whetter, sharpener
ακόντιο, το: javelin || (δόρυ) spear
ακοντισμός, ο: javelin throw
ακοντιστής, ο (*θηλ.* **ακοντίστρια**): javelin thrower
άκοπος, -η, -ο: (όχι κομμένος) uncut || (χωρίς κόπο) easy, effortless
ακόρεστος, -η, -ο: insatiable, insatiate
άκοσμος, -η, -ο: improper, indecent
ακουαρέλα, η: water-color, aquarelle
ακουμπιστήρι, το: support, || (για τα πόδια) footrest, || (για χέρια) armrest || (πλάτης) backrest
ακουμπώ: (αγγίζω) touch || (στηρίζομαι) lean, rest
ακούμπωτος, -η, -ο: βλ. **ξεκούμπωτος**
ακούνητος, -η, -ο: immovable, firm, steady
ακούραστος, -η, -ο: tireless, untiring, indefatigable
ακούρδιστος: βλ. **ακούρντιστος**
ακούρευτος, -η, -ο: unshorn, needing a haircut
ακούρντιστος, -η, -ο: untuned, not keyed || (ελατήριο) unwound
ακούσιος, -α, -ο: involuntary, unintentional
άκουσμα, το: hearing
ακουστικό το: receiver || ~ **βαρηκοΐας:** hearing aid
ακουστικός, -ή, -ό: acoustic(al), auditory
ακουστός, -ή, -ό: audible || (ξακουστός) renowned, famous, celebrated
ακούω: hear, listen || (υπακούω) obey
άκρα, τα: extremities || (κατάσταση) extremes
ακράδαντος, -η, -ο: unbending, steadfast
ακραίος, -α, -ο: extreme || (τελικός) terminal
ακραιφνής, -ές: pure, unmixed || *(μτφ)* sincere, true
ακράτεια, η: intemperance, incontinence
ακρατής, -ες: intemperate, incontinent
ακράτητος, -η, -ο: unrestrained
άκρατος, -η, -ο: pure, unmixed, unadulterated
άκρη, η: end, extremety, tip || (χείλος) edge
ακριανός, -ή, -ό: extreme
ακριβαίνω: *(μτβ)* increase the price, raise the price || *(αμτβ)* become dearer, become more expensive
ακρίβεια, η: (το ακριβές) accuracy, precision, exactness || (το ακριβό) coastliness, dearness || (ψηλό κόστος) high cost || (στην ώρα) punctuality
ακριβής, -ές: accurate, precise, exact || (σωστός) correct || (στην ώρα) punctual || (αντίγραφο) exact, true
ακριβοθώρητος, -η, -ο: long absent, rarely seen
ακριβολογία, η: punctiliousness
ακριβολόγος, -ο: punctilious
ακριβοπληρώνω: pay dearly, be overcharged, pay through the nose
ακριβός, -ή, -ό: dear., expensive, costly || (αγαπητός) dear
ακρίδα, η: locust, grasshopper
ακρίτας, ο: frontiersman
ακριτικός, -ή, -ό: frontier
ακριτομυθία, η: indiscretion, indiscreetness, indiscreet remark
ακριτόμυθος, -η, -ο: indiscreet, loose-tongued
άκριτος, -η, -ο: (μη κριθείς) untried, || (χωρίς κρίση) inconsiderate, thoughtless
άκρο, το: βλ. **άκρη**
ακροάζομαι: || *(ιατρ)* auscultate || (αφουγκράζομαι) listen
ακροαματικός, -ή, -ό: auditory, hearing
ακρόαση, η: || (άκουσμα) hearing, listening || *(ιατρ)* auscultation
ακροατήριο, το: audience
ακροατής, ο: (*θηλ.* **ακροάτρια**): listener || (μαθητής) auditor
ακρόβαθρο, το: abutment
ακροβασία, η: acrobatics
ακροβάτης, ο: *(θηλ.* **ακροβάτρια**) acrobat
ακροβατικός, -ή, -ό: acrobatic
ακροβολίζομαι: skirmish, engage in

a skirmish
ακροβολισμός, ο: (αραιά πυρά) skirmish || (αραιά γραμμή) skirmish line
ακροβολιστής, ο: skirmisher
ακροβούνι, το: pointed summit, peak
ακρογιάλι, το: βλ. **ακρογιαλιά**
ακρογιαλιά η: seashore, seaside, beach, coast
ακρογωνιαίος, -α, -ο: corner || (λίθος) cornerstone || (το στήριγμα) mainstay
ακροθαλασσιά, η: βλ. **ακρογιαλιά**
ακρόπολη, η: citadel, acropolis
ακροποταμιά, η: riverside
άκρος, -η, -ο: extreme, utmost || (υγεία) perfect || (σιγή) profound
ακροστιχίδα, η: acrostic
ακροστόμιο, το: nozzle
ακρότητα, η: extremity || (υπερβολή) excess
ακροώμαι: βλ. **ακροάζομαι**
ακρώρεια, η: summit, peak || ridge
ακρωτηριάζω, mutilate, maim || *(ιατρ)* amputate
ακρωτηριασμός, ο: mutilation || *(ιατρ)* amputation
ακρωτήριο, το: promontory, cape
ακταιωρός, η: coast-guard cutter, coaster
ακτέα, η: (κουφοξυλιά) elder
ακτή, η: coast, sea-shore, || (παραλία) seaside, beach
ακτίνα, η: (φωτός) ray, beam || (κύκλου) radius || (τροχού) spoke || (δράσης) range
ακτινενέργεια, η: βλ. **ραδιενέργεια**
ακτινοβολία, η: radiation || (λάμψη) brilliancy, radiance
ακτινοβόλος, -ο: radiant, shining, beaming
ακτινοβολώ: radiate, beam, shine
ακτινογραφία, η: (εικόνα) radiograph, X-ray, X-ray photograph || (μέθοδος) radiography
ακτινογραφώ: X-ray
ακτινοθεραπεία, η: radiotherapy
ακτινοσκόπηση, η: radioscopy, X-ray
ακτινοσκοπώ: X-ray
ακτίς, η: βλ. **ακτίνα**
ακτοπλοΐα, η: coasting, coastal navigation
ακτοπλοϊκό, το: coaster
ακτοπλοϊκός, -ή, -ό: coastal
ακτοφυλακή, η: coast guard
ακτύπητος, -η, -ο: βλ. **αχτύπητος**
ακυβέρνητος, -η, -ο: ungoverneed || uncontrollable, ungovernable
ακύμαντος, -η, -ο: (θάλασσα) calm, smooth, waveless || (χωρίς διακυμάνσεις, ήσυχος) quiet, calm
άκυρος, -η, -ο: invalid, void, null
ακυρότητα, η: invalidity, voidance
ακυρώνω: void, invalidate, annul, nullify, cancel
ακύρωση, η: annulment, cancellation, invalidation
ακυρωτικός, -ή, -ό: invalidating, nullifying || (δικαστήριο) Court of Appeal
άκων: βλ. **αθέλητος**
αλαβάστρινος, -η, -ο: alabaster, alabastrine
αλάβαστρο, το: alabaster
αλαζόνας, ο: βλ. **αλαζονικός**
αλαζονεία, η: arrogance, haughtiness
αλαζονικός, -ή, -ό: arrogant, haughty
αλάθευτος, -η, -ο: βλ. **αλάθητος**
αλάθητος, -η, -ο: infallible, unerring
αλαλαγμός, ο: loud cry, clamor || (πολεμική κραυγή) war cry
άλαλος, -η, -ο: speechless, silent, dumb, mute
αλάνθαστος: βλ. **αλάθητος**
αλάτι, το: salt
αλατιέρα, η: salt-shaker, salt-cellar
αλατίζω: salt, sprinkle with salt || (διατηρώ με αλάτι) preserve in salt
αλατισμένος, -η, -ο: seasoned with salt, treated with salt, salted
αλατωρυχείο, το: salt mine, salt pit
αλαφιάζομαι: be startled, be frightened, be scared
αλάφιασμα, το: fright, scare, fear
άλγεβρα, η: algebra
αλγεβρικός, -η, -ο: algebraic
αλέθω: grind, mill
αλείβω: daub, smear
αλείφω: βλ. **αλείβω**
αλεξιβρόχιο, το: βλ. **ομπρέλλα**
αλεξικέραυνο, το: lightning rod, lightning conductor
αλεξιπτωτιστής, ο: (*θηλ.* **αλεξιπτωτίστρια**) parachutist, paratrooper || (σώμα) paratroops
αλεξίπτωτο, το: parachute
αλεξίπυρος, -η, -ο: fire-proof
αλεξίσφαιρος, -η, -ο: bullet-proof
αλεπού, η: fox || *(θηλ)* vixen
άλεση, η: grinding
άλεσμα, το: βλ. **άλεση**
αλέτρι, το: plow, plough
αλεύρι, το: flour
αλευρόμυλος, ο: flour-mill
αλήθεια, η: *(ουσ)* truth || *(επίρ)*

indeed, really
αληθεύω: come true, be true, be realized, be fulfilled
αληθινός, -ή, -ό: true, truthful
αληθοφάνεια, η: plausibility
αληθοφανής, -ές: plausible
αλησμόνητος, -η, -ο: unforgettable
αλητεία, η: vagrancy
αλήτης, ο: (*θηλ.* **αλήτισσα**): tramp, vagrant, vagabond, bum || (νεαρός) punk
αλιάετος, ο: osprey
αλιεία, η: fishing || (*βιομ* & δικαίωμα) fishery
αλιευτικό, το: (πλοίο) fishing boat, smack
αλιευτικός, -ή, -ό: fishing
αλιεύω: fish
άλικος, -η, -ο: scarlet
αλίμονο!: *(επιρ)* alas, woe
αλίπαστο, το: salted, preserved in salt
αλισίβα, η: lye
αλιτήριος, -α, -ο: scoundrel, rascal
άλιωτος, -η, -ο: (που δεν έχει λιώσει) unmelted || (μη διαλυθείς) undisolved
άλκαλι, το: alkali
αλκαλικός, -ή, -ό: alkaline
αλκή, η: strenght, power, vigor
άλκιμος, -η, -ο: strong, vigorous, sturdy
αλκοόλ, το: alcohol
αλκοολικός, -ή, -ό: alcoholic
αλκοολισμός, ο: alcoholism
αλκυόνα, η: halcyon, kingfisher
αλκυονίδες ημέρες: halcyon days
αλκυών: βλ. **αλκυόνα**
αλλά: but || (όμως) however, yet
αλλαγή, η: change, alteration || (σιδ. τροχιά) shunt
αλλαγμένος, -η, -ο: changed, altered
αλλάζω: change, alter
αλλαντικά: sausages
αλλαντοποιός, ο: sausage maker
αλλαξιά, η: (ρούχα) change of clothes || (ανταλλαγή) exchange, barter, change
αλλαξοπιστία, η: change of faith
αλλαξόπιστος, -η, -ο: renegade
αλλαξοπιστώ: renege, change one's faith
αλλάσσω: βλ. **αλλάζω**
αλλεπάλληλος, -η, -ο: successive, repeated
αλλεργία, η: allergy
αλλεργικός, -ή, -ό: allergic
αλληγορία, η: allegory
αλληγορικός, -ή, -ό: allegoric(al)
αλληθωρισμός, ο: cross-eye, squint
αλλήθωρος, -η, -ο: cross-eyed, squint-eyed
αλληλεγγύη, η: mutual aid, solidarity
αλληλέγγυος, -α, -ο: jointly liable or responsible, solidary
αλληλένδετος, -η, -ο: || (συνδεδεμένος) bound together || (αλληλοεξαρτημένος) interdependent
αλληλεπίδραση, η: interaction, mutual influence
αλληλοβοήθεια, η: mutual aid or help
αλληλογραφία, η: correspondence
αλληλογραφώ: correspond
αλληλοεξάρτηση, η: interdependence
αλληλοεπίδραση, η: βλ. **αλληλεπίδραση**
αλληλοπάθεια, η: βλ. **αλληλεπίδραση**
αλληλοπαθής, -ές: reflexive
αλληλλούια: hellelujah
αλληλουχία, η: connection, sequence
αλληλοφάγωμα, το: dog-eat-dog competition
αλληλόχρεος, -η, -ο: (λογαριασμός) current account || (με αμοιβαίο χρέος) mutually bound
αλλιώς: *(επιρ)* else, otherwise || (διαφορετικά) differently, in other words
αλλιώτικος, -η, -ο: different
αλλοδαπή, η: foreign country, abroad
αλλοδαπός, -ή, -ό: *(ουσ)* foreigner, alien || *(επίθ)* foreign, alien || **κέντρο ~ών:** alien police
αλλοεθνής, -ές: βλ. **αλλοδαπός**
αλλόθρησκος, -η, -ο: of another religion or creed
αλλοιώνω: || (παραποιώ) falsify || (τροφή) adultefate || (χαρακτηριστικά) distort, contort
αλλοίωση, η: || (παραποίηση) falsification || (τροφή) adulteration || (χαρακτ.) distortion
αλλόκοτος, -η, -ο: strange, queer, odd, weird
αλλοπρόσαλλος, -η, -ο: inconstant, fickle, changeable
άλλος, -η, -ο: other, another, else
άλλοτε: another time, sometime, once, formerly
αλλότριος, -α, -ο: belonging to another, somebody else's, another's
αλλού: *(επιρ)* elsewhere, somewhere

else

αλλοφροσύνη, η: franticness, frenzy || (τρέλλα) craze, madness

αλλόφρων, ο: frantic, in a frenzy, besides one's mind || (τρελλός) mad, crazy

αλλόφυλος, -η, -ο: alien

άλλως: *(επίρ)* βλ. **αλλιώς**

άλμα, το: jump, leap, spring || ~ **απλούν μετά φοράς:** running broad jump || ~ **απλούν άνευ φοράς:** standing broad jump || ~ **εις ύψος:** high jump || ~ **τριπλούν:** hop, step and jump || ~ **επί κοντώ:** pole vault

αλματώδης, -ες: by leaps and bounds

άλμη, η: pickle, brine, salt water

άλμπουμ, το: album

αλμύρα, η: βλ. **αρμύρα**

αλμυρός, -ή, -ό: salty, salt || (ακριβός) costly, expensive

αλογίσιος, -η, -ο: horse, horsey, horsy

αλόγιστος, -η, -ο: irrational, thoughtless, absurb

άλογο, το: horse

αλογόμυγα, η: horsefly, gadfly

αλογότριχα, η: horsehair

αλοιφή, η: ointment, salve

αλουμίνιο, το: aluminum, aluminium

άλσος, το: grove, wood || (τεχνητό) park

αλτήρας, ο: dumbbell

αλτρουϊσμός, ο: altruism

αλτρουϊστής, ο *(θηλ.* **αλτρουΐστρια**): altruist

αλτρουϊστικός, -ή, -ό: altruistic

αλύγιστος, -η, -ο: inflexible, unbending || *(μτφ)* rigid, unyielding, stiff

αλυκή, η: salt marsh, salt meadow

αλύπητος, -η, -ο: merciless, pitiless, unmerciful

αλυσίβα, η: βλ. **αλισίβα**

αλυσίδα, η: chain

αλυσοδένω: chain, put in chains, fetter, shackle, manacle

αλυσόδετος, -η, -ο: chained, in chains, fettered, manacled

άλυτος, -η, -ο: (μη λυθείς) unsolved || (αδύνατο να λυθεί) insolvable

αλύτρωτος, -η, -ο: (υπόδουλος) slave, subject || (μη λυτρωθείς) unredeemed

αλύχτημα, το: bark, barking, bay, baying

αλυχτώ: bark, bay

άλωτος, -η, -ο: βλ. **άλιωτος**

αλφαβητάριο, το: primer, ABC's, speller

αλφαβητικός, -ή, -ό: alphabetic, alphabetical

αλφάβητο, το: alphabet

αλφάδι, το: level, spirit level

αλφαδιάζω: test the levelness

αλχημεία, η: alchemy

αλχημιστής, ο: alchemist

αλώνι, το: thresthing floor, threshing place || (άλως) halo

αλωνίζω: thresh, thrash

αλώνισμα, το: threshing

αλωνιστικός, -ή, -ό: thresing || ~ **μηχανή:** thresher, threshing machine

άλως, η: βλ. **αλώνι**

άλωση, η: fall, capture, conquest

άμα: (όταν) when || (μόλις) as soon as || (αν) if

αμαζόνα, η: amazon

αμάθεια, η: illiteracy, ignorance

αμαθής, -ες: illiterate, ignorant, uneducated

αμάκα, η: bumming || **κάνω** ~: bum, live on the bum

αμακαδόρος, ο: bum

αμακατζής, ο: βλ. **αμακαδόρος**

αμάλθειας, κέρας: cornucopia, horn of plenty

αμανάτι, το: βλ. **ενέχυρο**

άμαξα, η: vehicle, carriage, wagon, coach || (με άλογα) chaise, phaeton

αμαξάκι, το: (παιδικό) baby carriage, perambulator, pram, stroller

αμαξάς, ο: coachman

αμαξηλάτης, ο: βλ. **αμαξάς**

αμάξι, το: coach || (αυτοκίνητο) automobile, car

αμαξιτός δρόμος, ο: carriage road

αμαξοστάσιο, το: roundhouse

αμαξοστοιχία, η: train || **επιβατική** ~: passenger train || **εμπορική** ~: freight train || **κοινή** ~: slow train || **ταχεία** ~: non-stop train, fast train, express train

αμάραντος, ο: amaranth

αμαρταίνω: sin, transgress

αμάρτημα, το: βλ. **αμαρτία**

αμαρτία, η: sin, transgression || (κρίμα) pity

αμαρτωλός, -ή, -ό: sinful, sinner

αμαυρώνω: dim, darken, obscure, || *(μτφ)* defile, sully, taint

αμαύρωση, η: darkening, dimming || *(μτφ)* defilement, taint

αμαχητί: *(επίρ)* without a fight,

without fighting
άμαχος, -η, -ο: non-combatant
αμβλεία, η: (γωνία) obtuse angle
αμβλυγώνιος, -α, -ο: obtuseangled, obtuse
αμβλύνω: blunt, dull
αμβλύς, -εία, -ύ: blunt, dull || *(γεωμ)* obtuse
άμβλωση, η: abortion
αμβροσία, η: ambrosia
άμβωνας, ο: pulpit
άμε! (*πληθ.* **άμετε!**): go! go away!
αμέ?: *(επιφ)* sure! surely! of course! why not?
αμέθυστος, -η, -ο: (όχι μεθυσμένος) sober, not drunk, not intoxicated || (*ουσ* -λίθος) amethyst
αμείβω: reward || (πληρώνω) compensate, pay
αμείλικτος, -η, -ο: inexorable, implacable
αμείλιχτος, -η, -ο: βλ. **αμείλικτος**
αμείωτος, -η, -ο: undiminished
αμέλεια, η: negligence, carelessness || (παραμέληση) neglect
αμελέτητα, τα: testicles, balls
αμελέτητος, -η, -ο: (μαθητής) unprepared || (μη προμελετημένος) unstudied
αμελής, -ές: negligent, neglectful, careless
αμελώ: neglect, be indifferent, be negligent
άμεμπτος, -η, -ο: blameless, irreproachable
αμερικανικός, -ή, -ό: American
Αμερικανός (*θηλ.* **Αμερικανίδα**): American
Αμερική, η: America || Η.Π.Α.: U.S.A.
αμεριμνησία, η: lack of care, lack of worries
αμέριμνος, -η, -ο: carefree
αμέριστος, -η, -ο: undivided || (μη διαιρετός) indivisible
αμερόληπτος, -η, -ο: impartial, unprejudiced, unbiased
αμεροληψία, η: impartiality, impartialness
άμεσος, -η, -ο: immediate || (μη έμμεσος) direct
αμέσως: immediately, at once, right away, directly
αμετάβατος, -η, ο: || *(γραμ)* intransitive
αμετάβλητος, -η, -ο: (μη μεταβληθείς) unchanged, unaltered || (που δεν μπορεί να μεταβληθεί), unchangeable, unalterable || (σταθερός) constant, fixed
αμετακίνητος, -η, -ο: immovable
αμετάκλητος, -η, -ο: irrevocable
αμετανόητος, -η -ο: impenitent, unrepentant
αμετάπειστος, -η, -ο: (μη μεταπεισθείς) unconvinced || (που δεν μπορεί να μεταπεισθεί) inconvincible
αμεταχείριστος, -η, -ο: unused || (καινούριος) brand-new
αμέτοχος, -η -ο: not participating, taking no part || (αδιάφορος) indifferent
αμέτρητος, -η, -ο: (μη μετρηθείς) uncounted, unmeasured || (που δεν μπορεί να μετρηθεί) immeasurable, innumerable, countless, numerous
άμετρος, -η, -ο: excessive
αμήν: amen
αμηχανία, η: embarrassment, perplexity
αμήχανος, -η, -ο: embarrassed, perplexed, disconcerted
αμίαντος, -η, -ο: chaste, pure
αμίαντος, ο: asbesto s, amianthus, amiantus
αμιγής, -ές: unmixed, unmingled, pure, unadulterated
αμίλητος, -η, -ο: silent, quiet
άμιλλα, η: emulation, competition
αμιλλώμαι: emulate, compete, rival
αμίμητος, -η, -ο: inimitable
άμισθος, -η, -ο: without pay, unsalaried
αμμοκονία, η: mortar, cement
αμμόλιθος, ο: sandstone
άμμος, η: sand
αμμουδια, η: sandy beach
αμμώδης, -ες: sandy
αμμωνία, η: ammonia
αμνημόνευτος, -η, -ο: (μη αναφερθείς) unmentioned || (πέρα από τη μνήμη) immemorial
αμνησία, η: amnesia, loss of memory
αμνησικακία, η: condonation, forgivingness
αμνησίκακος, -η, -ο: forgiving, not resentful
αμνηστεύω: grant amnesty, amnesty
αμνηστία, η: amnesty
αμνός, ο: lamb
αμοιβαίος, -α, -ο: mutual, reciprocal
αμοιβαιότητα, η: reciprocity, reciprocality, reciprocalness, mutuality

αμοιβή, η: reward ‖ (πληρωμή) payment, compensation, remuneration
άμοιρος, -η, -ο: unfortunate, unlucky, luckless
αμόλυντος, -η, -ο: chaste, undefiled, pure ‖ (όχι μολυσμένος) not infected, not contaminated
αμόνι, το: anvil
άμορφος, -η, -ο: shapeless, formless
αμορφωσιά, η: illiteracy, ignorance, lack of education
αμόρφωτος, -η, -ο: illiterate, uneducated, ignorant
αμούστακος, -η, -ο: without a mustache, beardless
αμπαζούρ, το: lamp shade
αμπαλάρω: pack up
αμπάρα, η: bar, bolt
αμπάρι, το: hold
αμπάριζα, η: prisoner's base
αμπαρώνω: bar, bolt
αμπέλι, το: vineyard
αμπελουργία, η: viniculture, viticulture
αμπελουργός, ο: viniculturist, viticultirist, vine-grower
αμπελόφυλλο, το: vineleaf
αμπελοφυτεία, η: vinery, plantation of vines
αμπελώνας, ο: βλ. **αμπελοφυτεία**
αμπέχονο, το: field-jacket, tunic
άμποτε(ς): *(επιφ)* would to God!
αμπραγιάζ, το: clutch
αμπρί, το: shelter, dugout
άμπωτη, η: ebb, ebb tide, neap tide
άμυαλος, -η, -ο: brainless
αμυγδαλεκτομή, η: tonsillectomy
αμυγδαλή, η: tonsil
αμυγδαλιά, η: almond, almond tree
αμυγδαλίτιδα, η: tonsllitis
αμύγδαλο, το: almond
αμυγδαλωτός, -ή, -ό: almond-shaped
αμυδρός, -ή, -ό: dim, faint, vague
αμυδρότητα, η: dimness, faintness, vagueness
αμύητος, -η, -ο: uninitiated
αμύθητος, -η, -ο: indescribable, unutterable, inexpressible
άμυλο, το: starch
άμυνα, η: defense
αμύνομαι: defend
αμυντικός, -ή, -ό: defensive
αμυχή, η: scratch, graze, abra:io
άμφια, τα: vestments
αμφιβάλλω: doubt
αμφίβιο, το: ampfibian
αμφίβιος, -α, -ο: amphibious
αμφιβληστροειδής, ο: retina
αμφιβολία, η: doubt, dubiousness
αμφίβολος, -η, -ο: doubtful, dubious
αμφιδέξιος, -α, -ο: ambidextrous
αμφίεση, η: dress, attire
αμφιθεατρικός, -ή, -ό: amphitheatric, amphitheatrical
αμφιθέατρο, το: amphitheater
αμφίκοιλος, -η, -ο: concavo-concave
αμφίκυρτος, -η, -ο: convexo-convex
άμφιο, το: βλ. **άμφια**
αμφίπλευρος, -η, -ο: bilateral
αμφιρρέπω: waver, vacillate
αμφίρροπος, -η, -ο: undecided, wavering, vacillating
αμφισβητήσιμος, -η, -ο: disputable, questionable, debatable
αμφισβήτηση, η: controversy, dispute, question
αμφισβητώ: controvert, dispute, question
αμφιταλαντεύομαι: βλ. **αμφιρρέπω**
αμφιταλάντευση, η: wavering, vacillation
αμφορέας, ο: amphora
αμφότεροι, -ες, -α: both
αν: if ‖ (είτε) whether ‖ ~ **και**: though, although, even though ‖ **εκτός** ~: unless
ανά: by, through, per
αναβαθμός, ο: step
αναβάλλω: postpone, put off, defer ‖ (συνεδρίαση) adjourn
ανάβαση, η: ascent, ascension
αναβατήρας, ο: elevator, lift ‖ (σκαλοπάτι άμαξας) step, running-board ‖ (αλόγου) stirrup
αναβάτης, ο: (βουνών) mountaineer, mountain climber ‖ (ιππέας) rider, horseman
αναβιβάζω: βλ. **ανεβάζω**
αναβιώνω: *(μτβ)* revive, bring back to life, renew ‖ *(αμτβ)* relive, come back to life, come to life again
αναβίωση, η: revival
αναβλύζω: spring, spout, gush
αναβολέας, ο: stirrup
αναβολή, η: postponement, deferment, putting-off ‖ (συνεδρίαση) adjournment
αναβράζω: boil, boil up
αναβρασμός, ο: boiling, ebullition ‖ (ταραχή) agitation, turmoil, commotion

αναβροχιά, η: drought, period with no rain, lack of rain, dryness
αναβρύζω, βλ. **αναβλύζω**
αναβρυτήριο, το: fountain, jet of water
ανάβω: light ‖ (φωτιά) ignite, set fire, fire ‖ (φως) turn on, switch on ‖ (εξάπτομαι) get irritated, get provoked, be riled
αναγαλλιάζω: be delighted, rejoice, exult
αναγγελία, η: announcement, notice
αναγγέλλω: announce, notify, make known, give notice
αναγέννηση, η: rebirth, revival, regeneration ‖ (περίοδος) renaissance
αναγιεννιέμαι: be reborn, be revived, be regenerated
αναγεννώ: revive, regenerate
αναγκάζω: compel, force, constrain, oblige
αναγκαίος, -α, -ο: necessary, needful, required ‖ (απαραίτητος) requisite, indispensable
αναγκαστικός, -ή, -ό: forced ‖ (υποχρεωτικός) compulsory, obligatory
ανάγκη, η: necessity, need, want ‖ (έλλειψη) want ‖ (κατάσταση ανάγκης) emergency
ανάγλυφο, το: relief, low-relief, bas-relief
ανάγλυφος, -η, -ο: in relief, relief
αναγνωρίζω: recognize ‖ (παραδέχομαι) acknowledge, admit ‖ (δίνω σήμα αναγνώρισης) acknowledge ‖ (προσδιορίζω) identify
αναγνώριση, η: recognition ‖ (παραδοχή) acknowledgement, admission ‖ *(στρ)* reconnaissance ‖ (πιστοποίηση) identification
αναγνωρισμένος, -η, -ο: recognized
ανάγνωση, η: reading
αναγνωσματάριο, το: βλ. **αναγνωστικό**
αναγνωστήριο, το: reading-room
αναγνώστης, ο: (*θηλ.* **αναγνώστρια**) reader
αναγνωστικό, το: reader, reading-book
αναγόρευση, η: nomination, appointment to office
αναγορεύω: nominate, appoint to office
αναγούλα, η: nausea, ‖ (αηδία) disgust, repugnance
αναγουλιάζω: *(μτβ)* nauseate, disgust, make sick ‖ *(αμτβ)* be nauseated, be disgusted, be sick
ανάγραμμα, το: anagram
ανάγομαι: (ξεκινώ, έχω αρχή) go back, originate
ανάγω: (παραπέμπω) refer ‖ (μετατρέπω σε απλούστερο) reduce
αναγωγή, η: reduction
ανάγωγος, -η, -ο: (κακομαθημένος) ill-mannered, ill-bred, impolite ‖ (μη απλουστευόμενος) irreducible
αναδασώνω: reforest
αναδάσωση: reforestation
αναδεικνύομαι: βλ. **αναδείχνομαι**
ανάδειξη, η: distinction, eminence ‖ (εκλογή ή διορισμός) appointment, election
αναδείχνομαι: be distinguished, gain distinction
αναδείχνω: distinguish, make eminent, bring to notice ‖ (εκλέγω ή διορίζομαι) appoint to office, elect
αναδεκτός, ο (*θηλ* **αναδεκτή**): godson (*θηλ:* goddaughter)
αναδεξιμιός, ο (*θηλ.* **αναδεξιμιά**) βλ. **αναδεκτός**
αναδεύω: *(μτβ)* stir, shake ‖ *(αμτβ)* stir, toss
αναδημιουργία, η: re-creation
αναδημιουργώ: re-create
αναδημοσίευση, η: republication
αναδημοσιεύω: republish
αναδίδω: βλ. **αναδίνω**
αναδίνω: emanate, emit, send forth, give off
αναδιοργανώνω: reorganize
αναδιοργάνωση, η: reorganization
αναδιοργανωτής, ο: reorganizer
αναδιπλασιάζω: redouble, reduplicate
αναδιπλασιασμός, ο: redoubling, reduplication
αναδιπλώνω: refold
αναδίπλωση, η: refolding
αναδουλειά, η: slack business season, slack time, slow business season
ανάδοχος, ο: god parent, sponsor ‖ *(αρσ)* godfather ‖ *(θηλ)* godmother ‖ (έργου) contractor
αναδρομή, η: retrogradation, retrospect
αναδρομικός, -ή, -ό: retroactive, retrospective
αναδύομαι: emerge, issue, rise up
ανάδυση, η: emergence, emersion, rising
ανάερος, -η, -ο: airy, light, ehtereal

αναζήτηση, η: search, quest, investigation
αναζητώ: search, look for, seek
αναζωογόνηση, η: revival, revitalization, invigoration
αναζωογονώ: revive, revitalize, invigorate
αναζωπυρώ: rekindle, revive
αναθαρρεύω: take heart, regain courage, resume courage
αναθάρρηση, η: courage, regaining of courage
ανάθεμα, το: anathema
αναθεματίζω: anathematize, curse
αναθεματισμένος, -η, -ο: accursed, accurst
αναθεματισμός, ο: curse, sursing, anathematizing
ανάθεση, η: charge, entrusting, consignment
αναθέτω: charge, entrust, consign
αναθεώρηση, η: revision, review, reexamination || (δίκης) rehearing, retrial
αναθεωρητικός, -ή, -ό: revisionary, revisional, reviewing
αναθεωρώ: revise, review, re-examine
ανάθημα, το: offering
αναθυμίαση, η: effluvium, fume
αναίδεια, η: impertinence, impudence, cheek
αναιδής, -ές: impertinent, impudent, cheeky
αναίμακτος, -η, -ο: bloodless
αναιμία, η: anaemia, anemia
αναιμικός, -ή, -ό: anaemic, anemic
αναίρεση, η: repoudiation, retraction, refutation || *(νομ)* appeal || (φόνος) manslaughter
αναιρώ: revoke, repudiate, retract, refute
αναισθησία, η: anaesthesia, anesthesia || (απώλεια αισθήσεων) unconsciousness || (απάθεια) insensibility, insensitivity, insensitiveness
αναισθητικός, -ή, -ό: anaesthetic, anesthetic
αναισθητοποιώ: βλ. **αναισθητώ**
αναίσθητος, -η, -ο: (με χαμένες αισθήσεις) unconscious, senseless, insensate || (απαθής) insensible, insensitive, unfeeling, unmoved
αναισθητώ: anesthetize
αναισχυντία, η: shamelessness
αναίσχυντος, -η, -ο: shameless
αναίτιος, -α, -ο: causeless
ανακαθίζω: sit up
ανακάθομαι: βλ. **ανακαθίζω**
ανακαινίζω: remodel, renovate, renew
ανακαίνιση, η: remodeling, renovation
ανακαλύπτω: discover, find out, detect
ανακάλυψη, η: discovery || detection
ανακαλώ: recall || (καταργώ) revoke, repeal, annul, abolish, || (παίρνω πίσω) take back, retract || (αποσύρω) withdraw
ανάκατα: *(επιρ)* helter-skelter, pell-mell, topsy-turvy
ανακατάταξη, η: rearrangement || *(στρ)* re-enlistment
ανακατατάσσομαι: re-enlist
ανακατατάσσω: rearrange
ανακάτεμα, το: βλ. **ανακάτωμα**
ανακατεύομαι: get mixed, be drawn into || (σε ξένες υποθέσεις) interfere, meddle || (χώνω τη μύτη μου) poke my nose into
ανακατεύω: mix, mingle, blend || (για να διαλύσω) stir || (χαρτιά) shuffle || (κάνω άνω-κάτω) jumble, muddle
ανάκατος, -η, -ο: mixed, mingled || (άνω-κάτω) jumbled, muddled || (μπερδεμένος) tangled, tousled
ανακάτωμα, το: mix, mixing, blend || (άνω-κάτω) jumble, muddle || (μπέρδεμα) tangle || (αηδία) nausea
ανακεφαλαιώνω: sum up, summarize
ανακεφαλαίωση, η: summary, summing up
ανακήρυξη, η: βλ. **αναγόρευση**
ανακηρύσσω: βλ. **αναγορεύω**
ανακινώ: (ανακατεύω) βλ. **ανακατεύω** || (φέρνω για συζήτηση) raise bring up
ανάκλαση, η: reflection || (οργανισμού) reflex
ανακλαστικός, -ή, -ό: reflective, reflectional || *(οργαν)* reflex
ανάκληση: βλ. **ακύρωση**
ανακλητικό, το: *(στρ)* taps
ανακλητικός, -ή, -ό: βλ. **ακυρωτικός**
ανάκλιντρο, το: couch, sofa, settee, divan
ανακλώ: reflect
ανακοινωθέν το: communique~
ανακοινώνω: announce
ανακοίνωση, η: announcement
ανακοπή, η: check, restraint, holding, || (ποινής) reprieve ||

(απόφασης) appeal
ανακόπτω: check, restrain, hold, stop ‖ (ποινή) reprieve ‖ (απόφαση) appeal
ανακούρκουδα: *(επιρ)* on one's heels, squatting, cross-legged
ανακουφίζω: relieve, soothe ‖ (ελαφρώνω) mitigate, alleviate, lighten
ανακούφιση, η: relief ‖ (ξαλάφρωμα) mitigation, alleviation
ανακουφιστικός, -ή, -ό: soothing, alleviatory, alleviative
ανακρίβεια, η: inaccuracy, inexactitude, inexactness
ανακριβής, -ές: inaccurate, inexact
ανακρίνω: interrogate
ανάκριση, η: interrogation
ανακριτής, ο: interrogator, examiner, inquisitor
ανάκρουση, η: (υποχώρηση) backing up, change of tack ‖ *(μουσ)* playing
ανακρούω: (υποχωρώ) back up, back out of, change tack ‖ *(μουσ)* play
ανάκτηση, η: recovery, regaining
ανάκτορο, το: palace
ανακτώ: recover, regain, get back again
ανακωχή, η: armistice, truce
αναλαβαίνω: *(αμεταβ)* recover, get over, regain health ‖ (υποχρέωση) undertake, assume, take on
αναλαμπή, η: flash, gleam ‖ *(μτφ)* flare, gleam, spark
αναλάμπω: gleam, flash, shine ‖ *(μτφ)* flare, spark, gleam
ανάλατος, -η, -ο: saltless, without salt ‖ *(μτφ)* insipid, vapid
ανάλαφρος, -η, -ο: βλ. **ανάερος**
αναλγησία, η: *(ιατρ)* analgesia ‖ (απονιά) unfeelingness, callousness, insensitivity, insensibility
αναλγητικός, -ή, -ό: analgesic, painkilling, painrelieving ‖ *(ουσ)* analgesic, painkiller
ανάλγητος, -η, -ο: insensible, insensitive, unfeeling, callous
αναληθής, -ές: untrue
ανάληψη, η: (υγείας) recovery ‖ (χρημάτων) withdrawal ‖ (υποχρέωσης) undertaking, assuming ‖ *(εκκλ)* Ascension
αναλλοίωτος, -η, -ο: unalterable, unchangeable, unaltered ‖ (που δεν χαλά) not perishable, imperishable
ανάλογα: *(επίρ)* proportionately, proportionally, in proportion
αναλογία, η: analogy, proportion, relationship
αναλογίζομαι: consider, deliberate upon, think
αναλογικός, -ή, -ό: proportional, proportionate, in proportion, analogical
αναλόγιο, το: bookrest, bookstand, lectern
ανάλογος, -η, -ο: analogous, proportional, proportionate
αναλογώ: be analogous, be proportional, be in proportion ‖ (αντιστοιχώ) correspond
ανάλυση, : analysis ‖ *(γραμ)* parsing
αναλυτικά: *(επίρ)* analytically
αναλυτικός, -ή, -ό: analytic, analytical, ‖ *(μτφ)* itemized, detailed
αναλύομαι: be analyzed ‖ *(διαλ)* dissolve, melt ‖ (ξεσπώ) burst into
αναλύω: analyze ‖ *(γραμ)* parse ‖ (διαλύω) dilute, dissolve
αναλφαβητισμός, ο: illiteracy
αναλφάβητος, -η, -ο: illiterate
αναλώσιμος, -η, -ο: expendable
αναμαλλιάζω: tousle, dishevel
αναμαλλιασμένος, -η, -ο: (και αναμαλλιάρης): disheveled, tousle-headed
αναμάρτητος, -η, -ο: sinless
αναμάσημα, το: (μηρυκασμός) rumination, chewing cud
αναμασώ: (μηρυκάζω) ruminate ‖ *(μτφ)* harp on, repeat
ανάμεικτος, -η, -ο: mixed, assorted, mingled, blended
ανάμειξη, η: mixing, mingling, blending ‖ (επέμβαση) interference, meddling
αναμένω: await, wait ‖ (προσδοκώ) expect
ανάμεσα: between ‖ (εν μέσω) among
αναμεταξύ: *(τοπ)* between, among ‖ *(χρον)* meanwhile, meantime
αναμέτρηση, η: (συναγωνισμός) contention, contest ‖ (δυναμική αναμέτρηση) showdown
αναμετριέμαι: contend, vie
αναμηρυκάζω: βλ. **αναμασώ**
αναμηρυκασμός, ο: αναμάσημα
άναμμα, το: lighting, ignition, kindling ‖ (προσώπου) reddening, flushing ‖ *(μτφ)* excitement, agitation
αναμμένος, -η, -ο: alight, lit up, lighted, burning ‖ *(μτφ)* excited, agitated, angry
ανάμνηση, η: remembrance, re-

miniscence, recollection || (τίμηση μνήμης) commemoration
αναμνηστικός, -ή, -ό: commemorative, commemoratory, memorial
αναμονή, η: waiting || (προσδοκία) expectation
αναμορφώνω: reform
αναμόρφωση, η: reform, reformation
αναμορφωτήριο, το: reformatory, reform school
αναμορφωτής, ο: (*θηλ.* **αναμορφώτρια**) reformer
αναμορφωτικός, -ή, -ό: reformative, reformatory, reformational
αναμόχλευση, η: *(μτφ)* stirring, rousing
αναμοχλεύω: (σηκώνω με μοχλό) lever, lift with a lever || *(μτφ)* stir, agitate, rouse
αναμπουμπούλα, η: tumult, commotion, upheaval
αναμφίβολα: *(επιρ)* undoubtedly, indubitably
αναμφίβολος, -η, -ο: doubtless, indubitable, unquestionable
αναμφισβήτητα: *(επιρ)* indisputably, unquestionably
αναμφισβήτητος, -η, -ο: indisputable, unquestionable
ανανάς, ο: pineapple
ανανδρία, η: cowardice, cowardliness
άνανδρος, -η, -ο: coward, yellow
ανανεώνω: renew || (ανακαινίζω) βλ. **ανακαινίζω**
ανανέωση, η: renewal || βλ. **ανακαίνιση**
αναντικατάστατος, -η, -ο: irreplaceable
αναντίρρητα: *(επίρ)* βλ. **αναμφισβήτητα**
αναντίρρητος, -η, -ο: βλ. **αναμφισβήτητος**
αναξέω: βλ. αναμοχλεύω *(μτφ)*
αναξιοπαθής, -ές: suffering unjustifiably or undeservedly
αναξιοπαθώ: suffer unjustifiably or undeservedly
αναξιοπιστία, η: unreliability, unreliableness
αναξιόπιστος, -η, -ο: unreliable, untrustworthy
αναξιοπρέπεια, η: baseness || (πράξη) indignity
αναξιοπρεπής, -ές: base, undignified
ανάξια *(επίρ):* unworthily, undeservedly || (ανίκανα) incompetently, incapably, inefficiently
ανάξιος, -α, -ο: unworthy, undeserving, worthless || (ανίκανος) incompetent, incapable, inefficient
αναξιότητα, η: unworthiness, worthlessness || (ανικανότητα) incompetence, incompetency, inefficiency
αναξιόχρεος, -η, -ο: insolvent
αναπάλλω: oscillate, vibrate
ανάπαλση, η: oscillation, vibration
αναπάντεχα *(επιρ):* unexpectedly
αναπάντεχος, -η, -ο: unexpected, unforeseen || (ξαφνικός) sudden
αναπαράγω: reproduce
αναπαραγωγή, η: reproduction
αναπαραδιά, η: poverty, pennilessness
αναπαράσταση, η: representation || *(εγκλ)* reconstruction
αναπαριστάνω: represent || (εγκλ) reconstruct
ανάπαυλα, η: interval of rest, respite
ανάπαυση, η: rest, relaxation, repose || *(στρ)* at ease
αναπαυτικά *(επίρ):* comfortably, restfully, snugly
αναπαυτικός, -ή, -ό: comfortable, restful, snug
αναπαύομαι: rest, relax, take a rest, repose
αναπαύω: rest, give rest
αναπηδώ: jump up, leap up, spring up
αναπηρία, η: invalidism, disability
ανάπηρος, -η, -ο: disabled, invalid, cripple || *(διαν)* defective || ~ **πολέμου:** disabled veteran
αναπλάθω: reform, reshape, remodel || (στη μνήμη) recall, recollect, reminisce
ανάπλαση, η: reform, reformation, reshaping, remodelling
αναπληρωματικός, -ή, -ό: subsitute, replacement || (που συμπληρώνει) supplementary, complementary
αναπληρώνω: substitute, replace || (συμπληρώνω) supplement
αναπληρωτής, ο: substitute, deputy
αναπνευστήρας, ο: respirator || (οπή εξαερισμού) louver
αναπνευστικός, -ή, -ό: respiratory, breathing
αναπνέω: breathe, respire *(και μτφ)*
αναπνοή, η: respiration, breath, breathing
ανάποδα: *(επίρ)* backwards || (επάνω κάτω) upside-down || (μέσα-

έξω) inside-out || *(ναυτ)* astern
ανάποδη, η: wrong side || (πίσω μέρος) back side || (μέσα μέρος) inside out
αναποδιά, η: (κακοτυχία) misfortune, mishap, misadventure, misventure, adversity || (χαρακτήρα) cantankerousness, contrariness
αναποδίζω: go backwards || *(ναυτ)* go astern
αναποδογυρίζω: overturn, capsize || (γυρίζω ανάποδα) turn upside down
αναποδογύρισμα, το: overturning, capsizing
ανάποδος, -η, -ο: reversed, upside-down || (χαρακτήρας) cantankerous, cortrary
αναπόδραστος, -η, -ο: inevitable, unavoidable
αναπόληση, η: reminiscence, rememberance
αναπολώ: reminisce, remember
αναπόσπαστα: *(επιρ)* inseparably
αναπόσπαστος, -η, -ο: inseparable
αναπότρεπτος, -η, -ο: βλ. **αναπόδραστος**
αναποφασιστικότητα, η: undecidedness, irresoluteness, irresolution
αναποφάσιστος, -η, -ο: irresolute, unresolved, undecided
αναπόφευκτα: inevitably, unavoidably
αναπόφευκτος, -η, -ο: βλ. **αναπόδραστος**
αναπροσαρμογή, η: rearrangement, readjustement
αναπροσαρμόζω: readjust, rearrange, readapt
αναπτερώνω: raise, revive, reanimate
αναπτήρας, ο: lighter
αναπτυγμένος, -η, -ο: cultured, cultivated, || (μέγεθος) developed
ανάπτυξη, η: (μεγάλωμα) growth, development || *(στρ)* deployment
αναπτύσσομαι: grow, develop || *(στρ)* deploy
αναπτύσσω: (ξεδιπλώνω) unfold, unfurl || (απλώνω) spread, develop, extend
άναρθρος, -η, -ο: (χωρίς άρθρωση) inarticulate, unjointed || *(γραμ)* without article || (φωνή) inarticulate, incomprehensible
αναρίθμητος, -η, -ο: βλ. **αμέτρητος**
αναρμόδιος, -α, -ο: incompetent, unqualified
αναρμοδιότητα, η: incompetence, incompetency
ανάρμοστος, -η, -ο: improper, indecorous, unbecoming
αναρπάζω: snatch. grasp suddenly || (άνεμος) blow away, carry away
ανάρπαστος, -η, -ο: sold out, eagerly or quickly bought, sold in the highest
αναρρίχηση, η: climbing || (με δυσκολία) clambering, scrambling
αναρριχητικός, -ή, -ό: climbing, creeping
αναρριχιέμαι: climb || (με δυσκολία) clamber, scramble || (φυτά) climb, creep, trail
αναρρώνω: convallese, recuperate, recover
ανάρρωση, η: convalescence, recuperation, recovery
αναρρωτήριο, το: infirmary || (πλοίου) sick bay
αναρρωτικός, -ή, -ό: convalescent, convalescence, recuperative, recuperation
ανάρτηση, η: hanging, suspension
αναρτώ: hang, suspend
αναρχία, η: anarchy
αναρχικός, -ή, -ό: anarchic, anarchical, *(ουσ)* anarchist
αναρωτιέμαι: wonder, ask oneself
ανάσα, η: βλ. **αναπνοή** || (στιγμιαία ξεκούραση) short rest, breather
ανασαίνω: βλ. **αναπνέω**
ανασήκωμα, το: raising, lifting
ανασηκώνω: raise, lift || (μανίκια) roll up
ανασκάλεμα, το: scratch, scratching, turning up || (φωτιά) poking, stirring || *(μτφ)* βλ. **αναμόχλευση**
ανασκαλεύω: scratch, turn up || (φωτιά) poke, stir || *(μτφ)* βλ. **αναμοχλεύω** *(μτφ)* || (εξετάζω) search, examine, poke into
ανασκάπτω: excavate, dig up || (καταστρέφω) destroy, raze, demolish
ανασκαφή, η: excavation, digging
ανάσκελα: *(επίρ)* on one's back, supine
ανασκευάζω: rebut, refute, disprove
ανασκευή, η: rebuttal, refutal, refutation, disproval
ανασκίρτημα, το: start, startle
ανασκιρτώ: start up, startle
ανασκόπηση, η: review, reviewal, reexamination

ανασκοπώ: review, re-examine
ανασκουμπώνομαι, roll up one's sleeves || *(μτφ)* get ready, be ready
ανασκουμπώνω: roll up
ανασταίνομαι: rise, be resurrected
ανασταίνω: resurrect, bring back to life, raise from the dead
ανασταλτικός, -ή, -ό: (που διακόπτει ή αναβάλλει) suspensive, || (που σταματά) checking, restraining
ανάσταση, η: resurrection
ανάστατος, -η, -ο: in disorder, in confusion || (ταραγμένος) excited, agitated, upset
αναστατώνω: disturb, throw in disorder or confusion || (ταράζω) upset, agitate, excite
αναστάτωση, η: disorder, confusion, disturbance || (ταραχή) agitation, excitement
αναστέλλω: (διακόπτω) suspend, defer || (σταματώ) check, restrain
αναστεναγμός, ο: sigh
αναστενάζω: sigh
αναστηλώνω: restore || *(μτφ)* invigorate, revive, revitalize
αναστήλωση, η: restoration || *(μτφ)* invigoration, revival
ανάστημα, το: stature, height *(και μτφ)*
αναστολή, η: (διακοπή) suspension, deferment, deferral || (σταμάτημα) restraint, check
άναστρος, -η, -ο: starless
ανάστροφη, η: βλ. **ανάποδη**
ανασυγκρότηση, η: rehabilitation
ανασυγκροτώ: rehabilitate
ανασύνταξη, η: reformation, reorganization
ανασυντάσσω: re-form, reorganize
ανασύρω: pull up, pull out, draw up
ανασφάλιστος, -η, -ο: uninsured
ανασχηματίζω: re-form, reconstruct || (κυβέρνηση) reshuffle
ανασχηματισμός: reconstraction, reformation || (κυβερν) reshuffle, reshuffling
αναταράζω: stir, agitate, disturb *(και μτφ)*
αναταραχή, η: agitation, stirring, disturbance
ανατέλλω: rise || *(μτφ)* appear, dawn
ανατίμηση, η: rise in price, rise || *(οικ)* revaluation
ανατιμώ: raise the price || *(οικ)* revaluate
ανατίναγμα, το: βλ. **ανατίναξη**
ανατινάζομαι: blow up, explode
ανατινάζω: blow up, explode, blast
ανατίναξη, η: blast, explosion, blowing up
ανατοκισμός, ο: compound interest
ανατολή, η: (ηλίου) sunrise || (σημείο ορίζοντος) east || (χώρες) orient
ανατολικά: *(επίρ)* east, eastward, eastwards
ανατολικός, -ή, -ό: east, eastern
ανατολίτης, ο: *(θηλ* **ανατολίτισσα**): oriental
ανατομείο, το: anatomy laboratory, anatomy lab
ανατομία, η: anatomy
ανατομικός, -ή, -ό: anatomic, anatomical
ανατρεπτικός, -ή, -ό: subversive, undermining
ανατρέπω: subvert, overthrow, || (αναποδογυρίζω) overturn, capsize || (ματαιώνω) frustrate, thwart
ανατρέφω: bring up, raise, rear
ανατρέχω: refer, go back to
ανατριχιάζω: have goose flesh, have goose pimples, shudder, shiver
ανατρίχιασμα, το: βλ. **ανατριχίλα**
ανατριχιαστικός, -ή, -ό: hair-raising, bloodcurdling
ανατριχίλα, η: goose flesh, goose pimples, shudder, shiver
ανατροπή, η: overthrow || (αναποδογύρισμα) overturning, capsizing || (αναίρεση) refutation, reversal, revocation || (ματαίωση) thwarting, frustration
ανατροφή, η: breeding, raising, upbringing, rearing
ανατύπωμα, το: βλ. **ανατύπωση**
ανατυπώνω: reprint
ανατύπωση, η: reprint
άναυδος, -η, -ο: dumfounded, dumbfounded, speechless
άναυλα: *(επίρ)* willy-nilly
αναφαίρετος, -η, -ο: innate, inherent
αναφέρομαι: refer, relate
αναφέρω: report, state || (μνημονεύω) mention, cite, quote
αναφιλητό, το: sobbing
αναφλέγομαι: flame, blaze
αναφλέγω: ignite, set fire, set on fire, flame || *(μτφ)* inflame, excite
ανάφλεξη, η: ignition, burning, flaming
αναφορά, η: report, statement ||

(σχέση) relation, reference
αναφορικά: *(επίρ)* concerning, in reference to, re
αναφορικός, -ή, -ό: relative, related, relating, referring to || *(γραμ)* relative
αναφτερώνω: βλ. **αναπτερώνω**
αναφυλαξία, η: anaphylaxis, allergy
αναφώνηση, η: exclamation, interjection, ejaculation, outcry
αναφωνώ: exlaim, ejaculate, cry out
αναχαιτίζω: restrain, stop, check, hold back, curb
αναχρονισμός, ο: anachronism
αναχρονιστικός, -ή, -ό: anachronistic, anachronistical
ανάχωμα, το: embankment, bank || *(στρ)* vallation, embankment
αναχώρηση, η: departure
αναχωρώ: depart, leave, go
αναψυκτήριο, το: cafeteria, refreshment room, club room, bar room
αναψυκτικό, το: refreshment
αναψυχή, η: recreation, refreshment
ανδραγάθημα, το: feat, exploit, heroic deed
ανδραγαθία, η: βλ. **ανδραγάθημα**
ανδραγαθώ: act bravely, perform feats of valour
ανδραδέλφη, η: sister-in-law
ανδράδελφος, ο: brother-in-law
ανδράποδο, το: slave || *(μτφ)* mean, base, obsequious
άνδρας, ο: man
ανδρεία, η: bravery, valour
ανδρείκελο, το: (ομοίωμα) mannequin, lay figure || (κούκλα) puppet || *(μτφ)* puppet, plaything
ανδρείος, -α, -ο: brave, valiant, valorous
ανδριάντας, ο: statue
ανδρικός, -ή, -ό: masculine, male || (ανδροπρεπής) manly, virile
ανδρογυναίκα, η: amazon || *(μτφ)* virago
ανδρόγυνο, το: married couple
ανδροπρέπεια, η: virility, manliness, machismo
ανδροπρεπής, -ές: virile, manly, macho
ανεβάζω: lift, raise, carry up, take up
ανεβαίνω: ascend, go up, come up || (υψούμαι) rise
ανεβοκατεβαίνω: go up and down || *(μτφ)* fluctuate, rise and fall
ανεγείρω: erect, raise, build
ανεγνωρισμένος, -η, -ο: recognized
ανειδίκευτος, -η, -ο: unskilled
ανειλικρίνεια, η: insincerity
ανειλικρινής, -ές: insincere
ανείπωτος, -η, -ο: unspeakable, beyond description, indescribable
ανέκαθεν: ever, from the beginning, always
ανεκδιήγητος, -η, -ο: indescribable || (βλ. **ανείπωτος**)
ανέκδοτο, το: anecdote
ανέκδοτος, -η, -ο: unpublished
ανεκμετάλλευτος, -η, -ο: unexploited, not exploited || (μη εκμεταλλεύσιμος) unexploitable, not exploitable
ανεκπαίδευτος, -η, -ο: untrained
ανεκπλήρωτος, -η, -ο: (μη εκπληρωθείς) unfulfilled, unrealized || (μη πραγματοποιήσιμος) unrealizable
ανεκτικός, -ή, -ό: tolerant, forbearing, indulgent
ανεκτίμητος -η, -ο: invaluable, priceless, inestimable
ανεκτός, -ή, -ό: tolerable, bearable, endurable
ανέκφραστος, -η, -ο: (που δεν εκφράζεται) inexpressible || (χωρίς έκφραση) expressionless, vacant, blank
ανελέητα *(επίρ)* pitilessly, mercilessly
ανελέητος, -η, -ο: pitiless, merciless
ανελεύθερος, -η, -ο: oppressive
ανελκυστήρας, ο: elevator, lift
ανελκύω: lift, raise || *(ναυτ)* refloat, raise
ανέλπιστος, -η, -ο: unhoped-for, unexpected
ανεμαντλία, η: wind pump
ανέμελος, -η, -ο: carefree
ανέμη, η: spinning wheel
ανεμίζω: βλ. **αερίζω** || (κουνώ) wave, brandish
ανέμισμα, το: βλ. **αερισμός** || (κούνημα) waving, brandishing
ανεμιστήρας, ο: fan, ventilator
ανεμοβλογιά, η: chicken pox
ανεμόβροχο, το: rainsquall
ανεμοδαρμένος, -η, -ο: windswept, windy, weather-beaten
ανεμόδαρτος, -η, -ο: βλ. **ανεμοδαρμένος**
ανεμοδείκτης, ο: weather vane, weather cock || (αεροδρομίου) drogue, windsock, airsock
ανεμοδέρνομαι: struggle aigainst the wind || (πλοίο) wallow in the swell
ανεμοδέρνω: βλ. **ανεμοδέρνομαι**

ανεμοζάλη, η: windstorm, whirlwind || *(μτφ)* confusion
ανεμοθύελλα, η: wind storm
ανεμομαζώματα, τα: easy come, ill-gotten || ~ **διαβολοσκορπίσματα:** easy come, easy go
ανεμόμυλος, ο: windmill
ανεμοπλάνο, το: glider, sailplane
ανεμοπύρωμα, το: erysipelas, St. Anthony's fire
άνεμος, ο: wind
ανεμόσκαλα, η: rope-ladder
ανεμοστρόβιλος, ο: tornado, cyclone, twister, whirlwind
ανεμότρατα, η: (πλοίο) trawler || (δίχτυ) trawl
ανεμπόδιστος, -η, -ο: unhindered, unimpeded, unchecked, unrestrained
ανεμώνα, η: anemone, prairie smoke, windflower
ανένδοτος, -η, -ο: unyielding, inflexible
ανενόχλητος, -η, -ο: untroubled, undisturbed
ανέντιμος, -η, -ο: dishonest
ανεξαίρετα: *(επίρ)* without exception
ανεξακρίβωτος, -η, -ο: unconfirmed, unverified
ανεξάλειπτα *(επίρ):* indelibly
ανεξάλειπτος, -η, -ο: indelible
ανεξάντλητος, -η, -ο: inexhaustible
ανεξαρτησία, η: independence
ανεξάρτητα *(επίρ):* independently, regardless of, irrespective of
ανεξάρτητος, -η, -ο: independent
ανεξέλεγκτος, -η, -ο: βλ. **ανεξακρίβωτος** || (χωρίς έλεγχο) immune, irresponsible
ανεξερεύνητος, -η, -ο: unexplored || (ανεξιχνίαστος) inscrutable, fathomless
ανεξεταστέος, -α, -ο: to be re-examined || *(σχολ)* grade withheld
ανεξήγητα: *(επίρ)* inexplicably
ανεξήγητος, -η, -ο: inexplicable
ανεξιθρησκεία, η: toleration
ανεξικακία, η: forbearance
ανεξίκακος, -η, -ο: forbearing
ανεξίτηλος, -η, -ο: indelible
ανεξιχνίαστος, -η, -ο: inscrutable, fathomless || (έγκλημα) unsolved
ανέξοδος, -η, -ο: costless
ανεξόφλητος, -η, -ο: unpaid, unsettled
ανεπαίσθητα *(επίρ):* imperceptibly
ανεπαίσθητος, -η, -ο: imperceptible
ανεπανόρθωτα *(επίρ)* irreparably
ανεπανόρθωτος, -η, -ο: irreparable
ανεπάντεχος, -η, -ο: βλ. **αναπάντεχος**
ανεπάρκεια, η: insufficiency, inadequacy, shortage
ανεπαρκής, -ές: insuflicient, inadequate
ανέπαφος, -η, -ο: intact, untouched
ανεπηρέαστος, -η, -ο: uninfluenced, unaffected || (αμερόληπτος) unbiased, uninfluenced, unprejudiced
ανεπίδεκτος, -η, -ο: insusceptible, incapable
ανεπιθύμητος, -η, -ο: undesirable
ανεπίσημα *(επίρ):* unofficially || (μη τυπικά) informally
ανεπίσημος, -η, -ο: unofficial || (μη τυπικός) informal
ανεπιστρεπτί: irretrievably
ανεπιτήδευτος, -η, -ο: unaffected, natural, artless
ανεπιτυχής, -ές: unsuccessful
ανεπιφύλαχτα *(επίρ)* unreservedly
ανεπιφύλαχτος, -η, -ο: unreserved
ανεπτυγμένος, -η, -ο: βλ. **αναπτυγμένος**
ανεργία, η: (αργία) idleness, inaction || (ανεργία) unemployment
άνεργος, -η, -ο: unemployed, idle
ανερυθρίαστα *(επίρ):* shamelessly, impudently
ανερυθρίαστος, -η, -ο: shameless, impudent
ανέρχομαι: ascend, go upward, rise || (συμποσούμαι) amount to
ανέρωτος, -η, -ο: pure, without water
άνεση, η: comfort, ease, leisure
ανεστραμμένος, -η, -ο: inverted, reversed
ανέτοιμος, -η, -ο: unprepared
άνετος, -η -ο: comfortable
ανεύθυνα *(επίρ):* irresponsibly
ανεύθυνος, -η, -ο: irresponsible
ανευλάβεια, η: impiety, irreverence
ανευλαβής, -ές: impious, irreverent
ανεύρεση, η: finding, discovery, recovery
ανεφάρμοστος, -η, -ο: (μη εφαρμοσθείς) unapplied, unfitted || (μη εφαρμόσιμος) inapplicable, impracticable
ανέφελος, -η, -ο: cloudless, clear
ανεφοδιάζω: supply, provision, restock
ανεφοδιασμός, ο: replenishing, replenishment, provisions
ανέχεια, η: poverty, penury, destitution

ανέχομαι: tolerate, forbear, bear, endure, stand
ανεχόρταγος, -η, -ο: βλ. **αχόρταγος**
ανεχόρταστος, -η, -ο: βλ. **αχόρταγος**
ανεψιά, η: niece
ανεψιός, ο: nephew
ανήθικος, -η, -ο: immoral, dissolute, debased, depraved
ανηθικότητα, η: immorality, dissoluteness, depravation
άνηθο, το: dill, anise
άνηθος, ο: βλ. **άνηθο**
ανήκουστος, -η, -ο: unheard of
ανήκω: belong
ανήλεος, -η, -ο: merciless, pitiless
ανηλεώς: mercilessly, pitilessly
ανήλικος, -η, -ο: minor, under age, juvenile
ανήλιος, -α, -ο: sunless, dark, overcast
ανήμερα: on the same day
ανήμερος, -η, -ο: savage, wild
ανήμπορος, -η, -ο: indisposed, sick, ill, unwell
ανήξερος, -η, -ο: ignorant, unknowing
ανησυχητικός, -ή, -ό: disturbing, disquieting, alarming
ανησυχία, η: anxiety, uneasiness, worry
ανήσυχος, -η, -ο: anxious, worried, unseasy
ανησυχώ: *(μτβ)* worry, disturb, annoy || *(αμτβ)* worry, be worried, be uneasy
ανηφοριά, η: acclivity, upward slope, ascent
ανηφορίζω: ascend, move upwards, rise, slope upward
ανηφορικός, -ή, -ό: ascending, sloping upward, rising, uphill, upward
ανήφορος, ο: βλ. **ανηφοριά**
ανθεκτικός, -ή, -ό: endurable, durable, resistant
ανθεκτικότητα, η: endurance, durability
ανθηρός, -ή, -ό: flowering, blooming, blossoming, || *(μτφ)* flourishing, blooming
ανθίζω: flower, bloom, blossom, || *(μτφ)* flourish, bloom, blossom
άνθισμα, το: βλ. **άνθιση**
ανθισμένος, -η, -ο: in bloom, in blossom
ανθίσταμαι: βλ. **αντιστέκομαι**
ανθόγαλο, το: cream
ανθοδέσμη, η: bunch of flowers, bouquet
ανθοδοχείο, το: vase
ανθόκηπος, ο: flower garden
ανθολογία, η: anthology
ανθόνερο, το: neroli, rose water
ανθοπωλείο, το: florist's store
ανθοπώλης, ο: florist
ανθοπώλις, η: flower girl
άνθος, το: flower *(και μτφ)*
ανθός, ο: flower, blossom *(και μτφ)*
ανθόσπαρτος, -η, -ο: strewn with flowers
ανθρακαέριο, το: coal gas
ανθρακαποθήκη, η: coal shed, coal bin, coal bunker
άνθρακας, ο: coal || *(χημ)* carbon || *(ιατρ)* anthrax
ανθράκευση, η: coaling
ανθρακεύω: coal, provide with coal, take on coal
ανθρακιά η: burning coals, embers
ανθρακικός, -ή, -ό: carbonic, carbon, carboniferous
ανθρακίτης, ο: anthracite, hard coal
ανθρακοπωλείο, το: coaler's yard, coaler's store
ανθρακοπώλης, ο: coaler
ανθρακωρυχείο, το: coal mine, colliery
ανθρακωρύχος, ο: coal miner, collier
ανθρωπάριο, το: midget, midge || *(μτφ)* nonentity
ανθρωπιά, η: humaneness
ανθρωπινά *(επίρ):* decently, tolerably
ανθρώπινος, -η, -ο: human
ανθρωπινός, -ή, -ό: humane
ανθρωπισμός, ο: humanism || (ανθρωπιά) humaneness
ανθρωπιστής, ο: (*θηλ.* **ανθρωπίστρια**): humanist
ανθρωποκτονία, η: homicide
ανθρωπολογία, η: anthropology
ανθρωπόμορφος, -η, -ο: anthropomorphous, humanoid
άνθρωπος, ο: human being || man
ανθρωπότητα, η: humanity, mankid, the human race
ανθρωποφαγία, η: cannibalism
ανθρωποφάγος, -α, -ο: cannibal, man-eating, man-eater
ανθυγιεινός, -ή, -ό: unwholesome, unhealthy, insanitary
ανθυπασπιστής, ο: (USA) sergeant major || (U.K.) warrant officer
ανθυπολοχαγός, ο: second lieutenant
ανθυπομοίραρχος, ο: second

lieutenant of constabulary
ανθυποπλοίαρχος, ο: (πολ. ναυτ.) lieutenant junior grade || (εμπορ) mate
ανθυποσμηναγός, ο: (U.S.A.) second lieutenant, A.F. || (U.K.) pilot officer
ανθώ: βλ. **ανθίζω**
ανία, η: boredom
ανιαρός, -ή, -ό: boring, dull
ανίατος, -η, -ο: incurable
ανίδεος, -η, -ο: ignorant, unknowing
ανιδιοτελής, -ές: unselfish, disinterested, impartial
ανίερος, -η, -ο: ungodly, profane
ανικανοποίητος, -η, -ο: dissatisfied, discontented
ανίκανος, -η, -ο: incapable, unable, incompetent, impotent || *(σεξ)* impotent
ανίκητος, -η, -ο: invincible || (που δεν έχει νικηθεί) undefeated
ανισόρροπος, -η, -ο: unbalanced, unsteady || *(μτφ)* unbalanced, mentally deranged
άνισος, -η, -ο: unequal
ανισότητα, η: inequality
ανίσχυρος, -η, -ο: powerless || (χωρίς ισχύ) invalid
ανίχνευση, η: (ιχνηλασία) tracking, trailing || *(στρ)* scouting
ανιχνευτής, ο: tracker, scout || *(στρ)* scout
ανιχνεύω: track, trail || *(στρ)* scout
ανιψιά, ανιψιός: βλ. **ανεψιά, ανεψιός**
άνοδος, η: ascent || *(μτφ)* accession
ανοησία, η: foolishness, folly, nonsense, silliness
ανόητος, -η, -ο: foolish, silly
ανόθευτος, -η, -ο: unadulterated, pure, unmixed
άνοιγμα, το: opening || (στόμιο) opening, mouth, aperture, orifice || *(τεχν)* span
ανοιγοκλείνω: open and shut || (μάτια) blink
ανοίγω: open || (στρόφιγγα) turn on || (διακόπτη) switch on, turn on || (ανθίζω) βλ. **ανθίζω**
ανοικοδόμηση, η: rebuilding, reconstruction || *(μτφ)* restoration
ανοικοδομώ: rebuild, reconstruct
ανοικοκύρευτος, -η, -ο: untidy, sloppy
άνοιξη, η: spring, springtime, spring tide
ανοιξιάτικος, -η, -ο: spring
ανοιχτόκαρδος, -η, -ο: openhearted, kindly
ανοιχτομάτης, ο: (**θηλ. ανοιχτομάτισσα** ή **ανοιχτομάτα**): astute, keen, shrewd
ανοιχτός, -ή, -ό: open || (διακόπτης ή στρόφιγγα) on || (ανθισμένος) βλ. **ανθισμένος**
ανοιχτοχέρης, ο: generous, openhanded
ανοιχτόχρωμος, -η, -ο: light-colored
ανόμημα, το: transgression, wrong, sin
ανομία, η: (έλειψη νόμου) lawlessness
ανομοιογενής, -ές: non-homogeneous
ανόμοιος, -α, -ο: dissimilar, unlike
ανομοιότητα, η: dissimilarity, unlikeness
άνομος, -η, -ο: lawless
ανοξείδωτος, -η, -ο: stainless, rustproof
ανόργανος, -η, -ο: inorganic
ανοργάνωτος, -η, -ο: disorganized, unorganized
ανορεξιά, η: loss of appetite, lack of appetite
ανορθογραφία, η: misspelling, incorrect spelling
ανορθόγραφος, -η, -ο: misspelled || (που κάνει ανορθογραφίες) poor speller
ανορθώνω: erect, raise, lift up
ανόρθωση, η: erection, raising, lifting up
ανοσία, η: immunity from disease || (υγεία) health, well-being
ανοσιούργημα, το: abomination
άνοστος, -η, -ο: tasteless, flavorless, || *(μτφ)* insipid, vapid, flat
ανούσιος, -α, -ο: βλ. **άνοστος**
ανοχή, η: tolerance, toleration, indulgence, patience
ανοχύρωτος, -η, -ο: unfortified
ανταγωνίζομαι: antagonize || *(συναγων.)* compete, vie, contend
ανταγωνισμός, ο: antagonism || *(συναγων.)* competition, contention
ανταλλαγή, η: exchange, interchange || *(εμπορ)* exchange, barter
αντάλλαγμα, το: exchange, barter
ανταλλακτικό, το: spare, spare part
ανταλλάσσω: exchange, interchange || *(εμπορ)* exchange, barter
αντάμα: βλ. **μαζί**
ανταμείβω: reward
ανταμοιβή, η: reward
αντάμωμα, το: βλ. **συνάντηση**
ανταμώνω: βλ. **συναντώ**

αντάμωση, η: βλ. **συνάντηση**
ανταvάκλαση, η: reflection || *(μτφ)* repercussion, reflection
αντανακλαστικά, τα: reflexes
αντανακλώ: reflect
αντάξιος, -α, -ο: worth, worthy
ανταποδίδω: return || *(μτφ)* pay back, retaliate
ανταπόδοση, η: return || *(μτφ)* repayment, retaliation, retribution
ανταποκρίνομαι: come up to, meet, correspond
ανταπόκριση, η: correspondence
ανταποκριτής, ο: correspondent
αντάρα, η: overcast, fog || *(μτφ)* uproar, tumult
ανταρκτικός, -ή, -ό: antarctic
ανταρσία, η: revolt, rebellion
αντάρτης, ο *(θηλ.* **αντάρτισσα***)*: rebel, guerilla, guerrilla, partisan
αντάρτικός, -ή, -ό: rebelious, guerrilla
ανταρτοπόλεμος, ο: guerrilla warfare
ανταύγεια, η: (φέγγισμα) twinkle, glimmer, gleam || (αντανάκλαση) reflection
αντεθνικός, -ή, -ό: antinational
αντεισαγγελέας, ο: assistant district attorney
αντεκδίκηση, η: revenge, reprisal, retaliation
αντεκδικούμαι: avenge, revenge, retaliate
αντένα, η: βλ. **κεραία**
αντενέργεια, η: counteraction
αντενεργώ: counteract
αντεπανάσταση, η: counterrevolution
αντεπεξέρχομαι: cope, contend effectively, meet
αντεπίθεση, η: counterattack
αντεπιστημονικός, -ή, -ό: unscientific
αντεπιτίθεμαι: counterattack
αντεραστής, ο (*θηλ* **αντεράστρια**): rival
άντερο, το: βλ. **έντερο**
αντέχω: endure, bear, stand, tolerate, hold out
αντηλιά, η: reflected sunlight
αντήχηση, η: resounding, echo, reverberation
αντηχώ: resound, re-echo, echo back, reverberate
αντί: instead of, in place of, in enchange for || (τιμή) at, for
αντιαεροπορικός, -ή, -ό: antiaircraft
αντιαισθητικός, -ή, -ό: antiaesthetic, garish, gaudy
αντιαρματικός, -ή, -ό: antitank
αντιβαίνω: be opposed to, be contrary to
αντίβαρο, το: counterpoise, counterweight, counterbalance
αντιβασιλέας, ο: regent, viceroy
αντιβασιλεία, η: regency, viceroyalty
αντιγνωμία, η: controversy, dispute
αντιγραφέας, ο: copyist, scribe || (μιμητής) reproducer
αντιγραφή, η: copying, || (μίμηση) reproduction
αντιγράφω: copy || reproduce
αντιδημοκρατικός, -ή, -ό: antidemocratic
αντίδι, το: endive, chicory
αντίδικος, -η, -ο: litigant, opponent in a lawsuit
αντίδοτο, το: antidote
αντίδραση, η: reaction, opposing action, counteraction
αντιδραστήρας, ο: reactor
αντιδραστικός, -ή, -ό: reactive || *(πολιτ)* reactionary, reactionist
αντιδρώ: react, counteract
αντίδωρο, το: consecrated bread
αντιζηλία, η: rivalry
αντίζηλος, η, -ο: rival
αντίθεση, η: antithesis, opposition || *(διαφ)* contrast
αντίθετος, -η, -ο: opposite, contrary, opposed || *(διαφ)* contrasting, in contrast
αντίκα, η: antique
αντικαθιστώ: replace, substitute || (φρουρά κλπ) relieve
αντικανονικός, -ή, -ό: irregular, not according to regulations or rule
αντικατασκοπεία, η: counterintelligence, counterespionage
αντικατασταίνω: βλ. **αντικαθιστώ**
αντικατάσταση, η: replacement, substitution || (φρουράς, κλπ) relief
αντικαταστάτης, ο (θηλ. **αντικαταστάτρια**): replacement, substitute || (φρουράς, κλπ) relief || (αναπληρωτής) deputy
αντικατοπτρίζομαι: be reflected, be mirrored
αντικατοπτρίζω: reflect, mirror
αντικατοπτρισμός, ο: mirage
αντικειμενικά *(επίρ):* objectively
αντικειμενικός, -ή, -ό: objective
αντικείμενο, το: object || (θέμα) subject, object
αντικλείδι, το: skeleton key,

passkey
αντικοινωνικός, -ή, -ό: (εχθρός κοινωνίας) antisocial || (μη κοινωνικός) unsociable, antisocial
αντικρίζω: (είμαι αντίκρυ) face, front || (είμαι απέναντι) be opposite
αντικρινός, -ή, -ό: opposite
αντικριστός, -ή, -ό: facing, vis-à-vis
αντικρούω: refute, rebut, confute
αντίκρυ: opposite, facing, across from
αντίκτυπος, ο: repercussion, afterclap, aftereffect
αντικυβερνητικός, -ή, -ό: antigovernment, antigovernmental
αντικυκλώνας, ο: anticyclone
αντιλαϊκός, ο: unpopular
αντίλαλος, ο: resounding, echo
αντιλαλώ: resound
αντιλαμβάνομαι: comprehend, understand || (με αισθήσεις) perceive, sense
αντιλέγω: contradict || (αντιμιλώ) talk back
αντιληπτός, -ή, -ό: comprehensible, understandable, perceptible
αντίληψη, η: comprehension, perception, perspicacity || (γνώμη) opinion, view
αντιλογία, η: contradiction || (αντιμίλημα) back talk
αντίλογος, ο: βλ. **αντιλογία**
αντιλόπη, η: antelope
αντιλυσσικός, -ή, -ό: antirabies
αντιμετωπίζω: face, confront, oppose defiantly
αντιμετώπιση, η: confrontation, facing, confrontment
αντιμίλημα, το: back talk
αντιμιλώ: talk back
αντιμισθία, η: (μισθός) salary || (ημερομίσθιο) wages || (αμοιβή) recompense
αντιναύαρχος, ο: vice admiral
αντίξοος, -η, -ο: contrary, unfavorable
αντίο: good bye
αντιπάθεια, η: antipathy, aversion, dislike
αντιπαθής, -ές: repulsive, repugnant, disagreeable
αντιπαθητικός, -ή, -ό: βλ. **αντιπαθής**
αντιπαθώ: dislike, feel distaste, feel aversion
αντίπαλος, ο: adversary, opponent, rival
αντιπαραβάλλω: compare, collate
αντιπαρέχομαι: pass by, go by || (δεν δίνω σημασία) ignore, disregard
αντιπαροχή, η: return
αντιπατριωτικός, -ή, -ό: unpatriotic
αντίπερα: on the other side, across, opposite
αντιπερασπισμός, ο: diversion
αντιπλοίαρχος, ο: commander
αντίποδες, οι: antipodes
αντιποίηση, η: false pretense
αντίποινα, τα: reprisal, retaliation
αντιποιούμαι: usurp, encroach
αντιπολιτεύομαι: oppose || be in the opposition
αντιπολίτευση, η: opposition
αντίπραξη, η: counteraction
αντιπροεδρία, η: vice presidency
αντιπρόεδρος, ο: vice president
αντιπροσωπεία, η: delegation, legation
αντιπροσώπευση, η: representation
αντιπροσωπευτικός, -ή, -ό: representative
αντιπροσωπεύω: represent, stand for || (εκπροσωπώ) represent
αντιπρόσωπος, ο: representative, delegate
αντίρρηση, η: objection, quibble
αντισεισμικός, -ή, -ό: antiseismic
αντισημιτικός, -ή, -ό: anti-semitic
αντισηπτικός, -ή, -ό: antiseptic
αντισηψία, η: antisepsis
αντίσκηνο, το: tent
αντισμήναρχος, ο: wing commander
αντισταθμίζω: balance, counterbalance, compensate || (ισοφαρίζω) equalize
αντιστάθμιση, η: balance, counterbalance, compensation || (ισοφάριση) equalizing
αντιστάθμισμα, το: βλ. **αντιστάθμιση**
αντίσταση, η: resistance, opposition
αντιστασιακός, -ή, -ό: member of the resistance
αντιστέκομαι: resist, oppose
αντιστοιχία, η: correspondence, correlation
αντίστοιχος, -η, -ο: corresponding, correlative
αντιστοιχώ: correspond, correlate
αντιστρατεύομαι: oppose, be opposed to
αντιστράτηγος, ο: lieutenant general
αντιστρέφω: invert, reverse
αντιστροφή, η: inversion, reversal
αντίστροφος, -η, -ο: inverted, inverse

αντισυνταγματάρχης, ο: lieutenant colonel
αντισυνταγματικός, -ή, -ό: unconstitutional
αντισφαίριση, η: tennis, lawn tennis
αντιτάσσομαι: oppose, resist
αντιτάσσω: oppose, interpose, bring against
αντιτίθεμαι: oppose, be opposed to, object, be against
αντιτετανικός, -ή, -ό: antitetanic
αντίτιμο, το: price
αντιτορπιλλικό, το: destroyer
αντίτυπο, το: copy || (τεύχος) issue || (έργου) reproduction, replica
αντίφαση, η: inconsistence, inconsistency, contradiction
αντιφάσκω: be inconsistent, contradict oneself
αντιφατικός, -ή, -ό: inconsistent, contradictory
αντιφρονώ: differ, disagree, be of a different opinion
αντίχειρας, ο: thumb
αντίχριστος, ο: antichrist
αντίχτυπος, ο: βλ. **αντίκτυπος**
αντιψυκτικός, -ή, -ό: antifreeze
αντλία, η: pump
αντλώ: pump || *(μτφ)* draw, derive
αντοχή, η: endurance, durability, strength, stamina
αντράκλα, η: pussley, pusley, purslane
άντρακλας, ο: strapper, strapping, stalwart, big man
άντρας, ο: man
αντρεία, η: βλ. **ανδρεία**
αντρειεύω: become man || get strong
αντρείος, -α, -ο: βλ. **ανδρείος**
αντρειοσύνη, η: βλ. **ανδρεία**
αντρειωμένος, -η, -ο: strong, strapping, || βλ. **ανδρείος**
αντρίκιος, -α, -ο:βλ. **ανδρικός** και **ανδροπρεπής**
αντρικός, -ή, -ό: βλ. **ανδρικός** και **ανδροπρεπής**
άντρο, το: cave, cavern || *(μτφ)* den
αντρογυναίκα, η: βλ. **ανδρογυναίκα**
αντρόγυνο, το: βλ. **ανδρόγυνο**
αντσούγια, η: anchovy
αντωνυμία, η: pronoun
ανυδρία, η: drought, dryness
άνυδρος, -η, -ο: arid, dry, waterless
ανύμφευτος, -η, -ο: βλ. **άγαμος**
ανυπακοή, η: disobedience
ανυπάκουος, -η, -ο: disobedient
ανύπαντρος, -η, -ο: βλ. **άγαμος**
ανύπαρκτος, -η, -ο: nonexistent
ανυπεράσπιστος, -η, -ο: defenseless, undefended
ανυπέρβλητος, -η, -ο: insuperable, insurmountable || *(μτφ)* incomparable, unsurpassed, unequalled
ανυπερθέτως: without delay, immediately, definitely
ανυπόκριτος, -η, -ο: unfeigned, unaffected, sincere, honest
ανυπόληπτος, -η, -ο: disreputable, not esteemed, not respected
ανυπολόγιστος, -η, -ο: incalculable
ανυπομονησία, η: impatience, eagerness, anxiety
ανυπόμονος, -η, -ο: impatient, eager, anxious
ανυπομονώ: be impatient, be eager, be anxious look forward to
ανύποπτος, -η, -ο: unsuspecting
ανυπόστατος, -η, -ο: βλ. **αβάσιμος**
ανυπότακτος, -η, -ο: βλ. **ανυπάκουος** || *(στρ.* - αυτός που δεν παρουσιάζεται για στράτευση) conscription evader, draft evader || *(στρ.* - αυτός που απουσιάζει πέραν του κανονικού) AWOL (absent without leave)
ανυπόφορος, -η, -ο: βλ. **αβάσταχτος**
ανυποψίαστος, -η, -ο: βλ. **ανύποπτος**
ανυψώνω: elevate, raise, lift, hoist || *(μτφ)* exalt, extol
ανύψωση, η: elevation, raising, lifting || *(μτφ)* exaltation, extolment
άνω: up, above, over || ~ **κάτω:** upside down, helter skelter, topsy-turvy || ~ **κάτω**: *(συγχυσμένος)* upset
ανώγι, το: second floor, upper floor
ανώδυνος, -η, -ο: painless
ανωμαλία, η: anomaly, abnormality, irregularity, unevenness || *(σεξ)* perversion
ανώμαλος, -η, -ο: anomalous, abnormal, irregular, uneven || *(σεξ)* pervert, perverted
ανώνυμος, -η, -ο: anonymous, nameless || (εταιρεία) limited
ανώριμος, -η, -ο: unripe, green, || *(μτφ)* immature
άνωση, η: buoyancy
ανώτατος, -η, -ο: supreme, utmost, uppermost
ανώτερος, -η, -ο: upper, higher, superior
ανωτέρω: above
ανώφελα *(επίρ)*: uselessly, fruitlessly, vainly

ανωφελής, -ές: useless, fruitless, vain || (κουνούπι) anopheles
ανώφελος, -η, -ο: βλ. **ανωφελής**
ανωφέρεια, η: βλ. **ανηφοριά**
ανωφερής, -ές: βλ. **ανηφορικός**
ανώφλι, το: lintel
άξαφνος, -η, -ο: βλ. **ξαφνικός**
άξενος, -η, -ο: inhospitable
αξεπέραστος, -η, -ο: βλ. **ανυπέρβλητος**
άξεστος, -η, -ο: boorish, coarse, crude
αξέχαστος, -η, -ο: βλ. **αλησμόνητος**
αξία, η: worth, value, merit || (τιμή) price, cost
αξιαγάπητος, -η, -ο: endearing, lovable
αξιέπαινος, -η, -ο: commendable, praiseworthy
αξιέραστος, -η, -ο: lovely, charming
αξίζω: be worth, cost || *(μτφ)* be worthy || (μου πρέπει) deserve, merit
αξίνα, η: pickaxe
αξιοδάκρυτος, -η, -ο: βλ. **αξιοθρήνητος**
αξιοζήλευτος, -η, -ο: enviable
αξιοθαύμαστος, -η, -ο: admirable
αξιοθέατα, τα: sights
αξιοθρήνητος, -η, -ο: deplorable, lamentable
αξιοκατάκριτος, -η, -ο: reprehensible, blameworthy
αξιοκαταφρόνητος, -η, -ο: contemptible, despicable
αξιολάτρευτος, -η, -ο: adorable
αξιόλογος, -η, -ο: remarkable, notable, significant
αξιολύπητος, -η, -ο: βλ. **αξιοθρήνητος**
αξιόμεμπτος, -η, -ο: βλ. **αξιοκατάκριτος**
αξιοπιστία, η: trustworthiness, reliability, reliableness || (πίστη) credibility, credibleness
αξιόπιστος, -η, -ο: trustworthy, reliable, || (πιστευτός) credible, believable
αξιοποίηση, η: utilization || (γης) development
αξιόποινος, -η, -ο: punishable, liable to punishment
αξιοποιώ: utilize || (γη) develop
αξιοπρέπεια, η: dignity, self-respect
αξιοπρεπής, -ές: dignified
άξιος, -α, -ο: worthy, meritorious || (ικανός) capable, able || (που του αρμόζει) deserving, worthy
αξιοσέβαστος, -η, -ο: respectable
αξιοσημείωτος, -η, -ο: remarkable, noteworthy
αξιοσύνη, η: capability, competency
αξιοσύστατος, -η, -ο: recommendable, advisable
αξιότιμος, -η, -ο: honorable
αξίωμα, το: axiom, maxim, postulate || (θέση) office, rank
αξιωματικός, ο: officer
αξιωματούχος, -α, -ο: dignitary
αξιώνομαι: succeed, manage
αξιώνω: demand, claim
αξίωση, η: demand, claim
άξονας, ο: axis || (τροχού) axle
αξούριστος, -η, -ο: βλ. **αξύριστος**
αξύριστος, -η, -ο: unshaven
άξων: βλ. **άξονας**
άοκνος, -η, -ο: βλ. **ακούραστος** || (φιλόπονος) assiduous, diligent
αόμματος, -η, -ο: sightless, blind
άοπλος, -η, -ο: unarmed
αόρατος, -η, -ο: invisible, unseen
αοριστολογία, η: obscure words, vague meaning
αοριστολογώ: speak vaguely, speak inexplicitly
αόριστος, ο: indefinite, unclear, vague, inexplicit || *(γραμ)* aorist || ~ **άρθρο:** indefinite article
αορτή, η: aorta
άοσμος, -η, -ο: odorless
απαγγελία, η: recitation, recital || (απόφαση) pronouncement, formal declaration
απαγγέλλω: recite || (απόφαση) pronounce
απάγκιο, το: lee
απάγκιος, -α, -ο: lee, leeward
απαγκιστρώνομαι: get unhooked, get unpinned
απαγορευμένος, -η, -ο: prohibited, forbidden
απαγόρευση, η: prohibition, forbiddance, ban
απαγορεύω: prohibit, forbid, ban
απαγχονίζω: hang
απαγχόνιση, η: βλ. **απαγχονισμός**
απαγχονισμός, ο: hanging
απάγω: kidnap, abduct
απαγωγέας, ο: kidnapper, abductor
απαγωγή, η: kidnapping, abduction
απαθανατίζω: immortalize
απάθεια, η: apathy, indifference, impassivity, impassiveness
απαθής, -ές: apathetic, indifferent, impassive
απαίδευτος, -η, -ο: uneducated, untaught

απαισιοδοξία, η: pessimism
απαισιόδοξος, -η, -ο: pessimist, pessimistic
απαίσιος, -α, -ο: hideous, odious, abhorrent, ghastly
απαίτηση, η: demand, claim
απαιτητικός, -ή, -ό: demanding, exigent, exacting
απαιτούμενος, -η, -ο: necessary
απαιτώ: demand, claim, require, exact
απαλαίνω: βλ. **απαλύνω**
απαλείφω: erase, efface, wipe out, obliterate ‖ *(μαθ)* eliminate
απαλλαγή, η: release ‖ (γλυτωμός) deliverance ‖ (από υποχρέωση) exemption
απαλλαγμένος, -η, -ο: exempt, free from
απαλλάσσομαι: be released ‖ (από υποχρέωση) be exempted ‖ (ξεφορτώνομαι) get rid of, rid oneself of
απαλλάσσω: release ‖ (γλυτώνω) deliver, free ‖ (από υποχρέωση) exempt
απαλοιφή, η: βλ. **απάλειψη**
απαλός, -ή, -ό: soft, gentle, delicate
απαλύνω: soften, alleviate, soothe
απανεμιά, η: βλ. **απάγκιο**
απάνεμος, -η, -ο: βλ. **απάγκιος**
απάνθισμα, το: anthology
απανθρακώνω: char, reduce to charcoal ‖ (καίω ολότελα) burn to ashes, burn to a cinder, reduce to cinders
απάνθρωπος, -η, -ο: inhuman, inhumane
άπαντα, τα: complete works
απάντηση, η: answer, reply, response
απαντώ: answer, reply, respond ‖ (συναντώ) meet
απάνω: βλ. **επάνω**
απανωτά: *(επίρ)* consecutively, one on top of the other
απανωτός, -ή, -ό: consecutive
άπαξ: once ‖ (αφού) since, in as much as
απαξιώνω: disdain, disregard, scorn
απαράβατος, -η, -ο: (που δεν τον έχουν παραβεί) unbroken, inviolate ‖ (που δεν παραβαίνεται) inviolable
απαραβίαστος, -η, -ο: (που δεν έχει παραβιαστεί) unbroken, intact, inviolate ‖ (που δεν παραβιάζεται) burglarproof ‖ inviolable
απαράδεκτος, -η, -ο: unacceptable, not acceptable, inadmissible
απαραίτητος, -η, -ο: indispensable
απαράλλαχτος, -η, -ο: identical
απαράμιλλος, -η, -ο: incomparable, unrivalled, unsurpassed, matchless, peerless
απαρατήρητος, -η, -ο: unnoticed, unobserved
απαρέμφατο, το: infinitive
απαρέσκεια, η: dislike, displeasure
απαρηγόρητος, -η, -ο: inconsolable, disconsolate, despondent
απαρίθμηση, η: enumeration, count
απαριθμώ: enumerate, count
απάρνηση, η: denial, disavowal, renunciation
απαρνιέμαι: deny, disavow, disown, renounce
απαρτία, η: quorum
απαρτίζω: constitute
άπαρτος, -η, -ο: βλ. **απόρθητος**
απαρχαιωμένος, -η, -ο: antiquated, outmoded, outdated, old fashioned
απαρχή, η: outset, beginning
άπας: βλ. **όλος**
απαστράπτω: shine, sparkle, glitter
απασχόληση, η: occupation, ‖ (τράβηγμα προσοχής) distraction
απασχολώ: occupy ‖ (αποσπώ προσοχή) distract ‖ (δίνω εργασία) employ
απατεώνας, ο: impostor, swindler, cheat, humbug, deceiver, fraud
απάτη, η: deceit, deception, swindle
απατηλά: *(επίρ)* deceitfully, fraudulently, fallaciously, deceptively
απατηλός, -ή, -ό: deceitful, fraudulent, misleading, fallacious, deceptive
απάτητος, -η, -ο: βλ. **απόρθητος** ‖ (που δεν πατήθηκε) untrodden
άπατος, -η, -ο: bottomless
απατώ: deceive, swindle, defraud, mislead, cheat, dupe ‖ (σύζυγο) deceive, make a cuckold of, to cuckold
απαυδώ: tire, get tired, get weary ‖ *(μτφ)* get sick of
άπαχος, -η, -ο: lean, thin, meager
απεγνωσμένα: *(επίρ)*: desperately, frantically
απεγνωσμένος, -η, -ο: desperate, frantic, frenzied
απειθάρχητος, -η, -ο: βλ. **απείθαρχος**
απειθαρχία, η: insubordination ‖ (απείθεια) disobedience ‖ (έλλειψη πειθαρχίας) lack of discipline
απείθαρχος, -η, -ο: insubordinate ‖

(απειθής) disobedient || (χωρίς πειθαρχία) undisciplined, unruly
απειθαρχώ: disobey
απεικονίζω: depict, portray, picture *(μτφ)*
απειλή, η: threat, menace
απειλητικά: *(επίρ):* threateningly, menacingly
απειλητικός, -ή, -ό: threatening, menacing
απειλώ: threaten, menace,
απείραχτος, -η, -ο: untouched || βλ. **άθικτος** || βλ. **ανενόχλητος**
απειρία, η: inexperience || (άπειρο) infinity
απειροελάχιστος, -η, -ο: infinitesimal, minute
άπειρο, το: infinity
άπειρος, -η, -ο: (χωρίς πείρα) inexperienced, green, || (χωρίς πέρας) infinite, boundless, limitless
απέλαση, η: deportation
απελαύνω: deport
απελευθερώνω: liberate, free, set free || (σκλάβο) emancipate || (γλυτώνω) deliver, free || (από υποχρ. κλπ) release
απελευθέρωση, η: liberation || (σκλάβου) emancipation || (γλυτωμός) deliverance || (υποχρέωση) release
απελπίζομαι: despair, lose hope
απελπισία, η: despair, desperation
απελπισμένος, -η, -ο: desperate, frantic
απελπιστικά: *(επίρ)* hopelessly, desperately
απελπιστικός, -ή, -ό: hopeless, bleak, desperate
απέναντι: opposite, across from, facing, face to face
απεναντίας: on the contrary
απένταρος, -η -ο: penniless, destitute, broke, down and out
απέξω: (έξω) outside, out || (από έξω) from outside || (από μνήμης) by heart, by memory, by rote
απέραντος, -η, -ο: vast, boundless, endless
απεργία, η: strike
απεργός, ο: striker
απεργοσπάστης, ο: strikebreaker
απεργώ: strike, go on strike
απερίγραπτος, -η, -ο: indescribable, beyond description
απεριόριστος, -η, -ο: illimitable, limitless, boundless
απεριποίητος, -η, -ο: unkempt, untidy, uncared-for, messy
απερίσκεπτος, -η, -ο: thoughtless, careless, heedless, reckless
απερισκεψία, η: thoughtlessness, carelessness, heedlessness, recklessness
απερίσπαστος, -η, -ο: undistracted, undiverted, concentrated
απερίστροφος, -η, -ο: pointblank, straightforward, blunt
απέριττος, -η, -ο: unaffected, simple
απερίφραστα: *(επίρ)* tersely, concisely
απερίφραστος, -η, -ο: terse, concise
απεσταλμένος, -η, -ο: delegate, envoy
απευθείας: directly
απευθύνομαι: address
απευθύνω: address, direct
απεχθάνομαι: detest, abhor, loathe
απέχθεια, η: detestation, abhorrence, aversion, loathing, repulsion
απεχθής, -ές: detestable, odious, abhorrent, disgusting, loathsome, repulsive
απέχω: be far from, be distant || *(μτφ)* abstain
απηγορευμένος, -η, -ο: βλ. **απαγορευμένος**
απηλλαγμένος, -η, -ο: βλ. **απαλλαγμένος**
απηρχαιωμένος, -η, -ο: βλ. **απαρχαιωμένος**
απήχηση, η: *(μτφ)* effect, impression
απηχώ: *(μτφ)* reflect
άπιαστος, -η, -ο: (που δεν πιάστηκε) uncaught, not caught, at large || (που δεν μπορεί να πιαστεί) elusive, slippery || (πολύ ικανός) adept, a wizard, whiz
απίδι, το: pear
απιδιά, η: pear, peartree
απίθανος, -η, -ο: improbable, unlikely
απίστευτος, -η, -ο: unbelievable, incredible
απιστία, η: unfaithfulness, infidelity, faithlessness
άπιστος, -η, -ο: unfaithful, faithless || *(θρησκ)* infidel
απιστώ: be unfaithful, be faithless
άπλα, η: (ευρυχωρία) spaciousness
απλά: *(επίρ)* simply
απλανής, -ές: fixed || (βλέμμα) fixed, expressionless
άπλετος, -η, -ο: abundant || (φως) bright, brilliant
απληροφόρητος, -η, -ο: uninformed
απλήρωτος, -η, -ο: unpaid

απλησίαστος, -η, -ο: inapproachable, inaccessible, unapproachable
απληστία, η: (αδηφαγία) greediness, voracity, gluttony || (πλεονεξία) greed, rapacity, rapaciousness, avarice, avariciousness
άπληστος, -η, -ο: (αδηφάγος): greedy, voracious, gluttonous || (πλεονέκτης) greedy, rapacious, avaricious
απλοϊκός, -ή, -ό: simple, naive, simpleminded
απλοϊκότητα, η: simplicity, naivete
απλοποίηση, η: simplification
απλοποιώ: simplify
απλός, -ή, -ό: (όχι πολύπλοκος) simple || (όχι διπλός) single, simple || (όχι εξεζητημένος) simple, unaffected
απλότητα, η: simplicity || singleness
απλούστατα: *(επίρ)* simply
απλούστευση, η: βλ. **απλοποίηση**
απλουστεύω: βλ. **απλοποιώ**
απλοχέρης, -α, -ικο: βλ. **ανοιχτοχέρης**
απλοχωριά, η: βλ. **άπλα**
απλόχωρος, -η, -ο: spacious, roomy
απλυσιά, η: uncleanliness
άπλυτα, τα: dirty linen *(και μτφ)*
άπλυτος, -η, -ο: unwashed, unclean
άπλωμα, το: spreading, stretching, extension, || (ρούχων) hanging
απλώνομαι: stretch, extend
απλώνω: spread, stretch, extend || (ρούχα) hang
απλώς: simply, merely
απλωσιά, η: βλ. **άπλα**
από: from || (αιτία) out of || (μέσα) by, through || *(συγκρ)* than
αποβάθρα, η: (λιμανιού) wharf, pier, dock || *(σιδ)* platform, landing
αποβάλλω: (βγάζω) take off, cast off, pull off || (βγάζω έξω) eject, evict, oust, throw out, expel || (σχολεία) expel || (κάνω αποβολή) miscarry, abort || (χάνω) shed
απόβαρο, το: tare
απόβαση, η: landing
αποβιβάζομαι: disembark, go ashore || *(στρ)* land
αποβιβάζω: disembark, put ashore || *(στρ)* land
αποβίβαση, η: disembarkation
αποβιώνω: pass away, decease, die
αποβλακώνομαι: become stupid
αποβλακώνω: make stupid
αποβλέπω: aim, intend
απόβλητος, -η, -ο: outcast
αποβολή, η: ejection, eviction, expulsion, || *(σχολ)* expulsion || (ρίξιμο) shedding || (εγγύου) miscarriage
αποβουτυρωμένος, -η, -ο: low fat
αποβραδίς: last night, last evening
απόβρασμα, το: scum, dregs || *(μτφ)* riff-raff, scum
απογαλακτίζω: wean
απογειώνομαι: take off
απογείωση, η: take off
απόγευμα, το: afternoon
απογευματινός, -ή, -ό: afternoon
απογίνομαι: become, end up
απόγνωση, η: despair, desperation
απογοητευμένος, -η, -ο: disappointed, frustrated, discouraged, disillusioned
απογοήτευση, η: disappointment, frustration, discouragement, disillusion, disillusionment
απογοητευτικός, -ή, -ό: disappointing, frustrating, disillusioning
απογοητεύω: disappoint, frustrate, disillusion, discourage
απόγονος, ο: descendant, progeny, off-spring
απογραφή, η: (πληθυσμού) census || (ειδών) inventory
απογυμνώνω: strip, undress, unclothe || *(μτφ)* rob, strip
αποδεικνύω: βλ. **αποδείχνω**
αποδεικτικό, το: certificate, testimonial
απόδειξη, η: proof || (ένδειξη) evidence, token || (πληρωμής ή παραλαβής κλπ) receipt
αποδείχνω: prove, show, demonstrate
αποδεκατίζω: decimate
αποδεκάτισμα, το: decimation
αποδεκατισμός, ο: βλ. **αποδεκάτισμα**
αποδέκτης, ο: addressee, recipient, receiver
αποδεκτός, -ή, -ό: accepted, acceptable, admissible
αποδέχομαι: accept
αποδημητικός, -ή, -ό: migratory
αποδημία, η: migration || (αναχωρηση) emigration || (άφιξη) immigration
αποδημώ: migrate || *(αναχ)* emigrate || (αφιξ) immigrate
αποδίδω: βλ. **αποδίνω**
αποδίνω: give, render, return || (αιτία) ascribe, attribute || (τιμές) pay, give || (παράγω) bring, produce || (ερμηνεύω) render
αποδιοπομπαίος, -α, -ο: outcast,

pariah, || ~ **τράγος:** scapegoat
αποδιώχνω: cast out, chase away
αποδοκιμάζω: disapprove, || (καταδικάζω) censure, condemn
αποδοκιμασία, η: disapproval || (ηθική) disapprobation, censure
απόδοση, η: rendering || (παραγωγή) yield
αποδοτικός, -ή, -ό: efficient || (παραγ.) productive || (επικερδής) profitable, lucrative
αποδοχή, η: acceptance || (ομολογία) admission || *(πληθ)* salary, wages
απόδραση, η: escape
αποδυτήριο, το: (γυμναστήριου) locker room || (θεάτρου) dressing room, vestiary || (πλαζ) locker room
αποζημιώνω: remunerate, compensate
αποζημίωση, η: remuneration, compensation
αποζητώ: long for, miss, yearn
αποζώ: (ζω φτωχικά) subsist || (κερδίζω) live on
απόηχος, ο: echo
αποθανατίζω: βλ. **απαθανατίζω**
αποθάρρυνση, η: discouragement, disappointment, frustration
αποθαρρύνομαι: be discouraged, be disappointed, lose heart
αποθαρρύνω: discourage, disappoint
απόθεμα, το: stock, reserve
αποθεώνω: apotheosize, deify || *(και μτφ)*
αποθέωση, η: apotheosis, deification *(και μτφ)*
αποθηκάριος, ο: warehouse man
αποθηκεύω: store, warehouse
αποθήκη, η: warehouse || (δωμ) store room, cellar
αποθηριώνομαι: be infuriated, be mad, be enraged, be furious
αποθηριώνω: infuriate, enrage
αποθησαυρίζω: hoard, save up
αποθνήσκω: βλ. **πεθαίνω**
αποθρασύνομαι: become bold, be emboldened
αποθράσυνση, η: boldness, impudence
αποθρασύνω: embolden
αποικία, η: colony || (εγκατάσταση) settlement
άποικος, ο: colonist
αποκαθήλωση, η: (του Χριστού) the Deposition
αποκαθίσταμαι: be established, settle
αποκαθιστώ: restore, reinstate || (επανορθώνω) rehabilitate
αποκαλυπτήρια, τα: unveiling
αποκαλύπτω: reveal, disclose, expose, uncover
αποκάλυψη, η: revelation, disclosure, uncovering || *(θρησκ)* Apocalypse, Revelation
αποκαλώ: call, name
αποκαμωμένος, -η, -ο: weary, tired, fatigued, exhausted
αποκάμνω: be weary, be exhausted, be drained, fatigue
αποκαρδιώνομαι: be disheartened, be dispirited, lose heart, be discouraged
αποκαρδιώνω: dishearten, dispirit, discourage
αποκατάσταση, η: restoration, reinstatement, || (επανόρθωση) rehabilitation || (υγείας) recovery
αποκάτω: under, underneath
απόκεντρος, -η, -ο: remote, out-of-the-way, secluded
αποκεντρώνω: decentralize
αποκεφαλίζω: decapitate, behead *(και μτφ)*
αποκήρυξη, η: denunciation, disavowal, repudiation, renouncement
αποκηρύσσω: disavow, repudiate, deny, renounce
αποκλείεται: nothing doing, out of the question, nowise, noway
αποκλεισμός, ο: (περιοχής) blockade || (εξαίρεση) exclusion
αποκλειστικά: *(επίρ)* exclusively
αποκλειστικός, -ή, -ό: exclusive, || ~ **δικαίωμα:** copyright
αποκλείω: (περιοχή) blockade || (εξαιρώ) exclude
απόκληρος, ο: disinherited || *(μτφ)* outcast, destitute
αποκληρώνω: disinherit
αποκλίνω: (γέρνω): incline, lean, slant, tilt, tip || (έχω τάση) incline, be inclined, tend toward || (αλλάζω πορεία) diverge, deviate || (κάνω να αλλάξει κατεύθυνση) deflect
απόκλιση, η: (κλίση) inclination, slant, tilt || (τάση) inclination || (αλλαγή πορείας) divergence, deviation, deflection
αποκόβω: cut off, lop, trim || (μπλοκάρω) cut off, block, bar || βλ. **απογαλακτίζω**
αποκοιμιέμαι: fall asleep, go to sleep, drop off, doze off
αποκοιμίζω: lull, lull to sleep

αποκοιμούμαι: βλ. **αποκοιμιέμαι**
αποκολλώ: unstick, unglue
αποκομίζω: remove, carry away || (κερδίζω) profit, make, get
απόκομμα, το: fragment, shred || (εφημερίδας) clipping || (αποθηλασμός) βλ. **αποθηλασμός**
αποκοπή, η: cutting off, lopping, trimming || βλ. **ακρωτηριασμός** || (εργασία κατ' αποκοπή) piece work || βλ. **αποθηλασμός**
αποκόπτω: βλ. **αποκόβω**
αποκορυφώνομαι: culminate, climax, reach a peak
αποκορυφώνω: climax, bring, to a climax, bring to a peak
απόκοσμος, -η, -ο: (ερημικός) secluded, solitary, out-of-the-way || *(μτφ)* out of this world
αποκούμπι, το: rest, prop || *(μτφ)* protector, protection, support, refuge
απόκρεως, η: βλ. **αποκριά**
απόκρημνος, -η, -ο: steep, precipitous, cragged, craggy
αποκριά, η: carnival || (περίοδος) shrovetide
αποκριάτικος, -η, -ο: carnival
αποκρίνομαι: βλ. **απαντώ**
απόκριση, η: βλ. **απάντηση**
αποκρουστικός, -ή, -ό: repulsive, repellent, repelling || *(μτφ)* repulsive, repugnant, disgusting, repelling
αποκρούω: repel, drive back, repulse || (χτύπημα) stave off, ward off
αποκρύβω: conceal, hide, keep back (βλ. και **κρύβω**) || (θέα) block, hide from view, obstruct
αποκρυπτογραφώ: decode, decipher
αποκρύπτω: βλ. **αποκρύβω**
αποκρυσταλλώνω: crystallize *(και μτφ)*
απόκρυφος, -η, -ο: occult || (μυστικός) secret, mysterious
αποκτηνώνομαι: become brutal
αποκτηνώνω: imbrute, bestialize
απόκτηση, η: acquisition, acquirement, attainment
αποκτώ: acquire, obtain, attain, get, achieve
απολαβαίνω: βλ. **απολαμβάνω**
απολαβή, η: (αμοιβή) βλ. **αμοιβή** || (μισθός) salary, wages || (κέρδος) profit, gain, || (έσοδο) income
απολαμβάνω: (έχω κέρδος) get, gain, profit || (διασκεδάζω) enjoy
απόλαυση, η: enjoyment, pleasure
απολαυστικός, -ή, -ό: enjoyable, pleasurable
απολαύω: βλ. **απολαμβάνω**
απόλεμος, -η, -ο: βλ. **άμαχος**
απολεπίζω: scale
απολήγω: end up, turn out
απολιθώνω: petrify || *(μτφ)* petrify, flabbergast
απολίτιστος, -η, -ο: uncivilized || *(μτφ)* barbarous, coarse
απολογία, η: defense, defence, plea
απολογισμός, ο: account, report
απολογούμαι: defend myself, make a formal defense
απολυμαίνω: disinfect
απολύμανση, η: disinfection
απόλυση, η: *(εκκλ)* end of divine liturgy, end of church services, end of Mass || (υπαλ.) discharge, dismissal, firing || (φυλακ.) release from custody || *(στρ)* discharge
απολυτήριο, το: (γυμν.) diploma, leaving certificate || *(στρ)* discharge
απόλυτος, -η, -ο: absolute || *(μτφ)* complete, full || (αριθμητικό) cardinal
απολυτρώνω: βλ. **απελευθερώνω**
απολύτρωση, η: deliverance, redemption
απολύτως: absolutely
απολύω: (ελευθ.) release || (υπαλ.) discharge,dismiss, fire || *(στρ)* discharge
απομάκρυνση, η: removal, withdrawal, going away
απομακρύνομαι: go away, withdraw, get out of the way
απομακρύνω: remove, send away, take away, keep off, avert
απόμαχος, -η, -ο: army (navy, airforce) veteran || βλ. **απόστρατος**
απομεινάρι, το: remnant, remainder, leftover
απομένω: be left
απόμερος, -η, -ο: βλ. **απόκεντρος**
απομεσήμερο, το: early afternoon
απομίμηση, η: imitation
απομιμούμαι: imitate, copy
απομνημονεύματα, τα: memoirs
απομνημονεύω: memorize
απομονώνω: isolate
απομόνωση, η: isolation || (φυλακισμένου) solitary confinement
απονεκρώνω: mortify, deprive of life
απονέμω: (τιμή) award, bestow, confer || (χάρη) grant || (δικαιοσύνη) administer, dispense, mete out

απονιά, η: heartlessness, pitilessness, callousness
άπονος, -η, -ο: heartless, pitiless, callous
αποξενώνω: alienate, estrange
απόπαιδο, το: βλ. **αποπαίδι**
αποπαίρνω: snub, treat roughly, rebuke
αποπάνω: from above || (επάνω) on top
απόπατος, ο: βλ. **αποχωρητήριο**
αποπατώ: evacuate, defecate, stool
απόπειρα, η: attempt
αποπειρώμαι: attempt
αποπλάνηση, η: seduction
αποπλανώ: seduce
αποπληξία, η: apoplexy
απόπλους, ο: sailing away, departure
αποπνικτικός, -ή, -ό: suffocating, asphyxiating
αποποιούμαι: refuse, decline, turn down
αποπομπή, η: dismissal
απόρθητος, -η, -ο: impregnable, unconquerable
απορία, η: (ανέχεια) βλ. **ανέχεια** || (αμηχανία), doubt, uncertainty
άπορος, -η, -ο: needy, poor, indigent
απορρέω: originate, stem, arise from, derive
απόρρητ-ος, -η, -ο: confidential, secret
απόρριμα, το: refuse, waste
απορρίπτω: reject, turn down || (μαθητή) fail, flunk, give a failing grade
απορρόφηση, η: absorption *(και μτφ)* || *(μτφ)* absorption, engrossment
απορροφιέμαι: be absorbed, || *(μτφ)* be absorbed, be engrossed
απορροφώ: absorb, suck, soak up || *(μτφ)* absorb, engross
απορρυπαντικό, το: detergent
απορώ: wonder, be surprised, be astonished
απόσβεση, η: extinction, extinguishing || *(οικ)* liquidation, pay off
αποσβολώνω: disconcert, flabbergast, confound
αποσιωπητικά, τα: suspension points
αποσιωπώ: suppress, hush, conceal, pass over
αποσκελετωμένος, -η, -ο: emaciated
αποσκευές, οι: luggage, baggage
αποσκιρτώ: defect
αποσκοπώ: aim, intend
αποσοβώ: avert, prevent, ward off
απόσπαση, η: (αποχωρισμός) detachment, separation, cutting off || *(μτφ)* detachment, detaching
απόσπασμα, το: (κομμάτι) fragment, extract, passage || *(στρ)* detachment, detail
Αποσπερίτης, ο: evening star, vesper
αποσπώ: (αποχωρίζω) detach, remove, tear, cut off || *(μτφ)* detach
απόσταγμα, το: extract, essence, distillate
αποστάζω: distill
ποσταίνω: get tired, be tired
αποσταλμένος, -η, -ο: βλ. **απεσταλμένος**
απόσταξη, η: distillation, distilling
απόσταση, η: distance || (διάστημα) gap ||*(και μτφ)*
αποστασία, η: defection, apostasy
αποστάτης, ο: defector, apostat
αποστατώ: defect, apostatize
αποστειρώνω: sterilize
αποστείρωση, η: sterilization
αποστέλλω: send, dispatch
αποστερούμαι: be deprived of, be bereaved
αποστερώ: deprive, bereave, dispossess
αποστηθίζω: memorize, learn by heart, commit to memory
απόστημα, το: *(ιατρ)* abscess, oedema, edema
αποστολέας, ο: sender || addressor, addresser
αποστολή, η: sending, dispatch
αποστομώνω: silence, shut s.o. up
αποστραγγίζω: drain
αποστρατεία, η: retirement
αποστράτευση, η: demobilization
αποστρατεύομαι: retire from active service || (απολύομαι) be demobilized
αποστρατεύω: (απολύω) demobilize || (βάζω σε αποστρατεία) retire, remove from active service
απόστρατος, ο: retired officer
αποστρέφομαι: detest, despise, abhor, loathe
αποστροφή, η: (απέχθεια) βλ. **απέχθεια**
απόστροφος, η: apostrophe
αποσυμφορώ: relieve conjestion
αποσυναρμολογώ: disjoin, dismantle, disjoint
αποσυνδέω: disconnect

αποσύνθεση, η: decomposition, decay, putrefaction, rotting, rot
αποσυνθέτω: decompose, decay, putrefy, rot
αποσύρομαι: (αποχωρώ) retire || (υποχωρώ) withdraw, draw back
αποσύρω: (τραβώ) withdraw || (παίρνω πίσω) retract, take back
αποσώνω: complete, finish
αποταμιεύω: save, hoard, put aside
αποτείνομαι: address, appeal to
αποτείνω: direct, address
αποτελειώνω: complete, finish
αποτέλεσμα, το: result, outcome, consequence, effect
αποτελεσματικός, -ή, -ό: effective, effectual
αποτελεσματικότητα, η: effectiveness, efficacy
αποτελματώνω: bring to a deadlock, bring to an impasse
αποτελμάτωση, η: deadlock, impasse
αποτελούμαι: consist of, be composed of, comprise
αποτελώ: constitute, make up, compose
αποτεφρώνω: reduce to ashes, burn down || (νεκρό) cremate
αποτιμώ: estimate, appraise
αποτινάζω: throw off, shake off
απότιση, η: paying back, payment
αποτολμώ: venture, risk, hazard
απότομος, -η, -ο: (απόκρημνος) steep, precipitous, sheer || (ξαφνικός) abrupt || (τρόποι) harsh, gruff, brusque, blunt
αποτραβιέμαι: βλ. **αποσύρομαι**
αποτρέπω: dissuade || (αναχαιτίζω, εμποδίζω) avert, ward off
αποτρόπαιος, -η, -ο: abominable, hideous, ghastly, abhorrent, detestable
αποτσίγαρο, ο: cigarette end
αποτυγχάνω: βλ. **αποτυχαίνω**
αποτύπωμα, το: imprint, print || **δακτυλικό** ~: fingerprint
αποτυπώνω: imprint, impress *(και μτφ)*
αποτυχαίνω: fail, fall through || (στόχο) miss
αποτυχημένος, -η, -ο: failed, unsuccessful
αποτυχία, η: failure, miscarriage || (στόχου) miss || (εξετάσεων) failure, flunking
απουσία, η: absence
απουσιάζω: be absent
αποφάγια, τα: table scraps, remnants of food
αποφαίνομαι: proclaim one's opinion, give an opinion
απόφαση, η: decision, resolution
αποφασίζω: decide, make up one's mind
αποφασιστικός, -ή, -ό: decided, determined, resolute, decisive
αποφέρω: yield, bring in, produce
αποφεύγω: avoid, keep away from, stay clear of
απόφθεγμα, το: apophthegm, apothegm, maxim, motto, saying
αποφοίτηση, η: graduation
απόφοιτος, -η, -ο: graduate
αποφοιτώ: finish school, graduate
αποφράδα, η: accursed day, ill-omened day
αποφράζω: block, obstruct
αποφυγή, η: avoidance, shunning, evasion
αποφυλακίζω: release from prison, release from custody
αποχαιρετισμός, ο: leave-taking, farewell, goodbye
αποχαιρετώ: (φεύγω) take leave of || (λέω αντίο) say good-bye, wish good-bye, bid farewell
αποχαλινώνομαι: get out of control, be unbridled, run amuck
αποχαυνώνομαι: become sluggish, become torpid, be dull, be stupefied
αποχαυνώνω: make sluggish, make torpid, stupefy
αποχέτευση, η: drainage
αποχετεύω: drain
αποχή, η: abstention
απόχη, η: dragnet
αποχρών, -ώσα, -όν: sufficient, enough, good
απόχρωση, η: hue, shade, tint, tinge
αποχώρηση, η: (απομάκρυνση) withdrawal, departure
αποχωρητήριο, το: (σπιτιού) bathroom, toilet, water-closet || (δημοσ) rest-room, lavatory, toilet
αποχωρίζομαι: part with, separate, be separated
αποχωρίζω: separate, dissociate, part, break up
αποχωρώ: (φεύγω) withdraw, retire, depart
απόψε: (σήμερα το βράδυ) this evening || (σήμερα τη νύχτα) tonight
άποψη, η: view, sight || *(μτφ)* view aspect, point of view

απόψυξη, η: defrost, defrosting
απραγματοποίητος, -η, -ο: βλ. **ανεκπλήρωτος** ‖ βλ. **ακατόρθωτος**
άπραγος, -η, -ο: inexperienced, unskilled, unskillful
άπρακτος, -η, -ο: unsuccessful, without success, having gained nothing, having achieved nothing, empty-handed
απραξία, η: inaction, inactivity, standstill
απρέπεια, η: indecency, impopriety
απρεπής, -ές: indecent, improper
άπρεπος, -η, -ο: βλ. **απρεπής**
Απρίλης, ο: βλ. **Απρίλιος**
Απρίλιος, ο: April
απρόβλεπτος, -η, -ο: unforeseen
απροετοίμαστος, -η, -ο: unprepared
απρόθυμος, -η, -ο: reluctant, unwilling, hesitant
απροκάλυπτος, -η, -ο: undisguised, open, barefaced
απρόκλητος, -η, -ο: unprovoked
απρόκοπος, -η, -ο: βλ. **ανεπρόκοπος**
απρομελέτητος, -η, -ο: unpremeditated
απρονοησία, η: improvidence, thougtlessness, imprudence
απρόοπτος, -η, -ο: sudden, unexpected ‖ βλ. **απρόβλεπτος**
απροσάρμοστος, -η, -ο: maladjusted, misfit
απρόσβλητος, -η, -ο: (άτρωτος) impreg-nable, invulnerable, unassailable ‖ (που δεν προσβάλλεται) unimpeachable
απροσγείωτος, -η, -ο: (ονειροπόλος) utopian, in the clouds, dreamy, wool-gatherer
απροσδιόριστος, -η, -ο: inteterminate, indefinite, vague
απροσδόκητος, -η, -ο: unexpected ‖ βλ. **απρόβλεπτος** ‖ βλ. **ξαφνικός**
απρόσεκτος, -η, -ο: inattentive, unmindful, heedless, negligent
απροσεξία, η: inattentiveness, inattention, heedlessness, neglect
απρόσεχτος, -η, -ο: βλ. **απρόσεκτος**
απρόσιτος, -η, -ο: βλ. **απλησίαστος**
απροσκάλεστος, -η, -ο: βλ. **απρόσκλητος**
απρόσκλητος, -η, -ο: uninvited
απρόσκοπτος, -η, -ο: unimpeded, unhindered, unhampered
απρόσμενος, -η, -ο: unexpected
απροσπέλαστος, -η, -ο: βλ. **απλησίαστος**
απροσπέραστος, -η, -ο: unsurpassed, unsurpassable
απροσποίητος, -η, -ο: unaffected (βλ. **ανυπόκριτος**)
απροστάτευτος, -η, -ο: unprotected, defenseless
απρόσφορος, -η, -ο: (ακατάλληλος) unsuitable, unfitting ‖ (ασύμφορος) unprofitable, unfavorable
απρόσωπος, -η, -ο: (όχι προσωπικός) impersonal ‖ (χωρίς πρόσωπο) faceless
απροφάσιστος, -η, -ο: without pretext ‖ (ειλικρινής) frank, sincere
απροχώρητο, το: (έπακρο) limit ‖ (αδιέξοδο) βλ. **αδιέξοδο**
άπταιστος, -η, -ο: faultless ‖ (τέλειος) perfect, fluent
απτόητος, -η, -ο: dauntless, undaunted, intrepid
απτός, -ή, -ό: tangible, palpable
απύθμενος, -η, -ο: bottomless ‖ *(μτφ)* unfathomable, fathomless
άπω: *(επίρ)* far
απώθηση, η: repulsion, repellence
απωθώ: repel, drive back, thrust back, push back
απώλεια, η: (χάσιμο) loss ‖ (θάνατος) bereavement ‖ (πολέμου) loss, casualty
απώλητος: βλ. **απούλητος**
απών, απούσα, απόν: absent
απώτερος, -η, -ο: *(μτφ)* ulterior
άρα: therefore, consequently, hence
αραβικός, -ή, -ό: arabic
αραβόσιτος, ο: corn, Indian corn, maize
άραγε: can it be? is it possible that?, I wonder if
αράδα, η: (γραμμή) line ‖ (στίχος, σειρά) row, rank, file ‖ (σειρά, ακολουθία) turn
αραδιάζω: line up, put into a line, put into a row
αράζω: moor, anchor, drop anchor, cast anchor
αραιά: *(επίρ)* sparsely, thinly ‖ (σπάνια) infrequently, rarely
αραιός, -ή, -ό: sparse, thin ‖ (όχι πυκνός) thin ‖ (σπάνιος) infrequent, rare
αραιώνω: *(μτβ)* rarefy, make thin, make less dense, thin ‖ *(αμτβ)* rarefy, thin ‖ (αφήνω κενό) spread out
αρακάς, ο: pea, sweet pea, beach pea
αραμπάς, ο: wagon

αραμπατζής, ο: wagoner, wagon driver
αραξοβόλι, το: moorage, mooring, anchorage, haven ‖ *(μτφ)* haven, refuge
αράπης, ο: negro, black
αραπίνα, η: negress, black
αραποσίτι, το: βλ. **αραβόσιτος**
αράχνη, η: spider
αραχνοΰφαντος, -η, -ο: finely woven, gossamer, gossamery
αρβύλα, η: half boot
αργά: *(επίρ)* (σιγανά) slowly ‖ (όχι νωρίς) late ‖ **κάλιο ~ παρά ποτέ:** better late than never ‖ **~ ή γρήγορα:** sooner or later
αργαλειός, ο: loom
αργία, η: (μη εργασία) idleness ‖ (έλλειψη δράσης) inaction ‖ (γιορτή) holiday ‖ (ποινή) suspension
αργίλιο, το: aluminum, aluminium
άργιλος, ο: alumina ‖ (πηλός) clay
αργκό, η: slang
αργοκίνητος, -η, -ο: slow-moving ‖ (νωθρός) sluggish, sluggard
αργομισθία, η: sinecure
αργόμισθος, -η, -ο: sinecurist
αργοναύτης, ο: argonaut
αργοναυτικός, -η, -ο: argonautic
αργοπορία, η: slowness
αργοπορώ: (βραδυπορώ) go slowly ‖ (κοντοστέκομαι) loiter, linger ‖ (είμαι αργοπορημένος) be late
αργός, -ή, -ό: (χωρίς εργασία) idle, unemployed ‖ (βραδύς) slow
αργόσχολος, -η, -ο: idle
αργότερα *(επιρ):* later
άργυρος, ο: silver
αργυρός, -ή, -ό: silver ‖ (σαν άργυρος) silvery
αργώ: (είμαι αργός) be idle ‖ (είμαι κλειστός) closed, be closed ‖ (βραδύνω) be late
άρδευση, η: irrigation
αρδεύω: irrigate
άρδην: *(επίρ)* wholly, entirely
αρέσκεια, η: pleasure, liking
αρεστός, -ή, -ό: likable, likeable, pleasing, agreeable
αρέσω: be liked, please
αρετή, η: virtue
αρθρίτιδα, η: arthritis
αρθριτικός, -ή, -ό: arthritic
άρθρο, το: article ‖ (διάταξη) clause, article
αρθρώνω: (συνδέω) articulate, ‖ (προφέρω) articulate, utter
άρθρωση, η: (σύνδεση) joint, articulation, ‖ (προφορά) articulation
αρίθμηση, η: (μέτρηση) count, counting ‖ (αριθμ. σειρά) numbering, numeration
αριθμητήριο, το abacus
αριθμητής, ο: numerator
αριθμητική, η: arithmetic
αριθμομηχανή, η: calculator
αριθμός, ο: number ‖ (νούμερο, μέγεθος) size
άριστα: *(επίρ)* excellent
αριστερά: *(επίρ)* on the left, to the left
αριστερός, -ή, -ό: left ‖ (αριστερόχειρος) left-handend ‖ (πολιτ.) left, leftist
αριστερόχειρας, ο: left-handed
αριστεύω: excell
αριστοκράτης, ο (*θηλ* **αριστοκράτισσα**): aristocrat
αριστοκρατία, η: aristocracy
άριστος, -η, -ο: excellent
αριστοτέχνημα, το: βλ. **αριστούργημα**
αριστοτέχνης, ο: master, maestro ‖ *(μουσ)* virtuoso, maestro
αριστοτεχνικός, -ή, -ό: masterly
αριστούργημα, το: masterwork, masterpiece
αριστουργηματικός, -ή, -ό: βλ. **αριστοτεχνικός**
αρκετά: *(επίρ)* enough, sufficiently, adequately
αρκετός, -ή, -ό: enough, sufficient, adequate
αρκούδα, η: bear
άρκτος, η: (αρκούδα) bear ‖ (αστερ.) **Μεγάλη ~**: Ursa Major, Great Bear, Big Dipper, **Μικρά ~**: Ursa Minor, Little Bear, Little Dipper
αρκούμαι: content oneself with, be satisfied with
αρκώ: suffice, be sufficient, be enough
άρμα, το: (όπλο) weapon, gun, arm, firearm ‖ (αρχαίο) chariot
αρμάθα, η: (μάτσο) bunch ‖ (σειρά) string
αρμαθιά, η: βλ. **αρμάθα**
άρματα, τα: *(πληθ)* arms, weapons, firearms
αρματώνω: (οπλίζω) arm, supply with arms, equip with arms ‖ (εξοπλίζω) equip, rig
αρμέγω: milk *(και μτφ)*
αρμενίζω: sail, navigate, voyage
άρμη, η: βλ. **άλμη**
αρμόδιος, -α, -ο: (κατάλληλος) suitable, appropriate ‖ (υπεύθυνος)

competent, qualified
αρμόζω: (ταιριάζω) become, be suitable, suit, befit
αρμονία, η: *(μουσ)* harmony || (συμφ.) harmony, concord, concordance
αρμόνικα, η: harmonica, mouthorgan
αρμονικός, -ή, -ό: harmonic || (συμφ) harmonious
αρμόνιο, το: organ, harmonium
αρμός, ο: joint
αρμύρα, η: saltiness
αρμυρός, -ή, -ό: salty || *(μτφ)* expensive
αρνάκι, το: lamb, lambkin, *(και μτφ)*
άρνηση, η: (μη αποδοχή) refusal || (μη παραδοχή) denial || (αποκήρυξη) repudiation, denial || (όχι κατάφαση) negation, negative
αρνησικυρία, η: veto, veto message
αρνητικός, -ή, -ό: negative || (ψήφος) nay
αρνί, το: lamb *(και μτφ)*
αρνιέμαι: βλ. **αρνούμαι**
αρνίσιος, -α, -ο: (κρέας): lamb, mutton
αρνούμαι: (δεν δέχομαι) refuse, decline || (απαρνιέμαι) deny, repudiate, disavow, disown
άρον-άρον: *(επίρ)* (αμέσως) hurry-skurry, hurry-scurry, with undue hurry || (βίαια) willy-nilly, forcibly
άροτρο, το: plow, plough
αρουραίος, ο: rat, meadow mouse, field mouse
άρπα, η: harp
άρπαγας, ο: predatory, plunderer, predacious
αρπάγη, η: hook
αρπαγή, η: (κλέψιμο) theft, stealing, snatch || (απαγωγή) abduction, kidnapping
αρπάζομαι: (πιάνομαι από) grab catch hold of, take hold
αρπάζω: grab, snatch, seize *(και μτφ)* || (απάγω) abduct, kidnap
αρπακτικός, -ή, -ό: predatory, rapacious, || (ζώο) predatory, beast of prey || (πτηνό) bird of prey
αρραβώνας, ο (προκαταβολή): earnest, earnest money, || (μνηστεία) betrothal, engagement
αρραβωνιάζομαι: be affianced, be engaged, be betrothed
αρραβωνιάζω: affiance, betroth, engage
αρραβωνιαστικιά, η: fiance
αρραβωνιαστικός, ο: fiance
αρρενωπός, -ή, -ό: virile, manly
άρρηκτος, -η, -ο: unbreakable
αρρωσταίνω: *(μτβ)* sicken, make sick || *(αμτβ)* fall sick, become ill, fall ill
αρρώστια, η: sickness, illness, ailment, malady, disease
άρρωστος, -η, -ο: sick, ill ailing, unwell, indisposed || (πελάτης γιατρού) patient
αρσενικό, το: arsenic
αρσενικός, -ή, -ό: masculine || βλ. **άρρην**
άρση, η: (σήκωμα) lift, lifting, raising, hoist || (κατάργηση) raising, removal
αρτεσιανό, το: artesian well
αρτηρία, η: *(ανατ)* artery
άρτιος, -α, -ο: (ακέραιος) whole, complete, integral || (ζυγός) even
αρτίστας, ο (*θηλ.* **αρτίστα**): artist
αρτοποιείο, το: bakery
αρτοποιός, ο: baker
αρτοπωλείο, το: baker's shop
αρτοπώλης, ο: baker
άρτος, ο: bread
αρυτίδωτος, -η, -ο: βλ. **αρρυτίδωτος**
αρχάγγελος, ο: archangel
αρχαϊκός, -ή, -ό: archaic
αρχαιοκάπηλος, ο: antique monger
αρχαιολογία, η: archaeology
αρχαιολόγος, ο: archaeologist
αρχαίος, -α, -ο: ancient
αρχαιρεσία, η: election
αρχάριος, -α, -ο: beginner, novice
αρχέγονος, -η, -ο: primitive, primordial, primeval
αρχείο, το: archives, records, files
αρχειοθήκη, η: filing-cabinet
αρχή, η: (έναρξη) beginning, commencement, start || (προέλευση) origin || (αξίωμα) principle || (εξουσία) authority, power
αρχηγείο, το: headquarters
αρχηγός, ο: chief, captain, leader
αρχίατρος, ο: (βαθμός) lieutenant colonel, M.C. || (θέση) Chief Medical officer
αρχιδικαστής, ο: chief justice
αρχιεπισκοπή, η: (περιοχή) archdiocese, archbishopric || (οίκημα) archbishop's palace
αρχιεπίσκοπος, ο: archbishop
αρχιεργάτης, ο: foreman
αρχιερέας, ο: prelate
αρχίζω: begin, commence, start
αρχικελευστής, ο: (U.S.A.) senior

chief petty officer ‖ (Engl.) warrant officer
αρχικός, -ή, -ό: initial, original ‖ (πρώτιστος) primary
αρχιμανδρίτης, ο: archimandrite
αρχιμηνιά, η: first day of the month
αρχιμηχανικός, ο: chief engineer
αρχινώ: βλ. **αρχίζω**
αρχιπέλαγος, το: archipelago
αρχισμηνίας, ο: (U.S.A.) Senior Master Sergeant ‖ (Engl) Flight Sergeant
αρχιστράτηγος, ο: commander-in-chief
αρχισυντάκτης, ο: editor in chief
αρχιτέκτονας, ο: architect
αρχιτεκτονική, η: architecture
αρχιτεχνίτης, ο: master craftsman
αρχιφύλακας, ο: chief guard
αρχιχρονιά, η: first day of the year, new Year's day
άρχομαι: βλ. **αρχίζω**
αρχομανής, -ές: power crazy, power maniac
αρχοντάνθρωπος: gentleman
άρχοντας, ο (*θηλ.* **αρχόντισσα**): (ευγενής) nobleman, lord, squire
αρχοντικό, το: mansion, manor
αρχύτερα: *(επίρ)* earlier
άρχω: rule ‖ (κυβερνώ) govern
άρχων: βλ. **άρχοντας**
άρωμα, το: aroma, fragrance, perfume ‖ (καλλυντικό) perfume, scent
αρωματίζω: scent, perfume
αρωματοποιία, η: perfumery
αρωματοπωλείο, το: perfumer's shop, perfumery
αρωματοπώλης, ο: perfumer
ας: (αποδοχή ή συγκατάθεση) let ‖ (ευχή) may
ασανσέρ, το: (U.S.A.) elevator ‖ (Engl) lift
ασαφής, -ές: vague, obscure, unclear
ασβέστης, ο: lime
ασβέστιο, το: calcium
ασβεστόλιθος, ο: limestone
άσβεστος, η: βλ. **ασβέστης**
άσβεστος, -η, -ο: βλ. **άσβηστος**
ασβεστώνω: whitewash
άσβηστος, -η, -ο: (που δεν σβήνεται) inextinguishable ‖ (δίψα) unquenchable ‖ *(μτφ)* inextinguishable, undying
ασέβεια, η: (συμπεριφ.) disrespect
ασεβής, -ές: (συμπερ.) disrespectful, discourteous
ασέλγεια, η: lewdness, lechery
ασελγής, -ές: lewd, lecherous
ασελγώ: (είμαι ασελγής) be lecherous, be lewd ‖ (κάνω ασελγή πράξη) assault, rape, violate
ασέληνος, -η, -ο: moonless
άσεμνος, -η, -ο: indecent, immoral, immodest
ασετυλίνη, η: acetylene
ασήκωτος, -η, -ο: ponderous, very heavy, immovable
ασήμαντος, -η, -ο: insignificant, unimportant, trivial, trifling
ασημένιος, -α, -ο: silver ‖ (σαν ασήμι) silvery
ασημής, -ιά, -ί: silvery
ασήμι, το: silver
ασημικά, τα: (σκεύη) silverware ‖ (κοσμήματα) silver, silver jewels
άσημος, -η, -ο: obscure, insignificant, unknown
ασημώνω: (επαργυρώνω) silverplate ‖ (πληρώνω με ασήμι) pay in silver ‖ (δωροδοκώ) bribe, oil
ασηψία, η: asepsis
ασθένεια, η: weakness, feebleness ‖ illness, sickness ‖ βλ. **αρρώστια**
ασθενής, -ές: (χωρίς δύναμη) weak, feeble ‖ βλ. **άρρωστος**
ασθενικός, -ή, -ό: (χωρίς δύναμη) weak
ασθενοφόρο, το: ambulance
ασθενώ: be sick, be ill, fall sick, fall ill, get sick, ail
άσθμα, το: asthma
ασθμαίνω: pant, be out of breath, gasp for breath, gasp
ασθματικός, -ή, -ό: asthmatic
ασιτία, η: starvation, extreme lack of food
ασκεπής, -ές: bareheaded
ασκέρι, το: *(ξεν)* mob, horde
άσκηση, η: exercise, drill ‖ (διεξαγωγή) practice ‖ *(στρ)* drill, maneuvers
ασκητής, ο: an ascetic, hermit
ασκί, το: βλ. **ασκός**
άσκοπα: *(επίρ)* aimlessly, purposelessly
άσκοπος, -η, -ο: aimless, pointless, purposeless
ασκός, ο: goatskin
ασκούμαι: practice, practise, exercise
ασκώ: exercise, practice, practise ‖ (γυμνάζω) drill, train ‖ (επάγγελμα) practice
άσμα, το: song, tune, air
άσος, ο: ace

ασουλούπωτος, -η, -ο: ungainly
ασπάζομαι: kiss || *(μτφ)* embrace, adopt, espouse
ασπασμός, ο: kiss
ασπίδα, η: shield
άσπιλος, -η, -ο: spotless, immaculate, free from stain || *(μτφ)* pure, chaste, immaculate
ασπιρίνη, η: aspirin
άσπλαχνος, -η, -ο: heartless, pitiless, hard-hearted
άσπονδος, -η, -ο: (αδυσώπητος) implacable, inexorable || (αδιάλλακτος) irreconcilable, implacable
ασπράδι, το: white
ασπρίζω: (κάνω άσπρο) whiten, make white || (με λεύκασμα) bleach || (γίνομαι άσπρος) whiten, become white, turn white || (ξεθωριάζω) fade || (σοβατίζω) whitewash
άσπρισμα, το: whitening || (με λεύκασμα) bleaching || (σοβάτισμα) white washing
ασπρομάλλης, -α, -ικο: white-haired
ασπροπρόσωπος, -η, -ο: white-faced || *(μτφ)* clean, irreproachable
ασπρόρουχα, τα: linen
άσπρος, -η, -ο: white
άσσος, ο: βλ. **άσος**
αστάθεια, η: instability, unstableness, unsteadiness || *(μτφ)* inconstancy, fickleness, instability
ασταθής, -ές: unstable, unsteady || *(μτφ)* inconstant, fickle, unstable
αστακός, ο: lobster
ασταμάτητος, -η, -ο: incessant, ceaseless, unceasing
αστασία, η: βλ. **αστάθεια**
άστατος, -η, -ο: βλ. **ασταθής**
άστεγος, -ή, -ο: roofless || *(μτφ)* roofless, homeless
αστειεύομαι, joke, kid, jest
αστεΐζομαι, βλ. **αστειεύομαι**
αστείο, το: (αστειολόγημα) joke
αστείος, -α, -ο: funny, amusing, humorous
αστειότητα, η: βλ. **αστείο**
αστείρευτος, -η, -ο: inexhaustible
αστεϊσμός, ο: βλ. **αστείο**
αστέρας, ο: star *(και μτφ)*
αστέρι, το: βλ. **αστέρας**
αστερίας, ο: starfish, asteroid
αστερίσκος, ο: asterisk
αστερισμός, ο: constellation
αστεροσκοπείο, το: observatory
αστεφάνωτος, -η, -ο: unmarried || (σύζυγος) coomon-law
αστήρ, ο: βλ. **αστέρας**
αστήρικτος, -η, -ο: unsupported, unpropped, unbacked || *(μτφ)* baseless, groundless
αστιγματισμός, ο: astigmatism
αστικός, -ή, -ό: (της πόλης) urban, civic
άστοργος, -η, -ο: unkind, indifferent, unfeeling
αστός, ο (*θηλ.* **αστή**): (που μένει στην πόλη) city dweller, urbanite || (αστικής τάξης) middle class, bourgeois
αστοχία, η: (αποτυχία) failure, miss || (ατυχία) misfortune, ill luck || (αδεξιότητα) awkwardness, clumsiness, impropriety
άστοχος, -η, -ο: (αποτυχών) unsuccessful || (άτυχος) unfortunate || (αδέξιος) awkward, improper, inappropriate
αστοχώ: miss, fail, miss the mark, be unsuccessful
αστράγαλος, ο: ankle
αστραπή, η: lightning, flash of lightning *(και μτφ)*
αστραπιαία: *(επίρ):* like lightning
αστραπιαίος, -α, -ο: lightning, quick as lightning
αστραπόβροντο, ο: thunderbolt
αστραφτερός, -ή, -ό: shining, gleaming, sparkling, glittering
αστράφτω: (φαινόμενο) give off flashes of lightning || (γυαλίζω) shine, glitter, sparkle
άστρο, το: βλ. **αστέρας**
αστρολογία, η: astrology
αστρολόγος, ο: astrologer
αστροναύτης, ο: astronaut, cosmonaut
αστρονομία, η: astronomy
αστρονομικός, -ή, -ό:. astronomic, astronomical
αστρονόμος, ο: astronomer
αστροπελέκι, το: bolt, lightning, thunderbolt
αστροφεγγιά, η: starlight
αστυνομία, η: police || (τμήμα ή σταθμός) police station, precinct
αστυνομικός, ο: policeman, police officer
αστυνόμος, ο: (γενικά) policeman || (βαθμός) police captain, captain of the police
αστυφύλακας, ο: policeman, police officer
ασυγκράτητος, -η, -ο: uncontroll-

able, irrepressible, insuppressible
ασύγκριτος, -η, -ο: incomparable, matchless, peerless
ασυγχώρητος, -η, -ο: inexcusable, unpardonable, unforgivable
ασυδοσία, η: immunity, unaccountableness
ασύδοτος, -η, -ο: immune, unaccountable
ασυζητητί: *(επίρ)* unquestionably, without question
ασυλία, η: immunity, inviolability
ασύλληπτος, -η, -ο: (που δεν πιάστηκε) uncaught, not caught, at large || *(μτφ)* inconceivable
άσυλο, το: asylum || (καταφύγιο) refuge, shelter
ασυμβίβαστος, -η, -ο: (που δεν συμβιβάζεται) uncompromising, inflexible || (που δεν ταιριάζει) incompatible, unmatched
ασύμμετρος, -η, -ο: asymmetric, asymmetrical || (δυανάλογος) disproportional, disproportionate
ασύμφορος, -η, -ο: unfavorable, disadvantageous, unprofitable
ασύμφωνος, -η, -ο: discordant, conflicting, in conflict
ασυναγώνιστος, -η, -ο: unrivalled, unequalled, peerless
ασυναίσθητα: *(επίρ)* unconsciously
ασυναίσθητος, -η, -ο: unconscious
ασυναρτησία, η: incoherence, incoherency, inconsistence, inconsistency
ασυνάρτητος, -η, -ο: incoherent || (ανακόλουθος) inconsistent
ασυνειδησία, η: unscrupulousness
ασυνείδητο, το: unconsiousness
ασυνείδητος, -η, -ο: βλ. **ασυναίσθητος** || (χωρίς συνείδηση) unscrupulous, unconsionable
ασυνεπής, -ές: inconsistent, inconsequent
ασύνετος, -η, -ο: unwise, imprudent, thoughtless
ασυνήθιστος, -η, -ο: (που δεν έχει συνηθίσει) unaccustomed, unfamiliar || (ασυνήθης) unusual, uncommon
ασυννέφιαστος, -η, -ο: cloudless *(μτφ)*
ασυνταξία, η: syntactical error, error in syntax
ασυρματιστής, ο: radioman, radio operator
ασύρματος, ο: radio, wireless
ασύστατος, -η, -ο: groundless, unfounded
ασύστολος, -η, -ο: shameless, barefaced
άσφαιρος, -η, -ο: (όπλο): empty || (φυσίγγιο) blank, blank cartridge
ασφάλεια, η: (έλλειψη κινδύνου) safety || (σιγουριά) surety, sureness || (ασφάλιση) insurance || (αστυνομία) security, security police || *(ηλεκτρ)* fuse || (μοχλός) catch, safety catch || (όπλου) safety, safety lock
ασφαλής, -ές: (που δεν κινδυνεύει) safe, secure || (σίγουρος) sure
ασφαλίζω: (κάνω ασφαλές) secure || (κάνω ασφάλιση) insure
ασφάλιση, η: (εξασφάλιση) securement || (συμβόλαιο) insurance || *(κοιν)* security
ασφαλιστήριο, το: insurance policy
ασφαλιστής, ο: insurance underwriter, insurance agent
ασφάλιστρο, το: *(μηχ)* safety lock, safety catch, safety pin || (ασφάλειας) premium
άσφαλτος, η: asphalt
ασφαλτοστρώνω: pave with asphalt
ασφαλτόστρωση, η: asphalt paving, paving with asphalt
ασφαλώς: *(επίρ)* (σε ασφάλεια) safely || (βέβαια) surely, certainly
ασφυκτικός, -ή, -ό: βλ. **ασφυχτικός**
ασφυκτιώ: asphyxiate, suffocate
ασφυξία, η: asphyxia, asphyxiation, suffocation
ασφυχτικά: *(επίρ)* suffocatingly
ασφυχτικός, -ή, -ό: suffocating
άσχετα: *(επίρ)* independently of
άσχετος, -η, -ο: irrelevant, unrelated, unconnected
ασχημαίνω: *(μτβ)* make ugly, uglify || *(αμτβ)* become ugly
ασχημάτιστος, -η, -ο: (χωρίς σχήμα) formless, shapeless || (αδιαμόρφωτος) unformed, unshaped
ασχήμια, η: ugliness || *(μτφ)* impropriety, indecency
ασχημίζω: βλ. **ασχημαίνω**
άσχημος, -η, -ο: ugly
ασχολία, η: occupation
ασχολούμαι: be occupied, be engaged, busy oneself
άσωτος, -η, -ο: prodigal, wasteful, squanderer || (ακόλαστος) dissolute, licentious
αταίριαστος, -η, -ο: (που δεν ταιριάζει) unmatched, inharmonious || (ανόμοιος) dissimilar

άτακτος, -η, -ο: (ακανόνιστος) irregular || (ανυπάκουος) disorderly, unruly, disobedient || (που κάνει αταξία) mischievous, unruly
ατακτώ: be disorderly, be unruly, be mishievous
αταξία, η: (έλλειψη τάξεως) disorder, disordered state, jumble || (παρεκτροπή) mischief, unruliness
αταραξία, η: calm, placidness, placidity, calmness, composure
ατάραχος, -η, -ο: calm, placid, composed, unflappable
άτεκνος, -η, -ο: childless
ατέλεια, η: (έλλειψη τελειότητας) imperfection, defectiveness || (ελάττωμα) defect || *(φορολ.)* exemption
ατελείωτος, -η, -ο: (που δεν έχει τέλος) endless, interminable || (που δεν τελείωσε) unfinished, incomplete
ατελής, -ές: (όχι τέλειος) imperfect, defective, faulty || (φορολ.) tax exempted, duty free, tax free
ατελιέ, το: atelier, workshop, studio
ατελώς: *(επίρ):* (όχι τέλεια) imperfectly defectively || (φορολ.) duty free
ατενίζω: stare, gaze, look insistently
ατενώς: *(επίρ):* steadfastly, fixedly || (γυμν. παράγγελμα) attention!
άτεχνος, -η, -ο: unskillful, artless
ατζαμής, ο: *(ιδ)* inexpert, inexperienced, clumsy
ατζαμοσύνη, η: inexperience, clumsiness
ατημέλητος, -η, -ο: sloven, slovenly, untidy
άτι, το: βλ. **άλογο**
ατίθασος, -η, -ο: tameless, untamable
ατιμάζω: disgrace, dishonor || (βιάζω) rape, violate
ατιμία, η: (έλλειψη τιμής) dishonesty || (άτιμη πράξη) dishonour, dishonor, disgrace, infamy
άτιμος, -η, -ο: dishonest, disgraceful, disreputable
ατιμωρησία, η: impunity, immunity
ατιμωρητί: *(επίρ)* with impunity
ατίμωση, η: disgrace, dishonor, dishonour || (βιασμός) rape, violation
ατιμωτικός, -ή, -ό: disgraceful, dishonorable
ατλάζι, το: satin
άτλαντας, ο: atlas
ατλαντικός, -ή, -ό: atlantic
άτλας, ο: βλ. **άτλαντας**
ατμάκατος, η: motorboat, launch
ατμάμαξα, η: locomotive, engine
ατμοκίνητος, -η, -ο: steam-driven
ατμομηχανή, η: steam engine || βλ. **ατμάμαξα**
ατμόπλοιο, το: steamboat, steamship, steamer
ατμός, ο: (εξάτμιση): vapor || (βρασμού) steam || (αναθυμίαση) fume
ατμόσφαιρα, η: atmosphere
άτοκος, -η, -ο: without interest
ατολμία, η: timidity, shyness
άτολμος, -η, -ο: timid, shy
ατομικός, -ή, -ό: *(φυσ)* atom, atomic || (προσ.) individual, personal
ατομικότητα, η: individuality, personality || *(φυσ)* atomicity
άτομο, το: *(φυσ)* atom || (προσ.) individual
ατονία, η: atony, debility, languidness
άτονος, -η, -ο: languid, listless
άτοπος, -η, -ο: (παράλογος) absurd, irrational || βλ. **απρεπής**
ατού, το: trump card *(και μτφ)*
ατόφιος, -α, -ο: solid, massive
άτρακτος, η: spindle
ατράνταχτος, -η, -ο: unshakeable, immovable *(και μτφ)*
ατραπός, η: path, trail, track
άτριχος, -η, -ο: hairless
ατρόμητος, -η, -ο: fearless, intrepid
ατροφία, η: atrophy
ατροφικός, -ή, -ό: atrophied
άτρωτος, -η, -ο: invulnerable || (που δεν πληγώθηκε) unwounded, uninjured, unhurt
ατσαλάκωτος, -η, -ο: unwrinkled
ατσαλένιος, -α, -ο: steel, of steel
ατσάλι, το: steel
ατσάλινος, -η, -ο: βλ. **ατσαλένιος**
ατσίγγανος, ο: (*θηλ.* **ατσιγγάνα**): βλ. **τσιγγάνος**
ατσίδα, η: *(ιδ)* wiz, whiz, quick
αττικός, -ή, -ό: Attic
ατύχημα, το: accident || (πάθημα) mishap, misfortune, misadventure
ατυχής, -ές: βλ. **άτυχος**
ατυχία, η: misfortune, adversity, bad luck
άτυχος, -η, -ο: unlucky, unfortunate
ατυχώ: have bad luck, be unfortunate, be unlucky || βλ. **αποτυγχάνω**
αυγερινός, ο: morning star, Lucifer
αυγή, η: dawn, daybreak, break of day *(και μτφ)*

αυγό, το: egg
αυγοθήκη, η: egg-cup
Αύγουστος, ο: August
αυθάδεια, η: impertinence, insolence, sass, impudence
αυθάδης, -ες: impertinent, insolent, impudent
αυθαιρεσία, η: arbitrariness, high-handedness
αυθαίρετος, -η, -ο: arbitrary
αυθέντης, ο: master, lord
αυθεντία, η: authority
αυθεντικός, -ή, -ό: authentic, genuine
αυθημερόν: on the same day
αυθόρμητα: *(επίρ)* spontaneously
αυθόρμητος, -η, -ο: spontaneous
αυθυποβολή, η: autosuggestion
αυλαία, η: curtain
αυλάκι, το: (χαντάκι) ditch, trench, furrow
αυλακιά, η: groove
αυλακώνω: trench, furrow, groove
αυλάκωση, η: corrugation
αυλακωτός, -ή, -ό: (με αυλακιά) grooved, fluted ‖ (με πτυχώσεις) corrugated
αυλή, η: (προαύλιο) yard, courtyard, ‖ (βασιλ.) court
αυλόγυρος, ο: garden wall, fence
αυλόθυρα, η: garden gate, gate
αυλόπορτα, η: βλ. **αυλόθυρα**
αυλός, ο: flute, pipe
αυξάνω: *(μτβ και αμτβ)* increase, grow ‖ (πολλαπλ.) multiply
αύξηση, η: increase, growth ‖ (προσαύξ.) increment
αυξομειώνομαι: fluctuate, increase and decrease
αυξομείωση, η: fluctuation, increase and decrease
αϋπνία, η: (αγρυπνία) sleeplessness ‖ *(ασθ.)* insomnia
άυπνος, -η, -ο: sleepless
αύρα, η: breeze
αυριανός, -ή, -ό: tomorrow, of tomorrow ‖ *(μτφ)* future
αύριο: tomorrow
αυστηρός, -ή, -ό: austere, severe, stern, strict, harsh
αυστηρότητα, η: austerity, severity, sternness, harshness
αυταπάρνηση, η: abnegation, self-denial, self-abnegation
αυταπάτη, η: delusion, self-deception
αυταπατώμαι: deceive oneself, be under a delusion
αυταρέσκεια, η: self-conceit, vanity
αυτάρκεια, η: self-sufficiency
αυταρχικός, -ή, -ό: autarchic, autarchical, despotic
αυτή: *(θηλ αντων. δεικτ.)* this ‖ (προσ. αντων.) she
αυτί, το: ear
αυτοβιογραφία, η: autobiography
αυτόγραφο, το: autograph
αυτόγραφος, -η, -ο: autograph, autographic
αυτοδημιούργητος, -η, -ο: self-made
αυτοδιάθεση, η: self-determination
αυτοδίδακτος, -η, -ο: self-taught
αυτοδικαίως: by right ‖ *(νομ, πολ)* dejure
αυτοδιοίκηση, η: self-government
αυτοέλεγχος, ο: self-control
αυτοθυσία, η: self-sacrifice
αυτοκινητάδα, η: ride
αυτοκινητάμαξα, η: railcar
αυτοκινητιστής, ο: motorist
αυτοκίνητο, το: automobile, car, motor car
αυτοκινητόδρομος, ο: autobahn, highway
αυτοκράτειρα, η: empress
αυτοκράτορας, ο: emperor
αυτοκρατορία, η: empire
αυτοκρατορικός, -ή, -ό: imperial
αυτοκράτωρ, ο: βλ. **αυτοκράτορας**
αυτοκριτική, η: self-criticism
αυτοκτονία, η: suicide *(και μτφ)*
αυτοκτονώ: commit suicide, kill oneself
αυτοκυβέρνηση, η: self-government
αυτοκυριαρχία, η: self-control
αυτολεξεί: *(επίρ)* word for word, verbatim, literally
αυτοματισμός, ο: automatism, automation
αυτόματο, το: automaton
αυτόματος, -η, -ο: automatic *(μτφ)*
αυτομολία, η: desertion ‖ *(πολ)* βλ. **αποστασία**
αυτόμολος, -η, -ο: deserter ‖ *(πολ)* βλ. **αποστάτης**
αυτομολώ: desert, join the enemy, go over to the enemy
αυτονόητος, -η, -ο: evident, self-explanatory, obvious
αυτονομία, η: autonomy
αυτόνομος, -η, -ο: autonomous, autonomic
αυτοπαθής, -ές: *(γραμ)* reflexive
αυτοπεποίθηση: self-confidence

αυτοπροαίρετος, -η, -ο: voluntary
αυτοπροσώπως: *(επίρ)* in person, personally
αυτόπτης, ο: eyewitness
αυτό: βλ. **αυτός**
αυτός, -ή, -ό: (προσωπ. αντων.) he, she, it || (δεικτ. αντων.) this *(πληθ.:* these)
αυτοσεβασμός, ο: self-respect
αυτοστιγμεί: *(επίρ)* instantly, at once, immediately
αυτοσυντήρηση, η: self-preservation
αυτοσχεδιάζω: improvise, extemporize
αυτοσχεδιασμός, ο: improvisation, extemporaneousness
αυτοσχέδιος, -α, -ο: improvised, makeshift, impromptu, extemporaneous
αυτοτέλεια, η: βλ. **ανεξαρτησία**
αυτοτελής, -ές: βλ. **ανεξάρτητος**
αυτού: *(επίρ)* there, over there, in that place
αυτουργός, ο: perpetrator || **ηθικός** ~: instigator
αυτόφωρος, -η, -ο: flagrante delicto, in the very act, red-handed || **επ' ~ω:** in flagrante delicto, in the very act, red-handed
αυτόχειρας, ο: suicidal
αυτοχειρία, η: βλ. **αυτοκτονία**
αυτοχειριάζομαι: βλ. **αυτοκτονώ**
αυτοψία, η: autopsy, necropsy, post-mortem
αυχένας, ο: *(ανατ)* nape || *(μτφ)* col, saddle, narrow pass
αφαίμαξη, η: bloodletting, bleeding, venesection
αφαίρεση, η: *(μαθ)* subtraction || (πάρσιμο) removal || (ελάττωση) deduction
αφαιρετέος, ο: *(μαθ)* subtrahend || (που αφαιρείται) removable
αφαιρέτης, ο: βλ. **αφαιρετέος** *(μαθ)*
αφαιρώ: *(μαθ)* subtract || (παίρνω) remove || (ελαττώνω) deduct
αφαλός, ο: navel
αφάνεια, η: obscurity || (ασημότητα) insignificance, obscurity
αφανής, -ές: obscure || (άσημος) insignificant || (αόρατος) invisible
αφανίζω: exterminate, destroy, ruin
αφάνταστος, -η, -ο: unimaginable
άφαντος, -η, -ο: (που δεν φαίνεται) invisible || (εξαφανισμένος) lost, out of sight
αφαρπάζομαι: lose one's temper, get angry, get mad
αφειδής, -ές: lavish, profuse, extravagant
αφέλεια η: (φυσικότητα) artlessness, ingenuousness || (απλοϊκότητα) naivete, naivety, simplicity || (χτένισμα) bangs
αφελής, -ές: (φυσικός) artless, ingenuous || (απλοϊκός) naive, simple
αφέντης, ο *(θηλ.* **αφέντρα, αφέντισσα**): master
αφεντικό, το: boss, employer
αφετηρία, η: starting point, starting line
αφέψημα, το: decoction
αφή, η: touch
αφήγημα, το: short story, narrative
αφήγηση, η: narration, narrative, account
αφηγητής, ο *(θηλ.* **αφηγήτρια**): narrator
αφηγούμαι: narrate
αφηνιάζω: bolt || *(μτφ)* run amuck, run amok
αφήνω: let go of || (εγκαταλείπω) abandon, leave || (επιτρέπω) let, permit
αφηρημάδα, η: absent-mindedness
αφηρημένος, -η, -ο: absent-minded || (έννοια) abstract
άφθαρτος, -η, -ο: indestructible
άφθαστος, -η, -ο: unsurpassed, unexcelled, unrivalled
αφθονία, η: abundance, profusion
άφθονος, -η, -ο: abundant, profuse, plenty
αφθονώ: be plentiful, abound, teem
αφιέρωμα, το: offering
αφιερωμένος, -η, -ο: dedicated, devoted
αφιερώνω: (κάνω αφιέρωμα) dedicate || (δίνω ολόψυχα) devote
αφιλοκέρδεια, η: disinterestedness, disinterest
αφιλοκερδής, -ές: disinterested, unselfish, selfless
αφιλόξενος, -η, -ο: inhospitable
αφιλόπατρις, -ι: unpatriotic
αφιλοτιμία, η: lack of mettle, lack of self-respect
αφιλότιμος, -η, -ο: without mettle, wanting in self-respect
αφιλοχρηματία, η: βλ. **αφιλοκέρδεια**
αφιλοχρήματος, -η, -ο: βλ. **αφιλοκερδής**
αφίνω: βλ. **αφήνω**
άφιξη: arrival || (ερχομός) coming
αφιόνι, το: opium *(και μτφ)*

αφιππεύω: dismount
αφίσα, η: poster
άφλεκτος, -η, -ο: uninflammable, incombustible
άφοβος, -η, -ο: fearless, intrepid
αφοδευτήριο, το: βλ. **αποχωρητήριο**
αφομοιώνω: assimilate *(και μτφ)*
αφομοίωση, η: assimilation
αφοπλίζω: disarm *(και μτφ)*
αφόρητος, -η, -ο: βλ. **αβάσταχτος**
αφορία, η: infertility, barrenness
αφορίζω: excommunicate
αφορμή, η: reason, cause, motive
αφορώ: concern ‖ **όσον ~α:** as regards, concerning
αφοσιώνομαι: devote oneself
αφοσίωση, η: devotion
αφότου: since
αφού: since ‖ (μια και) since, insomuch ‖ (έπειτα) after
αφουγκράζομαι: βλ. **ακροάζομαι**
αφράτος, -η, -ο: (σαν αφρός) foamy, frothy ‖ (απαλός και μαλακός) soft
αφρίζω: foam, froth *(και μτφ)*
αφροδίσια, τα: venereal disease (V.D.)
αφροδισιολόγος, ο: venereologist
αφροδίσιος, -α, -ο: venereal
αφρός, ο: foam, froth ‖ (σαπουνιού) lather
αφυδάτωση, η: dehydration
αφύσικος, -η, -ο: unnatural ‖ (προσποιητός) affected artificial
άφωνος, -η, -ο: speechless, mute
αφοσιωμένος, -η, -ο: devoted, dedicated
αχ!: ah! oh!
αχαΐρευτος, -η, -ο: good-for-nothing, useless
αχαλίνωτος, -η, -ο: unbridled *(μτφ)*
αχαμνός, -ή, -ό: thin, skinny, emaciated
αχανής, -ές: vast, immense
αχαρακτήριστος, -η, -ο: beyond description, infamous, improper
αχαριστία, η: ingratitude, ungratefulness, thanklessness
αχάριστος, -η, -ο: ingrate, ungrateful, thankless
άχαρος, -η, -ο: graceless
άχθος, το: weight, burden, load *(μτφ)*
αχθοφορικά, τα: porterage
αχθοφόρος, ο: porter
αχιβάδα, η: quahog, quahaug, scallop
αχίλλειος, -α, -ο: (πτέρνα) Achilles' heel
αχινός, ο: sea urchin
αχλάδι, το: pear
αχλαδιά, η: pear, pear tree
άχνα, η: vapor ‖ *(μτφ)* breath
αχνάρι, το: foot-print ‖ (ζώου) spoor, track ‖ *(μτφ)* pattern, template
άχνη, η: vapor ‖ (ψηλή σκόνη) dust
αχνίζω: steam *(μτβ και αμτβ)*
αχολογώ: resound, ring
άχορδος, -η, -ο: stringless
αχόρταγος, -η, -ο: insatiate, insatiable, greedy
αχός, ο: reverberation
αχούρι, το: barn
αχρείαστος, -η, -ο: needless, unnecessary
αχρείος, -α, -ο: obscene, filthy, immoral
αχρησιμοποίητος, -η, -ο: unused
αχρηστεύομαι: become useless
αχρηστεύω: render useless, make useless
άχρηστος, -η, -ο: useless
αχρωματισμός, ο: achromatism
αχρωματοψία, η: colorblindness, daltonism
άχρωμος, -η, -ο: colorless
αχτένιστος, -η, -ο: uncombed, unkempt
άχτι, το: *(ιδ)* grudge
αχτίδα, η: βλ. **ακτίνα**
αχτύπητος, -η, -ο: (όχι χτυπημένος) unbeaten ‖ ανυπέρβλητος) unbeatable, unsurpassed
αχυβάδα, η: βλ. **αχιβάδα**
άχυρο, το: straw, chaff
αχυρόστρωμα, το: straw mattress
αχυρώνας, ο: barn
αχώνευτος, -η, -ο: (που δεν χωνεύεται) indigestible ‖ (που δεν έχει χωνευθεί) undigested ‖ *(μτφ)* odious, offensive, insufferable
αχώριστος, -η, -ο: inseparable
άψε σβήσε: *(επίρ)* instantly, in a twinkling, in a jiffy, in no time at all
αψεγάδιαστος, -η, -ο: βλ. **άψογος**
αψέντι, το: absinth, absinthe
αψευδής, -ές: truthful, sincere
αψηφώ: (δεν λογαριάζω) defy, disdain, scorn ‖ (δεν δίνω σημασία) ignore
αψίδα, η: arch
αψιμαχία, η: skirmish *(και μτφ)*
άψογος, -η, -ο: faultless, blameless, irreproachable
αψυχολόγητος, -η, -ο: inadvisable, ill-considered
άψυχος, -η, -ο: lifeless
άωτο, το: height, peak, zenith ‖ **άκρο ~:** the height

Β

βαγαπόντης, ο: vagabond, rogue, knave
βάγια, τα: palm leaves
βαγκόν-λι: sleeping car, sleeper
βαγκόν-ρεστωράν: dining car
βαγόνι, το: (επιβ) railroad car, carriage || (φορτ.) freight car, wagon
βάδην: *(επίρ)* walking pace || *(αθλ)* walk
βαδίζω: walk
βάδισμα, το: walk || (είδος, τρόπος) gait
βαζελίνη, η: vaseline
βάζο, το: vase
βάζω: (τοποθετώ) put, place, set || (μέσα) put in || (φορώ) put on || ~ **μπρος:** start || (διορίζω) appoint, put || ~ **το χέρι μου:** take a hand in || ~ **τα δυνατά μου:** do my best
βαθαίνω: deepen *(μτβ και αμτβ)*
βαθιά: *(επίρ)* deeply *(και μτφ)* || *(μτφ)* profoundly
βαθμηδόν: *(επίρ)* gradually
βαθμιαίος, -α, -ο: gradual, occurring in stages
βαθμίδα, η: (σκαλοπάτι) step || *(μτφ)* rank, level
βαθμολογία, η: (οργάνου) grading, graduation || *(μαθ)* grading, marking || (βαθμός μαθητού) mark
βαθμολογώ: (όργανο) grade || *(μαθ)* grade, mark
βαθμός, ο: *(οργ)* degree || *(μαθ)* mark || (τάξη, θέση) rank || *(μτφ)* degree
βαθμοφόρος, ο: (που έχει βαθμό) ranker || *(υπαξ.)* non-commissioned officer
βάθος, το: depth || (πυθμένας) bottom || *(μτφ)* background || *(μτφ)* profundity
βαθουλός, -ή, -ό: (κοίλος) hollow || (σε βάθος) deep-set
βαθούλωμα, το: hollow, cavity
βαθουλώνω: *(μτβ και αμτβ)* hollow
βάθρακας, ο: βλ. **βάτραχος**
βαθρακός, ο: βλ. **βάτραχος**
βάθρο, το: (αγάλματος): pedestal || (βάση) base, foundation, basis || (γέφυρας) pier
βάθυνση, η: deepening
βαθύνω: βλ. **βαθαίνω**
βαθύπλουτος, -η, -ο: immensely rich, affluent, opulent, very rich
βαθύριζος, -η, -ο: deep-rooted
βαθύς, -ιά, -ύ: deep *(και μτφ)* || (ύπνος) sound || *(μτφ)* profound, deep || (χρώμα) dark
βαθυστόχαστος, -η, -ο: profound
βαθύσφαιρα, η: bathysphere
βαθύφωνος, -η, -ο: *(αρσ)* bass, basso || *(θηλ)* contralto
βαθύχορδο, το: double bass, bass viol
Βαΐων, των: (Κυριακή, των): Palm Sunday
βακαλάος, ο: cod
βάκιλος, ο: bacillus
βακτηρίδιο, το: bacterium
βακτήριο, το βλ. **βακτηρίδιο**
βακτηριολογία, η: bacteriology
βακτηριολογικός, -ή, -ό: bacteriological
βακτηριολόγος, ο: bacteriologist
βακχικός, -ή, -ό: bacchic, bacchanalian
βαλανίδι, το: acorn
βαλανιδιά, η: oak, oaktree
βάλανος, η: acorn || *(ανατ)* glans penis
βαλάντιο, το: purse
βαλαντώνω: *(ιδ)* *(αμτβ)* get weary, become exhausted || *(μτβ)* vex
βαλβίδα, η: valve
βαλές, ο: (τράπουλας) knave, jack
βαλίτσα, η: suitcase, valise, bag
βαλκανικός, -ή, -ό: balkan
βάλλω: (εξακοντίζω) hurl, throw || (πυροβολώ) fire, shoot
βαλς, το: waltz
βάλσαμο, το: balsam, balm || *(μτφ)* balm
βαλσάμωμα, το: embalmment || (ζώου) taxidermy
βαλσαμώνω: embalm
βάλσιμο, το: placing, putting, setting
βαλτόνερο, το: bog, marshy water
βάλτος, ο: swamp, marsh, fen, bog, moor
βαλτός, -ή, -ό: sicced on, set on

purpose
βαλτότοπος, ο: βλ. **βάλτος**
βαλτώδης, -ες: swampy, marshy
βαμβακέλαιο, το: cottonseed oil
βαμβακερός, -ή, -ό: cotton, made of cotton
βαμβάκι, το: cotton
βαμβακοπυρίτις, η: nitro cellulose, guncotton
βαμβακόσπορος, ο: cottonseed
βαμβακοφυτεία, η: cotton, cotton plantation
βάμμα, το: tincture
βάναυσος, -η, -ο: rude, rough, coarse
βαναυσότητα, η: rudeness, coarseness, roughness
βανδαλισμός, ο: vandalism
βάνδαλος, ο: vandal
βανίλια, η: vanilla
βάνω: βλ. **βάζω**
βαπόρι, το: βλ. **ατμόπλοιο** ‖ **έγινε** ~: he got mad
βάραθρο, το: chasm, gorge, abyss
βαραίνω: (πιέζω) weigh, press ‖ (γίνομαι βαρύς) become heavy, put on weight ‖ (νιώθω βαρύς) feel heavy
βαρβαρικός, -ή, -ό: barbaric
βάρβαρος, -η, -ο: barbarous ‖ *(ουσ)* barbarian
βαρβαρότητα, η: barbarism, atrocity
βαρβάτος, -η, -ο: (άλογο) stallion
βάρδια, η: (φρουρά) guard ‖ (φρουρός) watch, sentinel, sentry ‖ (ομάδα ή περίοδος) shift
βαρελότο, το: firecracker
βαρετός, -ή, -ό: tiresome, tedious, boring
βαρήκοος, -η, -ο: hard of hearing
βαριά, η: sledge hammer
βαριά: *(επίρ)* heavily
βαριακούω: be hard of hearing
βαρίδι, το: (μικρό βάρος) bob ‖ (αντίβαρο) counter weight
βαριέμαι: (τεμπελιάζω) be tired of ‖ (πλήττω) be bored ‖ (εξαντλείται η υπομονή μου) get (be) sick of
βαριεστημένος, -η, -ο: bored
βαριεστώ: be bored
βαριετέ, το: variety show
βάρκα, η: boat
βαρκάρης, ο: boatman
βαρόμετρο, το: barometer
βάρος, το: weight, load ‖ (φορτίο) load, burden *(και μτφ)*
βαρούλκο, το: (απλή μηχανή) block and tackle ‖ (βίντσι) winch, windlass
βαρύς, -ιά, -ύ: heavy, weighty, ponderous ‖ *(μτφ)* heavy, crushing, grave
βαρυσήμαντος, -η, -ο: momentous, of outstanding significance
βαρύτητα, η: (βάρος) βλ. **βάρος** ‖ *(φυσ)* gravity ‖ *(μτφ)* gravity, importance
βαρύτιμος, -η, -ο: valuable, priceless
βαρυχειμωνιά, η: (κρύος χειμώνας) very cold winter, hard winter ‖ (χειμερ. κακοκαιρία) winter storm, snowstorm
βαρώ: βλ. **κτυπώ**
βασανίζω: torture, torment *(και μτφ)* ‖ (ενοχλώ επίμονα) harass, pester
βασανιστήριο, το: torture, torment *(και μτφ)*
βασανιστής, ο: torturer, tormentor
βάσανο, το: torment, ordeal *(και μτφ)*
βάση, η: base, foundation ‖ *(μτφ)* basis, ground ‖ (βαθμολογίας) passing mark
βασίζω: base
βασικός, -ή, -ό: basic, fundamental
βασιλεία, η: (πολίτευμα) kingdom ‖ (αξίωμα) reign
βασίλειο, το: kingdom *(και μτφ)*
βασίλεμα, το: setting ‖ (ηλίου) sunset
βασιλεύς, ο: βλ. **βασιλιάς**
βασιλεύω: reign *(και μτφ)* ‖ (δύω) set
βασιλιάς, ο: king
βασιλικός, -ή, -ό: royal, regal ‖ (βασιλόφρων) royalist ‖ (φυτό) basil
βασίλισσα, η: queen
βασιλόπαιδο, το: prince
βασιλόπιτα, η: New Year's Day cake
βασιλοπούλα, η: princess
βασιλόπουλο, το: prince
βασιλόφρονας, ο: royalist
βάσιμος, -η, -ο: trustworthy, reliable, sound
βασκαίνω: cast an evil eye
βάσκαμα, το: evil eye
βασκανία, η: βλ. **βάσκαμα**
βαστιέμαι: βλ. **κρατιέμαι**
βαστώ: βλ. **κρατώ** ‖ βλ. **αντέχω**
βατ, το: watt
βάτα, η: padding
βατόμουρο, το: black berry, raspberry
βάτος, ο: bramble, brier
βατός, -ή, -ό: passable

βατραχάνθρωπος: frogman
βατραχοπέδιλα, τα: flippers
βάτραχος, ο: frog
βατσίνα, η: vaccine
βατt, το: βλ. **βατ**
βαυκαλίζω: lull *(και μτφ)*
βαφέας, ο: (υφασμ.) dyer ‖ (μπογιατζής) painter
βαφή, η: dye
βάφομαι: (μακιγιάρομαι) make up
βαφτίζω: (βυθίζω σε υγρό) dip, immerse, dunk ‖ (άνθρωπο) baptize, christen
βάφτιση, η: baptism, christening
βαφτίσια, τα: βλ. **βάφτιση**
βαφτισιμιά, η: goddaughter
βαφτισιμιός, ο: god son
βαφτιστήρι, το: god child
βαφτιστικιά, η: βλ. **βαφτισιμιά**
βαφτιστικός, ο: βλ. **βαφτισιμιός**
βάφω: dye ‖ (μπογιατίζω) paint ‖ (χρωματίζω) color, colour ‖ (παπούτσια) polish
βάψιμο, το: βλ. **βαφή** ‖ (μακιγιάρισμα) make up ‖ (ματιών) mascara
βγάζω: (αποχωρίζω) take out, extract ‖ (κερδίζω) make ‖ (αφαιρώ) take off, pull off ‖ (εξαθρώνω) dislocate ‖ (δόντια) to teethe, cut one's teeth ‖ (αφαιρώ δόντι) pull out, extract ‖ (εξάγω) take out
βγαίνω: (εξέρχομαι) go out, come out, get out, step out, walk out, exit ‖ (αφοδεύω) evacuate
βδέλλα, η: leech *(και μτφ)*
βδελυρός, -ή, -ό: abhorrent, abominable
βδομάδα, η: week
βέβαια: *(επίρ)* certainly, surely
βέβαιος, -α, -ο: certain, sure
βεβαιώνω: assure, confirm, affirm ‖ (έγγραφο) certify
βεβαίως: *(επίρ)* βλ. **βέβαια**
βεβαίωση, η: assurance, confirmation ‖ (έγγραφο) certificate
βέβηλος, -η, -ο: profane
βεβηλώνω: profane
βεβήλωση, η: profanity, profaneness
βεβιασμένος, -η, -ο: forced
βεγγαλικό, το: fireworks, bengal light
βεγγέρα, η: soiree, evening reception, evening party
βελάζω: bleat
βεληνεκές, το: range
βέλο, το: veil
βελόνα, η: needle
βελόνι, το: βλ. **βελόνα**
βελονιά, η: stitch
βελονιάζω: thread a needle
βέλος, το: (πολεμ.) arrow *(και μτφ)* ‖ (παιγν.) dart
βελουδένιος, -α, -ο: velvet, of velvet, velvety *(και μτφ)*
βελούδινος, -η, -ο: βλ. **βελουδένιος**
βελούδο, το: velvet
βελτιώνω: better, improve
βενζίνα, η: gasoline, gas ‖ *(brit.)* petrol
βενζινάδικο, το: gas station, filling station, service station
βενζινάκατος, η: motor boat
βενζίνη, η: βλ. **βενζίνα**
βεντάγια, η: fan
βεντάλια, η: βλ. **βεντάγια**
βεντέττα, η: (εκδίκ.) vendetta ‖ (γυναίκα) vamp, star
βεντούζες, οι: cupping
βέρα, η: wedding ring
βεράντα, η: verandah, veranda
βέργα, η: (ξύλινη) switch, stick ‖ (μεταλ.) rod
βερεσέ: *(επίρ)* on credit
βερικοκιά, η: apricot
βερίκοκο, το: apricot
βερμούτ, το: vermouth, vermuth
βερνίκι, το: varnish, polish ‖ *(μτφ)* polish, veneer
βερνικώνω: varnish, polish
βέρος, -α, -ο: true, genuine
βερυκοκιά, βερύκοκο: βλ. **βερικοκιά, βερίκοκο**
βήμα, το: step, pace ‖ (δρασκελιά) pace, stride ‖ (ρήτορα) rostrum, dais, tribune
βηματίζω: step, pace
βήχω, βήχας: cough
βία, η: (για επιβολή) force, violence ‖ (βιασύνη) hurry, haste
βιάζομαι: be in a hurry, be hasty, be in a haste, make haste
βιάζω: (ανσγκάζω) force, compel ‖ (παραβιάζω) force, break open ‖ (διαφθείρω) rape, violate
βίαιος, -α, -ο: (χαρακτήρας) violent ‖ (υποχρεωτικός) forcible, violent
βιαιότητα, η: violence
βιασμός, ο: violation, rape
βιαστής, ο: rapist
βιαστικά: *(επίρ)* hurriedly, hastily
βιαστικός, -ή, -ό: hasty, hurried, in a hurry
βιασύνη, η: hurry, haste
βιβλιάριο, το: booklet

βιβλίο, το: book
βιβλιοδέτης, ο: book binder
βιβλιοθηκάριος, ο: librarian
βιβλιοθήκη, η: (έπιπλο) bookcase || (κτίριο ή αίθουσα) library
βιβλιοπωλείο, το: bookstore, bookshop
βιβλιοπώλης, ο: bookseller, book salesman
βίβλος, η: bible
βίδα, η: screw || *(μτφ:* στριμμένος) screwball
βιδολόγος, ο: screwdriver
βίδρα, η: otter
βιδώνω: screw
βίζα, η: visa
βίλα, η: villa
βίντσι, το: winch, windlass
βιογραφία, η: biography
βιογραφικός, -ή, -ό: biographical, biographic
βιόλα, η: (άνθος) viola, violet || (οργ.) viola
βιολέτα, η: violet
βιολί, το: violin, fiddle
βιολιστής, ο (*θηλ.* **βιολίστρια**): violinist, fiddler
βιολιτζής, ο: βλ. **βιολιστής**
βιολογία, η: biology
βιολοντσέλο, το: cello, violoncello
βιομηχανία, η: industry
βιομηχανικός, -ή, -ό: industrial
βιομήχανος, ο: industrialist
βιοπαλαιστής, ο: one who ekes out a living
βιοπαλαίω: eke out a living
βιοπάλη, η: struggle for a living
βιοποριστικός, -ή, -ό: bread winning
βίος, ο: life
βιός, το: property, fortune, wealth
βιοτέχνης, ο: handicraftsman
βιοτεχνία, η: handicraft
βιρτουόζος, ο: virtuoso
βιταμίνα, η: vitamin
βιτρίνα, η: (καταστημ.) shop window || (θήκη επίδειξης) show case *(και μτφ)*
βιτριόλι, το: sulfuric acid, oil of vitriol
βίτσα, η: βλ. **βέργα**
βιτσιά, η: lash
βίτσιο, το: (συνήθεια) vice || *(σεξ* ανωμ.) perversion, vice
βλαβερός, -η, -ο: harmful, noxious || βλ. **επιζήμιος**
βλάβη, η: harm, injury || *(μηχ)* breakdown, trouble || (ζημία) damage
βλάκας, ο: stupid, idiot, imbecile, moron
βλακεία, η: stupidity, idiocy, imbecility
βλακώδης, -ες: stupid, idiotic, imbecilic
βλαμένος, -η, -ο: dotty, daft
βλάπτω: harm, be harmful, injure, damage
βλαστάνω: grow, spring up, sprout
βλαστάρι, το: sprout, shoot, bud || *(μτφ)* offspring, scion
βλαστήμια, η: (βλασφημία) blaspheme || (βρισιά) curse, oath
βλαστημώ: (βλασφημώ) blasheme || (βρίζω) curse, swear
βλάστηση, η: growth, vegetation
βλαστίζω: βλ. **βλαστάνω**
βλαστός: βλ. **βλαστάρι**
βλασφημία, βλάσφημος, βλασφημώ: βλ. **βλαστήμια, βλάστημος, βλαστημώ**
βλάφτω: βλ. **βλάπτω**
βλέμμα, το: look, glance, eye, gaze
βλέπω: see || (αντικρίζω) face, overlook
βλεφαρίδα: eyelash
βλεφαρίζω: wink
βλέφαρο, το: eyelid
βλέψη, η: aim, aspiration, prospect
βλήμα, το: missile, projectile
βλίτο, το: strawberry blite
βλογιοκομμένος, -η, -ο: pockmarked
βλοσυρός, -ή, -ό: grim, forbidding
βόας, ο: boa
βογγητό, το: groan, moan, groaning, moaning
βόγγος, ο: βλ. **βογγητό**
βογγώ: groan, moan
βόδι, το: ox
βοδινός, -ή, -ό: bovine || (κρέας) beef
βοή, η: clamor, din, boom
βοήθεια, η: help, assistance, aid || (ελεημοσύνη) alms || **πρώτες** *~ες:* first aid
βοήθημα, το: help, assistance, aid
βοηθητικός, -ή, -ό: auxiliary || (ευνοϊκός) helpful, favorable
βοηθός, ο: assistant, helper || (βαθμός) assistant
βοηθώ: help, assist, aid
βόθρος, ο: cesspool
βοϊδάμαξα, η: wagon, ox-cart
βολάν, το: (αυτοκινήτου) steering wheel || (αεροπλάνου) control stick, controls

βολβός, ο: bulb ‖ (μάτι) eyeball
βόλεϊμπολ: volley ball
βολεύω: arrange, tidy ‖ (διευθετώ) settle ‖ (ταιριάζω) suit
βολή, η: (ρίξιμο) throw ‖ (όπλου) shot, discharge ‖ (άνεση) comfort, convenience
βόλι, το: bullet
βολίδα, η: missile
βολιδοσκοπώ: sound *(και μτφ)* ‖ (γνώμη) canvass
βολικός, -ή, -ό: (άνετος) comfortable, convenient ‖ (ευκαιρία) convenient ‖ (άνθρωπος) easy-going, good-natured
βόλλεϋμπωλ: βλ. **βόλεϊμπολ**
βολοκόπος, ο: harrow
βόλος, ο: lump, clod, chunk ‖ (παιχνίδι) marble
βολτ, το: volt
βόλτα, η: (περιστροφή) revolution ‖ (στροφή) turn ‖ (περίπατος) stroll, walk
βολτάρω: stroll, walk
βόμβα, η: bomb, bombshell *(και μτφ)*
βομβαρδίζω: bomb, bombard *(και μτφ)*
βομβαρδισμός, ο: bombing
βόμβος, ο: buzz, hum
βομβώ: buzz, hum
βορά, η: prey
βόρβορος, ο: mire, mud, slime *(και μτφ)*
βορειοανατολικός, -ή, -ό: north-east, north-easterly
βορειοδυτικός, -ή, -ό: north-west, north-westerly
βόρειος, -α, -ο: north, northern
βοριάς, ο: βλ. **βορράς** ‖ (άνεμος) north wind
βορινός, -ή, -ό: βλ. **βόρειος**
βορράς, ο: north
βοσκή, η: (βόσκημα) grazing, pasture ‖ (μέρος) pasture
βοσκός, ο: (προβάτων) shepherd ‖ (μεγάλων ζώων) herder, herdsman
βοσκότοπος, ο: pasture, meadow
βόσκω: *(αμτβ)* graze, pasture, browse ‖ *(μτβ)* take to pasture, graze
βόστρυχος, ο: curl, lock, tress, ringlet
βοτάνι, το: herb
βοτανίζω: weed
βότανο, το: herb ‖ (ζιζάνιο) weed
βότσαλο, το: pebble
βουβαίνομαι: become mute, be left speechless
βουβαίνω: make mute ‖ *(μτφ)* leave speechless
βουβάλι, το: buffalo
βούβαλος, ο: βλ. **βουβάλι**
βουβός, -ή, -ό: mute, speechless *(και μτφ)*
βουβώνας, ο: groin, loins
βουζούνι, το: boil, furuncle
βουητό, το: βλ. **βοή**
βουΐζω: buzz, hum
βούκα, η: βλ. **μπουκιά**
βουκέντρα, η: goad, prod
βούλα, η: (του πάπα) bull, bulla ‖ (σφρ) seal, stamp ‖ (σημάδι) spot
βουλεβάρτο, το: boulevard
βούλευμα, το: (γνωμοδότηση) decision, judgement ‖ *(νομ)* decree, writ
βουλευτήριο, το: congress, parliament, house of commons
βουλευτής, ο (*θηλ.* **βουλευτίνα**): congressman, representative, member of parliament
βουλή, η: (θέληση) will, volition ‖ *(πολ)* βλ. **βουλευτήριο**
βούληση, η: will, volition desire ‖ (πρόθεση) intention
βουλιάζω: *(μτβ και αμτβ)* sink ‖ *(μτφ)* collapse, be ruined
βουλιμία, η: bulimia, gluttony, insatiable appetite
βουλοκέρι, το: sealing-wax
βούλωμα, το: (κλείσιμο) sealing, corking, stopping ‖ (καπάκι) cork, stopper, plug, lid
βουλώνω: (σφραγίζω) seal, stamp ‖ (βάζω καπάκι) plug, cork, stop
βουνίσιος, -α, -ο: (άνθρωπος) mountaineer, highlander ‖ (τόπος) mountainous
βουνό, το: mountain
βουνοπλαγιά, η: hillside, mountainside
βούρδουλας, ο: whip, lash
βούρκος, ο: βλ. **βόρβορος**
βουρκώνω: (μάτια) fill with tears
βούρλο, το: bulrush, rush
βούρτσα, η: brush
βουρτσίζω: brush
βουστάσιο, το: cattle ranch, cowshed, dairy farm
βούτημα, το: dunking cake, biscuit
βουτηχτής, ο: diver
βουτιά, η: dive, plunge
βούτυρο, το: butter
βουτώ: (βυθίζω) dip, dunk ‖ (κάνω βουτιά) five, plunge, ‖ *(μτφ)*

swipe, filch, pilfer, steal, snatch
βόχα, η: stench, stink
βοώ: cry, make an outcry
βραβείο, το: prize, award
βραβεύω: award a prize, reward
βράγχιο, το: gills
βραδιά, η: βλ. **βράδυ** || βλ. **νύχτα**
βραδινός, -ή, -ό: evening
βράδυ, το: evening
βραδύγλωσσος, -η, -ο: stutterer, stammerer, stuttering, stammering
βραδύνω: *(αμτβ)* be late, delay, linger || *(μτβ)* delay
βραδυπορώ: straggle, fall behind, lag behind, walk slowly
βραδύς, -εία, -ύ: slow, sluggish, straggler
βράζω: boil, stew || *(μτφ)* seethe, stew
βρακί, το: *(ανδρ)* shorts, underpants, drawers || *(γυν)* panties, pants, underpants
βραστός, -ή, -ό: boiled || (πολύ καυτός) boiling, steaming
βραχιόλι, το: bracelet
βραχίονας, ο: arm *(και μτφ)*
βράχνα, η: hoarseness
βραχνάδα, η: βλ. **βράχνα**
βραχνάς, ο: (εφιάλτης) nightmare || (άγχος) anxiety, oppressiveness, weight
βραχνιάζω: become hoarse
βράχνιασμα, το: βλ. **βράχνα**
βραχνός, -ή, -ό: hoarse
βράχος, ο: rock *(και μτφ)*
βραχυκύκλωμα, το: short-circuit
βραχύνω: (μικραίνω) shorten || (συντομεύω) abbreviate
βραχυπρόθεσμος, -η, -ο: short-termed
βραχύς, -εία, -ύ: (κοντός) short || (σύντομος) short, brief
βραχώδης, -ες: rocky
βρεφικός, -ή, -ό: infantile
βρεφοκομείο, το: foundling asylum, infant asylum, baby farm
βρεφοκτονία, η: infanticide
βρεφοκτόνος, ο (*θηλ.* **βρεφοκτόνος**): infanticide
βρέφος, το: infant
βρέχω: (καταβρέχω) wet, moisten, drench || (καιρός) rain || (κατουριέμαι) wet
βρίζω: curse, swear
βρίθω: teem, swarm with, crawl with
βρίκι, το: brig
βρισιά, η: curse, oath, abuse, insult
βρίσκομαι: be located, be found, be
βρίσκω: find
βρογχίτιδα, η: bronchitis
βρογχοπνευμονία, η: bronchopneumonia
βρόγχος, ο: bronchus
βροντερός, -ή, -ό: thundering, thunderous
βροντή, η: thunder, thunderclap
βρόντος, ο: thunder, roar, din
βροντοφωνώ: thunder
βροντώ: thunder *(και μτφ)* || (χτυπώ δυνατά) thump
βροντώδης, -ες: βλ. **βροντερός**
βροχερός, -ή, -ό: rainy
βροχή, η: rain
βροχόνερο, το: rainwater
βροχόπτωση, η: rainfall
βρόχος, ο: loop, noose
βρυκόλακας, ο: vampire
βρύο, το: moss
βρύση, η: fountain||(κάνουλα) tap, faucet, spigot
βρυχώμαι: roar
βρώμα, η: (δυσοσμία) stink, stench || (ακαθαρσία) filth, dirt
βρωμερός, -ή, -ό: (δύσοσμος) stinking, foul || (ακάθαρτος) dirty, filthy
βρώμη, η: oats
βρωμιά, η: filth, dirt *(και μτφ)*
βρωμιάρης, -α, -ικο: βλ. **βρωμερός**
βρωμίζω: dirty, soil
βρώμικος, -η, -ο: βλ. **βρωμερός**
βρωμόλογο, το: obscenity, dirty word
βρωμώ: stink, give off a stench, to emit a foul odor
βυζαίνω: suck, suckle
βυζαντινός, -ή, -ό: byzantine
βυζί, το: breast || (αγελάδας, προβάτου κλπ.) udder
βυζούνι, το: βλ. **βουζούνι**
βυθίζομαι: sink
βυθίζω: (βάζω σε νερό) dip, submerge, immerse || (καταβυθίζω) sink
βυθοκόρος, η: (μηχάνημα) dredge || (πλοίο) dredger
βυθός, ο: bottom
βυρσοδεψείο, το: tannery
βυρσοδέψης, ο: tanner
βυσσινής, -ιά, -ύ: purple, purplish red, crimson
βυσσινιά, η: morello tree, sour cherry
βύσσινο, το: morello, sour cherry
βυσσοδομώ: intrigue, scheme, plot
βυτίο, το: cask, barrel
βώδι, βωδινός: βλ. **βόδι, βοδινός**
βωμός, ο: altar

Γ

γαβάθα, η: clay bowl, wooden bowl, earthenware basin
γαβγίζω, γάβγισμα: βλ. **γαυγίζω, γαύγισμα**
γάγγραινα, η: gangrene
γάδος, ο: codfish
γάζα, η: gauze
γαζί, το: backstitch, stitch
γαζία, η: farnesian acacia, mallow, musk mallow
γαζώνω: backstitch, stitch
γαιάνθρακας, ο: coal
γάϊδαρος, ο: ass, donkey || *(μτφ)* ass, jackass
γαϊδούρα, η: jenny
γαϊδουράγκαθο, το: thistle
γαιοκτήμονας, ο: landowner
γαϊτανάκι, το: (της αποκριάς) maypole
γαϊτάνι, το: ribbon
γάλα, το: milk
γαλάζιος, -α, -ο: blue
γαλακτοκομείο, το: dairy
γαλακτομπούρεκο, το: cream-pie, cream-cake
γαλακτοπωλείο, το: creamery, milk-shop
γαλακτοπώλης, ο: milkman
γαλανόλευκος, -η, -ο: blue and white
γαλανομάτης, -α, -ικο: blue-eyed
γαλανός, -ή, -ό: βλ. **γαλάζιος** || βλ. **γαλανομάτης**
γαλαντόμος, ο: (ευγενής) gallant || (ανοιχτοχέρης) open-handed, generous
γαλαξίας, ο: *(αστρ)* galaxy, milky way
γαλαρία, η: (στοά) gallery, arcade || (σήραγγα) tunnel || (θεάτρ.) balcony, gallery
γαλατάδικο, το: βλ. **γαλακτοπωλείο**
γαλατάς, ο: βλ. **γαλακτοπώλης**
γαλατόπιτα, η: milk-pie, cream-pie
γαλβανισμός, ο: galvanizing
γαλέος, ο: dogfish
γαλέτα, η: hardtack
γαληνεύω: calm, calm down, become calm
γαλήνη, η: calm, calmness, serenity || (θάλασσας) calm
γαλήνιος, -α, -ο: calm, serene || (θαλ.) calm, smooth
γαλιάντρα, η: meadowlark
γαλλικός, -ή, -ό: french
γαλονάς, ο: striper, ranker
γαλόνι, το: (βάρος) gallon || (αξιωμ. στρατού) star, pip || (υπαξ.) stripe, chevron || (αξιωμ. ναυτ.) stripe
γαλοπούλα, η: turkey, turkey hen
γάλος, ο: turkey cock
γαλότσα, η: galosh, golosh, rubbers
γαλουχώ: nurse, suckle || *(μτφ)* bring up, rear
γαμβρός, ο: βλ. **γαμπρός**
γαμήλιος, -α, -ο: nuptial, bridal
γάμος, ο: (τελετή) nuptials, wedding, wedding ceremony || (σύζευξη) marriage, matrimony, wedlock
γάμπα, η: (ειδικά) calf, shank || (γενικά) leg
γαμπρός, ο: (μελλόνυμφος) groom, bride-groom || (από κόρη) son-in-law || (από αδελφή) brother-in-law
γαμψός, -ή, -ό: hooked || (μύτη) aquiline
γάντζος, ο: hook
γαντζώνω: hook, grapple || *(μτφ)* hook
γάντι, το: glove || (προστατευτικό) gauntlet
γανώνω: tin
γανωτής, ο: tinner
γαργαλάω: tickle || *(μτφ)* tickle, titilate
γαργαλιστικός, -ή, -ό: tickling || *(μτφ)* titilating, tickling
γαργάρα, η: gargle
γαργαρίζω: gargle || *(μτφ)* purl, murmur
γάργαρος, -η, -ο: purling, murmuring || (καθαρός) clear, crystal-clear
γαρδένια, η: gardenia
γαρίδα, η: shrimp
γαρμπής, ο: southwester, southwest wind
γαρνίρισμα, το: garnishing || βλ. **γαρνιτούρα**

γαρνίρω: garnish
γαρνιτούρα, η: garniture, trimming || (φαγητού) garnish, side-dish
γαρύφαλο, το: (άνθος) carnation || (μπαχαρ.) clove
γάστρα, η: pot
γαστρονόμος, ο: gastronome, gourmet
γάτα, η: cat, pussy, puss
γατάκι, το: kitten, pussy, kit
γάτος, ο: tomcat
γατούλα, η: βλ. **γατάκι**
γαυγίζω: bark, bay || (μικρού σκύλου) yip, yap, yelp || *(μτφ)* bark, yap
γαύγισμα, το: bark, bay, baying || yip, yap, yelp
γαύρος, ο: hornbeam
γδέρνω: skin, flay || *(μτφ)* fleece
γδούπος, ο: thump
γδύνομαι: strip, undress, take off one's clothes
γδύνω: strip, undress || *(μτφ)* strip, fleece
γεγονός, το: (συμβάν) event, occurrence, incident, happening || (πραγματικότητα) fact
γειά, η: health || (αποχαιρ.) goodbye, so long, bye-bye || (χαιρ.) hello || (πρόποση) cheers, your health
γείσο, το: (πηλικίου) vizor, visor, bill || (κορνίζα) cornice || (στέγης) eaves
γείτονας, ο: (*θηλ.* **γειτόνισσα**) neighbor
γειτονεύω: neighbor, border upon, lie close to, adjoin
γειτονιά, η: neighborhood, vicinity
γειτονικός, -ή, -ό: neighboring, bordering, adjoining
γελάδα, η: cow
γελαδάρης, ο: herder, cow boy
γελαδινός, -ή, -ό: cow
γελάω: βλ. **γελώ**
γελέκο, το: βλ. **γιλέκο**
γελιέμαι: be deceived, be mistaken
γέλιο, το: laugh, laughter || (δυνατό) guffaw || (νευρικό ή κρυφό) giggle
γελοιογραφία, η: caricature
γελοιοποιούμαι: make a fool of myself, become ridiculous
γελοιοποιώ: ridicule, make ridiculous, make a fool of
γελοίος, -α, -ο: ridiculous
γελοιότητα, η: ridiculousness
γελώ: laugh || *(μτφ)* twinkle, be merry, be radiant || (απατώ) take in, swindle, fool, deceive
γέλωτας, ο: βλ. **γέλιο**
γελωτοποιός, ο: comedian, clown, || (αυλής) jester
γεμάτος, -η, -ο: (πλήρης) full, filled || (όπλο) loaded || (παχύς) thickset, stout, plump
γεμίζω: *(μτβ):* (πληρώνω) fill || (όπλο) load || (φορτίζω) charge || (φαγητό) stuff || *(αμτβ):* (πληρούμαι) fill, be filled || (παχαίνω) fill out, put on weight || (φεγγάρι) wax
γεμιστός, -ή, -ό: stuffed
Γενάρης, ο: January
γενάρχης, ο: progenitor, partriarch
γενεά, η: (φυλή) race || (γενιά) generation || (καταγωγή) birth
γενέθλια, τα: birthday
γένεια, τα: βλ. **γενειάδα**
γενειάδα, η: beard
γενέτειρα, η: (χώρα) native country, native land || (πόλη) birthplace, place of birth
γενετή, η: βλ. **γέννηση** || **εκ ~ς:** by birth, from birth
γενετήσιος, -α, -ο: sexual
γένι, το: βλ. **γενειάδα**
γενιά, η: βλ. **γενεά**
γενικά: *(επίρ)* generally, in general
γενικεύω: generalize
γενική, η: *(γραμ)* genitive
γενικός, -ή, -ό: general
γενικότητα, η: generality
γέννα, η: birth, childbirth, delivery
γενναιοδωρία, η: generosity
γενναιόδωρος, -η, -ο: generous
γενναίος, -α, -ο: brave, valiant, courageous
γενναιότητα, η: bravery, valor, courage
γενναιόφρων, -ον: magnanimous, chivalrous
γενναιοψυχία, η: βλ. **γενναιοφροσύνη** || βλ. **γενναιότητα**
γενναιόψυχος, -η, -ο: magnanimous, chivalrous
γέννηση, η: βλ. **γέννα** || *(θρησκ)* Nativity
γεννητικός, -ή, -ό: genital || **~ά όργανα:** genitalia, genitals
γεννητούρια: βλ. **γέννα**
γεννήτρια, η: generator
γεννιέμαι: be born
γεννώ: give birth to, bring forth
γένος, το: βλ. **γενεά** || (ανθρώπινο)

mankind, homo, homo sapiens || (ζώων και φυτών) genus, species, || *(γραμ)* gender
γεράκι, το: hawk, falcon
γεράματα, τα: old age
γεράνι, το: geranium
γερανός, ο: crane (πουλί και μηχάνημα)
γερατειά, τα: βλ. **γεράματα**
γέρικος, -η, -ο: old
γέρνω: *(μτβ)* tilt, bend, lean || *(αμτβ)* lean, incline, slant
γερνώ: age, get old, grow old
γέροντας, ο: (*θηλ.* **γερόντισσα**): βλ. **γέρος, γερόντισσα**
γεροντικός, -ή, -ό: senile
γερόντισσα, η: old woman
γεροντοκόρη, η: old maid, spinster
γεροντοπαλίκαρο, το: bachelor
γέρος, ο: (*θηλ.* **γριά**) old man
γερός, -ή, -ό: (υγιής) healthy, sound, hale || (δυνατός) strong, robust
γερουσία, η: senate
γερουσιαστής, ο: senator
γέρων: βλ. **γέρος**
γεύμα, το: (φαγητό) meal || (μεσημεριανό) luncheon, lunch || (επίσημο) dinner
γευματίζω: *(μεσημ.)* lunch || (επίσ.) dine
γεύομαι: taste *(και μτφ)*
γεύση, η: (αίσθηση) taste || (νοστιμάδα) flavor, taste
γευστικός, -ή, -ό: tasty
γέφυρα, η: bridge
γεφύρι, το: βλ. **γέφυρα**
γεφυρώνω: bridge *(και μτφ)*, span
γεωγραφία, η: geography
γεωγραφικός, -ή, -ό: geographic, geographical
γεωδαισία, η: geodesy
γεωλογία, η: geology
γεωμετρία, η: geometry
γεωμετρικός, -ή, -ό: geometric, geometrical
γεώμηλο, το: potato
γεωπονία, η: geoponics, science of agriculture
γεωπόνος, ο: agriculturalist, agriculturist
γεωργία ,η: farming, land cultivation
γεωργικός, -ή, -ό: farming, agricultural
γεωργός, ο: farmer, cultivator || (που οργώνει) plowman
γεώτρηση, η: drilling
γεωτρύπανο, το: auger, drill, borer
γη, η: (υδρόγειος) earth, globe
γήπεδο, το: ground, field || (τένις) courts || (γκολφ) links, course
γηραιός, -ά, -ό: aged, elderly, old
γηροκομείο, το: home for the aged
για: for || (για λογαριασμό) on behalp of || (σχετικά με) about || (προς) for
γιαγιά, η: grandmother, granny, grandma, grannie
γιαγιάκα, η: granny, grannie
γιακάς, ο: collar || βλ. **πέτο**
γιαλός, ο: seashore, sandy beach
γιαούρτι, το: yogurt, yoghourt, yoghurt
γιασεμί, το: jasmine
γιατί: *(συνδ)* why || (διότι) because
γιατρειά. η: cure, healing
γιατρεύω: cure, heal
γιατρικό, το: medication, medicine, remedy
γιατρός, ο: physician, medical doctor, doctor
γιατροσόφι, το: medication, medicament
γιαχνί, το: stew, ragout
γίγαντας, ο: giant *(και μτφ)*
γιγαντιαίος, -α, -ο: gigantic
γιγάντιος, -α. -ο: βλ. **γιγαντιαίος**
γίγας, ο: βλ. **γίγαντας**
γίδα, η: goat
γίδι, το: kid
γιδοβοσκός, ο: goatherd
γιλέκο, το: vest, waistcoat
γινάτι, το: spite
γίνομαι: become || (φτιάχνομαι) be done || (ωριμάζω) ripen || (λαβαίνω χώρα) happen, occur, take place || (πραγματοποιούμαι) become
γινόμενο, το: product
γινωμένος, -η, -ο: (τελειωμένος) done || (ώριμος) ripe
γιορτάζω: celebrate
γιορτή, η: βλ. **εορτή**
γιορτινός, -ή, -ό: βλ. **εορτάσιμος**
γιός, ο: son
γιούλι, το: violet
γιούχα: boo
γιρλάντα, η: (στολίδι) garland, festoon
γιωτ, το: βλ. **θαλαμηγός**
γκάζι, το: (αέριο) gas || (πετρέλαιο) petroleum, oil
γκαζιέρα, η: gas stove
γκαζόζα, η: carbonated lemonade
γκαμήλα, η: βλ. **καμήλα**

γκαμπαρντίνα, η: βλ. **καμπαρντίνα**
γκαράζ, το: garage
γκαρίζω: bray
γκαρσόν, το: waiter
γκαρσονιέρα, η: efficiency apartment, bachelor apartment
γκαστρώνω: impregnate
γκάφα, η: gaffe, blunder
γκέμι, το: rein
γκίνια, η: adversity, bad luck
γκλίτσα, η: shepherd's staff
γκολ, το: goal, score
γκολφ, το: golf
γκουβερνάντα, η: governess
γκρεμίζομαι: topple, collapse
γκρεμίζω: (ανατρέπω) overthrow, topple || (κατεδαφίζω) demolish, pull down
γκρεμός, ο: precipice, crag
γκρι: gray, grey
γκρίζος, -α, -ο: βλ. **γκρι**
γκριμάτσα, η: βλ. **μορφασμός**
γκρίνια, η: grumble, nagging
γκρινιάζω: grumble, carp, nag
γκρινιάρης, -α, -ικο: grumbler, nagging
γλάρος, ο: gull, mew, seagull
γλαρώνω: drowse, doze, be sleepy
γλάστρα, η: flowerpot
γλαύκα, η: owl
γλαφυρός, -ή, -ό: smooth
γλειφιτζούρι, το: lollipop, lollypop
γλείφω: lick || *(μτφ)* apple-polish, fawn
γλεντζές, ο: convivial, reveler, merrymaker
γλέντι, το: merry-making, revelry
γλεντώ: make merry, revel
γλιστερός, -ή, -ό: slippery
γλίστρημα, το: slip *(και μτφ)*
γλιστρώ: (άθελα) slip *(και μτφ)* (ξεφεύγω) elude, slip away
γλοιώδης, -ες: slimy *(και μτφ)*
γλόμπος, ο: bulb, globe
γλουτός, ο: buttock, rump, butt
γλύκα, η: sweetness
γλυκαίνω: sweeten
γλυκερίνη, η: glycerine
γλύκισμα, το: cake, sweetmeat, pie, pastry
γλυκό, το: βλ. **γλύκισμα** || sweet, candy, confectionery
γλυκοκοιτάζω: give the eye, look at amorously, make eyes at
γλυκοπατάτα, η: sweet potato
γλυκός, -ιά, -ό: sweet
γλύπτης, ο: *(θηλ* **γλύπτρια**): sculptor
γλυπτική, η: sculpture, statuary
γλυπτό, το: sculpture, engraving
γλυτώνω: *(μτβ)* deliver, free, rescue, save || *(αμτβ)* escape
γλύφανο, το: chisel, burin, graver
γλυφός, -ή, -ό: brackish
γλύφω: sculpture || (ξύλο) carve || *(μετ)* chisel, sculpture || βλ. **γλείφω**
γλώσσα, η: (όργανο) tongue || (ομιλία) tongue, language || (ψάρι) flounder, plaice, fluke, sole
γλωσσίδι, το: tongue || (κουδουνιού) tongue of a bell, clapper
γλωσσολογία, η: linguistics
γλωσσολόγος, ο: linguist
γνάθος, η: jaw
γνέθω: spin
γνέφω: beckon, nod
γνήσιος, -α, -ο: (νόμιμος) legitimate || (αυθεντικός) genuine, authentic
γνωματεύω: give an opinion, judge
γνώμη, η: opinion, view
γνωμικό, το: motto, maxim
γνωμοδοτώ: βλ. **γνωματεύω**
γνώμονας, ο: *(μτφ)* criterion, standard
γνωρίζομαι: get acquainted, meet || (συστήνομαι) be introduced
γνωρίζω: (ξέρω) know, be aware of, be cognizant || (συστήνω) introduce || βλ. **αναγνωρίζω** || βλ. **γνωστοποιώ**
γνωριμία, η: acquaintance
γνώριμος, -η, -ο: acquaintance || βλ. **γνωστός**
γνώρισμα, το: characteristic
γνώση, η: knowledge || βλ. **σύνεση**
γνώστης, ο: versed, connoisseur
γνωστικός, -ή, -ό: prudent, wise
γνωστοποιώ: notify, make known, inform, announce
γνωστός, -ή, -ό: known, familiar || βλ. **γνώριμος**
γόβα, η: pump, slipper
γόης, ο: *(θηλ.* **γόησσα**): βλ. **μάγος** || *(μτφ)* charmer
γόησσα, η: βλ. **μάγισσα** || *(μτφ)* enchantress, vamp
γοητευτικός, -ή, -ό: charming, attractive
γοητεύω: charm, attract, captivate
γόητρο, το: βλ. **θέλγητρο** || *(μτφ)* prestige
γόμα, η: (κόλλα) glue || (σβηστήρα) eraser
γομάρι, το: (βάρος) load, burden ||

βλ. **γάϊδαρος**
γομολάστιχα, η: eraser
γομφίος, ο: molar
γόνα, το: βλ. **γόνατο**
γονατίζω: *(αμτβ)* kneel, fall to one's knees || *(μτβ)* make s.b. kneel
γόνατο, το: knee
γονείς, οι: parents
γονικά, τα: βλ. **γονείς**
γονιμοποιώ: fertilize, impregrate
γόνιμος, -η, -ο: fertile, prolific || βλ. **επινοητικός**
γονιός, ο: father || *(πληθ)* βλ. **γονείς**
γόνος, ο: offspring
γόνυ, το: βλ. **γόνατο**
γόπα, η: (ψάρι) bass || (τσιγάρου) bult end, fag end, stub
γοργόνα, η: sea-maiden, mermaid
γοργός, -ή, -ό: fast, rapid, quick, swift
γορίλας, ο: gorilla *(και μτφ)*
γούβα, η: (βαθούλωμα) hollow, cavity || (λάκκος) pot-hole
γουδί, το: mortar
γουδοχέρι, το: pestle
γουλιά, η: sip, mouthful
γούνα, η: fur
γουναρικά, τα: furriery
γουργουρίζω: rumble
γούρι, το: (καλοτυχία) good luck || (αντικείμενο) charm, mascot
γούρικος, -η, -ο: lucky
γουρλίδικος, -η, -ο: βλ. **γούρικος**
γουρλώνω: goggle, open wide, stare with wide eyes
γούρνα, η: (λάκος) hole, pot-hole || (ποτίσματος) watering trough
γουρούνα, η: sow
γουρούνι, το: pig, swine *(και μτφ)*
γουστάρω: (επιθυμώ) desire, yearn, wish || (μου αρέσει) like || (απολαμβάνω) enjoy
γουστέρα, η: lizard
γούστο, το: taste
γοφός, ο: hip, haunch
γραβάτα, η: tie, necktie, cravat
γραίγος, ο: northeaster, northeast wind
γράμμα, το: (αλφαβήτου) letter, character || (επιστολή) letter
γράμματα, τα: education, learning
γραμμάριο, το: gram, gramme
γραμματέας, ο (η): secretary
γραμματική, η: grammar
γραμμάτιο, το: bill, note, note of hand, promissory note, I.O.U.
γραμματισμένος, -η, -ο: educated, learned, literate
γραμματοκιβώτιο, το: mailbox, letterbox
γραμματοκομιστής, ο: mailman, postman, letter carrier
γραμματόσημο, το: stamp, postage-stamp
γραμμή, η: line || (σειρά) line, row, rank || (κοντυλιά) line, stroke
γραμμόφωνο, το: phonograph, gramophone
γρανίτης, ο: granite *(και μτφ)*
γραπτός, -ή, -ό: written
γραπώνω: grab
γρασίδι, το: grass
γράσο, το: grease
γρατσουνιά, η: scratch
γρατσουνίζω: scratch
γραφέας, ο: scribe, clerk, penman
γραφείο, το: (δωμάτιο σπιτιού) study || (εργασίας) office || (υπηρεσία) bureau || (έπιπλο) desk
γραφειοκράτης, ο: bureaucrat
γραφειοκρατία, η: bureaucracy || (συστηματική καθυστέρηση) red tape
γραφή, η: writing
γραφομηχανή, η: typewriter
γραφτό, το: destiny, fate
γράφομαι: be written || (σε σχολείο) enrol, matriculate || (σε σύλλογο, κλπ.) join
γράφω: write || (καταχωρίζω) record || (σε σχολείο) enrol
γράψιμο, το: writing || (γραφ. χαρακτ.) handwriting
γρήγορα: *(επίρ)* fast, quickly, swiftly || (αμέσως) promptly
γρηγοράδα, η: rapidity, quickness, swiftness, speed
γρήγορος, -η, -ο: fast, quick, swift, rapid, speedy
γριά, η: old woman
γρίλια, η: grill, grille, slat
γρίπη, η: influenza, grippe, flu
γρίφος, ο: riddle, enigma
γροθιά, η: (πυγμή) fist || (χτύπημα) punch
γρονθοκοπώ: box, punch, clout, slug, belt
γρουσούζης, -α, -ικο: ominous, unlucky
γρουσουζιά, η: bad luck, misfortune
γρυλίζω: grunt, growl *(και μτφ.)* || (γουρούνι) grunt
γρύλος, ο: (έντομο): cricket || *(μηχ)*

jack
γυάλα, η: jar, bowl || (ψαριών) fishbowl
γυαλί, το: glass || **~ιά, τα:** glasses, eye-glasses, spectacles
γυαλίζω: *(μτβ)* polish, shine, burnish || *(αμτβ)* shine, sparkle, glisten
γυαλικά, τα: glassware
γυάλινος, -η, -ο: glass || (σαν γυαλί) glassy
γυαλιστερός, -ή, -ό: shining,bright, shiny, glistering
γυαλόχαρτο, το: sandpaper
γυάρδα, η: yard
γυιός, ο: βλ. **γιός**
γυλιός, ο: knapsack
γυμνάζομαι: exercise, train
γυμνάζω: train, drill, exercise || *(αθλ)* train, coach
γυμνασιάρχης, ο: principal of a junior high school
γυμνάσιο, το: junior high school || (ευρωπ.) gymnasium
γυμναστήριο, το: gym, gymnasium
γυμναστής, ο (*θηλ.* **γυμνάστρια**): (προπονητής) coach, trainer || (δάσκαλος) physical education teacher, P.E. teacher || (αθλητής) gymnast
γυμναστική, η: (σωμ. αγωγή) physical education || (άσκηση) exercise || (σύνολο ασκήσεων) gymnastics
γυμνάστρια, η: βλ. **γυμναστής**
γυμνιστής, ο: (*θηλ.* **γυμνίστρια**) nudist
γυμνός, -ή, -ό: naked, bare, nude || *(μτφ)* bare
γυμνοσάλιαγκας, ο: slug
γυμνώνω: strip, undress || *(μτφ)* strip
γυναίκα, η: woman
γυναικαδέλφη, η: sister-in-law
γυναικάδελφος, ο: brother-in-law
γυναικείος, α, 0ο: woman || (σαν γυναίκα) womanish, effeminate
γυναικολογία, η: gynecology
γυναικολόγος, ο: gynecologist
γύπας, ο: vulture
γύρα, η: (κύκλος) circle || (βόλτα) stroll, walk
γυρεύω: seek, search, look for || (ζητώ) ask for
γυρίζω: (στρέφω) turn, rotate, revolve, spin *(μτβ και αμτβ)* || (επιστρέφω) return, come back || (ταινία) film, shoot
γυρισμός, ο: return
γυρνώ: βλ. **γυρίζω**
γυρολόγος, ο: huckster, hawker, peddler, street vendor
γύρος, ο: (περίπατος) stroll, walk || (κα-πέλου) brim || (φορέματος) hem || (στίβου) lap || (πυγμαχ. και πάλης) round
γυρτός, -ή, -ό: leaning, inclined
γύρω: round, around, about
γύφτος, ο: gypsy, gipsy || *(μτφ)* mean
γύψος, ο: plaster of Paris, gypsum || (κατάγματος) cast
γωνία, η: *(γεωμ)* angle || (άκρη) corner || (όργανο) set square

Δ

δάγκαμα, το: βλ. **δάγκωμα**
δαγκαματιά, η: βλ. **δαγκωματιά**
δαγκάνα, η: pincer
δαγκάνω: βλ. **δαγκώνω**
δάγκειος, ο: dengue
δάγκωμα, το: bite || (εντόμου) sting
δαγκωματιά, η: bite
δαγκώνω: bite *(και μτφ)* || (εντόμου) sting
δαδί, το: pinewood
δαίδαλος, ο: maze, labyrinthine
δαίμονας, ο: demon *(και μτφ)*
δαιμόνιος, -α, -ο: genius, ingenious
δαιμονισμένος, -η, -ο: demoniac, possessed
δάκος, ο: olive fly
δάκρυ, το: tear
δακρύζω: shed tears, tear, fill with tears
δακτυλήθρα, η: thimble
δακτυλίδι, το: ring
δάκτυλο, το: (χεριού) finger || (ποδιού) toe || *(μτφ)* finger
δακτυλογράφος, ο, η: typist

δακτυλογραφώ: typewrite, type ‖ (με τυφλό σύστημα) touch-type
δάκτυλος, ο: βλ. **δάκτυλο** ‖ (μέτρου) centimeter, centimetre ‖ (υάρδας) inch
δαλτωνισμός, ο: daltonism ‖ βλ. και **αχρωματοψία**
δαμάζω: tame, break
δαμάλα, η: cow *(και μτφ)*
δαμάλι, το: calf, heifer
δαμαλισμός, ο: vaccination
δαμασκηνιά, η: plum, plum tree
δαμάσκηνο, το: plum ‖ (ξερό) prune
δαμαστής, ο (*θηλ.* **δαμάστρια**): tamer
δαμιζάνα, η: demijohn
δανδής, ο: toff, swish, fop, dandy
δανείζομαι: borrow
δανείζω: loan, lend
δανεικός, -ή, -ό: on loan, borrowed
δάνειο, το: loan
δανειστής, -τρια: lender, creditor
δαντέλα, η: lace
δαπάνη, η: expense, cost
δαπανηρός, -ή, -ό: costly, expensive
δαπανώ: spend
δάπεδο, το: floor
δασεία, η: hard breathing mark
δασκάλα, η: teacher, schoolmistress
δασκαλεύω: instruct, advise
δάσκαλος, ο: teacher, schoolteacher, schoolmaster
δασμολόγιο, το: tariff
δασμός, ο: (φόρος) tax ‖ (εισαγωγής) duty
δασολόγος, ο: forester
δάσος, το: forest, wood, woods
δασοφύλακας, ο: forest guard, ranger
δασύλλιο, το: park, grove
δαυλί, το: βλ. **δαυλός**
δαυλός, ο: torch, firebrand
δάφνη, η: laurel *(και μτφ)*
δαχτυλήθρα, η: thimble
δαχτυλιά, η: (αποτύπωμα) fingerprint ‖ (ποσότητα) finger, drop
δαχτυλίδι, το: ring
δάχτυλο, το: βλ. **δάκτυλο**
δεδομένο, το: fact, datum, given
δέηση, η: (παράκληση) supplication, entreaty ‖ (προσευχή) prayer
δείγμα, το: sample, specimen ‖ (ένδειξη) token, sign, proof
δειγματολόγιο, το: samples, collection, sample case,sample list
δείκτης, ο: (οργάνου) pointer, indicator ‖ (ρολογιού) hand ‖ (δάχτυλο) index
δεικτικός, -ή, -ό: (που δείχνει) indicative, indicating ‖ *(αντων)* demonstrative
δείλι, το: afternoon
δειλία, η: shyness, timidity ‖ (ανανδρία) cowardice
δειλιάζω: lose heart
δειλινό, το: βλ. **δείλι**
δειλός, -ή, -ό: (ντροπαλός) timid, shy ‖ (άνανδρος) coward
δεινοπαθώ: suffer
δεινός, -ή, -ό: fearful, terrible
δείπνο, το: (και **δείπνος**): supper
δειπνώ: sup, have supper
δεισιδαίμονας, ο: superstitious
δεισιδαιμονία, η: superstition
δείχνω: show, point, indicate
δείχτης: βλ. **δείκτης**
δέκα: ten
δεκάγωνο, το: decagon
δεκάδα, η: decade, group of ten, ten
δεκαδικός, -ή, -ό: decimal
δεκάδραχμο, το: a ten-drachma bill or coin
δεκαεννέα ή δεκαεννιά: nineteen
δεκαέξι: sixteen
δεκαεπτά: seventeen
δεκαετηρίδα, η: (περίοδος) decade ‖ (επέτειος) tenth anniversary
δεκαετία, η: decade
δεκαεφτά: βλ. **δεκαεπτά**
δεκάζω: bribe, corrupt by bribery
δεκάλογος, ο: decalog, decalogue, the ten commandments
δεκανέας, ο: corporal
δεκανίκι, το: crutch
δεκάξι: βλ. **δεκαέξι**
δεκαοκτώ ή δεκαοχτώ: eighteen
δεκαπενθήμερο, το: fortnight
δεκαπέντε: fifteen
δεκαπλασιάζω: multiply by ten
δεκαπλάσιος, -α, -ο: decuple, tenfold
δεκάρα, η: a coin worth ten lepta, a ten-lepta piece
δεκάρι, το: βλ. **δεκάδραχμο** ‖ (χαρτοπ.) ten
δεκάρικο, το: βλ. **δεκάδραχμο**
δεκασμός, ο: bribery, corruption, corruption by bribery
δεκατέσσερες, -α: fourteen
δέκατος, -η, -ο: tenth
δεκατρείς, -ία: thirteen
Δεκέμβριος, ο: December

Δ

δέκτης, ο: receiver
δεκτός, -ή, -ό: accepted, acceptable || (παραδεκτός) admissible
δελεάζω: entice, allure, bait, decoy, tempt
δελεαστικός, -ή, -ό: enticing, alluring, tempting
δελτάριο, το: postcard, air letter
δελτίο, το: (αναφορά) report || (ειδήσεων) bulletin
δελφίνι, το: dolphin
δέμα, το: parcel, packet, package
δεμάτι, το: bundle, faggot
δε ή **δεν:** (αρν. μορ.) not, no
δεντράκι, το: sapling, small tree
δεντρί, το: βλ. **δεντράκι**
δέντρο, το: tree
δεντροστοιχία, η: row of trees
δεντροφυτεύω: plant trees
δένω: tie, bind || (βιβλίο) bind (τραύμα) bandage
δεξαμενή, η: (στέρνα) cistern, tank || (πλοίο) tanker
δεξαμενόπλοιο, το: tanker
δεξιά: *(επίρ)* right, to the right, on the right
δεξιός, -ά, -ό (ι): right, right hand || (δεξιόχειρας) right-handed || (πολιτικά) right-wing, rightist, right-winger
δεξιότητα, η: adroitness, dexterity, deftness
δεξιόχειρας, ο: right-handed
δεξίωση, η: reception
δέομαι: pray
δέον, το: necessary, what is needful
δέοντα, τα: greetings, respects, compliments
δέος, το: awe
δέρμα, το: skin, pelt, hide || (κατεργ.) leather
δερμάτινος, -η, -ο: leather
δερματολόγος, ο: dermatologist
δέρνω: beat, thrash || (νικώ) beat, whip
δεσμά, τα: fetters manacles, chains, bondage
δέσμευση, η: *μτφ)* binding, tying, obligation
δεσμεύω: bind
δέσμη, η: bundle, bunch
δέσμιος, -α, -ο: captive, bound
δεσμός, ο: bond, tie *(και μτφ)*
δεσμοφύλακας, ο: jailer, jailor, warder
δεσπόζω: dominate
δεσποινίδα, η: young lady || (προσφ.) miss
δεσπότης, ο: (άρχων) despot || (επίσκ.) bishop
δεσποτικός, -ή, -ό: despotic
Δευτέρα, η: Monday
δευτερεύων, -ουσα, -ον: secondary
δευτεροετής, -ές: second-year || (φοιτητής) sophomore
δευτερόλεπτο, το: second
δεύτερος, -η, -ο: second
δευτερότοκος, -η, -ο: second-born
δέχομαι: (λαβαίνω): receive || (παραδέχομαι) accept
δήθεν: *(επίρ)* alleged, so-called
δηκτικός, -ή, -ό: biting *(και μτφ)*. caustic
δηλαδή: that is, that is to say, namely
δηλητηριάζω: poison *(και μτφ)*
δηλητηριαστής, ο (*θηλ.* **δηλητηριάστρια**): poisoner
δηλητήριο, το: poison, venom *(και μτφ)*
δηλητηριώδης, -ες: poisonous, venomous *(και μτφ)*
δηλώνω: state, declare || (στο τελωνείο) declare
δήλωση, η: statement, declaration
δημαγωγός, ο: demagog, demagogue
δημαρχείο, το: city hall
δήμαρχος, ο: mayor
δημεύω: confiscate
δημητριακά, τα: cereals
δήμιος, ο: executioner
δημιούργημα, το: creation || (πλάσμα) creature
δημιουργία, η: creation
δημιουργός, ο: creator
δημιουργώ: create
δημογέροντας, ο: elder
δημοδιδάσκαλος, ο (*θηλ.* **δημοδιδασκάλισσα**): elementary school teacher
δημοκράτης, ο: democrat
δημοκρατία, η: (πολίτευμα) democracy || (χώρα) republic
δημοκρατικός, -ή, -ό: democratic
δημοπρασία, η: auction
δήμος, ο: (λαός) public, peoples || (περιφ.) municipality || (περιοχή μεγάλης πόλης) borough
δημοσίευμα, το: publishing, publication
δημοσιεύω: publish
δημόσιο, το: (κράτος) state
δημοσιογραφία, η: (επάγγελμα)

journalism || (τύπος) press
δημοσιογράφος, ο: journalist, newspaperman
δημόσιος, -α, -ο: public
δημοσιότητα, η: publicity
δημότης, ο: (*θηλ.* **δημότισσα**): citizen
δημοτική, η: (γλώσσα) demotic
δημοτικό, το: (σχολείο) elementary school, primary school
δημοτικός, -ή, -ό: (σχετικός με δήμο) municipal || (λαοφιλής) popular
δημοφιλής, -ές: popular
δημοψήφισμα, το: plebiscite
δι-: (μόριο) bi-, di-
δια *(πρόθ):* for || (μέσον) by, through, via
διαβάζω: read
διαβαθμίζω: graduate, grade
διαβαίνω: pass, pass by, get across, go through
διαβάλλω: slander, calumniate, libel, defame
διάβαση, η: (πέρασμα) passage, crossing (ποταμού) ford
διάβασμα, το: reading
διαβατάρικος, -η, -ο: migrant || (πουλί) migratory
διαβατήριο, το: passport
διαβάτης, ο: passer-by
διαβατός, -ή, -ό: passable
διαβεβαιώνω: assure, affirm, assert
διάβημα, το: proceeding, step, move, measure
διαβήτης, ο: (όργανο) pair of compasses || (ασθένεια) diabetes
διαβητικός, -ή, -ό: diabetic
διαβιβάζω: (προωθώ): forward || (μεταδίδω) transmit
διαβλέπω: (διακρίνω) discern, perveive || (αντιλαμβάνομαι) penetrate
διαβόητος, -η, -ο: notorious
διαβολεμένος, -η, -ο: devilish *(και μτφ)*
διαβολή, η: slander, calumny, defamation
διαβολιά, η: devilry, mischief
διαβολικός, -ή, -ό: devilish, diabolical, fiendish
διάβολος, ο: devil, fiend *(και μτφ)*
διαβρέχω: soak, saturate, steep, drench
διάβρωση, η: erosion, corrosion
διάγγελμα, το: (μήνυμα) message || (επίσημο) proclamation
διάγνωση, η: diagnosis
διάγραμμα, το: diagram
διαγραφή, η: (σβήσιμο) crossing, out, elimination, striking out, erasure
διαγράφομαι: (φαίνομαι) be outlined || (σβήνομαι) βλ. **διαγράφω**
διαγράφω: (απεικονίζω) trace out, sketch || (σβήνω) erase, cross out, strike out, cancel, eliminate
διαγωγή, η: conduct, behaviour
διαγωνίζομαι: (αμιλλώμαι) contend, compete || (παίρνω μέρος σε εξετάσεις) take an examination
διαγώνιος, η: diagonal
διαγωνισμός, ο: (άμιλλα) competition || (εξέταση) examination, test
διαδέχομαι: succeed
διαδηλώνω: (φανερώνω) manifest, reveal || (εκδηλώνω) demonstrate || (κάνω διαδήλωση) demonstrate
διαδήλωση, η: demonstration
διαδηλωτής, ο: demonstrator
διάδημα, το: diadem
διαδίδω: propagate, spread, circulate
διαδικασία, η: proceedings, procedure
διαδίνω: βλ. **διαδίδω**
διάδοση, η: (πράξη) propagation, spreading || (φήμη) rumor
διαδοχή, η: succession
διαδοχικά: *(επίρ)* successively
διαδοχικός, -ή, -ό: successive
διάδοχος, ο: successor
διαδραματίζω: play a part
διαδρομή, η: course, route
διάδρομος, ο: (πέρασμα) passage || (σπιτιού) corridor
διαζευγμένος, -η, -ο: divorced
διαζύγιο, το: divorce
διάθεση, η: (τοποθ.) disposition, arrangement || (χρησ.) disposal, disposition || (κέφι) disposition, mood || *(γραμ)* mood, voice
διαθέσιμος, -η, -ο: (ελεύθερος) available || (για χρήση) disposable, available
διαθέτω: *(στρ)* deploy || (δίνω) dispose
διαθήκη, η: will, last will and testament
διάθλαση, η: refraction
διαθλώ: refract
διαίρεση, η: division

διαιρετέος, ο: dividend
διαιρέτης, ο: divisor
διαιρετός, -ή, -ό: divisible
διαιρώ: divide
διαισθάνομαι: have a premonition, have a presentiment, feel, sense
διαίσθηση, η: premonition, presentiment, feeling, foreboding
δίαιτα, η: diet
διαιτητής, ο: arbitrator, arbiter ‖ (ποδοσφ) referee
διαιτολόγιο, το: regimen
διαιωνίζω: protract, prolong
διακαής, -ές: ardent, fervent
διακανονίζω: settle
διακαώς: *(επίρ)* ardently, fervently
διακεκριμένος, -η, -ο: distinguished, eminent
διάκενο, το: empty space
διακήρυξη, η: declaration, proclamation
διακηρύσσω: proclaim
διακινδυνεύω: risk, hazard, imperil, jeopardize
διακλαδίζομαι: branch, branch off, fork
διακλάδωση, η: branching, fork
διακοίνωση, η: βλ. **ανακοίνωση** ‖ (ειδοποίηση) notification ‖ (επίσημη) note
διάκονος, ο: deacon
διακοπή, η: interruption ‖ (σταμάτημα) discontinuance, discontinuation ‖ (προσωρ.) suspension ‖ (διάλειμμα) intermission ‖ *(πληθ -* αργίες) vacation ‖ (πανεπ.) recess
διακόπτης, ο: switch
διακόπτω: interrupt
διακορεύω: deflower
διάκος, ο: βλ. **διάκονος**
διακόσιοι, -ες, -α: two hundred
διακόσμηση, η: decoration
διακοσμητής, ο *(θηλ.* **διακοσμήτρια**): decorator
διάκοσμος, ο: decoration, ornamentation
διακοσμώ: decorate
διακρίνομαι: gain distinction
διακρίνω: (οπτικά) discern, perceive, distinguish ‖ (κάνω διακρίσεις) discriminate ‖ (τιμητ.) distinguish
διάκριση, η: distinciton ‖ (ξεχώρισμα) discrimination ‖ (φυλετική) racial discrimination
διακριτικό, το: insignia
διακριτικός, -ή, -ό: distinctive, distinguishing ‖ (λεπτός) discreet
διακριτικότητα, η: discretion
διακυβεύω: βλ. **διακινδυνεύω**
διακύμανση: fluctuation
διακωμωδώ: ridicule, travesty
διαλαλώ: (γνωστοποιώ) publicize, announce, advertise ‖ (εμπόρευμα) cry out, hawk
διαλαμβάνω: contain, include
διαλέγω: choose, pick, select
διάλειμμα, το: interval, intermission, break, recess
διαλείπων, -ουσα, -ον: intermittent
διάλειψη, η: (διακοπή) intermission ‖ (ανωμαλία) irregularity
διάλεκτος, η: dialect
διάλεξη, η: lecture
διαλευκαίνω: (διευκρινίζω) clarify, elucidate ‖ (ξεκαθαρίζω) clear up
διαλεχτός, -ή, -ό: chosen, select, hand-picked, elite
διαλλαγή, η: reconciliation, conciliation
διαλλακτικός, -ή, -ό: conciliatory
διαλογή, η: sorting, classification
διαλογίζομαι: ponder, meditate, consider, reflect
διάλογος, ο: dialogue
διάλυμα, το: solution
διάλυση, η: βλ. **διάλυμα** ‖ (αποσυναρμολόγηση) disassembly, dismounting ‖ (διασκόρπιση) scattering ‖ *(στρ)* dismissal ‖ (ξεπούλημα) liquidation sale ‖ (αραίωμα) dilution
διαλυτικά, τα: dieresis, diaeresis
διαλύω: (λιώνω) dissolve, melt ‖ (αποσυναρμολογώ) disassemble, dismount ‖ (διασκορπίζω) scatter ‖ (αραιώνω) dilute ‖ *(στρ)* dismiss
διαμάντι, το: diamond *(και μτφ)*
διαμαντικά, τα: jewellery, jewels
διαμαρτυρία, η: protest, protestation
διαμαρτύρομαι: protest ‖ (έχω αντίρρηση) object
διαμάχη, η: conflict, clash, dispute
διαμελίζω: dismember, cut up, mutilate
διαμένω: (προσωρινά) stay, sojourn ‖ (κατοικώ) reside, live
διαμέρισμα, το: (κατοικ.) apartment, (U.S.A.), flat (Engl.) ‖ (διοικ.) department ‖ (τμήμα συνόλου) compartment

διάμεσος, -η, -ο: (μεταξύ άλλων) intermediate, intermediary || (μεσολαβητής) intermediary, go-between
διαμέτρημα, το: caliber, bore
διάμετρος, η: diameter
διαμηνώ: inform, send a message
διαμιάς: *(επίρ)* αμέσως immediately, at once || (ξαφνικά) suddenly
διαμοιράζομαι: share
διαμοιράζω: divide, portion, distribute
διαμονή, η: (προσωρινά) stay, sojourn || (κατοικία) residence
διαμορφώνομαι: form, be formed
διαμορφώνω: form, shape, mold (U.S.A.), mould (Engl.)
διάνα, η: bull's eye *(και μτφ)*
διανέμω: distribute
διανόηση, η: thought || (νους) brains, intelligence, intellect
διανοητικός, -ή, -ό: mental, intellectual
διάνοια, η: intellect, mind || *(μτφ)* genius
διανομέας, ο: distributor || (ταχ.) mailman, postman, letter carrier
διανομή, η: distribution
διανοούμενος, ο: intellectual
διάνος, ο: turkey
διανυκτερεύω: (περνώ τη νύχτα) stay overnight, spend the night || (κατάστημα) twenty-four hours store, stay open all night
διανύω: cover, traverse
διαπαιδαγώγηση, η: education, instruction
διαπαιδαγωγώ: educate, instruct
διαπαντός: *(επίρ)* for ever
διαπεραιώνω: ferry, transport
διαπεραστικός, -ή, -ό: penetrating, piercing *(και μτφ)*
διαπερνώ: penetrate, pierce || *(και μτφ)*
διαπιστευτήριο, το: credentials
διαπιστώνω: ascertain, find out
διαπίστωση, η: ascertainment
διάπλαση, η: formation, molding
διαπλάσσω: form, shape, mold *(και μτφ)*
διάπλατα: *(επίρ)* wide open, gaping
διαπλαταίνω: widen, broaden
διαπλέω: sail through, sail across
διαπληκτίζομαι: quarrel, bicker, squabble
διάπλους, ο: crossing
διαπνέομαι: be disposed, be moved
διαποτίζω: wet, soak, drench, saturate
διαπραγματεύομαι: (εξετάζω λεπτομερώς) deal, discuss, expound || (κάνω διαπραγματεύσεις) negotiate, bargain
διαπράττω: perpetrate, commit
διαπρεπής, -ές: distinguished, well-known, eminent
διαπρέπω: excel, gain distinction, distinguish oneself
διάπυρος, -η, -ο: white-hot, red-hot || *(μτφ)* ardent, fervent
διάρκεια, η: duration || (διάστημα) period, length
διαρκής, -ές: (συνεχής) continuous
διαρκώ: last || (συνεχίζω) continue
διαρκώς: *(επίρ)* incessantly, continuously, endlessly
διαρπάζω: plunder
διαρρέω: flow through || (έχω διαρροή) leak
διαρρηγνύω: break into, burglarize, burgle, break and enter
διαρρήκτης, ο: burglar, housebreaker
διάρρηξη, η: (σπάσιμο) break, rupture, tearing || (κλοπή) burglary, house breaking, breaking
διαρροή, η: flow || (διαφυγή) leak, leakage
διάρροια, η: diarrhoea, diarrhea
διασάλευση, η: disturbance, agitation
διασαλεύω: disturb, agitate
διασαφηνίζω: elucidate, clarify, make clear
διάσειση, η: concussion
διάσημα, τα: insignia
διάσημος, ο: famous, famed, renowned, celebrated
διασκεδάζω: *(μτβ)* entertain, amuse || *(αμτβ)* amuse oneself, have a good time, have fun
διασκέδαση, η: entertainment, amusement, fun
διασκεδαστικός, -ή, -ό: entertaining, amusing, diverting
διασκελιά, η: stride
διασκελίζω: stride, stride over
διασκέπτομαι: confer
διασκευάζω: (τροποποιώ) modify || (έργο) adapt
διασκευή, η: (τροποποίηση) modification || (έργου) adaptation

διάσκεψη, η: conference
διασκορπίζω: scatter, disperse || βλ. **διασπαθίζω**
διασπαθίζω: squander, dissipate, waste
διάσπαση, η: (διαχωρισμός) split, bursting || (διάσταση) split
διασπείρω: βλ. **διασκορπίζω** || *(μτφ)* spread, disseminate
διασπώ: (διαχωρίζω) split, burst, break apart || (προκαλώ διάσταση) split, divide
διάσταση, η: (μετρ.) dimension || (ασυμφωνία) discord, split || *(μτφ)* dimension
διασταυρώνω: cross || (φυσιολ.) cross, crossbreed
διασταύρωση, η: crossing || (σιδηρ. & οδ.) crossroads, intersection, junction || *(φυσιολ.)* cross, cross-breeding
διαστέλλω: expand || (φουσκώνω) distend
διάστημα, το: (απόσταση) distance || (περίοδος) period, interval
διαστολή, η: (διαστάσεων) expansion || (φούσκωμα) distention
διαστρεβλώνω: twist, distort *(και μτφ)*
διαστρεμμένος, -η, -ο: pervert, perverted
διαστρέφω: βλ. **διαστρεβλώνω**
διαστροφή, η: perversion
διασύρω: defame, slander
διασχίζω: cross, traverse
διασώζω: βλ. **σώζω** || (περισώζω) preserve
διαταγή, η: order, command
διάταγμα, το: decree, edict
διατάζω: order, command
διατακτική, η: voucher
διάταξη, η: (διευθέτηση) arrangement, disposistion || (ρήτρα) specification, stipulation, provision
διατάραξη, η: disturbance
διαταράσσω: disturb, agitate
διατάσσω: βλ. **διατάζω**
διατηρώ: maintain, preserve
διατίμηση, η: (πράξη) valuation, appraisal || (έγγραφο) tariff, price list, rate
διατρέφω: feed, support
διατρέχω: cover, traverse
διάτρητος, -η, -ο: perforated
διατροφή, η: feeding, support || *(νομ)* alimony
διατρυπώ: perforate, bore, pierce
διάττοντες, οι: *(αστρ)* shooting stars, meteors
διατυμπανίζω: trumpet, shout from the house tops
διατυπώνω: formulate, frame, state
διαύγεια, η: clarity, clearness *(και μτφ)*
διαυγής, -ές: clear *(και μτφ)* || (σαφής) clear, lucid
διαφαίνομαι: show, show through, appear, come in sight
διαφάνεια, η: transparency, transparence || (σλάιντ) slide, transparency
διαφανής, -ές: transparent || (φόρεμα) see-through
διαφέρω: differ, be different || (ποικίλω) vary
διαφεύγω: (ξεφεύγω) escape, get away
διαφημίζω: advertise *(και μτφ)*
διαφήμιση, η: advertising, advertisement, ad
διαφημιστής, ο (*θηλ.* **διαφημίστρια**): advertiser
διαφθείρω: *(μτφ)* corrupt || (εξαγοράζω) bribe || (αποπλανώ) deflower
διαφθορά, η: corruption, vice, depravity
διαφιλονικώ: dispute, contest || (διεκδικώ) lay claim, claim
διαφορά, η: difference *(και μτφ)*
διαφορετικά *(επίρ):* differently, else, or else, otherwise
διαφορετικός, -ή, -ό: different
διάφορο, το: profit, gain
διάφορος, -η, -ο: βλ. **διαφορετικός** || (ποικίλος) varied, various || (ετερόκλιτος) miscellaneous
διάφραγμα, το: (φωτογρ.) shutter
διαφυγή, η: escape, getting away, evasion || (υγρού, αερίου) leakage, leak
διαφυλάσσω: keep, preserve
διαφωνία, η: disagreement, discord, difference of opinion
διαφωνώ: disagree, differ
διαφωτίζω: enlighten
διαφώτιση, η: enlightening, enlightenment || *(πολιτ)* instruction, propaganda
διαχειμάζω: winter
διαχειρίζομαι: manage
διαχείριση, η: management
διαχειριστής, ο: manager

διαχυτικός, -ή, -ό: *(μτφ)* effusive, expansive
διαχυτικότητα, η: effusiveness, expansiveness
διαχωρίζω: separate, part, divide
διαψεύδομαι: fail, fall through, be disappointed
διαψεύδω: belie, contradict || *(μτφ)* disappoint
διάψευση, η: denial || *(μτφ)* disappointment
διγαμία, η: bigamy
δίγαμος, -η, -ο: bigamist
δίγλωσσος, -η, -ο: bilingual
δίδαγμα, το: lesson, teaching || *(ηθ.)* moral
διδακτήριο, το: school building, institution of learning
διδάκτορας, ο: doctor
δίδακτρα, τα: tuition fees
διδασκαλείο, το: School of Education, teachers' college
διδασκαλία, η: teaching, instruction
διδασκάλισσα, η: teacher, schoolteacher, schoolmistress
διδάσκαλος, ο: teacher, schoolteacher, schoolmaster
διδάσκω: teach, instruct
διδαχή, η: βλ. **διδασκαλία**
δίδραχμο, το: two drachmas piece
δίδυμος, -η, -ο: twin
δίδω: βλ. **δίνω**
διεγείρω: excite, rouse, stir up, stimulate
διεγερτικός, -ή, -ό: exciting, stimulating
διεθνής, -ές: international
διεθνιστής, ο (*θηλ.* **διεθνίστρια**): internationalist
διεισδύω: penetrate
διεκδικώ: claim, lay claim, contest
διεκπεραιώνω: expedite, dispatch, forward
διεκπεραίωση, η: dispatch, forwarding, expediting
διέλευση, η: passing through, passage
διελκυστίνδα, η: tug of war
διένεξη, η: dispute, quarrel
διεξάγω: carry out, conduct, perform
διεξοδικά: *(επίρ)* in detail, extensively
διεξοδικός, -ή, -ό: detailed, extensive
διέξοδος, η: opening, outlet
διέπω: govern, rule
διερεύνηση, η: investigation, scrutiny, research
διερμηνέας, ο: interpreter || βλ. **μεταφραστής**
διερμηνεύω: interpret || βλ. **μεταφράζω**
διέρχομαι: pass by, pass through
διερωτώμαι: ask oneself, wonder
διετής, -ές: (ηλικία) two-year-old || (διάρκεια) biennial, lasting for two years
διετία, η: two-year period
διευθετώ: arrange || *(μτφ)* settle
διεύθυνση, η: *(διοικ.)* administration, management, direction || (κατεύθυνση) direction || (οικίας) address
διευθυντής, ο (*θηλ.* **διευθύντρια**): director, manager, head || (σχολείου) head master (*θηλ.* headmistress), principal
διευθύνω: direct, manage
διευκόλυνση, η: facilitation || (εξυπηρέτηση) help, aid, assistance
διευκολύνω: facilitate, make easy || (εξυπηρετώ) help, aid, assist
διευκρινίζω: clarify, elucidate, make clear
διευρύνω: widen, broaden, enlarge
διεφθαρμένος, -ή, -ό: corrupt, immoral, dissolute
διήγημα, το: short story
διήγηση, η: narration, narrative
διηγούμαι: narrate, give an account, relate
διθέσιος, -α, -ο: two-seater
διΐσταμαι: *(μτφ)* disagree
δικάζω: try, judge, adjudicate
δίκαιο, το: (σωστό) right || (νόμος) law || **έχω** ~: I am right
δικαιοδοσία, η: (τομέας αρμοδιότητας) jurisdiction, province || (περιοχή δικαιοδοσίας) bailiwick
δικαιολογητικά, τα: supporting documents, papers
δικαιολογία, η: justification || (πρόφαση) excuse
δικαιολογώ: justify, vindicate, excuse
δίκαιος, -α, -ο: just, fair, equitable
δικαιοσύνη, η: fairness, justice, equity || *(νομ)* justice
δικαιούμαι: be entitled, have the right
διακαιούχος, ο: beneficiary
δικαίωμα, το: right

δικαιωματικά: *(επίρ)* by right, rightfully
δικαιώνω: justify, vindicate
δίκανο, το: double-barreled shotgun, double-barreled gun
δικάσιμος, η: day of trial
δικαστήριο, το: court, court of justice, tribunal
δικαστής, ο: judge, justice
δικέλλα, η: grub hoe, two-pronged fork
δικέφαλος, -η, -ο: two-headed
δίκη, η: trial, lawsuit, action
δικηγόρος, ο: attorney at law, lawyer ‖ *(Αγγλ.)* barrister, solicitor
δικηγορώ: practice law
δίκιο, το: βλ. **δίκαιο** ‖ βλ. **δικαιοσύνη**
δικινητήριος, -α, -ο: twin-engine
δίκλινος, -η, -ο: twin-bed, two-bed
δικογραφία, η: brief
δικός, -ή, -ό: (οικείος) intimate ‖ *(κτητ.)* own ‖ **~ μου, ~ σου, ~ του, ~ της, ~ του, ~ μας, ~ σας, ~ τους:** mine, yours, his, hers, its, ours, yours, theirs ‖ **~οί μου: (συγγενείς)** my folks
δίκοχο, το: brimless hat, garrison cap
δικράνι, το: pitchfork
δίκρανο, το: βλ. **δικράνι**
δικτάτορας, ο: dictator
δικτατορία, η: dictatorship
δίκτυο, το: network *(και μτφ)* ‖ βλ. **δίχτυ**
δίκυκλο, το: bicycle
δικύλινδρος, -η, -ο: two-cylinder
δίλημμα, το: dilemma
διμέτωπος, -η, -ο: two-front
διμηνία, η: two-month period
διμοιρία, η: platoon
διμοιρίτης, ο: platoon leader
δίνη, η: (ανέμων) eddy ‖ (νερού) whirpool ‖ *(μτφ)* vortex
δίνω: give ‖ (κάνω δωρεά) donate
διογκώνω: swell, blow out, inflate, distend
διόδια, τα: toll
δίοδος, η: pass, passage
διοίκηση, η: *(πολιτ)* administration ‖ *(στρ)* command
διοικητήριο, το: *(πολιτ)* headquarters, government house ‖ *(στρ)* headquarters, command post
διοικητής, ο ((*θηλ.* **διοικήτρια**): *(πολιτ.)* managing director, president ‖ *(στρ)* commander, commanding officer (C.O.)
διοικητικός, -ή, -ό: *(πολιτ.)* administrative ‖ *(στρ)* command
διοικώ: *(πολ.)* administer, govern, manage ‖ *(στρ)* command
διόλου *(επίρ):* by no means, not at all, not in the least
διοξείδιο, το: dioxide
δίοπος, ο: (U.S.A.) Petty Officer 3rd class ‖ (Engl) Leading seaman
διοπτροφόρος, -α, -ο: bespectacled
διορατικός, -ή, -ό: perspicacious, shrewd, perceptive
διοργανώνω: organize
διορθώνω: correct ‖ (επισκευάζω) repair, restore ‖ (τυπογρ.) proof read
διόρθωση, η: correction ‖ (επισκ.) repairing, reparation ‖ (τυπ.) proofreading
διορθωτής, ο *(θηλ.* **διορθώτρια***):* (τυπογρ.) proof reader
διορία, η: deadline, time limit
διορίζω: appoint
διορισμός, ο: appointment
διότι: because
διοχετεύω: (υγρό) channel, convey ‖ *(ηλεκτρ)* conduct ‖ *(μτφ)* transmit, spread, leak out
δίπατος, -η, -ο: two-storied
δίπλα: *(επίρ)* beside, side by side ‖ (κοντά) near, close by
διπλανός, -ή, -ό: adjacent, nearby ‖ (γείτονας) next-door
διπλαρώνω: come alongside ‖ *(μτφ)* solicit
διπλασιάζω: double
διπλάσιος, -α, -ο: twice as much *(πληθ.* twice as many) ‖ βλ. **διπλός**
διπλός, -ή, -ό: double, twofold ‖ (από δύο μέρη) duplex ‖ βλ. **διπλάσιος**
δίπλωμα, το: (δίπλωση) doubling, folding ‖ (πτυχίο) diploma, degree
διπλωμάτης, ο: diplomat
διπλωματικός, -ή, -ό: diplomatic *(και μτφ)*
διπλωματικότητα, η: diplomacy
διπλωματούχος, -α, -ο: degreed
διπλώνω: fold
δίποδος, -η, -ο: bipedal, two-legged, two-footed ‖ *(ουσ)* biped
δίπρακτος, -η, -ο: two-act
διπρόσωπος, -η, -ο: two-faced
δις: *(επίρ)* twice

δισάκι, το: (ταγάρι) bag, sack || (ζώου) saddle-bag
δισέγγονος, -η: great-grandchild || *(αρσ.)* great grandson || *(θηλ)* great-grand-daughter
δισεκατομμύριο, το: billion
δισεκατομμυριούχος, ο: billionaire
δίσεκτο, το: (έτος) leap year
δισκίο, το: tablet, pastille, lozenge
δισκοβολία, η: discus, discus throwing
δισκοβόλος, ο: discus thrower, discobolus
δισκοπότηρο, το: chalice
δίσκος, ο: (σκεύος) tray || (γραμμοφ.) record, disc || *(αθλητ.)* discus || (εκκλησίας) plate
δισταγμός, ο: hesitation, hesitancy
διστάζω: hesitate
διστακτικός, -ή, -ό: hesitant, hesitating
διτετράγωνος, -η, -ο: biquadratic, of the fourth degree
δίτομος, -η, -ο: two-volume
δίτροχο, το: bicycle
διυλίζω: (φιλτράρω) filter, strain || (με απόσταξη) distil || (σε διυλιστήριο) refine
διυλιστήριο, το: (αποστακτήρας) distillery || (πετρελ.) refinery
διφασικός, -ή, -ό: two-phase
διφθερίτιδα, η: diptheria
δίφθογγος, ο: diphthong
διφορούμενος, -η, -ο: ambiguous, equivocal
δίφραγκο, το: two-drachma piece
διχάζω: divide, split *(και μτφ)*
διχάλα, η: pitchfork
διχασμός, ο: division *(και μτφ)*
διχογνωμώ: differ, disagree
διχόνοια, η: discord, dissension
διχοτόμος, η: bisector
διχοτομώ: bisect
δίχρονος, -η, -ο: *(μηχ.)* two-stroke || *(γραμμ.)* common || *(ηλικίας)* two-year-old
δίχρωμος, -η, -ο: bicolor, bicolored
δίχτυ, το: net
δίχως: *(επίρ)* without
δίψα, η: thirst *(και μτφ)*
διψασμένος, -η, -ο: thirsty
διψήφιος, -α, -ο: two-figure
διψώ: be thirsty, thirst *(και μτφ)*
διωγμός, ο: persecution
διώκτης, ο (*θηλ.* **διώκτρια**): persecutor
διώκω: (καταδιώκω) chase, give chase, pursue || *(νομ)* prosecute || (κάνω διωγμό) persecute
διώξιμο, το: dissmissal, expulsion, ejection
δίωρος, -η, -ο: two-hour
διώροφος, -η, -ο: two-storied
διώρυγα, η: canal
διώχνω: chase away, dismiss, expel
δόγμα, το: (αρχή) doctrine, dogma
δοιάκι, το: rudder
δόκανο, το: trap, snare *(και μτφ)*
δοκάρι, το: beam || (στέγης) rafter || (μεγάλο) girder
δοκιμάζομαι: suffer
δοκιμάζω: try || (γευστικά) taste || (επιχειρώ) attempt
δοκιμασία, η: (έλεγχος) test || (εξέταση) examination, test || (βάσανο) suffering
δοκιμή, η: try, trial || (γεύση) taste || (εξέταση) test, testing
δοκίμιο, το: (γραπτό) treatise, essay || (τυπογ.) proof
δόκιμος, -η, -ο: (μαθητευόμενος) apprentice, trainee || *(ναυτ)* midshipman
δοκός, η: beam (βλ. **δοκάρι**)
δόκτορας, ο: doctor
δολάριο, το: dollar
δόλιος, -α, -ο: tricky, crafty, fraudulent
δόλιος, ο (*θηλ.* **δόλια**): (κακόμοιρος) miserable, poor, wretched
δολιοφθορά, η: sabotage
δολιοφθορέας, ο: saboteur
δολλάριο, το: βλ. **δολάριο**
δολοπλοκία, η: intrigue, plot, scheme
δόλος, ο: trick, deceit, guile || *(νομ)* fraud
δολοφονία, η: *(ποιν)* murder || *(πολιτ)* assassination
δολοφόνος, ο: *(ποιν)* murderer || *(πολιτ.)* assassin
δόλωμα, το: bait *(και μτφ)*
δομή, η: structure, constructure
δόνηση, η: vibration, tremor, shake
δόντι, το: tooth *(πληθ* teeth) *(και μτφ)*
δονώ: vibrate, shake
δόξα, η: glory
δοξάζω: glorify, give glory, invest with glory
δοξάρι, το: (τόξο) bow || (βιολιού) bow

δοξασία, η: (γνώμη) belief || *(θρησκ.)* belief, dogma
δοξασμένος, -η, -ο: glorious
δοξολογία, η: doxology
δορκάδα, η: roe, roe deer
δόρυ, το: spear
δορυφόρος, ο: satellite *(και μτφ)*
δόση, η: dose, portion || *(φαρμάκου)* dose || *(χρημ.)* installment
δοσοληψία, η: dealing, deal, transaction
δοτική, η: dative
δουλεία, η: slavery, bondage
δουλειά, η: work || (ασχολία) work, job, occupation
δούλεμα, το: (επεξεργασία) working || (κοροϊδία) pulling s.b's leg, making fun, teasing
δουλεμπόριο, το: slave trade
δουλευτής, ο: hard-working, hard worker
δουλεύω: work || (λειτουργώ) operate, work || (κοροϊδεύω) pull s.b's leg, make fun, tease, put on
δουλικός, -ή, -ό: obsequious, fawning, servile
δουλοπρεπής, -ές: βλ. **δουλικός**
δούλος, -η, -ο: slave *(και μτφ)* || (υπηρέτης) servant
δούναι, το: debit
δοχείο, το: vessel, pot, container, receptacle || (νυκτός) chamber pot
δράκα, η: handful *(και μτφ)*
δράκοντας, ο: dragon || βλ. **δράκος**
δρακόντειος, -α, -ο: draconian, draconic
δράκος, ο: βλ. **δράκοντας** || (παραμυθιού) ogre || *(μτφ)* monster
δράμα, το: drama *(και μτφ)*
δραματικός, -ή, -ό: dramatic
δραματοποιώ: dramatize *(και μτφ)*
δραπετεύω: escape, get away
δραπέτης, ο: escapee || (φυλακής) escaped convict, escaped prisoner
δράση, η: action *(και μτφ)*
δρασκελιά, η: stride
δρασκελώ: stride
δραστήριος, -α, -ο: active, energetic
δραστηριότητα, η: activity, energy
δράστης, ο: perpetrator, culprit
δραστικός, -ή, -ό: drastic
δραχμή, η: drachma
δρεπάνι, το: (μικρό) sickle || (με μακριά λαβή) scythe
δρέπω: cut, gather || *(μτφ)* reap, gather
δριμύς, -ία, -ύ: sharp, keen || *(μτφ)* sharp, acid, caustic
δρομάδα, η: dromedary
δρομαίος, -α, -ο: hasty, speedy, hurried
δρομέας, ο: runner || (ταχύτητος) sprinter
δρομολόγιο, το: (λεπτομ. ταξιδιού) itinerary || (πίνακας) timetable
δρόμος, ο: (αγώνας) run, running, race || (ταχύτητος) sprint, dash || (οδός) road, street || (κατεύθυνση) way
δροσερός, -ή, -ό: cool || *(μτφ)* fresh
δροσιά, η: (ψύχρα) coolness || (σταγόνα) dew, dewdrop
δροσίζω: *(μτβ)* cool, refresh || *(αμτβ)* cool, get cool
δροσιστικός, -ή, -ό: cooling, refreshing
δρόσος, η: βλ. **δροσιά**
δρύινος, -η, -ο: oak, oaken
δρυοκολάπτης, ο: woodpecker
δρυς, η: oak, oak tree
δρω: act || (φέρνω αποτέλεσμα) take effect
δυάρι, το: *(χαρτοπ.)* deuce || (διαμέρισμα) two-room apartment
δύναμη, η: *(σωματ.)* strength || (ισχύς) power || (φυσ. ενέργεια) force
δυναμικό, το: potential
δυναμικός, -ή, -ό: dynamic
δυναμίτης ,ο: dynamite
δυναμίτιδα, η: βλ. **δυναμίτης**
δυναμό, το: dynamo
δυναμώνω: *(μτβ)* strengthen, make stronger || *(αμτβ)* become stronger, get strong || (ενισχύω) reinforce, fortify
δυναμωτικό, το: tonic
δυναστεία, η: dynasty
δυνάστευση, η: oppression
δυναστεύω: oppress, dominate
δυνάστης, ο: oppressor, despot
δυνατά *(επίρ):* (ισχύς) strongly, powerfully, hard || (ήχος) loudly
δυνατός, -ή, -ό: (ισχύς) strong, powerful, mighty, robust, husky || (ήχος) loud || (πραγματοποιήσιμος) possible
δυνατότητα, η: possibility
δύνη, η: dyne
δύο: *(αριθμ)* two || *(χαρτοπ)* pair
δυόσμος, ο: mint
δυσανάγνωστος, -η, -ο: illegible

δυσανάλογος, -η, -ο: disproportional
δυσανασχετώ: be disconfitted, be indignant
δυσαρέσκεια, η: displeasure, dissatisfaction, discontent
δυσάρεστος, -η, -ο: unpleasant, disagreeable
δυσαρεστώ: displease, offend
δυσβάσταχτος, -η, -ο: unbearable, intolerable
δυσδιάκριτος, -η, -ο: indiscernible, indistinct
δυσεντερία, η: dysentery
δυσεύρετος, -η, -ο: hard to find, rare
δύση, η: (ουραν. σωμ) setting || (ηλίου) sunset || (σημ. ορίζ.) west
δύσθυμος, -η, -ο: depressed, gloomy, dejected
δύσις, η: βλ. **δύση**
δυσκίνητος, -η, -ο: slow, sluggish
δυσκοίλιος, -α, -ο: (προκαλών δυσκοιλιότητα) costive || (που έχει δυσκοιλ.) constipated
δυσκοιλιότητα, η: constipation
δυσκολεύομαι: (έχω δυσκολίες) be in difficulties || (βρίσκω δύσκολο) find it difficult, find hard
δυσκολεύω: make difficult, make hard
δυσκολία, η: difficulty
δύσκολος, -η, -ο: difficult, hard
δυσκολοχώνευτος, -η, -ο: difficult to digest, hard to digest, indigestible
δυσμένεια, η: disfavor, disfavour, disgrace
δυσμενής, -ές: unfavorable, unfavourable
δύσμορφος, -η, -ο: deformed, malformed, misshapen
δυσνόητος, -η, -ο: difficult to understand, incomprehensible, obscure
δυσοίωνος, -η, -ο: ill-omened, inauspicious
δυσοσμία, η: stench, stink, bad smell
δύσοσμος, -η, -ο: stinking, foul-smelling
δύσπεπτος, -η, -ο: βλ. **δυσκολοχώνευτος**
δυσπεψία, η: indigestion, dyspepsia
δυσπιστία, η: distrust, distrustfulness
δύσπιστος, -η, -ο: distrustful, suspicious
δυσπιστώ: distrust, mistrust, be suspicious
δύστροπος, -η, -ο: peevish, cantakerous, ill-tempered
δυστύχημα, το: accident || (ατυχία) misfortune, mishap
δυστυχία, η: βλ. ατυχία || (αθλιότητα) misery, wretchedness
δυστυχισμένος, -η, -ο: miserable, wretched
δύστυχος, ο: βλ. **δυστυχισμένος**
δυστυχώ: be wretched, be miserable || (είμαι σε άθλια οικ. κατάσταση) be badly off, be destitute
δυστυχώς: *(επίρ)* unfortunately
δυσφημίζω: slander, defame
δυσφορώ: be displeased, be discontented
δυσχεραίνω: make difficult, hinder, incommode
δυσχέρεια, η: βλ. **δυσκολία** || *(μτφ)* hardship, difficulty
δυσχερής, -ές: βλ. **δύσκολος**
δύσχρηστος, -η, -ο: difficult to use
δύτης, ο: diver
δυτικός, -ή, -ό: west, western
δύω: *(ουράν. σώματα)* set *(και μτφ)* || *(μτφ)* decline, wane, set
δώδεκα: twelve
δωδεκάδα, η: dozen
δωδεκαδάκτυλο, το: duodenum
δωδεκαετής, -ές: βλ. **δωδεκάχρονος**
δωδέκατος, -η, -ο: twelfth
δωδεκάχρονος, -η, -ο: twelve-year-old
δώθε: πέρα ~: to and fro
δώμα, το: (ταράτσα) terrace, roof || (διαμέρισμα) apartment || βλ. **δωμάτιο**
δωμάτιο, το: room
δωρεά, η: donation, bequest, grant
δωρεάν: *(επίρ)* free, gratis
δωρητής, ο: donor
δωρίζω: present, make a present || (κάνω δωρεά) donate
δώρο, το: present, gift
δωροδοκία, η: bribery
δωροδοκώ: bribe

Ε

εάν: βλ. **αν**
εαυτός: oneself
εβδομάδα, η: week
εβδομαδιαίος, -α, -ο: weekly
εβδομηκοντούτης, ο: septuagenarian
εβδομηκοστός, -ή, -ό: seventieth
εβδομήντα: seventy
εβδομηντάρης, ο: βλ. **εβδομηκοντούτης**
έβδομος, -η, -ο: seventh
έβενος, ο: ebony
εβραίος, -α, -ο: jew, jewish ‖ hebrew
έγγαμος, -η, -ο: married
εγγαστρίμυθος, -η, -ο: ventriloquist
εγγίζω: (touch
εγγονή, η: granddaughter
εγγόνι, το: grandchild
εγγονός, ο: grandson
εγγράμματος, -η, -ο: literate, educated
εγγραφή, η: registration, entry
έγγραφο, το: document, deed
εγγράφω: enrol, matriculate
εγγύηση, η: guarantee, warranty
εγγυητής, ο: (*θηλ.* **εγγυήτρια**): guarantor, warrantor
εγγυούμαι: guarantee
εγγύς: near, close
εγγυώμαι: βλ. **εγγυούμαι**
εγείρω: raise
εγερτήριο, το: *(στρ)* reveille
εγκάθειρκτος, -η, -ο: internee, inmate
εγκαθιδρύω: establish
εγκαθίσταμαι: settle, put up, establish residence
εγκαθιστώ: settle, establish ‖ (κάνω εγκατάσταση) install
εγκαίνια, τα: inauguration
εγκαινιάζω: inaugurate
έγκαιρα: *(επίρ)* in time ‖ (ακριβώς στην ώρα) on time
έγκαιρος, -η, -ο: timely, opportune, well-timed
εγκάρδιος, -α, -ο: cordial, hearty, warm
εγκαρδιώνω: encourage, hearten
εγκάρσιος, -α, -ο: transverse, cross, crosswise
εγκαρτέρηση, η: perseverance
εγκαρτερώ: persevere
έγκατα, τα: bowels *(και μτφ)*
εγκαταλείπω: abandon, desert, leave
εγκατάλειψη: abandonment, desertion
εγκατάσταση, η: installation ‖ (διαμονή) residence
έγκαυμα, το: burn
εγκέφαλος, -ο: cerebrum, brain ‖ (μυαλό) brain ‖ (νους) mind
έγκλημα, το: crime
εγκληματίας, ο: criminal
εγκληματικότητα, η: criminality
εγκληματώ: commit a crime
έγκληση, η: indictment, charge
εγκλιματίζω: acclimatize, acclimate
έγκλιση, η: *(γραμ)* mood
εγκλωβίζω: encage, incage, cage
εγκολπώνομαι: (κυριολ.) embrace, hug ‖ *(μτφ)* embrace, adopt, accept
εγκοπή, η: notch, cut, incision
εγκόσμιος, -α, -ο: secular, earthly
εγκράτεια, η: temperance, moderation, self-restraint
εγκρατής, -ές: temperate, moderate, self-restrained, continent
εγκρίνω: approve ‖ (επικυρώ) ratify
έγκριση, η: approval ‖ (επικύρωση) ratification
εγκύκλιος, η: circular
εγκυκλοπαίδεια, η: encyclopedia
εγκυμονώ: be pregnant *(και μτφ)*
εγκυμοσύνη, η: pregnancy
έγκυος, η: pregnant, with child
έγκυρος, -η, -ο: (εν ισχύει) valid ‖ (αξιόπιστος) reliable, well-grounded
εγκώμιο, το: praise, laudation ‖ *(εκκλ) τα* **~α**: the lamentations
έγνοια, η: care, concern
εγχείρηση, η: operation
εγχειρίδιο, το: (μαχαίρι) dagger, poniard ‖ (βιβλίο) handbook, manual
εγχειρίζω: (δίνω) hand ‖ (χειρουργώ) operate
έγχορδος, -η, -ο: stringed
έγχρωμος, -η, -ο: colored
εγχώριος, -α, -ο: domestic, native
εγώ: *(αντων)* I ‖ *(ουσ)* ego ‖ βλ.

εγωισμός, ο: egoism, egotism, selfishness
εγωιστής, ο (*θηλ.* **εγωίστρια**): egoist, egotist, selfish
εγωιστικός, -ή, -ό: egoistic, egoistical, egotistic, selfish
εδάφιο, το: extract, passage, excerpt, paragraph
έδαφος, το: (χώμα) ground, soil, earth || (περιοχή) territory
έδεσμα, το: food, meal
έδρα, η: (κάθισμα) seat, chair || (γραφείο) desk || (αξίωμα) chair || (τόπος) seat
εδραιώνω: strengthen, consolidate
έδρανο, το: bench
εδρεύω: have one's seat || (κατοικώ) reside
εδώ: here
εδώδιμα, τα: victuals, food, foodstuff
εδωδιμοπωλείο, το: grocery, supermarket
εδώλιο, το: (πάγκος) bench, stool || (κατηγορουμένου) dock
εθελοντής, ο (*θηλ.* **εθελόντρια**): volunteer
έθιμο, το: custom
εθιμοτυπία, η: etiquette, protocol
εθνάρχης, ο: ethnarch, leader of the nation, national leader
εθνεγερσία, η: war of independence
εθνικισμός, ο: nationalism
εθνικιστής, ο (*θηλ.* **εθνικίστρια**): nationalist
εθνικοποιώ: nationalize
εθνικός, -ή, -ό: national
εθνικότητα, η: nationality
εθνικόφρονας, ο: nationalist, loyalist
έθνος, το: nation
εθνοσυνέλευση, η: national assembly
εθνοφρουρά, η: national guard
εθνοφυλακή, η: militia
ειδάλλως: otherwise
ειδεμή: or else, otherwise
ειδήμων, ο: expert, knowledgeable
ειδησεογραφία, η: reportage, news report
είδηση, η: information, news || (*πληθ*) news
ειδικεύομαι: specialize
ειδίκευση, η: specialization
ειδικός, -ή, -ό: special, specific || (*ουσ*) specialist, expert
ειδικότητα, η: specialty
ειδοποίηση, η: notice, notification
ειδοποιώ: notify, inform
είδος, το: kind, sort
ειδύλλιο, το: idyll || (*μτφ*) romance, love affair
είδωλο, το: (*φυσ*) image || (ομοίωμα) idol || (ίνδαλμα) idol
ειδωλολάτρης, ο: idolater
είθε: may, would to God, I wish
εικασία, η: guess, conjecture
εικόνα, η: picture || (*εκκλ*) icon

εικονίζω: picture, portray, depict (*και μτφ*)
εικόνισμα, το: icon
εικονογραφημένος, -η, -ο: illustrated
εικονογραφώ: illustrate
εικοσάδα, η: score
εικοσάδραχμο, το: twenty drachmas piece
είκοσι: twenty
εικοστός, -ή, -ό: twentieth
ειλικρίνεια, η: sincerity, frankness, candor
ειλικρινής, -ές: sincere, frank, candid
είμαι: I am
ειμαρμένη, η: destiny, fate
είναι: (απαρέμφ.) be || (γ΄ πρόσ.) is
ειρηνευτικός, -ή, -ό: pacifying
ειρήνη, η: peace
ειρηνικός, -ή, -ό: peaceful || (γαλήνιος) pacific, serene
Ειρηνικός: (ωκεανός) Pacific ocean
ειρηνιστής, ο: pacifist
Ειρηνοδικείο, το: court of justice of the peace
ειρηνοδίκης, ο: justice of the peace
ειρκτή, η: jail, prison
είρωνας, ο: ironist, mocker
ειρωνεία, η: irony, sarcasm, mockery
ειρωνεύομαι: mock, jeer, speak ironically
ειρωνικός, -ή, -ό: ironical, sarcastic, derisive
εις: (*πρόθ*) (μέσα) in || (κίνηση) into, to || (χρον. όριο) within, in || (στάση) at, in, by || βλ. και **σε**
εισαγγελέας, ο: district attorney (U.S.) || public prosecutor (Engl.)
εισαγγελία, η: district attorney's office
εισάγω: (κάνω εισαγωγές) import || (παρουσιάζω) introduce
εισαγωγέας, ο: importer
εισαγωγή, η: import || introduction
εισαγωγικά, τα: quotation marks,

inverted commas
εισβάλλω: invade
εισβολέας, ο: invader
εισβολή, η: invasion
εισδύω: penetrate, slip in, creep in
εισέρχομαι: come in, go in, enter, get in
εισήγηση, η: suggestion, proposal
εισηγούμαι: suggest, propose
εισιτήριο, το: ticket
εισιτήριος, -α, -ο: entrance
εισόδημα, το: income
είσοδος, η: entrance, entry (πράξη και άνοιγμα)
εισπνέω: breathe in, inhale
εισπνοή, η: breathing in, inhalation
εισπράκτορας, ο: (λεωφορείου) bus conductor || (χρημάτων) collector
εισπράττω: collect, receive
εισφορά, η: contribution
είτε: either, or, whether || ~ ... ~: either ... or, whether ... or
εκ: *(πρόθ)* βλ. **από**
εκατό: hundred
εκατομμύριο: million
εκατομμυριούχος, ο: millionaire
εκατοντάβαθμος, -η, -ο: centigrade
εκατοντάδραχμο, το: a hundred drachmas bill
εκατονταετηρίδα, η: centennial, centenary
εκατοντούτης, ο: centenarian
εκατοστό, το: centimeter
εκατοστόμετρο, το: βλ. **εκατοστό**
εκατοστός, -ή, -ό: hundredth
εκβαθύνω: deepen
εκβάλλω: βλ. **βγάζω** || (ποτάμι) flow into
έκβαση, η: outcome, result, issue
εκβιάζω: (αναγκάζω) force || (κάνω εκβιασμό) blackmail
εκβιασμός, ο: (αναγκασμός) forcing || (απειλή) blackmail
εκβιαστής, ο: (*θηλ.* **εκβιάστρια**) blackmailer
εκβολή, η: (ποταμού) mouth
εκβράζω: wash ashore
εκγυμνάζω: train, drill, exercise || (προπονώ) coach
εκγύμναση, η: training, exercise
έκδηλος, -η, -ο: evident, obvious
εκδηλώνω: display, show, demonstrate
εκδήλωση, η: (δείξιμο) display, demonstration, show || (δραστηριότητα) activity
εκδηλωτικός, -ή, -ό: expressive, demonstrative
εκδίδω: (έντυπο) publish, issue || (απόφαση) give, pronounce || (εγκληματία ή καταζητούμενο) extradite || (γυναίκα) pimp, procure, pander
εκδικάζω: judge, try
εκδίκηση, η: revenge, vengeance
εκδικητής, ο: (*θηλ.* **εκδικήτρια**) avenger
εκδικούμαι: avenge, revenge
εκδιώκω: drive out, drive away
έκδοση, η: (εντύπου) publication, edition || (τεύχος) issue || (καταζητούμενου) extradition
εκδότης, ο (*θηλ.* **εκδότρια**): publisher
εκδούλευση, η: service, favor
εκδοχή, η: version, view
εκδρομέας, ο: excursionist, picknicker
εκδρομή, η: excursion, picnic
εκεί: there
εκείθε: thither
εκείνος, -η, -ο: that, that one || *(πληθ)* those
εκεχειρία, η: armistice, truce, ceasefire
έκζεμα, το: eczema
έκθαμβος, -η, -ο: astounded, dumbfounded, amazed
εκθαμβωτικός, -ή, -ό: dazzling *(και μτφ)*
εκθειάζω: praise, extol
έκθεμα, το: exhibit, showpiece, exhibition piece
έκθεση, η: (παρουσίαση) display || (ζώων, καλλιτεχν. κλπ) exhibition || (σε επικίνδυνη κατάσταση) exposure || (μαθητ) composition, essay || (γραπτή αναφορά) report || *(εμπ κλπ.)* exposition
έκθετο, το: (παιδί) foundling
εκθέτω: (αποκαλύπτω) expose *(και μτφ)* || (κάνω έκθεση) exhibit || (σε κίνδυνο) expose
εκθρονίζω: dethrone
εκκαθαρίζω: liquidate, settle
εκκαθάριση, η: liquidation, settlement, clearing
εκκεντρικός, -ή, -ό: eccentric
εκκενώνω: βλ. **αδειάζω** || (περιοχή) vacate, evacuate
εκκίνηση, η: starting, starting off
έκκληση, η: appeal
εκκλησία, η: church
εκκλησίασμα, το: congregation

εκκοκιστήριο, το: (βάμβακος) cotton gin
εκκολάπτω: hatch, incubate
εκκρεμές, το: pendulum
εκκρεμής, -ές: *(μτφ)* pending, pendent || *(νομ)* in abeyance
εκκρεμότητα, η: pending, abeyance
εκκρεμώ: to be pending, be in abeyance
έκκριση, η: excretion, secretion
εκκωφαντικός, -ή, -ό: deafening
εκλαϊκεύω: popularize
εκλαμβάνω: take for
εκλέγω: select, pick, choose || (σε εκλογές) elect
εκλειπτική, η: ecliptic
εκλειπών , ο: *(μτφ)* deceased
έκλειψη, η: *(αστρ)* eclipse
εκλεκτικός, -ή, -ό: selective, choosy
εκλεκτός, -ή, -ό: elite, select, choice, chosen
εκλέξιμος, -η, -ο: eligible
εκλεπίζω: scale
εκλιπαρώ: entreat, implore, beseech, supplicate
εκλογέας, ο: (που έχει δικαίωμα ψήφου) constituent, elector || (ψηφοφόρος) voter
εκλογή, η: (διάλεγμα) choice, selection || *(πολιτ)* election
έκλυτος, -η, -ο: dissolute, corrupt, libertine
εκμαγείο, το: cast
εκμάθηση, η: learning, erudition
εκμαιεύω: elicit, evoke, extract
εκμεταλλεύομαι: work, operate || *(μτφ)* exploit
εκμετάλλευση, η: working, operating || *(μτφ)* exploitation
εκμηδενίζω: annihilate
εκμισθώνω: lease, hire
εεκμισθωτής, ο: lessor, hirer
εκμυζώ: suck || *(μτφ)* suck, bleed, exploit
εκμυστηρεύομαι: confide
εκνευρίζω: exasperate, get on one's nerves, irritate
εκνευριστικός, -ή, -ό: exasperating, irritating
εκούσια: *(επίρ)* willingly, voluntarily
εκούσιος, -α, -ο: voluntary, willing
εκπαίδευση, η: education, learning
εκπαιδευτήριο, το: school, institute of learning
εκπαιδευτικός, -ή, -ό: educational || *(ουσ)* educator
εκπαιδεύω: educate, instruct, teach
εκπατρίζομαι: expatriate
εκπέμπω: (αναδίνω) emit, emanate, send forth, give off || (μεταδίδω) transmit || (ραδιόφ.) broadcast || (τηλεόρ.) telecast
εκπίπτω: deduct, reduce, depreciate
εκπληκτικός, -ή, -ό: surprising, amazing, astonishing
έκπληκτος, -η, -ο: surprised, astonished
έκπληξη, η: surprise, astonishment, amazement
εκπληρώνω: fulfill || *(βλ.* **εκτελώ***)*
εκπλήρωση, η: fulfillment
εκπλήσσω: surprise, astonish, amaze
εκπνέω: exhale, breathe out || (λήγω) expire
εκποιώ: sell
εκπολιτίζω: civilize, culture
εκπολιτιστικός, -ή, -ό: cultural
εκπομπή, η: (ακτινοβολία) emission, emanation || (μετάδοση) transmission || (ραδιόφ.) broadcast || (τηλεόρ.) telecast
εκπονώ: elaborate, design
εκπορεύομαι: emanate, originate
εκπορθώ: capture, take by storm
εκπρόθεσμος, -η, -ο: overdue, past due, delinquent
εκπρόσωπος, ο: representative, delegate
εκπροσωπώ: represent
έκπτωση, η:| (τιμών) discount, reduction
έκπτωτος, -η, -ο: deposed
εκπυρσοκροτώ: detonate
εκρήγνυμαι: explode, blow up || *(μτφ)* break out, burst
εκρηκτικός, -ή, -ό: explosive
έκρηξη, η: explosion, detonation, blast, blow up || (πολέμου) outbreak
εκσκαφέας, ο: excavator, dredger
εκσκαφή, η: excavation, digging
έκσταση, η: ecstasy, rapture
εκστομίζω: utter, mouth
εκστρατεία, η: *(στρ)* expedition || (καμπάνια) campaign
εκστρατεύω: *(στρ)* make an expedition, go on an expedition || (κάνω καμπάνια) campaign
εκσφενδονίζω: hurl, fling, cast
έκτακτος, -η, -ο: (εξαιρετικός) exceptional, excellent || (παραπανήσιος, έξτρα) extra

έκταση, η: (άπλωμα) spread, spreading, stretching || (επιφάνεια) spread, stretch, area, size
εκτεθειμένος, -η, -ο: exposed
εκτείνομαι: stretch, reach, extend, spread
εκτείνω: extend, stretch
εκτέλεση, η: (πραγμάτωση) performance, execution || (κατάδικου) execution
εκτελεστής, ο: (δήμιος) executioner || (διαθήκης) executor
εκτελώ: perform, execute, carry out || (κατάδικο) execute
εκτελωνίζω: clear (customs)
εκτενής, -ές: extensive, lengthy, long, protracted
εκτενώς: *(επίρ)* extensively, at length
εκτεταμένος, -η, -ο: extensive, lengthy, long
εκτίμηση, η: (υπόληψη) esteem, regard || (υπολογισμός) estimation, appraisal, evaluation, valuation
εκτιμώ: (υπολήπτομαι) esteem, value || (υπολογίζω) estimate, appraise, avaluate
εκτίω: (ποινή) serve, do time
εκτόξευση, η: shooting, discharge, hurling
εκτοξεύω: shoot, hurl
εκτοπίζω: displace || (εξορίζω) exile
εκτόπιση, η: exile
εκτόπισμα, το: displacement
έκτος, -η, -ο: sixth
εκτός: *(επίρ)* (έξω) outside, without || (εξαιρουμένου) except, excepting || (επιπλέον) besides, apart from || ~ **εάν:** unless
έκτοτε: *(επίρ)* since, since then, ever since
εκτράχυνση, η: aggravation, worsening
εκτραχύνω: aggravate, worsen
έκτροπα, τα: acts of violence, riots
εκτροχιάζομαι: be derailed, run off the rails || *(μτφ)* go astray
εκτροχιάζω: derail
έκτρωμα, το: *(μτφ)* freak, monster
έκτρωση, η: abortion || (αποβολή) miscarriage
εκτυλίσσομαι: develop, evolve, take place
εκτυπώνω: βλ. **τυπώνω** || (κάνω ανάγλυφο) emboss, engrave
εκτυφλωτικός, -ή, -ό: *(μτφ)* blinding, dazzling
εκφέρω: *(μτφ)* express, pronounce, utter
εκφοβίζω: frighten, intimidate, terrorize
εκφορά, η: funeral
εκφορτώνω: unload, discharge, unlade
εκφορτωτής, ο: unloader || (λιμανιού) stevedore
εκφράζομαι: express oneself
εκφράζω: express
έκφραση, η: expression
εκφραστικός, -ή, -ό: expressive
εκφυλίζομαι: degenerate *(και μτφ)*
έκφυλος, ο: degenerate *(και μτφ)*
εκφώνηση, η: call || (λόγου) delivery
εκφωνητής, ο (*θηλ.* **εκφωνήτρια**): speaker, announcer
εκφωνώ: call, pronounce || (λόγο) deliver, speak
εκχύλισμα, το: extract
εκχωρώ: cede, concede, transfer
εκών, -ούσα, -όν: willing, voluntary || ~ **άκων:** willy-nilly
έλα!: *(επιφ)* Oh, come on!, come on!, come now!
ελαιογραφία, η: oil-painting
ελαιόδεντρο, το: olive tree
ελαιόλαδο, το: olive oil
έλαιον, το: oil
ελαιοτριβείο, το: pressure expeller, olive press
ελαιώνας, ο: olive grove
έλασμα, το: metal plate, sheet metal, sheet iron, lamina
ελαστικό, το: *(αυτοκ)* tyre, tire
ελαστικός, -ή, -ό: (ιδιότητα) elastic || (ευκολολύγιστος) flexible *(και μτφ)*
ελατήριο, το: spring || *(μτφ)* motive, incentive, incitement
έλατο, το: fir, fir tree
ελάττωμα, το: defect, fault, flaw
ελαττωματικός. -ή, -ό: defective, faulty, imperfect
ελαττώνω: decrease, diminish, lessen
ελάφι, το: deer || *(αρσ)* stag, buck, hart || *(θηλ)* βλ. **ελαφίνα**
ελαφίνα, η: doe, hind
ελαφρά: *(επίρ)* lightly, gently
ελαφραίνω: βλ. **ελαφρύνω** || (χάνω βάρος) drop weight, lighten, become lighter
ελαφρόμυαλος, -η, -ο: light-headed, hare-brained
ελαφρόπετρα, η: pumice

ελαφρός, -ή, -ό: (βάρος) light *(και μτφ)* || (ποτό) weak || (όχι σοβαρός) light, frivolous
ελαφρυντικός, -ή, -ό: extenuating
ελαφρύς, -ιά, -ύ: βλ. **ελαφρός**
ελαφρώνω: *(μτβ)* lighten, reduce, relieve || *(αμτβ)* be relieved, feel relieved, take a weight off one's mind
ελάχιστος, -η, -ο: (υπερθετικός) least || (πολύ λίγος) very little || (ελάχιστο δυνατό) minimum
ελεγκτής, ο: (που ελέγχει τομέα) controller || (τραίνου) ticket collector
έλεγχος, ο: (εξουσία) control || (κρίση) criticism, reproach || (σχολικός) report
ελέγχω: (εξουσιάζω) control || (κριτικάρω) criticize, reproach
ελεεινολογώ: deplore, censure
ελεεινός, -ή, -ό: wretched
ελεημοσύνη, η: charity, alms
ελέησον: *(εκκλ)* eleison || **Κύριε** ~: *(εκκλ)* Kyrie eleison || *(επιφ)* Lord have mercy!
έλεος, το: (συμπόνοια) mercy, pity || (συνδρομή) alms, charity
ελευθερία, η: freedom, liberty
ελεύθερος, -η, -ο: free || (από υποχρεώσεις) exempt, free || (μη κατειλημμένος) vacant, free, unoccupied
ελευθεροτυπία, η: freedom of the press
ελευθερώνομαι: free oneself, get free, be liberated
ελευθερώνω: free, liberate, set free
ελευθέρωση, η: freeing, deliverance, liberation
ελευθερωτής, ο: liberator
έλευση, η: arrival
ελέφαντας, ο: elephant
ελεφαντόδοτο, το: (δόντι) tusk || (ύλη) ivory
ελέφας, ο: βλ. **ελέφαντας**
ελεώ: give charity, give alms, help
ελιά, η: (δέντρο) olive, olive tree || (καρπός) olive || (σώματος) mole, birthmark
ελιγμός, ο: maneuver
έλικας,ο: *(μηχ)* screw, propeller
ελικοειδής, -ές: spiral, meandering
ελικόπτερο, το: helicopter
ελιξίριο, το: elixir
ελίσσομαι: wind, coil
έλκηθρο, το: (μεγάλο όχημα) sledge || (μεγάλο έλκηθρο) sleigh
έλκος, το: ulcer
ελκυστήρας, ο: tractor
ελκυστικός, -ή, -ό: attractive
ελκύω: attract, draw
έλκω: βλ. **ελκύω**
Ελλάδα, η: Greece, Hellas
ελλανοδίκης, ο: judge
Ελλάς, η: βλ. **Ελλάδα**
έλλειμμα, το: shortage || *(οικ)* deficit
έλλειψη, η: lack, shortage, want, deficiency
Έλληνας, ο (*θηλ.* **Ελληνίδα**): Greek, Hellene
έλξη, η: (τράβηγμα) pull, draft, traction || *(φυσ)* attraction *(και μτφ)*
ελονοσία, η: malaria
έλος, το: marsh, swamp, bog, morass, mire
ελπίδα, η: hope
ελπίζω: hope
ελώδης, -ες: marshy, swampy, boggy
εμαγιέ: *(επίθ)* enamelled
εμάς: *(αντων)* us
εμβαδό, το: area
εμβάζω: remit
εμβαθύνω: examine thoroughly, peruse
έμβασμα, το: remittance
εμβατήριο, το: march
έμβλημα, το: emblem, coat of arms
εμβολιάζω: vaccinate, inoculate || (φυτό) engraft, ingraft, graft
εμβόλιο, το: vaccine || (φυτού) graft
έμβολο, το: piston, plunger
εμβριθής, -ές: (σοβαρός) serious, profound || (πολυμαθής) erudite
εμβρόντητος, -η, -ο: thunderstruck *(και μτφ)* flabbergasted, astounded
έμβρυο, το: fetus, embryo
εμείς: *(αντων)* we
εμένα: *(αντων)* me
εμετικός, -ή, -ό: emetic, vomitive
εμετός, ο: vomit, vomiting, spew, puke
εμμένω: persist, adhere to, stick to
έμμεσος, -η, -ο: indirect
έμμηνα, τα: menses, period, menstruation, monthlies
εμμηνόρροια, η: menstruation
έμμισθος, -η, -ο: salaried
εμμονή, η: persistence
έμμονος, -η, -ο: persistent, || (σταθερός) fixed
εμπαθής, -ές: mallicious, ill-feelling, spiteful
εμπαίζω: mock || (απατώ) deceive

εμπεδώνω: consolidate
εμπειρία, η: experience
εμπειρογνώμονας, ο: expert || (ειδικός) specialist
έμπειρος, -η, -ο: experienced, skilled
εμπιστεύομαι: (έχω εμπιστοσύνη) trust || (λέω εμπιστευτικά) confide, entrust
εμπιστευτικά: *(επίρ)* in confidence, confidencially
εμπιστευτικός, -ή, -ό: confidencial,
έμπιστος, -η, -ο: trustworthy, reliable || *(ουσ)* confidant
εμπιστοσύνη, η: confidence, trust, faith
έμπλαστρο, το: plaster
εμπλέκω: *(μτφ)* involve, implicate
εμπλουτίζω: enrich
εμπνέω: inspire
εμποδίζω: impede, obstruct, hinder || (παρεμποδίζω) prevent
εμπόδιο, το: obstacle, obstruction, impediment, hindrance, hurdle
εμπόλεμος, -η, -ο: belligerent, at war
εμπόρευμα, το: merchandise
εμπορεύομαι: merchandise, trade, engage in commerce
εμπορικό, το: *(κατάστημα)* shop, store
εμπορικός, -ή, -ό: commercial, mercantile, merchant
εμπόριο, το: commerce, trade
εμποροπανήγυρη, η: fair
εμποροπλοίαρχος, ο: master mariner, master
έμπορος, ο: merchant, trader, dealer
εμποροϋπάλληλος, ο: salesperson, shop assistant || *(θηλ)* saleslady
εμποτίζω: saturate, soak, imbue || *(μτφ)* imbue
εμπρησμός, ο: arson
εμπρηστής, ο: arsonist
εμπρηστικός, -ή, -ό: incendiary *(και μτφ)*
εμπριμέ, το: print
εμπρός: *(επίρ)* (ενώπιον) in front, before || (πρωτύτερα) before, earlier || (κίνηση) forward, ahead
εμπρόσθιος, -α, -ο: anterior, front, fore
εμπροσθοφυλακή, η: vanguard
έμπυο, το: pus, matter, suppuration
εμπύρετος, -η, -ο: feverous, feverish
εμφανής, -ές: (που φαίνεται) visible || (φανερός) apparent, evident, obvious, clear
εμφανίζομαι: appear, make an appearance, come in sight
εμφανίζω: present, reveal || βλ. **εκθέτω** || (φιλμ) develop
εμφανίσιμος, -η, -ο: good-looking, well-groomed, neat
εμφαντικός, -ή, -ό: emphatic
έμφαση, η: emphasis, intensity of expression, stress
εμφύλιος, -α, -ο: πόλεμος: civil war
εμφύσημα, το: emphysema
έμφυτος, -η, -ο: innate, inborn, inherent
έμψυχος, -η, -ο: animate, living
εμψυχώνω: animate, encourage, inspirit, hearten
εν: *(πρόθ)* in, within || ~ **πάσει περιπτώσει:** anyway, however || **~τούτοις:** nevertheless, none the less, however || **~τάξει:** all right
ένα: βλ. **ένας**
εναγόμενος, -η, -ο: defendant
ενάγω: sue, bring suit, charge
ενάγων, -ουσα, -ον: plaintiff
εναέριος, -α, -ο: aerial, overhead, air
εναλλαγή, η: alternation
εναλλακτικός, -ή, -ό: alternative
εναλλάσσομαι: alternate
εναλλασσόμενος, -η, -ο: alternating
εναλλάσσω: alternate
έναντι: *(επίρ)* βλ. **απέναντι** || *(οικ)* against
ενάντια: *(επίρ)* contrarily, counter to, contrary to
εναντίον: *(επίρ)* against
ενάντιος, -α, -ο: contrary, adverse
εναντιώνομαι: oppose, be opposed to
ενάρετος, -η, -ο: virtuous, righteous
έναρθρος, -η, -ο: articulate
εναρκτήριος, -α, -ο: first, opening
εναρμονίζω: harmonize
έναρξη, η: beginning, start, starting, opening
ένας, μία, ένα: *(αριθμ)* one || (κάποιος) a, an || one at a time, one by one
έναστρος, -η, -ο: starry, full of stars
ένατος, -η, -ο: ninth
ενδεής, -ές: destitute, needy
ενδείκνυται: *(απρόσ)* is necessary, is called for
ενδεικτικό, το: certificate
ένδειξη, η: indication, sign || *(νομ)* evidence
ένδεκα: eleven
ενδεκαετής, -ές: eleven-year-old
ενδέκατος, -η, -ο: eleventh

ενδεχόμενο, το: eventuality, possibility, contingency || **για κάθε ~:** just in case
ενδεχόμενος, -η, -ο: possible, probable, eventual
ενδιάμεσος, -η, -ο: intermediary, intermediate, in between
ενδιαφέρομαι: be interested, be concerned, take an interest
ενδιαφερόμενος, -η, -ο: interested, concerned
ενδιαφέρον, το: interest, concern
ενδιαφέρω: interest, concern
ενδιαφέρων, -ουσα, -ον: interesting
ενδίδω: give in, yield, give way
ενδοιασμός, ο: hesitation, second thoughts
ενδόμυχος, -η, -ο: inmost, secret, innermost, intimate
ένδοξος, -η, -ο: glorious
ενδοτικός, -ή, -ό: yielding, complying, pliant
ενδοχώρα, η: hinterland, back country
ένδυμα, το: garment, clothes
ενδυμασία, η: (κοστούμι) suit || (φορεσιά) attire, garb
ενέδρα, η: ambush, ambuscade
ενεδρεύω: ambush, ambuscade, lie in ambush
ένεκα: on account of, because of, by reason of
ενενήντα: ninety
ενενηντάρης, ο: nonagenarian
ενέργεια, η: action, energy
ενεργητικός, -ή, -ό: active, energetic
ενεργός, -ή, -ό: active
ενεργούμαι: evacuate, void
ενεργώ: act || (φάρμακο) take effect
ένεση, η: injection, shot
ενεστώτας, ο: present tense
ενεχυριάζω: pawn
ενέχυρο, το: pawn
ενεχυροδανειστήριο, το: pawnshop
ενηλικιώνομαι: come of age, reach legal age, reach majority
ενήλικος, -η, -ο: adult, major, of age
ενήμερος, -η, -ο: aware, informed, acquainted with
ενημερώνω: inform, acquaint with, bring up to date
ενθάρρυνση, η: encouragement, heartening
ενθαρρύνω: encourage, hearten
ένθερμος, -η, -ο: warm, cordial, hearty, ardent
ενθουσιάζομαι: become enthusiastic, be enthusiastic, enthuse
ενθουσιάζω: fill with enthusiasm, make enthusiastic
ενθουσιασμός, ο: enthusiasm
ενθουσιαστικός, -ή, -ό: enthusiastic
ενθουσιώδης, -ες: enthusiastic, filled with enthusiasm
ενθύμηση, η: remembrance, recollection
ενθυμίζω: remind
ενθύμιο, το: souvenir, memento, keepsake
ενθυμούμαι: remember, recall, recollect
ενιαίος, -α, -ο: uniform, unified, single
ενικός, ο: singular
ενισχύω: reinforce, strengthen || (υποστηρίζω) support
εννέα: nine
εννιά: βλ. **εννέα**
εννιακόσιοι, -ες, -α: nine hundred
έννοια, η: (γεν.) concept, idea || (νόημα) meaning, significance, sense || (ερμηνεία) interpretation || (φροντίδα) care, concern, worry
εννοώ: (καταλαβαίνω) comprehend, understand || (θέλω να πω) mean || (έχω πρόθεση) intend
ενοικιάζω: (οίκημα) rent || (όχημα) rent, hire
ενοικιαστής, ο (*θηλ.* **ενοικιάστρια**): tenant
ενοίκιο, το: rent
ένοικος, ο: inhabitant
ένοπλος, -η, -ο: armed
ενοποιώ: unify
ενορία, η: parish
ενορίτης, ο (*θηλ.* **ενορίτισσα**): parishioner
ένορκος, -ο: *(ουσ) juror* || *(πληθ* οι ένορκοι): the jury
ενορχήστρωση, η: orchestration
ενόσω: as long as, while
ενότητα, η: (ενιαίο σύνολο) unit, unity || (ένωση) unification, unity
ενοχή, η: guilt
ενόχληση, η: inconvenience, trouble, annoyance, nuisance
ενοχλητικός, -ή, -ό: troublesome, troubling, annoying
ενοχλώ: trouble, annoy
ενοχοποιητικός, -ή, -ό: incriminating
ενοχοποιώ: incriminate
ένοχος, -η, -ο: guilty
ενσαρκώνω: incarnate, embody

ένσημο, το: stamp
ενσκήπτω: break out
ενσταλάζω: instill *(και μτφ)*
ενσταντανέ, το: snapshot
ένσταση, η: (αντίρρηση) objection || *(νομ)* appeal
ένστικτο, το: instinct
ενστικτωδώς: *(επίρ)* instinctively
ενσυνείδητος, -η, -ο: conscious
ενσφηνώνω: wedge
ενσφράγιστος, -η, -ο: sealed
ενσωματώνω: incorporate
ένταλμα, το: warrant
ένταση. η: (τέντωμα) tension, strain *(και μτφ)* || (δυνάμωμα) intensification, intensifying, intensity || (χειροτέρεψη σχέσεων) strain, straining
εντατικός, -ή, -ό: intensive
ενταφιάζω: bury, inter, inhume
εντείνω: strain, stretch || (δυναμώνω) intensify
έντεκα: βλ. **ένδεκα**
εντέλεια, η: perfection
εντελώς: *(επίρ)* wholly, completely
έντερο, το: intestine, bowel, gut
εντευκτήριο, το: club
έντιμος, -η, -ο: honorable
εντοιχισμένος, -η, -ο: (έπιπλο) built-in
έντοκος, -η, -ο: at interest, with interest, bearing interest
εντολέας, ο: (που δίνει παραγγελία) assignor
εντολή, η: (διαταγή) order, command || (παραγγελία) order || *(εκκλ)* commandment
εντολοδόχος, ο: (που δέχεται παραγγελία) assignee
έντομο, το: insect
εντομοκτόνο, το: insecticide, pesticide
εντομολόγος, ο: entomologist
έντονος, -η, -ο: intense || (ύφος ή απάντηση) sharp
εντοπίζω: (περιορίζω σε ένα μέρος) localize || προσδιορίζω το μέρος) locate
εντόπιος, -α, -ο: local, native, indigenous
εντός: *(επίρ)* in, within, inside
εντόσθια, τα: entrails, intestines
εντούτοις: however, yet
εντράδα, η: (κυρίως φαγητό) entrée || (κρέας με λαχανικά) ragout, meat and vegetable stew
εντριβή, η: (πράξη) rubbing, massage || (υγρό) rubbing alcohol
έντρομος, -η, -ο: frightened, terror-stricken, scared, terrified
έντυπο, το: printed matter
έντυπος, -η, -ο: printed
εντυπώνω: imprint *(και μτφ)*
εντύπωση, η: impression
εντυπωσιάζω: impress
εντυπωσιακός, -ή, -ό: impressive
ενυδρείο, το: aquarium
ενώ: *(συνδ* χρον.). while, as long as, whilst || (αντιθ.) whereas, while
ενωμένος, -η, -ο: united, joined, connected
ενωμοτάρχης, ο: police sergeant
ενώνω: unite, connect, join
ενώπιον: βλ. **εμπρός**
ένωση, η: union, unification || (αρμός) joint, connection || (οργάνωση) union
ενωτικό, το: hyphen
εξ: *(πρόθ)* βλ. **εκ** || βλ. **έξη**
εξαγγέλω: proclaim
εξαγνίζω: expiate, purify
εξαγόμενο, το: (συμπέρασμα) conclusion || *(μαθ)* result
εξαγορά: (δωροδοκία) bribe, bribery, pay off
εξαγοράζω: (δωροδοκώ) buy off, pay off, bribe, graft
εξαγριώνομαι: become furious, be enraged, be infuriated
εξαγριώνω: infuriate, enrage
εξάγω: (βγάζω) extract. take out, pull out || *(εμπορ)* export
εξαγωγέας, ο: exporter
εξαγωγή, η: (βγάλσιμο) extraction, taking out, pulling out || (δοντιού) extraction || *(εμπορ)* export
εξάγωνο: hexagon
εξάδα, η: sextet, sextuplet
εξάδελφος, ο *(θηλ.* **εξαδέλφη**): cousin
εξαερίζω: air, ventilate
εξαεριστήρας, ο: ventilator, vent
εξαερώνω: evaporate, vaporize, gasify
εξαετής, -ές: (κάθε έξι χρόνια) sexennial || (διάρκεια) of six years, sexennial || (ηλικία) six-year-old
εξαθλιώνω: degrade
εξαίρεση, η: (από κανόνα) exception || (απαλλαγή από υποχρέωση) exemption
εξαιρετέος, -α, -ο: (να εξαιρεθεί από κανόνα) exceptionable || (να απαλλαγεί από υποχρέωση) exemptible
εξαιρετικός, -ή, -ό: exceptional
εξαίρετος, -η, -ο: βλ. **εξαιρετικός**
εξαιρώ: (κάνω εξαίρεση) except || (απαλλάσσω) exempt

εξαίρω: *(μτφ)* exalt, elevate
εξαιτίας: *(επίρ)* because of, by reason of
εξακολουθητικός, -ή, -ό: continuous, incessant
εξακολουθώ: continue, carry on, go on, keep on *(μτβ ή αμτβ)*
εξακοντίζω: hurl, fling, let fly, launch
εξακόσιοι, -ες, -α: six hundred
εξακριβώνω: ascertain, find out, verify
έξαλλος, -η, -ο: beside oneself, in a frenzy, frenzied, frantic
εξάλλου: *(επίρ)* besides
εξαμελής, -ές: six-member
εξαμηνία, η: six months, half year, a six-month period ‖ (σχολ.) semester
εξάμηνο, το: βλ. **εξαμηνία**
εξάμηνος, -η, -ο: semi-annual
εξαναγκάζω: force, compel, coerce
εξάνθημα, το: skin eruption, rash
εξανίσταμαι: revolt, rebel
εξαντλημένος, -η, -ο: exhausted
εξάντληση, η: exhaustion
εξαντλώ: exhaust
εξάπαντος: *(επίρ)* definitely, without fail, certainly
εξαπατώ: deceive, cheat, con, defraud
εξαπλάσιος, -α, -ο: sextuple, sixfold
εξαπολύω: launch, let loose, hurl
εξάπτω: irritate, anger, make angry, excite ‖ (ξεσηκώνω) excite
εξαργυρώνω: cash, convert into money ‖ (επιταγή) cash
εξαρθρώνω: disarticulate, disjoint ‖ (μέλους) dislocate
εξάρθρωση, η: disarticulation ‖ (μέλους) dislocation
εξάρι, το: six
εξάρτημα, το: accessory, component
εξάρτηση, η: dependence
εξαρτώμαι: depend
εξαρχής: *(επίρ)* from the beginning, from scratch
εξασθενίζω: weaken, enfeeble, attenuate
εξασθενώ: weaken, grow weak ‖ (οπτικά) dim, weaken ‖ (ακουσ.) grow faint, become faint
εξάσκηση, η: practice, exercise
εξασκώ: (γυμνάζω) train, exercise drill ‖ (επάγγελμα) practice, practise
εξάσφαιρο, το: six-gun, six-shooter
εξασφαλίζω: secure, ensure, safeguard
εξατμίζω: evaporate, vaporize
εξάτμιση, η: evaporation, vaporization ‖ (αυτοκ.) exhaust
εξαφανίζομαι: disappear, vanish, pass out of sight
εξαφανίζω: put out of sight, cut off from sight, cause to disappear ‖ *(μτφ)* wipe out, annihilate
έξαφνα: *(επίρ)* suddenly, unexpectedly, all of a sudden
εξαχρειώνω: corrupt, deprave
έξαψη, η: excitement
εξεγείρω: rouse ‖ *(μτφ)* rouse, excite
εξέγερση, η: rousing, revolt, rebellion
εξέδρα, η: stand, platform, dais
εξέλιξη, η: development, evolution ‖ *(μτφ)* progression
εξελίσσομαι: develop, evolve ‖ *(μτφ)* progress
εξεπίτηδες: *(επίρ)* intentionally, on purpose, deliberately
εξερεθίζω: irritate, nettle, excite
εξερεύνηση, η: exploration
εξερευνητής, ο: explorer
εξερευνώ: explore
εξετάζω: examine ‖ (λεπτομερώς) probe
εξέταση, η: examination
εξεταστής, ο *(θηλ.* **εξετάστρια**): examiner
εξευτελίζω: debase, degrade
εξευτελισμός, ο: debasement, degradation
εξέχω: protrude, project, jut out ‖ *(μτφ)* be prominent
έξη, η: habit
εξήγηση, η: explanation, interpretation
εξηγούμαι: explain oneself, make clear
εξηγώ: explain, make clear ‖ (δίνω ερμηνεία) interpret
εξηκοστός, -ή, -ό: sixtieth
εξηλεκτρίζω: electrify, wire for electric power
εξημερώνω: tame ‖ (μεταβάλλω σε κατοικίδιο) domesticate
εξήντα: sixty
εξηντάρης, ο *(θηλ.* **εξηντάρα**): sexagenarian
εξηντλημένος, -η, -ο: exhausted
εξής: *(επίρ)* **εις το** ~: in the future, from now on, henceforth, henceforward ‖ **τα** ~: the following ‖ ως ~: as follows ‖ **και ούτω καθ~**: and so on, and so forth
έξι: six
εξιδανικεύω: idealize
εξιλεώνω: βλ. **εξευμενίζω** ‖ expiate, propitiate
εξιλέωση, η: expiation, propitiation

εξίσου: *(επίρ)* equally, likewise
εξιστορώ: narrate, relate, tell
εξισώνω: equalize, make equal
εξίσωση, η: equalization ‖ *(μαθ)* equation
εξιτήριο, το: discharge
εξιχνιάζω: discover, solve
εξόγκωμα, το: swelling, bulge
εξογκώνω: swell ‖ *(μτφ)* exaggerate, magnify
έξοδα, τα: expenses, expenditure
έξοδος, η: (ενέργεια) exit, egress ‖ (άνοιγμα) opening, exit
εξοικειώνω: familiarize, accustom
εξοικονομώ: manage
εξοκέλλω: run aground, run ashore
εξολοθρεύω: exterminate, extirpate
εξομαλύνω: smooth, level, grade ‖ (μτφ) smooth down, settle
εξομοιώνω: assimilate, liken
εξομολόγηση, η: confession
εξομολογητής, ο: confessor
εξομολογούμαι: confess
εξόν: *(επίρ)* βλ. **εκτός**
εξοντώνω: exterminate, destroy, wipe out, annihilate
εξονυχιστικός, -ή, -ό: minute, close
εξοπλίζω: arm
εξοργίζομαι: be infuriated, get angry
εξοργίζω: infuriate, enrage, irritate
εξορία, η: exile, banishment
εξορίζω: exile, banish
εξόριστος, -η, -ο: exiled, in exile ‖ *(ουσ)* exile
εξορκίζω: exorcise
εξορμώ: charge, rush out
εξορύσσω: (από γη) mine, dig out ‖ (βγάζω) pluck out, extract
εξοστρακίζω: ostracize *(και μτφ)*
εξουδετερώνω: neutralize
εξουσία, η: (δύναμη επιβολής) power, control ‖ (δύναμη νόμου) authority, power
εξουσιάζω: have authority, control, rule
εξουσιοδότηση, η: authorization ‖ (έγγραφο) power of attorney
εξουσιοδοτώ: authorize. empower
εξοφλώ: pay off, settle an account
εξοχή, η: (προεξοχή) protuberance, protrusion ‖ (ύπαιθρο) country, contryside, outdoors
εξοχικός, -ή, -ό: country, rural, outdoor, rustic
έξοχος, -η, -ο: (άνθρωπος) distinguished, excellent ‖ (πράγμα) excellent, first-class, first-rate
εξοχότατος, -η, -ο: (τίτλος) excellency
εξπρές, το: (τραίνο) express, nonstop ‖ (επιστολή) special delivery
έξτρα: extra
εξτρεμιστής, ο: extremist
εξύβριση, η: insult, offence
εξυμνώ: praise, extol
εξυπακούεται: *(απρόσ)* it is understood, it follows
εξυπηρέτηση, η: service, favor
εξυπηρετικός, -ή, -ό: helpful
εξυπηρετώ: render a service, help
εξυπνάδα, η: cleverness, intelligence ‖ (έξυπνος λόγος) witticism, quip, sally
έξυπνος, -η, -ο: clever, smart, bright
εξυφαίνω: *(μτφ)* plot, hatch, machinate
εξυψώνω: elevate, exalt
εξύψωση, η: elevation, exalting
έξω: *(επίρ)* out, outside, without ‖ ~!: get out! ‖ **πέφτω ~**: (κάνω λάθη) be mistaken ‖ **απ~**: (κυριολ.) from outside ‖ *(μτφ)* by heart ‖ **~ φρενών:** beside oneself
εξωθώ: drive out, push out ‖ *(μτφ)* drive, urge
εξωκλήσι, το: chapel
εξώπορτα, η: street door, front door ‖ (κήπου) garden gate
έξωση, η: eviction
εξώστης, ο: balcony
εξωτερικό, το: (το έξω) outside, exterior ‖ (έξω από τη χώρα) abroad, foreign countries
εξωτερικός, -ή, -ό: (απ' έξω) outside, exterior ‖ (έξω από τη χώρα) foreign
εξωτικός, -ή, -ό: exotic
εξωφρενικός, -ή, -ό: maddening
εξώφυλλο, το: (βιβλίου) cover ‖ (παράθυρου) shutter
εορτάζω: celebrate
εορτάσιμος, -η, -ο: festive
εορτή, η: *(θρησκ)* holiday, feast ‖ (ονομαστική) name-day
επαγγέλλομαι: practice
επάγγελμα, το: (γενικά) occupation ‖ (ειδικευμένο) vocation ‖ (πτυχιούχου) profession ‖ (εμπόρου) trade, business
επαγγελματίας: businessman, tradesman ‖ (όχι ερασιτέχνης) professional
επαγγελματικός, -ή, -ό: occupatio-

nal || (ειδικ.) vocational || (όχι ερασιτεχνικός) professional
επαγρυπνώ: be vigilant, be watchful, be alert, be wakeful
έπαθλο, το: prize, trophy
έπαινος, ο: praise
επαινώ: praise, commend
επαίσχυντος, -η, -ο: shameful, disgraceful
επαιτεία, η: begging
επαίτης, ο: beggar
επαιτώ: beg
επακόλουθο, το: consequence
επακολουθώ: follow, ensue
επακριβώς: accurately, exactly
έπακρο, το: extreme
επάλειψη, η: coat, coating
επαληθεύω: verify, confirm
έπαλξη, η: battlement
επανακτώ: recover
επαναλαμβάνω: (ξαναλέω) repeat, say again || (ξανακάνω) resume, recommence
επανάληψη, η: repetition || (ξανάρχισμα) resumption || (μαθημάτων) review, repetition || (κιν. ταινία) rerun
επαναπατρίζω: repatriate
επανάσταση, η: revolution
επαναστάτης, ο (*θηλ.* **επαναστάτρια**): revolutionist, rebel
επαναστατικός, -ή, -ό: revolutionary
επαναστατώ: revolt, rise, rebel
επανδρώνω: man
επανειλημμένα: *(επίρ)* repeatedly
επανειλημμένος, -η, -ο: repeated
επανέρχομαι: return, come back
επάνοδος, η: return
επανορθώνω: (διορθώνω) correct || (αποζημιώνω) repair, redress
επανόρθωση, η: (διόρθωση) correction || (αποζημίωση) reparation
επάνω: *(επίρ)* on, upon, on top of || (στο πάνω πάτωμα) upstairs || ~ **από:** over, above
επανωτός, -η, -ό: successive
επανωφόρι, το: topcoat, overcoat, greatcoat
επάξιος, -α, -ο: deserving, worthy
επάρατος, -η, -ο: accursed
επαργυρώνω: silver-plate
επαρκής, -ές: sufficient, adequate, enough
επαρκώ: suffice, be sufficient, be adequate
επαρχία, η: province, district || (U.S.A.) county
επαρχιώτης, ο *(θηλ.* **επαρχιώτισσα**): provincial, rustic
έπαυλη, η: villa
επαυξάνω: increase, augment
επαύριο, η: the morrow, the following day
επαφή, η: touch, contact
επείγον, το: urgent
επειγόντως: *(επίρ)* urgently
επείγω: be urgent, be pressing
επειδή: because, for
επεισόδιο, το: incident *(και μτφ)*
έπειτα: *(επίρ)* then, afterwards, next, after
επεκτείνω: extend, expand
επεμβαίνω: interfere, intervene
επέμβαση, η: interference, intervention || (χειρουργική) operation
επένδυση, η: *(οικ)* investment
επενδύω: *(οικ)* invest
επεξεργάζομαι: process, work
επεξεργασία, η: process, working
επεξήγηση, η: explanation, clarification
επερώτηση, η: interpellation
επέτειος, η: anniversary
επευφημώ: applaud, acclaim, cheer
επηρεάζω: influence, affect
επήρεια, η: influence, effect
επί: *(πρόθ)* on, upon || (πολλαπλ.) by || (χρον. διάρκεια) for || (για, περί) about || ~**τέλους:** at last!, finally
επίατρος, ο: major (of Medical Corps)
επιβάλλω: impose, inflict
επιβαρύνω: burden || (κάνω χειρότερη τη θέση) aggravate
επιβάτης, ο: passenger
επιβεβαιώνω: confirm
επιβεβλημένος, -ή, -ό: necessary
επιβιβάζομαι: go on board, embark
επιβιώνω: survive
επιβίωση, η: survival
επιβλαβής, -ές: harmful, injurious
επιβλέπω: supervise, oversee
επίβλεψη, η: supervision
επιβλητικός, -ή, -ό: imposing
επιβολή, η: imposition || (ποινής) infliction
επιβουλή, η: design, plot
επιβραβεύω: reward, award a prize
επιβραδύνω: retard, slow down, decelerate
επίγειος, -α, -ο: earthly, terrestrial
επιγραφή, η: inscription
επιδεικνύομαι: show off
επιδεικνύω: show, display

επιδεινώνω: worsen, aggravate
επιδείνωση, η: aggravation, worsening
επιδένω: bandage, dress
επιδέξιος, -α, -ο: skilful, dexterous
επιδερμίδα, η: epidermis ǁ (χρώμα και υφή) complexion
επίδεσμος, ο: bandage, dressing
επιδημία, η: epidemic
επιδιορθώνω: repair
επιδιώκω: pursue, aspire, aim at
επιδοκιμάζω: approve
επιδοκιμασία, η: approval
επίδομα, το: extra pay, allowance
επιδόρπια, τα: dessert
επιδοτώ: subsidize
επίδραση, η: influence, effect
επιδρομέας, ο: raider, invader
επιδρομή, η: raid, invasion
επιδρώ: influence, affect, have influence on
επιείκεια, η: leniency, clemency
επιεικής, -ές: lenient
επίζηλος, -η, -ο: enviable
επιζήμιος, -α, -ο: harmful, injurious
επιζώ: survive, outlive
επίθεση, η: attack, assault, offensive
επίθετο, το: *(γραμ)* adjective ǁ (επώνυμο) last name, surname
επιθεώρηση, η: (έλεγχος) inspection, check ǁ *(στρ)* inspection ǁ (θεατρ.) review, revue
επιθεωρητής, ο: inspector
επιθεωρώ: inspect, check
επιθυμητός, -ή, -ό: desirable
επιθυμία, η: desire
επιθυμώ: desire ǁ (μου λείπει) miss
επίκαιρος, -η, -ο: opportune, timely ǁ (σύγχρονος) up-to-date
επίκειμαι: impend, be imminent
επίκεντρο, το: epicenter
επικερδής, -ές: profitable, lucrative
επικεφαλής: *(επίρ)* at the head
επικεφαλίδα, η: heading, headline, title
επικήδειος, -α, -ο: funeral
επικήρυξη, η: "wanted" notice
επικίνδυνος, -η, -ο: dangerous, hazardous
επικοινωνία, η: communication ǁ (επαφή) contact, intercourse
επικοινωνώ: communicate
επικολλώ: glue, stick
επικός, -ή, -ό: epic
επίκουρος, ο: auxiliary
επικράτεια, η: (κράτος) realm
επικρατώ: predominate, prevail *(και μτφ)*
επικρίνω: criticize, find fault
επικρότηση, η: (έγκριση) approval
επικροτώ: (εγκρίνω) approve, accept
επίκτητος, -η, -ο: acquired
επικυρώνω: ratify, validate
επίλαρχος, ο: cavalry major
επίλεκτος, -η, -ο: select, hand-picked, elite
επιλήψιμος, -η, -ο: reprehensible, reproachable
επιλογή, η: choice, selection
επίλογος, ο: epilogue
επιλοχίας, ο: (U.S.A.) First sergeant ǁ (Engl.) sergeant-major
επίλυση, η: solution
επιμέλεια, η: diligence, assiduity
επιμελής, -ές: diligent, hard-working
επιμελητήριο, το: chamber
επιμελούμαι: take care of, attend, look after
επιμένω: insist, persist
επιμήκης, -ες: elongated, oblong
επιμηκύνω: elongate, lengthen
επιμνημόσυνος, -η, -ο: memorial
επιμονή, η: insistence, persistence
επίμονος, -η, -ο: insistent, persistent
επίνειο, το: port
επινοώ: invent, contrive
επιορκία, η: perjury
επίορκος, -η, -ο: perjurer
επίπεδο, το: *(γεωμ)* plane ǁ *(μτφ)* level, standard
επίπεδος, -η, -ο: level, plane, flat
επιπλέον: *(επίρ)* moreover, furthermore
επιπλέω: float
επιπλήττω: rebuke, reprimand, scold, reproach ǁ (ποινή) reprimand
έπιπλο, το: piece of furniture ǁ *(πληθ)* furniture, furnishing
επιπλοκή, η: complication
επιπλοποιός, ο: cabinet maker
επιπλώνω: furnish
επίπλωση, η: (πράξη) furnishing ǁ (έπιπλα) furniture
επιπόλαιος, -α, -ο: *(μτφ)* superficial, shallow, frivolous
επιπρόσθετος, -η, -ο: additional
επίπτωση, η: consequence
επιρρεπής, -ές: prone, given to
επίρρημα, το: adverb
επιρροή, η: influence
επισημαίνω: locate
επισημοποιώ: authenticate, sanction

επίσημος, -η, -ο: (ανεγν.) official || (τυπικός) formal || (αξιωματούχος) dignitary, official, notable
επίσης: *(επίρ)* also, too, likewise, as well
επισκεπτήριο, το: (κάρτα) card, visiting-card || (ώρα) visiting hour
επισκέπτης, ο (*θηλ* **επισκέπτρια**): visitor, caller
επισκέπτομαι: visit, call, pay a visit
επισκευάζω: repair
επισκευή, η: repair
επίσκεψη, η: visit, call
επισκιάζω: overshadow *(και μτφ)*
επισκοπή, η: bishopric
επίσκοπος, ο: bishop
επισκοπώ: review, examine, oversee
επισμηναγός, ο: (U.S.A.) Major USAF || (Engl.) squadron leader
επισμηνίας, ο: (U.S.A.) Senior Master Sergeant || (Engl.) Flight-sergeant
επισπεύδω: expedite, rush
επισταμένως: *(επίρ)* minutely, carefully
επιστάτης, ο: (εργοταξίου) foreman || (σχολείου) custodian, caretaker
επιστήθιος, -α, -ο: bosom
επιστήμη, η: science
επιστημονικός, -ή, -ό: scientific
επιστήμονας, ο: scientist
επιστολή, η: letter
επιστρατεύω: mobilize, conscript, draft, call up
επιστρέφω: *(μτβ)* give back, return || *(αμτβ)* return, come back
επιστροφή, η: return
επιστρώνω: coat, cover
επισυνάπτω: attach
επισύρω: draw, attract
επισφραγίζω: confirm
επιταγή, η: (τσεκ) check || (τραπεζική) money order
επιτακτικός, -ή, -ό: imperative *(και μτφ)*
επίταξη, η: requisition
επιτάσσω: (κάνω επίταξη) requisition, commandeer
επιτάφιος, -α, -ο: (επιγραφή ή ύμνος) epitaph || (Μ. Παρασκευή) Good Friday, Holy Friday
επιταχύνω: accelerate
επιτελάρχης, ο: chief of staff
επιτελείο, το: staff
επιτετραμμένος, -η, -ο: (διπλωμ.) chargé d'affaires
επίτευγμα, το: achievement, accomplishment
επιτήδειος, -α, -ο: skilful, clever, dexterous
επίτηδες: *(επίρ)* intentionally, on purpose
επιτηδευμένος, -η, -ο: affected, artificial
επιτήδευση, η: affectation
επιτήρηση, η: surveillance
επιτηρητής, ο: overseer
επιτηρώ: oversee, supervise
επιτίθεμαι: attack, assault, fall upon
επιτόκιο, το: compound interest
επίτομος, -η, -ο: abridged, condensed
επιτόπιος, -α, -ο: local
επιτρέπω: allow, permit
επιτροπεύω: be a guardian
επιτροπή, η: committee
επίτροπος, ο: guardian, trustee || (εκκλησίας) churchwarden
επιτροχάδην: *(επίρ)* quickly, cursorily
επιτυχής, -ές: successful
επιτυχία, η: success
επιφάνεια, η: surface
Επιφάνεια, τα: Epiphany
επιφανειακός, -ή, -ό: superficial
επιφανής, -ές: distinguished, eminent
επιφορτίζω: charge *(και μτφ)*
επιφυλακή, η: alert, stand by
επιφυλακτικός, -ή, -ό: circumspect, reserved, guarded
επιφύλαξη, η: reservation
επιφυλάσσομαι: reserve
επιφυλάσσω: have in store
επιφώνημα, το: exclamation, interjection
επιχείρημα, το: *(μτφ)* argument
επιχειρηματίας, ο: businessman
επιχείρηση, η: undertaking, venture || *(οικ)* enterprise, business || (εταιρεία) concern, business, enterprise || *(στρ)* operation
επιχειρώ: attempt, undertake, enter upon, try
επιχορηγώ: subsidize, grant a subsidy
επίχρισμα, το: coat, plaster
επιχρίω: coat, plaster
επιχρυσώνω: gold-plate, gild
επιχωμάτωση, η: embankment
εποικοδομητικός, -ή, -ό: constructive
έπομαι: follow
επόμενος, -η, -ο: following, next, subsequent
επομένως: *(επίρ)* consequently,

therefore
εποποιία, η: epopee || *(μτφ)* epic
εποπτεύω: oversee, supervise
επόπτης, ο: overseer, supervisor
έπος, το: epic *(και μτφ)*
εποστρακίζομαι: ricochet
επουλώνω: heal *(και μτφ)*
επουσιώδης, -ες: secondary, immaterial
εποφθαλμιώ: covet
εποχή, η: (περίοδος) epoch, era, age || (έτους) season
επτά: seven
επτάγωνο, το: heptagon
επτακόσιοι, -ες, -α: βλ. **εφτακόσιοι**
επταπλάσιος, -α, -ο: sevenfold
επωάζω: hatch, incubate
επωδός, η: refrain
επώδυνος, -η, -ο: painful, hurtful
επωμίζομαι: shoulder
επώνυμο, το: last name, surname, family name
επωφελής, -ές: advantageous, beneficial, profitable
επωφελούμαι: take advantage, benefit, profit
έρανος, ο: collection, contribution
ερασιτέχνης, ο: amateur
εραστής, ο: lover *(και μτφ)*
εργάζομαι: work || (λειτουργώ) work, run, function
εργαλείο, το: tool
εργασία, η: (γενικά) work || (επάγγελμα) work, job, occupation, business
εργαστήριο, το: *(επιστ)* laboratory || (τεχνίτη) workshop || (καλλιτεχν.) studio, artists's workroom, atelier
εργάτης, ο: worker, workman, laborer
εργατικός, -ή, -ό: (σχετικός με εργάτη) working, labor, labour || (φιλόπονος) industrious, diligent, hard-working
εργατικότητα, η: industriousness, industry, diligence
εργένης, ο: bachelor, single, unmarried
έργο, το: work *(και μτφ)* || (πράξη) act, deed
εργοδηγός, ο: foreman
εργοδότης, ο: employer
εργολάβος, ο: βλ. **εργολήπτης**
εργολήπτης, ο: contractor
εργοληψία, η: contract
εργοστασιάρχης, ο: factory owner
εργοστάσιο, το: factory, plant, works
εργόχειρο, το: handicraft, handiwork
ερεθίζω: irritate, excite || (διεγείρω) stimulate, excite || (προκ. φλογ.) inflame
ερεθισμός, ο: irritation, excitement || (διέγερση) stimulation || (φλόγωση) inflamation
ερείπιο, το: ruin
ερειπώνω: ruin, wreck
ερεισίνωτο, το: back rest
έρεισμα, το: support, backing
έρευνα, η: (ψάξιμο) search || *(επιστ)* research
ερευνώ: (ψάχνω) search || *(επιστ)* research || (ανιχν.) investigate
ερημιά, η: (τόπος) wild, wilderness || (μοναξιά) solitude, isolation
ερημικός, -ή, -ό: solitary, wild, uninhabited, desolate
έρημος, η: desert
ερημώνω: devastate, desolate, lay waste
ερίζω: quarrel
έριο, το: wool
εριστικός, -ή, -ό: quarrelsome
ερμάριο, το: cupboard, closet, sideboard
ερμηνεία, η: interpretation, translation
ερμηνεύω: intrerpret, translate
ερπετό, το: reptile *(και μτφ)*
ερπύστρια, η: caterpillar, chain tread, caterpillar tread
έρπω: creep, crawl *(και μτφ)*
έρρινος, -η, -ο: nasal
ερυθρός, -ή, -ό: red
ερυσίπελας, ο: erysipelas, St. Anthony's fire
έρχομαι: come || (ταιριάζω) fit
ερωμένη, η: mistress
ερωμένος, ο: βλ. **εραστής**
έρωτας, ο: love
ερωτευμένος, -η, -ο: in love
ερωτεύομαι: fall in love
ερώτημα, το: question
ερωτηματικό, το: *(γραμ)* question mark, interrogation point
ερωτηματικός, -ή, -ό: interrogative
ερωτηματολόγιο, το: questionnaire
ερώτηση, η: question
ερωτικός, -ή, -ό: love
ερωτοτροπώ: court, flirt, woo
ερωτώ: ask, inquire, ask a question
εσείς: you
εσκεμμένος, -η, -ο: intentional,

deliberate, premeditated
εσοδεία, η: crop, harvest
έσοδο, το: income, revenue
εσοχή, η: recess, hollow, depression
εσπέρα, η: evening
εσπερίδα, η: party, evening reception, evening party, soiree
εσπεριδοειδή, τα: citruses, citrus trees, citrus fruit
εσπερινός, -ή, -ό: evening ‖ *(ουσ - εκκλ)* vespers
εσταυρωμένος, -η, -ο: (ο Χριστός στο σταυρό) crucifix
εστεμμένος, -η, -ο: crowned
εστία, η: (τζάκι) hearth, fireplace ‖ (οικογ. εστία) hearth, home ‖ (κέντρο) focus *(και μτφ)*
εστιατόριο, το: restaurant
έστω: so be it, let it be ‖ (παραδεκτό) granted ‖ ~ **και:** even
εσύ: you
εσφαλμένος, -η, -ο: mistaken, wrong
εσχάρα, η: grill
έσχατος, -η, -ο: (μακρινός) farthermost, farthest ‖ (τελευταίος) last
εσχάτως: *(επίρ)* recently, lately
εσώβρακο, το: shorts, underpants, drawers
εσωκλείω: enclose
εσώρουχα, τα: underwear, undergarment, underclothes
εσωτερικός, -ή, -ό: (από μέσα) internal, inside, inner interior
εταζέρα, η: (ράφι) shelf ‖ (έπιπλο) bookcase, chest
εταίρα, η: prostitute, courtesan
εταιρεία, η: firm, company, corporation
ετεροβαρής, -ές: unilateral, one-sided
ετεροδικία, η: extraterritoriality
ετεροθαλής, -ές: (αδελφός) half brother, step-brother ‖ (αδελφή) half sister, step-sister
ετερόκλητος, -η, -ο: miscellaneous
ετήσιος, -α, -ο: annual, yearly
ετικέττα, η: (ταμπέλα) label ‖ (εθιμοτυπία) etiquette
ετοιμάζομαι: prepare, get ready
ετοιμάζω: make ready, ready, prepare
ετοιμοθάνατος, -η, -ο: about to die, at the point of death
έτοιμος, -η, -ο: ready, prepared ‖ (πράγμα) ready-made
ετοιμότητα, η: (πνευμ.) presence of mind, quickness
έτος, το: year
έτσι: *(επίρ)* so, thus, like this, like that, in this way, in this manner
ετυμηγορία, η: verdict
ετυμολογία, η: etymology
Ευαγγέλιο, το: gospel
Ευαγγελισμός, ο: Annunciation
ευαγή, τα: (ιδρύματα) charitable institutions
ευάερος, -η, -ο: airy
ευαισθησία, η: sensitivity, sensitiveness
ευαίσθητος, -η, -ο: sensitive
ευανάγνωστος, -η, -ο: legible
ευαρέσκεια, η: (ηθ. αμοιβή) commendation
ευάρεστος, -η, -ο: pleasant, agreeable
εύγε!: *(επίρ)* good for you!, bravo!, well done!, good show!
ευγένεια, η: (χαρακτήρα και καταγωγής) nobility, nobleness ‖ *(τρόπων)* politeness, courtesy, civility
ευγενής, -ές: (χαρακτ. καταγ.) noble ‖ (τρόπος) polite, courteous, civil
ευγενικός, -ή, -ό: polite, courteous, civil
εύγευστος, -η, -ο: tasty, savoury
εύγλωττος, -η, -ο: eloquent
ευγνώμονας, ο: grateful, thankful
ευγνωμονώ: be grateful, be thankful
ευγνωμοσύνη, η: gratitude, gratefulness
ευδιάθετος, -η, -ο: cheerful, in good humor
ευδιάκριτος, -η, -ο: distinct, discernible, clear
ευδοκιμώ: prosper, succeed, thrive ‖ *(μτφ)* thrive
εύελπης, ο: cadet
ευέξαπτος, -η, -ο: irritable, quick-tempered, irascible
ευεξία, η: well-being, good health
ευεργεσία, η: benefaction
ευεργέτης, ο *(θηλ.* **ευεργέτρια***)*: benefactor
ευεργετικός, -ή, -ό: beneficial, beneficent ‖ (που ωφελεί) beneficial
ευεργετώ: help, be beneficial, give charity
ευερέθιστος, -η, -ο: βλ. **ευέξαπτος**
ευήλιος, -α, -ο: sunny
ευημερία, η: prosperity
ευημερώ: prosper
ευθεία, η: straight line
εύθικτος, -η, -ο: touchy
ευθιξία, η: touchiness
εύθραυστος, -η, -ο: fragile, breakable, brittle

ευθυγραμμίζω: align
ευθυμία, η: gaiety, mirth, cheerfulness
ευθυμογράφος, ο: humorist
εύθυμος, -η, -ο: gay, cheerful, merry
ευθύνη, η: responsibility
ευθύνομαι: be responsible, be accountable
ευθύς, -εία, -ύ: straight *(και μτφ)* || *(μτφ)* straight, straightforward, honest
ευθύς: *(επίρ)* right way, at once, immediately
ευθύτητα, η: straightness || *(μτφ)* straightforwardness, honesty
ευκαιρία, η: occasion, opportunity, chance
εύκαιρος, -η, -ο: free, available
ευκαιρώ: be free, have spare time, have the time
εύκαμπτος, -η, -ο: flexible, supple, pliant *(και μτφ)*
ευκατάστατος, -η, -ο: well-off, well-to-do, affluent
ευκίνητος, -η, -ο: agile, nimble
ευκοίλιος, -α, -ο: (άνθρωπος) with loose bowels
ευκοιλιότητα, η: diarrhea, looseness of the bowels
ευκολία, η: ease, facility
ευκολονόητος, -η, -ο: easy to understand
ευκολόπιστος, -η, -ο: gullible, credulous
εύκολος, -η, -ο: easy
ευκολοχώνευτος, -η, -ο: digestible
ευκολύνω: facilitate, make easy
εύκρατος, -η, -ο: temperate
ευκρινής, -ές: clear, distinct, lucid
ευκτική, η: (έγκλιση) optative
ευλάβεια, η: piety, devotion
ευλαβής, -ές: pious, devout
ευλογημένος, -η, -ο: blessed
ευλογία, η: blessing, benediction
ευλογιά, η: small pox, pox
ευλογώ: bless
ευλύγιστος, -η, -ο: lithe, supple, willowy
ευμάρεια, η: prosperity
ευμενής, -ές: favorable, favourable
ευμετάβλητος, -η, -ο: changeable, capricious, fickle
ευνόητος, -η, -ο: easy to understand
εύνοια, η: favor, favour
ευνοϊκός, -ή, -ό: favorable, favourable
ευνοούμενος, -η, -ο: favorite, favourite
ευνούχος, ο: eunuch
ευνοώ: favor, favour
ευοίωνος, -η, -ο: propitious, auspicious
ευπαθής, -ές: sensitive, delicate
ευπαρουσίαστος, -η, -ο: presentable, good-looking
ευπείθεια, η: obedience
ευπειθής, -ές: obedient
εύπεπτος, -η, -ο: digestible
ευπιστία, η: credulity, gullibility
εύπιστος, -η, -ο: credulous, gullible
εύπορος, -η, -ο: well-off, affluent, well-to-do
ευπρεπής, -ές: proper, decent
ευπρόσβλητος, -η, -ο: delicate, sensitive
ευπρόσδεκτος, -η, -ο: welcome
ευπροσήγορος, -η, -ο: affable
ευπρόσιτος, -η, -ο: accessible, approachable
ευρετήριο, το: index, catalogue
εύρημα, το: finding, find
ευρίσκω: βλ. **βρίσκω**
ευρύνω: widen, broaden, enlarge *(και μτφ)*
ευρύς, -εία, -ύ: wide, broad
ευρύτητα, η: broadness, breadth, extent || ~ **πνεύματος**: broad-mindedness
ευρύχωρος, -η, -ο: spacious, roomy || (ρούχο) loose
ευρωπαϊκός, -ή, -ό: european
εύρωστος, -η, -ο: robust, husky, strong
ευσέβεια, η: piety, devotion, devoutness
ευσεβής, -ές: pious, devout
ευσπλαχνία, η: compassion, mercy
ευσπλαχνικός, -ή, -ό: compassionate, merciful
ευστάθεια, η: stability, firmness, steadiness
ευσταθής, -ές: stable, firm, steady
εύστοχος, -η, -ο: well-aimed, accurate
εύστροφος, -η, -ο: agile, nimble || *(μτφ)* acute, keen
ευσυνειδησία, η: conscientiousness
ευσυνείδητος, -η, -ο: conscientious, scrupulous
εύσωμος, -η, -ο: big, sturdy, corpulent
ευτελής, -ές: cheap, mean
ευτράπελος, -η, -ο: humorous, humourous, witty, funny

ευτραφής, -ές: stout, corpulent, portly
ευτύχημα, το: blessing, happy occurence, lucky thing
ευτυχής, -ές: happy
ευτυχία, η: happiness
ευτυχισμένος, -η, -ο: βλ. **ευτυχής**
ευτυχώς: *(επίρ)* happily, fortunately, luckily
ευυπόληπτος, -η, -ο: respectable, reputable, esteemed
ευφάνταστος, -η, -ο: imaginative
εύφλεκτος, -η, -ο: flammable, inflammable
εύφορος, -η, -ο: fertile, productive, fecund
ευφράδεια, η: eloquence, fluency
ευφραδής, -ές: eloquent, fluent
ευφυής, -ές: intelligent, smart, clever, witty
ευφυΐα, η: intelligence, cleverness, wit
ευφυολόγημα, το: witticism
ευχαριστημένος, -η, -ο: satisfied, contented, pleased
ευχαριστήριος, -α, -ο: of thanks
ευχαρίστηση, η: pleasure, satisfaction, contentment
ευχαριστία, η: thanks || *(εκκλ)* eucharist
ευχάριστος, -η, -ο: agreeable, pleasant, pleasing
ευχαριστώ: thank || (δίνω ευχαρίστηση) please, satisfy, gratify
ευχαρίστως: *(επίρ)* with pleasure, gladly
ευχετήριος, -α, -ο: congratulatory
ευχή, η: wish
εύχομαι: wish
εύχρηστος, -η, -ο: handy, convenient
ευωδιά, η: fragrance
ευωδιάζω: be fragrant, smell sweetly, give off a sweet smell
εφάμιλλος, -η, -ο: equal to, rivalling, on a par with, match for
εφάπαξ: *(επίρ)* once and for all || (χρημ.) lump sum
εφάπτομαι: touch
εφαρμογή, η: (συναρμογή) fitting, fit || (εκτέλεση) application
εφαρμόζω: fit || *(μτφ)* apply, put into practice
εφαρμοστός, -ή, -ό: tight-fitting
έφεδρος, -η, -ο: reservist
εφεξής: *(επίρ)* adjacent || (στο εξής) henceforth
έφεση, η: appeal
εφεσιβάλλω: appeal
εφετείο, το: appelate court, court of appeals
εφέτης, ο: judge of the Court of appeals
εφετινός, -ή, -ό: of this year, this year's
εφέτος: *(επίρ)* this year
εφεύρεση, η: invention
εφευρέτης, ο: inventor
εφευρίσκω: invent
εφηβεία, η: adolescence, puberty
έφηβος, -η, -ο: adolescent, teen-ager
εφημερίδα, η: newspaper, paper
εφημεριδοπώλης, ο: newspaper seller, newsboy
εφημέριος, -α, -ο: vicar, rector, parson
εφήμερος, -η, -ο: ephemeral
εφιάλτης, ο: nightmare *(και μτφ)*
εφικτός, -ή, -ό: feasible
έφιππος, -η, -ο: on horseback, mounted, equestrian
εφιστώ: draw
εφοδιάζω: supply, equip, provision
εφοδιασμός, ο: supply
εφόδιο, το: supply, equipment
έφοδος, η: charge, attack, assault
εφοπλιστής, ο: ship owner
εφορεία, η: Internal Revenue Service
εφορμώ: charge, fall upon
έφορος, ο: *(οικον)* Internal Revenue Service Director || (βιβλιοθ. & αρχαιοτήτων) curator
εφόσον: insomuch
εφτά: seven
εφτακόσιοι, -ες, -α: βλ. **επτακόσιοι**
εφτάρι, το: seven
εχέγγυο, το: pledge, guarantee || (για δάνειο) collateral
εχεμύθεια, η: discretion, secrecy
εχέμυθος, -η, -ο: discreet, close-mouthed
εχθές: yesterday
έχθρα, η: enmity hostility, animosity
εχθρικός, -ή, -ο: hostile, enemy
εχθροπραξία, η: hostility
εχθρός, ο: enemy, foe
έχιδνα, η: viper, adder
εχτές: βλ. **εχθές**
έχω: have || ~ **δίκαιο**: be right || ~ **άδικο**: be wrong
εψές: yesterday, last night
έως: *(επίρ)* (χρον) until, till, to || (τοπ) as far as || (περίπου) about, approximately

Ζ

ζαβολιά, η: cheating, trickery
ζαβολιάρης, -α, -ικο: cheat, trickster
ζακέτα, η: jacket, coat
ζαλάδα, η: βλ. **ζάλη**
ζάλη, η: dizziness, giddiness
ζαλίζομαι: get dizzy, get giddy
ζαλίζω: make dizzy, make giddy
ζαμάνια, τα: χρόνια και ~: years and years, ages
ζαμπόν, το: ham
ζάπλουτος, -η, -ο: immensely rich, loaded
ζάρα, η: wrinkle, crease
ζαργάνα, η: needlefish
ζαρζαβάτι, το: vegetable
ζαρζαβατικό, το: βλ. **ζαρζαβάτι**
ζάρι, το: die (*πληθ* dice)
ζαριά, η: throw of the dice
ζαρκάδι, το: roe, roedeer
ζαρωματιά, η: βλ. **ζάρα**
ζαρώνω: *(μτβ & αμτβ)* wrinkle, crease
ζαφείρι, το: sapphire
ζάχαρη, η: sugar
ζαχαριέρα, η: sugar bowl
ζαχαρίνη, η: saccharine
ζαχαροκάλαμο, το: sugar cane
ζαχαροπλαστείο, το: candy store, confectionery
ζαχαροπλάστης, ο: confectioner
ζαχαρωτό, το: candy, sweet
ζέβρα, η: zebra
ζελατίνα, η: (κόλλα) gelatin ‖ (φύλλο) celluloid
ζελέ, το: jelly
ζεματίζω: scald
ζεματώ: βλ. **ζεματίζω** ‖ *(αμτβ)* be scalding hot, be very hot
ζενίθ, το: zenith *(και μτφ)*
ζερβός, -ή, -ό: (προς τα αριστερά) left, left-hand ‖ (αριστερόχειρ) left-handed
ζερβοχέρης, -α, -ικο: left-handed
ζέση, η: boiling ‖ *(μτφ)* heat, fervour
ζέστα, η: warmth ‖ **κάνει ~:** it is warm ‖ **κάνει ~** (μεγάλη): it is hot
ζεσταίνομαι: get warm, get hot, feel hot
ζεσταίνω: warm, heat
ζέστη, η: βλ. **ζέστα**
ζεστός, -ή, -ό: warm ‖ (πολύ) hot
ζευγάρι, το: (ομοίων) pair ‖ (ανόμοιων) couple ‖ (ανθρώπων) pair, couple ‖ (πόκερ) pair ‖ **~α:** (πόκερ) two pairs
ζευγαρώνω: (γενικά) couple, pair ‖ (σχημ. ζεύγη) pair, mate
ζεύγη, τα: (πόκερ) two pairs
ζεύγος, το: βλ. **ζευγάρι**
ζεύω: yoke, harness *(και μτφ)*
ζέφυρος, ο: zephyr
ζέψιμο, το: yoking, harnessing
ζήλεια, η: jealousy
ζηλευτός, -ή, -ό: enviable, envied
ζηλεύω: be jealous, envy
ζηλιάρης, -α, -ικο: jealous
ζήλος, ο: zeal
ζηλοτυπία, η: jealousy
ζηλοφθονία, η: envy
ζηλόφθονος, -η, -ο: envious
ζηλοφθονώ: envy
ζημιά, η: damage
ζημιώνω: damage ‖ (προκαλώ απώλεια) cause loss
ζήτημα, το: question, subject, matter, point, issue
ζήτηση, η: demand
ζητιανεύω: beg
ζητιάνος, ο: *(θηλ.* **ζητιάνα**): beggar
ζητώ: ask for
ζήτω!: hurrah!, long live
ζητωκραυγάζω: cheer
ζιζάνιο, το: weed ‖ *(μτφ)* mischievous, naughty
ζόρι, το: force, coercion, violence ‖ (δυσκολία) hardship, difficulty ‖ **με το ~:** by force, against one's will, willy-nilly
ζόρικος, -η, -ο: (δύσκολος) difficult, hard ‖ (άνθρωπος) difficult, hard to please
ζούγκλα, η: jungle *(και μτφ)*
ζουζούνι, το: insect, bug
ζουλώ: press, squeeze
ζουμερός, -η, -ό: juicy, succulent *(και μτφ)*
ζουμί, το: (χυμός) juice, sap ‖ (φαγητό) broth ‖ *(μτφ)* gist, essence
ζουρλομανδύας, ο: strait jacket

straight jacket
ζουρλός, -ή, -ό: mad, crazy, insane || *(μτφ)* wild
ζοφερός, -ή, -ό: dark, gloomy
ζοχάδα, η: βλ. **ζοχάδες** || (μτφ) cantankerousness, peevishness, irritability
ζοχάδας, ο: *(μτφ)* cantankerous, peevish, irritable
ζοχάδες, οι: hemorrhoids, piles
ζοχαδιάζω: *(μτφ)* anger, make angry, irritate
ζυγά, τα: even || **μονά ~**: even or odd
ζυγαριά, η: scales, pair of scales, balance
ζύγι, το: || (βαρίδι στάθμης) plumb-line || (βαρίδι ζυγού) weight
ζυγιάζομαι: hover
ζυγίζομαι: weigh myself
ζυγίζω: weigh
ζυγός, ο: yoke *(και μτφ)* || (πλάστιγγα) βλ. **ζυγαριά** || (σειρά) rank, line
ζυγός, -ή, -ό: even (βλ. και ζυγά)
ζυγώνω: draw near, draw close, approach, come near
ζυθοποιείο, το: brewery
ζυθοπωλείο, το: bar, saloon, beer-house
ζύθος, ο: beer
ζυμάρι, το: dough
ζυμαρικό, το: pasta
ζυμώνω: knead || (προκαλώ ζύμωση ferment
ζύμωση, η: fermentation
ζω: live || (περνώ ζωή) lead a life
ζωγραφιά, η: picture, drawing, painting
ζωγραφίζω: (σχεδιάζω) draw || (με μπογιές) paint
ζωγραφική, η: painting
ζωγράφος, ο: painter
ζωέμπορος, ο: cattle dealer
ζωή, η: life
ζωηράδα, η: liveliness, briskness
ζωηρεύω: *(μτβ)* brighten, enliven, animate || *(αμτβ)* become lively, be animated, warm up
ζωηρός, -ή, -ό: lively, brisk, active || (άτακτος) wild, pert, naughty || (έντονος) bright
ζωμός, ο: βλ. **ζουμί**
ζωνάρι, το: belt, sash
ζώνη, η: belt, sash || *(μτφ)* zone, belt
ζωντανεύω: *(μτβ)* revive, bring back to life, resurrect || *(αμτβ)* return to life, revive, be resurrected || *(μτφ)* animate, revive, brighten, enliven
ζωντάνια, η: liveliness, energy, activeness || *(μτφ)* vividness, liveliness
ζωντανός, -ή, -ό: alive, living, live
ζωντόβολο, το: beast, animal *(και μτφ)*
ζωντοχήρα, η: divorced, divorce
ζωντοχήρος, ο: divorced
ζώνω: gird, engird || *(μτφ)* encircle, surround
ζώο, το: animal, beast *(και μτφ)*
ζωογόνος, -α, -ο: life-giving, animating *(και μτφ)*
ζωογονώ: animate *(και μτφ)*
ζωοκλέφτης, ο: cattle thief, rustler, sheep thief
ζωολογία, η: zoology
ζωολογικός, -ή, -ό: zoological || **~ κήπος:** zoological garden, zoo
ζωοτροφή, η: fodder, feed for livestock
ζωόφιλος, -η, -ο: zoophile
ζωπυρώ: rekindle, revive
ζωστήρας, ο: belt, sash
ζωτικός, -ή, -ό: vital
ζωτικότητα, η: vitality

Z H

H

η: the *(fem)*
ή: or || ~ ... ~: either...or
ήβη, η: (ηλικία) puberty, adolescence, teens
ηγεμόνας, ο: ruler, monarch
ηγεμονία, η: hegemony, rule
ηγεσία, η: leadership
ηγέτης, ο: leader
ηγουμένη, η: mother superior, abbess
ηγούμενος, ο: abbot, father superior
ήδη: *(επίρ)* already, by now, even now
ηδονή, η: pleasure, delight
ηδονικός, -ή, -ό: pleasant, delightful,

delicious
ηδύποτο, το: liqueur
ηθική, η: (το αγαθό) morality, morals || (δεοντολογία και διδασκαλία) ethics
ηθικολόγος, ο: moralizer, moralist
ηθικό, το: morale
ηθικός, -ή, -ό: moral, ethical
ηθοποιός, ο (*θηλ.* **ηθοποιός**): actor (*θηλ* actress)
ήθος, το: ethos, character, nature || *(πληθ)* customs, habits
ηλεκτρικός, -ή, -ό: electric, electrical
ηλεκτρισμός, ο: electricity
ήλεκτρο, το: amber
ηλεκτρόδιο, το: electrode
ηλεκτροκίνητος, -η, -ο: driven by electricity
ηλεκτρολογία, η: (επιστήμη) electrical engineering
ηλεκτρολογικός, -ή, -ό: electrical
ηλεκτρολόγος, ο: (τεχνίτης) electrician || (πολυτεχνείου) electrical engineer
ηλεκτρονική, η: electronics
ηλεκτρονικός, -ή, -ό: electronic, electron
ηλεκτρόνιο, το: electron
ηλεκτροπληξία, η: electrocution
ηλεκτροτεχνίτης, ο: electrician
ηλεκτροφωτισμός, ο: electric lighting
ηλιάζομαι: sun oneself, sunbathe, lie in the sun
ηλιάζω: expose to the sun
ηλίανθος, ο: sunflower
ηλίαση, η: sunstroke
ηλίθιος, -α, -ο: idiotic, idiot, stupid
ηλιθιότητα, η: idiocy, stupidity
ηλικία, η: age || *(στρ)* age group
ηλικιωμένος, -η, -ο: aged, elderly
ηλικιώνομαι: age, grow old
ηλιοβασίλεμα, το: sunset
ηλιοθεραπεία, η: sunbathing
ηλιόκαμα, το: tan, suntan
ηλιοκαμένος, -η, -ο: tanned, sunburnt
ηλιόλουστος, -η, -ο: sunny
ηλιόλουτρο, το: sunbathing
ήλιος, ο: sun || (φυτό) βλ. **ηλίανθος**
ηλιοψημένος, -η, -ο: βλ. **ηλιοκαμένος**
ημεδαπός, -ή, -ό: local, domestic, native
ημέρα, η: day
ημερεύω: βλ. **εξημερώνω** || *(μτφ)* calm down, cool, appease
ημερήσιος, -α, -ο: daily, everyday
ημεροδείκτης, ο: calendar
ημερολόγιο, το: βλ. **ημεροδείκτης** || (πλοίου) log book || (προσωπικό) diary
ημερομηνία, η: date
ημερομίσθιο, το: day's wages, daily wage
ημερομίσθιος, -α, -ο: wage earner, daily laborer
ημερονύκτιο, το: 24 hours
ήμερος, -η, -ο: (κατοικίδιος) domestic, domesticated || *(μτφ)* tame
ημερώνω: βλ. **ημερεύω**
ημιαργία, η: half holiday, half-day holiday
ημιθανής, -ές: half dead
ημίθεος, ο: demigod
ημικρανία, η: migraine
ημικύκλιο, το: semi-circle
ημιμαθής, -ές: half-educated
ημίμετρα, τα: half measures
ημιονηγός, ο: mule driver, muleteer
ημίονος, ο: mule
ημιπληγία, η: hemiplegia, stroke
ημισέληνος, η: crescent || (μισοφέγγαρο) half-moon
ήμισυ, το: half
ημισφαίριο, το: hemisphere
ημιτελής, -ές: half-finished, incomplete
ημίφως, το: twilight
ημιχρόνιο, το: half-time
ημίψηλο, το: (καπέλο) derby, bowler
ημίωρο, το: half hour
ηνίο, το: rein, bridle
Ηνωμένες Πολιτείες: United States
ήπαρ, το: liver || (*πληθ* **ήπατα**
ηπατίτιδα, η: hepatitis
ήπειρος, η: continent
ηπειρωτικός, -ή, -ό: continental
ήπιος, -α, -ο: mild, meek || (κλίμα) clement, temperate
ηράκλειος, -α, -ο: herculean *(και μτφ)*
ηρεμία, η: calm, quietness, quietude, stillness
ήρεμος, -η, -ο: calm, quiet, still
ηρεμώ: keep still, be still, be quiet, calm down, quiet
ήρωας, ο (*θηλ* **ηρωίδα**): hero *(και μτφ)*
ηρωίδα, η: heroine
ηρωικός, -ή, -ό: heroic, heroical
ηρωίνη, η: heroin
ηρωισμός, ο: heroism
ησυχάζω: *(αμτβ)* grow quiet, calm

down, || *(μτβ)* calm, quiet
ησυχία, η: stillness, quietness, calmness
ήσυχος, -η, -ο: quiet, still
ήτοι: βλ. **δηλαδή**
ήττα, η: defeat *(και μτφ)*
ηττοπάθεια, η: defeatism
ηττοπαθής, -ές: defeatist
ηττώμαι: be defeated
ηφαίστειο, το: volcano
ηχηρός, -ή, -ό: loud, resounding, ringing
ήχος, ο: sound
ηχώ, η: echo
ηχώ: sound, ring, echo

Θ

θα: (μόριο μελλοντικό) shall, will || (μόριο δυνητικό) should, would
θάβω: bury, inter || *(μτφ)* bury
θαλαμηγός, η: yacht
θαλαμηπόλος, ο, η: (καμαριέρης) chamberlain, valet || (καμαριέρα) maid, chambermaid || (καμαρότος) steward
θάλαμος, ο: (δωμάτιο) room || (νοσοκομείου) ward || (πλοίου) stateroom, cabin
θάλασσα, η: sea
θαλασσής, -ιά, -ί: sea blue, azure
θαλασσινός, -ή, -ό: sea, marine, maritime || *(ουσ)* seaman
θαλάσσιος, -α, -ο: sea, marine
θαλασσόλυκος, ο: sea dog
θαλασσοποιώ: βλ. **θαλασσώνω**
θαλασσοπόρος, ο: seafarer, navigator
θαλασσοπούλι, το: seabird
θαλασσοταραχή, η: swell, heavy swell, heavy sea
θαλασσώνω: mess up, botch, make a mess of
θάλλω: blossom, bloom
θαλπωρή, η: warmth *(και μτφ)*
θάμνος, ο: bush, shrub, underbrush
θάμπος, το: βλ. **θάμβος**
θαμπός, -ή, -ό: dim, opaque, lackluster
θαμπώνω: dazzle, daze
θαμπωτικός, -ή, -ό: dazzling
θαμώνας, ο: customer, regular, patron, habitue
θανάσιμος, -η, -ο: mortal, deadly || (θανατηφόρος) lethal, mortal, fatal
θανατηφόρος, -α, -ο: mortal, lethal, fatal
θάνατος, ο: death *(και μτφ)*
θανατώνω: put to death, kill
θάπτω: βλ. **θάβω**
θαρραλέος, -α, -ο: courageous, daring
θαρρεύω: dare, venture
θάρρος, το: courage, daring
θαρρω: (νομίζω) believe, suppose, think
θαύμα, το: wonder, miracle, marvel
θαυμάζω: admire
θαυμάσιος, -α, -ο: wonderful, admirable, marvelous
θαυμασμός, ο: admiration
θαυμαστής, ο: (*θηλ* **θαυμάστρια**): admirer
θαυμαστικό, το: exclamation point, exclamation mark
θαυμαστός, -ή, -ό: admirable, wonderful, marvelous
θαυματοποιός, ο: magician, conjurer, juggler
θαυματουργός, -ή, -ό: wonder worker, miraculous, worker of miracles
θάφτω: βλ. **θάβω**
θάψιμο, το: burial, interment
θέα, η: view, sight
θεά, η: goddess *(και μτφ)*
θέαμα, το: sight, spectacle || (σε κέντρο) show
θεαματικός, -ή, -ό: spectacular
θεατής, ο: spectator
θεατρικός, -ή, -ό: theatrical, *(και μτφ)*
θεατρινίστικος, -η, -ο: histrionic, hypocritical
θεατρινισμός, ο: histrionics
θεατρίνος, ο: (*θηλ* **θεατρίνα**): actor (*θηλ*: actress) *(και μτφ)*
θέατρο, το: theater
θεία, η: aunt
θειάφι, το: sulfur, sulphur
θεϊκός, -ή, -ό: divine || *(και μτφ)*
θείο, το: βλ. **θειάφι**
θείος, ο: uncle
θέλγητρο, το: charm

θέλγω: charm, enchant
θέλημα, το: (βούληση) will || (επιθυμία) wish, desire || (μικροδουλειά) errand
θεληματικός, -ή, -ό: willing, voluntary
θέληση, η: will, volition
θελκτικός, -ή, -ό: charming, attractive
θέλω: want
θέμα, το: subject, question, topic, theme, matter
θεμέλιο, το: foundation *(και μτφ)*
θεμελιώνω: lay the foundation *(και μτφ)* || (εδραιώνω) consolidate
Θέμις, η: justice
θεμιτός, -ή, -ό: legal, lawful, legitimate
θεόγυμνος, -η, -ο: stark naked
θεόκουφος, -η, -ο: completely deaf
θεολογία, η: theology
θεολόγος, ο: theologian
θεομηνία, η: disaster, calamity, scourge
θεονήστικος, -η, -ο: starving, ravenous
θεοπάλαβος, -η, -ο: raving maniac, stark raving mad *(και μτφ)*
θεοποιώ: deify
θεόρατος, -η, -ο: huge, enormous, colossal, immense
Θεός, ο: God
θεοσεβής, -ές: pious, devout
θεοσκότεινος, -η, -ο: pitch-dark
θεόστραβος, -η, -ο: completely blind
θεότρελλος, -η, -ο: βλ. **θεοπάλαβος**
Θεοφάνεια, τα: epiphany
θεοφιλέστατος, ο: (τίτλος) his Grace
θεοφοβούμενος, -η, -ο: βλ. **θεοσεβής**
θεραπεία, η: cure, treatment
θεραπεύω: cure, heal
θέρετρο, το: summer resort
θεριακλής, ο: addict
θεριακλίκι, το: addiction
θεριεύω: (μεγαλώνω) grow big, grow tall
θερίζω: mow, reap
θερινός, -ή, -ό: summer
θεριό, το: βλ. **θηρίο**
θέρισμα, το: reaping, harvest
θερισμός, ο: βλ. **θέρισμα**
θεριστής, ο *(θηλ* **θερίστρια**): reaper, harvester
θερμαίνω: heat, warm
θέρμανση, η: heating || **κεντρική ~**: central heating
θερμαντήρας, ο: heater
θερμαστής, ο: stoker, fireman
θερμάστρα, η: stove
θερμίδα, η: calorie
θερμόαιμος, -η, -ο: hot-blooded
θερμοκήπιο, το: conservatory, greenhouse, hot house
θερμοκρασία, η: temperature
θερμόμετρο, το: thermometer
θερμομετρώ: take the temperature
θερμός, τό: (δοχείο) thermos, thermos bottle
θερμός, -ή, -ό: warm *(και μτφ)*
θερμοσίφωνας, ο: heater
θερμότητα, η: heat || *(μτφ)* warmth
θερμοφόρα, η: hot water bottle
θέρος, το: (εποχή) summer || βλ. **θέρισμα**
θέση, η: (τοποθεσία) place, position, site || (κάθισμα) seat, place || (δουλειά) position, job
θεσμός, ο: (συνήθεια) custom, tradition, institution || (νόμος) law
θεσπέσιος, -α, -ο: divine *(και μτφ)*
θεσπίζω: institute
θετικός, -ή, -ό: positive *(και μτφ)*
θετός, -ή, -ό: (γονέας) foster || (παιδί) fostering, adopted
θέτω: place, put, position, lay
θεωρείο, το: (θέατρου και κινημ.) box || (σταδίου και ιπποδρ.) grandstand || (βουλής) gallery
θεώρημα, το: theorem
θεωρητικός, -ή, -ό: theoretical, theoretic
θεωρία, η: theory
θεωρώ: (παρατηρώ) view || (κάνω θεώρηση) ratify, certify || (διαβατήριο) visa || (υποθέτω) consider
θήκη, η: (γενικά) case, chest || (ξίφους) scabbard || (πιστολιού) holster
θηλάζω: *(μτβ)* give the breast, nurse, suckle || *(αμτβ)* suckle
θηλαστικό, το: mammal
θηλή, η: nipple *(και μτφ)*, teat
θηλιά, η: (κόμπος) slipknot || (βρόχος) loop, noose
θήλυ, το: female
θηλυκός, -ή, -ό: (πρόσωπο) female || (γένος) feminine
θηλυπρεπής, -ές: effeminate
θήλυς, -εια, -υ: βλ. **θηλυκός**
θημωνιά, η: stack
θήρα, η: (κυνήγι) hunt, hunting || (θήραμα) game, quarry
θήραμα, το: game

θηρίο, το: wild animal, wild beast, brute
θηριώδης, -ες: bestial, brutal, savage
θηριωδία, η: atrocity
θησαυρίζω: hoard, treasure || (γίνομαι πλούσιος) become rich, make a fortune, become wealthy
θησαυρός, ο: treasure *(και μτφ)*
θησαυροφύλακας, ο: treasurer
θησαυροφυλάκιο, το: treasury
θητεία, η: *(στρ)* service || (σε υπηρεσία ή απασχόληση) term
θιασάρχης, ο: troupe manager
θίασος, ο: troupe
θιασώτης, ο: devotee, supporter, partisan
θίγω: touch || (προσβάλλω) insult, offend
θλάση, η: break, breaking || (οστού) fracture
θλιβερός, -ή, -ό: sad, sorry, deplorable *(και μτφ)*
θλίβω: press, squeeze, crush || *(μτφ)* distress grieve
θλιμμένος, -η, -ο: sad, distressed, melancholy, sorrowful
θλίψη, η: grief, sorrow, distress
θνητός, -ή, -ό: mortal
θολός, -ή, -ό: (μη διαυγής) dull, dim || (υγρό) turbid, muddy, cloudy
θόλος, ο: dome, vault
θολώνω: *(αμτβ)* become muddy, become turbid || *(μτβ)* make turbid, make muddy, make cloudy
θόρυβος, ο: noise || (μεγάλος) uproar, tumult, clamor
θορυβώ: make noise, clamor || *(μτφ)* disturb, disconcert
θορυβώδης, -ες: noisy
θούριο, το: βλ. **εμβατήριο** || (πολεμικό τραγούδι) war song
θράκα, η: cinder
θρανίο, το: desk
θράσος, το: impudence, audacity, effrontery
θρασύδειλος, -η, -ο: blusterer
θρασύς, -εία, -ύ: impudent, audacious
θρασύτητα, η: βλ. **θράσος**
θραύσμα, το: fragment
θρεπτικός, -ή, -ό: nutritious, nourishing
θρέφω: nourish, feed, nurture || (επουλώνομαι) heal
θρέψη, η: (θρέψιμο) nourishing, feeding || (λειτουργία) alimentation
θρήνος, ο: lamentation, wailing
θρηνώ: lament, wail || (πενθώ) mourn
θρησκεία, η: religion
θρήσκος, -α, -ο: religious
θριαμβευτής, ο: *(θηλ.* **θριαμβεύτρια**): triumphant
θριαμβευτικός, -ή, -ό: triumphant, triumphal
θριαμβεύω: triumph
θρίαμβος, ο: triumph
θροΐζω: rustle, swish
θρονιάζομαι: *(μτφ)* make oneself at home
θρόνος, ο: throne *(και μτφ)*
θρούμπα, το: drupe, ripe olive
θρυαλλίδα, η: (λάμπας) wick || (εκρηκτικού) fuse *(και μτφ)*
θρυλικός, -ή, -ό: legendary
θρύλος, ο: legend
θρύμμα, το: crumb, scrap, fragment
θρυμματίζω: shatter, fragment, crumble, break to pieces
θυγατέρα, η: daughter
θύελλα, η: tempest, storm *(και μτφ)*
θυελλώδης, -ες: tempestuous, stormy *(και μτφ)*
θυλάκιο, το: (σακουλάκι) bag || (τσέπη) pocket
θύμα, το: victim *(και μτφ)*
θυμάμαι: βλ. **θυμούμαι**
θυμάρι, το: thyme
θύμηση, η: memory, remembrance
θυμητικό, το: memory
θυμίαμα, το: incense *(και μτφ)*
θυμιατήρι, το: censer, thurible
θυμιατίζω: incense *(και μτφ)*
θυμιατό, το: βλ. **θυμιατήρι**
θυμίζω: remind
θυμός, ο: wrath, anger, rage
θυμούμαι: remember, recall
θυμώνω: *(μτβ)* anger, make angry, enrage || *(αμτβ)* get angry, lose one's patience, lose one's temper
θύρα, η: door
θυρίδα, η: window || (ταχυδρ.) post office box
θυρωρός, ο: doorman, doorkeeper, concierge, custodian
θυσία, η: sacrifice *(και μτφ)*
θυσιάζω: sacrifice *(και μτφ)*
θωπεία, η: caress, fondling, pat
θωπεύω: caress, fondle, pat, stroke
θώρακας, ο: *(ανατ)* thorax || (πανοπλίας), breast-plate, || (πολεμικού) armor
θωρηκτό, το: battleship
θωριά, η: look, appearance

Ι

ιαματικός, -ή, -ό: healing, curative, medicinal
Ιανουάριος, ο: January
ίαση, η: healing, cure
ιατρείο, το: doctor's office
ιατρεύω: βλ. **γιατρεύω**
ιατρική, η: medical science, medicine
ιατροδικαστής, ο: medical examiner
ιατρός, ο: physician, doctor of medicine, doctor (συγκ. M.D.)
ιδανικός, -ή, -ό: ideal || *(ουσ ουδ)* ideal
ιδέα, η: idea || (γνώμη) thought, notion
ιδεαλιστής, ο *(θηλ.* **ιδεαλίστρια**): idealist
ιδεολογία, η: ideology
ιδεολόγος, ο: idealist
ιδεώδης, -ες: βλ. **ιδανικός**
ιδιαίτερος, -η, -ο: (ξεχωριστός) particular || (απορρήτων) private
ιδιοκτησία, η: (κυριότητα) ownership || (περιουσία) property
ιδιοκτήτης, ο *(θηλ* **ιδιοκτήτρια**): owner, proprietor *(θηλ* proprietress)
ιδιομορφία, η: peculiarity, singularity
ιδιοποίηση, η: appropriation
ιδιοποιούμαι: appropriate
ιδιόρρυθμος, -η, -ο: peculiar || (παράξενος) eccentric, odd
ίδιος, -α, -ο: (όμοιος) same || (με ίδιο τρόπο) alike || (ανήκων στον ίδιο) own, one's own
ιδιοσυγκρασία, η: idiosyncrasy
ιδιοτελής, -ές: self-interested, selfish
ιδιότητα, η: property, quality
ιδιότροπος, -η, -ο: peculiar, capricious, whimsical, eccentric
ιδιοφυής, -ές: talented, ingenious
ιδιοφυΐα, η: genius, talent, ingenuity
ιδιόχειρος, -η, -ο: with one's own hand
ιδίωμα, το: idiom
ιδίως: *(επίρ)* chiefly, especially, particularly
ιδιώτης, ο: layman, ordinary individual
ιδιωτικός, -ή, -ό: private
ιδού: here! here it is! there! there it is!
ίδρυμα, το: institute, institution, establishment
ιδρυτής, ο: founder, institutor
ιδρύω: found, establish, institute
ιδρώνω: sweat, perspire
ιδρώτας, ο: sweat, perspiration
ιεράρχης, ο: hierarch
ιεαραρχία, η: hierarchy
ιερέας, ο: priest, clergyman
ιέρεια, η: priestess
ιερό, το: *(εκκλ)* sanctum, sanctum sanctorum
ιερογλυφικά, τα: hieroglyphics
ιερόδουλος, η: prostitute, whore
ιεροεξεταστής, ο: inquisitor
ιεροκήρυκας, ο: preacher
ιερός, -ή, -ό: holy, sacred
ιεροσυλία, η: sacrilege *(και μτφ)*
ιερόσυλος, -η, -ο: sacrilegious
ιεροτελεστία, η: divine service, holy ceremony
ιερότητα, η: holiness
ιερουργώ: officiate
ιερωμένος, ο: clergyman
Ιησούς, ο: Jesus
ιθαγένεια, η: (εθνικότητα) nationality || υπηκοότητα) citizenship
ιθαγενής, -ές: native, indigenous
ικανοποίηση, η: satisfaction, contentment || (επανόρθωση) satisfaction
ικανοποιητικός, -ή, -ό: satisfactory
ικανοποιώ: satisfy *(και μτφ)*
ικανός, -ή, -ό: capable, able
ικανότητα, η: capability, ability, efficiency
ικεσία, η: imploration, entreaty
ικετεύω: implore, entreat
ικέτης, ο: implorer, suppliant
ικρίωμα, το: (σκαλωσιά) scaffold, scaffolding || (καταδίκου) gallows, gallowstree, scaffold
ίκτερος, ο: jaundice
ικτίδα, η: weasel
ιλαρά, η: measles
ιλαροτραγωδία, η: tragicomedy
ίλαρχος, ο: cavalry captain
ίλη, η: cavalry company
ιλιάδα, η: Iliad

ιλιγγιώδης, -ες: *(μτφ)* ~ **ταχύτητα:** breakneck speed
ίλιγγος, ο: vertigo
ιμάντας, ο: belt, strap
ιματιοθήκη, η: wardrobe || (δωμάτιο) cloak room
ιματιοφυλάκιο, το: cloakroom, vestiary
ιματισμός, ο: clothes, clothing
ίνα, η: fiber, filament
ίνδαλμα, το: ideal *(και μτφ)*
ινίο, το: occiput
ινκόγνιτο, το: incognito
ινστιτούτο, το: institute | || ~ **καλλονής:** beauty parlor, beauty salon
ίντσα, η: inch
ίο, το: violet
ιονόσφαιρα, η: inosphere
ιός, ο: (δηλητ.) poison, venom || (φορέας ασθενειών) virus
Ιούλιος, ο: July
Ιούνιος, ο: June
ιππασία, η: riding, horseriding
ιππέας, ο: horseman, rider
ιππεύω: (κάνω ιππασία) ride, go on horseback || (ανεβαίνω σε άλογο) mount
ιππικό, το: cavalry
ιπποδρομία, η: horserace
ιπποδρόμιο, το: race course
ιππόδρομος, ο: βλ. **ιπποδρόμιο**
ιπποκόμος, ο: liveryman, stableman, hostler, groom || *(στρ)* orderly
ιπποπόταμος, ο: hippopotamus
ίππος, ο: horse || ~ **καθαρόαιμος:** thorough bred
ιππότης, ο: knight || *(μτφ)* gallant, gentleman
ιπποτικός, -ή, -ό: chivalrous, knightly || *(μτφ)* chivalrous, gallant
ιπτάμενος, -η, -ο: flying || ~**η συνοδός:** air hostess
ίριδα, η: (ουρ. τόξο) rainbow || (ματιού) iris
ίσα: *(επίρ)* (εξίσου) equally || κατευθείαν) straight, straight on, directly
ισάζω: (κάνω ίσιο) straighten || (κάνω επίπεδο) level, make smooth
ίσαλα, τα: water line
ισάξιος, -α, -ο: equivalent, equal
ισάριθμος, -η, -ο: equal in number, numerically equal
ισημερινός, ο: equator
ισθμός, ο: isthmus
ίσια: βλ. **ίσα**
ισιάζω: βλ. **ισάζω**
ίσιος, -α, -ο: (ευθύς) straight, direct || (ομαλός) level, smooth
ίσιωμα, το: level ground
ισιώνω: straighten
ίσκα, η: tinder, punk
ίσκιος, ο: shade || (σκιά αντικειμένου) shadow
ισόβια, τα: (δεσμά) life sentence
ισόγειο, το: ground floor, street level
ισοδύναμος, -η, -ο: equivalent
ισοζύγιο, το: balance
ισολογισμός, ο: balance sheet
ίσον: equals, is equal to
ισοπαλία, η: *(αθλ)* tie
ισόπαλος, -η, -ο: (αγώνας) tie
ισοπεδώνω: level *(και μτφ)* || (κάνω ομαλό) smooth
ισόπλευρος, -η, -ο: equilateral
ισορροπία, η: equilibrium, balance
ισορροπώ: balance, equilibrate *(μτβ και αμτβ)*
ίσος, -η, -ο: βλ. **ίσιος**
ισοσκελής, -ές: isosceles
ισότητα, η: equality
ισότιμος, -η, -ο: equivalent || (σε βαθμό) equal in rank
ισοφαρίζω: *(μτβ)* equal, make equal || (αντισταθμίζω) balance, counterbalance
ισοψηφία, η: equality of votes, tie
ιστίο, το: sail
ιστιοφόρο, το: sailing vessel || (μικρό) sail boat
ιστορία, η: history || (παραμύθι) story, tale || (βιβλίο σχολικό) history book
ιστορικό, το: (υπόθεση) resume , expose || (ασθένειας) case history
ιστορικός, -ή, -ό: historic, historical || *(ουσ)* historian
ιστορώ: narrate, relate
ιστός, ο: (κατάρτι) mast || (σημαίας) staff, flagstaff || (αράχνης) spider web || (αργαλειός) loom || *(βιολ)* tissue
ισχίο, το: hip, haunch
ισχναίνω: *(μτβ)* make thin, thin, make lean || *(αμτβ)* thin, grow lean
ισχνός, -ή, -ό: lean, thin || *(μτφ)* meager
ισχυρίζομαι: allege, claim
ισχυρισμός, ο: allegation, claim
ισχυρογνώμονας, ο: obstinate, headstrong, stubborn
ισχυρός, -ή, -ό: strong, powerful, mighty || *(νομ)* valid, in force
ισχύς, η: strength, power, might ||

(νομ) force, validity || *(μτφ)* power
ισχύω: have power || *(νομ)* be valid, have validity, be in force
ισώνω: βλ. **ισιώνω**
ίσως: *(επίρ)* maybe, perhaps
ιταμός, -ή, -ό: insolent, audacious
ιτιά, η: willow
ιχθυοπωλείο, το: fish market, fish monger's store
ιχθυοπώλης, ο: fishmonger || *(θηλ)* fishwife
ιχθυοτροφείο, το: fishery, aquarium
ιχθύς, ο: fish
ιχνηλάτης, ο: tracker
ιχνηλατώ: track down
ιχνογραφία, η: drawing, sketching
ιχνογραφώ: draw, sketch
ίχνος, το: track, trail
Ιωβηλαίο, το: jubilee
ιώδιο, το: iodine

Κ

κάβα, η: (κρασιού) wine cellar || (χαρτοπ.) bank
καβάλα, η: *(ουσ)* horse riding || *(επίρ)* horseback || (σε αντικείμενο) astride
καβαλάρης, ο: horseman, rider
καβαλέτο, το: easel
καβαλιέρος, ο: (συνοδός) escort || (χορού) partner, dancing partner
καβαλικεύω: (πάω καβάλα) ride || (ιππεύω) mount
καβάλος, ο: crotch
καβγαδίζω: quarrel, argue angrily, have a row
καβγάς, ο: quarrel, row
κάβος, ο: (σκοινί) cable, mooring line || (ακρωτήρι) promontory, headland, cape
καβούκι, το: (κέλυφος) shell
κάβουρας, ο: crab
καβούρι, το: βλ. **κάβουρας**
καβουρντίζω: roast, scorch *(και μτφ)*
καβούρντισμα, το: roasting, scorching *(και μτφ)*
καβουρντιστήρι, το: roaster
κάγκελο, το: rail || (σκάλας ή βεράντας) balustrade || (φράχτη) railing
καγκουρό, το: kangaroo
καγχάζω: (γελώ θορυβωδώς) guffaw || (γελώ σαρκαστικά) scoff, laugh sarcastically, laugh derisively
καδένα, η: chain
κάδος, ο: bucket
κάδρο, το: (πλαίσιο) frame || (εικόνα) painting
καδρόνι, το: timber beam
καζάνι, το: caldron, cauldron || (λέβης) boiler
καζίνο, το: casino
καημένος, -η, -ο: poor, miserable
καημός, ο: (στεναχώρια) distress, anguish || (λαχτάρα) longing, desire
καθαίρεση, η: *(στρ)* cashiering
καθαιρώ: *(στρ)* cashier
καθαρά: *(επίρ)* clearly, distinctly, neatly
καθαρίζω: clean, cleanse || (αφαιρώ ξένες ουσίες) clear, purify || (λογαριασμό) settle
καθαριότητα, η: cleanliness, cleanness
καθαριστήριο, το: cleaner's, dry cleaner's, dry cleaning shop
καθαριστής, ο: cleaner || (μεγάρου) janitor
καθαρίστρια, η: cleaner || (μεγάρου) charwoman, cleaning woman, scrubwoman
καθαρόαιμος, -η, -ο: thoroughbred
καθαρός, -ή, -ό: (όχι βρώμικος) clean || (αμιγής) pure, unadulterated || (ευκρινής) clear, distinct
καθάρσιο, το: βλ. **καθαρτικό**
καθαρτικό, το: cathartic, purgative
καθαυτό: *(επίρ)* really, exactly
κάθε: *(αντων):* each, every || ~ **λίγο και λιγάκι:** every now and then || ~ **άλλο:** anything but, far from
καθεαυτού: *(επίρ)* βλ. **καθαυτό**
καθεδρικός, -ή, -ό: cathedral
κάθειρξη, η: incarceration, imprisonment
καθέκαστα, τα: particulars, details
καθελκύω: launch
καθένας, -μία, -ένα *(αντων):* each, eachone, every one, everybody || (οποιοσδήποτε) anybody
καθεξής: *(επίρ)* consecutively, so on,

so forth || **και ούτω** ~: and so on
καθεστώς, το: regime
καθετί: βλ. **κάθε**
κάθετος, -η, -ο: perpendicular, at right angles
καθηγητής, ο: (*θηλ* **καθηγήτρια**): professor
καθήκον, το: duty || (έργο) task
καθηλώνω: nail, nail down || *(μτφ)* nail, immobilize, pin
καθημερινή, η: (μέρα) week-day, workday
καθημερινός, -ή, -ό: every day, daily
καθησιό, το: βλ. **καθισιό**
καθησυχάζω: *(μτβ)* reassure, restore confidence, calm || *(αμτβ)* calm down, be reassured
καθιερωμένος, -η, -ο: established, accepted
καθιερώνω: *(μτφ)* establish, introduce
καθίζηση, η: subsidence, caving
καθίζω: *(μτβ)* seat
καθισιό, το: idling, lazing, loafing || (ανεργία) unemployment
κάθισμα, το: seat
καθισμένος, -η, -ο: βλ. **καθιστός**
καθιστικό, το: (δωμάτιο) living room
καθιστός, -ή, -ό: seated, sitting
καθιστώ: (κάνω) appoint, make || (συντελώ) make, cause
καθοδήγηση, η: instruction, advice
καθοδηγητής, ο: (θηλ. **καθοδηγήτρια**): instructor
καθοδηγώ: instruct, advice
κάθοδος, η: descent || *(ηλεκτρ)* cathode
καθολικό, το: *(οικ)* ledger
καθολικός, -ή, -ό: catholic, universal, general || *(θρησκ)* Catholic
καθόλου: *(επίρ)* (γενικά) in general, generally || (διόλου) by no means, not at all, not in the least, no-way
κάθομαι: sit, be seated || (μένω) live, reside || (κατακάθομαι) settle
καθομιλουμένη, η: (γλώσσα) vernacular, spoken language
καθορίζω: define, fix, determine
καθόσον: *(επίρ)* as far as, || βλ. **επειδή**
καθότι: *(επίρ)* βλ. **επειδή**
καθρέφτης, ο: looking glass, mirror
καθρεφτίζομαι: look at oneself in the mirror || βλ. **ανακλώμαι**
καθρεφτίζω: βλ. **ανακλώ**
καθυποτάζω: subjugate, subdue, conquer
καθυστερημένος, -η, -ο: (αργοπορημένος) late, delayed || (μη αναπτυγμένος) backward || (διανοητικά) retarded
καθυστερώ: *(μτβ)* delay || *(αμτβ)* be late, delay || (μένω πίσω) fall behind
καθώς: *(επίρ)* (όπως) as || (επίσης) as well as || (ενώ) as, while
και: *(συνδ)* and || ~ **αν**, ~ **να**: even if || ~ ... ~: both || ~ **όμως**: nevertheless
καΐκι, το: caique || βλ. **ιστιοφόρο**
καινοτομία, η: innovation
καινοτομώ: innovate
καινούριος, -α, -ο: new
καίριος, -α, -ο: || (αποτελεσματικός) effective || (επικίνδυνος) mortal, deadly
καιρός, ο: *(ατμ)* weather || (χρόνος) time
καιροσκόπος, ο: opportunist
καιροφυλακτώ: bide one's time || (παραμονεύω) lurk, lie in wait
καϊσί, το: apricot
καίομαι: burn, be on fire
καίω: burn *(και μτφ)*
κακάο, το: cocoa
κακαρίζω: cackle *(και μτφ)* || (σαν κλώσσα) cluck
κακεντρεχής, -ές: malevolent, malicious, malignant || (φθονερός) envious
κακία, η: wickedness, malice, evil
κακό, το: evil
κακοαναθρεμμένος, -η, -ο: spoiled, ill-bred, ill-mannered
κακόβουλος, -η, -ο: βλ. **κακεντρεχής**
κακόγλωσσος, -η, -ο: venomous, slanderous, gossip
κακόγουστος, -η, -ο: tasteless, having poor taste
κακοδιαθεσία, η: (κακή διάθεση) bad temper || (αδιαθεσία) indisposition
κακοδιάθετος, -η, -ο: (με κακή διάθεση) bad-tempered, cantankerous || (αδιάθετος) indisposed
κακοήθης, -ες: malignant, malevolent
κακόηχος, -η, -ο: dissonant, discordant || (λέξη) obscene, filthy
κακοκαιρία, η: weather, bad weather
κακοκαρδίζω: *(μτβ)* displease, distress, sadden
κακολογώ: speak ill of, slander,

gossip
κακομαθαίνω: *(μτβ)* spoil || *(αμτβ)* be spoiled, get spoiled, acquire bad habits
κακομαθημένος, -η, -ο: βλ. **κακοαναθρεμμένος**
κακομελετώ: have a bad premonition, take a gloomy view of, feel pessimistic
κακομεταχειρίζομαι: mistreat, abuse, maltreat
κακομιλώ: (μιλώ άπρεπα) be rude, speak rudely
κακομοίρης, -α, -ικο: poor, wretched, unfortunate
κακομοιριά, η: misery, wretchedness
κακομοιριασμένος, -η, -ο: βλ. **κακομοίρης**
κακόμοιρος, -η, -ο: βλ. **κακομοίρης**
κακοντυμένος, -η, -ο: badly dressed || (τσαπατσούλης) sloppy, untidy
κακοπερνώ: (βασανίζομαι) suffer || (περνώ δύσκολα) be destitute, lead a hard life
κακοπιστία, η: duplicity, bad faith
κακόπιστος, -η, -ο: (που δεν του έχουν εμπιστοσύνη) untrustworthy, unreliable, || (διαστροφέας) double-dealing, perfidious
κακοπληρωτής, ο: unreliable, bad payer
κακοποίηση, η: (πρόκληση βλάβης) maltreatment, manhandling, brutalization || (διαστρέβλωση) distortion || (βιασμός) rape, violation
κακοποιός, ο: crook, hood, criminal
κακοποιώ: βλ. **κακομεταχειρίζομαι** || (προκαλώ βλάβη) maltreat, brutalize || (διαστρεβλώνω) distort || (βιάζω) rape, violate
κακός, -ή, -ό: bad, wicked || (πολύ κακός) evil
κακότεχνος, -η, -ο: tasteless, artless, badly-made, crude
κακοτοπιά, η: rugged ground, dangerous place || *(μτφ)* pitfall, difficulty
κακοτυχία, η: bad luck, misfortune
κακότυχος, -η, -ο: βλ. **κακομοίρης**
κάκου, του: *(επίρ)* in vain
κακούργημα, το: crime, felony
κακούργος, -α, -ο: criminal, felon
κακουχία, η: hardship, trial, privation, suffering
κακοφτιαγμένος, -η, -ο: ugly || βλ. κακότεχνος
κακοφωνία, η: cacophony, discordance
κακώς: *(επίρ)* badly, ill
καλά: *(επίρ)* well || *(επιφ)* all right, O.K., very well || **γίνομαι ~:** recover
καλάθι, το: basket || **~ αχρήστων:** waste basket, wastepaper basket
καλαθόσφαιρα, η: basketball
καλάι, το: tin, pewter
καλαισθησία, η: good taste, taste
καλαίσθητος, -η, -ο: tasteful, aesthetic
καλαμάρι, το: (θαλασ.) cuttlefish || (μελανοδοχείο) inkstand, inkwell
καλάμι, το: cane, reed || (ποδιού) shin
καλαμπόκι, το: βλ. **αραβόσιτος**
καλαμποκιά, η: βλ. **αραβόσιτος**
καλαμπούρι, το: (αστείο) joke
κάλαντα, τα: carols
καλαπόδι, το: last
καλεσμένος, -η, -ο: invited, guest
καλημέρα: *(επιφ)* good morning, good day, have a nice day
καληνύχτα: *(επιφ)* good night
καλησπέρα: *(επιφ)* good evening, good afternoon
καλιακούδα, η: crow
καλιγώνω: shoe a horse
καλικάντζαρος, ο: troll, goblin
καλλιγραφία, η: calligraphy, fine handwriting, penmanship
καλλιέργεια, η: (εδάφους) cultivation, tilling || (προσωπική βελτίωση) cultivation || (κουλτούρα) culture
καλλιεργημένος, -η, -ο: cultured
καλλιεργώ: cultivate, till || *(μτφ)* cultivate
κάλλιο: *(επίρ)* rather, better
καλλιστεία, τα: beauty pageant, beauty competition
καλλίτερα: *(επίρ)* better, rather
καλλιτέχνημα, το: work of art *(και μτφ)*
καλλιτέχνης, ο (*θηλ* **καλλιτέχνιδα**): artist
καλλιτεχνικός, - ή, - ό: artistic
καλλονή, η: beauty
καλλυντικά, τα: cosmetics, make-up
καλλωπίζω: beautify, decorate, embellish
κάλμα, η: calm
καλμάρω: *(μτβ)* calm || *(αμτβ)* calm down, relax
καλό, το: good || (όφελος) benefit ||

στο ~!: farewell, so long
καλοαναθρεμμένος, -η, -ο: well-bred, well-mannered
καλόβολος, -η, -ο: complaisant, cheerfully obliging
καλόγερος, ο: monk, monastic
καλογριά, η: nun
καλοήθης, -ες: benign
καλοθελητής, ο: well-wisher
καλοθρεμμένος, -η, -ο: well-fed
καλοκάγαθος, -η, -ο: benevolent, good-natured, kind
καλοκαίρι, το: summer
καλοκαμωμένος, -η, -ο: well-made || (άνθρωπος) well-built, good-looking
καλόκαρδος, -η, -ο: (πονόψυχος) kind-hearted || (εύθυμος) cheerful, openhearted
καλομαθαίνω: *(μτφ)* βλ. **κακομαθαίνω**
καλομαθημένος, -η, -ο: pampered, spoiled
καλοντυμένος, -η, -ο: well-dressed
καλοπερνώ: live comfortably, lead a comfortable life
καλοπιάνω: coax, cajole, wheedle
καλόπιστος, -η, -ο: made in good faith
καλοπληρωτής, ο: good payer
καλοπροαίρετος, -η, -ο: well-disposed
καλορίζικος, -η, -ο: happy, lucky
καλοριφέρ, το: (κεντρ. θέρμ.) central heating || (σώμα) radiator
κάλος, ο: (ποδιού) corn || (στο χέρι ή σώμα) blister
καλός, -ή, -ό: good
καλοσύνη, η: goodness, kindness || (χάρη) favor || (καιρός) fine weather
καλοτυχία, η: good luck
καλότυχος, -η, -ο: lucky, fortunate
καλούπι, το: form, mold, cast, matrix || (οικοδ.) form
καλοφαγάς, ο: gourmant, gourmet
καλοφτιαγμένος, -η, -ο: well-made || βλ. **καλοκαμωμένος**
καλοψημένος, -η, -ο: well-done
καλόψυχος, -η, -ο: kind-hearted
καλπάζω: gallop *(και μτφ)*
κάλπη, η: ballot box
κάλτσα, η: (μακριά) stocking || (κοντή) sock
καλτσοδέτα, η: garter
καλύβα, η: hut, cabin
καλύβι, το: βλ. **καλύβα**
κάλυμμα, το: (σκέπασμα) cover || (καπάκι) lid, cover
καλύτερα: *(επίρ)* better
καλυτερεύω: *(μτβ)* better, improve || **(αμτβ)** improve, get better
καλύτερος, -η, -ο: better || **ο ~**: the best
κάλφας, ο: apprentice
καλώ: (ονομάζω) call, name || (γνέφοντας) beckon || (προστακτικά) summon || (προσκαλώ) invite, ask
καλώδιο, το: cable || (σύρμα) wire
καλωσορίζω: welcome
καμάκι, το: spear || (μεγάλο) harpoon
καμάρα, η: arch || βλ. **θόλος**
κάμαρα, η: room
καμάρι, το: pride
καμαριέρα, η: maid
καμαριέρης, ο: servant
καμαρίνι, το: dressing room
καμαρότος, ο: steward
καμαρώνω: take pride in, pride oneself on, glory in
κάματος, ο: weariness, fatigue
καμήλα, η: camel
καμηλοπάρδαλη, η: giraffe
καμία: *(αντων)* βλ. **κανείς**
καμινάδα, η: smokestack, chimney
καμινέτο, το: spirit burner, spirit lamp
καμίνι, το: furnace, kiln || *(μτφ)* swelter
καμιόνι, το: (Engl.) lorry || (U.S.A.) truck
καμουτσίκι, το: whip
καμουφλάρω: camouflage
καμπάνα, η: church bell
καμπαναριό, το: belfry
καμπάνια, η: campaign
καμπαρέ, το: cabaret
καμπαρντίνα, η: gabardine
καμπή, η: bend, turn, corner || (ποταμού) bend, curve
κάμπια, η: caterpillar
καμπίνα, η: (επιβ. πλοίου) stateroom || (μικρή καμπίνα) cabin
καμπινέ, το: (σπιτιού) bathroom, toilet || (σε δημόσιο χώρο) rest room, lavatory
κάμπος, ο: plain, lowland
κάμποσος, -η, -ο: some, sufficient, considerable
καμπούρα, η: (σώματος) hunch, hump || (εξόγκωμα) bulge
καμπούρης, -α, -ικο: hunchback,

humpback
κάμπτω: (λυγίζω) bend
καμπύλη, η: curve
καμπύλος, -η, -ο: curved
κάμψη, η: bending, flection || *(μτφ)* fall
καν: *(σύνδ)* even, at least || **ούτε ~:** not even
κανάλι, το: channel || (διώρυγα) canal
καναπές, ο: couch, sofa, lounge
καναρίνι, το: canary
κανάτα, η: jug
κανείς: βλ. **κανένας**
κανέλα, η: cinnamon
κανένας, καμιά, κανένα *(αντων.)* nobody, no one || (κάποιος) anyone, anybody, some
κάνη, η: barrel
κανίβαλος, ο: cannibal
κάνιστρο, το: hamper, pannier
κανναβάτσο, το: canvas
κανναβούρι, το: hempseed
κάννη, η: βλ. **κάνη**
κανό, το: canoe
κανόνας, ο: (χάρακας) ruler, straightedge || *(μτφ)* rule
κανόνι, το: cannon || (πυροβόλο) gun, piece of artillery
κανονίζω: regulate || (τακτοποιώ) put in order || (υπόθεση) arrange, settle || (κάνω σωστό) adjust, set right || (λογαριασμό) settle
κανονικός, -ή, -ό: regular, ordinary, usual || *(γεωμ)* regular
κανονισμός, ο: (ρύθμιση) arrangement, regulation || (κανόνες) regulation
κάνουλα, η: spigot, faucet
καντάδα, η: serenade
καντήλα, η: oil-burning lamp, candle
καντηλανάφτης, ο: *(θηλ.* **καντηλανάφτισσα**): sexton
καντηλέρι, το: candlestick
καντήλι, το: βλ. **καντήλα**
καντίνα, η: canteen
κάνω: do, make || ~ **χαρτιά:** (χαρτοπ.) deal ||~ **γρήγορα:** hurry, make haste || **πόσο ~ει?** how much is it?
καουτσούκ, το: rubber
κάπα, η: cape, cowl
καπάκι, το: cover, lid
καπάρο, το: earnest, earnest money, deposit
καπάτσος, -α, -ο: capable, skilful, dexterous
κάπελας, ο: tavern-keeper
καπελιέρα, η: hat-box
καπέλο, το: hat
καπετάνιος, ο: (πλοίου) captain, master, skipper || (οπλαρχηγός) captain, chieftain
καπηλειό, το: tavern
καπηλεύομαι: exploit
κάπηλος, ο: exploiter, monger
καπίστρι, το: bridle, reins, halter
καπιταλισμός, ο: capitalism
καπιταλιστής, ο: capitalist
καπλαντίζω: (βάζω καπλαμά) veneer || (βάζω κάλυμμα) cover, put a cover
κάπνα, η: βλ. **καπνιά**
καπνεργοστάσιο, το: tobacco factory
καπνιά, η: soot
καπνίζω: smoke *(μτβ & αμτβ)* || (κάνω καπνιστά) smoke, cure
καπνιστής, ο *(θηλ.* **καπνίστρια**): smoker
καπνιστός, -ή, -ό: smoked, jerked || ~ **κρέας:** jerky, charqui
καπνοδόχος, η: βλ. **καμινάδα** || (φουγάρο πλοίων ή μηχανής) funnel
καπνοπώλης, ο: tobacconist
καπνός, ο: (αέριο) smoke || (φυτό) tobacco
καπνοσακούλα, η: pouch
κάποιος, -α, -ο: someone, somebody || (ορισμένος) a certain
καπόνι, το: capon
κάποτε: *(επίρ)* (μια φορά) once || (πότε-πότε) sometimes, from time to time, every now and then, now and again
κάπου: *(επίρ)* somewhere, some place || (περίπου) approximately, about
κάππαρη, η: caper
καπρίτσιο, το: whim, caprice
κάπρος, ο: boar, wild boar
κάπως: *(επίρ)* somewhat, somehow, in some way
καραβάνι, το: caravan
καράβι, το: (γεν) ship, vessel
καραβίδα, η: crawfish
καραβόπανο, το: βλ. **κανναβάτσο**
καραβόσκοινο, το: cable, rope, mooring line
καραδοκώ: lurk, watch for
καρακάξα, η: magpie
καραμέλα, η: caramel
καραμπίνα, η: carbine, carabin
καραμπόλα, η: carom *(και μτφ)*
καραντίνα, η: quarantine

καράτι, το: carat
καρατομώ: behead, decapitate
καράφα, η: carafe, decanter
καρβέλι, το: loaf of bread
καρβουνιάρης, ο: coaler
κάρβουνο, το: (άνθρακας) coal, charcoal || (μολύβι) charcoal
κάργα, η: βλ. **καλιακούδα**
κάρδαμο, το: cress
καρδερίνα, η: goldfinch
καρδιά, η: heart *(και μτφ)* || (κέντρο) core
καρδιακός, -ή, -ό: cardiac, heart || *(μτφ)* bosom
καρδινάλιος, ο: cardinal
καρδιολόγος, ο: cardiologist, heart specialist
καρδιοχτύπι, το: heartbeat
καρέ, το: (τετράγωνο) square || (πόκερ) four of a kind || (ποδοσφ) goal area
καρέκλα, η: chair
καριέρα, η: career
καρικατούρα, η: caricature
καρικώνω: darn
καρίνα, η: keel
καρμανιόλα, η: guillotine
καρμπόν, το: carbon paper
καρμπυρατέρ, το: carburetor
καρναβάλι, το: carnival || (άνθρωπος ντυμένος) in fancy dress, in a masquerade costume
κάρο, το: (δίτροχο) cart || (μεγάλο) wagon
καρό, το: (τετράγωνο) square || (χαρτοπ.) diamond || (με τετράγωνα) check
καρότο, το: carrot
καρότσα, η: βλ. **κάρο** || (αυτοκινήτου) body
καροτσάκι, το: pushcart || (παιδικό) baby carriage, perambulator, pram
καροτσιέρης, ο: cart driver, carter
καρούλι, το: (κουβαρίστρα) spool
καρούμπαλο, το: lump, bump
καρπαζώνω: slap on the head, slap on the neck
καρπός, ο: fruit *(και μτφ)* || (χεριού) wrist
καρπούζι, το: watermelon
καρποφορώ: bear fruit, fructify || *(μτφ)* bear fruit, bring results
καρπώνομαι: enjoy the profits
κάρτα, η: card
καρτερία, η: perseverance
καρτερικός, -ή, -ό: persevering
καρτερώ: (περιμένω) wait for, await || (προσδοκώ) expect
καρύδα, η: coconut
καρύδι, το: nut, walnut, pecan || (λαιμού) Adam's apple
καρυδότσουφλο, το: nutshell
καρύκευμα, το: spice
καρυοθραύστης, ο: nutcracker
καρφί, το: nail || (μεγάλο) rivet, spike
καρφίτσα, η: pin || (κόσμημα) pin, brooch
καρφιτσώνω: pin
καρφώνω: pin, nail, rivet
καρφωτός, -ή, -ό: riveted
καρχαρίας, ο: shark
καρωτίδα, η: carotid
κάσα, η: box, chest
κασέλα, η: trunk, chest
κασέρι, το: cheddar
κασετίνα, η: case
κασκέτο, το: cap
κασκόλ, το: neckerchief, scarf
κασμάς, ο: pickaxe
κασμήρι, το: cashmere
κασόνι, το: βλ. **κιβώτιο**
κασσίτερος, ο: tin
καστανιά, η: chestnut, chestnut tree
κάστανο, το: chestnut
καστανός, -ή, -ό: (μαλλιά) brown
κάστορας, ο: beaver
καστόρι, το: (δέρμα κάστορα) beaver || (καστόρινο) felt
κάστρο, το: castle
κατά: *(πρόθ)* (εναντίον) against || (κατεύθυνση) on, upon, at || (διάρκεια) during, at || ~ **γράμμα:** word for word || ~ **τύχη:** by chance || ~ **μέρος:** aside || ~ **λέξη:** verbatim, word for word
καταβάλλω: (νικώ) overcome, overwhelm, subdue || (εξασθενίζω) exhaust, weaken || (πληρώνω) pay
κατάβαση, η: descent
καταβεβλημένος, -η, -ο: exhausted, weakened, worn out, spent
καταβόθρα, η: cesspool
καταβρεχτήρι, το: watering pot, watering can
καταβρέχω: water
καταβροχθίζω: devour *(και μτφ)*
καταβυθίζομαι: sink
καταβυθίζω: sink
καταγγέλω: denounce
καταγέλαστος, -η, -ο: laughingstock, ridiculous
καταγής: *(επίρ)* on the ground, to

the ground, on the floor
καταγίνομαι: occupy oneself with, busy oneself with
κάταγμα, το: fracture
κατάγομαι: descend from, come from
καταγράφω: record, list
καταγωγή, η: descent, origin, lineage || (εθνικότητα) nationality, extraction
καταδέχομαι: deign, condescend
καταδεχτικός, -ή, -ό: condescending
καταδίδω: betray, stool, tell on s.o.
καταδικάζω: sentence, condemn || *(μτφ)* doom
καταδίκη, η: sentence, convinction
κατάδικος, -η, -ο: convict, prison inmate
καταδίνω: βλ. **καταδίδω**
καταδιωκτικό, το: (αεροπλ.) fighter plane, fighter
καταδιώκω: pursue, chase || (κάνω διωγμό) persecute
καταδίωξη, η: pursuit, chase
κατάδοση, η: betrayal, stooling
καταδότης, ο *(θηλ.* **καταδότρια**): stool pigeon, informer
καταδρομικό, το: cruiser || (βαρύ) battle cruiser
καταδυναστεύω: oppress
καταδύομαι: (βουτώ) dive, plunge
καταζητώ: look for, search for || (αστυν.) want
κατάθεση, η: *(χρημ)* deposit || *(νομ)* deposition
καταθέτω: *(χρημ)* deposit || *(νομ)* make a deposition, give evidence
καταθλιπτικός, -ή, -ό: oppressive
καταιγίδα, η: storm
καταισχύνω: shame
κατακάθι, το: sediment, residue, dregs
κατακαθίζω: settle, settle down
κατακάθομαι: βλ. **κατακαθίζω**
κατάκαρδα: *(επίρ)* to heart || **παίρνω ~**: take it to heart
κατακίτρινος, -η, -ο: deathly pale
κατακλύζω: flood, inundate *(και μτφ)*
κατακλυσμός, ο: cataclysm, deluge, flood
κατάκοιτος, -η, -ο: bedrid, bedridden, confined to bed
κατακόμβη, η: catacomb
κατάκοπος, -η, -ο: exhausted, jaded, wornout, beaten
κατακόρυφο, το: zenith *(και μτφ)*
κατακόρυφος, -η, -ο: vertical
κατακρατώ: withhold, detain illegally
κατακραυγή, η: outcry
κατακρίνω: criticize, censure, reprove
κατάκτηση, η: conquest *(και μτφ)*
κατακτητής, ο: conqueror
κατακτώ: conquer
καταλαβαίνω: understand, comprehend
καταλαμβάνω: take, seize, conquer
κατάλευκος, -η, -ο: snow-white
καταλήγω: end up, end in, come to, result
κατάληξη, η: ending
καταληπτός, -ή, -ό: comprehendible, comprehensible, intelligible
κατάλληλος, -η, -ο: appropriate, suitable, fit, proper
καταλογίζω: impute
κατάλογος, ο: list, catalogue || (φαγητών) menu || (τηλεφωνικός) directory
κατάλοιπο, το: (υπόλοιπο) remainder || (απομεινάρι) remnant
κατάλυμα, το: dwelling, lodging
καταλύω: (ανατρέπω) abolish || (μένω) stay, take up lodging
κατάματα: *(επίρ)* right in the eyes
καταμεσήμερο, το: high noon
καταμεσής: *(επίρ)* right in the middle, in the very middle
κατάμουτρα: *(επίρ)* face to face, pointblank
καταναγκαστικός, -ή, -ό: enforced, forced, compulsory || **~ά έργα:** hard labor
καταναλώνω: consume
κατανάλωση, η: consumption
καταναλωτής, ο (*θηλ.* **καταναλώτρια**): consumer
κατανέμω: distribute
κατανικώ: rout, vanquish
κατανόηση, η: understanding
κατάντημα, το: bad end, plight
κατάντια, η: βλ. **κατάντημα**
καταντώ: *(μτβ)* bring to, reduce || *(αμτβ)* end up, be reduced to
καταπακτή, η: trap door
καταπάνω: *(επίρ)* against, upon, at
καταπατώ: encroach, infringe
καταπαύω: cease, stop
καταπέλτης, ο: catapult
καταπιάνομαι: engage upon, undertake, begin
καταπιέζω: oppress
καταπίνω: swallow *(και μτφ)*, gulp down

κατάπλασμα, το: poultice
καταπλέω: sail into harbor, put in at, enter port, put into port
καταπληκτικός, -ή, -ό: amazing, fantastic, astonishing
κατάπληκτος, -η, -ο: amazed, astonished
κατάπληξη, η: amazement, astonishment
καταπλήσσω: amaze, astonish, astound
καταπνίγω: *(μτφ)* stifle, suppress, suppress by force, put down
καταπόδι: *(επίρ)* on one's heels
καταπολεμώ: *(μτφ)* fight, struggle against
καταποντίζομαι: sink, go down *(και μτφ)*
καταπότι, το: pill, tablet, pellet
καταπραΰνω: calm, soothe, alleviate
κατάρα, η: curse *(και μτφ)*
καταραμένος, -η, -ο: accursed, cursed, damned
καταργώ: abolish || βλ. **ακυρώνω**
καταριέμαι: curse, damn
καταρρακτώδης, -ες: torrential
καταρράχτης, ο: cataract, waterfall, cascade
καταρρέω: fall down, collapse, crumble || *(μτφ)* collapse, break down
καταρρίπτω: (γκρεμίζω) throw down, fell, knock down, pull down || (ρεκόρ) break
καταρροή, η: catarrh
κατάρτι, το: mast
κατάρτιση, η: (μάθηση) learning, education || βλ. **εξάσκηση**
κατάσαρκα: *(επίρ)* next to the skin
κατασβεστήρας, ο: fire-extinguisher
κατασβήνω: extinguish *(και μτφ)*
κατασιγάζω: silence *(και μτφ)*
κατασκευάζω: construct, build, make
κατασκευαστής, ο *(θηλ.* **κατασκευάστρια**): builder, constructor
κατασκευή, η: construction, structure
κατασκηνώνω: camp, make camp, encamp
κατασκήνωση, η: camp, camping
κατασκοπεία, η: espionage
κατασκοπεύω: spy
κατάσκοπος, ο: spy
κατασκότεινος, -η, -ο: pitch-dark, as dark as pitch
κατασπαράζω: tear to pieces
κατασπαταλώ: squander, waste, throw away
κάτασπρος, -η, -ο: snow-white || (κατάχλωμος) deathly pale
κατασταλάζω: βλ. **κατακάθομαι** || βλ. **καταλήγω**
κατάσταση, η: (τρόπος ύπαρξης) state || (συνθήκες) condition, state || (ονομαστική) list
καταστατικό, το: constitution, statute
καταστέλλω: (περιορίζω) repress, curb, check || βλ. **καταπνίγω**
κατάστημα, το: (κτίριο υπηρεσίας) establishment, building || (εμπορικό) store, shop
καταστηματάρχης, ο: shop owner, store owner, shop keeper
κατάστιχο, το: ledger, accounts book
καταστρατηγώ: *(μτφ)* find a loophole, circumvent a rule or law
καταστρεπτικός, -ή, -ό: disastrous, destructive, ruinous, devastating
καταστρέφω: destroy, ruin, devastate
καταστροφή, η: disaster, destruction, ruin, catastrophe, devastation
κατάστρωμα, το: (πλοίου) deck
καταστρώνω: draw, frame
κατάστρωση, η: drawing up, framing
κατάσχω: confiscate, seize
κατάταξη, η: gradation, classification || *(στρ* εθελουσία) enlistment || *(στρ* υποχρ.) draft, conscription
κατατάσσομαι: (θεληματικά) enlist || (υποχρεωτικά) be drafted, be conscripted
κατατάσσω: classify, sort, grade
κατατοπίζω: instruct, explain the details
κατατρεγμός, ο: persecution
κατατρέχω: persecute, be out to get s.o.
κατατρομάζω: *(αμτβ)* be scared out of one's wits, be scared stiff || *(μτβ)* frighten, scare s.o. stiff, terrify
κατατροπώνω: rout, vanquish
καταυγάζω: illuminate dazzlingly
καταυγαστήρας, ο: reflector
καταυλισμός, ο: camp, bivouac, temporary encampment
καταφανής, -ές: evident, obvious, apparent
κατάφαση, η: affirmation
καταφατικός, -ή, -ό: affirmative

κατάφατσα: *(επίρ)* βλ. **κατάμουτρα**
καταφέρνω: (κατορθώνω) manage, suceed || (πείθω) convince, persuade || (βγάζω πέρα) make out, get along, manage || (χτύπημα) deal, give
καταφέρομαι: speak against, speak spitefully
καταφέρω (χτύπημα) deal, give, strike
καταφεύγω: (βρίσκω άσυλο) take refuge || (προσφεύγω) resort, have recourse
καταφθάνω: arrive
κατάφορτος, -η, -ο: overloaded, heavily loaded
καταφρόνηση, η: contempt, scorn, disdain
καταφρόνια, η: βλ. **καταφρόνηση**
καταφρονώ: despise, feel contempt, scorn
καταφύγιο, το: refuge, shelter || (αντιαερ.) shelter
κατάφυτος, -η, -ο: verdant, planted all over, covered with vegetation
κατάφωρος, -η, -ο: evident, manifest, clear, flagrant
κατάφωτος, -η, -ο: blazing, dazzlingly illuminated
καταχθόνιος, -α, -ο: infernal
κατάχλωμος, -η, -ο: βλ. **κατακίτρινος**
καταχνιά, η: fog, mist
καταχραστής, ο (*θηλ* **καταχράστρια**): embezzler
καταχρεωμένος, -η, -ο: deep in debt
κατάχρηση, η: (υπερβολ. χρήση) overindulgence, excess || (εξουσίας) abuse, misuse || *(χρημ)* embezzlement
καταχρώμαι: (εξουσία) abuse, misuse || *(χρημ)* embezzle || *(καλοσύνης κλπ)* take advantage
καταχωρίζω: record, make an entry, enter
καταχωρώ: βλ. **καταχωρίζω**
καταψηφίζω: vote against
κατάψυξη, η: (πάγωμα) freeze, freezing || (του ψυγείου) deep freeze, freezer
κατεβάζω: bring down, take down, down || (χαμηλώνω) lower || βλ. **ελαττώνω** || (τόνο φωνής κλπ) drop
κατεβαίνω: descend, go down, come down
κατεδαφίζω: demolish, tear down, pull down
κατειλημμένος, -η, -ο: (πιασμένος) occupied || (κρατημένος) reserved, taken, occupied
κατεπείγων, -ουσα, -ον: very urgent, rush
κατεργάρης, -α, -ικο: (πονηρός) cunning, crafty || (παλιανθρωπάκος) rascal, rogue
κατεργασμένος, -η, -ο: wrought
κατέρχομαι: βλ. **κατεβαίνω**
κατεστημένο, το: establishment
κατευθείαν: *(επίρ)* straight on, in a straight line, directly
κατεύθυνση, η: direction
κατευθύνομαι: head for, take the way to, proceed
κατευθύνω: direct, head to, guide
κατέχω: possess, own || (μέρος) occupy, hold || (ξέρω) be aware, know
κατεψυγμένος, -η, -ο: frozen
κατηγορηματικός, -ή, -ό: categorical
κατηγορία, η: (απόδοση πράξης) accusation, charge || (τάξη) category
κατήγορος, ο: (αυτός που κατηγορεί) accuser || (μηνυτής) plaintiff || (εισαγγελέας) prosecutor
κατηγορούμενος, -η, -ο: accused, defendant
κατηγορώ: (ρίχνω βάρος) blame, put the blame || (διατυπώνω κατηγορία) accuse, charge, file a charge
κατηφής, -ές: sullen, gloomy, depressed, downcast
κατηφορικός, -ή, -ό: sloping, downhill, descending
κατήφορος, ο: declivity, descent, downgrade
κατήχηση, η: catechism
κάτι: *(αντων)* something
κατισχύω: prevail, triumph over, predominate
κατοικήσιμος, -η, -ο: habitable, inhabitable
κατοικία, η: residence, home, dwelling, abode
κατοικίδιος, -α, -ο: domestic, domesticated
κάτοικος, ο (*θηλ* **κάτοικος**): (χώρας) inhabitant || (μόνιμος χώρας ή πόλης) resident
κατοικώ: reside, inhabit, dwell
κατολίσθηση, η: landslide
κατόπιν: *(επίρ)* βλ. **έπειτα**
κατοπτεύω: observe, watch, survey || *(στρ)* reconnoiter

κατοπτρίζω: reflect *(και μτφ)* mirror
κάτοπτρο, το: mirror (βλ. **καθρέφτης**)
κατόρθωμα, το: feat, exploit, heroic feat
κατορθώνω: manage, succeed, achieve, accomplish
κατοστάρικο, το: hundred drachma bill
κατοχή, η: (κυριότητα) possession || (χώρας) occupation
κάτοχος, ο: possessor, owner, holder || (γνώστης) versed, conversant
κατοχυρώνω: *(μτφ)* secure, safeguard
κατρακυλώ: tumble, tumble down
κατράμι, το: pitch, tar
κατσαβίδι, το: screwdriver
κατσαρίδα, η: roach, cockroach
κατσαρόλα, η: saucepan
κατσαρός, -ή, -ό: curly
κατσαρώνω: curl
κατσίκα, η: goat *(και μτφ)*
κατσικάκι, το: kid
κατσικίσιος, -α, -ο: goat
κατσούφης, -α, -ικο: sullen, gloomy, crestfallen
κατσουφιάζω: be sullen, be gloomy
κάτω: *(επίρ)* down || (χαμηλότερα) below || (προς τα κάτω) downwards || (στο κάτω πάτωμα) downstairs || *(επιφ)* down with!
κατώγι, το: cellar, basement
κατώτατος, -η, -ο: (ο πιο χαμηλός) lowest || (τελευταίος) least
κατώτερος, -η, -ο: (χαμηλότερος) lower || (αξία ή βαθμό) inferior
κατώφλι, το: threshold *(και μτφ)* || (το σκαλοπάτι) doorstep
κάτωχρος, -η, -ο: βλ. **κατακίτρινος**
καυγάς, κλπ.: βλ. **καβγάς** κλπ.
καύση, η: burning || *(φυσ)* combustion
καύσιμα, τα: fuel
καυσόξυλο, το: firewood
καύσωνας, ο: heat, heatwave
καυτερός, -ή, -ό: hot
καυχησιάρης, -α, -ικο: braggard, boaster
καυχιέμαι: brag, boast || (είμαι περήφανος) be proud
καφάσι, το: (κιγκλίδωμα) lattice, window lattice || (κιβώτιο) crate
καφεΐνη, η: caffeine
καφεκούτι, το: coffee pot
καφενείο, το: coffee shop, cafe, coffee house
καφεπώλης, ο: coffee-seller || βλ. **καφετζής**
καφές, ο: coffee
καφετζής, ο: coffee shop owner, coffee shop manager, coffee shopkeeper
καφετζού, η: fortune teller
καφετιέρα, η: coffee pot
καχεκτικός, -ή, -ό: weak, frail, cachectic
καχύποπτος, -η, -ο: suspicious
καχυποψία, η: distrust, suspicion
κάψα, η: heat, swelter, oppressive heat
καψούλα, η: capsule
κέδρος, ο: cedar
κέικ, το: cake
κείμενο, το: text
κείτομαι: lie down, lie in bed, recline
κελαηδώ: sing, chirp, warble, trill
κελάρι, το: cellar
κελαρύζω: purl, murmur
κελεπούρι, το: (ανέλπιστη ευκαιρία) godsend, windfall, unexpected boon || (πράγμα) bargain
κελευστής, ο: (U.S.A.) petty officer 1st class || (Engl.) petty officer
κελί, το: cell
κέλυφος, το: shell, husk
κενό, το: (άδειο) vacuum, void || (το διάστημα) void || (λευκό διάστημα) blank || (ελεύθερο διάστημα) gap
κενόδοξος, -η, -ο: vain, conceited
κενός, -ή, -ό: empty || (μέρος) vacant || *(μτφ)* empty, inane
κέντα, η: (πόκερ) straight
κένταυρος, ο: centaur
κέντημα, το: (τσίμπημα) sting, bite || (εργόχειρο) embroidery
κεντρί, το: sting
κεντρίζω: (έντομο) sting || (τσιμπώ) prick, prickle
κεντρικός, -ή, -ό: central, center
κέντρο, το: center || βλ. **μέσο** || *(πολιτ)* center
κεντώ: (τσιμπώ) βλ. **κεντρίζω** || (κάνω κεντήματα) embroider
κεραία, η: (εντόμου) antenna, feeler || (ασυρμ.) antenna, aerial
κεραμευτική, η: (αγγειοπλαστική) pottery || (τέχνη κεραμίστα) ceramics
κεραμίδα, η: tile

κεραμίδι, το: tile, slate
κεράσι, το: cherry
κέρασμα, το: treat, buying a drink
κερατάς, ο: cuckold
κέρατο, το: horn
κερατώνω: cuckold
κεραυνοβολώ: strike with lightning, strike with a thunderbolt
κεραυνόπληκτος, -η, -ο: thunderstruck, thunderstricken
κεραυνός, ο: thunderbolt, lightning *(και μτφ)*
κέρβερος, ο: cerberus *(και μτφ)*
κερδίζω: (από τύχη) win || (από δουλειά) earn
κέρδος, το: gain, profit, winnings, earnings
κερδοσκόπος, -ο: profiteer || (ριψοκίνδυνος) speculator
κερδοσκοπώ: profiteer || (ριψοκινδυνεύοντας) speculate
κερί, το: (υλικό) wax || *(εκκλ)* candle
κέρινος, -η, -ο: wax, waxen
κερκίδα, η: bench, seat, tier of benches, tier of seats
κέρμα, το: (νόμισμα) coin || (για αυτόματη μηχανή) token
κερνώ: (γενικά) treat, buy || (ποτό) buy a drink, stand to a drink
κεφάλαιο, το: *(οικ)* capital, fund || (σύνολο χρημάτων) assets, funds, capital || (βιβλίου) chapter
κεφαλαίο, το: capital letter, uppercase letter
καφαλαιοκράτης, ο: capitalist
κεφαλαιώδης, -ες: capital, principal, essential
κεφάλι, το: head
κεφαλόπονος, ο: headache
κεφαλόσκαλο, το: (σκάλας) landing || (λιμανιού) pier, dock
κεφάτος, -η, -ο: merry, cheerful, in good spirits || (από ποτό) high
κέφι, το: merriment, gaiety, good spirits
κεφτές, ο: meatball
κεχρί, το: millet
κεχριμπάρι, το: amber
κηδεία, η: funeral, funeral procession
κηδεμόνας, ο: guardian
κηδεμονία, η: guardianship
κηδεύω: bury, inter
κήλη, η: hernia
κηλίδα, η: stain *(και μτφ)*
κηλιδώνω: stain
κήπος, ο: garden
κηπουρός, ο: gardener
κηρήθρα, η: honeycomb
κηροπήγιο, το: candlestick, candleholder
κηροπώλης, ο: chandler
κήρυκας, ο: (που ανακοινώνει) herald || *(εκκλ)* preacher
κηρύσσω: (διαλαλώ) herald || *(εκκλ)* preach
κηφήνας, ο: drone *(και μτφ)*
κι: βλ. **και**
κιάλια, τα: binoculars, field glasses
κίβδηλος, -η, -ο: counterfeit, forged
κιβώτιο, το: chest, trunk, box
κιγκλίδωμα, το: railing, balustrade
κιθάρα, η: guitar
κιλό, το: kilo, kilogram
κιλοβάτ, το: kilowatt
κιλότα, η: (ιππασίας) jodhpurs, riding breeches || (γυναικεία) panties
κιμάς, ο: ground meat, chopped meat
κιμονό, το: kimono
κιμωλία, η: chalk
κίναιδος, ο: homosexual, faggot, fag, fairy, pansy, gay
κινδυνεύω: be in danger, risk, run a risk
κίνδυνος, ο: danger, hazard, risk
κίνημα, το: movement || *(μτφ)* revolt, rebellion, coup d'etat
κινηματίας, ο: rebel
κινηματογραφικός, -ή, -ό: movie, film, cinema
κινηματογράφος, ο: (αίθουσα ή κτίριο) cinema, motion-picture theater, movie theater || (τέχνη και βιομηχανία) the cinema, motion-picture industry
κίνηση, η: (ιδιότητα) motion || (κυκλοφορία) traffic
κινητήρας, ο: motor
κινητοποίηση, η: mobilization
κινητοποιώ: mobilize
κινητά, τα: (περιουσία) movable property, chattel
κινητός, -ή, -ό: movable, mobile
κίνητρο, το: motive
κινίνη, η: quinine
κινίνο, το: βλ. **κινίνη**
κινούμαι: move *(και μτφ)*
κινώ: move, put into motion
κιόλας: *(επίρ)* (ήδη) already || (επιπλέον) also, besides, furthermore, more over

κίονας, ο: column, pillar
κιόσκι, το: kiosk
κισσός, ο: ivy
κιτρινάδα, η: pallor, paleness, sallowness
κιτρινιάρης, -α, -ικο: pale, pallid, sallow, sickly yellow
κιτρινίζω: turn yellow, pale, turn pale, blanch
κίτρινος, -η, -ο: yellow || (χλωμός) pale, sallow
κίτρο, το: citron
κλαγγή, η: clank, clang, clanking
κλαδευτήρι, το: pruning scissors
κλαδεύω: prune
κλαδί, το: twig, small branch
κλάδος, ο: branch *(και μτφ)*
κλαίω: cry, weep
κλάκα, η: claque
κλάμα, το: crying, weeping, tears
κλάξον, το: klaxon, horn, hooter
κλαρί, το: βλ. **κλαδί**
κλαρίνο, το: clarinet
κλάση, η: class *(και μτφ)* || *(στρ)* age group
κλασικός, -ή, -ό: classic, classical
κλάσμα, το: fraction
κλαψουρίζω: whine, whimper
κλέβω: steal, swipe, heist, purloin
κλειδαριά, η: lock
κλειδαρότρυπα, η: keyhole
κλειδί, το: key *(και μτφ)* || (εργαλείο) wrench, spanner
κλειδοκύμβαλο, το: piano
κλειδωνιά, η: βλ. **κλειδαριά**
κλειδώνω: lock, lock up *(και μτφ)* || (με λουκέτο) padlock
κλείδωση, η: (οστών) joint, articulation || (δαχτύλων) knuckle
κλείνω: *(μτβ* ή *αμτβ)* close, shut
κλειστός, -ή, -ό: closed, shut
κλεπταποδόχος, ο: fence
κλέφτης, ο (*θηλ* **κλέφτρα**): thief
κλεψιά, η: βλ. **κλοπή**
κλήμα, το: vine, vine branch
κληματαριά, η: grape vine, climbing vine
κληματόφυλλο, το: vine leaf
κληρικός, ο: clergyman, cleric
κληροδοτώ: bequeath
κληρονομιά, η: (περιουσία) inheritance, legacy || (πνευμ. κλπ) heritage
κληρονομικός, -ή, -ό: hereditary
κληρονομικότητα, η: heredity
κληρονόμος, ο (*θηλ.* **κληρονόμος**): heir (*θηλ* heiress)
κληρονομώ: inherit *(και μτφ)*
κλήρος, ο: (λαχνός) lot || (μοίρα) fate, lot || (ιερωμένος) clergy
κληρώνω: draw lots
κλήση, η: call, calling, calling up, summons
κλητήρας, ο: (γραφείου) office boy
κλητική, η: *(γραμ)* vocative
κλίβανος, ο: furnace, oven, kiln
κλίκα, η: clique
κλίμα, το: climate *(και μτφ)*
κλίμακα, η: stairs, staircase || (διαβάθμιση) scale
κλιμακοστάσιο, το: stairway, stairwell, staircase
κλιμακώνω: escalate
κλιματισμός, ο: air conditioning
κλίνη, η: βλ. **κρεβάτι**
κλινήρης, -ες: bedrid, bedridden
κλινική, η: (ιδιωτ.) hospital || (λαϊκή) clinic
κλινοσκέπασμα, το: bedspread, coverlid, coverlet
κλίνω: (γέρνω) lean, incline, slant || (έχω τάση) tend, be inclined, incline
κλίση, η: leaning, incline, slant, inclination || (πλαγιά) slope, inclination || (τάση) tendency, inclination
κλοιός, ο: *(μτφ)* cordon, iron ring
κλομπ, το: nightstick, club
κλονίζομαι: stagger, totter, be shaken || *(μτφ)* totter, waver, falter
κλονίζω: shake, stagger || *(μτφ)* shake, unsettle
κλονισμός, ο: shaking, staggering || (ψυχικός) shock
κλοπή, η: theft
κλοπιμαίος, -α, -ο: stolen
κλουβί, το: cage
κλούβιος, -α, -ο: addle, bad, spoiled, rotten
κλυδωνίζομαι: pitch and toss, pitch and roll, be tossed by the waves
κλύσμα, το: enema
κλώθω: spin
κλωνάρι, το: branch, bough
κλωνί, το: βλ. **κλωνάρι**
κλώσσα, η: (που κλωσσά) brooding hen || (που έχει μικρά) mother hen
κλωσσομηχανή, η: incubator
κλωσσοπούλι, το: fledgling, chick
κλωσσώ: brood, sit on
κλωστή, η: thread
κλωτσιά, η: kick

κλωτσώ: kick
κνήμη, η: leg || (γάμπα) shank
κόβω: cut || (συνήθεια) cut, give up
κογκρέσο, το: congress
κόγχη, η: conch, shell || (ματιού) orbit, eye socket, eyehole
κοιλάδα, η: valley, dale, vale
κοιλιά, η: belly
κοιλόπονος, ο: bellyache, stomach ache
κοίλος, -η, -ο: (βαθουλός) hollow || (μη κυρτός) concave
κοίλωμα, το: hollow, cavity
κοιμητήριο, το: graveyard, cemetery, churchyard
κοιμίζω: put to sleep
κοιμούμαι: sleep, be asleep
κοινό, το: the public
κοινοβουλευτικός, -ή, -ό: parliamentary, congressional
κοινοβούλιο, το: (U.S.A.) Congress || (Engl.) Parliament
κοινολογώ: publicize
κοινοποίηση, η: notification
κοινοποιώ: notify || βλ. **κοινολογώ**
κοινοπραξία, η: association, cooperation
κοινός, -ή, -ό: (γενικός) common || (δημόσιος) public, common || (συνηθισμένος) common
κοινότητα, η: (ιδιότητα) communion, community || (οργάνωση) community || (χωριό) commune
κοινοτοπία, η: triteness, banality, commonplace, platitude
κοινόχρηστα, τα: (πολυκατοικίας) utilities
κοινωνία, η: (σύνολο) society || (μετάληψη) communion
κοινωνικός, -ή, -ό: (της κοινωνίας) social, || (άνθρωπος) social, gregarious, convivial
κοινωνώ: *(μτφ)* receive Holy Communion
κοινώς: *(επίρ)* commonly
κοινωφελής, -ές: (ίδρυμα) nonprofit
κοιτάζω: look at, glance
κοίτη, η: bed
κοιτίδα, η: cradle
κοίτομαι: lie
κοιτώνας, ο: bedroom, bedchamber
κοκ, το: coke
κοκαΐνη, η: cocaine
κοκέτα, η: (φιλάρεσκη) coquette
κοκκαλιάρης, -α, -ικο: skinny, scrawny
κόκκαλο, το: bone
κοκκαλώνω: βλ. **κοκκαλιάζω** || (από φόβο) be scared stiff || (στέκομαι σε στάση προσοχής) come to attention, stand ramrod-straight
κοκκινάδα, η: redness || (προσώπου) blush
κοκκινάδι, το: rouge
κοκκινέλι, το: red wine
κοκκινίζω: redden, turn red, blush
κοκκινίλα, η βλ. **κοκκινάδα**
κοκκίνισμα, το: reddening
κοκκινιστός, -ή, -ό: browned, roast brown
κοκκινογούλι, το: beet
κοκκινομάλλης, -α, -ικο: redhead, redhaired
κόκκινος, -η, -ο: red
κόκκος, ο: grain *(και μτφ)*
κόκορας, ο: rooster, cock || (όπλου) cock, hammer
κοκτέιλ, το: cocktail *(και μτφ)*
κολάζομαι: sin
κόλακας, ο: flatterer
κολακεία, η: flattery
κολακεύω: flatter
κόλαση, η: hell *(και μτφ)*
κολατσιό, το: snack, brunch
κολιέ, το: necklace
κολιός, ο: mackerel
κόλλα, η: glue, paste || (για κολλάρισμα) starch
κολλαρίζω: starch
κολλαριστός, -ή, -ό: starched
κολλάρο, το: collar
κολλέγιο, το: college
κολλητικός, -ή, -ό: sticky || *(μτφ)* catching, contagious
κολλώ: stick, glue, paste || (μεταδίδω ασθένεια) give, communicate a disease, infect || (αρπάζω ασθένεια μεταδοτική) catch, get
κολοκυθάκι, το: zucchini
κολοκύθι, το: pumpkin
κολόνα, η: column, pillar
κολόνια, η: cologne, cologne water
κολοσσαίο, το: coliseum, colosseum
κολοσσιαίος, -α, -ο: colossal
κολοσσός, ο: colossus
κολπίσκος, ο: bay
κόλπο, το: trick
κόλπος, ο: (θάλασσας) gulf, bay || (στήθη) bosom, breast
κολύμβηση, η: swimming
κολυμβητής, ο (*θηλ* **κολυμβήτρια**):

swimmer
κολυμπήθρα, η: font
κολύμπι, το: swimming
κολυμπώ: swim
κολώνα, η: βλ. **κολόνα**
κομβιοδόχη, η: buttonhole
κόμη, η: hair
κομήτης, ο: comet
κομίζω: carry, convey, bring, haul
κόμιστρα, τα: haulage, transportation fees, carriage fees
κόμμα, το: *(γραμ)* comma || *(πολιτ)* party
κομματάκι, το: little bit
κομμάτι, το: piece || (μικρό) bit, morsel || (μεγάλο) chunk || (μουσικό) piece
κομματιάζω: break to pieces, cut to pieces, shatter, smash
κομμοδίνο, το: commode, bedside table
κομμουνισμός, ο: communism
κομμουνιστής, ο (*θηλ* **κομμουνίστρια**): communist
κόμμωση, η: hairdo, coiffure
κομμωτήριο, το: hairdresser's
κομμωτής, ο (*θηλ* **κομμώτρια**): hairdresser
κομοδίνο, το: βλ. **κομμοδίνο**
κομπάζω: boast, brag
κομπαστής, ο: braggart, bragger, boastful
κομπινεζόν, το: slip
κομπλιμέντο, το: compliment
κομπογιανίτης, ο: charlatan, quack
κόμπος, ο: *(από δέσιμο)* knot || (δέντρου) knur, knot || (μονάς) knot
κομπόστα, η: compote
κόμπρα, η: cobra
κομπρέσσα, η: compress
κομφετί, το: confetti
κομφόρ, το: conveniences
κομψευόμενος, -η, -ο: dandy, fop, foppish, toff
κομψός, -ή, -ό: dapper, elegant, neatly dressed, trim
κομψοτέχνημα, το: work of art
κονιάκ, το: cognac
κόνιδα, η: nit
κονιοποιώ: pulverize
κονσέρβα, η: can, tin, canned food, tinned food || (φρούτων) preserves
κονσέρτο, το: concert
κοντά: *(επίρ)* near, close by, close to
κονταίνω: *(μτβ)* shorten, make shorter, curtail || *(αμτβ)* get shorter, grow shorter, shorten
κοντάρι, το: (άλματος) pole || (ακοντισμού) javelin || (σημαίας) flagpole, flagstaff
κοντεύω: approach, draw near, be near, be about to
κοντινός, -ή, -ό: near by, neighboring
κοντομάνικος, -η, -ο: short-sleeved
κοντός, -ή, -ό: short
κοντός, ο: βλ. **κοντάρι**
κοντοστέκομαι: tarry, linger || *(μτφ)* hesitate
κοντόφθαλμος, -η, -ο: short-sighted (και *μτφ)*
κόντρα: *(επίρ)* against || (αντίθετα σε θέληση ή πεποίθηση) against the grain
κοντραμπάσσο, το: tuba, basshorn
κοντραπλακέ, το: plywood
κοντύλι, το: pencil || *(οικ)* fund, item
κοντυλοφόρος, ο: penholder
κοπάδι, το: (πρόβατα ή κατσίκια κλπ) flock || (βοοειδών) herd || (λύκων κλπ) pack || (πουλιών) flight, bevy, covey || (λιονταριών) pride || (ψαριών) school, shoal
κοπάζω: abate, subside, calm down
κόπανος, ο: pestle
κοπέλα, η: lass, maiden, gal, girl
κοπελιά, η: βλ. **κοπέλα**
κοπιάζω: labor, labour, toil
κοπίδι, το: chisel
κόπος, ο: labor, labour, toil
κοπριά, η: manure, dung
κοπτήρας, ο: *(δόντι)* incisor
κοπυράιτ, το: copyright
κόρα, η: crust
κόρακας, ο: raven, crow
κοράκι, το: βλ. **κόρακας**
κοράλλι, το: coral
κορδέλα, η: ribbon, band || (μετροταινία) tape || (δρόμου) ribbon
κορδόνι, το: cord, ribbon, string, lace
κορδώνομαι: swagger, preen oneself on, put on airs
κορεσμός, ο: satiation, satiety, saturation
κόρη, η: βλ. **κοπέλα** || (θυγατέρα) daughter || (οφθαλμού) pupil
κοριός, ο: bedbug
κορίτσι, το: girl
κορμί, το: (σώμα) body
κορμός, ο: trunk
κόρνα, η: horn
κορνάρω: blow the horn

κορνέτα, η: cornet
κορνίζα, η: (πλαίσιο) frame
κορνιζάρω: frame
κοροϊδεύω: (ειρωνεύομαι) mock, deride, scoff, laugh at, make fun of
κορόϊδο, το: (που τον κοροϊδεύουν) laugh-ingstock, butt, twit || (που τον εξαπατούν) gudgeon, patsy, dupe, dope, sucker
κορόμηλο, το: plum
κορόνα, η: (στέμμα) crown || (όψη νομίσματος) heads || ~ **γράμματα:** heads or tails
κόρος, ο: satiety
κορτάρω: flirt, court, woo
κόρτε, το: flirtation, courtship, wooing
κορυδαλός, ο: skylark
κορυφαίος, -α, -ο: head, leader
κορυφή, η: peak, summit *(και μτφ)* (κεφαλιού) crown
κόρφος, ο: bosom, breast
κορώνα, η: βλ. **κορόνα**
κοσκινίζω: sift, screen, sieve *(και μτφ)*
κόσκινο, το: sieve, screen
κόσμημα, το: (στολίδι) ornament *(και μτφ)* || (μπιζού) jewel
κοσμηματοπωλείο, το: jeweler's, jeweler's store
κοσμηματοπώλης, ο: jeweler
κοσμικός, -ή, -ό: (που πηγαίνει συχνά σε κοσμικές διασκεδάσεις) socialite || (μη κληρικός) lay, secular
κόσμιος, -α, -ο: decent, proper, decorous
κοσμοβριθής, -ές: swarming with people
κοσμογραφία, η: cosmography
κοσμοναύτης, ο: cosmonaut, astronaut
κοσμοπλημμύρα, η: a sea of people, multitudes
κοσμοπολίτης, ο *(θηλ* **κοσμοπολίτισσα**): cosmopolite
κοσμοπολίτικος, -η, -ο: cosmopolitan
κόσμος, ο: (σύμπαν) cosmos, universe || (ανθρωπότητα κλπ.) world || (άνθρωποι) people || (πλήθος) throng, crowd
κοσμοσυρροή, η: βλ. **κοσμοπλημμύρα**
κοσμώ: adorn
κοστίζω: cost *(και μτφ)* || (είμαι ακριβός) be costly
κόστος, το: cost
κοστούμι, το: (ενδυμασία) suit
κότα, η: hen, chicken
κότερο, το: cutter
κοτέτσι, το: coop, roost
κοτολέτα, η: cutlet
κοτόπουλο, το: chicken
κοτσάνι, το: stalk, stem
κότσι, το: anklebone
κοτσίδα, η: plait, braid, pigtail
κότσος, ο: bun
κότσυφας, ο: merle, blackbird
κοτσύφι, το: βλ. **κότσυφας**
κουβαλώ: carry, transport, move, haul
κουβάρι, το: ball, clew
κουβαρίστρα, η: spool, bobbin
κουβαρντάς, ο *(θηλ* **κουβαρντού**): openhanded, generous
κουβάς, ο: bucket, pail
κουβέντα, η: conversation, talk, chat
κουβεντιάζω: converse, talk, chat
κουβέρτα, η: blanket || (πλοίου) deck
κουδούνι, το: bell
κουδουνίζω: ring, jingle, tinkle
κουδουνίστρα, η: rattle
κουζίνα, η: (μαγειρείο) kitchen || (σκεύος) cooker, range || (είδος μαγειρικής) cuisine
κουκέτα, η: berth
κουκί, το: fava bean, broadbean
κούκκος, ο: cuckoo
κούκλα, η: doll || (κουκλοθέατρου) puppet || (μοδίστρας) mannequin, dummy
κουκουβάγια, η: owl
κουκούλα, η: cowl, hood
κουκούλι, το: cocoon
κουκουλώνω: cowl, cover with a hood
κουκουνάρα, η: cone, pine cone
κουκούτσι, το: kernel,stone || (πολύ μικρό) pip
κουλός, -ή, -ό: cripple, one-armed, one-handed
κουλούρι, το: pretzel, small roll, ring-shaped roll, bun
κουλουριάζω: coil, wind up
κουμαντάρω: control, manage
κουμπάρα, η: (γάμου) maid of honor, matron of honor || (νονά) godmother
κουμπαράς, ο: money-box, piggy bank, coin bank
κουμπάρος, ο: (γάμου) best man || (νονός) godfather
κουμπί, το: button

κουμπότρυπα, η: buttonhole
κουμπώνω: button, button up
κουνάβι, το: chipmunk, ferret, marten
κουνέλι, το: rabbit
κούνια, η: (αιώρα) swing || (για ξάπλωμα) hammock || (μωρού) cradle, crib
κουνιάδα, η: sister-in-law
κουνιάδος, ο: brother-in-law
κουνιέμαι: move || (πέρα-δώθε) swing, rock, shake
κουνούπι, το: mosquito
κουνουπίδι, το: cauliflower
κουνουπιέρα, η: mosquito net
κουνώ: βλ. **κινώ** || swing, rock, shake
κούπα, η: cup, mug, bowl || (χαρτοπ.) heart
κουπαστή, η: gunwale
κουπί, το: oar
κούρα, η: cure, therapy
κουράγιο, το: courage, pluck, grit
κουράζομαι: get tired, grow tired, weary
κουράζω: tire, weary, wear out, tucker out
κουράρω: cure, attend
κούραση, η: weariness, fatigue
κουρασμένος, -η, -ο: tired, weary, exhausted
κουραστικός, -ή, -ό: tiring, tiresome, wearisome
κουρέας, ο: barber
κουρείο, το: barbershop
κουρέλι, το: rag, tatter
κουρελιάζω: tatter, tear to shreds, shred
κουρεύω: cut the hair, cut s.o.'s hair, trim
κούρκος, ο: turkey
κουρνιάζω: perch, roost
κουρντίζω: (με ελατήριο) wind, wind up || (μουσ. όργανο) tune
κούρσα, η: (αγώνας ταχύτητας) race || (διαδρομή) ride
κουρσάρος, ο: corsair, pirate
κουρτίνα, η: curtain
κουτάβι, το: puppy, whelp
κουτάλα, η: ladle
κουταλάκι, το: teaspoon
κουτάλι, το: spoon
κουταλιά, η: spoonful
κούτελο, το: forehead
κουτί, το: box || (πακέτο) parcel || (σπίρτων) matchbox
κουτός, -ή, -ό: stupid, idiot, fool
κουτουλώ: butt
κουτουράδα, η: rashness, rash act
κουτουρού: *(επίρ)* haphazardly, at random, by chance
κουτρουβαλώ: tumble down, fall head over heels, somersault, turn somersault
κουτσαίνω: *(μτβ)* cripple, make lame || *(αμτβ)* limp
κουτσομπολεύω: gossip, tittle-tattle, spread gossip
κουτσομπόλης, -α, -ικο: gossip, gossiper, gossip monger
κουτσομπολιό, το: gossip, tittle-tattle, gossipry
κουτσός, -ή, -ό: lame, limping
κουτσουλιά, η: (πουλιού) bird excrement, bird droppings || (μύγας) flyspeck
κούτσουρο, το: stump, log
κουφαίνομαι: become deaf, go deaf, be deafened
κουφαίνω: deafen, make deaf
κουφάλα, η: hollow
κουφέτο, το: sugared almond
κούφιος, -α, -ο: hollow, empty
κουφός, -ή, -ό: deaf
κοφτερός, -ή, -ό: sharp, keen, cutting
κόχη, η: (γωνιά) corner || (εσοχή) recess, nook, alcove
κοχλάζω: boil
κοχλίας, ο: (σαλιγκάρι) snail || (βίδα) screw, bolt
κοχύλι, το: seashell
κόψη, η: edge
κοψίδι, το: chunk, piece, bit
κραγιόν, το: (σχεδ.) crayon || (γυναικός) lipstick
κραδαίνω: brandish, flourish
κραδασμός, ο: vibration
κράζω: (πετεινός) crow || (κόρακας) caw || (φωνάζω) call
κράμα, το: mixture || (χαρμάνι) blend
κράμβη, η: cabbage
κρανίο, το: skull
κράνος, το: helmet
κράση, η: (ανάμειξη) mixture, mixing || (ανθρώπου) constitution
κρασί, το: wine
κρασοπότηρο, το: wine glass
κρασοπουλειό, το: tavern
κράσπεδο, το: (ποδόγυρος) hem, border || (βουνού) foot || (πεζοδρο-

μίου) curb
κρατήρας, ο: crater
κράτηση, η: (περιορισμός) detention, custody, confinement || (μισθού) deduction
κρατητήριο, το: jail, lockup
κρατιέμαι: refrain, hold oneself back
κράτος, το: country, state
κρατούμενος, -η, -ο: in custody, detained
κρατώ: hold, have, carry || (διαρκώ) last, keep || (αντέχω) endure, bear || (από μισθό) deduct
κραυγάζω: cry, cry out, shout, yell
κραυγή, η: cry, shout, yell
κρέας, το: meat
κρεβάτι, το: bed || ~ **εκστρατείας:** cot
κρεβατοκάμαρα, η: bedroom
κρέμα, η: cream
κρεμάλα, η: gallows, gibbet
κρεμάστρα, η: hanger
κρεματόριο, το: crematorium
κρεμιέμαι: (απαγχονίζομαι) hang oneself || (κρέμομαι) hang, be suspended
κρεμμύδι, το: βλ. **κρομμύδι**
κρεμώ: hang, suspend || (απαγχονίζω) hang
κρεοπώλης, ο: butcher
κρήνη, η: fountain
κρησφύγετο, το: hide-out, hideaway
κριάρι, το: ram
κριθαράκι, το: (μανέστρα) noodle || (ματιού) sty
κριθάρι, το: barley
κρίκος, ο: link
κρίμα, το: sin
κρίνο, το: βλ. **κρίνος**
κρίνος, ο: lily
κρίνω: judge || (υποθέτω) consider
κριός, ο: βλ. **κριάρι**
κρίση, η: judgement || (δύσκολη κατάσταση) crisis
κρίσιμος, -η, -ο: critical, crucial
κριτήριο, το: criterion, standard
κριτής, ο: judge
κριτικάρω: judge, review
κριτική, η: criticism *(και μτφ)*
κριτικός, ο: critic
κριτικός, -ή, -ό: critical
κροκάδι, το: yolk
κροκόδειλος, ο: crocodile
κρόκος, ο: yolk
κρομμύδι, το: onion
κρόσσι, το: fringe, tuft
κροταλίας, ο: rattlesnake, diamondback, rattler
κροταλίζω: rattle
κρόταλο, το: rattle
κρόταφος, ο: temple
κρότος, ο: βλ. **θόρυβος** || (δυνατός απότομος) clap, crash || (υπόκωφος) thump, rumble
κρουαζιέρα, η: cruise
κρουνός, ο: faucet, tap
κρούσμα, το: case
κρούστα, η: crust
κρούω: (χτυπώ) knock, strike
κρυάδα, η: chill
κρύβομαι: hide, keep out of sight, go into hiding, seek refuge
κρύβω: hide, conceal
κρύο, το: cold, chill
κρυολόγημα, το: cold
κρυολογώ: catch cold
κρυοπάγημα, το: frostbite
κρύος, -α, -ο: cold, chilly *(και μτφ)*
κρύπτη, η: crypt
κρυπτογράφημα, το: cryptograph, cryptogram
κρυσταλλένιος, -α, -ο: (από κρύσταλλο) crystal || (σαν κρύσταλλο) like crystal, crystal-clear
κρύσταλλο, το: crystal
κρυφά: *(επίρ)* secretly, in secret
κρυφακούω: eavesdrop
κρυφός, -ή, -ό: secret, hidden
κρυφτό, το: hide and seek
κρυψώνας, ο: hide out, hide-away
κρυώνω: *(μτβ)* cool, chill || *(αμτβ)* feel cold, grow cold
κρώζω: (κόρακας) caw, croak || (βάτραχος) croak
κτήμα, το: (απόκτημα) possession, property || (κτημ. περιουσία) realty, real estate, land || (αγρόκτημα) farm, ranch
κτηματίας, ο: land owner
κτηματομεσίτης, ο: realtor, real estate agent
κτηνίατρος, ο: veterinarian, veterinary, veterinary surgeon
κτήνος, το: beast, animal *(και μτφ)*
κτηνοτρόφος, ο: stock breeder
κτηνώδης, -ες: bestial, beastly, brutal *(και μτφ)*
κτήση, η: (απόκτημα) possession || (απόκτηση) acquisition || (χώρα) dominion
κτητικός, -ή, -ό: possessive

κτίζω: βλ. **χτίζω**
κτίριο, το: building, structure, edifice
κτίση, η: creation
κτίσμα, το: building
κτύπημα, κλπ.: βλ. **χτύπημα** κλπ.
κυανόλευκη, η: blue and white, the Greek flag
κυβέρνηση, η: (χώρας) government || (υπουργ. συμβούλιο) Cabinet
κυβερνήτης, ο: (χώρας) prime minister || (πρόεδρος δημοκρατίας) president || (κυβερνήτης περιοχής) governor || (πολ. πλοίου) captain || (εμπορ. πλοίου) master, skipper
κυβερνώ: govern
κυβικός, -ή, -ό: cubic, cube
κύβος, ο: cube || (ζάρι) die
κυδώνι, το: (φρούτο) quince || (θαλασσινό) pen shell
κυκλικός, -ή, -ό: (σχήμα κύκλου) circular || (περιοδικός) cyclic
κύκλος, ο: (σχήμα) circle || (περίοδος) cycle
κυκλοφορία, η: circulation || (τροχ.) traffic
κυκλοφορώ: *(μτβ και αμτβ)* circulate
κυκλώνας, ο: cyclone, tornado, twister
κυκλώνω: surround, encircle
κύκνος, ο: swan
κυλικείο, το: (μπουφές) buffet || refreshment room
κυλινδρικός, -ή, -ό: cylindrical
κύλινδρος, ο: cylinder
κύλισμα, το: βλ. **κύλημα**
κυλώ: roll *(μτβ και αμτβ)* || (ποτάμι) flow, run
κύμα, το: wave *(και μτφ)*
κυμαίνομαι: wave, undulate || *(μτφ)* fluctuate, waver, oscillate
κυματίζω: (κινώ κυματιστά) undulate, wave || (κάνω κύματα) ripple || (σημαία) wave, float, flutter
κυματοθραύστης, ο: breakwater
κύμβαλο, το: cymbal
κυνηγητό, το: chase, running after || (παιχνίδι) tag
κυνήγι, το: (καταδίωξη) chase, running after, pursuit || (θήρα) hunting, shooting || (θήραμα) game
κυνηγός, ο: hunter, huntsman
κυνηγώ: (θηρεύω) hunt, shoot || (καταδιώκω) chase, pursue, run after
κυνικός, -ή, -ό: cynical || (φιλοσ.) cynic
κυοφορώ: gestate, be pregnant
κυπαρίσσι, το: cypress
κύπελλο, το: cup, mug, goblet || (έπαθλο) cup
κυρά, η: *(ιδ)* mistress
κυρία, η: lady || (προσαγόρευση) madam, ma'am
κυριακή, η: Sunday
κυριεύω: conquer, capture, take
κυριολεκτικός, -ή, -ό: literal
κυριολεξία, η: literal meaning, literalness
κύριος, ο: (αφέντης) master || (προσαγόρευση) Sir || (χωρίς όνομα) gentleman || (με όνομα) Mr.
κύριος, -α, -ο: main, chief, principal
κυριότητα, η: ownership
κύρος, το: authority, weight, importance
κυρτός, -ή, -ό: bent, crooked || (φακός) convex
κυρτώνω: curve, bend
κύρωση, η: validation, ratification || (επιβεβαίωση) confirmation, sanction || (ποινή) penalty
κύστη, η: cyst, bladder
κύτος, το: *(ναυτ)* hold
κύτταρο, το: cell
κυψέλη, η: hive
κώδικας, ο: code
κωδικοποιώ: codify
κωδωνοκρουσία, η: pealing, ringing, chiming
κωδωνοστάσιο, το: belfry
κωκ, το: βλ. **κοκ**
κωλοφωτιά, η: firefly
κώλυμα, το: obstacle, hindrance, impediment
κωλυσιεργώ: filibuster, use obstructionist tactics
κωλύω: prevent, hinder
κώμα, το: coma
κωματώδης, -ες: comatose
κώμη, η: town, small town
κωμικός, -ή, -ό: comic, comical
κωμικοτραγωδία, η: tragicomedy
κωμόπολη, η: town
κωμωδία, η: comedy
κωνικός, -ή, -ό: conic, conical
κώνος, ο: cone
κωπηλασία, η: rowing
κωπηλάτης, ο: rower, oarsman
κωπηλατώ: row
κωφάλαλος, -η, -ο: deaf-mute
κωφός, ο: βλ. **κουφός**

Λ

λάβα, η: lava
λαβαίνω: take, receive, get
λάβαρο, το: banner, standard
λαβή, η: handle, grip ‖ (πιστολιού) butt, handle ‖ (ξίφους) hilt, haft
λαβίδα, η: tongs, hold
λαβράκι, το: bass
λαβύρινθος, ο: labyrinth, maze *(και μτφ)*
λάβωμα, το: wound
λαβωματιά, η: βλ. **λάβωμα**
λαβώνω: wound
λαγκάδι, το: ravine, gorge
λάγνος, -α, -ο: lustful, lascivious
λαγόνες, οι: loins
λαγός, ο: hare, jack rabbit
λαγωνικό, το: hound, hunter
λαδερό, το: oil can ‖ (επιτραπέζιο) cruet
λάδι, το: oil
λαδομπογιά, η: oil paint, oil color
λαδώνω: oil ‖ *(μηχ)* lubricate
λαδωτήρι, το: oil can
λαζάνια, τα: lasagna
λάθος, το: error, mistake
λαθραίος, -α, -ο: secret, clandestine, furtive ‖ (εμπόρευμα) smuggled
λαθρεμπόριο, το: smuggling, contraband
λαθρέμπορος, ο: smuggler
λαϊκός, -ή, -ό: (μη κληρικός) lay ‖ (του λαού) popular
λαίλαπα, η: hurricane *(και μτφ)*
λαιμαργία, η: greed, greediness
λαίμαργος, -η, -ο: greedy, gluttonous, glutton
λαιμητόμος, η: guillotine
λαιμοδέτης, ο: neck tie, tie
λαιμός, ο: neck ‖ (εμπρός μέρος) throat
λακέρδα, η: salted mackerel
λάκκα, η: hollow, pit, hole
λακκάκι, το: (στό μάγουλο) dimple
λάκκος, ο: pit, deep hole
λακκούβα, η: hollow, hole
λακτίζω: kick, boot
λακωνικός, -ή, -ό: laconic
λαλώ: (πουλιά) sing, twitter, warble ‖ (πετεινού) crow
λάμα, η: (λεπίδα) blade ‖ (έλασμα) sheet, plate, lamina
λαμαρίνα, η: sheet iron
λαμβάνω: βλ. **λαβαίνω**
λάμπα, η: lamp
λαμπάδα, η: taper, candle
λαμπαδιάζω: flame up
λαμπερός, -ή, -ό: bright, luminous, shining
λαμπογυάλι, το: chimney
λαμποκοπώ: shine, gleam, glitter, sparkle
Λαμπρή, η: Easter
λαμπρός, -ή, -ό: bright, shining, sparkling ‖ *(μτφ)*, splendid, superb, excellent
λαμπτήρας.
λαμπυρίζω: glitter, twinkle
λάμπω: shine, glitter, gleam ‖ (γυαλίζω) shine, sparkle ‖ (από χαρά) shine, beam
λάμψη, η: flash, brightness, brilliance, glitter
λανσάρω: promote, launch
λαξεύω: hew, carve, sculpture
λαογραφία, η: folklore
λαός, ο: people ‖ (πληθυσμός) populace, population
λαοφιλής, -ές: popular
λαρδί, το: lard, fat
λάρυγγας, ο: larynx, throat, windpipe
λαρυγγίτιδα, η: laryngitis
λασκάρω: slacken, loosen
λάσπη, η: mud
λασπώνω: mud, cover with mud, dirty
λάστιχο, το: (καουτσούκ) rubber ‖ (πράγμα από λάστιχο) elastic ‖ (αυτοκινήτου) tyre
λατινικά, τα: latin
λατομείο, το: quarry
λατρεία, η: worship, adoration
λατρεύω: adore, worship
λάτρης, ο: worshiper
λαφιάζω: startle, scare
λαφυραγωγώ: loot, pillage, sack
λάφυρο, το: spoils, booty, loot
λαχαναγορά, η: vegetable produce market

λαχανιάζω: pant, be out of breath, gasp for breath
λαχανικό, το: vegetable
λάχανο, το: cabbage
λαχανόκηπος, ο: garden, kitchen-garden, vegetable garden
λαχανοπώλης, ο: greengrocer
λαχείο, το: lottery, raffle
λαχνός, ο: lot
λαχτάρα, η: (ζωηρή επιθυμία) yen, yearning
λαχταρώ: (επιθυμώ ζωηρά) yen, yearn, long, hunger, thirst
λέαινα, η: lioness
λεβάντες, ο: easterly, east wind, levanter
λεβέντης, ο (*θηλ* **λεβέντισσα**): (καλοφτιαγμένος και αρρενωπός) stalwart, virile, strapper, strapping || (παλικάρι) brave, buck
λεβητοστάσιο, το: boiler room
λεγεώνα, η: legion
λεζάντα, η: legend, caption
λεηλατώ: sack, loot, pillage, plunder
λεία, η: loot, plunder, spoil || *(μτφ)* prey
λειαίνω: smooth, make even
λείος, -α, -ο: smooth, even
λείπω: βλ. **απουσιάζω** || (βρίσκομαι μακριά) be away || (δεν υπάρχω) be missing
λειρί, το: comb, crest || (κόκκορα) cocks-comb
λειτούργημα, το: (αξίωμα) office || (υπηρεσία) function, ministry
λειτουργία, η: function, operation, running || *(εκκλ)* liturgy, service
λειτουργός, ο: officer, official, functionary
λειτουργώ: operate, function, work, be in order || *(εκκλ)* officiate, celebrate mass
λείψανο, το: remains || *(εκκλ)* relics || (πτώμα) cadaver, corpse
λειψός, -ή, -ό: deficient, defective, imperfect
λειώνω: βλ. **λιώνω**
λεκάνη, η: (σκεύος) basin, washbowl || (αποχωρητηρίου) toilet || (ουρητηρίου) urinal
λεκανοπέδιο, το: basin
λεκές, ο: stain, spot, smear
λεκιάζω: stain, smear, soil
λέλεκας, ο: stork
λεμβοδρομία, η: boat race, regatta
λέμβος, η: boat
λεμβούχος, ο: boatman
λεμονάδα, η: lemonade
λεμόνι, το: lemon
λεμονιέρα, η: reamer
λέξη, η: word
λεξικό, το: dictionary, lexicon
λεξιλόγιο, το: vocabulary
λεοντάρι, το: lion
λεοντή, η: lion's skin
λεοντόκαρδος, -η, -ο: lion-hearted
λεοπάρδαλη, η: leopard
λέπι, το: scale
λεπίδα, η: blade
λέπρα, η: leprosy
λεπρός, -ή, -ό: leprous || *(ουσ)* leper
λεπτά, τα: money
λεπταίνω: *(μτβ)* make thin, thin, make slender || *(μτφ)* refine || *(αμτβ)* thin, become slender, drop weight
λεπτό, το: (χρόνου ή γωνιωμ.) minute || *(νομισμ.)* lepton, cent
λεπτοδείκτης, ο: minutehand
λεπτολογώ: be punctilious, be finicky, split hairs
λεπτομέρεια, η: detail, particular
λεπτομερής, -ές: detailed, in detail, minute
λεπτός, -ή, -ό: (λιγνός) thin, lean || (λυγερός) slender, willowy, slim || (ευαίσθητος) delicate
λεπτουργός, ο: cabinet maker
λέρα, η: dirt, filth
λερωμένος, -η, -ο: dirty, filthy, grimy, soiled
λερώνω: dirty, soil
λέσχη, η: club
λεύγα, η: league
λεύκα, η: poplar
λευκαίνω: *(μτβ)* whiten || (με λευκαντικό) bleach || *(αμτβ)* whiten, become white, blanch
λευκαντικό, το: bleach
λευκός, -ή, -ό: white *(και μτφ)*
λευκοσίδηρος, ο: tin
λευκόχρυσος, ο: platinum
λεύκωμα, το: (βιβλίο) album || (ασπράδι) white
λευτεριά, η: βλ. **ελευθερία**
λεφτά, τα: βλ. **λεπτά**
λεχώνα, η: woman in childbed
λέω: say, tell
λεωφορείο, το: omnibus, bus
λεωφόρος, η: avenue
λήγουσα, η: *(γραμ)* ultima
λήγω: terminate, end, finish || (προθεσμία) expire
λήθαργος, ο: lethargy, stupor, torpor
λήθη, η: lethe, oblivion, forgetting

λημέρι, το: den, hideout
λήμμα, το: lemma
λήξη, η: end, termination
ληξιαρχείο, το: office of vital statistics
λήπτης, ο: receiver, addressee
λησμονώ: forget
ληστεία, η: robbery *(και μτφ)* ‖ (με απειλή όπλων) holdup, stickup
ληστεύω: rob *(και μτφ)* ‖ (με απειλή όπλου) hold up, stick up
ληστής, ο: robber, bandit, highwayman
λήψη, η: reception, receipt, receiving
λιάζομαι: sunbathe, lie in the sun
λιακάδα, η: sunshine
λιανά, τα: small change, change
λιανικός, -ή, -ό: retail
λιανοπώλης, ο: retailer
λιβάδι, το: meadow, grassland
λιβάνι, το: incense
λιβανίζω: incense
λιβανιστήρι, το: censer
λίβελος, ο: libel
λίβρα, η: pound
λιγάκι: *(επίρ)* a little bit ‖ **σε ~:** shortly, very soon, immediately
λίγδα, η: grease, fat
λιγνίτης, ο: lignite
λιγνός, -ή, -ό: thin, slim, lean ‖ skinny
λίγο: *(επίρ)* little, a little, a bit ‖ **σε ~:** soon, shortly, after a while
λίγος, -η, -ο: little, a little
λιγοστεύω: decrease, lessen, abate
λιγούρα, η: (αναγούλα) nausea ‖ (ζάλη) faintness
λιγοψυχώ: (χάνω το θάρρος) lose heart ‖ (ζαλίζομαι) feel faint
λιθάνθρακας, ο: pit coal
λιθάρι, το: stone
λιθοβολία, η: *(αθλ)* stone throwing
λιθοβολώ: stone
λιθογραφία, η: (τέχνη) lithography ‖ (έντυπο) lithograph
λιθογράφος, ο: lithographer
λιθοδομή, η: masonry, stonework
λίθος, ο: stone
λιθοστρώνω: pave
λιθόστρωτο, το: pavement
λικέρ, το: cordial, liqueur
λίκνο, το: cradle, crib
λιλά: lilac
λιλιπούτειος, -α, -ο: lilliputian
λίμα, η: (πείνα) excessive hunger, starvation ‖ (εργαλείο) file
λιμαδόρος, ο: gasbag, chatterer, garrulous
λιμάνι, το: harbor, harbour, port, haven
λιμάρω: file
λιμεναρχείο, το: port authority, port office
λιμενάρχης, ο: harbormaster
λιμένας, ο: βλ. **λιμάνι**
λιμνάζω: stagnate, be stagnant *(και μτφ)*
λίμνη, η: lake
λιμνοθάλασσα, ή: estuary, lagoon
λιμοκτονώ: starve, famish, be starved
λιμός, ο: famine
λιμουζίνα, η: limousine
λινάρι, το: flax
λιναρόσπορος, ο: linseed
λινάτσα, η: sackcloth
λινός, -ή, -ό: linen
λινοτυπία, η: linotype
λιόδεντρο, το: olive tree
λιόλαδο, το: olive oil
λιπαίνω: (με λάδι) grease, oil, lubricate ‖ (με λίπασμα) fertilize, manure
λιπαντικό, το: lubricant
λιπαρός, -ή, -ό: greasy, fat, fatty
λίπασμα, το: compost, manure, fertilizer
λιποθυμία, η: faint, fainting, swoon, loss of consciousness
λιπόθυμος, -η, -ο: senseless, unconscious, faint, in a faint
λιποθυμώ: faint, fall senseless, lose consciousness, swoon
λίπος, το: (ζωικό) fat, lard ‖ (λίπανσης) grease
λιποτάκτης, ο: deserter
λιποτακτώ: desert
λιποταξία, η: desertion
λιποψυχώ: lose heart, be discouraged
λίρα, η: pound ‖ (χρυσό κέρμα) sovereign
λίστα, η: list
λιτανεία, η: (τελετή) litany ‖ (περιφορά) religious procession
λιτοδίαιτος, -η, -ο: temperate, frugal
λιτός, -ή, -ό: βλ. **λιτοδίαιτος** ‖ (τροφή) frugal ‖ (απέριττος) simple, plain
λιτότητα, η: temperance, frugality ‖ (απλότητα) simplicity, plainness
λίτρα, η: βλ. **λίτρο**
λίτρο, το: liter
λιχανός, ο: index finger, forefinger
λιχνίζω: winnow
λιώνω: (ρευστοποιώ) melt, liquefy, thaw ‖ (πολτοποιώ) pulp ‖ (συνθλίβω) crush, squash ‖ (φθείρομαι) wear out
λογαριάζω: (μετρώ) count ‖ (υπολογίζω) compute, calculate ‖ (σκοπεύω)

consider, intend, aim, reckon
λογαριασμός, ο: (μέτρημα) count || (υπολογισμός) computation, calculation || (εστιατ., ξενοδ. κλπ) bill, ticket, tab
λόγγος, ο: dense forest, thicket
λόγια, τα: words || (διάδοση) rumor
λογικά, τα: senses
λογική, η: logic || (σωστή σκέψη) common sense || βλ. **λογικό**
λογικό, το: reason || βλ. και **λογικά**
λογικός, -ή, -ό: reasonable, rational, logical
λογιστής, ο: (πτυχιούχος) accountant || (πρακτικός) book-keeper
λογοδοτώ: account for, give an account
λογοκρίνω: censor
λογοκρισία, η: censorship
λογομαχία, η: words, argument, quarrel, altercation
λογομαχώ: have words, argue, quarrel, altercate
λογοπαίγνιο, το: pun
λόγος, ο: (ομιλία) speech || (κουβέντα) say, word || (αιτία) reason || (αφορμή) cause || (υποχρέωση) word
λογοτέχνης, ο: literary man, author, writer
λογοτεχνία, η: literature
λόγου χάρη: *(επίρ)* for example, for instance
λογοφέρνω: βλ. **λογομαχώ**
λόγχη, η: bayonet
λοιμός, ο: contagious disease, pestilence
λοίμωξη, η: infection
λοιπόν: well, then || (επομένως) therefore, consequently
λοιπός, -ή, -ό: remaining, left, rest || **και τα** *~ά:* et cetera (etc), and so on
λοξοδρομώ: deviate, change course, shift course
λοξός, -ή, -ό: inclined, oblique, slanting, sloping
λόξυγγας, ο: hiccup, hiccough
λόρδος, ο: lord
λοστός, ο: crowbar
λοστρόμος, ο: boatswain, bosum
λοταρία, η: raffle, lottery
λούζομαι: bathe, have a bath, take a bath
λούζω: bathe, give a bath
λουκάνικο, το: sausage || (για σάντουιτς) frankforter, frankfurter || (ζεστό σε σάντουιτς) hot dog
λουκέτο, το: padlock
λουλάκι, το: indigo
λουλούδι, το: flower, blossom
λουλουδίζω: blossom, bloom
λουμίνι, το: wick
λουρί, το: strap || βλ. **ζώνη**
λουρίδα, η: βλ. **λουρί** || band, strip
λουστράρω: polish, burnish
λουστρίνι, το: (δέρμα) patent leather || (παπούτσι) patent leather shoe
λούστρος, ο: bootblack
λουτήρας, ο: bathtub
λουτρό, το: (πλύσιμο) bath || (δωμάτιο) bathroom
λόφος, ο: hill
λοχαγός, ο: captain
λοχίας, ο: sergeant
λόχμη, η: copse, chaparral
λόχος, ο: company
λυγερός, -ή, -ό: willowy, slender, slim
λυγίζω: *(μτβ)* bend || *(αμτβ)* bend, curve
λυγμός, ο: sob
λυθρίνι, το: gray mullet
λυκαυγές, το: dawn
λύκειο, το: lyceum || (β΄ κύκλος μέση εκπ.) senior high school
λύκος, ο: wolf
λυκόσκυλο, το: german shepherd, alsatian
λυκόφως, το: twilight *(και μτφ)*
λυντσάρω: lynch
λύνω (κόμπο) untie || (από δέσιμο) unfasten, untie
λυπάμαι: *(μτβ)* feel sorry, pity || *(αμτβ)* be sorry, be sad
λύπη, η: sorrow, sadness, grief
λυπημένος, -η, -ο: sorry, sad
λυπηρός, -ή, -ό: sad
λυπητερός, -ή, -ό: sorrowful, plaintive, mournful
λυπούμαι: βλ. **λυπάμαι**
λυπώ: distress, grieve, sadden
λύρα, η: lyre
λυρικός, -ή, -ό: lyric, lyrical
λύση, η: (προβλήματος κλπ) solution || (ακύρωση) annulment, cancellation
λύσσα, η: rabies
λυσσάζω: (ζώο) be mad || (ανθρ.) be seized with rabies
λύτρα, τα: ransom
λυτρώνω: deliver, free || save, rescue
λυχνάρι, το: oil lamp
λυχνία, η: lamp
λωποδύτης, ο (*θηλ* **λωποδύτρια**)**:** thief, pickpocket
λωρίδα, η: βλ. **λουρίδα**

M

μα: but ‖ ~ **το Θεό!:** by God!
μαγαζί, το: store, shop
μαγγανοπήγαδο, το: wheelwell
μαγεία, η: sorcery, magic, witchcraft
μάγειρας, ο (*θηλ* **μαγείρισσα**): cook
μαγειρείο, το: (κουζίνα) kitchen
μαγείρεμα, το: cooking
μαγειρεύω: cook
μαγείρισσα, η: βλ. **μάγειρας**
μαγευτικός, -ή, -ό: bewitching, enchanting, charming
μαγεύω: bewitch, enchant
μαγιά, η: (μπύρας) yeast ‖ (προζύμη) leaven
μαγικός, -ή, -ό: magic, magical
μαγιό, το: bathing suit, swimsuit
μαγιονέζα, η: mayonnaise
μάγισσα, η: witch, sorceress
μαγκάλι, το: brazier
μαγκούρα, η: stick, heavy stick
μαγκώνω: crush, squeeze
μαγνήτης, ο magnet
μαγνητίζω: magnetize
μαγνητικός, -ή, -ό: magnetic
μαγνητισμός, ο: magnetism
μαγνητόφωνο, το: tape recorder
μάγος, ο: sorcerer, wizard, magician
μαγουλάδες, οι: mumps, parotiditis, parotitis
μάγουλο, το: cheek
μαδέρι, το: plank, joist
μαδώ: pull off, pluck
μαέστρος, ο: conductor
μάζα, η: mass
μαζεύω: gather, collect, pick up ‖ (συσσωρεύω) pile, amass, heap ‖ (κάνω συλλογή) collect ‖ (μπάζω) shrink
μαζί: *(επίρ)* with, together
Μάης, ο: βλ. **Μάιος**
μαθαίνω: learn ‖ (διδάσκω) teach ‖ (ακούω είδηση) hear, learn
μάθημα, το: lesson
μαθηματικά, τα: mathematics, math., maths
μαθηματικός, ο: mathematician
μαθηματικός, -ή, -ό: mathematical
μάθηση, η: learning, education
μαθητευόμενος, -η, -ο: apprentice
μαθητής, ο (*θηλ* **μαθήτρια**): schoolboy (school-girl), student
μαθήτρια, η: βλ. **μαθητής**
μαία, η: midwife
μαιευτήρας, ο: obstetrician
μαιευτήριο, το: maternity hospital, maternity clinic
μαιευτική, η: obstetrics
μαϊμού, η: monkey
μαίνομαι: rage
μαϊντανός, ο: parsley
Μάϊος, ο: May
μακάβριος, -α, -ο: macabre
μακάρι: I wish, God grant, would to God ‖ (ακόμη και αν) even if
μακάριος, -α, -ο: happy, blessed
μακαρίτης, ο (*θηλ* **μακαρίτισσα**): deceased, late
μακαρόνι, το: macaroni, spaghetti
μακελειό, το: massacre, slaughter, carnage
μακιγιάζ, το: make-up
μακιγιάρομαι: make-up
μακραίνω: (κάνω μακρύ) lengthen, make longer ‖ (γίνομαι μακρύς) become longer, lengthen
μακριά: *(επίρ)* far, far away, far off
μακρινός, -ή, -ό: distant, far, remote, far off
μακροβούτι, το: dive, underwater swimming
μακρόθυμος, -η, -ο: forbearing, tolerant
μακρομάνικος, -η, -ικο: long-sleeved
μακροπρόθεσμος, -η, -ο: long-term
μακρός, -ά, -ό: long ‖ (διαρκείας) lengthy, long, extensive
μακρόστενος, -η, -ο: oblong, elongated
μακρουλός, -ή, -ό: βλ. **μακρόστενος**
μακροχρόνιος, -α, -ο: long-drawn, of long duration
μακρύνω: βλ. **μακραίνω**
μακρύς, -ιά, -ύ: βλ. **μακρός**
μαλακός, -ή, -ό: soft ‖ (απαλός) soft, tender ‖ (χαρακτήρας) mild, gentle
μαλακτικός, -ή, -ό: lenitive
μαλακώνω: soften ‖ (κατευνάζω) calm, assuage, mollify ‖ (κατευνά-

ζομαι) become calmer, be mollified, calm down
μάλαμα, το: gold
μαλαματένιος, -α, -ο: gold, golden
μαλθακός, -ή, -ό: soft
μάλιστα: *(επίρ)* yes, certainly
μαλλί, το: wool || (για πλέξιμο) yarn || (τρίχωμα) hair
μαλλιά, τα: (κεφαλιού) hair
μαλλιαρός, -ή, -ό: hairy, woolly, shaggy || **~ή:** (γλώσσα) vulgar language, vulgarism
μάλλινος, -η, -ο: wool, woolen
μάλλον: *(επίρ)* (περισσότερο) more || (καλύτερα) better, rather, sooner than
μαλώνω: (τσακώνομαι) quarrel, wrangle, argue || (επιπλήττω) scold, reprimand, rebuke, reproach || (διακόπτω σχέση) fall out, break
μαμά, η: mummy, mammy
μαμή, η: βλ. **μαία**
μάμη, η: grandmother, granny
μαμούθ, το: mammoth
μάνα, η: mother
μαναβέλα, η: crank
μανάβης, ο: greengrocer, fruit and vegetable seller
μανάβικο, το: greengrocer's shop
μανδύας, ο: cloak || *(στρ)* overcoat, greatcoat
μανεκέν, το: model, mannequin
μανέστρα, η: noodle
μανία, η: mania || (οργή) fury, rage
μανιακός, -ή, -ό: maniac
μανιβέλα, η: βλ. **μαναβέλα**
μανικέτι, το: cuff
μανίκι, το: sleeve
μανικιούρ, το: manicure
μανιτάρι, το: mushroom || (δηλητηριώδες) toadstool
μανιώδης, -ες: *(μτφ)* passionate, inveterate, maniac
μάνταλο, το: bolt, latch
μανταλώνω: bolt, latch
μανταρίνι, το: mandarin orange, tangerine
μαντάρω: darn
μαντεία, η: (προφητεία) prediction, divination, prophecy || (χρησμός) oracle
μαντείο, το: oracle
μαντεύω: (προφητεύω) predict, foretell, prophesy || (εικάζω) guess, figure
μάντης, ο: oracle, prophet
μαντίλι, το: handkerchief
μαντολίνο, το: mandolin
μάντρα, η: enclosure, fenced enclosure
μαντρόσκυλο, το: sheep dog, mastiff
μαντρώνω: (περικλείω με μάντρα) fence in, wall in, enclose || (βάζω σε μάντρα) corral *(και μτφ)*
μαξιλάρα, η: cushion, bolster
μαξιλάρι, το: cushion || (ύπνου) pillow
μαξιλαροθήκη, η: pillow case
μαούνα, η: barge
μαραγκός, ο: carpenter
μαραζώνω: pine away, waste away
μαραθώνιος, ο: marathon race
μαραίνομαι: wither, shrivel
μαραίνω: wither, dry, shrivel
μαργαρίνη, η: margarine
μαργαρίτα, η: daisy
μαργαριτάρι, το: pearl
μαρίδα, η: (ευρωπαϊκή) sparling || (Αμερικάνικη) smelt
μαριονέτα, η: pupper
μάρκα, η: mark || (είδος) brand
μαρκάρω: mark
μαρκίζα, η: canopy
μάρκο, το: mark
μάρμαρο, το: marble
μαρμαρώνω: *(μτφ)* be petrified
μαρμελάδα, η: marmalade, jam
μαρξιστής, ο *(θηλ* **μαρξίστρια**): marxist
μαρούλι, το: lettuce
μαρς, το: βλ. **εμβατήριο** || (πρόσταγμα) march!
μαρσάρω: step on the gas
Μάρτης, ο: *βλ.* **Μάρτιος**
Μάρτιος, ο: March
μάρτυρας, ο: witness || (που μαρτύρησε) martyr
μαρτυρία, η: testimony
μαρτύριο, το: torture, torment
μαρτυρώ: bear witness, testify, give evidence || (υποφέρω) suffer
μας: (προσ. αντων.) us || (κτητ.) our
μασάζ, το: massage
μασέλα, η: denture, dental plate
μασητήρας, ο: molar
μασιά, η: tongs
μάσκα, η: mask
μασκαράς, ο: masquerader
μασκότ, η: mascot
μασόνος, ο: Mason, Freemason
μασούρι, το: bobbin, skein
μαστάρι, το: udder
μάστιγα, η: βλ. **μαστίγιο** || *(μτφ)* scourge

M

μαστίγιο, το: whip
μαστιγώνω: whip, flog
μαστίζω: βλ. **μαστιγώνω** || *(μτφ)* scourge, ravage
μαστίχα, η: (ουσία) mastic || (που μασούμε) chewing gum
μάστορας, ο: skilled worker, mason, carpenter, bricklayer
μαστός, ο: breast || βλ. **μαστάρι**
μαστοφόρα, τα: mammals
μαστροπός, ο *(θηλ* **μαστροπός**): pimp
μαστροχαλαστής, ο: bungler
μασχάλη, η: armpit
μασώ: chew, masticate
ματαιόδοξος, -η, -ο: vain, conceited, vain-glorius
μάταιος, -α, -ο: futile, vain, useless
ματαιότητα, η: vanity, futility
ματαιώνω: frustrate, thwart,
μάτι, το: eye
ματιά, η: eye, glance, look
ματιάζω: (βασκαίνω) cast an evil eye
ματίζω: splice
ματογυάλια, τα: glasses, eyeglasses, spectacles || (ηλίου) sunglasses
ματόκλαδο, το: eyelash
ματοτσίνορο, τα: βλ. **ματόκλαδο**
μάτς, το: match
ματώνω: bleed
μαυρίζω: *(μτβ* και *αμτβ)* blacken, darken || (στον ήλιο) tan, get a suntan
μαυρομάτης, -α, -ικο: black-eyed
μαυροπίνακας, ο: blackboard, chalkboard
μαυροπούλι, το: merle, starling, blackbird
μαύρος, -η, -ο: black
μαυσωλείο, το: mausoleum
μαχαίρι, το: knife
μαχαιριά, η: stab
μαχαιροπήρουνα, τα: cutlery
μαχαιρώνω: knife, stab
μάχη, η: battle, fight, combat
μαχητής, ο: fighter, combatant, warrior
μάχομαι: fight, combat *(και μτφ)*
με: *(προθ)* (μαζί) with || (μέσο) by, through, by means of || (επαφή) to || *(προσ αντ)* me
μεγαλείο, το: grandeur, greatness, majesty
μεγαλειότατος, -η: majesty
μεγαλειώδης, -ες: grand, majestic
μεγαλέμπορος, ο: wholesaler
μεγαλοδύναμος, ο: the Almighty
μεγαλομανία, η: megalomania
μεγαλοποιώ: exaggerate, magnify
μεγαλοπρεπής, -ές: stately, magnificent, majestic
μεγάλος, -η, -ο: big, large, great || (αξία) great || (δαπάνη) high || (ενήλικος) grown up, big
μεγαλόσωμος, -η, -ο: big
μεγαλοφυής, -ές: genius, ingenious, talented
μεγαλοφυΐα, η: genius, ingenuity
μεγαλοφώνως: *(επίρ)* aloud, loudly
μεγαλόψυχος, -η, -ο: magnanimous, big-hearted, great-hearted
μεγαλύτερος, -η, -ο: bigger, larger, greater || (ηλικία) older, senior
μεγαλώνω: *(μτβ)* enlarge, make bigger || *(μτβ)* grow big, grow, grow up
μέγαρο, το: mansion, manor house
μεγάφωνο, το: (χωνί) megaphone || *(ηλεκτρ)* bullhorn || *(ραδ)* loudspeaker
μέγεθος, το: magnitude
μεγέθυνση, η: enlargement, magnification || (φωτογρ.) blow up, enlargement
μεγεθυντικός, -ή, -ό: magnifying
μεγεθύνω: enlarge, magnify || (φωτογρ.) blow up, enlarge
μεγιστάνας, ο: magnate, mogul
μεδούλι, το: marrow
μέδουσα, η: jelly fish
μεζούρα, η: tape measure
μεθαύριο: day after tomorrow
μέθη, η: drunkenness, intoxication
μεθοδικός, -ή, -ό: methodical
μέθοδος, η: method
μεθόριος, η: frontier
μεθύσι, το: βλ. **μέθη**
μεθυσμένος, -η, -ο: drunk, intoxicated
μεθώ: *(μτβ)* intoxicate, make drunk || *(αμτβ)* get drunk, be intoxicated
μειδίαμα, το: smile
μειδιώ: smile
μειοδοτώ: underbid
μείον: *(επίρ)* less, minus
μειονέκτημα, το: disadvantage || (ελάττωμα) flaw, defect
μειονότητα, η: minority
μειοψηφία, η: minority
μειώνω: decrease, reduce, lessen, diminish
μελαγχολία, η: melancholy, dejection, gloom
μελάνη, η: ink
μελανοδοχείο, το: inkwell

μελανός, -ή, -ό: black, dark
μελάτος, -η, -ο: (αυγά) soft-boiled
μελαχρινός, -ή, -ό: dark, swarthy || *(ουσ - αρσ)* brunet || *(ουσ - θηλ)* brunette
μελαψός, -ή, -ό: very dark, swarthy
μελέτη, η: study || (τεχν.) design
μελετώ: study
μέλι, το: honey
μέλισσα, η: bee
μελίσσι, το: βλ. **κυψέλη** || (σμήνος) swarm
μελιτζάνα, η: eggplant
μέλλον, το: future
μέλλω: (έχω σκοπό) intend, aim || (πρόκειται να κάνω) be about to, be going to
μελοδραματικός, -ή, -ό: melodramatic
μέλος, το: (οργάνωσης) member || (σώματος) limb, member
μελωδία, η: melody
μεμβράνη, η: membrane
μεμονωμένος, -η, -ο: isolated, lonely
μεν: *(σύνδ)* **ο ~ .... ο δε:** the one .... the other
μενεξές, ο: violet
μέντα, η: mint, spear mint, peppermint
μενταγιόν, το: pendant, locket
μεντεσές, ο: hinge
μέντιουμ, το: medium
μένω: stay, remain || (διαμένω προσωρινά) stay || (κατοικώ) live, reside || (απομένω) be left
μέρα, η: day
μεραρχία, η: division
μέραρχος, ο: division commander
μερδικό, το: βλ. **μερίδιο**
μερί, το: thigh
μεριά, η: (τόπος) place || (πλευρά) side
μερίδα, η: part, portion, section || (φαγητού) portion, helping
μερίδιο, το: share, portion
μερικοί, -ές, -ά: some, a few
μεριμνώ: care for, take care of, look after
μερμήγκι, το: βλ. **μυρμήγκι**
μεροκάματο, το: βλ. **ημερομίσθιο**
μεροληπτικός, -ή, -ό: partial, one-sided
μέρος, το: (κομμάτι) part, portion, share || (θέση) place, spot || (τοποθεσία) locality || (πλευρά) side
μέσα: *(επίρ)* in, inside, within
μέσα, τα: (δύναμη, γνωριμίες) clout, pull, influence
μεσάζοντας, ο: go-between, intermediary, mediator
μεσαίος, -α, -ο: middle
μεσάνυχτα, τα: midnight
μέση, η: middle || (σώματος) waist
μεσήλικος, -η, -ο: middle-aged
μεσημβρία, η: (μεσημέρι) midday, noon
μεσημβρινός, -ή, -ό: (μεσημεριανός) noon, midday || (νότιος) southern
μεσημέρι, το: noon
μεσίστιος, -α, -ο: half-mast
μεσιτεία, η: βλ. **μεσολάβηση**
μεσίτης, ο: βλ. **μεσάζοντας**
μέσο, το: middle
μεσογειακός, -ή, -ό: mediterranean
μεσόγειος, -α, -ο: inland
Μεσόγειος, η: (θάλασσα) mediterranean
μεσόκοπος, -η, -ο: βλ. **μεσήλικος**
μεσολάβηση, η: mediation, intercession || *(χρον)* interval, lapse
μεσονύκτιο, το: βλ.**μεσάνυχτα**
μεσουρανώ: culminate, be at the zenith, be at the highest point
μεσοφόρι, το: slip, underskirt
μεστός, -ή, -ό: βλ. **γεμάτος** || (ώριμος) ripe, mature
μέσω: *(επίρ)* (διαμέσου) via, through || (τρόπος) by means of
μετά: βλ. **με** || *(χρον)* after, afterwards
μεταβάλλω: change, alter
μεταβιβάζω: transfer || βλ. **μεταφέρω** || βλ. **μεταδίδω**
μεταβολή, η: change, alteration
μεταγγίζω: transfuse
μεταγενέστερος, -η, -ο: posterior, later, subsequent
μεταγωγικό, το: (πλοίο) transport
μεταδίνω: transmit || (πληροφορώ) communicate, impart, pass on || (ασθένεια) communicate, infect, give
μετάδοση, η: transmission || (πληροφ.) communication, imparting || (ασθένεια) infection, communication
μεταδοτικός, -ή, -ό: (ασθεν.) contagious, catching, infectious
μετάθεση, η: (υπαλλήλου) transfer
μεταθέτω: (υπαλ.) transfer
μετακινώ: move, shift
μετακομίζω: (αλλάζω σπίτι) move
μεταλαβαίνω: βλ. **κοινωνώ**
μετάληψη, η: communion
μεταλλείο, το: mine
μετάλλευμα, το: ore

μεταλλικός, -ή, -ό: metal, metallic ‖ (νερό) mineral
μετάλλιο, το: medal
μέταλλο, το: metal
μεταλλουργείο, το: iron works, metal works
μεταμέλεια, η: repentance
μεταμελούμαι: repent
μεταμορφώνομαι: be transformed
μεταμορφώνω: transform
μεταμόρφωση, η: transformation ‖ *(εκκλ)* transfiguration
μεταμοσχεύω: transplant
μεταμφιέζω: disguise
μεταμφίεση, η: disguise
μεταναστεύω: (φεύγω από πατρίδα) emigrate ‖ (φθάνω στη νέα χώρα) immigrate
μετανάστης, ο ***(θηλ μετανάστρια)*****:** (αναχωρών) emigrant ‖ (αφικνούμενος) immigrant
μετανιώνω: βλ. **μεταμελούμαι** ‖ (αλλάζω γνώμη) change one's mind
μετάνοια, η: βλ. **μεταμέλεια**
μετανοώ: βλ. **μετανιώνω**
μετάξι, το: silk
μεταξοσκώληκας, ο: silkworm
μεταξύ: *(επίρ)* (ανάμεσα σε δύο) between ‖ (σε πολλά) among, amongst, amid
μεταπείθω: dissuade, prevail upon, make s.o. change his mind
μεταποίηση, η: (ρούχων) alteration
μεταποιώ: (ρούχα) alter
μεταρρυθμίζω: reform
μετασχηματιστής, ο: transformer
μετατοπίζω: change place, shift
μετατρέπω: convert, change, turn
μεταφέρω: transport, convey, carry
μεταφορά, η: transportation, transport, conveyance
μεταφορικός, -ή, -ό: transport
μεταφράζω: translate
μετάφραση, η: translation
μεταφραστής, ο ***(θηλ μεταφράστρια)*****:** translator
μεταχειρίζομαι: (χρησιμοποιώ) use, handle, make use ‖ (συμπεριφέρομαι) treat, handle, deal with
μεταχειρισμένος, -η, -ο: used, second hand
μετέχω: participate, take part
μετέωρο, το: meteor, shooting star
μετέωρος, -η, -ο: suspended in midair, dangling
μετονομάζω: change the name
μετόπισθεν, τα: the rear
μετοχή, η: *(γραμ)* participle ‖ *(οικ)* stock, share
μέτοχος, ο: (που συμμετέχει) participant, sharer, ‖ (συνέταιρος) partner ‖ (συνεργός) confederate. accomplice ‖ *(οικ)* stock holder. share holder
μέτρηση, η: measurement, measuring, mensuration
μετρητά, τα: cash, ready money ‖ τοις ~οίς: cash, in cash
μετρητής, ο: counter, meter, gage, gauge
μετριάζω: moderate, cut down, cut back
μετριοπάθεια, η: moderation
μετριοπαθής, -ές: moderate
μέτριος, -α, -ο: (κοινός) ordinary, mediocre, average ‖ (μέσος) medium ‖ (όχι πολύ καλός) fair, middling
μετριοφροσύνη, η: modesty
μετριόφρων, ο: modest
μέτρο, το: measure ‖ (μονάς) meter
μετρώ: (διαστάσεις) measure ‖ (ποσό) count
μέτωπο, το: (κεφαλής) forehead, brow. ‖ *(στρ)* front
μέχρι(ς): *(χρον)* till, until, up to ‖ (τοπ.) as far as, to
μη: not, do not, don't
μηδαμινός, -ή, -ό: insignificant, worthless
μηδέν, το: zero, null, naught, cipher
μηδενικό, το: cipher
μήκος, το: length ‖ (γεωγρ) longitude, departure
μηλιά, η: appletree
μήλο, το: apple ‖ (προσώπου) cheekbone
μήνας, ο: month
μηνιαίος, -α, -ο: monthly
μηνίγγι, το: temple
μηνιγγίτιδα, η: meningitis
μήνυμα, το: message, notice
μήνυση, η: suing, filing of charges, suit, lawsuit
μήπως: lest, in case ‖ (προφύλαξη) for fear that
μηρός, ο: thigh
μητέρα, η: mother
μητριά, η: stepmother
μητριός, ο: stepfather
μητρόπολη, η: metropolis ‖ (ναός)

cathedral
μητροπολίτης, ο: bishop
μητρότητα, η: maternity, motherhood
μητρώο, το: register, records || (δήμου) city register (ποινικό) police record
μηχανεύομαι: machinate, plot
μηχανή, η: machine, engine
μηχανικός, ο: (πτυχιούχος) engineer || (πρακτικός) mechanic, machinist
μηχανικός, -ή, -ό: mechanical
μηχανισμός, ο: mechanism || *(μτφ)* machinery
μηχανοδηγός, ο: engineer, engine-driver
μηχανολόγος, ο: mechanical engineer
μηχανορραφώ: plot, intrigue
μηχανοτεχνίτης, ο: mechanic, machinist
μηχανουργείο, το: machine shop
μία: βλ. **ένας**
μια: *(αορ αρθρ.)*: a, an (βλ. και **ένας**)
μίζα, η: *(μηχ)* starter || (χαρτοπ.) stake
μικραίνω: *(μτβ)* lessen, shorten, reduce || *(αμτβ)* diminish, grow smaller, decrease
μικρεμπόριο, το: retail trade
μικρέμπορος, ο: retailer
μικροαστικός, -ή, -ό: middle-class
μικρόβιο, το: germ, microbe, bacterium
μικροβιολόγος, ο: microbiologist
μικρογραφία, η: miniature
μικροέξοδα, τα: incidental expenses, petty expenses
μικροκαμωμένος, -η, -ο: small, midge, midget
μικροκλέφτης, ο: petty thief
μικρόμυαλος, -η, -ο: narrow-minded
μικροπρεπής, -ές: small, mean, base, low
μικρός, -ή, -ό: little, small
μικροσκοπικός, -ή, -ό: microscopic
μικροσκόπιο, το: microscope
μικρόσωμος, -η, -ο: βλ. **μικροκαμωμένος**
μικρόφωνο, το: microphone
μικρόψυχος, -η, -ο: base, pusillanimous, faint-hearted
μικτός, -ή, -ό: βλ. **μεικτός** || *(μαθ)* mixed || (σχολείο) coeducational
μίλι, το: mile
μιλιταριστής, ο: militarist
μιλώ: speak
μίμηση, η: imitation, mimicry
μιμούμαι: imitate, mimic || (κάνω απομίμηση) imitate
μιναρές, ο: minaret
μινιατούρα, η: βλ. **μικρογραφία**
μίξη, η: mixture, mixing
μισαλλόδοξος, -η, -ο: bigoted, bigot, intolerant
μισάνθρωπος, -η, -ο: misanthrope, misanthropist, misanthropic
μισητός, -ή, -ό: hateful, hated
μισθοδοσία, η: (πληρωμή) payment || (ολική υπαλλήλων) payroll
μισθός, ο: salary, pay, paycheck
μισθοφόρος, ο: mercenary
μίσθωμα, το: rent
μισθώνω: lease, rent
μίσθωση, η: lease, renting
μισογύνης, ο: misogynist, woman hater
μισός, -ή, -ό: half
μίσος, το: hate, hatred
μισοτιμής: *(επίρ)* at half price
μισοφέγγαρο, το: crescent
μιστρί, το: trowel
μίσχος, ο: stem, stalk
μισώ: hate, abhor, loathe
μίτρα, η: miter, mitre
μνεία, η: mention
μνήμα, το: grave, tomb
μνημείο, το: monument
μνήμη, η: memory
μνημονεύω: mention
μνημονικό, το: memory
μνημόσυνο, το: memorial service
μνησικακία, η: rancor, vindictiveness
μνηστεία, η: betrothal, betrothment, engagement
μνηστή, η: fiancée
μνηστήρας, ο: fiance
μόδα, η: fashion, vogue
μοδίστρα, η: seamstress, dressmaker
μοιάζω: resemble, be like, look like || (στους γονείς) take after
μοίρα, η: (ριζικό) fate, destiny || (πυροβ) battalion || (στόλου ή αεροπ.) squadron || *(γεωμ)* degree
μοιράζομαι: share
μοιράζω: (χαρτοπ.) deal
μοιραίος, -α, -ο: fatal
μοίραρχος, ο: (πυροβ.) battalion commander || (*ναυτ* ή αεροπ) squadron leader || (αστυν.) captain
μοιρολάτρης, ο: fatalist
μοιρολατρικός, -ή, -ό: fatalistic

μοιρολογώ: lament, wail
μοιχαλίδα, η: adulteress
μοιχεία, η: adultery
μοιχεύω: commit adultery
μοιχός, ο (*θηλ* **μοιχαλίδα**): adulterer || βλ. **μοιχαλίδα**
μολαταύτα: *(επίρ)* yet, nevertheless, still
μόλις: *(επίρ τροπ.)* hardly, barely, scarcely || *(επιρ. χρον.)* just || *(συνδ. χρον.)* as soon as
μολονότι: (σύνδ.) although, though
μόλυβδος, ο: lead
μολυβένιος, -α, -ο: lead, leaden
μολύβι, το: βλ. **μόλυβδος** || lead pencil, pencil
μόλυνση, η: infection, contamination, pollution
μολύνω: infect, contaminate, pollute
μολυσματικός, -ή, -ό: infectious, contagious
μονάδα, η: unit
μοναδικός, -ή, -ό: unique, singular
μονάκριβος, -η, -ο: one and only
μοναξιά, η: loneliness, solitude
μοναστήρι, το: monastery || (γυναικών) convent, nunnery
μονάχα: *(επίρ)* only, solely
μοναχή, η: nun
μοναχικός, -ή, -ό: lonely, solitary, isolated
μοναχός, ο: monk
μοναχός, -ή, -ό: alone, sole, only
μονή, η: βλ. **μοναστήρι**
μόνιμος, -η, -ο: permanent
μονιμότητα, η: permanence, permanency
μόνο: *(επίρ)* βλ. **μονάχα**
μονογραφή, η: initials
μονογράφω: initial
μονόδρομος, ο: one-way street
μονοθέσιος, -α, -ο: single-seater
μονοιάζω: *(μτβ)* reconcile || *(αμτβ)* make up
μονοκατοικία, η: house, home, one-family house
μονοκόμματος, -η, -ο: (από ένα κομμάτι) one-piece || (συμπαγής) solid
μονοκοντυλιά, η: one stroke of the pen
μονόλογος, ο: monologue, soliloquy
μονολογώ: talk to oneself
μονομανία, η: monomania, obsession
μονομαχία, η: duel
μονομαχώ: duel
μονομιάς: *(επίρ)* all at once, at a single stroke
μονοπάτι, το: path, trail
μονόπλευρος, -η, -ο: unilateral, one-sided
μονόπρακτος, -η, -ο: one-act
μονοπώλιο, το: monopoly
μονοπωλώ: monopolize
μόνος, -η, -ο: alone, sole, by oneself || βλ. **μοναδικός**
μονός, -ή, -ό: (απλός) simple, single || (περιττός) odd
μονοσύλλαβος, -η, -ο: monosyllabic
μονοτονία, η: monotony, routine
μονότονος, -η, -ο: monotonous
μονόφθαλμος, -η, -ο: one-eyed
μονόχειρας, ο: one-armed
μονόχρωμος, -η, -ο: monochromatic, monochromic
μοντάρω: assemble
μοντέλο, το: model
μοντέρνος, -α, -ο: (της μόδας) fashionable || (σύγχρονος) modern, up-to-date
μονώνω: insulate
μονώροφος, -η, -ο: one-storied
μόνωση, η: insulation
μονωτήρας, ο: insulator
μόριο, το: molecule
μόρτης, ο (*θηλ* **μόρτισσα**): βλ. **μάγκας**
μορφάζω: make a face, make faces, pull a face, pull faces, grimace || (από πόνο ή δυσαρέσκεια) wince
μορφασμός, ο: grimace, moue || (πόνου ή δυσαρέσκειας) wince
μορφή, η: form, shape
μορφίνη, η: morphine
μορφωμένος, -η, -ο: educated, learned, erudite
μορφώνω: educate, instruct, teach
μοσχάρι, το: (ζώο) calf || (κρέας) veal
μοτοποδήλατο, το: motorbike, moped
μοτοσικλέτα, η: motorcycle
μου: *(αντων - κτητ.)* my || *(αντων - προσ)* me
μουγκός, -ή, -ό: βλ. **βουβός**
μουγκρητό, το: (βοδιού, ταύρου κλπ) bellow || (αγελ.) low, moo || (λεοντ. ή τίγρης κλπ) roar
μουγκρίζω: (βόδι, ταύρος κλπ) bellow || (αγελ.) low, moo || (λεοντ. τίγρη κλπ) roar
μουδιάζω: *(μτβ)* numb || *(αμτβ)*

numb, become numb
μουλάρι, το: βλ. **ημίονος**
μούμια, η: mummy
μουντζούρα, η: smudge, stain
μουντζουρώνω: smudge, stain
μουντός, -ή, -ό: dark, gray, dull
μουριά, η: mulberry tree
μουρμούρα, η: (ψιθύρισμα) murmur
μούρο, το: mulberry
μουρούνα, η: cod, codfish
μουρουνόλαδο, το: codliver oil
μούσα, η: muse
μουσαμαδιά, η: raincoat, slicker, mackintosh
μουσαμάς, ο: oilcloth
μουσαφίρης, ο: visitor, guest
μουσείο, το: museum
μούσι, το: goatee
μουσική, η: music
μουσικός, ο: musician
μουσικός, -ή, -ό: musical
μουσικοσυνθέτης, ο: composer
μουσκεύω: *(μτβ)* soak, wet ‖ *(αμτβ)* get wet, get soaked, be drenched
μούσμουλο, το: medlar
μουσουργός, ο: βλ. **μουσικοσυνθέτης**
μουστάκι, το: mustache
μουστάρδα, η: mustard
μούστος, ο: must
μούχλα, η: mold, mildew
μουχλιασμένος, -η, -ο: moldy, fusty ‖ *(μτφ)* fusty
μοχθηρός, -ή, -ό: maleficent, malicious
μόχθος, ο: labor, labour, fatigue, pains
μοχθώ: labor, labour, take pains
μοχλός, ο: lever
μπαγιάτικος, -η, -ο: stale
μπάγκα, η: (χαρτοπ.) bank
μπάζω: (εισάγω): insert, enter, usher ‖ (μαζεύω) shrink, shrivel
μπαίνω: enter, go in, come in, get in ‖ (μπάζω) shrink
μπακάλης, ο: grocer
μπακαλιάρος, ο: salted cod
μπακάλικο, το: grocery store
μπακίρι, το: βλ. **χαλκός**
μπάλα, η: ball
μπαλάντζα, η: βλ. **ζυγαριά**
μπαλαρίνα, η: ballerina
μπαλέτο, το: ballet
μπαλκόνι, το: balcony
μπαλόνι, το: balloon
μπαλώνω: mend, patch
μπάμια, η: okra
μπαμπάς, ο: dad, papa, pop
μπανάνα, η: banana
μπανιέρα, η: bath tub
μπάνιο, το: (πράξη) bath ‖ (μέρος) bathroom, bath
μπάντα, η: (πλευρά) side ‖ (ορχήστρα) band, orchestra
μπαούλο, το: trunk, chest
μπαρ, το: bar
μπαρκάρω: *(μτβ)* embark, ship ‖ *(αμτβ)* embark, go on board
μπαρμπούνι, το: mullet
μπαρούτι, το gunpowder
μπάσος, ο: bass
μπάσταρδος, ο: bastard
μπαστούνι, το: cane, walking stick ‖ (χαρτοπ.) spade, club
μπαταξής, ο: deadbeat
μπαταρία, η: battery
μπατζάκι, το: trouser leg
μπατζανάκης, ο: brother-in-law
μπάτης, ο: sea breeze
μπατσίζω: slap s.o's face, smack
μπαχαρικό, το: spice
μπέζ: (χρώμα) beige
μπεκάτσα, η: woodcock
μπεκιάρης, ο: bachelor
μπεκρής, ο: drunkard, boozer, wino
μπελάς, ο: trouble
μπεμπέκα, η: baby girl
μπέμπης, ο: baby *(και μτφ)*
μπενζίνα, η: βλ. **βενζίνη** ‖ (βάρκα) motor boat
μπερδεύομαι: become entangled ‖ (ανακατεύομαι σε κάτι) get involved, get implicated ‖ (τα χάνω) be confused
μπερέ, το: beret
μπερντές, ο: curtain
μπέρτα, η: cloak
μπετόν, το: concrete
μπήγω: stick in,thrust in, drive in
μπιζέλι, το: pea
μπιζού, το: jewel
μπικίνι, το: bikini
μπίλια, η: marble ‖ (μπιλιάρδου) ball
μπιλιάρδο, το: billiards
μπιμπελό, το: nick nack, knick knack
μπιμπερό, το: bottle
μπίρα, η: beer
μπισκότο, το: biscuit
μπιφτέκι, το: beefsteak
μπλε: blue
μπλέκομαι: βλ. **μπερδεύομαι**

μπλοκ, το: (συνασπισμός) bloc ‖ (σημειωματάριο) writing pad, scratch pad
μπλοκάρω: block, blockade
μπλόκο, το: block
μπλούζα, η: blouse
μπλόφα, η: bluff
μπλοφάρω: bluff
μπογιά, η: paint
μπογιατζής, ο: painter
μποϊκοτάζ, το: boycott
μποϊκοτάρω: boycott
μπόλι, το: vaccine ‖ (φυτών) graft
μπολιάζω: vaccinate, inoculate ‖ (φυτά) graft
μπόμπα, η: bomb *(και μτφ)*
μποξ, το: box, boxing, pugilism
μποξέρ, ο: boxer, pugilist
μπόρα, η: downpour
μπορεί: perhaps, maybe
μπορώ: can, be able, may
μποστάνι, το: melon patch
μπότα, η: boot
μποτίλια, η: βλ. **μπουκάλα**
μπουγάδα, η: wash, washing
μπουκάλα, η: bottle
μπουκάλι, το: βλ. **μπουκάλα**
μπουκέτο, το: βλ. **ανθοδέσμη**
μπουκιά, η: mouthful
μπούκλα, η: lock, ringlet
μπουλντόγκ, το: bulldog
μπουλντόζα, η: bulldozer
μπουλόνι, το: bolt
μπουμπούκι, το: bud
μπουμπουνίζει: thunders, it is thundering
μπουντρούμι, το: dungeon
μπουρμπουλήθρα, η: bubble
μπουρνούζι, το: bathrobe
μπουσουλώ: crawl, creep
μπούστος, ο: bust
μπούτι, το: βλ. **μηρός** ‖ (ζώου) leg
μπουφές, ο: cupboard, sideboard, buffet
μπράβο: *(επίφ)* bravo! good for you!
μπράτσο, το: arm
μπριγιαντίνη, η: brilliantine, hair lotion
μπριζόλα, η: steak, chop
μπρίκι, το: (πλοίο) brig ‖ (σκεύος) coffee pot
μπριτζ, το: bridge
μπρόκολο, το: broccoli
μπρος: *(επίρ)* βλ. **εμπρός**
μπροστά: βλ. **εμπρός**
μπροστάντζα, η: down payment
μπρούμυτα: *(επίρ)* prone, flat on one's face
μπρούντζινος, -η, -ο: brass, bronze
μπρούντζος, ο: brass, bronze
μυαλό, το: brain
μύγα, η: fly, housefly
μυγδαλιά, η: almond tree
μύγδαλο, το: almond
μύδι, το: mussel
μυελός, ο: marrow
μυζήθρα, η: cottage cheese
μύηση, η: initiation, indoctrination
μυθικός, -ή, -ό: mythical
μυθιστόρημα, το: novel
μυθιστοριογράφος, ο: novelist
μυθολογία, η: mythology
μύθος, ο: (μυθολογίας) myth ‖ (αλληγορ. ιστοριούλα) fable
μυθώδης, -ες: fabled, fabulous
μυλόπετρα, η: millstone
μύλος, ο: mill
μυλωνάς, ο: miller
μύξα, η: nasal mucus, phlegm
μυριάδα, η: myriad
μυρίζω: *(μτβ και αμτβ)* smell *(και μτφ)*
μυρμήγκι, το: ant
μυρμηγκιάζω: tingle
μυρμηγκοφωλιά, η: ant nest, ant hill
μύρο, το: myrrh
μυροπωλείο, το: perfumery
μυρουδιά, η: smell, scent, odor
μυρτιά, η: myrtle
μυς, ο: muscle
μυστήριο, το mystery
μυστηριώδης, -ες: mysterious
μυστικός, -ή, -ό: secret ‖ (που δεν φανερώνεται) secretive, close-mouthed
μυστρί, το: trowel
μυτερός, -ή, -ό: pointed, sharp
μύτη, η: *(ανατ)* nose ‖ (ζώου) nose, nozzle
μυχός, ο: recess, depth
μυώ: initiate, indoctrinate
μυώδης, -ες: muscular
μύωπας, ο: short-sighted, near-sighted, myopic *(και μτφ)*
μυωπία, η: myopia, short-sightedness
μωαμεθανός, ο: mohammedan
μωβ: mauve, violet
μώλος, ο: pier, dock, quay
μωλωπίζω: bruise, contuse
μωρό, το: baby
μωρός, -ή, -ό: βλ. **ανόητος**
μωσαϊκό, το: mosaic

N

να: (δεικτ.) here he (she, it) is, there he (she, it) is, here's, there's || (συνδ.) to, that, in order to, so as to
ναι: yes, yea
νάιλον, το: nylon
νάνος, ο: dwarf, midget
νανουρίζω: lull to sleep
ναός, ο: (χριστ.) church || (ιερό) temple
ναργιλές, ο: hookah, narghile
νάρθηκας, ο: *(εκκλ)* narthex || (χειρ.) splint
νάρκη, η: torpor, lethargy || (εκρηκτική) mine
νάρκισσος, ο: narcissus
ναρκομανής, ο: drug addict
ναρκοπέδιο, το: mine field
ναρκωτικό, το: narcotic, drug
νάτριο, το: sodium
ναυάγιο, το: shipwreck
ναυαγός, ο: shipwrecked
ναυαγοσώστης, ο: life guard
ναυαγώ: be shipwrecked
ναυαρχίδα, η: flagship
ναύαρχος, ο: admiral
ναύκληρος, ο: boatswain, bosun
ναύλο, το: fare, freight
ναυλώνω: charter
ναύλωση, η: charter, chartering
ναυμαχία, η: naval battle, sea battle
ναυπηγείο, το: shipyard, dockyard
ναύσταθμος, ο: naval base
ναύτης, ο: seaman, sailor, mariner
ναυτία, η: seasickness || (αηδία) nausea
ναυτικό, το: navy || **εμπορικό** ~: merchant marine
ναυτικός, ο: seaman, sailor
ναυτικός, -ή, -ό: naval, nautical
ναυτολογώ: man a ship, enlist a crew
ναφθαλίνη, η: (ουσία) naphtalene || (για σκώρο) moth-balls
νέα, η: young lady, young girl, lass
νέα, τα: news
νεανίας, ο: youth, boy, young man, lad, youngster
νεανικός, -ή, -ό: youthful, juvenile
νεαρός, -ή, -ό: βλ. **νέος** || βλ. **νέα** || βλ. **νεανικός**
νέγρος, ο (*θηλ* **νέγρα**): negro
νεκροθάφτης, ο: gravedigger
νεκροκεφαλή, η: skull
νεκρός, -ή, -ό: dead
νεκροταφείο, το: cemetery, graveyard
νεκροτομείο, το: morgue
νεκροφόρα, η: hearse
νεκροψία, η: autopsy, post-mortem
νεκρώνω: deaden
νεκρώσιμος, -η, -ο: funeral
νέκταρ, το: nectar
νέμεση, η: nemesis
νέμομαι: profit, reap the profit, enjoy
νέμω: distribute
νεογέννητος, -η, -ο: newborn
νεογνό, το: baby, newborn, infant
νεόδμητος, -η, -ο: newly built, newly constructed
νεοελληνικός, -ή, -ό: modern Greek
νεοκλασικός, -ή, -ό: neoclassic
νεόκτιστος, -η, -ο: βλ. **νεόδμητος**
νεολαία, η: youth
νεολιθικός, -ή, -ό: neolithic
νεόνυμφος, ο: newlywed
νεόπλουτος, -η, -ο: nouveau riche
νέος, -α, -ο: βλ. **καινούριος** young, youth
νεοσσός, ο: chick, fledgling, nestling
νεοσύλλεκτος, -η, -ο: new recruit
νεότητα, η: youth
νεοφερμένος, -η, -ο: newcomer, newly arrived, new arrival
νεράιδα, η: fairy
νερό, το: water
νερομπογιά, η: watercolor, watercolour
νερόμυλος, ο: water mill
νεροποντή, η: downpour, shower
νεροπότηρο, το: waterglass
νεροχύτης, ο: kitchen sink
νερώνω: mix with water, dilute
νεύμα, το: nod, beckoning, sign
νευραλγία, η: neuralgia
νευρασθένεια, η: neurasthenia, nervous breakdown, nervous exhaustion

νευρικός, -ή, -ό: nervous
νεύρο, το: nerve
νευρολόγος, ο: neurologist
νευρώδης, -ες: sinewy
νεύω: nod, beckon, make a sign
νεφελώδης, -ες: nebulous, cloudy
νέφος, το: cloud
νεφοσκεπής, -ές: βλ. **νεφελώδης**
νεφρό, το: kidney
νέφτι, το: turpentine
νεωκόρος, ο: sexton
νεωτερισμός, ο: innovation
νεωτεριστής, ο: innovator
νήμα, το: thread
νηνεμία, η: calm, calmness, stillness
νηπιαγωγείο, το: kindergarten
νήπιο, το: infant, toddler
νησί, το: island
νησιώτικος, -η, -ο: island, insular
νήσος, η: βλ. **νησί**
νηστεία, η: fast, fasting
νηστεύω: fast
νηστικός, -ή, -ό: hungry, on an empty stomach
νηστίσιμος, -η, -ο: lenten
νηφάλιος, -α, -ο: sober
νιαουρίζω: meow, mew
νίκη, η: victory
νικητής, ο (*θηλ* **νικήτρια**): victor ‖ (σε αγώνα) winner
νικηφόρος, -α, -ο: victorious
νικοτίνη, η: nicotine
νικώ: defeat, beat
νιπτήρας, ο: bathroom sink, washstand
νιφάδα, η: snowflake
νιώθω: βλ. **καταλαβαίνω** ‖ βλ. **αισθάνομαι**
Νοέμβριος, ο: November
νοερός, -ή, -ό: mental
νόημα, το: meaning, significance, sense ‖ βλ. **νεύμα**
νοθεία, η: (παραποίηση) falsification, forgery ‖ (τροφής) adulteration
νοθεύω: (παραποιώ) falsify, forge ‖ (τροφή) adulterate
νόθος, -η, -ο: (παιδί) bastard, illegitimate
νοιάζομαι: look after, care, be interested
νοικοκυρά, η: (οικοδέσποινα) housewife ‖ (ιδιοκτήτρια) landlady, owner ‖ (τακτική) tidy, neat
νοικοκύρης, ο: (οικοδεσπότης) man of the house, head of the family ‖ (ιδιοκτήτης) landlord, owner ‖ (τακτικός) tidy, neat
νοικοκυροσύνη, η: tidiness, neatness
νομαδικός, -ή, -ό: nomadic, wandering, roving
νομή, η: pasture, pasturage
νομίζω: think, believe
νομικά, τα: βλ. **νομική**
νομική, η: law ‖ ~ **Σχολή:** law school
νομικός, -ή, -ό: legal
νομιμοποιώ: legalize
νόμιμος, -η, -ο: legal, lawful, rightful, legitimate
νομιμοφροσύνη, η: loyalty
νόμισμα, το: currency
νομισματοκοπείο, το: mint
νομοθεσία, η: legislation, lawmaking, legislature, law
νομοθέτης, ο: legislator, lawmaker, lawgiver
νομοθετώ: legislate
νόμος, ο: law, statute
νομοσχέδιο, το: draft of a proposed law, bill
νομοταγής, -ές: law-abiding
νοοτροπία, η: mentality
νοσηλεία, η: medical treatment, nursing, medical care
νοσηλεύω: treat, attend, cure, give medical aid
νοσοκομείο, το: hospital
νοσοκόμος, ο (*θηλ* **νοσοκόμα**): nurse
νόσος, η: disease, illness, sickness
νοσταλγία, η: nostalgia ‖ (για την πατρίδα ή το σπίτι) homesickness
νοστιμάδα, η: flavor
νόστιμος, -η, -ο: tasty, savory, yummy
νοσώ: be ill, be sick
νότα, η: note
νοτιάς, ο: south wind, souther
νοτίζω: *(μτβ)* damp, dampen, moisten ‖ *(αμτβ)* becom damp, become moist
νότιος, -α, -ο: south, southern
νότος, ο: south
νούμερο, το: βλ. **αριθμός** ‖ (μέγεθος) size ‖ (θεατρ.) turn, short act
νουνά, η: godmother
νουνός, ο: godfather
νους, ο: mind, brain, intelligence, intellect
νούφαρο, το: water lily
ντάμα, η: (χορού) partner, dancing

partner || (χαρτοπ.) queen || (παιχνίδι) checkers (U.S.A.), draughts (Engl.)
νταντά, η: nursemaid, nanny
ντελικάτος, -η, -ο: frail, delicate
ντεμοντέ: out of fashion, old-fashioned, outmoded
ντεπόζιτο, το: tank, reservoir
ντεραπάρω: skid
ντιβάνι, το: divan, couch, ottoman
ντοκουμέντο, το: document
ντομάτα, η: tomato
ντόμινο, το: (ένδυμα ή παιχνίδι) domino
ντόπιος, -α, -ο: local, native
ντουέτο, το: duet
ντουζίνα, η: dozen
ντουλάπα, η: (σκευών) sideboard, cupboard || (ρούχων) wardrobe
ντους, το: shower
ντρέπομαι: (είμαι ντροπαλός) be shy, be bashful, be timid, be self-conscious || (για κάτι που έκανα) be ashamed
ντροπαλός, -ή, -ό: shy, bashful, timid
ντροπή, η: (συστολή) shyness, bashfulness || (αισχύνη) shame
ντροπιάζω: shame, disgrace, put to shame, fill with shame
ντύνομαι: dress, get dressed, put on one's clothes
ντύνω: dress
νύκτα, κλπ.: βλ. **νύχτα, κλπ.**
νύστα, η: sleepiness, drowsiness, somnolence
νυσταγμένος, -η, -ο: sleepy, drowsy, somnolent
νυστάζω: be sleepy, be drowsy, feel sleepy
νύφη, η: (μελλόνυμφη) bride || (από γιο) daughter-in-law || (από αδελφό) sister-in-law
νυφικό, το: wedding dress, wedding gown
νυφίτσα, η: weasel
νύχι, το: (χεριού) fingernail || (ποδιού) toenail || (πουλιού) claw, talon
νύχτα, η: night
νυχτερίδα, η: bat
νυχτικιά, η: nightgown, nighty
νυχτικό, το: βλ. **νυχτικιά**
νυχτοφύλακας, ο: night watchman
νυχτώνει: (απρόσ.) night falls, it is getting dark
νωπός, -ή, -ό: fresh, new || βλ. **υγρός**
νωρίς: *(επίρ)* early
νώτα, τα: back

Ξ

ξακουσμένος, -η, -ο: famous, well-known, renowned, celebrated
ξανά: *(επίρ)* again, once more, anew, afresh, all over again
ξαναζώ live again, return to life
ξανακυλώ: (ασθεν.) regress, have a relapse
ξαναλέω: say again, repeat, reiterate
ξάναμμα, το: inflammation
ξαναμωραίνομαι: be in one's dotage, be in one's second childhood, be senile
ξανανιώνω: be rejuvenated, become young again
ξαναπαντρεύομαι: remarry
ξανασαίνω: take breath again, have a breather
ξανεμίζω: scatter, waste, squander, dissipate
ξανθαίνω: *(μτβ)* make blond, bleach with peroxide, peroxide || *(αμτβ)* become blond
ξανθομάλλης, -α, -ικο: blond, fair-haired
ξανθός, -ή, -ό: blond *(θηλ* blond, blonde), fair
ξανοίγω: (καιρός) clear up
ξαπλώνομαι: lie down, stretch, sprawl || βλ. **εκτείνομαι**
ξαπλώνω: *(μτβ)* spread, stretch || *(αμτβ)* βλ. **ξαπλώνομαι**
ξαποσταίνω: βλ. **ξεκουράζομαι**
ξάρτι, το: stay
ξασπρίζω: *(μτβ* και *αμτβ)* bleach, whiten, blanch
ξάστερα: *(επίρ)* straightforwardly, plainly, clearly, flatly
ξαστεριά, η: starriness, starry sky, cloudless sky
ξάστερος, -η, -ο: starry, clear, cloudless

ξαστερώνω: clear up, become cloudless
ξαφνιάζομαι: startle, start up, be startled
ξαφνιάζω: startle, frighten
ξαφνικά: *(επίρ)* suddenly, all of a sudden
ξαφνικός, -ή, -ό: sudden
ξεβάφω: bleach *(μτβ και αμτβ)* ‖ *(μτφ)* fade, be discolored
ξεβγάζω: (ρούχα) rinse, wash ‖ βλ. **ξεπροβοδίζω**
ξεβιδώνω: unscrew
ξεβουλώνω: uncork, unplug
ξεγδέρνω: scratch, skin
ξεγεννώ: deliver a woman of, assist in giving birth
ξεγυρίζω: recover
ξεδιαλύνω: βλ. **εξιχνιάζω**
ξεδιάντροπος, -η, -ο: shameless, brazen, immodest
ξεδίνω: be diverted
ξεδιπλώνω: unfold. unroll, unfurl
ξεδιψάω: quench one's thirst
ξεδοντιάζομαι: lose one's teeth
ξεδοντιάρης, -α, -ικο: toothless
ξεζουμίζω: extract the juice, squeeze the juice out
ξεθαρρεύω: take heart, take courage
ξεθεώνω: fag out, exhaust, fatigue
ξεθυμαίνω: βλ. **εξατμίζομαι** ‖ βλ. **ξεθυμώνω** ‖ (ανακουφίζομαι από κάτι) vent, give vent to ‖ (ξεσπάω σε κάποιον) pick on s.o., take it out on s.o.
ξεθυμώνω: calm down, be appeased
ξεθωριάζω: fade, be discolored, dicoloured, discolor, dicolour
ξεθωριασμένος, -ή, -ό: discolored, faded, colorless
ξεκαβαλικεύω: dismount
ξεκαθαρίζω: *(μτβ)* clear up ‖ *(αμτβ)* clear, become clear
ξεκαλοκαιριάζω: spend the summer
ξεκάνω: (χαλώ) undo
ξεκαρδίζομαι: burst one's sides with laughing
ξεκαρφώνω: detach, unfasten
ξεκινώ: start, depart, set out, set off
ξεκλειδώνω: unlock
ξεκληρίζω: extirpate. exterminate, wipe out
ξεκοκαλίζω: (βγάζω κόκαλα) bone, remove the bones ‖ (τρώω) devour, pick to the bone
ξεκολλώ: *(μτβ)* unstick, unglue ‖ *(αμτβ)* get unstuck
ξεκουμπίζομαι: scram, skedaddle, clear out
ξεκουμπώνω: unbutton
ξεκουράζομαι: rest, take a rest, have a rest, relax
ξεκουράζω: rest, give a rest, relieve
ξεκουφαίνω: deafen, stun
ξελαρυγγίζομαι: shout oneself hoarse
ξελιγώνομαι: (από πείνα) be famished, be starved
ξελογιάζω: seduce
ξεμαλλιάζω: (τραβώ τα μαλλιά) pull s.o.'s hair ‖ (ανακατώνω τα μαλλιά) dishevel
ξεμέθυστος, -η, -ο: sober
ξεμοναχιάζω: take s.o. aside
ξεμουδιάζω: stretch my legs, recover from numbness
ξεμπαρκάρω: *(μτβ)* disembark, put ashore ‖ *(αμτβ)* disembark, go ashore
ξεμπερδεύω: disentangle, clear up, resolve
ξεμπλέκω: disentangle oneself, free oneself, rid oneself of
ξεμυαλίζομαι: get infatuated, be seduced
ξεναγός, ο: guide, tourist guide
ξενιτεύομαι: emigrate, expatriate
ξενιτιά, η: foreign parts, foreign country, foreign land
ξενοδοχείο, το: hotel
ξενοιάζομαι: be free from care, be free of worries, be free of responsibilities
ξενοιάζω: βλ. **ξενοιάζομαι**
ξενοικιάζω: terminate the lease, annu the lease ‖ (φεύγω) move out
ξενοίκιαστος, -η, -ο: vacant, free
ξένος, -η, -ο: (άγνωστος) stranger strange ‖ (αλλοδαπός) foreign alien ‖ *(ουσ)* foreigner
ξεντύνομαι: undress, take off one clothes, disrobe, strip
ξεντύνω: undress, strip, disrobe take off s.o.'s clothes
ξενυχτώ: (μένω άγρυπνος) sta awake, stay up late ‖ (μένω έξ stay out all night
ξενώνας, ο: guest room
ξεπαγιάζω: freeze
ξεπαγώνω: defrost
ξεπερνώ: (υπερτερώ) exceed, surpa
ξεπεσμένος, -η, -ο: impoverished
ξεπέφτω: (οικον.) be impoverished (ποιοτ.) decline, degenerate
ξεπλέκω: unbraid, unplait

ξεπλένω: rinse, wash
ξεπληρώνω: pay off, pay in full
ξεπλυμένος, -η, -ο: faded
ξεποδαριάζομαι: walk oneself off one's legs
ξεποδαριάζω: walk s.o. off his legs
ξεπούλημα, το: clearance, sellout
ξεπουλώ: sell off, sell out
ξεπροβάλλω: appear, show up, pop up, pop out
ξεπροβοδίζω: see off
ξεραίνομαι: dry up, wither
ξεραίνω: dry, wither, parch
ξερακιανός, -ή, -ό: scrawny, skinny, gaunt
ξερνώ: vomit, throw up, spew
ξερός, -ή, -ό: (άνυδρος) dry, arid, barren, parched ‖ (μαραμένος) dry, withered
ξεροψημένος, -η, -ο: crisp, grilled
ξεροψήνω: crisp, grill
ξερριζώνω: uproot
ξέρω: know, be aware
ξεσηκώνω: stir, rouse, excite
ξεσκεπάζω: uncover
ξεσκίζω: tear up, tear to pieces, rip
ξεσκονίζω: dust, remove dust from, brush
ξεσκονιστήρι, το: duster
ξεσκουριάζω: rub off the rust
ξεσκούφωτος, -η, -ο: bare-headed
ξεσπιτωμένος, -η, -ο: displaced person
ξεσπιτώνομαι: be dislodged, emigrate, be displaced
ξεσπώ: burst out ‖ βλ. ξεθυμαίνω ‖ (ξεσπώ σε κάποιον) pick on s.o, take it out on s.o.
ξεστομίζω: mouth, utter
ξεστρώνω: clear, take away, remove
ξεσυνηθίζω: *(μτβ)* disaccustom ‖ *(αμτβ)* give up a habit, rid oneself of the habit, unlearn
ξεσφίγγω: loosen
ξετρελλαίνω: drive mad, turn one's head, infatuate
ξετρυπώνω: *(μτβ)* drive out, ferret out, unearth ‖ *(αμτβ)* pop up, pop out, crop up, crop out
ξετυλίγω: unroll
ξεφαντώνω: revel, go on a spree, make merry, paint the town red
ξεφεύγω: escape, elude, slip away
ξεφλουδίζω: (φρούτο) peel ‖ (δέντρο) bark
ξεφορτώνομαι: get rid of, rid oneself of, shake off, get s.o. off one's back
ξεφορτώνω: unload, discharge
ξεφουσκώνω: *(μτβ)* deflate, release contained air, empty ‖ *(αμτβ)* deflate, collapse
ξεφτίζω: fray
ξεφυλλίζω: turn the pages, skim over
ξεφυσώ: puff, pant, be short of breath
ξεφυτρώνω: sprout, shoot up
ξεφωνίζω: scream, screech, shriek
ξέφωτο, το: clearing, glade
ξεχειλίζω: overflow, brim over
ξεχειλωμένος, -η, -ο: baggy
ξεχνιέμαι: be absent-mindend, forget oneself
ξεχνώ: forget
ξεχρεώνομαι: pay off one's debts
ξεχύνομαι: pour out
ξεχωρίζω: separate ‖ (κάνω διάκριση) single out, distinguish, discriminate ‖ (διακρίνω) perceive, discern, distinguish
ξεχωριστός, -ή, -ό: separate
ξεψυχώ: expire, breathe one's last, give up the ghost
ξηλώνω: unstitch, rip, take apart
ξημέρωμα, το: dawn, daybreak, first light
ξημερώνει: day breaks
ξηρά, η: land, dry land
ξηρασία, η: dryness, aridity ‖ (αναβροχιά) drought
ξίγκι, το: fat, lard
ξίδι, το: vinegar
ξινίζω: turn sour
ξινός, -ή, -ό: sour
ξιπασμένος, -η, -ο: conceited
ξιφασκία, η: fencing
ξιφίας, ο: swordfish
ξιφολόγχη, η: bayonet
ξιφομαχία, η: fencing
ξιφομαχώ: fence
ξίφος, το: sword
ξοδεύω: spend
ξυλεία, η: timber, lumber
ξύλινος, -η, -ο: wooden
ξύλο, το: wood
ξυλοκάρβουνο, το: charcoal
ξυλοκέρατο, το: carob
ξυλοκόπος, ο: woodcutter, lumberjack
ξυλοπόδαρο, το: stilt
ξυλουργείο, το: carpenter's shop
ξυλουργός, ο: carpenter
ξύνομαι: scratch

ξύνω: scratch || (μολύβι) sharpen
ξυπνητήρι, το: alarm clock
ξυπνώ: *(μτβ)* wake up, rouse || *(αμτβ)* wake up, awake
ξυπόλυτος, -η, -ο: barefoot, barefooted
ξυράφι, το: razor || (λεπίδα) razor blade
ξυρίζομαι: shave (oneself) || (στο κουρείο) get a shave, get shaved
ξυρίζω: shave
ξυριστική μηχανή, η: safety razor
ξυστήρα, η: (εργαλείο) scraper, rasp || (μολυβιού) pencil sharpener

Ο

ο, η, το: the
όαση, η: oasis
οβελίσκος, ο: obelisk
οβίδα, η: shell
ογδοηκοστός, -ή, -ό: eightieth
ογδόντα: eighty
όγδοος, -η, -ο: eighth
ογκόλιθος, ο: block of stone, mass of rock
όγκος, ο: volume
ογκώδης, -ες: bulky, massive, voluminous
οδήγηση, η: driving
οδηγία, η: (για δρόμο) directions || (συμβουλή) instruction, direction
οδηγός, ο: guide || (τροχοφ.) driver || (προσκοπ.) guide
οδηγώ: guide, lead || (τροχοφ.) drive
οδοιπορία, η: hike, walk
οδοιπόρος, ο: hiker, wayfarer
οδοιπορώ: hike, walk, travel
οδοκαθαριστής, ο: garbage collector || (αυτός που σκουπίζει το δρόμο) street sweeper
οδομαχία, η: street fight
οδοντιατρείο, το: dentist's office, dental clinic
οδοντίατρος, ο: dentist
οδοντόβουρτσα, η: tooth brush
οδοντογιατρός, ο: βλ. **οδοντίατρος**
οδοντογλυφίδα, η: tooth pick
οδοντόκρεμα, η: tooth paste, dental cream
οδοντόπαστα, η: βλ. **οδοντόκρεμα**
οδοντοστοιχία, η: denture
οδοντοφυΐα, η: dentition, teething, cutting of teeth
οδοποιία, η: road construction
οδός, η: way, route || (πόλεως) street, road || (δρόμος) road
οδόστρωμα, το: pavement, paving
οδοστρωτήρας, ο: steamroller
οδύνη, η: pain, ache *(και μτφ)*
οδυνηρός, -ή, -ό: painful *(και μτφ)*
όθεν: *(επίρ)* (απ' όπου) from where, whence || (άρα) therefore
οθόνη, η: (ύφασμα) linen || (κινημ. ή τηλεορ.) screen
οίδημα, το: swelling
οικειοποιούμαι: appropriate, usurp
οικείος, -α, -ο: (συγγενής) relative, related || (γνωστός) familiar || (στενά συνδεδεμένος) intimate
οικειότητα, η: intimacy
οίκημα, το: dwelling, abode, house
οικία, η: house
οικιακά, τα: housework
οικογένεια, η: family
οικογενειακός, -ή, -ό: family
οικογενειάρχης, ο: head of the family
οικοδέσποινα, η: (κυρία του σπιτιού) lady of the house || βλ. **νοικοκυρά**
οικοδεσπότης, ο: man of the house master of the house || βλ. **νοικοκύρης**
οικοδομή, η: (χτίσιμο) building construction || βλ. **κτίριο**
οικοδόμημα, το: βλ. **κτίριο**
οικοδομώ: build, construct *(κα μτφ)*
οικονομία, η: economy || (αποφυγ σπατάλης) saving, economy, thrift
οικονομικά, τα: finance, finances
οικονομικός, -ή, -ό: economic financial || (που συμφέρει) eco nomical
οικονόμος, ο: (σπιτιού) butler (ιδρύματος) steward || *(μτφ* thrifty, economist
οικονομώ: economize
οικόπεδο, το: plot, building plot, l

οίκος, ο: house
οικοτροφείο, το: (πανσιόν) boarding house || (σχολείο) boarding school
οικότροφος, -η, -ο: boarder
οικουμένη, η: the world, universe
οικουμενικός, -ή, -ό: ecumenical, universal, world-wide
οίκτος, ο: compassion, pity
οινομαγειρείο, το: hash house, small tavern
οινόπνευμα, το: alcohol
οινοπνευματώδης, -ες: alcoholic
οίνος, ο: wine
οισοφάγος, ο: gullet, esophagus, oesophagus
οιωνός, ο: omen, auspice, portent
οκνηρός, -ή, -ό: lazy, indolent
οκνός, -ή, -ό: βλ. **οκνηρός**
οκτάγωνο, το: octagon
οκτακόσιοι, -ες, -α: eight hundred
οκταπλάσιος, -α, -ο: eightfold, octuple
οκταπλός, -ή, -ό: octuple
οκτάπους, ο: octopus
οκτάωρο, το: (δουλειάς) eight hour work
οκτώ: eight
Οκτώβριος, ο: October
ολέθριος, -α, -ο: deadly, pernicious, ruinous, disastrous, calamitous
όλεθρος, ο: disaster, ruin, calamity
ολιγάριθμος, -η, -ο: few, small, few in number, not numerous
ολιγαρκής, -ές: frugal, temperate, moderate
ολιγόλογος, -η, -ο: laconic, taciturn
ολικός, -ή, -ό: total
ολίσθημα, το: slip, slide || *(μτφ)* slip, fault
ολισθηρός, -ή, -ό: βλ. **γλιστερός**
όλμος, ο: mortar
όλο: *(επίρ)* always, ever and ever, continuously
ολόγυρα: *(επίρ)* all around, all round, in a circle
ολόϊδιος, -α, -ο: identical, exactly the same, the spitting image
ολοκαίνουργιος, -α, -ο: brand new
ολόκληρος, -η, -ο: whole, entire, full
ολοκληρώνω: finish, complete, conclude
ολόμαλλος, -η, -ο: all wool
ολονύχτιος, -α, -ο: all-night
ολόρθος, -η, -ο: erect, upright
όλος, -η, -ο: whole, all || βλ. **ολόκληρος** || *(πληθ)* everybody, all, everyone
ολοσχερής, -ές: utter, complete
ολοταχώς: *(επίρ)* full speed, at top speed
ολότελα: *(επίρ)* completely, entirely, utterly, altogether
ολοφάνερος, -η, -ο: quite clear (βλ. και **φανερός**)
ολυμπιακός, -ή, -ό: olympic
ομάδα, η: (ατόμων) group || (αψύχων) cluster, group || *(αθλ)* team
ομαδικός, -ή, -ό: collective, mass
ομαλός, -ή, -ό: even, level, smooth
ομελέτα, η: omelet
ομήγυρη, η: (συντροφιά) party, circle, company
όμηρος, ο: hostage
ομιλητής, ο (*θηλ* **ομιλήτρια**): speaker
ομιλητικός, -ή, -ό: garrulous, talkative
ομιλία, η: speech || (κουβέντα) talk, conversation || (λόγος) speech, lecture
όμιλος, ο: (ομάδα) group || (σύλλογος) club, association
ομίχλη, η: fog
ομοβροντία, η: volley, salvo
ομοιοκαταληξία, η: rhyme, rime
ομοιόμορφος, -η, -ο: uniform
ομοιοπαθής, -ές: fellow sufferer
όμοιος, -α, -ο: similar, alike, like, same
ομοιωματικά, τα: ditto marks
ομολογία, η: confession || (αποδοχή) admission || *(οικ)* bond
ομολογώ: confess || (παραδέχομαι) admit
ομόνοια, η: accord, concord, concordance
ομορφιά, η: beauty, handsomeness, prettiness
όμορφος, -η, -ο: handsome, beautiful, pretty, comely, fair
ομοσπονδία, η: confederacy, federation, confederation
ομοσπονδιακός, -ή, -ό: federal
ομόσπονδος, -η, -ο: federal, confederate
ομοφυλόφιλος, -η, -ο: homosexual
ομοφωνία, η: unanimity
ομόφωνος, -η, -ο: unanimous
ομπρέλα, η: umbrella || (ήλιου) parasol
ομφαλός, ο: navel

όμως: *(σύνδ)* however, yet, nevertheless
ον, το: being, creature
ονειρεύομαι: dream
όνειρο, το: dream
ονειροπολώ: daydream, dream, build castles in the air
ονειρώδης, -ες: dreamy, fantastic
όνομα, το: name
ονομάζω: name, call ‖ (για υποψηφιότητα) nominate
ονομαστικός, -ή, -ό: (που έχει ονόματα) name, nominal ‖ (κατ' όνομα) nominal ‖ **~ή γιορτή**: name day
ονομαστός, -ή, -ό: well-known, famed, famous, celebrated
ονοματεπώνυμο, το: first name and last name
όνος, ο: ass, donkey
οξεία, η: *(γραμ)* acute accent
οξειδώνω: oxidize, rust, corrode
οξείδωση, η: oxidation, rust, rusting, corrosion
οξιά, η: beech
οξύ, το: acid
οξυγόνο, το: oxygen
οξυγονοκόλληση, η: torch welding, oxyacetylene welding
οξυδερκής, -ές: perspicacious, clear-sighted, keen
οξυζενέ, το: hydrogen peroxide
οξύθυμος, -η, -ο: quick-tempered, irritable, irascible
οξύς, -εία, -ύ: (μυτερός) sharp, pointed ‖ *(μτφ)* penetrating, shrill, piercing ‖ (έντονος) sharp ‖ (αίσθηση) keen, acute, sharp
οπαδός, ο: follower, partisan, adherent
όπερα, η: opera
οπερέτα, η: light opera, operetta
όπιο, το: opium
οπιομανής, ο: opium addict
οπίσθια, τα: buttocks, posterior
οπίσθιος, -α, -ο: posterior, hind, rear
οπισθογραφώ: endorse
οπισθοδρομικός, -ή, -ό: backward
οπισθοφύλακας, ο: (ποδοσφ.) back
οπισθοφυλακή, η: rearguard
οπισθοχωρώ: retreat
οπλή, η: hoof
οπλίζω: arm
οπλίτης, ο: soldier, private
όπλο, το: weapon
οπλοπωλείο, το: gunshop
οπλοστάσιο, το: armory, arsenal
οπλοφορώ: carry a gun
όποιος, -α, -ο: whoever, whichever
οποίος, -α, -ο: **ο ~**: who, which, that
οποι-οσδήποτε, -αδήποτε, -οδήποτε: whoever, whichever, whatsoever
όποτε: *(επίρ)* any time, whenever, no matter when
οποτεδήποτε: *(επίρ)* βλ. **όποτε**
όπου: *(επίρ)* where
οπουδήποτε: *(επίρ)* wherever, anywhere
οπτασία, η: apparition, vision
οπωρικό, το: fruit tree
οπωροπωλείο, το: fruter's shop, fruterer's shop, fruit market
οπωροπώλης, ο: fruiter, fruiterer, fruit seller
οπωροφόρος, -α, -ο: fruit bearing, fruitful, fruit producing
οπωρώνας, ο: orchard
όπως: *(επίρ)* as, like, just as
οπωσδήποτε: *(επίρ)* whatsoever, be that as it may, without fail ‖ (χωρίς αμφιβολία) definitely
όραμα, το: vision
όραση, η: sight, eyesight, vision
ορατός, -ή, -ό: visible
ορατότητα, η: visibility
οργανισμός, ο: organism ‖ βλ. **κράση** ‖ (υπηρεσία) organization
όργανο, το: (οργανισμού) organ ‖ (εργαλείο) instrument, implement ‖ *(μουσ)* instrument
οργανώνω: organize
οργάνωση, η: organization
οργανωτής, ο (*θηλ* **οργανώτρια**): organizer
οργή, η: βλ. **θυμός**
οργιά, η: fathom
οργίζομαι: βλ. **θυμώνω**
όργιο, το: orgy, debauchery
οργισμένος, -η, -ο: βλ. **θυμωμένος**
οργώνω: till, plow, plough
ορδή, η: horde
ορειβασία, η: mountain climbing, mountaineering, alpinism
ορειβάτης, ο: mountaineer, mountain climber, alpinist
ορεινός, -ή, -ό: (με βουνά) mountainous ‖ (των βουνών) mountain
ορειχάλκινος, -η, -ο: bronze, brass
ορείχαλκος, ο: bronze, brass
ορεκτικό, το: hors d'oeuvre appetizer
όρεξη, η: appetite
ορεσίβιος,-α, -ο: highlander, moun

taineer
ορθά: *(επίρ)* βλ. **όρθια** || *(μτφ)* rightly, right, correctly
όρθιος, -α, -ο: standing, erect
ορθογραφία, η: orthography, correct spelling
ορθογώνιο, το: rectangle
ορθόδοξος, -η, -ο: orthodox
ορθοπεδικός, ο: orthopedist
ορθοπεδικός, -ή, -ό: orthopedic
ορθοποδώ: be on one's feet
ορθός, -ή, -ό: βλ. **όρθιος** || correct, right
ορθοστασία, η: standing, being on one's feet
ορθώνομαι: stand up, rise
ορθώνω: raise, stand, place upright
ορίζοντας, ο: horizon
οριζόντιος, -α, -ο: horizontal, level
ορίζω: (βάζω όριο) bound, limit, mark || (βάζω ορισμό) define, fix
όριο, το: limit, boundary
ορισμένος, -η, -ο: defined, fixed
ορισμός, ο: definition
οριστική, η: (έγκλιση) indicative mood
οριστικός, -ή, -ό: definite, conclusive, final
ορκίζομαι: be sworn, take the oath, swear
ορκίζω: swear in, put on oath
όρκος, ο: oath
ορμή, η: (βίαιη κίνηση προς τα εμπρός) onrush || (φόρα) impetus
ορμητικός, -ή, -ό: violent, furious, fiery, impetuous
ορμίζω: moor
όρμος, ο: bay, cove
ορμώ: rush, dash, dart
όρνιθα, η: hen
ορνιθοτροφείο, το: poultry farm, hennery
ορνιθώνας, ο: hencoop, chicken coop
όρνιο, το: (αρπακτ. πουλί) bird of prey || (γύπας) vulture
ορολογία, η: terminology
οροπέδιο, το: mesa, tableland, plateau
όρος, το: mountain, mount
όρος, ο: (προϋπόθεση) condition, term || (ειδ. ονομ.) definition, term
ορός, ο: serum
οροσειρά, η: mountain range, cordillera, chain of mountains
ορόσημο, το: landmark
οροφή, η: (ταβάνι) ceiling || (στέγη) roof
όροφος, ο: floor, story, storey
ορτύκι, το: quail
όρυγμα, το: ditch, trench
ορυκτέλαιο, το: mineral oil, distillate of petroleum
ορυκτό, το: ore, mineral
ορυκτός, -ή, -ό: mineral, rock
ορυχείο, το: mine
ορφανεύω: be orphaned, become an orphan
ορφανός, -ή, -ό: orphaned || *(ουσ)* orphan
ορφανοτροφείο, το: orphanage
ορχήστρα, η: orchestra, band
οσμή, η: βλ. **μυρουδιά**
όσο: *(επίρ)* as || **τόσο ~:** as ... as, so ... as || **~ κι αν:** no matter how much, however much || **εφ ~:** as long as, as far as, in as much as
όσος, -η, -ο: (ισότητα) as much as, as many as, all
όσπρια, τα: pulse
οστρακιά, η: scarlatina, scarlet fever
όστρακο, το: shell
όσφρηση, η: smell, sense of smell
οσφύς, η: waist, loin
όταν: *(σύνδ):* when, whenever, at the time when
ότι: *(σύνδ):* that || *(επίρ)* just, as soon as
ό,τι: *(αντων):* what, whatever
ο,τιδήποτε: *(αντων):* whatever, whatsoever, anything
ουγκιά, η: ounce
ουδέτερος, -η, -ο: neutral || *(γραμ)* neuter
ουδετερότητα, η: neutrality
ουλή, η: scar
ούλο, το: gum
ουρά, η: tail || (σειρά ανθρώπων) queue
ουραγκοτάγκος, ο: orangutan
ουρανής, -ιά, -ί: sky-blue, cerulean
ουράνια, τα: heavens
ουράνιος, -α, -ο: celestial, heavenly || **~ο τόξο:** rainbow
ουρανίσκος, ο: palate
ουρανοκατέβατος, -η, -ο: *(μτφ)* unexpected, unhoped for
ουρανοξύστης, ο: skyscraper
ουρανός, ο: (θόλος) sky, heaven, || (στέγαστρο) canopy
ούρηση, η: urination
ουρητήριο, το: βλ. **αποχωρητήριο** ||

(λεκάνη) urinal
ουρλιάζω: howl, yowl
ούρο, το: urine
ουροδοχείο, το: chamber pot ‖ (μωρού) potty
ουσία, η: matter, substance ‖ (κύριο στοιχείο) essence, substance, gist
ουσιαστικό, το: *(γραμ)* noun
ουσιαστικός, -ή, -ό: essential, substantial
ουσιώδης, -ες: essential, indispensable, vital
ούτε: *(σύνδ)* nor, neither, not, even ‖ ~ ... ~ : neither .... nor ‖ ~ **καν:** not even
οφειλέτης, ο: debtor
οφειλή, η: debt
οφείλομαι: be due to
οφειλόμενος, -η, -ο: due
οφείλω: owe
όφελος, το: advantage, benefit, gain, profit
οφθαλμαπάτη, η: optical illusion
οφθαλμίατρος, ο: ophthalmologist, oculist
οφθαλμολόγος, ο: βλ. **οφθαλμίατρος**
οφθαλμός, ο: βλ. **μάτι**
όφις, ο: serpent, snake
οχετός, ο: sewer, drain pipe
όχημα, το: vehicle
όχθη, η: bank, shore, coast
όχι: no
οχιά, η: viper, adder
όχλος, ο: mob, rabble
οχυρό, το: stronghold, fort, fortress
οχυρώνω: fortify
όψη, η: appearance, look ‖ (πλευρά) side, face
όψιμος, -η, -ο: late, belated, behindhand

Π

παγερός, -ή, -ό: frosty, icy, frigid, freezing
παγετός, ο: frost
παγίδα, η: trap, snare
παγιδεύω: trap, snare
παγιώνω: consolidate, secure
παγκάκι, το: bench
πάγκος, ο: (κάθισμα) βλ. **παγκάκι** ‖ (μαγαζιού) counter
παγκόσμιος, -α, -ο: universal, world, world-wide
παγόβουνο, το: iceberg
παγοδρομία, η: skating ‖ *(σκι)* skiing
παγοδρόμος, ο: skater, skier
παγόνι, το: peacock
παγοπέδιλο, το: skate ‖ (σκι) ski
πάγος, ο: ice
παγούρι, το: canteen
παγωμένος, -η, -ο: frozen
παγωνιά, η: frost, bitter cold
παγωνιέρα, η: ice box
παγώνω: freeze
παγωτό, το: ice cream
παζαρεύω: bargain, dicker, haggle
παζάρι, το: βλ. **παζάρεμα** ‖ (τόπος) market, mart
παθαίνω: suffer, sustain, be subjected to, undergo
πάθημα, το: mishap, misfortune, accident
πάθηση, η: affliction, complaint, disease, illness
παθολογία, η: pathology
παθολόγος, ο: pathologist
πάθος, το: βλ. **πάθηση** ‖ (αισθ) passion *(και μτφ)*
παιγνίδι, το: play ‖ (παιδιά) game ‖ (άθυρμα) toy, plaything
παιγνιδιάρης, -α, -ικο: playful
παιγνιόχαρτο, το: playing card
παιδαγωγός, ο: pedagogue, educator, teacher
παϊδάκι, το: rib, chop
παιδεία, η: education, learning ‖ βλ. **και μόρφωση**
παιδεύομαι: strife, struggle, labor, try hard
παιδί, το: child
παιδιά, η: game, sport
παιδίατρος, ο: pediatrist, pediatrician
παιδικός, -η, -ο childlike
παίζω: play ‖ (ταλαντεύομαι) sway, oscillate, swing ‖ (θεατρ.) play, act
παίκτης, ο (*θηλ.* **παίκτρια**): player

παινεύω: βλ. **επαινώ**
παίρνω: take, get
παιχνίδι, το: βλ. **παιγνίδι**
πακετάρω: pack, box, wrap up
πακέτο, το: packet, parcel, pack
παλαβός, -ή, -ό: mad, crazy, insane, lunatic, madman
παλαίμαχος, -η, -ο: veteran
παλαιοπωλείο, το: antique shop, flea-market
παλαιός, -ή, -ό: βλ. **παλιός**
παλαιστής, ο (*θηλ* **παλαίστρια**): wrestler
παλαίστρα, η: ring, arena
παλαμάκια, τα: clapping hands, applause
παλάμη, η: palm
παλαμίδα, η: mackerel
παλάντζα, η: βλ. **μπαλάντζα**
παλάτι, το: palace
παλέτα, η: palette
παλεύω: wrestle
πάλη, η: wrestling
πάλι: *(επίρ)* again, once more, anew
παλιάνθρωπος, ο: rascal, rogue
παλιατζίδικο, το: βλ. **παλαιοπωλείο**
παλιάτσος, ο: clown, bufoon, jester
παλικαράς, ο: βλ. **γενναίος** || *(ειρ)* bully, fire-eater || (τολμηρός και ριψοκίνδυνος) swashbuckler, bold
παλικάρι, το: βλ. **παλικαράς**
παλινδρομώ: retrograde || (όπλο) recoil
παλιννοστώ: be repatriated
παλινόρθωση, η: restoration
παλιός, -ά, -ό: old
παλίρροια, η: tide
παλιώνω: *(μτβ)* wear out || *(αμτβ)* grow old
πάλλω: throb, palpitate
παλμός, ο: palpitation || (καρδιάς) palpitation, beating
παλτό, το: topcoat, overcoat
πάμπλουτος, -η, -ο: wealthy, tycoon
πάμπτωχος, -η, -ο: destitute, utterly impoverished, indigent
παμψηφεί: *(επίρ)* unanimously
παμψηφία, η: unanimity, unanimity of votes
Παναγία, η: Virgin Mary, Our Lady
πανάδα, η: freckle
πανδαισία, η: feast *(και μτφ)*
πανδοχέας, ο: innkeeper
πανδοχείο, το: inn, hostelry
πανελλήνιος, -α, -ο: panhellenic
πανεπιστήμιο, το: university
πανήγυρη, η: festival
πανηγύρι, το: βλ. **πανήγυρη**
πάνθηρας, ο: panther
πανί, το: cloth, linen, fabric
πανικά, τα: linen, fabrics
πανικοβάλλομαι: panic
πανικοβάλλω: panic
πανικός, ο: panic
πανόμοιος, -α, -ο: identical
πανοπλία, η: panoply, armour
πάνοπλος, -η, -ο: fully armed, armed to the teeth
πανόραμα, το: panorama
πανούκλα, η: plague
πανούργος, -α, -ο: cunning, crafty, wily
πανσέληνος, η: full moon
πανσές, ο: pansy
πανσιόν, η: pension, boarding house
πάντα: *(επίρ)* always, ever, forever || για ~: for ever, for good, for keeps
πανταλόνι, το: trousers, pants || (σπορ ή πρόχειρο) slacks
παντελόνι, το: βλ. **πανταλόνι**
παντζάρι, το: beetroot
παντζούρι, το: shutter
παντοδύναμος, -η, -ο: omnipotent || (ο Θεός) almighty
παντομίμα, η: pantomime
παντοπωλείο, το: grocery, grocery store || (υπεραγορά) supermarket
παντοπώλης, ο: grocer
πάντοτε: *(επίρ)* βλ. **πάντα**
παντοτινός, -ή, -ό: eternal, everlasting
παντού: *(επίρ)* everywhere
παντόφλα, η: slipper, mule
παντρεύομαι: marry, get married
παντρεύω: marry, give in marriage
πάντως: *(επίρ)* anyway, in any case, anyhow, at any rate
πανώλη, η: βλ. **πανούκλα**
πανωφόρι, το: βλ. **παλτό**
παξιμάδι, το: (φρυγανιά) toast || (γλυκό) rusk || (βίδας) nut
παπαγάλος, ο: parrot
παπαρούνα, η: poppy
πάπας, ο: pope
παπάς, ο: priest, clergyman
πάπια, η: duck
παπιγιόν, το: bow tie
πάπλωμα, το: quilt, comforter
παπουτσής, ο: shoemaker, bootmaker || (επιδιορθωτής) cobbler
παπούτσι, το: shoe || (παντοφλέ) loafer, moccasin || (του τένις)

Π

sneakers, tennis shoe
παπουτσίδικο, το: shoemaker's shop
παππούς, ο: grandfather, granddad
παρά: *(πρόθ)* (εξαίρεση) almost, nearly, by || (αφαίρεση) to, of || (αντίθεση) in spite of, contrary to, despite || (εναλλαγή) every other
πάρα: (μόρ.): very, too
παραβαίνω: violate, break, transgress, infringe
παραβάλλω: compare
παραβάν, το: screen
παράβαση, η: violation, transgression, breach
παραβάτης, ο: violator, transgressor
παραβιάζω: (ανοίγω με βία) break open, force || (συμφωνία κλπ.) violate, break
παραβλέπω: βλ. **παραμελώ** || (αγνοώ) overlook, ignore, disregard
παραγγελία, η: order
παραγγέλλω: order
παράγκα, η: hovel, shack
παράγοντας, ο: factor
παράγραφος, η: paragraph
παράγω: produce
παραγωγή, η: production
παραγωγός, ο: producer
παράδειγμα, το: example || **για ~:** for example, for instance
παραδειγματίζω: exemplify, set an example
παραδειγματικός, -ή, -ό: exemplary
παράδεισος, ο: paradise, Eden
παραδέχομαι: admit, accept || (αναγνωρίζω αξία) acknowledge, accept
παραδίνομαι: surrender
παραδίνω: surrender, give up
παράδοξος, -η, -ο: βλ. **παράξενος**
παράδοση, η: (επίδοση) delivery || *(στρ)* surrender, capitulation || (μαθημάτων) teaching || tradition
παραζάλη, η: confusion, fluster
παραζαλίζω: confuse, fluster
παραθαλάσσιος, -α, -ο: seaside, shore
παραθερίζω: spend the summer
παραθερισμός, ο: summer vacation
παραθετικά, τα: (επιθέτων) comparison
παράθυρο, το: window
παραθυρόφυλλο, το: βλ. **παντζούρι**
παραίσθηση, η: delusion
παραίτηση, η: resignation
παραιτούμαι: resign, give up
παράκαιρος, -η, -ο: untimely, inopportune
παρακαλώ: (δέομαι) pray, beg
παρακάμπτω: bypass, circumvent
παρακάνω: overdo, overact, carry too far
παρακαταθήκη, η: consignment || (εθν. κληρονομιά) heritage
παρακάτω: *(επίρ)* lower down, at a lower level
παρακείμενος, ο: present perfect
παρακινδυνεύω: risk, hazard
παρακινώ: urge, promt, incite, instigate, goad
παράκληση, η: entreaty, plea, supplication || *(εκκλ)* prayer
παρακμάζω: decline, decay
παρακμή, η: decline, fall, decay
παρακολουθώ: (ακολουθώ κρυφά) follow, shadow, tail || (φοιτώ) attend
παράκουος, -η, -ο: disobedient
παρακουράζω: overexert, overwork
παρακούω: (ακούω λάθος) mishear, hear wrongly || (απειθαρχώ) disobey
παρακωλύω: preclude, hinder, obstruct, hamper
παραλαβαίνω: receive, take possession, take delivery
παραλαβή, η: receipt, receiving
παραλείπω: omit, leave out, miss
παράλειψη, η: omission
παραλέω: exaggerate, overstate, magnify beyond the truth
παραλήπτης, ο (*θηλ* **παραλήπτρια**): receiver, recipient || (επιστολής) recipient, addressee
παραλήρημα, το: delirium, raving
παραληρώ: rave, be delirious, wander
παραλία, η: seaside, seashore, beach
παραλίγο: *(επίρ)* almost, nearly
παραλληλισμός, ο: parallelism
παραλληλόγραμμο, το: parallelogram
παράλληλος, -η, -ο: parallel
παράλογος, -η, -ο: irrational, illogical, preposterous
παράλυση, η: paralysis, palsy
παραλυτικός, -ή, -ό: paralytic
παράλυτος, -η, -ο: paralysed, paralytic, palsied
παραλύω: paralyze
παραμαγούλα, η: parotitis, mumps
παραμάνα, η: (τροφός) wet nurse, nursemaid, nurse || (καρφίτσα) safety pin
παραμέληση, η: negligence, neglect,

omission
παραμελώ: neglect
παραμένω: stay, remain
παράμερα: *(επίρ)* aside, apart
παραμερίζω: *(μτβ)* set aside, push aside, get out of the way || *(αμτβ)* sidestep, get out of the way
παράμερος, -η, -ο: remote, out of the way, secluded
παράμεσος, ο: (δάχτυλο) ringfinger, third finger
παραμιλώ: (μιλώ πολύ) talk too much || (μόνος μου) talk to oneself
παραμονεύω: lurk, ambush, waylay
παραμονή, η: (διαμονή) stay, sojourn || (γιορτής) eve
παραμορφωμένος, -η, -ο: misshapen, deformed
παραμορφώνω: misshape, deform, disfigure
παραμυθένιος, -α, -ο: fabulous, fabled
παραμύθι, το: fairy tale
παρανόηση, η: misunderstanding, misconception, misapprehension
παράνοια, η: paranoia
παρανοϊκός, -ή, -ό: paranoid, paranoiac
παρανομία, η: illegal act, breach of the law, unlawful act, offence
παράνομος, -η, -ο: illegal, illicit, unlawful || (εκτός νόμου) outlaw
παρανοώ: misunderstand, misapprehend
παρανυχίδα, η: agnail, hangnail
παραξενεύομαι: wonder, be surprised
παράξενος, -η, -ο: strange, odd, outlandish
παραπανίσιος, -α, -ο: excess, surplus, superfluous
παραπάτημα, το: misstep, slip, stumble, false step
παραπατώ: stumble, slip
παραπέτασμα, το: curtain
παραπετώ: discard, throw away
παράπηγμα, το: shack, shanty
παραποίηση, η: tampering, manipulation, falsification
παραποιώ: tamper, manipulate, falsify
παράπονο, το: complaint, grievance
παραπονούμαι: complain, grumble
παραπόταμος, ο: tributary, affluent
παράπτωμα, το: misconduct, fault
παράρτημα, το: (εφημερ.) extra || (κτιρίου) outbuilding, annex
παρασέρνω: carry away || (από νερό) wash away, sweep away || (από αυτοκίνητο) run over
παράσημο, το: medal, decoration
παρασημοφορώ: decorate
παράσιτο, το: parasite || *(ραδ)* static, atmospherics
παρασκευάζω: prepare
παρασκευή, η: preparation || **Π~:**
παρασόλι, το: parasol
παρασπονδώ: break a promise, violate a promise
παράσταση, η: (απεικόνιση) representation, portrayal, depiction, picturing || (θεάτρ.) performance, show
παραστέκομαι: attend, assist, support
παράστημα, το: bearing, carriage, posture
παραστράτημα, το: going astray, straying, immoral act
παραστρατίζω: βλ. **παραστρατώ**
παραστρατώ: go astray
παρασύρω: βλ. **παρασέρνω**
παράταξη, η: *(στρ)* parade || (πολιτ.) party
παράταση, η: extension, prolongation
παρατάσσω: array, draw up, line up
παρατατικός, ο: past progressive, past continuous
παρατείνω: extend, prolong, protract
παρατήρηση, η: (οπτική) observation || (γνώμη ύστερα από μελέτη) remark, observation, note || βλ. **επίπληξη**
παρατηρητήριο, το: observation post
παρατηρητής, ο: observer
παρατηρητικός, -ή, -ό: observing, observant, attentive
παρατηρώ: observe, watch || (προφορ. ή γραπτά) remark, make a remark || βλ. **επιπλήττω**
παράτολμος, -η, -ο: reckless, foolhardy
παρατσούκλι, το: nickname
παρατυπία, η: irregularity || (παράβαση τύπων) breach of etiquette
παραφέρομαι: lose one's temper, lose one's patience
παραφθορά, η: corruption, alteration
παραφίνη, η: paraffin

παραφορά, η: outburst, rage, frenzy
παραφορτώνω: overburden, overload
παραφρονώ: go mad, become insane, lose one's mind
παράφρονας, ο: βλ. **τρελός**
παραφροσύνη, η: madness, insanity, lunacy
παραφυλάω: watch, lurk, lie in wait
παραφωνία, η: dissonance
παράφωνος, -η, -ο: dissonant, discordant, out of tune
παραχαράκτης, ο: forger, counterfeiter
παραχαράσσω: forge, counterfeit
παραχειμάζω: winter, spend the winter, pass the winter
παραχώνω: bury
παραχώρηση, η: concession, cession, grant
παραχωρώ: concede, grant
παρδαλός, -ή, -ό: multicolored, motley, pied
παρέα, η: (συντροφιά) company ‖ (ομάδα) party
παρειά, η: cheek
παρείσακτος, -η, -ο: intruder
παρεκκλήσι, το: chapel
παρέκκλιση, η: deviation, divergence
παρεκτρέπομαι: *(μτφ)* misconduct, behave improperly
παρεκτροπή, η: misconduct, impropriety
παρέλαση, η: parade
παρελαύνω: parade, march
παρελθόν, το: past
παρεμβαίνω: interfere, intervene
παρέμβαση, η: intervention, interference
παρεμποδίζω: preclude, prevent, obstruct
παρεμφερής, -ές: similar
παρένθεση, η: insertion ‖ (σημ. στίξ.) parenthesis
παρενοχλώ: harass, bother, pester
παρεξήγηση, η: misunderstanding, misinterpretation
παρεξηγώ: misunderstand, misinterpret, misconstrue
παρερμηνεύω: misinterpret
παρευρίσκομαι: be present, attend
παρέχω: supply, furnish
παρηγοριά, η: consolation, solace
παρηγορώ: console, comfort
παρθένα, η: virgin, maiden
παριστάνω: represent, depict, portray ‖ (θέατρο) perform
παρκάρω: park
παρκέ, το: parquet
πάρκιγκ, το: (μέρος) parking lot ‖ (πράξη) parking
πάρκο, το: park ‖ (κλουβί μωρού) play pen
παροδικός, -ή, -ό: passing, short-lived, fleeting
πάροδος, η: βλ. **παρέλευση** ‖ (δρόμου) alley, side-street
παροιμία, η: proverb
παρομοιάζω: liken, compare
παρόμοιος, -α, -ο: similar, alike
παρόν, το: present
παροράματα, τα: errata
παρουσία, η: presence
παρουσιάζομαι: appear, show up
παρουσιάζω: present
παρουσιαστικό, το: bearing, presence, appearance
παροχή, η: grant, giving, gift
παρτέρι, το: flower bed
παρτίδα, η: (μέρος) part ‖ (παιγν.) game
πάρτυ, το: party
παρυφή, η: (ρούχων) hem ‖ *(μτφ)* fringe, border
παρωδία, η: parody
παρών, -ούσα, -όν: present
παρωτίτιδα, η: mumps, parotitis
πασαλείβω: daub, smear
πασιέντσα, η: (χαρτ.) solitaire
πασπαλίζω: powder, sprinkle, dust
πάσσαλος, ο: (μικρός) stake ‖ (μεγάλος) pile
πάστα, η: (ζυμαρ.) pasta ‖ (γλυκ.) tart, pastry, cake
παστεριώνω: pasteurize
παστίλια, η: lozenge, troche, pastille
παστός, -ή, -ό: salted
παστώνω: salt, cure, preserve in salt
Πάσχα, το: Easter
πάσχω: suffer
πάταγος, ο: din
πατάτα, η: potato
πατέντα, η: patent
πατέρας, ο: father
πατερίτσα, η: (δεκανίκι) crutch ‖ (επισκόπου) crosier, crook
πάτερο, το: beam, rafter
πάτημα, το: (πίεση με πόδια) stomping, crushing ‖ (ίχνος) βλ. **πατημασιά** ‖ (θόρυβος βήματος) tread, footstep

πατημασιά, η: footprint
πατίνι, το: (πάγου) skate || (με ρόδες) roller skate
πάτος, ο: bottom
πατούνα, η: sole
πατούσα, η: βλ. **πατούνα**
πατριάρχης, ο: patriarch
πατρίδα, η: (χώρα) fatherland, country, native country, homeland, home || (πόλη) place of birth, birthplace
πατρικός, -ή, -ό: paternal, fatherly
πατριός, ο: stepfather
πατριώτης, ο (*θηλ* **πατριώτισσα**): (που αγαπά την πατρίδα) patriot || (συμπατριώτης) compatriot, fellow countryman
πατριωτικός, -ή, -ό: patriotic
πατριωτισμός, ο: patriotism
πατροπαράδοτος, -η, -ο: traditional
πατρότητα, η: paternity, fatherhood
πατρυιός, ο: βλ. **πατριός**
πατσαβούρα, η: rag, mop, dish cloth
πατώ: step on, tread on || (με αυτοκίνητο) run over || (ακουμπώ τον πάτο) touch bottom
πάτωμα, το: floor || (όροφος) floor, story, storey
παύλα, η: dash
παύση, η: pause, stop, stoppage, halt || (απόλυση) dismissal, discharge
παυσίπονο, το: lenitive, painkiller
παύω: *(αμτβ)* cease, stop || *(μτβ)* stop, put an end || (απολύω) dismiss, fire, discharge || (σιωπώ) stop speaking, keep silent
παφλάζω: lap, bubble, gurgle
παχαίνω: *(αμτβ)* put on weight, get fat, grow fat, fatten || *(μτβ)* fatten
πάχνη, η: white frost, hoarfrost
παχνί, το: manger
πάχος, το: fatness, plumpness
παχύδερμος, -η, -ο: thick-skinned, pachyderm
παχύς, -ιά, -ύ: fat, corpulent, stout
παχύσαρκος, -η, -ο: fat, obese
πάω: βλ. **πηγαίνω**
πεδιάδα, η: plain
πεδικλώνω: trip
πέδιλο, το: sandal
πεδίο, το: βλ. **πεδιάδα** || (περιοχή) field *(και μτφ)*
πεζεύω: dismount
πεζή: *(επίρ)* on foot
πεζικό, το: infantry
πεζογραφία, η: prose
πεζοδρόμιο, το: sidewalk || (Brit) pavement
πεζοναύτης, ο: marine
πεζοπορία, η: hike, walk
πεζοπορώ: hike, walk, tramp
πεζός, -ή, -ό: (με τα πόδια) pedestrian, on foot || *(λογ)* prosaic *(και μτφ)*
πεζούλι, το: (αντιστήριγμα) terrace || (τοιχάκος) parapet
πεθαίνω: die *(και μτφ)*
πεθαμένος, -η, -ο: dead
πεθερά, η: mother-in-law
πεθερός, ο: father-in-law
πειθαρχία, η: discipline
πειθαρχώ: be obedient, obey
πειθήνιος, -α, -ο: obedient, docile
πειθώ: persuasion
πείθω: persuade, convince
πείνα, η: hunger
πεινασμένος, -η, -ο: hungry
πεινώ: be hungry
πείρα, η: experience
πειράζομαι: take offence, be offended, be hurt, resent
πειράζω: tease, josh
πείραμα, το: experiment
πειραματίζομαι: experiment
πειραματισμός, ο: experimentation || βλ. **πείραμα**
πειρασμός, ο: temptation
πειρατής, ο: pirate, corsair
πείσμα, το: (επιμονή) obstinacy, stubbornness || (γινάτι) spite
πεισματάρης, -α, -ικο: obstinate, stubborn
πεισματώνω: *(αμτβ)* become stubborn, become obstinate, become obdurate || *(μτβ)* spite
πεισμώνω: βλ. **πεισματώνω**
πειστήριο, το: proof
πειστικός, -ή, -ό: persuasive, convincing
πέλαγος, το: sea, open sea
πελαργός, ο: stork
πελατεία, η: clientele, custom, customers
πελάτης, ο (*θηλ* **πελάτισσα**): (θαμώνας) customer, patron || (μαγαζιού) shopper || (δικηγόρου ή μηχαν. κλπ.) client || (γιατρού) patient || (ξενοδοχ.) guest
πελεκάνος, ο: pelican
πελεκούδι, το: sliver, chip, shaving
πέλεκυς, ο: ax, axe
πελεκώ: cut, chop

πελιδνός, -ή, -ό: livid, pallid
πέλμα, το: (ποδιού και παπουτσιού) sole
πελότα, η: pin cushion
πελτές, ο: βλ. **μπελντές**
πελώριος, -α, -ο: huge, enormous, mammoth, colossal
Πέμπτη, η: Thursday
πέμπτος, -η, -ο: fifth
πέμπω: send, dispatch, forward
πένα, η: (γραφίδα) pen || (νόμισμα) penny
πενήντα: fifty
πενηντάρι, το: fifty
πενηντάρικο, το: βλ. **πενηντάρι**
πένης, ο: pauper, destitute
πενθερά, η, κλπ.: βλ. **πεθερά κλπ.**
πένθιμος, -η, -ο: mournful, funeral
πένθος, το: mourning
πενθώ: be in mourning, mourn
πενικιλίνη, η: penicillin
πενιχρός, -ή, -ό: (φτωχικός) poor, meagre, beggarly || (ανεπαρκής) measly, meagre *(και μτφ)*
πένσα, η: pincers
πεντάγραμμο, το: staff, stave
πεντάγωνο, το: pentagon
πεντάδραχμο, το: fiver
πενταετία, η: quinquenium
πένταθλο, το: pentathlon
πεντακοσάρικο, το: five hundred drachmas bill
πεντακόσιοι, -ες, -α: five hundred
πεντακοσιοστός, -ή, -ό: five hundredth
πενταπλάσιος, -α, -ο: quintuple, fivefold, quintuplicate
πέντε: five
πεντηκονταετηρίδα, η: fiftieth anniversary || (γάμων) golden anniversary
πεντηκονταετία, η: fifty years
πεντηκοστή, η: Pentecost, whitsunday
πεντηκοστός, -ή, -ό: fiftieth
πεπειραμένος, -η, -ο: experienced
πέπλο, το: veil
πεποίθηση, η: conviction
πεπόνι, το: cantaloupe, melon
πεπρωμένο, το: destiny
πέρα: *(επίρ)* over there, on the other side, yonder, beyond
πέραμα, το: (μέρος) ferry || (μέσο) ferry, ferryboat
πέρας, το: end, extremety, extreme edge
πέρασμα, το: (χρόνου) passage || (μέρος διάβασης) pass, col || (διάβαση) crossing, passage
περασμένα, τα: past, bygone
περασμένος, -η, -ο: past, bygone, gone || (προηγούμενος) last
περαστικός, -ή, -ό: (όχι μόνιμος) transient || (διαβάτης) passer-by
περατώνω: finish, complete, bring to an end
περβάζι, το: frame
περγαμηνή, η: parchment, scroll
πέρδικα, η: partridge
περηφανεύομαι: (καμαρώνω) take pride in, be proud of || (είμαι περήφανος) be proud, be haughty, be conceited
περηφάνια, η: pride || (υπεροψία) hautiness, conceit, arrogance
περήφανος, -η, -ο: proud
περί: *(πρόθ)* (για) about, of, concerning, regarding || βλ. **γύρω**
περιβάλλον, το: environment, surroundings
περιβάλλω: surround, encircle
περίβλημα, το: case, jacket
περιβόητος, -η, -ο: notorious
περιβολάρης, ο (*θηλ.* **περιβολάρισσα**): gardener
περιβολή, η: attire
περιβόλι, το: garden || (οπωρ. δέντρων) orchard
περίβολος, ο: (τοίχος) fence, wall || (χώρος) enclosure
περιγελώ: mock, deride, scoff, ridicule
περίγραμμα, το: outline
περιγραφή, η: description, account, depiction
περιγράφω: describe, depict, portray
περιδέραιο, το: necklace
περιδιαβάζω: wander, walk around, loiter
περιεργάζομαι: watch, look attentively, scrutinize
περιέργεια, η: curiosity
περίεργος, -η, -ο: (που έχει περιέργεια) curious, inquiring || βλ. **παράξενος** || βλ. **αδιάκριτος** || (που χώνει την μύτη του) snoopy
περιεχόμενα, τα: contents
περιεχόμενο, το: *(μτφ)* content, contents || (σημασία) significance
περιέχω: contain, include, hold
περιήγηση, η: tour
περιηγητής, ο (*θηλ* **περιηγήτρια**):

tourist
περιηγούμαι: tour
περιθάλπω: care for, take care of, look after
περιθώριο, το: (χαρτιού) margin || *(μτφ)* margin, leeway
περικεφαλαία, η: helmet
περικλείνω: βλ. **περιβάλλω** || (περιφράζω) fence
περικόβω: cut back, cut down, curtail, cut off
περικοκλάδα, η: morning glory
περικυκλώνω: surround, encircle, beset, invest
περιλαβαίνω: include, contain
περιλαίμιο, το: βλ. **γιακάς** || βλ. **κολάρο** || (ζώου) collar
περιληπτικός, -ή, -ό: concise, comprehensive
περίληψη, η: summary, resume, precis
περιμένω: wait
περίμετρος, η: perimeter
περιοδεία, η: tour, travel
περιοδεύω: tour, travel, make a tour
περιοδικό, το: magazine, periodical
περιοδικός, -ή, -ό: periodic, periodical
περίοδος, η: period || (εποχή) era, period || (έμμηνα) period, menstruation
περίοικος, -η, -ο: neighbor, neighbour
περιορίζω: limit, bound || (κλείνω μέσα) confine || (ελαττώνω) reduce, cut down
περιορισμός, ο: limitation || (ελάττωση) reduction, cutback || (κλείσιμο) confinement, detention
περιουσία, η: fortune, property
περιοχή, η: district, region
περιπάθεια, η: passion
περιπαθής, -ές: passionate
περίπατος, ο: walk, stroll
περιπέτεια, η: adventure
περιπετειώδης, -ες: adventure, adventurous
περιπλανιέμαι: wander, rove, roam
περιπλέκω: entangle, intertwine || *(μτφ)* complicate, involve
περιπλοκάδα, η: βλ. **περικοκλάδα**
περιπλοκή, η: complication, complexity, ramification
περίπλοκος, -η, -ο: complicated, intricate, complex
περιπόθητος, -η, -ο: coveted
περιποίηση, η: care, attendance, attention
περιποιούμαι: care, look after || (γιατρός) attend
περιπολία, η: patrol
περίπολος, η: patrol
περιπολώ: patrol
περίπου: *(επίρ)* approximately, about, almost, nearly
περίπτερο, το: (έκθεσης) pavillion || (δρόμου) kiosk
περίπτυξη, η: hug, embrace
περίπτωση, η: case, matter
περίσκεψη, η: caution, prudence
περισκόπιο, το: periscope
περισπώ: divert, distract
περισπωμένη, η: circumflex
περίσσεια, η: (πλεόνασμα) surplus, superabudance, excess
περισσεύω: (πλεονάζω) be in excess || (απομένω) be left over
περίσσιος, -α, -ο: excess, surplus
περισσότερο: *(επίρ)* more
περισσότερος, -η, -ο: more, upward
περίσταση, η: circumstance, event, occasion
περιστατικό, το: incident, event, occurrence
περιστέρι, το: pigeon, dove
περιστερώνας, ο: pigeon loft
περιστοιχίζω: surround
περιστρέφομαι: revolve, turn round
περιστρέφω: turn, rotate, turn round
περιστροφή, η: turn, rotation, revolution
περίστροφο, το: revolver
περισφίγγω: surround closely, tighten round, squeeze
περισώζω: save
περιτοιχίζω: wall, build a wall around
περιτομή, η: circumcision
περιτριγυρίζω: surround
περίτρομος, -η, -ο: terrified, scared, frightened
περιτροπή, η: turn
περιττεύω: be superfluous, be useless
περιττολογία, η: verbiage, prolixity
περιττολογώ: be verbose, be prolix
περιττός, -ή, -ό: superfluous, useless, unecessary, needless || (αριθμός) odd
περιτύλιγμα, το: (πράξη) wrapping || (μέσο) wrapper

περιτυλίγω: wrap up, roll up
περιφέρεια, η: (κύκλου) circumference || *(μτφ)* district, area, region
περιφέρομαι: (γυρίζω κυκλικά) rotate, turn round, revolve || (περπατώ) stroll, walk around
περιφέρω: carry round, take around
περίφημος, -η, -ο: famous, celebrated, renowned
περιφορά, η: rotation, turn || *(εκκλ)* procession
περιφράζω: fence in, enclose, wall, surround
περιφρόνηση, η: contempt, disdain, scorn
περιφρονητικός, -ή, -ό: contemptuous, disdainful, scornful
περιφρονώ: contemn, despise, disdain
περιφρουρώ: safeguard, protect
περίχαρος, -η, -ο: jubilant, joyful
περιχύνω: pour over, spill, drench
περίχωρα, τα: outskirts, suburbs
περιωπή, η: eminence
πέρκα, η: (ψάρι) perch
περνώ: (διατρυπώ) pierce || (εισχωρώ) penetrate || (περνώ μέσα σε) pass through || (διαβαίνω) pass by || (δρόμο ή ποτάμι) cross, get across || (παρέρχομαι) pass || (θεραπεύομαι) pass
περούκα, η: wig, toupee, peruke, periwig
περπάτημα, το: walking
περπατησιά, η: βλ. **περπάτημα** || (ίχνος) footprint
περπατώ: walk *(μτβ και αμτβ)* || (κάνω βόλτα) stroll, promenade
περσινός, -ή, -ό: last year
πέρυσι: *(επίρ)* last year
πέστροφα, η: trout
πετάλι, το: pedal
πέταλο, το: (αλόγου) horseshoe || (φυτ.) petal
πεταλούδα, η: (έντομο) butterfly
πεταλώνω: shoe
πεταλωτής, ο: blacksmith
πετεινός, ο: βλ. **κόκορας**
πέτο, το: lapel
πετονιά, η: fishing line
πετόσφαιρα, η: volley ball
πέτρα, η: stone, rock, boulder
πετραδάκι, το: pebble
πετράδι, το: gem, precious stone
πετραχήλι, το: stole
πετρέλαιο, το: petroleum, oil
πετρελαιοπηγή, η: oil well
πετρελαιοφόρο, το: (πλοίο) tanker, oiler, oil tanker
πέτρινος, -η, -ο: stone
πετροκάρβουνο, το: pit coal
πετρώδης, -ες: rocky, stony
πέτρωμα, το: rock
πέτσα, η: crust
πετσέτα, η: (προσώπου) towel || (τραπεζιού) serviette, table napkin || (χάρτινη) paper napkin
πετυχαίνω: succeed, be successful
πετυχημένος, -η, -ο: successful
πετώ: (ρίχνω) throw, cast, hurl, fling, dash || (άχρηστα) throw away, cast off || (ίπταμαι) fly
πεύκο, το: pine, pinetree
πέφτω: fall, drop
πέψη, η: digestion
πηγάδι, το: well
πηγάζω: (ποταμός) rise
πηγαινοέρχομαι: go to and fro, come and go
πηγαίνω: *(αμτβ)* go || *(μτβ)* take
πηγή, η: spring, fountain, source || *(μτφ)* source, origin
πηγούνι, το: chin
πηδάλιο, το: helm, wheel
πηδαλιούχος, -α, -ο: helmsman
πήδημα, το: jump, leap
πηδώ: jump, leap, bound, vault
πήζω: congeal, set, thicken
πηλίκο, το: quotient
πήλινος, -η, -ο: earthen, clay
πηλός, ο: clay
πηλοφόρι, το: mortar board
πήχη, η: ell
πηχτός, -ή, -ό: coagulated, set, thick
πια: *(επίρ)* (αρνητ.) no more, not any longer, no longer || (καταφ.) at last, finally
πιανίστας, ο (*θηλ* **πιανίστρια**): pianist
πιάνο, το: piano
πιάνομαι: (κρατιέμαι) get hold of, catch hold of || (παραλύω) be paralyzed || βλ. **μουδιάζω** || (παθαίνω αγκύλωση) get cramped || (τσακώνομαι) quarrel, come to blows
πιάνω: catch, catch hold of, take hold of
πιατάκι, το: saucer
πιατέλα, η: platter, salver
πιατικά, τα: tableware, dishes, plates
πιάτο, το: dish, plate || (τσαγιού ή καφέ) βλ. **πιατάκι** || (σειρά φαγη-

τών) course
πιατοθήκη, η: sideboard
πιάτσα, η: (πλατεία) square, plaza ‖ (αυτοκ.) taxi stand
πιγούνι, το: βλ. **πηγούνι**
πίδακας, ο: fountain
πιέζω: press, compress, squeeze ‖ (αναγκάζω) press, put the screws on
πίεση, η: pressure, squeeze ‖ (αίματος) pressure
πιεστήριο, το: press ‖ (τυπογρ.) printing press
πιέτα, η: pleat
πιζάμα, η: pajamas, pyjamas
πιθαμή, η: span
πιθανόν: *(επίρ)* probably, likely
πιθανός, -ή, -ό: probable, likely
πιθανότητα, η: probability, likelihood
πιθανώς: *(επίρ)* βλ. **πιθανόν**
πίθηκος, ο: ape ‖ (μικρόσωμος) monkey
πικάντικος, -η, -ο: spicy, piquant
πίκνικ, το: picnic
πίκρα, η: bitterness *(και μτφ)*
πικραίνω: embitter
πικρία, η: βλ. **πίκρα**
πικρός, -ή, -ό: bitter
πιλοποιός, ο: hatter
πιλότος, ο: pilot
πίνακας, ο: (σχολ.) blackboard ‖ (ζωγραφιά) painting, picture ‖ (κατάλογος) table
πινακίδα, η: (ονόματος) name tag, name plate ‖ (αυτοκινήτου) licence plate
πινάκλ, το: (χαρτοπ.) pinocle, pinochle
πινακοθήκη, η: gallery
πινγκ-πονγκ, το: table tennis, ping-pong
πινέζα, η: thumbtack ‖ *(brit.)* drawing pin
πινέλο, το: paintbrush
πίνω: drink
πιο: *(επίρ)* more
πιόνι, το: pawn
πίπα, η: (καπνού) pipe ‖ (τσιγάρου) cigarette holder
πιπέρι, το: pepper
πιπεριά, η: pepper ‖ (καυτερή) chili, hot pepper ‖ (κοινή) pepper, pimiento
πιπιλίζω: suck
πιρούνι, το: fork
πιρουνιάζω: fork, spear
πισίνα, η: swimming pool
πισινός, -ή, -ό: posterior, back, rear, hind ‖ (πρωκτός) buttocks, rump, ass, behind
πίσσα, η: pitch, bitumen, tar
πίστα, η: dance floor
πιστεύω: believe ‖ (έχω πίστη σε) have a faith in, trust
πίστη, η: faith ‖ βλ. **εμπιστοσύνη** ‖ *(οικ)* credit
πιστοδοτώ: credit
πιστόλι, το: pistol, sidearm
πιστοποιητικό, το: certificate, testimonial
πιστοποιώ: certify, attest
πιστός, -ή, -ό: (σε θρησκεία) faithful, believer ‖ (οπαδός) loyal, faithful
πιστώνω: credit, give credit
πίστωση, η: credit, crediting
πιστωτής, ο (*θηλ* **πιστώτρια**): creditor
πίσω: *(επίρ)* behind, back
πίτα, η: pie
πιτζάμα, η: βλ. **πιζάμα**
πίτουρο, το: bran
πίτσα, η: pizza
πιτσιλίζω: splash, spatter
πιτσούνι, το: squab
πιτυρίδα, η: dandruff
πιωμένος, -η, -ο: drunk, intoxicated, high
πλάγια: *(επίρ)* obliquely, slantwise
πλαγιά, η: slope ‖ (βουνού) mountainside
πλαγιάζω: *(μτβ)* lay down ‖ *(αμτβ)* lie down
πλάγιος, -α, -ο: (με κλίση) oblique, sloping, slanting ‖ (λοξός) sidelong
πλαδαρός, -ή, -ό: flaccid, flabby
πλαζ, η: beach
πλάθω: create, form, fashion
πλάι, το: side
πλάι: *(επίρ)* beside, at the side
πλαίσιο, το: frame, framework ‖ (αυτοκ.) chassis
πλάκα, η: (τσιμέντου) slab ‖ (στρώσης), flagstone, paving stone ‖ (σαπουνιού) cake ‖ (σχολική) slate ‖ (ρολογιού) face, dial ‖ (γραμμοφώνου) record
πλακάκι, το: tile
πλακόστρωτο, το: pave, flag
πλακώνω: crush, press, weigh down, oppress
πλανεύω: seduce
πλάνη, η: (σφάλμα) error, delusion,

mistake, misapprehension || (εργαλείο) plane
πλανήτης, ο: planet
πλανίζω: plane
πλανόδιος, -α, -ο: itinerant, travelling
πλασάρω: solicit, canvass
πλάση, η: βλ. **πλάσιμο** || (σύμπαν) creation
πλασιέ, ο: solicitor, traveling salesman, canvasser
πλάσμα, το: creature, being
πλάστης, ο: (για ζυμάρι) rolling pin
πλάστιγγα, η: balance
πλαστικός, -ή, -ό: plastic
πλαστογραφία, η: forgery || (κατασκευή πλαστού στοιχείου) falsification, forgery
πλαστογράφος, ο: forger
πλαστογραφώ: forge, counterfeit || (παραποιώ) falsify
πλαστός, -ή, -ό: counterfeit, forged, false
πλαταγίζω: clap, clack || (τα χείλια) smack
πλαταίνω: *(μτβ)* broaden, widen, make wider || (ρούχο) widen, let out || *(αμτβ)* broaden, become wider, widen
πλάτανος, ο: plane tree, plane, sycamore
πλατεία, η: (πόλης) square, plaza || (θεάτρου ή κινημ.) main floor
πλάτη, η: back
πλατίνα, η: platinum
πλάτος, το: width, breadth, broadness || (διάσταση) width
πλατυποδία, η: flatfoot, flat-footedness
πλατύς, -ιά, -ύ: wide, broad
πλατύσκαλο, το: landing
πλειοδοτώ: make the highest bid, outbid
πλειονότητα, η: majority
πλειοψηφία, η: mojority
πλειοψηφώ: have the majority, be in the majority
πλειστηριάζω: auction
πλειστηριασμός, ο: auction
πλείστος, -η, -ο: most
πλέκω: knit
πλένω: wash
πλεξίδα, η: braid, pigtail
πλεξούδα, η: βλ. **πλεξίδα**
πλέον: *(επίρ)* more || βλ. **πια**
πλεονάζω: exceed, be in excess
πλεονέκτημα, το: advantage
πλεονέκτης, ο: βλ. **άπληστος**
πλεονεκτικός, -ή, -ό: advantageous
πλεονεκτώ: have the advantage
πλεονεξία, η: βλ. **απληστία**
πλευρά, η: (πλάγιο μέρος) side || (ανατ.) rib
πλευρίζω: (πλοίο) come alongside || (σε προκυμαία) dock
πλευρίτης, ο: pleurisy
πλευρίτιδα, η: βλ. **πλευρίτης**
πλευρό, το: βλ. **πλευρά**
πλεύση, η: (το να επιπλέει) flotation, floatation
πλεχτό, το: (αυτό που πλέκουμε) knitting || (ρούχο) knitted garment
πλεχτός, -ή, -ό: knit, knitted, woven
πλέω: sail, navigate
πληγή, η: wound, injury
πλήγμα, το: blow
πληγώνω: wound, injure
πληθαίνω: *(μτβ και αμτβ)* multiply, increase
πλήθος, το: (πραγμάτων) a great number, large quantity, a great deal || (κόσμου) crowd, throng, great number
πληθυντικός, ο: *(γραμ)* plural
πληθυσμός, ο: population
πληθωρισμός, ο: inflation
πληκτικός, -ή, -ό: boring, tiresome, dull
πλημμέλημα, το: *(νομ)* misdemeanour, delict
πλημμελής, -ές: βλ. **ελαττωματικός**
πλημμύρα, η: flooding, flood, inundation
πλημμυρίζω: flood, inundate
πλήν: *(πρόθ)* βλ. **εκτός** || *(μαθ)* minus
πλήξη, η: boredom, ennui
πληρεξούσιο, το: power of attorney
πληρεξούσιος, -α, -ο: attorney, representative
πληροφορία, η: information, intelligence, tip
πληροφοριοδότης, ο: informer
πληροφορώ: inform, notify
πλήρωμα, το: (πλοίου και αεροσκ.) crew
πληρωμή, η: pay, payment
πληρώνω: pay
πλησιάζω: approach, draw near
πλησίον: *(επίρ)* βλ. **κοντά**
πλήττω: strike, hit || (έχω πλήξη) be bored
πλιατσικολογώ: loot, maraud, plunder,

pillage
πλιθάρι, το: brick
πλίθινος, -η, -ο: brick, of brick
πλίθος, ο: βλ. **πλιθάρι**
πλινθοδομή, η: brickwork
πλινθοποιείο, το: brickyard
πλοηγός, ο: pilot
πλοίαρχος, ο: captain
πλοίο, το: ship, vessel, boat
πλοιοκτήτης, ο (*θηλ* **πλοιοκτήτρια**): ship owner
πλοκάμι, το: βλ. **κοτσίδα** || βλ. **πλεξίδα** || (πολύποδα) tentacle
πλόκαμος, ο: βλ. **πλοκάμι**
πλοκή, η: plot
πλους, ο: voyage, passage, sailing, navigation
πλουσιοπάροχος, -η, -ο: profuse, prodigal, generous
πλούσιος, -α, -ο: rich, wealthy
πλούτη, τα: riches, wealth
πλουτίζω: *(μτβ)* make rich, enrich || *(αμτβ)* get rich, become rich, become wealthy
πλουτοκράτης, ο: plutocrat
πλουτοκρατία, η: plutocracy
πλούτος, ο: βλ. **πλούτη**
πλυντήριο, το: (μέρος που πλένουν) laundry || (συσκευή) washer
πλύντρια, η: βλ. **πλύστρα**
πλύνω: βλ. **πλένω**
πλύση, η: washing
πλυσταριό, το: laundry
πλύστρα, η: washwoman, washerwoman
πλώρη, η: prow, bow
πλωτάρχης, ο: lieutenant commander
πλωτός, -ή, -ό: navigable || (που πλέει) floating
πνεύμα, το: (νους) mind, genius, intelligence || *(γραμ)* breathing mark
πνευματικός, -ή, -ό: spiritual, mental
πνευματώδης, -ες: witty
πνεύμονας, ο: lung
πνευμόνι, το: βλ. **πνεύμονας**
πνευμονία, η: pneumonia
πνευστός, -ή, -ό: *(οργαν)* wind (instrument)
πνέω: (αέρας) blow
πνιγμός, ο: (σε νερό) drowning || (από ασφυξία) suffocation, choking
πνίγω: (σε νερό) drown || (από ασφυξία) suffocate, choke, stifle
πνοή, η: βλ. **αναπνοή** || (ανέμου) breath
πόδι, το: foot || (σκέλος) leg
ποδιά, η: apron || (τεχνίτη) overall
ποδόγυρος, ο: hem, border
ποδοπατώ: trample on, tread on
ποδόσφαιρα, η: football
ποδόσφαιρο, το: (U.S.A.: αμερ. ποδοσφ.) football || (ευρωπ. ποδοσφ.) soccer || (Engl.) football
ποδόφρενο, το: footbrake
πόθος, ο: desire, yearning, longing
ποθώ: yearn, covet
ποίημα, το: poem
ποίηση, η: poetry
ποιητής, ο (*θηλ* **ποιήτρια**): poet (*θηλ poetess)*
ποιήτρια, η: poetess
ποικιλία, η: variety
ποικίλλω: *(μτβ και αμτβ)* vary, change
ποικίλος, -η, -ο: varied, diverse, motley, miscellaneous
ποιμένας, ο: (προβάτων) shepherd || (αγελάδων) herder, herdsman
ποίμνιο, το: (προβάτων) flock || (αγελάδων) herd
ποινή, η: penalty
ποινικολόγος, ο: criminologist, penologist, criminal lawyer
ποινικός, -ή, -ό: penal, criminal
ποιόν, το: βλ. **χαρακτήρας** || βλ. **ιδιότητα** || βλ. **ποιότητα**
ποιός, -ά, -ό: *(αντων.):* who, which, what
ποιότητα, η: quality
πόκα, η: poker
πόκερ, το: draw poker
πολεμικό, το: (πλοίο) βλ. **πλοίο**
πολεμιστής, ο (*θηλ.* **πολεμίστρια**): warrior
πολεμίστρα, η: loophole, embrasure
πόλεμος, ο: war
πολεμοφόδια, τα: ammunition, munitions
πολεμώ: war, fight, wage war, make war
πολεοδομία, η: town planning
πόλη, η: city, town
πολικός, -ή, -ό: polar
πολιορκία, η: siege
πολιορκώ: besiege
πολιτεία, η: state
πολίτευμα, το: regime, system of government
πολιτευτής, ο: politician
πολίτης, ο: citizen || (όχι στρατ. ή κληρικός) civilian

πολιτικά, τα: politics
πολιτική, η: (τρόπος) policy ‖ βλ. **πολιτικά**
πολιτικός, ο: politician, statesman
πολιτισμένος, -η, -ο: civilized
πολιτισμός, ο: civilization, culture
πολιτιστικός, -ή, -ό: cultural
πολιτογραφώ: naturalize
πολιτοφυλακή, η: militia
πολίχνη, η: small town
πολλαπλασιάζω: multiply
πολλαπλασιασμός, ο: multiplication
πολλοί, -ές, -ά: many, lots, a lot of
πόλος, ο: pole
πολτοποιώ: mash, pulp, masticate
πολτός, ο: pulp, mash
πολύ: *(επίρ)* very, very much, much
πολυάνθρωπος, -η, -ο: populous, densely populated, crowded
πολυάριθμος, -η, -ο: numerous
πολυάσχολος, -η, -ο: busy, very busy, sedulous
πολυβόλο, το: machine gun
πολύγαμος, -η, -ο: polygamous
πολύγραφος, ο: mimeograph, copier, multigraph
πολύγωνο, το: polygon
πολυδάπανος, -η, -ο: costly, expensive
πολυεκατομμυριούχος, -α, -ο: multimillionaire
πολυέλαιος, ο: *(εκκλ)* corona, chandelier
πολυέξοδος, -η, -ο: wasteful, spendthrift
πολυθρόνα, η: armchair
πολυθρύλητος, -η, -ο: legendary, famous
πολυκατοικία, η: appartment complex, appartment building
πολυκλινική, η: polyclinic
πολυλογώ: chatter, babble, be garrulous
πολυμαθής, -ές: erudite, learned
πολυμήχανος, -η, -ο: ingenious, crafty, resourceful
πολύξερος, -η, -ο: know-it-all
πολυπληθής, -ές: multitudinous, numerous
πολύπλοκος, -η, -ο: complicated, tortuous, intricate, involved
πολυπόθητος, -η, -ο: coveted
πολύς, πολλή, πολύ: much, a lot
πολυσύλλαβος, -η, -ο: polysyllabic
πολυτάραχος, -η, -ο: turbulent, stormy
πολυτέλεια, η: luxury, sumptuousness
πολυτελής, -ές: luxurious, posh, plush, rich
πολυτεχνείο, το: polytechnic
πολύτιμος, -η, -ο: valuable, priceless, precious
πολυφαγία, η: gluttony, voraciousness, voracity
πολύφωτο, το: chandelier
πολύχρωμος, -η, -ο: multicolored, motley, polychromous
πολύωρος, -η, -ο: long, prolonged, longdrawn
πολυώροφος, -η, -ο: high-rise, many-storied
πόμολο, το: handle ‖ (στρογγυλό) knob
πομπή, η: procession
πομπός, ο: *(ηλεκτρ)* transmitter
πομπώδης, -ες: pompous, pontifical, bombastic
πονεμένος, -η, -ο: painful, hurt
πονετικός, -ή, -ό: compassionate, kindly, kindhearted
πονηρός, -ή, -ό: βλ. **πανούργος** ‖ (δόλιος) sly, sneaky, underhand
πονόδοντος, ο: toothache
πονοκέφαλος, ο: headache
πονόλαιμος, ο: sore throat
πόνος, ο: pain, ache
ποντάρω: stake ‖ (σε ρουλέτα) punt ‖ (στοιχηματίζω) bet, back
ποντίκι, το: βλ. **ποντικός**
ποντικοπαγίδα, η: rattrap, mousetrap
ποντικός, ο: rat, mouse
πόντος, ο: *(μετρ)* centimeter ‖ (θάλασσα) sea ‖ (πλεξ.) stitch ‖ (κάλτσας) run
πονώ: *(μτβ)* hurt, pain, cause pain ‖ *(αμτβ)* hurt, suffer, feel pain
πορεία, η: march, journey ‖ (εξέλιξη) course, progress, development
πορθητής, ο: conqueror
πορθμείο, το: ferry, ferryboat
πορθμός, ο: strait, sound
πόρισμα, το: corollary
πόρνη, η: prostitute, whore
πόρος, ο: (ποταμού) ford ‖ (δερμ) pore ‖ βλ. **εισόδημα**
πόρπη, η: buckle, clasp
πορσελάνη, η: porcelain, china
πόρτα, η: door
πορτοκαλάδα, η: orangeade, orange juice
πορτοκάλι, το: orange

πορτοκαλιά, η: orange, orange tree
πορτοφολάς, ο: pickpocket
πορτοφόλι, το: wallet, purse, billfold
πορτραίτο, το: portrait
πορφυρός, -ή, -ό: purple
πόση, η: drink, drinking
πόσιμος, -η, -ο: potable, drinkable
ποσό, το: amount, quantity, sum
πόσος, -η, -ο: how much (*πληθ*: how many)
ποσοστό, το: percentage, share
ποσότητα, η: quantity, amount
ποτάμι, το: βλ. **ποταμός**
ποταμός, ο: river
ποταπός, -ή, -ό: low, contemptible, mean
πότε: *(επίρ)* when?
ποτέ: *(επίρ)* never, not ever
ποτήρι, το: glass
ποτίζω: (φυτά ή ζώα) water
ποτιστήρι, το: watering pot, watering can
ποτό, το: drink, beverage
που: *(επίρ)* where? ‖ *(αντων)* who, which, that, when, where
πούδρα, η: face powder
πουθενά: *(επίρ)* nowhere, not anywhere
πουκάμισο, το: shirt
πουλάδα, η: chicken, pullet
πουλάρι, το: foal ‖ (αλόγου) colt
πουλερικά, τα: poultry
πουλί, το: bird
πουλώ: sell
πουντιάζω: catch cold, freeze
πούπουλο, το: down, feather
πουρές, ο: purée ‖ (από πατάτες) mashed potatoes
πουρμπουάρ, το: tip, gratuity
πουρνάρι, το: ilex, holm oak
πούρο, το: cigar
πουτίγκα, η: pudding
πράγμα, το: thing ‖ (υπόθεση) matter, business
πραγματεύομαι: treat, deal with
πράγματι: *(επίρ)* really, indeed, actually, truly
πραγματικά: *(επίρ)* βλ. **πράγματι**
πραγματικός, -ή, -ό: real, actual
πραγματικότητα, η: reality
πραγματογνώμονας, ο: expert, appraiser
πραγματοποιώ: realize, carry out, accomplish
πρακτικός, -ή, -ό: practical ‖ (εμπειρικός) empirical
πράκτορας, ο: agent
πρακτορείο, το: agency
πράξη, η: act, action ‖ (θεατρ.) act
πράος, -α, -ο: meek
πρασιά, η: (κήπου) parterre, flower bed ‖ (σπιτιού) lawn
πρασινάδα, η: (διακοσμ. φυτό) foliage plant ‖ (χλόη) lawn, verdure
πρασινίζω: turn green
πράσινος, -η, -ο: green
πράσο, το: leek
πρατήριο, το: store, shop
πρέπει: *(απρόσ)*: must, have to
πρεσβεία, η: embassy
πρεσβευτής, ο: ambassador
πρέσβης, ο: βλ. **πρεσβευτής**
πρεσβύωπας, ο: presbyopic
πρεσβυωπία, η: presbyopia
πρήζομαι: swell, become swollen
πρήζω: swell
πρίγκιπας, ο: prince
πριγκίπισσα, η: princess
πρίζα, η: socket
πριν: *(επίρ)* before, prior to, previous to, previously ‖ (μπροστά) ahead of, before, in front of ‖ (περασμένο χρον. διάστημα) ago
πριόνι, το: saw
πριονίδια, τα: sawdust
πριονίζω: saw
πρίσμα, το: prism
προ: *(πρόθ)* *(χρον)* before, ago (βλ. και **πριν**) ‖ *(τοπ)* in front of, before
προάγω: promote, further, advance
προαγωγή, η: βλ. **προβιβασμός**
προαιρετικός, -ή, -ό: optional
προαισθάνομαι: have a premonition, forebode, have a presentiment
προαίσθημα, το: premonition, hunch, foreboding, presentiment
προαίσθηση, η: βλ. **προαίσθημα**
προαιώνιος, -α, -ο: agelong
προάλλες, τις: the other day, a couple of days ago, some days ago
προάστιο, το: suburb
προαύλιο, το: forecourt, front yard
πρόβα, η: (θεατρ) rehearsal ‖ (ρούχα) fitting
προβάλλω: (προωθώ) advance, put forward ‖ (με προβολέα) project ‖ (εμφανίζομαι) appear, show up
προβάρω: try on
προβατίνα, η: ewe
πρόβατο, το: sheep ‖ (μικρό) lamb

πρόβειος, -α, -ο: (κρέας) mutton
προβιά, η: sheepskin
προβιβάζω: promote
προβιβασμός, ο: promotion
προβλεπτικός, -ή, -ό: foreseing, longheaded, foresighted
προβλέπω: (μαντεύω) forecast, foresee, predict || (προνοώ) provide
πρόβλεψη, η: forecast, prediction, foresight
πρόβλημα, το: problem
προβολέας, ο: searchlight, spotlight || (αυτοκ.) headlight || (μηχ. προβολής) projector
προβολή, η: projection
προβοσκίδα, η: (ελεφ.) proboscis, trunk
προγενέστερος, -η, -ο: previous, earlier
πρόγευμα, το: breakfast
προγευματίζω: breakfast
πρόγνωση η: (καιρού) forecast
προγνωστικό, το: forecast || (ποδοσφαίρου) football pool
προγονή, η: stepdaughter
προγόνι, το: stepchild
πρόγονος, ο: ancestor, forefather
προγονός, ο: stepson
προγούλι, το: double chin
πρόγραμμα, το: program, programme
προγραμματίζω: program, schedule
προγυμνάζω: (μαθητή) tutor
προγυμναστής, ο: (μαθητ.) tutor
προδιάθεση, η: predisposition
προδιαθέτω: predispose, put into the right frame of mind
προδίδω: betray
προδοσία, η: betrayal, treason
προδότης, ο (*θηλ* **προδότρια**): traitor, betrayer
προδότρια, η: traitress
πρόδρομος, ο: precursor, forerunner
πρόεδρος, ο: president || (συμβ. ή επιτροπής) chairman || (δικαστ.) presiding judge
προειδοποιώ: warn, forewarn, warn in advance
προέκταση, η: extension, elongation
προεκτείνω: extend, elongate
προέλαση, η: advance
προελαύνω: advance, move forward
προέλευση, η: origin, source
προεξάρχω: lead
προεξέχω: project, protrude
προεξοφλώ: (πληρώνω προκατ.) pay in advance
προεξοχή, η: projection, jut, protrusion, prominence
προέρχομαι: come from, originate, derive
προετοιμάζω: prepare
προετοιμασία, η: preparation
προέχω: (υπερέχω) excell, surpass || (σε σημασία) prevail, predominate
πρόζα, η: prose
προζύμι, το: leaven
προηγούμαι: precede
προηγούμενος, -η, -ο: previous, former, prior, earlier
προθάλαμος, ο: (σπιτιού) antechamber || (δημ. κτιρίου) lobby
πρόθεση, η: (σκοπός) intention || *(γραμ)* preposition
προθεσμία, η: deadline, time limit
προθήκη, η: (βιτρίνα) shopwindow || (πάγκος) showcase
προθυμία, η: eagerness, avidity, earnestness, willingness
πρόθυμος, -η, -ο: eager, willing, earnest
προίκα, η: dowry, dower
προικίζω: endow
προϊόν, το: product
προϊστάμενος, ο (*θηλ* **προϊσταμένη**): supervisor, overseer
προϊστορικός, -ή, -ό: prehistoric
προκαλώ: (κάνω πρόκληση) challenge, dare || βλ. (προξενώ)
προκαταβάλλω: (προπληρώνω) pay in advance || (δίνω προκαταβολή) give a deposit
προκαταβολή, η: deposit
προκατάληψη, η: prejudice, preconception, bias
προκαταρκτικός, -ή, -ό: preliminary
προκατειλημμένος, -η, -ο: prejudiced, biased
προκάτοχος, ο: predecessor
πρόκειται: *(απρόσ)* (μέλλω) be going to
προκήρυξη, η: βλ. **διακήρυξη** || βλ. **ανακοίνωση** || (πολιτ.) manifesto || (φέιγ βολάν) flier
προκηρύσσω: proclaim, announce
πρόκληση, η: challenge
προκλητικός, -ή, -ό: (επιθετικός) provocative, provoking || *(σεξ)* seductive
προκόβω: make good, prosper, succeed, flourish
προκριματικός, -ή, -ό: preliminary

προκυμαία, η: pier, quay, mole, wharf, jetty
προλαβαίνω: (προφταίνω **κάποιον**) catch up, overtake || (**κάνω κάτι** πριν από άλλον) anticipate, act in advance || (έχω καιρό) have the time, manage
προληπτικός, -ή, -ό: (που προλαβαίνει) preventive, precautionary || (φάρμακο) preventive || βλ. **δεισιδαίμονας**
πρόληψη, η: (αποτροπή) prevention || (αντίληψη) prejudice || βλ. **δεισιδαιμονία**
προμελετημένος, -η, -ο: premeditated
προμελετώ: premeditate
προμεσημβρία, η: forenoon || **~ς**: *(επίρ)* ante meridiem (A.M.)
προμήθεια, η: βλ. **εφοδιασμός** || (ποσοστό πωλητού) commission
προμηθευτής, ο: supplier, purveyor
προμηθεύω: supply, provide, provision, furnish
προνοητικός, -ή, -ό: prudent || βλ. **προβλεπτικός**
πρόνοια, η: prudence
προνόμιο, το: privilege
προνοώ: think of, provide for
προξενείο, το: consulate
πρόξενος, ο: consul
προξενώ: cause, occasion, bring about
προοδευτικός, -ή, -ό: progressive
προοδεύω: progress, make progress, get ahead, advance
πρόοδος, η: progress, progression
προορίζω: intend, destine
προορισμός, ο: destination
προπάππος, ο: great-grandfather
πρόπερσι: *(επίρ)* two years ago
πρόποδες, οι: foot
προπολεμικός, -ή, -ό: prewar
προπόνηση, η: practice, training
προπονητής, ο: *(αθλ)* coach
προπονώ: coach, train
πρόποση, η: toast
προς: *(πρόθ)* to, towards
προσαγορεύω: address
προσάναμα, το: kindling, tinder
προσανατολίζομαι: get one's bearings, orient oneself, find one's bearings
προσανατολίζω: orient
προσανατολισμός, ο:orientation
προσαρμόζομαι: adapt oneself
προσαρμόζω: adapt
προσαρτώ: anex
προσβάλλω: βλ. **επιτίθεμαι** || (θίγω) offend, insult, hurt s.o.'s feelings
προσβλητικός, -ή, -ό: offensive, insulting, insolent
προσβολή, η: βλ. **επίθεση** || (ύβρις) offence, insult
προσγειώνομαι: touch down, land
προσδιορίζω: fix, determine
προσδιορισμός, ο: designation, determination
προσδοκία, η: expectation
προσδοκώ: expect, anticipate
προσεγγίζω: *(μτβ)* bring near || *(αμτβ)* draw near, near, approach
προσεκτικός, -ή, -ό: careful, attentive, meticulous
προσελκύω: attract, draw
προσευχή, η: prayer
προσεύχομαι: pray
προσεχής, -ές: next, following, forthcoming
προσέχω: pay attention, be attentive || (έχω το νου μου σε κάτι) keep an eye on, watch || (είμαι προσεκτικός) be careful, mind
προσεχώς: *(επίρ)* in the future, in the near future, shortly
προσηλώνομαι: be absorbed, become absorbed
προσηνής, -ές: affable, approachable, friendly, outgoing
προσθαλασσώνομαι: land on the sea
πρόσθεση, η: addition
πρόσθετος, -η, -ο: additional
προσθέτω: (συμπληρώνω) add, join, annex || (κάνω πρόσθεση) add, sum up
προσιτός, -ή, -ό: accessible
πρόσκαιρος, -η, -ο: temporary, passing
προσκαλώ: invite, call
προσκεκλημένος, -η, -ο: invited || (μουσαφίρης) guest
προσκέφαλο, το: pillow
πρόσκληση, η: (κάλεσμα) call, calling, summons || (προσκάλεσμα) invitation
προσκολλώ: attach, stick, fasten, adhere
πρόσκομμα, το: obstacle, bar, impediment, hindrance
πρόσκοπος, ο: scout
προσκρουστήρας, ο: bumper
προσκρούω: bump, collide

προσκύνημα, το: (λατρεία) worship, adoration || (επίσκεψη ιερού τόπου) pilgrimage
προσκυνητής, ο (*θηλ* **προσκυνήτρια**): pilgrim
προσκυνώ: (σε εκδήλωση λατρείας) worship, adore
προσλαμβάνω: sign on, employ, engage, take, hire
πρόσοδος, η: revenue, income
προσόν, το: (προτέρημα) merit || βλ. **πλεονέκτημα**
προσοχή, η: attention, notice || (φροντίδα) care, caution, precaution || (γυμν.) attention!
πρόσοψη, η: front, facade, face
προσόψι, το: towel
προσπάθεια, η: effort, endeavor, attempt
προσπαθώ: try, make an effort, endeavor, attempt
προσπερνώ: overtake
προσποίησή, η: sham, pretence, feint, affectation
προσποιητός, -ή, -ό: sham, feigned, assumed, affected, makebelieve
προσποιούμαι: sham, make-believe, pretend, feign
προστάζω: βλ. **διατάζω**
προστασία, η: protection
προστατεύω: protect
προστάτης, ο (*θηλ* **προστάτρια**): protector
πρόστιμο, το: fine
προστριβή, η: friction
προστυχιά, η: (ευτέλεια) cheapness, vulgarity || (ανηθικότητα) lewdness
πρόστυχος, -η, -ο: (ευτελής) cheap, low || (χυδαίος). vulgar || (ανήθικος) lewd, bawdy
πρόσφατος, -η, -ο: recent, latest, new, of late
προσφέρω: offer, present
προσφορά, η: offer, proposal
πρόσφυγας, ο: refugee, expatriate
προσφώνηση. η: address
προσφωνώ: address
πρόσχαρος, -η, -ο: cheerful, gay, merry, joyful
πρόσχημα, το: pretext, excuse
προσωπίδα, η: mask
προσωπιδοφόρος, -α, -ο: masked
προσωπικό, το: personnel, staff
προσωπικός, -ή, -ό: personal
προσωπικότητα, η: personality
πρόσωπο, το: (άτομο) person || (φάτσα) face
προσωπογραφία, η: portrait
προσωρινός, -ή, -ό: temporary, provisional
πρόταση, η: *(γραμ)* sentence, clause || *(μτφ)* proposition, proposal, suggestion
προτείνω: *(μτφ)* propose, suggest, offer
προτελευταίος, -α, -ο: next to last, last but one
προτεραιότητα, η: priority, right to precedence, precedence
προτέρημα, το: gift, quality, talent
προτίθεμαι: intend, mean
προτίμηση, η: preference
προτιμότερο: *(επίρ)* preferably, better
προτιμώ: prefer, give preference to, like better || would rather
προτομή, η: bust
προτρέπω: exhort, urge, spur, incite, prompt
πρότυπο, το: original, model
προϋπαντώ: meet, be present at the arrival of
προϋπολογισμός, ο: budget
προφανής, -ές: evident, obvious, clear, apparent, plain
προφανώς: *(επίρ)* evidently, obviously, clearly, apparently
προφέρω: pronounce, articulate
προφητεία, η: prophecy
προφητεύω: prophesy
προφήτης, ο: prophet, seer
προφίλ, το: profile
προφορά, η: pronunciation
προφορικός, -ή, -ό: oral
προφυλάγω: protect,. guard, shelter, preserve
προφυλακτήρας, ο: fender, bumper
προφύλαξη, η: precaution, caution
προφυλάσσω: βλ. **προφυλάγω**
πρόχειρος, -η, -ο: (χωρίς προπαρασκευή) impromptu, improvised || (όχι προσεγμένος) sketchy, rough
προχθές: *(επίρ)* day before yesterday
προχωρώ: advance, move forward, go forward, go on, move on, go ahead
πρόωρος, -η, -ο: premature, untimely
πρύμνη, η: stern
πρώην: *(επίρ)* βλ. **άλλοτε** || (με *ουσ*) former, ex-

πρωθυπουργός, ο: prime minister, premier
πρωί, το: morning
πρώιμος, -η, -ο: early, premature
πρωινό, το: βλ. **πρωί** ‖ (φαγητό) breakfast
πρώτα: *(επίρ)* first, firstly, at first
πρωτάθλημα, το: championship
πρωταθλητής, ο *(θηλ* **πρωταθλήτρια**): champion
πρωτάκουστος, -η, -ο: unheard-of, unprecedented
πρωταπριλιά, η: first of April ‖ (μέρα του ψέματος) April Fool's Day
πρωτεύουσα, η: capital
πρωτοβουλία, η: initiative ‖ (ελευθερία δράσης) free hand
πρωτόγονος, -η, -ο: primitive
πρωτοετής, -ές: first-year ‖ (πανεπιστ.) freshman
πρωτόκολλο, το: protocol
πρωτομηνιά, η: first day of the month
πρωτοπόρος, ο: pioneer
πρώτος, -η, -ο: first
πρωτοστατώ: play a leading part, lead, be the leader
πρωτότοκος, -η, -ο: first born
πρωτοτυπία, η: originality, novelty
πρωτότυπος. -η, -ο: original
πρωτοφανής, -ές: new, novel
Πρωτοχρονιά, η: New Year's Day
πταίσμα, το: error, fault
πτέρυγα, η: wing
πτέρωμα, το: plumage
πτηνό, το: bird, fowl
πτήση, η: flight
πτυελοδοχείο, το: cuspidor, spittoon
πτυχή, η: fold, pleat ‖ (τσάκιση) crease
πτυχίο, το: (ο τίτλος) degree ‖ (το έγγραφο) diploma
πτώμα, το: corpse
πτώση, η: fall ‖ *(γραμ)* case
πτώχευση, η: bankruptcy
πτωχοκομείο, το: poorhouse
πτωχός, -ή, -ό: βλ. **φτωχός**
πυγμάχος, ο: pugilist, boxer
πυγμαχώ: box
πυγμή, η: fist
πυγολαμπίδα, η: firefly, lightning bug, glow worm
πυθμένας, ο: bottom
πυκνοκατοικημένος, -η, -ο: populous, densely populated
πυκνός, -ή, -ό: thick, dense, closely-packed
πυκνώνω: *(μτβ* και *αμτβ)* thicken, condense
πύλη, η: gate
πυξίδα, η: compass
πύο, το: pus, matter
πυρ, το: fire (και προστ.)
πυραμίδα, η: pyramid
πύργος, ο: tower
πυρετός, ο: fever, temperature
πυρίτιδα, η: powder, gunpowder
πυριτιδαποθήκη, η: powder magazine
πυρκαγιά, η: fire
πυροβολαρχία, η: battery
πυροβολητής, ο: artillerist, artillery man, gunner
πυροβολικό, το: artillery
πυροβολισμός, ο: gunshot, shot
πυροβόλο, το: gun, cannon
πυροβολώ: fire, shoot
πυρομαχικά, τα: ammunition
πυροσβεστήρας, ο: fire extinguisher
πυροσβέστης, ο: fireman, fire fighter
πυροτέχνημα, το: firework, firecracker
πυρπολώ: set fire, set on fire, burn
πυρσός, ο: torch, flambeau
πυτζάμα, η: βλ. **πιζάμα**
πώληση, η: sale, selling
πωλητής, ο *(θηλ* βλ. **πωλήτρια**): (που κάνει την πώληση) seller ‖ (υπάλληλος) salesman
πωλήτρια, η: (που κάνει την πώληση) seller ‖ (υπάλληλος) saleslady, saleswoman, salesgirl
πωλώ: βλ. **πουλώ**
πώμα, το: stopper, plug
πωρωμένος, -η, -ο: callous, remorseless
πώρωση, η: callousness, remorselessness
πως: *(σύνδ)* that
πώς: *(επίρ)* how? ‖ what?

Ρ

ραβδί, το: stick, cane
ραβδίζω: beat with a stick, thrash
ράβδωση, η: groove, corrugation, flute
ραβδωτός, -ή, -ό: corrugated, grooved, fluted
ραβίνος, ο: rabbi
ράβω: sew
ραγάδα, η: crack, cleft, fissure
ραγδαία: *(επίρ)* heavily, violently
ραγδαίος, -α, -ο: violent ‖ **~α βροχή:** pelting rain, heavy shower
ραγίζω: crack, split, fissure
ραδιενεργός, -ή, -ό: radioactive
ραδίκι, το: chicory
ραδιογραμμόφωνο, το: radio-gramophone, radio with a record player
ραδιοτηλέγραφος, ο: radio
ραδιουργία, η: intrigue, underhand scheme, plot, machination
ραδιουργώ: intrigue, scheme, plot, machinate
ραδιοφωνία, η: radio, broadcasting
ραδιοφωνικός, -ή, -ό: radio, broadcasting ‖ **~ σταθμός:** broadcasting station, radio-station
ραδιόφωνο, το: radio
ραίνω: sprinkle
ρακένδυτος, -η, -ο: tatterdemalion, in rags, tattered, ragged
ρακέτα, η: (τένις) racket, racquet ‖ (πιγκ-πογκ) paddle
ράκος, το: rag
ράμμα, το: thread
ράμφος, το: bill, beak
ρανίδα, η: drop
ραντάρ, το: radar
ραντεβού, το: (γενικά) meeting, rendezvous ‖ (ερωτικό) tryst, date ‖ (γεν., με αντίθετο φύλο) date ‖ (με γιατρό, κλπ.) appointment
ράντζο, το: cot, camp bed
ραντίζω: sprinkle, spray
ραπάνι, το: radish
ραπίζω: slap s.b's face, smack in the face
ραπτομηχανή η: sewing machine
ράπτρια, η: βλ. **ράφτρα**
ράσο, το: cassock, habit
ρασοφόρος, ο: βλ. **κληρικός**
ράτσα, η: βλ. **φυλή** ‖ (ζώου) breed
ραφείο, το: tailor's shop
ραφή, η: seam
ράφι, το: shelf
ραφιναρισμένος, -η, -ο: refined
ράφτης, ο: tailor, seamster
ράφτρα, η: seamstress
ραχατεύω: loaf, laze, be at leisure
ραχάτι, το: loafing, leisure
ράχη, η: back
ράψιμο, το: sewing
ρεαλιστής, ο (*θηλ* **ρεαλίστρια**): realist
ρεαλιστικός, -ή, -ό: realistic
ρεβίθι, το: chick pea
ρεβόλβερ, το: revolver
ρεγάλο, το: bonus, gratuity
ρέγγα, η: herring
ρεγουλάρω: adjust, regulate
ρεζέρβα, η: (απόθεμα) stock ‖ (τροχός) spare, spare wheel ‖ (ανταλλακτικό) spare part
ρεζιλεύομαι: make a fool of oneself
ρεζιλεύω: make a fool of, ridicule, humiliate
ρείθρο, το: gutter
ρεκλάμα, η: βλ. **διαφήμιση**
ρεκόρ, το: record
ρέμα, το: βλ. **ρεματιά**
ρεματιά, η: gorge, ravine
ρεμπούμπλικα, η: felt hat, homburg
ρεπάνι, το: βλ. **ραπάνι**
ρεπό, το: (ανάπαυση) break, time off ‖ (μέρα ανάπαυσης) day off
ρεπορτάζ, το: reportage
ρεπόρτερ, ο (*θηλ* **ρεπόρτερ**): reporter
ρεπουμπλικάνος, ο: Republican
ρέπω: incline, lean ‖ *(μτφ)* incline, tend, tend toward
ρεσιτάλ, το: recital
ρέστα, τα: change
ρετάλι, το: remnant
ρετιρέ, το: penthouse
ρετουσάρω: retouch
ρετσίνα, η: retsina, resinated wine
ρετσίνι, το: resin
ρετσινόλαδο, το: castor oil
ρεύμα, το: (υγρών) current, flow, flux, stream ‖ *(ηλεκτρ)* current ‖ (αέρος) draught, current

ρευματικός, -ή, -ό: rheumatic
ρευματισμός, ο: rheumatism
ρεύομαι: belch, eruct
ρευστό, το: fluid, liquid
ρευστοποιώ: liquefy || *(μτφ)* liquidate
ρευστός, -ή, -ό: fuild
ρεφενές, ο: share
ρεφρέν, το: refrain
ρέω: flow, run
ρήγας, ο: king
ρήγμα, το: breach
ρήμα, το: verb
ρημάζω: ruin, destroy, wreck, devastate
ρήξη, η: breach, rupture, break
ρητίνη, η: βλ. **ρετσίνι**
ρητό, το: motto, saying, maxim
ρήτορας, ο: orator
ρητορεύω: orate
ρητός, -ή, -ό: express, explicit
ρηχός, -ή, -ό: shallow
ρίγα, η: (χάρακας) ruler || (γραμμή) stripe, line
ρίγανη, η: oregano
ριγέ: *(άκλ)* striped
ρίγος, το: shiver, chill, shivering
ριγώ: shiver
ριγώνω: rule, draw lines
ρίζα, η: root || *(μαθ)* root
ρύζι, το: rice
ριζικό, το: fate, destiny
ριζικός, -ή, -ό: radical
ριζοσπάστης, ο: radical
ριζοσπαστικός, -ή, -ό: radical
ριζώνω: root
ρινγκ, το: ring
ρινόκερος, ο: rhinoceros
ριπή, η: *(στρ)* burst || (ανέμου) gust, blast
ριπίζω: fan
ρίχνομαι: throw oneself, hurl oneself, fling oneself
ρίχνω: throw, cast, toss || (εκσφενδονίζω) hurl, fling || (ανατρέπω) overthrow
ρίψη, η: throw
ριψοκινδυνεύω: risk, endanger, jeopardize, imperil
ριψοκίνδυνος, -η, -ο: risky, hazardous || (άνθρωπος) reckless, rash
ρόδα, η: wheel
ροδακινιά, η: peach, peach tree
ροδάκινο, το: peach
ροδαλός, -ή, -ό: ruddy, rosy, rubicund
ροδιά, η: pomegranate
ρόδινος, -η, -ο: rosy
ρόδο, το: βλ. **τριαντάφυλλο**
ροδοδάφνη, η: oleander, azalea
ροζ, το: pink
ρόζος, ο: (ξύλου) knot, burl, node || (ανθρώπου) callus || βλ. **κάλος**
ροή, η: flow, flux
ρόιδο, το: pomegranate
ροκάνι, το: plane
ροκανίδια, τα: shavings
ροκανίζω: (με ροκάνι) plane || (τρώω) gnaw, crunch
ρολό, το: (τύλιγμα) roll || (παραθύρου) blind-roller
ρολόι, το: (χεριού) wrist watch || (τσέπης) pocket watch, turnip || (επιτραπέζιο ή τοίχου) clock || (με εκκρεμές) pendulum clock
ρόλος, ο: roll || (μέρος θεατρ. ή κιν.) role, part
ρομάντζο, το: romance
ρομαντικός, -ή, -ό: romantic
ρόμπα, η: robe, dressing gown
ρομπότ, το: robot
ρόπαλο, το: club, bat
ροπή, η: tendency, propensity, inclination
ρόπτρο, το: rapper, knocker, door-knocker
ρουζ, το: rouge
ρουθούνι, το: nostril
ρουλέτα, η: roulette
ρούμι, το: rum
ρουμπίνι, το: ruby
ρους, ο: course, stream
ρουσφέτι, το: *(id)* favors, political favors, pork
ρουτίνα, η: routine, humdrum, grind
ρουφηξιά, η: mouthful || (μικρή) sip
ρουφώ: sip, draw in || (άπληστα) gulp
ρουχισμός, ο: clothes, garments
ρούχο, το: cloth, material || βλ. **ένδυμα**
ρόφημα, το: beverage
ροχαλίζω: snore
ρυάκι, το: rill, small brook, brooklet
ρύγχος, το: snout, muzzle, nose
ρύζι, το: rice
ρυθμίζω: regulate, adjust || (διορθώνω) set right, adjust
ρυθμικός, -ή, -ό: rhythmical
ρυθμός, ο: (κινήσεων) rhythm, rate || *(μουσ)* rhythm, cadence || (αρχιτ.) order
ρυμοτομία, η: street planning
ρυμούλκα, η: trailer || βλ. **ρυμουλκό**
ρυμουλκό, το: (πλοίο) tugboat, towboat, tug || (αυτοκ.) wrecker
ρυμουλκώ: tow, tug

ρύπανση, η: dirtying, soiling
ρυτίδα, η: wrinkle, line
ρυτιδώνω: wrinkle, line
ρώγα, η: (σταφυλιού) grape, berry ‖ (μαστού) nipple
ρωγμή, η: crevasse, crevice, fissure, crack
ρωμαλέος, -α, -ο: strong, husky, powerful
ρώμη, η: strength, huskiness
ρωτώ: ask, ask a question, question

Σ

σα: βλ. **σαν**
σάβανο, το: shroud
σαβανώνω: shroud
Σάββατο, το: saturday
σαββατοκύριακο, το: weekend
σαβούρα, η: (πλοίου) ballast ‖ *(μτφ)* trash, waste, junk
σαγάνι, το: frying-pan
σαγηνευτικός, -ή, -ό: charming, alluring, attractive
σαγηνεύω: charm, allure, attract
σάγμα, το: packsaddle
σαγόνι, το: chin
σαδιστής, ο (*θηλ* **σαδίστρια**): sadist
σαδιστικός, -ή, -ό: sadistic
σαιζόν, η: season
σαΐτα, η: arrow ‖ (αργαλειού) shuttle
σακατεύω: cripple, maim, scotch, invalid, disable
σακάτης, ο (*θηλ.* **σακάτισσα**): cripple, disabled, invalid
σακί, το: βλ. **σάκος**
σακίδιο, το: rucksack, haversack
σακοράφα, η: wax-thread needle, packing-needle
σάκος, ο: sack, bag
σακούλα, η: small bag
σάκχαρο, το: sugar
σάλα, η: parlor, salon, drawing room
σαλαμάντρα, η: salamander
σαλάμι, το: salami
σαλαμούρα, η: brine
σαλάτα, η: salad
σαλατιέρα, η: salad bowl
σαλεύω: *(μτβ)* move, stir ‖ *(αμτβ)* budge, stir, move
σάλι, το: (ρούχο) shawl ‖ (σχεδία) raft
σαλιγκάρι, το: snail
σάλιο, το: saliva, sputum, spittle
σαλόνι, το: βλ. **σάλα**
σάλπιγγα, η: *(στρ)* bugle ‖ (τρομπέτα) trumpet
σαλπιγκτής, ο: *(στρ)* bugler
σαλπίζω: bugle
σάλτσα, η: sauce, gravy
σαμάρι, το: βλ. **σάγμα**
σαμπάνια, η: champagne
σαμποτάζ, το: βλ. **δολιοφθορά**
σαμποτάρω: sabotage
σαμπρέλα, η: inner tube
σαν: (μόριο): like ‖ *(σύνδ* χρον.) when, whenever, as soon as ‖ *(σύνδ* υποθ.) if
σανατόριο, το: sanatorium
σανίδα, η: plank, board
σανίδι, το: small plank ‖ βλ. **σανίδα**
σανός, ο: hay
σαντάλι, το: sandal
σαντιγύ, το: meringue
σάντουϊτς, το: sandwich
σαξόφωνο, το: saxophone
σαπίζω: rot, decay, decompose
σάπιος, -α, -ο: rotten, decomposed, putrid
σαπουνάδα, η: suds, soapy water ‖ (αφρός σαπουνάδας) lather, foam
σαπούνι, το: soap
σαπουνίζω: soap
σάπφειρος, ο: sapphire
σαράβαλο, το: (πράγμα) wreck, ramshackle, broken down, rickety ‖ (όχημα) jalopy ‖ (σπίτι) rattrap, ramshackle ‖ (άνθρωπος) wreck, rickety, feeble
σαράκι, το: woodworm
σαρακοστή, η: Lent
σαρακοστιανός, -ή, -ό: lenten
σαράντα, η: forty
σαρανταποδαρούσα, η: centipede
σαράφης, ο: money changer

σαρδέλα, η: sardine, anchovy, pilchard
σάρκα, η: flesh
σαρκασμός, ο: sarcasm
σαρκαστικός, -ή, -ό: sarcastic, sneering, nipping
σαρκοβόρος, -α, -ο: carnivorous
σάρπα, η: cape, scarf, mantilla
σάρωθρο, το: broom
σαρώνω: sweep
σας: *(αντων κτητ)* your || *(αντων* προσ.) you
σαστίζω: *(μτβ)* bewilder, confound || *(αμτβ)* be confounded, be bewildered
σατανάς, ο: satan
σατανικός, -ή, -ό: satanic, satanical
σατέν, το: satin
σάτιρα, η: satire
σατιρίζω: satirize, spoof
σατιρικός, -ή, -ό: satiric, satirical
σαύρα, η: lizard
σαφής, -ές: lucid, clear, explicit
σαφώς: *(επίρ)* clearly, explicitly, lucidly
σαχλαμάρα, η: drivel, rubbish, stuff and nonsense
σαχλός, -ή, -ό: tasteless, insipid
σβάρνα, η: harrow
σβέλτος, -η, -ο: nimble, lissome, agile, limber
σβέρκος, ο: scruff, nape
σβήνω: *(μτβ)* (φωτιά ή φλόγες) extinguish, put out, quench || (κερί) blow out || (γραψίματα) erase || (ηλεκτρ. φως ή συσκευή) switch off, turn off
σβηστήρα, η: eraser
σβόλος, ο: lump, clod, clot
σβούρα, η: spinning top
σγουρομάλλης, -α, -ικο: curly, curly-haired
σγουρός, -ή, -ό: curled, curly
σε: *(αντων)* you || *(προθ)* in, at, to
σέβας, το: respect, regard, reverence, deference
σεβάσμιος, -α, -ο: venerable
σεβασμός, ο: βλ. **σέβας**
σεβαστός, -ή, -ό: respected
σέβη, τα: βλ. **σέβας**
σέβομαι: respect, revere, venerate
σειρά, η: (συνέχεια ή ακολουθία) sequence, series, order || (ουρά ανθρώπων) queue, line || **με τη** ~: by turns, in turn
σειρήνα, η: (γόησσα) siren, temptress || (όργανο) siren
σεισμός, ο: seism, earthquake
σείω: shake, move, wave, swing
σεκοντάρω: second
σεκόντο, το: second, secondo
σέλα, η: saddle
σελήνη, η: moon
σεληνιασμός, ο: epilepsy
σεληνόφωτο, το: moonlight
σελίδα, η: page
σελίνι, το: shilling
σέλινο, το: celery
σελώνω: saddle
σεμνός, -ή, -ό: decent, modest
σεμνότυφος, -η, -ο: prissy, prudish, prude
σενάριο, το: scenario, screenplay, script
σεντ, το: cent
σεντόνι, το: sheet
σεντούκι, το: βλ. **μπαούλο**
σεξ, το: sex
σεξουαλικός, -ή, -ό: sexual
Σεπτέμβριος, ο: September
σερβίρω: serve
σερβιτόρα, η: waitress
σερβιτόρος, ο: waiter
σερβίτσιο, το: (ομοειδή κομμάτια) set || (για όλο το τραπέζι) table setting
σέρνομαι: crawl, creep, drag
σέρνω: drag, pull, trail
σέσουλα, η: scoop
σηκώνομαι: stand up, get up, rise
σηκώνω: lift, raise || (κάτι που έπεσε) pick up
σηκώτι, το: βλ. **συκώτι**
σήμα, το: sign, mark || (γενικά, διακριτικό) insignia || (σινιάλο) signal
σημαδεύω: (βάζω σημάδι) mark || (σκοπεύω) aim, take aim
σημάδι, το: (ένδειξη) mark, sign || (πληγής) scar || (στόχος) target
σημαδούρα, η: buoy
σημαία, η: flag
σημαίνω: *(μτβ)* (σημαδεύω) mark, stamp || (εννοώ) mean, signify
σημαιοφόρος, ο: (που κρατά τη σημαία) flagman, standard bearer || (βαθμός) ensign (U.S.A.), sub-lieutenant (Engl.)
σημαντικός, -ή, -ό: (που έχει σημασία) significant, significative || (αξιόλογος) significant, important, remarkable
σημασία, η: (έννοια) meaning, sense, significance || (σπουδαιότητα) significance, importance
σημείο, το: (ένδειξη) mark, sign || (σύμβολο) symbol || (θέση, μέρος)

Σ

point, spot || (αριθμ. πράξης) sign
σημείωμα, το: note
σημειωματάριο, το: note book
σημειώνω: (βάζω σημάδι) mark || (γράφω) note, take notes, put down
σημείωση, η: βλ. **σημείωμα**
σήμερα: *(επίρ)* today, this day
σήραγγα, η: tunnel
σήτα, η: sieve, screen
σθεναρός, -ή, -ό: (ψυχικά) spirited, courageous
σθένος, το: (ψυχικό) spirit || βλ. **θάρρος** || βλ. **δύναμη**
σιγανά: *(επίρ)* slowly
σιγανός, -ή, -ό: slow
σιγαροθήκη, η: cigarette-case
σιγή, η: silence, quiet, hush
σίγουρα: *(επίρ)* surely, certainly, for sure
σιγουρεύω: secure, ensure
σιγουριά, η: certainty
σίγουρος, -η, -ο: (ασφαλής) secure || βλ. **βέβαιος**
σιγώ: keep silent, keep quiet, be silent
σιδεράς, ο: blacksmith
σιδερένιος, -α, -ο: iron
σίδερο, το: iron || (σιδερόματος) iron, flatiron
σιδερώνω: press, iron
σιδηρόδρομος, ο: railroad (U.S.A.), railway (Eng) || βλ. **τρένο**
σίδηρος, ο: iron
σιδηροτροχιά, η: rail
σιδηρουργός, ο: βλ. **σιδεράς**
σίκαλη, η: rye
σιλουέτα, η: silhouette
σιμιγδάλι, το: semolina
σινάπι, το: mustard, mustard seed
σινιάλο, το: signal
σιντριβάνι, το: βλ. **πίδακας**
σιρίτι, το: braid
σιρόπι, το: syrup
σιταρένιος, -α, -ο: wheat
σιταρήθρα, η: lark, skylark
σιτάρι, το: wheat
σιτεύω: *(μτβ)* fat, fatten || *(αμτβ)* become tender
σιτηρά, τα: cereals
σιτοπαραγωγός, -ή, -ό: wheat-producing
σιφονιέρα, η: lowboy, chest of drawers
σίφουνας, ο: (στεριάς) twister, tornado, whirlwind || (θάλασσας) waterspout
σιχαίνομαι: loathe, detest, be sick of, be averse to
σιωπή, η: silence
σιωπηλός, -ή, -ό: silent, taciturn
σιωπηρός, -ή, -ό: tacit
σιωπώ: keep silent, remain silent, be silent, keep silence
σκάβω: dig, excavate
σκάγι, το: pellet, small shot
σκάζω: *(μτβ)* burst, crack, split || *(μτφ)* exasperate, drive s.o. mad || *(αμτβ)* explode, burst
σκαθάρι, το: beetle, bug
σκάκι, το: chess
σκάλα, η: stairs, staircase || (κινητή) ladder
σκαλί, το: βλ. **σκαλοπάτι**
σκαλίζω: dig, hoe || (φωτιά) poke || (κάνω γλυπτό) sculpture, chisel
σκαλιστήρι, το: hoe || (φωτιάς) poker
σκαλοπάτι, το: step
σκαλώνω: βλ. **σκαρφαλώνω** || (αγκιστρώνομαι) get caught
σκαλωσιά, η: scaffold
σκαμνί, το: stool
σκανδάλη, η: trigger
σκάνδαλο, το: scandal
σκανδαλώδης, -ες: scandalous
σκαντζόχοιρος, ο: porcupine, hedgehog
σκαπάνη, η: pick, pickax, pickaxe
σκαρπέλο, το: chisel
σκαρπίνι, το: oxford
σκαρφαλώνω: βλ. **αναρριχιέμαι**
σκάφανδρο, το: diving dress, diving suit
σκάφη, η: (γεν.) trough || (πλύσης) washtub
σκάφος, το: (σώμα πλοίου) hull || (πλοίο) craft, ship, vessel
σκαφτιάς, ο: digger
σκάω: βλ. **σκάζω**
σκελετός, ο: (σώματος) skeleton || (τεχν. έργο) skeleton, framework, shell
σκέλος, το: leg || (τριγώνου) side
σκεπάζω: cover
σκεπάρνι, το: adze
σκέπασμα, το: cover, covering
σκεπή, η: roof
σκεπτικιστής, ο (*θηλ* **σκεπτικίστρια**): skeptic, skeptical
σκεπτικός, -ή, -ό: (γεμάτος σκέψεις) thoughtful, contemplative || (αμφίβολος) skeptical, doubtful, hesitant
σκέπτομαι: think, contemplate, reflect

|| (έχω σκοπό) contemplate, think
σκέτος, -η, -ο: βλ. **ανόθευτος**
σκέτς, το: sketch, skit
σκεύος, το: utensil
σκευωρία, η: (για ενοχοποίηση) frame-up || βλ. **ραδιουργία**
σκέψη, η: thought, reflection, consideration
σκηνή, η: (τσαντίρι) tent || (θεάτρου) stage || (μέρος έργου) scene
σκηνικά, τα: (θεατρ.) stage property, props
σκηνοθέτης, ο: stage manager
σκήπτρο, το: scepter
σκι το: ski
σκιά, η: (αντικειμένου) shadow || (χωρίς ήλιο) shade
σκιάδι, το: shade, sunshade
σκιάζομαι: be spooked, be startled
σκιάζω: (κάνω σκιά) shade || (βάζω σκιές) shade, hatch || (φοβίζω) spook, startle, scare
σκιάχτρο, το: scarecrow
σκιερός, -ή, -ό: shadowy, shady
σκίζα, η: splinter
σκίζω: split, tear, rip, cleave
σκίουρος, ο: squirrel
σκιρτώ: leap
σκιτσάρω: sketch
σκίτσο, το: sketch
σκιτσογράφος, ο: cartoonist
σκλαβιά, η: slavery, captivity
σκλάβος, ο *(θηλ.* **σκλάβα**): slave
σκλαβώνω: enslave, reduce to slavery
σκληραγωγία, η: toughening, accustoming to hardship
σκληραγωγώ: toughen, accustom to hardship
σκληραίνω: *(μτβ και αμτβ)* harden
σκληρόκαρδος, -η, -ο: hardhearted, pitiless
σκληρός, -ή, -ό: hard, tough, rigid, rugged || *(μτφ)* cruel
σκληροτράχηλος, -η, -ο: hardy, tough
σκνίπα, η: gnat
σκονάκι, το: powder
σκόνη, η: dust
σκονίζω: dust, cover with dust, coat with dust, fill with dust
σκοντάφτω: stumble, trip, miss one's step
σκόντο, το: discount
σκόπελος, ο: reef, shoal, bar
σκοπευτήριο, το: shooting range, target range || (κλειστό) shooting gallery
σκοπευτής, ο: marksman, good shot
σκοπεύω: aim, take aim || *(μτφ)* aim, intend
σκοπιά, η: βλ. **παρατηρητήριο** || lookout
σκόπιμος, -η, -ο: (από σκοπού) intentional, deliberate || (για κάποιο σκοπό) expedient
σκοπιμότητα, η: expediency, expedience
σκοποβολή, η: target practice, shooting
σκοπός, ο: βλ.**στόχος** || (επιδίωξη) aim, goal, target || (πρόθεση) purpose, intention || (φρουρός) lookout, sentinel, sentry, watch || (μελωδία) air, tune
σκόρδο, το: garlic
σκόρος, ο: moth
σκοροφαγωμένος, -η, -ο: moth-eaten
σκορπίζω: scatter, strew, disperse *(μτβ και αμτβ)*
σκορπιός, ο: scorpion
σκοτάδι, το: dark, darkness
σκοτεινιά, η: dark, dusk
σκοτεινιάζω: *(μτβ και αμτβ)* darken
σκοτεινός, -ή, -ό: dark, gloomy, obscure
σκοτίζω: *(μτφ)* bother, pester
σκοτούρα, η: *(μτφ)* care, trouble, onus
σκοτώνω: kill
σκουλαρίκι, το: earring
σκουλήκι, το: worm, maggot
σκουντώ: push, jostle, shove || (με τον αγκώνα) elbow || (ελαφρά) nudge
σκούπα, η: broom
σκουπίδι, το: garbage, trash, rubbish, litter, refuse
σκουπιδιάρης, ο: βλ. **οδοκαθαριστής**
σκουπιδοτενεκές, ο: trash can, garbage can
σκουπίζω: (με σκούπα) sweep || (με πετσέτα) wipe, dry
σκουπόξυλο, το: broomstick
σκουριά, η: rust
σκουριάζω: rust, corrode
σκουριασμένος, -η, -ο: rusty, corroded, covered with rust
σκούρος, -α, -ο: dark, dark-colored
σκούφια, η: bonnet, cap
σκούφος, ο: βλ. **σκούφια**
σκύβαλο, το: straw, grain refuse
σκύβω: stoop, bend forward, bow
σκυθρωπός, -ή, -ό: surly, somber
σκυλάκι, το: puppy, whelp
σκυλί, το: dog

σκυλόδοντο, το: canine tooth, dog tooth, eyetooth
σκύλος, ο: βλ. **σκυλί**
σκυλόψαρο, το: dogfish, grayfish
σκύμνος, ο: cub
σκυρόδεμα, το: concrete
σκυρόστρωση, η: macadam
σκυταλοδρομία, η: relay race
σκωληκοειδίτιδα, η: appendicitis
σμάλτο, το: enamel
σμαράγδι, το: emerald
σμηναγός, ο: (U.S.A.) captain, USAF ‖ (Engl.) Flight lieutenant
σμήναρχος, ο: (U.S.A.) Colonel, USAF ‖ (Eng) Group captain
σμηνίας, ο: (U.S.A.) Master Sergeant ‖ (Engl) sergeant
σμηνίτης, ο: (U.S.A.) airman ‖ (Engl) aircraftman
σμήνος, το: (εντόμων) swarm (αεροπλ.) flight
σμίλη, η: chisel
σμόκιν, το: tuxedo, dinner jacket
σμύριδα, η: emery
σμυριδόπανο, το: emery cloth
σμυριδόχαρτο, το: emery board
σνομπ, ο, η: snob
σνομπισμός, ο: snobbery
σοβαρολογώ: speak seriously ‖ (δεν αστειεύομαι) I am serious
σοβαρός, -ή, -ό: serious, solemn, grave
σοβαρότητα, η: seriousness, gravity, solemnity
σοβάς, ο: plaster
σοβατίζω: plaster
σόδα, η: (αναψυκτικό) soda, club soda ‖ *(χημ)* sodium carbonate, sodium bicarbonate, bicarbonate of soda
σοκάκι, το: back street, narrow street, lane
σοκάρω: shock, scandalize, strike with disgust
σόκιν, το: ribald, risque , shocking. racy
σοκολάτα, η: chocolate
σόλα, η: sole
σολομός, ο: salmon
σομιέ, το: spring-mattress
σόμπα, η: stove
σοπράνο, η: soprano
σορός, η: dead, corpse
σορτ, το: short
σορτς, το: βλ. **σορτ**
Σ.Ο.Σ.: (S.O.S.)
σοσιαλισμός, ο: socialism
σοσιαλιστής, η (*θηλ* **σοσιαλίστρια**): socialist
σου: *(αντων):* your
σουβενίρ, το: memento, souvenir
σούβλα, η: spit ‖ (μικρή) skewer
σουβλάκι, το: (ξύλο) skewer ‖ (με το κρέας) shiskebab, shiskabob
σουβλί, το: awl
σουβλιά, η: (πόνος) stabbing pain
σουβλίζω: (περνώ στη σούβλα) skewer, spit ‖ (διατρυπώ) pierce, run through, stab
σουγιάς, ο: clasp knife
σουλούπι, το: figure, shape
σουλτανίνα, η: sultana
σουλτάνος, ο: sultan
σουξέ, το: hit, success
σούπα, η: soup
σουπιά, η: cuttlefish
σουπιέρα, η: tureen
σούρουπο, το: twilight, dusk
σουρώνω: (στραγγίζω) filter, strain ‖ βλ. **ζαρώνω** ‖ (πτύσσω) fold, pleat
σουρωτήρι, το: colander, cullender, strainer
σουσάμι, το: sesame
σούστα, η: (ελατήριο) spring ‖ (όχημα) trap ‖ (κουμπί) clasp
σουτ!: *(επιφ)* hush!
σουτζουκάκι, το: meat balls on the grill
σουτιέν, το: bra, brassiere
σουφρώνω: βλ. **ζαρώνω** ‖ βλ. **πτυχώνω** ‖ (φρύδια) frown ‖ (μούτρα) pucker
σοφάς, ο: sofa
σοφία, η: sagacity, wisdom
σοφίτα, η: attic, loft, garret
σοφός, -ή, -ο: sagacious, wise, sapient, sage
σπαγέτο, το: spaghetti
σπάγκος, ο: string
σπάζω: *(μτβ και αμτβ)* break, shatter, smash, snap, crack
σπαθί, το: βλ. **ξίφος** ‖ (χαρτοπ.) club
σπανάκι, το: spinach
σπανίζω: be rare, be scarce
σπάνιος, -α, -ο: rare, uncommon, scarce
σπανίως: *(επίρ)* rarely, seldom
σπανός, -ή, -ό: one that cannot grow beard
σπαράγγι, το: asparagus
σπαράζω: βλ. **σπαρταρώ** ‖ (προκαλώ θλίψη) break s.b.'s heart, cut to

the quick, || (θλίβομαι) one's heart breaks, be cut to the quick
σπαρακτικός, -ή, -ό: agonizing, heartrending, heartbreaking
σπάργανα, τα: diapers || (φασκιά) swaddle, swaddling clothes
σπάρος, ο: sea bream
σπαρτά, τα: crops
σπαρταρώ: writhe, convulse, squirm
σπασμός, ο: spasm, convulsion
σπασμωδικός, -ή, -ό: spasmodic, convulsive
σπαστικός, -ή, -ό: spastic
σπατάλη, η: waste, thoughtless expenditure, extravagance, squander
σπάταλος, -η, -ο: wasteful, scattergood, squanderer, extravagant
σπαταλώ: waste, squander, dissipate
σπάτουλα, η: spatula
σπείρα, η: spiral, coil || *(μτφ)* βλ. **συμμορία**
σπέρμα, το: (φυτών) seed, germ || (ανθρ. και ζώων) sperm, semen
σπερματσέτο, το: spermaceti
σπέρνω: sow
σπεσιαλιτέ, η: specialty
σπεύδω: be hasty, hurry, hasten, make haste
σπήλαιο, το: cave, grotto || (μεγάλο) cavern
σπηλιά, η: βλ. **σπήλαιο**
σπίθα, η: spark
σπιλώνω: stain, soil, dirty
σπινθήρας, ο: spark
σπινθηρίζω: spark, give off sparks
σπινθηροβόλος, -α, -ο: sparkling, scintillating
σπινθηροβολώ: sparkle, scintillate
σπίνος, ο: linnet, finch, goldfinch, chaffinch
σπιρούνι, το: spur
σπίρτο, το: βλ. **οινόπνευμα** || (πυρείο) match
σπιρτοκούτι, το: matchbox
σπιρτόξυλο, το: matchwood
σπιτάκι, το: cot, cottage, small house
σπίτι, το: house || (ιδιοκτ. μονοκατοικία) home, house
σπιτικό, το: home, menage, household
σπιτικός, -ή, -ό: (που γίνεται στο σπίτι) home-made || (που μένει στο σπίτι) domestic, homebody
σπιτίσιος, -α, -ο: home-made
σπιτονοικοκυρά, η: landlady
σπιτονοικοκύρης, ο: landlord
σπλάχνα, τα: βλ. **εντόσθια** || *(μτφ)* bowels
σπλαχνίζομαι: pity, feel pity
σπλήνα, η: spleen
σπόγγος, ο: sponge
σπόνδυλος, ο: *(ανατ)* vertebra
σπορ, το: sport
σποραδικός, -ή, -ό: sporadic
σπορέλαιο, το: seedoil
σπόρος, ο: seed
σπουδάζω: study, attend (school)
σπουδαία: *(επίρ)* ~! *(επιφ)* excellent!, fine!
σπουδαίος, -α, -ο: important, eminent, distinguished
σπουδαιότητα, η: importance, gravity, magnitude
σπουδαστήριο, το: study
σπουδαστής, ο (*θηλ* **σπουδάστρια**): student
σπουργίτης, ο: sparrow
σπρώχνω: push, shove, jostle
σπυρί, το: βλ. **κόκκος** || (εξάνθημα) pimple, whelk, wheal
στάβλος, ο: stable
σταγόνα, η: drop, globule, bead || (νερού) drop
σταγονίδιο, το: droplet
σταγονόμετρο, το: dropper, eye dropper
στάδιο, το: stadium || (περίοδος) stage
σταδιοδρομία, η: career
σταδιοδρομώ: make a career
στάζω: drip, dribble, trickle
σταθεροποιούμαι: level off
σταθεροποιώ: stabilize
σταθερός, -ή, -ό: stable, firm, steady, steadfast
σταθερότητα, η: stability, firmness
σταθμά, τα: weights
σταθμάρχης, ο: *(σιδηρ)* station master || (αστυνομικός) precinct captain || (λεωφορείων) dispatcher
στάθμευση, η: stop, stopping || (αυτοκ.) parking
σταθμεύω: stop || (αυτοκ.) park
στάθμη, η: (νήμα) plumb line || (επιφάνεια) level
σταθμίζω: βλ. **ζυγίζω** || (με νήμα στάθμης) plumb, test the verticality
σταθμός, ο: station, depot
σταλακτίτης, ο: stalactite
σταματώ: stop, halt *(μτβ και αμτβ)* || (στιγμιαία) pause
στάμνα, η: ewer, pitcher, large jug

στάνη, η: fold, pen
στάση, η: (σταμάτημα) stop, halt, pause || (τόπος στάθμευσης) stop || **ανταρσία** || βλ. **επανάσταση**
στασιάζω: rise, rebel, revolt
στασιαστής, ο (*θηλ* **στασιάστρια**): βλ. **επαναστάτης**
στάσιμος, -η, -ο: motionless, stationary || (νερό) stagnant
στατιστική, η: statistics
σταυροδρόμι, το: crossroads, crossway, intersection
σταυροκοπιέμαι: make the sign of the cross, cross oneself repeatedly
σταυρόλεξο, το: crossword puzzle
σταυροπόδι: *(επίρ)* cross-legged
σταυρός, ο: cross
σταυροφορία, η: crusade *(και μτφ)*
σταυροφόρος, ο: crusader
σταυρώνω: (βάζω σταυρωτά) cross || (θανατώνω) crucify
σταφίδα, η: raisin || **κορινθιακή ~**: currant
σταφύλι, το: grape
στάχτη, η: ash, ashes || (χοντρή) cinders
σταχτής, -ιά, -ί: ashen || light gray, grizzle
σταχτοδοχείο, το: ashtray
στάχυ, το: spike, ear
στεγάζω: (βάζω στέγη) roof || (προσφέρω στέγη) house, shelter
στεγανός, -ή, -ό: (για αέρα) airtight || (για νερό) watertight
στέγη, η: roof
στεγνοκαθαριστήριο, το: dry cleaner's
στεγνός, -ή, -ό: dry
στεγνώνω: dry, dry up
στεγνωτήρας, ο: dryer
στείρος, -α, -ο: sterile, barren
στέκα, η: (μπιλιάρδου) cue
στέκομαι: (παύω να βαδίζω) stop, halt, come to a standstill || (μένω όρθιος) stand, be standing
στέλεχος, το: (φυτό) stem, stalk || (κύριος κορμός) body, stem, trunk || (διπλοτύπων) stub, counterfoil
στέλνω: send, dispatch
στέμμα, το: crown
στενάζω: βλ. **αναστενάζω**
στενεύω: *(μτβ)* narrow, take in || (παπούτσι) pinch || *(αμτβ)* get narrow, narrow, become narrow
στενογραφία, η: stenography, shorthand
στενογράφος, ο, η: stenographer
στενοδακτυλογράφος, ο, η: shorthand typist
στενοκεφαλιά, η: narrow-mindedness
στενοκέφαλος, -η, -ο: narrow-minded
στενός, -ή, -ό: narrow || (όχι ευρύχωρος) close, tight
στενοχωρημένος, -η, -ο: (που έχει στενοχώρια) upset, embarrassed, anxious, uncomfortable || (για κάτι) concerned
στενοχώρια, η: (χώρου) closeness, tightness || (αίσθημα) embarrassment, discomfort, annoyance || (για κάτι) concern
στενοχωριέμαι: be upset, be embarrassed, be annoyed || (για κάτι) be concerned
στενόχωρος, -η, -ο: (χωρίς ευρυχωρία) narrow, close, confined || (που στενοχωριέται εύκολα) apt to be embarrassed (or upset) with very slight cause || (που δίνει στενοχώρια) embarrassing, awkward, upsetting
στενοχωρώ: embarrass, upset, discomfort, annoy
στενωπός, η: narrow pass, notch
στερεά, η: mainland
στερεό, το: solid
στερεοποιώ: solidify
στερεός, -ή, -ό: solid, firm
στερεότυπος, -η, -ο: *(τυπογρ)* stereotyped || *(αμεταβλ.)* standard, invariable
στερεοφωνικός, -ή, -ό: stereo, stereophonic
στερεύω: dry, dry up
στερέωμα, το: *(αστρ)* firmament
στερεώνω: fasten, secure, fix
στέρηση, η: privation, want
στεριά, η: land
στέρνα, η: cistern, reservoir, water-tank
στέρνο, το: chest
στερούμαι: lack, go without || βλ. **αποστερούμαι**
στεφάνι, το: garland, wreath
στεφανώνομαι: *(μτφ)* get married
στεφανώνω: crown || *(μτφ)* marry *(μτβ)*
στέψη, η: (γάμος) wedding ceremony || (βασιλιά) coronation
στηθάγχη, η: angina pectoris
στηθόδεσμος, ο: βλ. **σουτιέν**
στήθος, το: (θώρακας) chest || (μα-

στοί) breast, bosom
στηθοσκόπιο, το: stethoscope
στήλη, η: (επιγραφών) stele ‖ (κολόνα) column, pillar
στήνω: βλ. ορθώνω ‖ (σκηνή) pitch
στήριγμα, το: support, prop, stay
στηρίζομαι: lean on, rest
στηρίζω: support, prop
στιβαρός, -ή, -ό: βλ. **ρωμαλέος**
στίβος, ο: field, track and field
στίγμα, το: βλ. **λεκές** ‖ βλ. **κηλίδα**
στιγματίζω: spot, stain (βλ. **και λεκιάζω**) ‖ *(μτφ)* stigmatize, blemish, defile
στιγμή, η: instant, moment ‖ (σημείο) dot, point ‖ *(γραμ)* period
στιγμιαίος, -α, -ο: instantaneous, momentary, fleeting
στιγμιότυπο, το: snapshot
στιλ, το: βλ. **στυλ**
στιλβώνω: polish, burnish, shine, varnish
στιλβωτήριο, το: bootblack's, shoeshine establishment
στιλβωτής, ο: βλ. **λούστρος**
στιλέτο, το: dagger, stiletto
στιχομυθία, η: terse dialogue
στίχος, ο: (γραμμή) line, row, file ‖ (ποιήματος) line, verse
στοά, η: (με κολώνες) colonnade ‖ (μέσα από κτίριο) arcade
στοιχειό, το: spook, sprite, ghost, goblin
στοιχείο, το: (απλό συστατικό) element ‖ (βασικό στοιχείο) rudiment
στοιχειοθετώ: compose, set type
στοιχειώδης, -ες: elementary, rudimentary
στοιχειωμένος, -η, -ο: haunted
στοίχημα, το: bet, wager
στοιχηματίζω: bet, wager, lay a bet
στοιχίζω: cost
στοίχος, ο: line, rank, array, file
στόκος, ο: stucco, putty
στολή, η: uniform
στολίδι, το: ornament
στολίζω: adorn, decorate, deck ‖ (χριστ. δέντρο) trim
στόλος, ο: fleet ‖ (ναυτικό) navy ‖ **εμπορικός ~:** merchant marine
στόμα, το: mouth
στομάχι, το: stomach
στομαχιάζω: overload one's stomach, suffer from indigestion
στομαχόπονος, ο: stomachache
στόμιο, το: mouth, opening, orifice, aperture
στοργή, η: affection
στοργικός, -ή, -ό: affectionate
στόρι, το: blind
στούντιο, το: studio
στουπέτσι, το: white lead, ceruse, lead carbonate
στουπόχαρτο, το: blotting paper
στόχαστρο, το: sight
στόχος, ο: target, mark
στραβοκοιτάζω: squint, leer, look askance
στραβομάρα, η: blindness, loss of sight
στραβοπατώ: miss one's footing, make a false step
στραβός, -ή, -ό: βλ. **λοξός** ‖ βλ. **τυφλός**
στραβώνομαι: go blind
στραγγαλίζω: strangle, throttle
στραγγαλισμός, ο: strangulation
στραγγίζω: filter, strain
στραγγιστήρι, το: βλ. **σουρωτήρι**
στραμπούλιγμα, το: sprain, wrench
στραμπουλίζω: sprain, wrench
στράτευμα, το: army
στρατεύομαι: be drafted, be conscripted
στράτευση, η: draft, conscription
στρατεύσιμος, -η, -ο: (που έχει κληθεί) draftee, conscript ‖ (που υπόκειται σε στράτευση) subject to conscription
στρατήγημα, το: stratagem, ruse
στρατηγικός, -ή, -ό: strategic
στρατηγός, ο: general
στρατιά, η: army
στρατιώτης, ο *(θηλ.* **στρατιωτίνα***)*: *(γεν.)* soldier
στρατιωτικό, το: (στρατός) army ‖ (στρ. θητεία) military service, enlistment
στρατιωτικός, -ή, -ό: military
στρατιωτικός, ο: (επαγγελματίας) military
στρατοδικείο, το: court-martial
στρατοδίκης, ο: member of a court-martial
στρατοκρατία, η: militarism
στρατολογία, η: recruiting, recruitment ‖ (υπηρεσία) recruiting office
στρατολογώ: enlist, recruit
στρατονομία, η: military police
στρατονόμος, ο: military policeman
στρατοπεδεύω: camp, encamp

στρατόπεδο, το: camp, encampment
στρατός, ο: βλ. **στράτευμα**
στρατόσφαιρα, η: stratosphere
στρατώνας, ο: barracks, caserne, casern
στρεβλώνω: twist, distort
στρείδι, το: oyster
στρέμμα, το: 1000 m^2
στρέφομαι: turn, revolve, rotate
στρέφω: *(αμτβ)* βλ. **στρέφομαι**
στρίβω: twist, twirl
στρίγγλα, η: || *(μτφ)* shrew, vixen
στριγγλίζω: shriek, screech
στριμώχνω: crowd, jostle, squeeze
στριπτήζ, το: strip tease || **~ερ, η:** stripteaser, stripper
στριφογυρίζω: whirl, turn round, spin
στρογγυλεύω: *(μτβ)* round, make round || *(αμτβ)* round, become round
στρογγυλός, -ή, -ό: round
στρουθοκάμηλος, η: ostrich
στρουμπουλός, -ή, -ό: plump
στροφή, η: (αλλαγή κατεύθυνσης) turn, veer, swerve || (καμπή) turn, bend || (ποιήματος) stanza
στρυφνός, -ή, -ό: sharp, harsh || (άνθρωπος) sourpuss, peevish, grouchy
στρυχνίνη, η: strychnine
στρώμα, το: (εδάφους) layer || (κρεβατιού) mattress || (σκόνης, κλπ) layer || (λεπτό στρώμα) film
στρώνω: (απλώνω) spread, lay || ~ **κρεβάτι:** make
στρωσίδι, το: bedding, mattress, bedcover
στύβω: press, squeeze, wring
στυλ, το: style
στυλό, το: βλ. **στυλογράφος**
στυλοβάτης, ο: pedestal
στυλογράφος, ο: fountain pen
στύλος, ο: βλ. **κολόνα** || (τηλεφ. και τηλεγρ) pole
στυπόχαρτο, το: βλ. **στουπόχαρτο**
στυφός, -ή, -ό: tart, sour, acrid
στύψη, η: || (αιμοστατικό) styptic pencil
στωικός, -ή, -ό: stoic, stoical
συ: βλ. **εσύ**
σύγαμπρος, ο: brother-in-law
συγγένεια, η: relation, kinship, relationship
συγγενεύω: (γίνομαι συγγενής) become related || (είμαι συγγενής) be related
συγγενής, -ές: related, akin
συγγενικός, -ή, -ό: kindred, related
συγγνώμη, η: pardon, forgiveness || **ζητώ ~ :** pardon me, I beg your pardon, excuse me, sorry
σύγγραμμα, το: work, writing
συγγραφέας, ο (*θηλ.* **συγγραφέας**): writer, author
συγγράφω: write
συγκαλύπτω: cover, suppress, hush up
συγκαλώ: convene, summon, convoke
σύγκαμα, το: chafe, excoriation, gall
συγκατάβαση, η: βλ. **συγκατάθεση** || condescension
συγκαταβατικός, -ή, -ό: βλ. **ενδοτικός** || (υποχρεωτικός) obliging, accommodating || (με καταδεκτικότητα) condescending
συγκατάθεση, η: consent, assent, approval
συγκατανεύω: consent, assent
συγκατατίθεμαι: βλ. **συγκατανεύω**
συγκάτοικος, ο: (*θηλ.* **συγκάτοικος**): roommate
συγκεκριμένος, -η, -ο: concrete, positive, specific, clear
συγκεντρώνω: concentrate, bring together, gather
συγκέντρωση, η: gathering, concentration
συγκεφαλαιώνω: sum up, summarize, epitomize
συγκεχυμένος, -η, -ο: obscure, hazy, dim
συγκίνηση, η: emotion, thrill, sensation
συγκινητικός, -ή, -ό: moving, touching, emotional
συγκινώ: move, touch, affect
σύγκλητος, η: *(πανεπ.)* faculty
συγκλίνω: converge
συγκλονίζω: shake, excite, shock, thrill, stir up
συγκλονιστικός, -ή, -ό: shocking, exciting, thrilling
συγκοινωνία, η: communication
συγκοινωνώ: communicate || (συνδέομαι) be connected
συγκολλώ: glue || *(μεταλ.)* weld, solder
συγκομιδή, η: βλ. **εσοδεία**
συγκοπή, η: || (προσωρινή απώλεια αισθήσεων) syncope, swoon, loss of consciousness || (καρδιάς) heart failure

συγκρατιέμαι: contain oneself, control oneself, refrain
συγκρατώ: βλ. **αναχαιτίζω** || (πάθος) control, contain
συγκρίνω: compare
σύγκριση, η: comparison
συγκριτικός, -ή, -ό: comparative
συγκρότημα, το: group
συγκροτώ: form, compose
συγκρούομαι: collide, bump into || *(μτφ)* clash, conflict
σύγκρουση, η: collision || *(μτφ)* clash, conflict
συγυρίζω: tidy, tidy up, make tidy
συγχαίρω: congratulate
συγχαρητήρια, τα: congratulations
συγχέω: confuse, mistake
συγχρονίζω: synchronize
σύγχρονος, -η, -ο: (που γίνεται την ίδια στιγμή) synchronous || (της ίδιας εποχής) contemporaneous
συγχρόνως *(επίρ):* at the same time, simultaneously
συγχύζομαι: get upset, be perturbed
συγχύζω: upset, perturb
σύγχυση, η: (μπέρδεμα) confusion || *(μτφ)* perturbation, upset
συγχώνευση, η: amalgamation, blend, blending, fusion
συγχωνεύομαι: merge, blend
συγχωνεύω: amalgamate, blend, fuse
συγχώρεση, η: pardon, forgiveness
συγχωρώ: pardon, forgive, excuse
συδαυλίζω: (σκαλίζω) poke || (ξανανάβω) stir, fan, kindle *(και μτφ)*
σύδεντρο, το: grove, copse
συζήτηση, η: discussion
συζητώ: discuss
σύζυγος, ο *(θηλ.* **σύζυγος**): spouse || *(αρσ)* husband || *(θηλ)* wife
συζώ: (παράνομα) cohabit
σύθαμπο, το: twilight
συθέμελα *(επίρ):* totally, to the roots
συκιά, η: fig tree
σύκο, το: fig
συκοφάντης, ο: slanderer, maligner
συκοφαντία, η: slander, calumny, defamation
συκοφαντώ: slander, calumniate
συκώτι, το: liver
συλλαβή, η: syllable
συλλαλητήριο, το: rally
συλλαμβάνω: (πιάνω) catch, seize, catch hold of || *(αστυν.)* arrest, catch || (ιδέα) conceive || (μένω έγκυος) conceive
συλλέγω: (μαζεύω) gather, pick || (κάνω συλλογή) collect
συλλέκτης, ο *(θηλ.* **συλλέκτρια**): collector
σύλληψη, η: arrest || (πιάσιμο) capture || (ιδέας) conception || (εγκυμοσύνη) conception
συλλογή, η: collection
συλλογίζομαι: muse, meditate
σύλλογος, ο: association, society
συλλυπητήρια, τα: condolences, condolement, sympathy
συλλυπούμαι: condole, offer one's condolences
συμβαδίζω: keep up with, keep pace with
συμβαίνω: happen, occur, take place
συμβάλλω: contribute, conduce
συμβάν, το: occurrence, happening, event
σύμβαση, η: pact, treaty, contract
συμβιβάζομαι: (συμφιλιώνομαι) be reconciled || (δέχομαι, υποχωρώ) compromise
συμβιβάζω: reconcile
συμβόλαιο, το: contract
συμβολαιογραφείο, το: office of a notary public
συμβολαιογράφος, ο: notary public
συμβολίζω: symbolize
συμβολικός, -ή, -ό: symbolic, symbolical
σύμβολο, το: symbol
συμβουλεύομαι: consult
συμβουλευτικός, -ή, -ό: advisory, consultative
συμβουλεύω: advise
συμβουλή, η: advice
συμβούλιο, το: (γενικά) council || (εταιρείας) board of directors || (δημοτικό) council
σύμβουλος, ο: (γενικά) advisor, adviser || (δημοτικός σύμβουλος) councilman || (μέλος διοικ. συμβ. εταιρίας) director
συμμαζεύω: gather, pick || (συγυρίζω) tidy
συμμαθητής, ο *(θηλ* **συμμαθήτρια**): (ιδίου σχολείου) school-mate || (ίδιας τάξης) class-mate || (γενικά) fellow-student
συμμαχία, η: alliance
σύμμαχος, -η, -ο: allied || *(ουσ)* ally
συμμερίζομαι: share

συμμετέχω: participate, take part, partake
συμμετρία, η: symmetry
συμμετρικός, -ή, -ό: symmetric, symmetrical
συμμορία, η: gang, band
συμμορίτης, ο (*θηλ* **συμμορίτισσα**): gangster, mobster, goon
συμμορφώνομαι: conform, comply
συμμορφώνω: conform, reduce to the same form, adapt, adjust
συμπαγής, -ές: solid, compact
συμπάθεια, η: (συμπόνοια) sympathy || (αγάπη) fondness, liking
συμπαθής, -ες: nice, likable, pleasing
συμπαθητικός, -ή, -ό: βλ. **συμπαθής**
συμπαθώ: sympathize, feel sympathy || (αγαπώ) like, be fond of
συμπαιγνία, η: collusion
συμπαίκτης, ο (*θηλ* **συμπαίκτρια**): playmate, playfellow || (που παίζουν στην ίδια ομάδα) teammate
σύμπαν, το: universe, macrocosm
συμπαράσταση, η: support, assistance
συμπαραστέκομαι: support, sympathize
συμπατριώτης, ο (*θηλ* **συμπατριώτισσα**): compatriot, fellow countryman
συμπεθέρα, η: mother of one's son-in-law, mother of one's daughter-in-law
συμπεθεριάζω: be related by marriage
συμπέθερος, ο: father of one's son-in-law, father of one's daughter-in-law
συμπεραίνω: conclude, surmise, draw a conclusion, deduce
συμπέρασμα, το: conclusion, surmise, deduction
συμπεριλαμβάνω: include, comprehend, contain
συμπεριφέρομαι: behave, conduct oneself
συμπεριφορά, η: behavior, conduct
συμπίπτω: coincide
σύμπλεγμα, το: (τέχνη) group || (διακλαδώσεις) network || (*ψυχολ*) complex
συμπλέκομαι: scuffle, come to grips, come to blows
συμπλέκω: interweave, interlace, twine
συμπλήρωμα, το: (που συμπληρώνει) complement || (προσθήκη) supplement
συμπληρώνω: complete, supplement, fill
συμπλοκή, η: scuffle, scrimmage, hand-to-hand fight, || (καυγάς με χτυπήματα) brawl, fisticuffs
σύμπνοια, η: accord, concord,
συμπολεμιστής, ο: comrade in arms
συμπολιτεία, η: confederacy, confederation, federation
συμπολίτευση, η: party in power
συμπολίτης, ο (*θηλ* **συμπολίτισσα**): fellow citizen
συμπόνια, η: compassion, sympathy
συμπονώ: feel compassion, sympathize
συμπόσιο, το: banquet, feast
σύμπτωμα, το: symptom
συμπτωματικός, -ή, -ό: accidental, chance
σύμπτωση, η: (που συμπίπτει) coincidence || (τυχαίο συμβάν) chance, accident
συμπυκνώνω: condense
συμφέρον, το: interest, benefit, advantage, end
συμφεροντολογικός, -ή, -ό: self-interested
συμφεροντολόγος, -α, -ο: pursuing personal advantage or interest
συμφέρω: (*συν. απρόσ.*): be to one's advantage, be advantageous, be to one's interests, suit one's interests or purpose
συμφιλιώνομαι: make up, be reconciled
συμφιλιώνω: reconcile, conciliate
συμφοιτητής, ο (*θηλ* **συμφοιτήτρια**): βλ. **συμμαθητής**
συμφορά, η: disaster, calamity
συμφόρηση, η: (αποπληξία) stroke, apoplexy
συμφωνητικό, το: contract, agreement
συμφωνία, η: accord, agreement, concord, accordance, concordance || (σύμβαση) agreement
σύμφωνο, το: (*γραμ*) consonant
σύμφωνος, -η, -ο: in accord, in conformity, agreed, in agreement
συμφωνώ: agree, concur, accord || (είμαι σύμφωνος) agree
συν: (*πρόθ*) βλ. **μαζί** || (*μαθ*) plus
συναγερμός, ο: (αεροπορικός) air raid alarm
συναγρίδα, η: gurnard

συνάγω: βλ. **συμπεραίνω** || *(απρόσ.)* it follows
συναγωγή, η: synagogue
συναγωνίζομαι: compete, contend, vie
συναγωνισμός, ο: competition, contention
συναγωνιστής, ο (*θηλ* **συναγωνίστρια**): comrade || (που συναγωνίζεται) competitor
συνάδελφος, ο: (μέλος ίδιας οργάνωσης) fellow member || (ίδιου επαγγέλματος) colleague || (εργάτης στην ίδια ομάδα) mate
συνάζω: assemble, gather
συναθροίζω: βλ. **συνάζω**
συνάθροιση, η: βλ. **συγκέντρωση**
συναίνεση, η: βλ. **συγκατάθεση** || βλ. **συμφωνία**
συναινώ: βλ. **συγκατανεύω** || βλ. **συμφωνώ**
συναίρεση, η: *(γραμ)* syneresis
συναισθάνομαι: be conscious of, be aware
συναίσθημα, το: feeling, sense, sensation
συναισθηματικός, -ή, -ό: sentimental
συναλλαγή, η: βλ. **δοσοληψία** || βλ. **εμπόριο**
συνάλλαγμα, το: foreign currency
συναλλαγματική, η: promisory note, bill of exchange
συναλλάσσομαι: have dealings, deal, trade, traffic
συναναστρέφομαι: associate with, consort
συναναστροφή, η: association, company
συνάντηση, η: meeting, encounter || (αθλ.) match
συναντιέμαι: meet
συναντώ: meet, encounter, come across
συνάπτω: βλ. **συνδέω**
συναρμολογώ: assemble, fit together, join together
συναρπάζω: thrill, excite, captivate
συναρπαστικός, -ή, -ό: thrilling, exciting, captivating
συνασπισμός, ο: coalition, bloc
συναυλία, η: concert
συνάχι, το: catarrh
σύνδεσμος, ο: bond, connection, union, tie || (σύλλογος) union, league, association
συνδετήρας, ο: (χαρτιών) paper clip
συνδέω: connect, join, unite, bind, link
συνδιάλεξη, η: conversation, talk
συνδιάσκεψη, η: confercence
συνδικαλιστής, ο (*θηλ* **συνδικαλίστρια**): unionist, trade unionist
συνδικάτο, το: *(γεν)* syndicate || (εργατ.) union, labor union, trade union
συνδρομή, η: βλ. **βοήθεια** || (χρημ. πληρωμή) subscription
συνδρομητής, ο: subscriber
συνδυάζω: combine
συνδυασμός, ο: combination
συνεδριάζω: meet, hold a meeting, be in session
συνεδρίαση, η: meeting, session
συνέδριο, το: assembly, meeting, congress
συνείδηση, η: conscience
συνειδητός, -ή, -ό: (γίνεται με συναίσθηση) conscientious || (που έχει συναίσθηση) conscious
συνεισφέρω: contribute
συνεισφορά, η: contribution
συνέλευση, η: assembly
συνεννόηση, η: (επικοινωνία μεταξύ ατόμων) communication
συνεννοούμαι: (επικοινωνώ με άλλον) communicate
συνένοχος, ο: accomplice
συνέντευξη, η: interview
συνέπεια, η: consequence || βλ. **αποτέλεσμα** || βλ. **επακόλουθο**
συνεπής, -ές: consistent || (πιστός) true, faithful
συνεπιβάτης, ο: fellow passenger
συνεπώς: *(επίρ)* consequently
συνεργάζομαι: cooperate, collaborate
συνεργασία, η: cooperation, collaboration
συνεργάτης, ο (*θηλ* **συνεργάτισσα**): cooperator, colleague, cooperative, collaborator
συνεργείο, το: (τόπος) shop, workshop, works || (ομάδα) gang, team
σύνεργο, το: tool, implement, instrument
συνέρχομαι: assemble, meet || *(μτφ)* recover, pull oneself together || (από λιποθυμία) regain consciousness, come round
σύνεση, η: prudence, caution, wisdom, discretion
συνεσταλμένος, -η, -ο: timid, shy
συνεταίρος, ο: partner

συνετίζω: bring s.b. to reason
συνετός, -ή, -ό: prudent, cautious, discreet, wise
συνεφέρω: bring s.b. round
συνέχεια, η: continuity, continuation, sequel
συνεχής, -ές: (με μικρές διακοπές) continual || (αδιάκοπος χρονικά ή τοπικά) continuous
συνεχίζω: continue, go on, keep on
συνεχόμενος, -η, -ο: adjoining, communicating
συνεχώς: *(επίρ)* continuously, incessantly, ceaselessly
συνήγορος, ο: (υποστηρικτής) advocate, defender, supporter || (δικηγόρος) defense attorney, counsel for the defense, defendant's counsel
συνηγορώ: (υποστηρίζω) advocate, speak in favor || (δικ.) defend
συνήθεια, η: habit, custom
συνήθης, -ες: usual, customary || (όχι εξαιρετικός) ordinary, common
συνηθίζω: βλ. **εξοικειώνω** || (εξοικειώνομαι) get accustomed, get used || (κάνω από συνήθεια) be in the habit
συνηθισμένος, -η, -ο: βλ. **συνήθης** || (εξοικειωμένος) accustomed, used to
συνήθως: *(επίρ)* usually, customarily, as usual
σύνθεση, η: composition
συνθέτης, ο: *(μουσ)* composer
σύνθετος, -η, -ο: compound, complex, composite
συνθέτω: (γενικά) compose
συνθήκη, η: βλ. **σύμβαση** || *(πληθ -* περιστάσεις) circumstances, conditions
συνθηκολόγηση, η: conditional surrender, capitulation
συνθηκολογώ: capitulate, surrender under conditions
σύνθημα, το: (σημείο αναγνώρισης ή συνεννόησης) signal, sign || *(στρ)* password
συνίσταμαι: consist of, be composed of
συνιστώ: (φτιάχνω) establish, form || βλ. **συστήνω**
συννεφιά, η: overcast, cloudy weather, cloudiness
συννεφιάζω: overcloud, become cloudy, cloud
συννεφιασμένος, -η, -ο: cloudy, overcast
σύννεφο, το: cloud
συννυφάδα, η: sister-in-law, wife of one's brother-in-law
συνοδεία, η: (γενικά) escort || *(μουσ)* accompaniment
συνοδεύω: (γενικά) escort || (πάω μαζί) accompany || *(μουσ)* accompany
σύνοδος, η: *(εκκλ)* synod || (βουλής) session
συνοδός, ο (*θηλ* **συνοδός**): escort, attendant || (αεροπλάνου) steward (*θηλ* stewardess ή hostess)
συνοικία, η: district, quarter
συνοικισμός, ο: settlement
συνολικός, -ή, -ό: total, whole, overall
σύνολο, το: whole, total, entirety
συνομήλικος, -η, -ο: of the same age, contemporary
συνομιλητής, ο (*θηλ* **συνομιλήτρια**): interlocutor, discourser
συνομιλία, η: conversation, talk, discourse
συνομιλώ: converse, talk, discourse
συνομοσπονδία, η: βλ. **ομοσπονδία**
συνονόματος, -η, -ο: namesake
συνοπτικός, -ή, -ό: summary, synoptic, concise
σύνορα, τα: frontier, march, border
συνοφρυώνομαι: frown, scowl
σύνοψη, η: synopsis, summary, abstract
συνοψίζω: sum up, summarize
συνταγή, η: *(ιατρ)* prescription || (μαγειρ.) recipe
σύνταγμα, το: (χώρας) constitution || (στρ. μονάς) regiment
συνταγματάρχης, ο: colonel
συνταγματικός, -ή, -ό: constitutional
συντάκτης, ο: (εφημερίδας) editor || (γενικά) author, writer
σύνταξη, η: (προσ. εφημερίδας) editors, editorial staff || *(γραμ)* syntax || (συνταξιούχου) pension
συνταξιοδοτώ: pension off, grant a pension
συνταξιούχος, ο (*θηλ* **συνταξιούχα**): pensioner, pensionary
συνταρακτικός, -ή, -ό: world-shaking
συντάσσω: compile, draw up, write || (εφημερίδα) edit || (συγκροτώ) form, organize
συντείνω: contribute, conduce

σύντεκνος, ο: βλ. **κουμπάρος**
συντέλεια, η: end, finish
συντελεστής, ο: contributor, factor, conducer
συντετριμμένος, -η, -ο: *(μτφ)* devastated, crushed
συντεχνία, η: guild, trade, trade union
συντηρητικός, ή, -ό: (πολιτ.) conservative
συντηρώ: βλ. **διατηρώ** ‖ (άνθρωπο) keep, maintain, support ‖ (ακίνητα) maintain
συντομεύω: *(χρον)* shorten, cut short ‖ (μήκος) abridge, shorten
σύντομος, -η, -ο: short, brief
συντονιστής, ο: coordinator
συντοπίτης (*θηλ* **συντοπίτισσα**): fellow countryman
συντρέχω: succor, help
συντρίβω: crush [illegible] shatter
συντρίμμι, το: fragment, broken piece
συντριπτικός, -ή, -ό: *(μτφ)* overwhelming, crushing
συντροφεύω: keep company, accompany
συντροφιά, η: company ‖ (όμιλος, παρέα) party
σύντροφος, ο: comrade, companion ‖ (οργαν. ή κόμματος) comrade
συνύπαρξη, η: coexistence
συνυπάρχω: coexist
συνωμοσία, η: conspiracy, plot
συνωμότης, ο (*θηλ* **συνωμότρια**): conspirator
συνωμοτώ: conspire, plot, scheme
συνώνυμος, -η, -ο: synonymous
συνωστίζομαι: throng, jostle, crush, crowd
συνωστισμός, ο: press, jostle, throng, crush
σύριγγα, η: syringe
σύρμα, το: wire
συρματόπλεγμα, το: wire netting ‖ (αγκαθωτό) barbed wire
σύρραξη, η: conflict, clash
σύρριζα: *(επίρ)* (από τη ρίζα) by the roots ‖ (ως τη ρίζα) root and branch ‖ (κούρεμα) very closely, close-cropped
συρτάρι, το: drawer
σύρτης, ο: bolt, bar, latch
συρφετός, ο: riffraff, rabble, mob
σύρω: βλ. **σέρνω**
συσκέπτομαι: confer
συσκευάζω: pack
συσκευή, η: apparatus
σύσκεψη, η: conference
συσκοτίζω: darken, black out ‖ *(μτφ)* obfuscate, obscure, confuse, complicate
συσπειρώνομαι: coil, coil oneself ‖ *(μτφ)* rally, gather round
συσπειρώνω: coil, wind
συσπώ: twitch, contract
συσσωματώνω: incorporate
σύσσωμος, -η, -ο: entire, all together, in a body
συσσωρεύω: accumulate, amass, heap up
συστάδα, η: grove
σύσταση, η: composition, structure ‖ (διευθ.) address ‖ (παρουσίαση προσώπου) introduction ‖ (αναφορά για το ποιόν) recommendation
συστατικά, τα: ingredients, components ‖ (πληροφορίες) recommendations, references
συστατικός, -ή, -ό: (που συστήνει) introductory ‖ (που δίνει πληροφορίες για το ποιόν) of recommendation, recommendatory
συστέλλομαι: contract
συστέλλω: contract
σύστημα, το: system
συστηματικός, -ή, -ό: systematic, systematical
συστηματοποιώ: systematize, systemize
συστημένος, -η, -ο: (επιστολή) registered
συστήνω: (υποδεικνύω) recommend ‖ (γνωρίζω κάποιον σε άλλον) introduce
συστολή, η: contraction ‖ *(μτφ)* timidity, timidness, shyness
συστρατιώτης, ο: comrade in arms
συστρέφω: twist, contort
συσφίγγω: tighten, make tighter
συσχετίζω: correlate
συχνά: *(επίρ)* often, frequently
συχνάζω: frequent
συχνός, -ή, -ό: frequent
συχνότητα, η: frequency, frequence
σφαγείο, το: slaughterhouse
σφαγή, η: slaughter
σφαδάζω: writhe
σφάζω: slay, slaughter
σφαίρα, η: sphere ‖ (όπλου) bullet, cartridge ‖ (υδρόγειος) globe ‖ (αθλ.) shot

σφαιρικός, -ή, -ό: spherical
σφαιροβολία, η: shot-put
σφάλλω: err, be mistaken
σφάλμα, το: error, slip
σφεντόνα, η: sling
σφετερίζομαι: misappropriate, usurp
σφετεριστής, ο (*θηλ* σφετερίστρια): usurper
σφήκα, η: wasp, hornet
σφήνα, η: wedge
σφηνώνω: wedge
σφίγγα, η: sphinx
σφίγγω: tighten, make tighter
σφιχταγκαλιάζω: hug, crush in one's arms
σφιχτός, -ή, -ό: tight
σφοδρός, -ή, -ό: βλ. βίαιος ‖ βλ. ορμητικός ‖ (έντονος) vehement
σφουγγαρίζω: scrub, mop
σφουγγαρόπανο, το: mop
σφουγγίζω: wipe, clean, sponge
σφραγίδα, η: seal, stamp
σφραγίζω: (βάζω σφραγίδα) seal, set one's seal ‖ (δόντι) fill
σφρίγος, το: vigor, briskness, pertness, liveliness
σφυγμομετρώ: feel the pulse, measure the frequency of the pulse ‖ (*μτφ* - κοινή γνώμη) poll, canvass
σφυγμός, ο: pulse
σφύρα, η: (εργαλ. και αθλητ.) hammer
σφυρηλατώ: hammer, forge
σφυρί, το: hammer
σφύριγμα, το: whistling
σφυρίζω: whistle ‖ (αποδοκιμαστικά) hiss
σφυρίχτρα, η: whistle
σφυροβολία, η: hammer throw
σφυροδρέπανο, το: hammer and sickle
σφυροκοπώ: βλ. σφυρηλατώ ‖ (*μτφ*) pound
σχάρα, η: βλ. εσχάρα
σχεδία, η: raft
σχεδιάγραμμα, το: diagram, outline, sketch
σχεδιάζω: sketch, draw, outline
σχεδιαστής, ο (*θηλ* σχεδιάστρια): draftsman
σχέδιο, το: drawing, outline, sketch ‖ (εγγράφου) draft
σχεδόν: (*επίρ*) almost, nearly
σχέση, η: relation, relationship, connection, bearing ‖ (δεσμός) connection, association
σχετίζομαι: (έχω σχέση) be related, be connected, have bearing ‖ (έχω δεσμό) be acquainted, be intimate with
σχετίζω: connect, relate
σχετικός, -ή, -ό: relative, pertinent, connected ‖ (όχι απόλυτος) relative
σχήμα, το: shape, form, figure
σχηματίζω: form
σχιζοφρενής, -ές: schizophrenic
σχισμή, η: cleft, crack, fissure, cranny, crevice
σχιστόλιθος, ο: schist, shale, slate
σχοινί, το: rope
σχολάζω: rest, stop work
σχολαστικός, -ή, -ό: (*μτφ*) finicky, niggling
σχολείο, το: school ‖ δημοτικό ~: elementary school
σχόλη, η: holiday, day off
σχολή, η: school
σχολιάζω: comment
σχολικός, -ή, -ό: school
σχόλιο, το: comment
σχολνώ: finish classes
σώζω: save, rescue
σωλήνας, ο: tube, hose, pipe
σώμα, το: (*γεν*) body
σωματείο, το: corporation
σωματοφύλακας, ο: bodyguard
σωματώδης, -ες: stout, corpulent
σώος, -α, -ο: (ακέραιος) entire, whole ‖ (αβλαβής) safe, intact, safe and sound
σωπαίνω: βλ. σιωπώ ‖ (*μτβ*) silence
σωρός, ο: heap, pile
σωσίας, ο: double
σωσίβιο, το: life preserver ‖ (ζώνη) life belt
σωστά: (*επίρ*) precisely, exactly, right
σωστός, -ή, -ό: βλ. ολόκληρος ‖ βλ. ακριβής
σωτήρας, ο: savior, rescuer
σωτηρία, η: salvation, deliverance, rescue
σωφέρ, ο: chauffeur
σωφρονίζω: bring to s.b's senses

Τ

ταβάνι, το: ceiling
ταβέρνα, η: tavern, pub
ταγκό, το: tango
ταγκός, -ή, -ό: rancid, rank, tangy
τάγμα, το: battalion
ταγματάρχης, ο: major
τάζω: vow, pledge, make a vow
ταΐζω: feed
ταινία, η: ribbon, strip, tape || (κινημ.) film, movie || (μετρική) tape measure, tapeline
ταίρι, το: (ένα από δύο όμοια) mate, one of a matched pair || (σύντροφος) mate
ταιριάζω: pair, match
τακούνι, το: heel
τακτ, το: tact
τακτική, η: tactics
τακτικός, -ή, -ό: (που γίνεται τακτικά) regular || (με τάξη) orderly, tidy
τακτοποιώ: arrange, tidy
ταλαιπωρία, η: hardship
ταλαιπωρώ: torment, harass
ταλαντεύομαι: oscillate, sway
ταλαντεύω: oscillate, sway
τάλαντο, το: talent, gift
ταλέντο, το: βλ. **τάλαντο**
ταμείο, το: (κάσα) till, strongbox || (γραφείο) cashier's office, teller's office
ταμίας, ο: (γενικών πληρ. και εισπρ.) cashier || (σε γκισέ) teller
ταμιευτήριο, το: savings bank
ταμπέλα, η: (καταστήματος, κλπ.) signboard || (διαφημ.) billboard, bill
ταμπόν, το: (σφραγίδας) inkpad
ταμπούρλο, το: drum
τανάλια, η: tongs, pincers
τανκ, το: tank
τάξη, η: (σειρά) order, arrangement, rank || (όχι αταξία) order || (κατηγορία) order, class || (σχολείου) class || (αίθουσα) classroom
ταξί, το: cab, taxi, taxicab
ταξιαρχία, η: brigade
ταξίαρχος, ο: brigadier, brigadier general
ταξιδεύω: travel, make a trip
ταξίδι, το: travel, trip, journey
ταξιθέτης, ο (*θηλ* **ταξιθέτρια**): usher (*θηλ:* usherette)
ταξιθέτρια, η: βλ. **ταξιθέτης**
ταξιθετώ: classify
ταξίμετρο, το: taximeter
ταξινομώ: βλ. **ταξιθετώ**
ταξιτζής, ο: cab driver
ταπεινός, -ή, -ό: humble
ταπεινοφροσύνη, η: humbleness, humility, modesty
ταπεινώνω: humiliate, humble
ταπέτο, το: rug
ταπετσαρία, η: (τοίχου) wallpaper || (επίπλων) upholstery
τάπητας, ο: carpet, rug
ταράζω: shake, agitate || *(μτφ)* upset, perturb, distress, disturb
ταραμάς, ο: tarama caviar, carp roe
τάρανδος, ο: reindeer
ταραξίας, ο: agitator, trouble maker
ταράτσα, η: sundeck, flat roof
ταραχή, η: agitation, disturbance || (ψυχική) upset, distress, perturbation
ταραχώδης, -ες: turbulent, tumultuous
ταρίφα, η: tariff, schedule of prices, price list
ταριχεύω: (ζώα) stuff and mount animal skin into lifelike position || (ανθρώπους) embalm
τασάκι, το: βλ. **σταχτοδοχείο**
τάση, η: tension
ταυρομαχία, η: bullfight
ταύρος, ο: bull
ταυτότητα, η: identity
ταυτόχρονος, -η, -ο: simultaneous
τάφος, ο: grave
τάφρος, η: ditch, trench
τάχα: *(επίρ)* (σαν να) as if, as though || (φαινομενικά) apparently, supposedly || βλ. **δήθεν**
ταχυδακτυλουργός, ο: conjuror, magician, juggler
ταχυδρομείο, το: (υπηρεσία) mail, post || (οίκημα) post office
ταχυδρομικά, τα: postage
ταχυδρομικός, -ή, -ό: post, postal, mail || ~ **τομέας:** zip code

ταχυδρόμος, ο: mailman, mail-carrier, postman, letter carrier
ταχυδρομώ: mail, post, send by mail, put in the mail
ταχύτητα, η: speed, velocity
ταψί, το: shallow baking tray
τείνω: βλ. **τεντώνω** || βλ. **απλώνω** || (έχω τάση) be inclined, tend to, have a tendency, incline
τείχος, το: wall
τεκμήριο, το: proof, clue, document
τέκνο, το: child (βλ. και **γόνος**)
τεκνοποιώ: give birth
τελάρο, το: frame
τελεία, η: period, full stop
τελειοποιώ: perfect, bring to perfection
τέλειος, -α, -ο: perfect, faultless
τελειόφοιτος, -η, -ο: (4ετούς πανεπ. ή γυμνασίου) senior || (πενταετούς φοίτησης) graduate student
τελειώνω: *(μτβ)* finish, end, complete, bring to an end || *(αμτβ)* end, come to an end, come to a conclusion, finish
τελεσίγραφο, το: ultimatum
τελετή, η: ceremony
τελευταία: *(επίρ)* recently, of late, lately
τελευταίος, -α, -ο: (δεν ακολουθείται από άλλον) last || (τελευταίος μέχρις στιγμής) latest
τέλη, τα: duties, dues
τελικός, -ή, -ό: final, ultimate
τέλος, το: end, finish, termination || (φόρος) duty (βλ. **τέλη**) || **επι~ους:** at last, finally, at length || **~ πάντων:** anyway, after all
τελώ: perform
τελωνείο, το: customs
τελώνης, ο: customs officer, customs director
τεμάχιο, το: part, piece
τεμπέλης, -α, -ικο: lazy, sluggard, loafer
τεμπελιάζω: laze, loaf, loll
τενεκές, ο: (ύλη) tin || (αντικείμενο) pail, can
τενεκετζής, ο: tinsmith, tinner
τένις, το: tennis
τενόρος, ο: tenor
τέντα, η: (σκηνή) tent || (πρόστεγο) awning
τέντζερης, ο: kettle, pot
τεντώνομαι: stretch, flex one's limbs, stretch one's limbs
τεντώνω: stretch, extend
τέρας, το: freak, monster
τεράστιος, -α, -ο: monstrous, enormous, huge
τερατώδης, -ες: monstrous (και *μτφ*)
τέρμα, το: end || (γραμμής συγκοιν.) terminus, terminal || (ποδοσφ. κλπ.) goal
τερματίζω: (φθάνω στο τέρμα) finish
τερματοφύλακας, ο: goaltender, goalkeeper
τέρπω: please, delight, amuse
τεσσαρακοστός, -ή, -ό: fortieth
τέσσερες, -α: four
τεστ, το: test
τετάρτη, η: Wednesday
τέταρτο, το: quarter
τέταρτος, -η, -ο: fourth
τέτοιος, -α, -ο: such, of this kind
τετραγωνικός, -ή, -ό: βλ. **τετράγωνος** || **~ό μέτρο:** square meter
τετράγωνο, το: square
τετράγωνος, -η, -ο: βλ. **τετραγωνικός**
τετράδιο, το: notebook
τετράδυμα, τα: quadruplets
τετραετία, η: quadrennium
τετρακόσιοι, -ες, -α: four hundred
τετραπέρατος, -η, -ο: very clever, wiz, very smart
τετράπλευρο, το: quadrilateral, quadrangle, quad
τετράποδο, το: quadruped, four-footed animal
τεύχος, το: issue, number
τέχνασμα, το: ploy, trick, ruse
τέχνη, η: art
τεχνητός, -ή, -ό: artificial
τεχνική, η: technique
τεχνικός, -ή, -ό: technical
τεχνίτης, ο: craftsman, artisan
τεχνολογία, η: technology
τζάμι, το: pane, window pane
τζαμί, το: mosque
τζαμόπορτα, η: glass door, french door, french window
τζάμπα: *(επίρ)* βλ. **δωρεάν**
τζάνερο, το: wild plum, plum
τζίτζικας, ο: cicada, seventeen-year locust
τζόκεϋ, ο: jockey
τήβεννος, ο: toga
τηγανητός, -ή, -ό: fried
τηγάνι, το: skillet, frying pan

τηγανίζω: fry
τηλεβόας, ο: megaphone || (ηλεκτρικός) bullhorn, loudhailer
τηλεβόλο, το: heavy gun, cannon
τηλεγραφείο, το: telegraph office
τηλεγράφημα, το: wire, telegram
τηλεγραφητής, ο: telegrapher
τηλέγραφος, ο: telegraph
τηλεγραφώ: telegraph, wire
τηλεόραση, η: television
τηλεπικοινωνία, η: telecommunication
τηλεσκόπιο, το: telescope
τηλεφώνημα, το: telephone call, phone call, call
τηλεφωνητής, ο (*θηλ* **τηλεφωνήτρια**): operator, telephone operator
τηλέφωνο, το: telephone, phone
τηλεφωνώ: telephone, phone, make a call, call up, make a phonecall
τηρώ: keep, maintain
τι: what?
τίγρη, η (*αρσ* **τίγρης**): tigress
τίγρης, ο: tiger
τιμαλφή, τα: jewels
τιμάριθμος, ο: cost of living
τιμή, η: *(ηθ.)* honor || (αξία ηθική) worth, value || (αντίτιμο) price, rate, value
τίμημα, το: price, value, cost
τιμητικός, -ή, -ό: honorary
τίμιος, -α, -ο: honest, square
τιμιότητα, η: honesty
τιμοκατάλογος, ο: (εμπορ.) tariff || (ειδών) price list || (εστιατορίου) menu
τιμολόγιο, το: invoice, bill
τιμόνι, το: (γενικά) wheel || (διακυβερν. πλοίου) helm, wheel || (αυτοκ.) steering wheel || (ποδηλάτου) handlebars
τιμώ: honor
τιμωρία, η: punishment, penalty
τιμωρώ: punish
τινάζομαι: start, jump up, give a start
τινάζω: shake, shake off, toss
τίποτα: *(αντων)* nothing, not anything || (απάντηση σε ευχαριστία) you are welcome, don't mention it, forget it
τιράντες, οι: suspenders (U.S.A.), braces (Brit.)
τιρμπουσόν, το: corkscrew
τιτάνας, ο: titan
τίτλος, ο: *(γεν)* title
τμήμα, το: part, section, portion
το: βλ. **ο**
τοίχος, ο: wall
τοίχωμα, το: βλ. **τοίχος** || (διαχωριστικό) partition, inner wall
τοκετός, ο: parturition, childbirth
τοκίζω: lent at interest
τοκογλύφος, ο: usurer
τόκος, ο: interest
τόλμη, η: boldness, daring
τολμηρός, -ή, -ό: bold, daring || (αναιδής) pert || (σόκιν) ribald, risque
τολμώ: dare, venture
τομάτα, η: βλ. **ντομάτα**
τομέας, ο: sector || **ταχυδρομικός ~**: zip code
τομή, η: cut, cutting
τόμος, ο: tome, volume
τονίζω: (δείχνω έντονα, τονίζω) accentuate, accent || (δίνω έμφαση) emphasize, stress
τόνος, ο: (ψάρι) tuna, tunny || (μ. βάρους) ton || (ένταση φωνής) tone || *(γραμ)* accent, accent mark
τονώνω: vitalize, give vitality, invigorate, brace up, fortify
τονωτικό, το: cordial, stimulant, tonic
τοξικομανής, ο: drug addict, junkie
τόξο, το: (όπλο) bow || *(μαθ και ηλεκτρ)* arc || (αψίδα) arch || **ουράνιο ~**: rainbow, iris
τοξότης, ο: archer, bowman
τόπι, το: ball || (υφάσματος) roll
τοπικός, -ή, -ό: local
τοπίο, το: (στεριάς) landscape || (θαλασσινό) seascape
τοπογραφία, η: survey, surveying, topography
τοπογράφος, ο: surveyor, topographer
τοποθεσία, η: place, spot, site, locality
τοποθετώ: place, lay, put || (χρήματα) invest || (διορίζω) appoint
τόπος, ο: βλ. **τοποθεσία** || (χώρος) room, space
τόρνος, ο: lathe
τορπίλα, η: torpedo
τορπιλίζω: torpedo
τόσο: *(επίρ)* so, so much, that, that much || ~ **... όσο**: as ... as, so ... as
τόσος, -η, -ο: so, that, such
τότε: *(επίρ)* then, at that time || (σε τέτοια περίπτωση) then, in that case
τουαλέτα, η: (φόρεμα) dress, even-

ing gown || βλ. **αποχωρητήριο** || (έπιπλο) vanity, dressing table || (περιποίηση) toilet, toilette
τούβλο, το: brick
τουλάχιστο: *(επίρ)* at least
τουλίπα, η: (φυτό) tulip || (καπνού, κλπ.) plume, puff
τουλούμπα, η: βλ. **αντλία**
τούμπα, η: somersault, summersault, somerset
τουναντίον: *(επίρ)* on the contrary, conversely
τούνελ, το: βλ. **σήραγγα**
τουρισμός, ο: tourism, tour, touring
τουρίστας, ο *(θηλ* **τουρίστρια***)*: tourist
τουριστικός, -ή, -ό: tourist
τουρσί, το: pickle
τούρτα, η: cake
τουρτουρίζω: shiver, shake from cold
τούτος, -η, -ο: this, this one
τουφέκι, το: riffle
τουφεκίζω: fire, shoot || (εκτελώ) shoot
τραβώ: βλ. **σέρνω** || (πιστόλι ή σπαθί) draw, pull || (ταινία) shoot || (γοητεύω) attract || ((υποφέρω) undergo, have a hard time, suffer
τραγανός, -ή, -ό: crisp || *(ουσ - ουδ)* gristle
τραγικός, -ή, -ό: tragic, tragical
τράγος, ο: he-goat
τραγούδι, το: song
τραγουδιστής, ο *(θηλ* **τραγουδίστρια***)*: singer
τραγουδώ: sing
τραίνο, το: βλ. **τρένο**
τρακάρω: bump against, bump into, collide, knock against)
τρακατρούκα, η: firecracker
τρακτέρ, το: tractor
τραμ, το: streetcar, trolley, tram
τραμπάλα, η: (το σανίδι) teeterboard, seesaw, teeter-totter || (η πράξη) teeter, seesaw
τραμπαλίζομαι: teeter, seesaw
τραντάζω: jolt, jar, jossle,
τράπεζα, η: bank
τραπεζίτης, ο: (ιδιοκτ. ή διευθ. τράπεζας) banker || (δόντι) βλ. **γομφίος**
τραπεζογραμμάτιο, το: banknote, bill, bank bill
τραπεζομάντηλο, το: tablecloth
τράπουλα, η: pack of cards
τραπουλόχαρτο, το: card
τραυλίζω: stutter, stammer
τραυλός, -ή, -ό: stutterer, stammering
τραύμα, το: (σε μάχη ή συμπλοκή) wound || (σε δυστύχημα) injury
τραυματίας, ο: wounded
τράχηλος, ο: neck || (αυχένας) nape
τραχύς, -ιά, -ύ: rough, rugged, coarse, harsh
τρεις, τρία: three
τρέλα, η: madness, lunacy, insanity
τρελαίνομαι: go mad, become mad, lose one's mind
τρελαίνω: drive mad, drive crazy
τρελοκομείο, το: asylum for the mentally ill, lunatic asylum, madhouse
τρελός, -ή, -ό: mad, crazy, insane, lunatic, out of one's mind
τρέμω: tremble, shake, shudder
τρένο, το: βλ. **αμαξοστοιχία**
τρέξιμο, το: running
τρέπω: turn, change
τρέφω: βλ. **θρέφω**
τρεχάλα, η: running, run
τρέχω: run, race || (σε αγώνα) race || (υγρό) flow, run || (στάζω) drip
τρία: βλ. **τρεις** || (πόκερ) three of a kind
τρίαινα, η: trident
τριακόσιοι, -ες, -α, : three hundred
τριακοσιοστός, -ή, -ό: three hundredth
τριακοστός, -ή, -ό: thirtieth
τριάντα, η: thirty
τριανταφυλλιά, η: rosebush
τριαντάφυλλο, το: rose
τριάρι, το: three
τριβή, η: wear, wear and tear
τρίβω: rub
τριγυρίζω: knock about, loiter, hang around
τριγωνικός, -ή, -ό: triangular
τρίγωνο, το: triangle
τριγωνομετρία, η: trigonometry
τρίδυμος, -η, -ο: triplet
τριζόνι, το: cricket
τρίζω: (πόρτα ή πάτωμα) creak || (σκουριασμένου μετάλλου ή μεντεσέ) squeak || (δόντια) gnash, grind
τρικ, το: trick
τρικλίζω: teeter, totter, stagger, wobble
τρικλοποδιά, η: tripping up
τρίκυκλο, το: tricycle, velocipede
τρικυμία, η:high, precipitous, very rough

τριμηνία, η: trimester, quarter
τρίμηνο, το: βλ. **τριμηνία**
τρίποδας, ο: tripod
τριποδίζω: trot
τρίποδο, το: trestle, tripod
τρισέγγονος, -η, -ο: great-great-grandchild
Τρίτη, η: Tuesday
τριτοετής, -ές: third-year ‖ (φοιτητής) junior
τρίτος, -η, -ο: third
τριφασικός, -ή, -ό: three-phase
τρίφτης, ο: grater
τριφύλλι, το: shamrock, clover, trefoil
τρίχα, η: hair ‖ (βούρτσας) bristle ‖ **παρά ~:** by a whisker, by a hairsbreath
τριχιά, η: rope
τρίχρωμος, -η, -ο: tricolor, tricolored
τρίχωμα, το: hair, fur
τριχωτός, -ή, -ό: hirsute, hairy
τρόλεϊ, το: trolley, trolly
τρομάζω: *(μτβ)* frighten, scare, terrify, spook ‖ *(αμτβ)* be frightened, be scared, be spooked, be startled
τρομακτικός, -ή, -ό: scary, frightening
τρομερός, -ή, -ό: terrible, dreadful, frightful
τρομοκράτης, ο: terrorist
τρομοκρατώ: terrorize
τρόμος, ο: terror,fright, dread
τρομπάρω: βλ. **αντλώ**
τρόπαιο, το: trophy
τροπικός, -ή, -ό: (των τροπικών) tropical ‖ (κύκλος) tropic
τροποποιώ: modify
τρόπος, ο: manner, way
τρούλος, ο: cupola, dome
τροφή, η: food, aliment, nutriment ‖ (ζώων) fodder, feed, forage
τρόφιμα, τα: foodstuffs, victuals, provisions
τρόφιμος, -η, -ο: (νοικιαστής) boarder ‖ (ιδρύματος ή φυλακών) inmate
τροφοδοτώ: victual, supply, provision
τροφός, η: nurse, wet nurse
τροχάδην: *(επίρ)* running, at a run
τροχαία, η: traffic police
τροχαλία, η: pulley
τροχιά, η: (γύρω από άλλο σώμα) orbit ‖ (βλήματος) trajectory
τροχίζω: sharpen, whet, grind, hone
τροχονόμος, ο: traffic policeman
τροχοπέδη, η: brake
τροχός, ο: wheel
τροχοφόρο, το: vehicle
τρυγόνι, το: turtledove
τρύγος, ο: grape harvest
τρυγώ: gather grapes, harvest grapes
τρύπα, η: hole ‖ (βελόνας) eye
τρυπάνι, το: drill, auger
τρυπητό, το: βλ. **σουρωτήρι**
τρυπώ: puncture, hole, pierce, make a hole
τρυφερός, -ή, -ό: tender, soft ‖ *(μτφ)* affectionate, tender
τρυφερότητα, η: tenderness ‖ *(μτφ)* affection,
τρώγω: βλ. **τρώω**
τρωτός, -ή, -ό: vulnerable, assailable
τρώω: eat ‖ (φαγουρίζω) itch
τσαγιέρα, η: (που βράζει το τσάι) teakettle ‖ (που σερβίρουμε τσάι) teapot
τσάι, το: tea
τσακάλι, το: jackal, coyote
τσακίζω: βλ. **σπάζω**
τσάκιση, η: βλ. **πτυχή** ‖ (παντελονιού) crease
τσακμάκι, το: lighter
τσακμακόπετρα, η: flint
τσαλακώνω: crumble, wrinkle
τσαμπί, το: bunch of grapes
τσάντα, η: *(γεν)* bag ‖ (γυναικεία) purse, handbag ‖ (αγοράς) totebag, shopping bag ‖ (μαθητή) satchel
τσάπα, η: hoe
τσατσάρα, η: comb
τσεκ, το: (επιταγή) check (U.S.), cheque (Engl.)
τσεκούρι, το: βλ. **πέλεκυς**
τσεμπέρι, το: wimple
τσέπη, η: pocket
τσιγαρίζω: roast brown, brown, roast lightly, cook lightly
τσιγαροθήκη, η: cigarette case
τσίγκος, ο: zinc
τσιγκούνης, ο (*θηλ* **τσιγκούνα**): stingy, mean, miserly, miser
τσιμέντο, το: cement
τσιμούρι, το: tick
τσίμπημα, το: (εντόμων) sting, stinging, bite ‖ (αγκαθιού) prick, pricking ‖ (με το χέρι) pinch
τσιμπιά, η: βλ. **τσίμπημα**
τσιμπίδα, η: tongs, pincers, pinchers, forceps ‖ (φωτιάς) tongs

τσιμπιδάκι, το: (μικρή τσιμπίδα) tweezers, pair of tweezers ‖ (μαλλιών) hairpin
τσιμπώ: (με το χέρι) pinch ‖ (έντομο) sting, bite ‖ (με αιχμηρό αντικείμενο) prick, prickle
τσιπούρα, η: snapper
τσιρίζω: screech, caterwaul, shriek, squeal
τσίρκο, το: circus
τσιρότο, το: band aid
τσόκαρο, το: clog
τσομπάνης, ο: shepherd
τσομπανόσκυλο, το: sheepdog
τσουβάλι, το: sack
τσουγκράνα, η: rake
τσουγκρίζω: toast, touch glasses
τσούζω: smart, sting
τσουκάλι, το: pot
τσουκνίδα, η: nettle
τσουλούφι, το: forelock
τσόφλι, το: shell
τσόχα, η: felt
τυλίγω: roll, wind
τυμβωρύχος, ο: grave robber
τυμπανιστής, ο (*θηλ* **τυμπανίστρια**): drummer
τύμπανο, το: drum
τυπικός, -ή, -ό: (σύμφωνος με τύπους) formal ‖ (επιβαλλόμενος από συνήθεια) conventional
τυπογραφείο, το: printing office
τυπογράφος, ο: printer
τυποποιώ: typify, standardize
τύπος, ο: (μορφή, είδος) form, type ‖ (υπόδειγμα) type, model ‖ (χαρακτηρ. τύπος ανθρώπου) character ‖ (εφημερίδες, κλπ) press
τυπώνω: print
τυραννία, η: tyranny
τύραννος, ο: tyrant
τυρί, το: cheese
τυφλοπόντικας, ο: mole
τυφλός, -ή, -ό: sightless, blind
τυφλώνω: blind
τύφος, ο: typhus
τυφώνας, ο: typhoon
τυχαίνω: *(αμτβ)* happen, find myself, happen to be (βλ. και **συμβαίνω**)
τυχαίος, -α, -ο: unexpected, chance, accidental, casual
τυχερός, -ή, -ό: lucky, fortunate
τύχη, η: luck, fortune
τύψη, η: pang of remorse, remorse
τώρα: *(επίρ)* now, at the present time

Υ

ύαινα, η: hyena
υαλοπίνακας, ο: pane
ύαλος, ο: glass
υάρδα, η: yard
υγεία, η: health
υγιαίνω: be in good health, be healthy
υγιεινή, η: hygiene, hygienics
υγιεινός, -ή, -ό: healthy, wholesome,
υγιής, -ές: healthy
υγραίνω: moisten, dampen, wet, damp
υγρασία, η: humidity, moisture, dampness
υγρός, -ή, -ό: (όχι στερεός) liquid ‖ (με υγρασία) humid ‖ (νωπός) damp, wet
υδραγωγείο, το: (σωλήνας) aqueduct ‖ (εγκατάσταση) reservoir
υδραντλία, η: water pump
υδράργυρος, ο: quicksilver, mercury
υδρατμός, ο: steam, water vapor
υδραυλικός, ο: (τεχνίτης) plumber
υδραυλικός, -ή, -ό: hydraulic
υδρόβιος, -α, -ο: aquatic
υδρόγειος, η: earth, the globe
υδρογόνο, το: hydrogen
υδροκυάνιο, το: cyanide, hydrogen cyanide, prussic acid
υδροξείδιο, το: hydroxide
υδροπλάνο, το: seaplane, hydroplane
υδρορροή, η: gutter, water channel
υδροστατική, η: hydrostatics
υδροσωλήνας, ο: water pipe
υδροχρωματίζω: whitewash
ύδωρ, το: βλ. **νερό**
υιοθεσία, η: adoption
υιοθετώ: adopt
ύλη, η: *(φυσ)* matter ‖ (ουσία) substance, matter
υλικό, το: material, stuff

υλοποιώ: materialize
υλοτομία, η: wood cutting
υλοτόμος, ο: (ξυλοκόπος) wood cutter || (ξυλείας δάσους) lumberjack
υμένας, ο: membrane
ύμνος, ο: hymn || **εθνικός ~:** national anthem
υμνώ: hymn, sing hymns
υνί, το: share, plowshare
υπαγορεύω: dictate
υπαίθριος, -α, -ο: open-air, outdoor
ύπαιθρο, το: outdoors
ύπαιθρος, η: country, open country, countryside
υπαινιγμός, ο: (έμμεση αναφορά) allusion || (με τρόπο) intimation, hint
υπαινίσσομαι: (αναφέρω έμμεσα) allude || (λέω με τρόπο) hint, intimate
υπαίτιος, -α, -ο: responsible
υπακοή, η: obedience
υπάκουος, -η, -ο: obedient
υπακούω: *(γεν)* obey
υπάλληλος, ο: worker, employee, clerk
υπαξιωματικός, ο: (στρατού) non-commissioned officer (N.C.O.) || (ναυτικού) petty officer (P.O.)
ύπαρξη, η: being, existence
υπαρξιστής, ο (*θηλ* **υπαρξίστρια**): existentialist
υπαρχηγός, ο: lieutenant, second in command
υπάρχοντα, τα: possessions, property, effects
ύπαρχος, ο: chief mate, chief officer
υπάρχω: exist, be, be extant || (γ΄ προσ. εν.) there is || (γ΄ προσ. πληθ.) there are
υπαστυνόμος, ο: lieutenant (of the police)
υπέδαφος, το: subsoil
υπενθυμίζω: remind
υπενοικιάζω: sublet, sublease
υπενοικιαστής, ο (*θηλ* **υπενοικιάστρια**): subtenant
υπενωματάρχης, ο: sergeant of the constabulary
υπέρ: *(πρόθ) (τοπ)* over || *(ποσ)* over, more || (ευνοϊκά) for || (ευνοϊκό επιχείρημα) pro
υπεράνω: above, beyond
υπερασπίζομαι: defend oneself
υπερασπίζω: defend
υπερασπιστής, ο (*θηλ* **υπερασπίστρια**): defender, champion
υπεραστικός, -ή, -ό: long-distance, toll
υπερβαίνω: overpass, surmount, exceed
υπερβάλλω: (μεγαλοποιώ) exaggerate, stretch a point
υπερβολή, η: (πάνω από το κανονικό) excess || (μεγαλοποίηση) exaggeration
υπερβολικός, -ή, -ό: (πάνω από το κανονικό) excessive || (μεγαλοποιημένος) exaggerated || (που μεγαλοποιεί) exaggerating, exaggerative
υπερένταση, η: overstress, overstrain
υπερέχω: surpass, exceed, be superior
υπερήλικος, -η, -ο: advanced, very old
υπερηφάνεια, κλπ.: βλ. **περηφάνια** κλπ.
υπερίπταμαι: hover, fly over
υπερισχύω: predominate, prevail
υπεριώδης, -ες: ultraviolet
υπερκόπωση, η: overexertion, overstrain
υπέρμαχος, -η, -ο: champion, paladin, defender
υπέρμετρος, -η, -ο: excessive
υπερμετρωπία, η: hyperopia, hypermetropia, farsightedness
υπερνικώ: overcome, surmount
υπέρογκος, -η, -ο: *(μτφ)* exorbitant, outrageous
υπερόπτης, ο: haughty, lofty, arrogant
υπεροχή, η: superiority, supremacy, predominance
υπέροχος, -η, -ο: superior, magnificent
υπεροψία, η: haughtiness, arrogance
υπερπηδώ: overleap, jump over || *(μτφ)* overcome, surmount
υπερσιτίζω: overfeed
υπερτερώ βλ. **υπερέχω**
υπερτίμηση, η: overestimation || (αύξηση τιμών) rise, overpricing
υπερτιμώ: overestimate || (ανεβάζω τιμή) raise the price, overprice
υπερφυσικός, -ή, -ό: supernatural
υπερωκεάνιο, το: (πλοίο) ocean-going
υπερωρία, η: overtime
υπεύθυνος, -η, -ο: responsible, answerable, accountable
υπήκοος, ο: subject, national
υπηκοότητα, η: citizenship, nationality
υπηρεσία, η: (ανατεθείσα εργασία) duty, job, service || (διοικ.) service, bureau, department, division
υπηρέτης, ο (*θηλ* **υπηρέτρια**): *(γεν)* servant, menial, domestic, manservant

υπηρέτρια, η: maid, maidservant
υπηρετώ: (γενικά) serve || (είμαι στην υπηρεσία κάποιου) be in the service of, serve || (θητεία) serve
υπίλαρχος, ο: lieutenant (cavalry)
υπναράς, ο (*θηλ* **υπναρού**): sleepyhead, fond of sleeping
υπνοβάτης, ο (*θηλ* **υπνοβάτισσα**): somnambulist, sleepwalker
υπνοδωμάτιο, το: bedroom
ύπνος, ο: sleep, slumber || (ελαφρός) doze, nap
ύπνωση, η: hypnosis
υπνωτήριο, το: dormitory, dorm
υπνωτίζω: mesmerize, hypnotize
υπνωτικό, το: *(γεν)* soporific || (φάρμακο) sleep-inducing drug || (χάπι) sleeping pill
υπνωτισμός, ο: hypnotism
υπνωτιστής, ο (*θηλ* **υπνωτίστρια**): hypnotist
υπό *(προθ)*: βλ. **αποκάτω** || ~ **τόν όρο:** on condition that
υποβάλλω: (αίτηση, αναφορά, κλπ.) submit || (κάνω να υποστεί) inflict, cause, subjectt
υποβιβάζω: (χαμηλώνω) lower, take down || (σε αξία ή θέση) degrade, lower, slight || (σε βαθμό) demote
υποβολέας, ο: prompter
υποβρύχιο, το: submarine
υπογάστριο, το: abdomen
υπόγειο, το: basement
υπόγειος, -α, -ο: subterranean, underground, below ground level || ~ **σιδηρόδρομος:** underground railroad, subway
υπογραμμίζω: underline
υπογραφή, η: signature
υπογράφω: sign
υποδεέστερος, -η, -ο: βλ. **κατώτερος**
υπόδειγμα, το: model, example
υποδειγματικός, -ή, -ό: exemplary
υποδεικνύω: indicate, point out, suggest
υποδεκάμετρο, το: decimeter
υποδεκανέας, ο: (Η.Π.Α., στρατ.) private 1st class || (Η.Π.Α., πεζοναύτες) lance corporal || (Αγγλία) lance corporal
υποδέχομαι: receive, meet, welcome, greet
υποδηλώνω: allude, mean, indicate
υποδηματοποιείο, το: shoemaker's shop
υποδηματοποιός, ο: shoemaker, bootmaker
υποδιαίρεση, η: subdivision
υποδιαιρώ: subdivide
υπόδικος, -η, -ο: indicted, indictee, defendant, awaiting trial
υποδιοικητής, ο: (στρ. μονάδας) executive officer || (περιοχής, κλπ.) lieutenant-governor || (οργανισμού, κλπ) vice president
υποδουλώνω: enslave, subjugate
υποδοχή, η: reception
υποδύομαι: play the part, have a part, play the role
υποζύγιο, το: pack animal, beast of burden
υπόθεση, η: (βάση συμπεράσματος) hypothesis, supposition, premise || (θέμα ή εργασία) affair, matter, business || (περιεχόμενο έργου) plot, theme, subject
υποθέτω: (κάνω υπόθεση για συμπέρασμα) hypothesize, suppose, premise || (πιστεύω, νομίζω) reckon, guess, suppose
υποθήκη, η: mortgage
υποκατάστημα, το: branch office
υποκειμενικός, -ή, -ό: subjective
υποκείμενο, το: subject
υποκινώ: incite, provoke, instigate
υποκλίνομαι: bow || (βαθιά, με το γόνατο) genuflect, bend the knee
υποκόπανος, ο: rifle butt, gunstock, stock
υποκοριστικό, το: diminutive || (κύριου ονόματος) nickname
υπόκοσμος, ο: underworld
υποκρίνομαι: (κρύβω αισθήματα ή σκέψεις) dissemble, dissimulate || (παίζω απατηλό ρόλο) play a part, act
υποκρισία, η: hypocrisy
υποκριτής, ο (*θηλ* **υποκρίτρια**): hypocrite
υπόλειμμα, το: leftover, remnant
υπολήπτομαι: esteem, think highly of, think of with respect
υπόληψη, η: esteem, favorable regard, repute
υπολογίζω: estimate
υπολογισμός, ο: estimate
υπόλοιπο, το: *(μαθ)* remainder
υπολοχαγός, ο: (Η.Π.Α.) first lieutenant || (Αγγλία) lieutenant
υπομένω: endure, bear, put up with
υπόμνημα, το: memorandum
υπομοίραρχος, ο: lieutenant of the constabulary

υπομονετικός, -ή, -ό: patient
υπομονή, η: patience
υπομονητικά, υπομονητικός: βλ. **υπομονετικός**
υπομόχλιο, το: fulcrum
υπόνοια, η: βλ. **υποψία**
υπονομεύω: undermine
υπόνομος, ο: sewer
υπονοώ: imply
υποπλοίαρχος, ο: (πολ. ναυτικό - Η.Π.Α.) lieutenant senior grade || (πολ. ναυτικό - Αγγλ.) lieutenant || (εμπ. ναυτικό) chief mate
υποπόδιο, το: footstool
υποπροϊόν, το: by-product
υποπρόξενος, ο: vice consul
υποπτέραρχος, ο: (ΗΠΑ) Major general USAF || (Αγγλ.) air vice marshal
υποπτεύομαι: suspect
ύποπτος, -η, -ο: suspect, suspicious
υποσημείωση, η: footnote
υποσιτίζω: undernourish
υποσιτισμός, ο: malnutrition, undernourishment
υποσμηναγός, ο: (ΗΠΑ) 1st lieutenant USAF || (Αγγλ.) flying officer
υπόσταση, η: βλ. **ύπαρξη** || (βάση ή θεμέλιο) substance, foundation, ground, basis
υπόστεγο, το: shed || (μεγάλο για αεροσκάφη, κλπ) hangar
υποστέλλω: βλ. **κατεβάζω** || (σημαία) strike, lower
υποστηρίζω: support, prop || (από κάτω) underprop, brace || *(μτφ)* support, favor, uphold
υποστήριξη, η: *(μτφ)* support, backing
υποστράτηγος, ο: major general
υπόστρωμα, το: substratum
υποσυνείδητος, -η, -ο: subconscious
υπόσχεση, η: promise
υπόσχομαι: promise
υποταγή, η: subjugation, subjection, subordination, submission
υποτάζω: subdue, subjugate, subordinate
υποτακτική, η: subjunctive
υπόταση, η: low blood pressure
υποτάσσομαι: submit
υποτάσσω: βλ. **υποτάζω**
υποτείνουσα, η: hypotenuse
υποτίθεται: (γ΄ προσ) be supposed to
υποτίμηση, η: devaluation
υποτιμητικός, -ή, -ό: disparaging, slighting
υποτιμώ: devaluate || *(μτφ)* underestimate, underrate
υποτροφία, η: scholarship
ύπουλος, -η, -ο: slinky, sneaky, shifty, crafty, treacherous
υπουργείο, το: (ΗΠΑ) department || (Αγγλ.) ministry
υπουργικός, -ή, -ό: cabinet || **~ό συμβούλιο:** cabinet
υπουργός, ο: (ΗΠΑ) member of the cabinet, head of a department, secretary || (Αγγλ) minister
υποφερτός, -ή, -ό: tolerable, bearable
υποφέρω: *(μτβ)* βλ. **αντέχω** || βλ. **υπομένω** || βλ. **ανέχομαι** || *(αμτβ)* suffer || βλ. **πονώ** || βλ. **πάσχω**
υπόχρεος, -η, -ο: obliged, indebted
υποχρεώνω: (αναγκάζω) force, compel, oblige || (με εξυπηρέτηση) oblige
υποχρέωση, η: obligation
υποχρεωτικός, -ή, -ό: (αναγκαστικός) compulsory, mandatory, obligatory || (εξυπηρετικός) obliging
υποχωρώ: retreat, back off, fall back
υποψήφιος, -α, -ο: candidate
υποψία, η: suspicion
υποψιάζομαι: βλ. **υποπτεύομαι**
ύστερα: *(επίρ)* afterwards, then, next (βλ. και **έπειτα**)
υστερικός, -ή, -ό: hysterical
υστεροβουλία, η: ulterior motive, ulterior design
υστερόγραφο, το: postscript (P.S.)
υστερώ: *(μτφ)* fall short, be inferior || (έχω ελλείψεις) lack, be deficient
υφαίνω: weave, spin
υφαλοκρηπίδα, η: ledge
υφαντής, ο (*θηλ* **υφάντρια**): weaver
υφαντός, -ή, -ό: woven
ύφασμα, το: cloth, material, fabric, stuff
υφασματέμπορας, ο: clothier, cloth merchant, draper
υφηγητής, ο *(θηλ.* **υφηγήτρια**): assistant professor
υφήλιος, -α, -ο: earth, world
υφίσταμαι: undergo
υφιστάμενος, ο (*θηλ* **υφισταμένη**): subordinate
ύφος, το: look, mien, air
υφυπουργός, ο: undersecretary
υψίπεδο, το: plateau, mesa
υψόμετρο, το: (ύψος) altitude || (μετρητής) altimeter
ύψος, το: height, altitude || (μπόι) height
ύψωμα, το: hummock, hillock
υψώνω: raise, hoist

Φ

φάβα, η: (φυτό) vetchling, fava bean || (φαγητό) fave bean purée
φαβορί, το: favorite
φαβορίτες, οι: sideburns
φαγάς, -ού, -άδικο: glutton
φαγητό, το: meal
φαγί, το: βλ.**φαγητό**
φαγούρα, η: itch, itching
φαγώσιμος, -η, -ο: edible, eatable
φαιδρός, -ή, -ό: merry, cheerful, gay
φαίνομαι: (είμαι ορατός) be visible || (θεωρούμαι) seem, look || (γ΄ πρόσ. εν.) it seems, methinks
φαινομενικός, -ή, -ό: apparent
φαινόμενο, το: phenomenon
φάκα, η: βλ. **ποντικοπαγίδα** || βλ. **παγίδα**
φάκελο, το: envelope
φάκελος, ο: file, dossier || βλ. **φάκελο**
φακή, η: lentil
φακίδα, η: freckle
φακός, ο: lens || (μεγεθυντικός) magnifying glass
φάλαγγα, η: (σχηματισμός τακτικής) column || *(ανατ)* phalange, phalanx
φάλαινα, η: whale
φαλάκρα, η: (έλλειψη τριχών) baldness || (φαλακρό μέρος) bald pate, bald head
φαλακρός, -ή, -ό: bald
φαλτσάρω: be dissonant, be out of tune
φαλτσέτα, η: shoemaker's knife
φανάρι, το: βλ. **φανός**
φανατίζω: fanaticize
φανατικός, -η, -ο: fanatical || *(ουσ)* fanatic
φανατισμός, ο: fanaticism
φανέλα, η: (ύφασμα) flannel || (εσώρουχο) undershirt || (με κοντά μανίκια) T-shirt, tee shirt
φανερός, -ή, -ό: clear, manifest, evident, plain
φανερώνω: reveal, disclose, let out
φανός, ο: lamp, lantern || (ηλεκτρικός) flashlight || (θυέλλης) hurricane lamp
φαντάζομαι: imagine, picture, fancy
φαντάρος, ο: foot soldier, infantryman
φαντασία, η: (ψυχ. ικανότητα) imagination || (λογοτεχν.) fiction
φαντασιοπληξία, η: fancy, daydreaming
φάντασμα, το: phantom, specter, ghost, spook
φανταστικός, -ή, -ό: imaginary, fictitious, fictive
φανταχτερός, -ή, -ό: fanciful, fancy, ornate, gaudy
φάντης, ο: jack, knave
φαράγγι, το: ravine, canyon, gorge
φαράσι, το: dustpan
φαρδαίνω: *(μτβ)* widen, broaden || *(αμτβ)* become wider, widen
φαρδύς, -ιά, -ύ: large, wide, broad
φαρμακείο, το: drugstore, pharmacy
φαρμακευτική, η: pharmaceutics
φάρμακο, το: medicament, medication, medicine, drug
φαρμακόγλωσσος, -η, -ο: venomous, malignant
φαρμακολογία, η: pharmacology
φαρμακοποιός, ο: apothecary, pharmacist, druggist || (Αγγλ.) chemist
φάρος, ο: lighthouse, beacon
φάρσα, η: farce
φάρυγγας, ο: pharynx
φαρυγγίτιδα, η: pharyngitis
φασαρία, η: (μεγάλος θόρυβος) din, shindy, hullabaloo, uproar, racket || (φασαρία πλήθους, φωνών, κλπ.) clamor, tumult || (διατάραξη, ταραχή) disturbance
φάση, η: phase
φασιανός, ο: pheasant
φασισμός, ο: fascism
φασίστας, ο (*θηλ* **φασίστρια**): fascist
φασιστικός, -ή, -ό: fascist, fascistic
φασκομηλιά, η: sage
φασολάδα, η: bean soup
φασολάκι, το: βλ. **φασόλι φρέσκο**
φασόλι, το: (ξερό) kidney bean, bean || (φρέσκο) string bean
φάτνη, η: manger, stall

φάτσα, η: (πρόσωπο) puss, mug, map || (πρόσοψη) face, facade || *(επίρ)* opposite
φαύλος, ο: corrupt, depraved
φαφούτης, ο (*θηλ* **φαφούτα, φαφούτισσα**): toothless
Φεβρουάριος, ο: February
φεγγάρι, το: moon
φεγγίτης, ο: (οροφής) skylight || (πόρτας) transom
φεγγοβολώ: shine, gleam, be radiant
φέγγω: (αμτβ) *shine* || (μτβ) light, illuminate
φέιγ-βολάν, το: flier
φείδομαι: spare, save
φειδώ, η: thrift, spareness
φειδωλός, -ή, -ό: thrifty, sparing
φελλός, ο: cork
φερέγγυος, -α, -ο: solvent
φέρετρο, το: coffin, pall
φερμουάρ, το: zipper
φέρνομαι: βλ. **φέρομαι**
φέρνω: bring, bear, carry || (πάω και φέρνω) fetch || (αποφέρω) bring, bear, yield || (λέω ή προβάλλω) bring up, plead
φέρομαι: βλ. **συμπεριφέρομαι** || (λέγεται πως είμαι) be reputed, be alleged
φέρρυ-μπότ, το: ferry boat
φέσι, το: fez
φεστιβάλ, το: festival
φέτα, η: (κομμάτι) slice || (τυρί) feta cheese
φέτος: *(επίρ)* this year
φευγαλέος, -α, -ο: fleeting
φευγατίζω: (φυγαδεύω κρυφά) spirit away || (βοηθώ να φύγει) help to escape
φευγάτος, -η, -ο: gone
φεύγω: leave, go, depart, go away, get away
φήμη, η: fame, renown, reputation || (διάδοση) rumor
φημισμένος, -η, -ο: famous, well-known
φθάνω: (σε προορισμό) arrive, reach, get || (πλησιάζω) get near, draw near || (προλαβαίνω) catch up with, overtake || (γ΄ προσ.) suffice, be enough
φθείρομαι: decay, waste away, fall into ruin
φθείρω: (από τη χρήση) wear out || (με τριβή) fray || (βλάπτω) damage, injure
φθινοπωρινός, -ή, -ό: fall, autumnal, autumn
φθινόπωρο, το: fall, autumn
φθίνω: waste away, fail, decline
φθισιατρείο, το: sanatorium, sanatarium
φθόγγος, ο: sound, articulate sound, vocal sound
φθονερός, -ή, -ό: begrudging, envious
φθόνος, ο: envy
φθονώ: begrudge, envy, be envious
φθορά, η: (από χρήση) wear || βλ. **βλάβη** || βλ. **ζημία** || (από κανονική χρήση ή μεταχείριση) wear and tear
φιάλη, η: phial, vial
φιαλίδιο, το: vial
φιγούρα, η: figure || (χαρτοπ.) face card || (χορού) figure
φιγουρίνι, το: fashion plate
φιδές, ο: vermicelli
φίδι, το: snake, serpent
φίλαθλος, -η, -ο: sports fan
φιλαλήθης, -ες: veracious, truthful
φιλανθρωπία, η: (γεν.) philanthropy || (φιλάνθρωπη πράξη) charity
φιλανθρωπικός, -ή, -ό: philanthropic, charitable, eleemosynary
φιλάνθρωπος, -η, -ο: philanthropic, charitable || *(ουσ)* philanthropist
φιλαργυρία, η: avarice
φιλάργυρος, -η, -ο: avaricious
φιλαρέσκεια, η: (προσοχή στην εμφάνιση) spruceness, dapperness || (παιχνιδιάρικη πρόκληση) coquetry
φιλάρεσκος, -η, -ο: (που προσέχει την εμφάνισή του) spruce, dapper || (που θέλει να προκαλεί) coquettish
φιλαρμονική, η: Philharmonic
φιλάσθενος, -η, -ο: sickly, prone to sickness, delicate, weakly
φιλειρηνικός, -ή, -ό: peaceful
φιλελεύθερος, -η, -ο: liberal
φιλέλληνας, ο: philhellene
φιλενάδα, η: girlfriend, female friend || βλ. **ερωμένη**
φιλέ, το: βλ. **δίχτυ** || (μαλλιών) hairnet
φιλέτο, το: fillet
φίλη, η: βλ. **φίλος**
φιλήδονος, -η, -ο: sensual
φίλημα, το: βλ. **φιλί**
φιληνάδα, η: βλ. **φιλενάδα**
φιλήσυχος, -η, -ο: peaceful
φιλί, το: kiss
φιλία, η: friendship

Φ

φιλικός, -ή, -ό: friendly, amicable
φιλμ, το: film
φίλντισι, το: ivory
φιλοδοξία, η: ambition
φιλόδοξος, -η, -ο: ambitious
φιλοδοξώ: be ambitious || (για κάτι) aspire
φιλοδώρημα, το: βλ. **πουρμπουάρ**
φιλοκερδής, -ές: greedy, covetous
φιλολογία, η: βλ. **λογοτεχνία** || (κλάδος αμερικ. Πανεπιστημίου) humanities, English
φιλόλογος, ο (*θηλ* **φιλόλογος**): (εκπαιδευτικός) teacher of English, English major, humanities major || (ειδικός ιστορ. γλωσσολ.) philologer, philologist
φιλομάθεια, η: thirst for knowledge, thirst for learning, love of learning
φιλομαθής, -ές: fond of learning, thirsty for knowledge
φιλονικία, η: dispute, quarrel
φιλονικώ: quarrel, dispute, have words
φιλοξενία, η: hospitality
φιλόξενος, -η, -ο: hospitable
φιλοξενώ: have guests, entertain, receive as guests
φιλόπατρης, -ες: patriotic
φιλοπατρία, η: patriotism, love of one's country
φίλος, ο (*θηλ* **φίλη**): friend
φιλοσοφία, η: philosophy
φιλοσοφικός, -ή, -ό: philosophic, philosophical
φιλόσοφος, ο: philosopher
φιλότεχνος, -η, -ο: patron of arts, art lover
φιλοτιμία, η: a sense of honor dignity and duty, mettle
φιλότιμο, το: βλ. **φιλοτιμία**
φιλότιμος, -η, -ο: one who has a sense of honor dignity and duty, mettlesome
φιλοτιμούμαι: be put on one's mettle, make it a point of honor and duty
φιλοτιμώ: put s.b. on his mettle
φιλοφρόνημα, το: courtesy, compliment
φιλοφρονητικός, -ή, -ό: courtesy, courteous, complimentary
φιλοφροσύνη, η: courtesy
φιλτράρω: filter, strain
φίλτρο, το: filter, strainer
φιλώ: kiss
φιμώνω: (βάζω φίμωτρο σε ζώο) muzzle || (άνθρωπο) gag
φίμωτρο, το: (ζώου) muzzle || (γενικά) gag
φινάλε, το: finale
φινιστρίνι, το: port hole
φίνος, -α, -ο: fine
φιόγκος, ο: bowknot
φίρμα, η: firm
φιστίκι, το: peanut, pistachio nut
φιτίλι, το: βλ. **θρυαλλίδα**
φλάουτο, το: flute
φλασκί, το: flask
φλέβα, η: vein
Φλεβάρης, ο: βλ. **Φεβρουάριος**
φλεγμονή, η: inflammation
φλέγω: inflame, burn, blaze
φλερτ, το: flirt
φλερτάρω: flirt
φλιτζάνι, το: cup
φλόγα, η: flame
φλογέρα, η: reed, pipe, flute
φλογερός, -ή, -ό: flaming, burning, blazing
φλογίζω: βλ. **φλέγω**
φλόγωση, η: βλ. **φλεγμονή**
φλοιός, ο: βλ. **φλούδα** || (της γης) crust
φλοκάτη, η: heavy woolen blanket, heavy woolen rug
φλούδα, η: (γεν.) skin || (τυριού, κλπ) rind || (φρούτων) peel, rind || (καρυδιών, κλπ.) shell || (δέντρου) bark
φλυαρία, η: chatter, prattle, tattle, babble, garrulity, garrulousness
φλύαρος, -η, -ο: garrulous, talkative, chatterer, chatterbox, babbler, tattler
φλυαρώ: chatter, prattle, babble, prate
φοβάμαι: fear, be afraid
φοβέρα, η: βλ. **απειλή**
φοβερίζω: βλ. **απειλώ**
φοβερός, -ή, -ό: fearful, terrible, awful, dreadful
φοβητσιάρης, -α, -ικο: timid, timorous,
φόβος, ο: fear, fright, dread
φοβούμαι: βλ. **φοβάμαι**
φόδρα, η: lining
φοίνικας, ο: (δέντρο) date palm, palm, palm tree || (καρπός) date || (μυθ. πουλί) phoenix
φοινικιά, η: βλ. **φοίνικας** (δέντρο)
φοίτηση, η: attendance

φοιτητής, ο (*θηλ* **φοιτήτρια**): student
φοιτήτρια, η: βλ. **φοιτητής**
φοιτώ: attend
φονιάς, ο (*θηλ* **φόνισσα**): murderer, killer
φονικός, -ή, -ό: homicidal, murderous
φόνος, ο: (σκότωμα) killing || (δολοφονία) murder
φοντάν, το: fondant
φόντο, το: background, back
φοξ-τροτ, το: fox trot
φορά, η: (ορμή) impetus || (χρον. περίοδος) time
φοράδα, η: mare
φορέας, ο: carrier
φορείο, το: stretcher, litter
φόρεμα, το: dress
φορεμένος, -η, -ο: worn, used
φορητός, -ή, -ό: portable
φόρμα, η: (μορφή) shape, form || (καλή κατάσταση) shape, kilter || (φόρμα τεχνίτη ή εργάτη) coveralls, overall
φοροδιαφυγή, η: tax evasion
φορολογία, η: taxation
φορολογούμενος, -η, -ο: tax payer
φορολογώ: tax, impose a tax, put a tax
φόρος, ο: (γεν.) tax || (εισαγ. ή εξαγωγής) duty
φορτηγό, το: (αυτοκ.) truck (U.S.A.), lorry (Engl) || (φορτηγό πλοίο) freighter, cargo boat
φορτίζω: βλ.**φορτώνω** || *(ηλεκτρ)* charge
φορτικός, -ή, -ό: importunate, pressing
φορτίο, το: load, burden || (μεταφορικού μέσου) cargo
φορτοεκφορτωτής, ο: longshoreman, stevedore, dock laborer,
φόρτος, ο: burden, heavy load
φορτώνω: *(μτβ)* load || *(μτφ)* charge, burden || *(αμτβ)* take cargo, load
φορτωτική, η: bill of lading
φορώ: (ντύνομαι) put on, dress || (είμαι ντυμένος) have on, wear
φουγάρο, το: smokestack, funnel
φουκαράς, ο (*θηλ* **φουκαρού**): poor devil
φουλάρι, το: foulard
φουντούκι, το: filbert, hazelnut
φουντώνω: grow lushly, grow abundantly || (δυναμώνω απότομα) flare up
φουρκέτα, η: hairpin
φούρναρης, ο (*θηλ* **φουρνάρισσα**): baker
φουρνάρικο, το: bakery
φουρνέλο, το: charge, mine, blasting charge
φούρνος, ο: (γεν.) oven
φουσκάλα, η: blister
φουσκοθαλασσιά, η: surge, ground swell
φουσκωμένος, -η, -ο: inflated, swollen, distended
φουσκώνω: (διογκώνω με αέρα) inflate, blow up || (εξογκώνομαι από εσωτ. πίεση) swell, swell out, distend
φούστα, η: skirt
φουστάνι, το: dress
φούτμπολ, το: foot ball
φουφού, η: chafing dish, fire pan, brazier
φράγκο, το: franc || βλ. **δραχμή**
φραγκόκοτα, η: heath hen
φράγμα, το: (γεν.) barrier || *(τεχν)* dam, barrage
φραγμός, ο: barrier, obstruction
φράζω: (φτιάνω φράχτη) fence, hedge, enclose || (βάζω εμπόδιο) bar, block, obstruct || (βουλώνω άνοιγμα ή τρύπα) plug, clog
φρακάρισμα, το: bottleneck, traffic jam
φράκο, το: tails, swallowtail, formal evening costume
φραντζόλα, η: loaf
φράουλα, η: strawberry
φράση, η: phrase
φράχτης, ο: (από φυτά ή θάμνους) hedge || (τεχνητός) fence
φρεγάδα, η: frigate
φρενάρω: brake, apply the brakes
φρένες, οι: reason, mind
φρενιάζω: get furious
φρένο, το: brake
φρεσκάρομαι: freshen up
φρεσκάρω: freshen, make fresh
φρέσκος, -ια(η), -ο: fresh
φρικαλεότητα, η: atrocity, horror
φρίκη, η: horror
φρικτός, -ή, -ό: horrible, horrid, hideous
φρόνημα, το: βλ. **γνώμη** || βλ. **ιδεολογία**
φρόνηση, η: prudence, circumspection
φρονιμίτης, ο: wisdom tooth
φρόνιμος, -η, -ο: βλ. **συνετός** || (που δεν κάνει αταξίες) well-behaved, quiet

φροντίδα, η: care, concern, worry
φροντίζω: care for, look after
φροντιστήριο, το: (γενικά) tutoring school, coaching school || (πανεπιστημιακό μάθημα άσκησης) tutorial system
φροντιστής, ο: tutor, coach
φρονώ: hold an opinion, opine
φρουρά, η: (ομάδα φρουρών) guard, watch || (πόλης) garrison
φρούραρχος, ο: garrison commandant
φρούριο, το: fortress, fort, stronghold
φρουρός, ο: guard, guardsman
φρουρώ: guard, stand guard, keep watch
φρούτο, το: fruit
φρυγανιά, η: toast
φρύδι, το: brow, eyebrow
φρύνος, ο: toad
φταίχτης, ο (*θηλ* **φταίχτρα**): culprit
φταίω: be to blame, be responsible
φταρνίζομαι: sneeze
φτάρνισμα, το: sneeze, sneezing
φτασμένος, -η, -ο: successful
φτελιά, η: elm
φτέρη, η: fern
φτέρνα, η: heel
φτερό, το: feather || (αυτοκινήτου) fender, mudguard
φτερούγα, η: wing
φτερουγίζω: flap the wings, flutter
φτέρωμα, το: plumage
φτήνεια, η: (το να είναι φτηνό) cheapness, inexpensiveness || (χαμηλές τιμές) low prices
φτηνός, -ή, -ό: low-priced, cheap, inexpensive
φτιάνω: βλ. **φτιάχνω**
φτιασίδι, το: cosmetics, make-up, rouge
φτιασιδώνομαι: make up
φτιασιδώνω: make up
φτιάχνω: βλ.**διορθώνω** || βλ. **επισκευάζω** || βλ. **κάνω** || βλ. **κατασκευάζω** || (καιρός) clear up, change for the better
φτυάρι, το: shovel
φτυαρίζω: shovel, scoop
φτύνω: spit, spit out
φτυστός, -ή, -ό: (*ιδ*) spitting image
φτωχαίνω: become poor
φτώχεια, η: poverty
φτωχικός, -ή, -ό: poor, humble
φτωχοκομείο, το: βλ. **πτωχοκομείο**
φτωχολογιά, η: the poor, the poor people
φτωχός, -ή, -ό: poor, indigent, needy, pauper
φυγάδας, ο: fugitive, runaway
φυγαδεύω: βλ. **φευγατίζω**
φυγή, η: flight
φυγόδικος, -η, -ο: fugitive from justice
φυγόκεντρος, -η, -ο: centrifugal
φυγόποινος, -η, -ο: fugitive from justice
φυγόπονος, -η, -ο: shirk, shirker
φύκι, το: seaweed
φυλάγω: βλ. **προφυλάγω** || βλ. **διατηρώ** || βλ. **φρουρώ** || (βάζω στην πάντα) lay aside, keep, put aside, reserve
φύλακας, ο: watchman || (που φυλάγει ή προστατεύει) guardian, keeper || βλ. **φρουρός** || βλ. **σκοπός**
φυλακή, η: prison, jail
φυλακίζω: imprison, put in prison, incarcerate, put in jail
φυλάκιο, το: (φρουράς) guardroom, guardhouse || (στρ. θέση) outpost || (σκοπιά) sentry box
φυλάκιση, η: imprisonment, incarceration
φυλακισμένος, -η, -ο: imprisoned, prisoner || (κατάδικος σε φυλακή) prison inmate
φυλαχτό, το: talisman, charm, amulet
φυλετικός, -ή, -ό: racia
φυλή, η: race || (ομάδα) tribe
φυλλάδιο, το: pamphlet, leaflet
φύλλο, το: (*φυτ*) leaf || (πέταλο λουλουδιού) petal || (τραπουλόχαρτο) card || (χαρτιού) sheet || (πόρτας, παραθύρου κλπ.) leaf || (έλασμα) lamina, sheet, foil || (τεύχος) issue, number
φυλλομετρώ: turn the pages || (περνώ τις σελίδες χωρίς να εμβαθύνω) browse, look through casually, skim
φύλλωμα, το: foliage
φύλο, το: sex
φυματικός, -ή, -ό: tubercular, consumptive
φυματιολόγος, ο: lung specialist, T.B. specialist
φυματίωση. η: tuberculosis, T.B.
φύομαι: grow, sprout, shoot up
φύρδην-μίγδην: (*επίρ*) helter-skelter,

haphazardly, pell-mell
φυσαλίδα, η: bubble
φυσαρμόνικα, η: harmonica, mouth organ
φυσερό, το: blower, bellows
φύση, η: nature *(και μτφ)*
φύσημα, το: blow, blowing, breath || (ριπή ανέμου) gust || (δυνατό φύσημα) blast
φυσίγγι, το: cartridge
φυσιγγιοθήκη, το: cartridge belt
φυσικά: *(επίρ)* of course, naturally
φυσική, η: physics
φυσικός, -ή, -ό: (της φύσης) natural || (υλικός) physical
φυσικός, ο: physicist
φυσιογνωμία, η: physiognomy, facial features
φυσιολάτρης, ο (*θηλ* **φυσιολάτρισσα**): lover of nature
φυσώ: blow
φυτεία, η: plantation
φυτεύω: plant *(και μτφ)*
φυτικός, -ή, -ό: vegetable
φυτό, το: plant, vegetable
φυτοζωώ: scrape along, scrape through, manage precariously
φυτολογία, η: phytology, botany
φυτοφαγία, η: βλ. **χορτοφαγία**
φυτοφάγος, ο: βλ. **χορτοφάγος** || (ζώο) herbivore, herbivorous
φυτρώνω: sprout, grow, germinate, spring up
φώκια, η: seal
φωλιά, η: (γεν.) nest || (αγρ. ζώου) den, lair || (τρωκτικού) burrow, earth, hole || (αρπ. πτηνού) aerie, eyry, eyrie
φωνάζω: (μιλώ δυνατά) shout, yell || (καλώ) call, summon || (στέλνω να φωνάξω) send for
φωναχτά: *(επίρ)* loudly, aloud
φωνή, η: voice
φωνήεν, το: vowel
φωνογράφος, ο: phonograph
φως, το: light
φωσφορίζω: phosphoresce, scintillate
φωσφόρος, ο: phosphorus
Φώτα, τα: Epiphany
φωταγώγηση, η: illumination
φωταγωγός, ο: light well
φωταγωγώ: illuminate
φωταέριο, το: gas
φωτεινός, -ή, -ό: light, luminous, bright
φωτιά, η: fire || **βάζω ~:** set fire *(και μτφ)* || **παίρνω ~:** catch fire
φωτίζω: light, illuminate, light up
φωτισμός, ο: lighting, illumination
φωτοβολίδα, η: flare
φωτογραφείο, το: photographic studio, photographer's studio
φωτογραφία, η: (τέχνη) photography || (εικόνα) photo, photograph, picture
φωτογραφίζω: photograph, take a picture
φωτογραφικός, -ή, -ό: photographic || **~ή μηχανή:** camera
φωτογράφος, ο: photographer
φωτοστέφανο, το: halo
φωτοτυπία, η: photocopy, photostatic copy, xerox copy

Χ

χαβιάρι, το: caviar
χαγιάτι, το: pergola, porch
χάδι, το: βλ. **θωπεία** || βλ.**καλόπιασμα**
χαδιάρης, -α, -ικο: cuddly, fond of being cuddled
χαζεύω: (κοιτάζω χάσκοντας) gawk, rubberneck || (χασομερώ) muck about, loiter, dawdle
χαζομάρα, η: (ιδιότητα) stupidity, dumbness || (πράξη) tomfoolery
χαζός, -ή, -ό: dumb, stupid, dense
χαιρετίζω: βλ.**χαιρετώ**
χαϊδεμένος, -η, -ο: (ευνοούμενος) pet || (κακομαθημένος) spoilt, pampered
χαϊδεύω: βλ. **θωπεύω** || (κακομαθαίνω) pamper, spoil, coddle, baby
χάιδι, το: βλ. **χάδι**
χαιρεκακία, η: maliciousness, malice
χαιρέκακος, -η, -ο: malicious
χαιρετίσματα, τα: greetings, regards
χαιρετισμός, ο: greeting, salutation, hail || (*στρ* - με το χέρι) hand

salute
χαιρετώ: greet, hail || (στέλνω χαιρετίσματα) send regards, send greetings || *(στρ)* salute
χαίρομαι: rejoice, be glad, be happy
χαίρω: βλ. **χαίρομαι** || ~ **πολύ:** (σε συστάσεις) nice meeting you, glad to meet you
χαίτη, η: mane *(και μτφ)*
χακί, το: khaki
χαλάζι, το: hail *(και μτφ)*
χαλαρός, -ή, -ό: slack, loose
χαλαρώνω: slacken, loosen
χαλασμένος, -η, -ο: || (που δεν δουλεύει) out of order, not working || (τροφή) bad, spoilt, rotten
χαλί, το: βλ. **τάπητας**
χαλίκι, το: (αμμουδιάς) shingle || (λείο) pebble
χαλιναγωγώ: bridle || (συγκρατώ) control, contain
χαλινάρι, το: bridle || (γκέμια) rein
χαλινώνω: bridle, put a bridle
χαλκιάς, ο: coppersmith
χάλκινος, -η, -ο: copper, of copper
χαλκός, ο: copper
χάλκωμα, το: copper utensil
χαλνώ: *(μτβ)* damage, ruin || βλ. **καταστρέφω** || βλ. **γκρεμίζω** || βλ. **φθείρω** || (δουλειά ή σχέδια) louse, upset s.b's apple cart, put a spoke in s.b's wheel || (παραχαϊδεύω) spoil || (χρήματα) change, break || *(αμτβ)* break down, be out of order || (τροφή) spoil, become tainted, become rotten
χάλυβας, ο: βλ. **ατσάλι**
χαλώ: βλ. **χαλνώ**
χαμαιλέων, ο: chameleon
χαμάλης, ο: βλ. **αχθοφόρος**
χαμάμ, το: turkish bath
χαμένος, -η, -ο: lost
χαμερπής, -ές: base, slimy || (γλύφτης) obsequious
χαμηλός, -ή, -ό: low || (σε ένταση) low-key
χαμηλόφωνος, -η, -ο: soft, low-toned
χαμηλώνω: *(μτβ)* lower || *(αμτβ)* become low, lower, diminish
χαμόγελο, το: smile
χαμογελώ: smile
χαμόδεντρο, το: bush, shrub, undergrowth
χαμομήλι, το: chamomile, camomile
χαμός, ο: loss
χάμω: *(επίρ)* down, on the floor, on the ground
χάνι, το: inn
χαντάκι, το: ditch, trench
χαντζάρι, το: scimitar, scimiter
χάντρα, η: bead
χάνομαι: get lost ||(ζαλίζομαι) feel faint, feel dizzy
χάνω: lose || (δεν προφταίνω να πάρω ή να πάω) miss
χάος, το: chaos
χάπι, το: pill
χαρά, η: joy, gladness, happiness, delight, glee
χαραγματιά, η: incision, cleft, nick, notch
χαράδρα, η: ravine, gorge, canyon
χαράζω: (σε επιφάνεια με όργανο) engrave || (κάνω χαρακτική) etch, engrave || (κάνω εγκοπή) incise, notch || (γραμμές σε χαρτί) rule || (γ΄ προσ. ξημερώνει) day is breaking, dawns
χάρακας, ο: ruler, straightedge
χαρακτήρας, ο: (γεν.) character || (ταμπεραμέντο) temperament || handwriting, hand
χαρακτηρίζω: characterize, designate, qualify
χαρακτηρισμός, ο: characterization, designation, qualification
χαρακτηριστικό, το: feature, characteristic
χαρακτηριστικός, -ή, -ό: characteristic
χάραμα, το: daybreak, dawn
χαραμάδα, η: (στενή σχισμή) cranny
χαραματιά, η: scratch, incision (βλ και **χαραμάδα**)
χαραματιά, η: scratch, incision (βλ και χαραμάδα)
χαραμίζω: waste, spend foolishly o[r] uselessly
χαρατσώνω: (επιβάλλω αναγκ. εισφορά) impose an obligatory contribution || (επιβάλλω βαρύ φόρο) levy a heavy tax || (αναγκάζω να ξοδέψει) make s.b. spend || (παίρνω λεφτά) exact, touch
χαραυγή, η: βλ. **χάραμα**
χαρέμι, το: harem
χάρη, η: (ιδιότητα του χαριτωμένου) grace, gracefulness || (εξυπηρέτηση, χατίρι) favor || *(νομ)* pardon || (ένεκα, για το σκοπό) sake || (οφειλόμενο σε κάποιον, ένεκα κάποιου) thanks to || **λόγου ~, παραδείγματος ~:** for instance, for example

χαριεντισμός, ο: (νάζια) mincing
χαρίζομαι: be partial to, favor
χαρίζω: (δίνω) donate, give ‖ (ποινή) pardon
χάρισμα, το: donation ‖ (προτέρημα) endowment, gift
χαριστικός, -ή, -ό: (χατιρικός) favoring, favorable ‖ βλ. **μεροληπτικός** ‖ **~ή βολή:** coup de grace
χαριτολόγημα, το: pleasantry
χαριτολογώ: speak wittily, pass witty remarks
χαριτωμένος, -η, -ο: delightful, charming
χάρμα, το: delight, joy, eyeful
χαρμάνι, το: blend
χαρμόσυνος, -η, -ο: joyous, joyful, cheerful
χαροπαλεύω: be at death's door, be dying
χαροποιώ: gladden, delight, cheer, fill with joy
χάρος, ο: death
χαρούμενος, -η, -ο: merry, glad, cheerful, joyful
χαρταετός, ο: kite
χαρτζιλίκι, το: allowance, pocket money
χάρτης, ο: (χαρτί) paper ‖ *(γεωγρ)* map
χαρτί, το: paper ‖ βλ. **τραπουλόχαρτο** ‖ ~ **υγείας:** toilet paper
χαρτογραφώ: map, chart
χαρτόδετος, -η, -ο: paperbacked
χαρτοκλέφτης, ο: card sharp, sharper, cardsharper
χαρτοκόπτης, ο: paper knife
χαρτομάντης, ο *(θηλ* **χαρτομάντισσα**): card reader
χαρτομάντιλο, το: tissue
χαρτόνι, το: paperboard, cardboard, pasteboard
χαρτονόμισμα, το: paper money, bill ‖ (Engl) bank-note
χαρτοπαίγνιο, το: card-playing, gambling
χαρτοπαίζω: play cards
χαρτοπαίκτης, ο *(θηλ* **χαρτοπαίκτρια**): card player, gambler
χαρτοπόλεμος, ο: confetti
χαρτοπωλείο, το: stationery
χαρτορίχτρα, η: βλ. **χαρτομάντης**
χαρτοσακούλα, η: paperbag
χαρτόσημο, το: stamp
χαρτοφύλακας, ο: (θήκη) portofolio ‖ (τσάντα) briefcase
χασάπης, ο: butcher
χασάπικο, το: butcher's shop
χασές, ο: calico
χασικλής, ο: hashish smoker
χασίς, το: hashish, hasheesh
χασισοπότης, ο: βλ. **χασικλής**
χάσμα, το: chasm
χασμουρητό, το: yawn, yawning
χασμουριέμαι: yawn
χασομέρης, ο: idler, loiterer, loafer
χασομερώ: loaf, loiter, waste one's time
χατίρι, το: favor, favour
χαυλιόδοντας, ο: tusk
χαφιές, ο: snoop, snooper, rat, stoolie, stool pigeon
χάφτω: swallow, gobble
χαψιά, η: mouthful
χείλι, το: βλ. **χείλος**
χείλος, το: (στόματος) lip ‖ (γκρεμού κλπ.) brink ‖ (ποτηριού κλπ.) brim ‖ (όριο, άκρο) verge
χείμαρρος, ο: torrent
χειμαρρώδης, -ες: torrential
χειμερινός, -ή, -ό: winter
χειμώνας, ο: winter
χειμωνιάτικος, -η, -ο: βλ. **χειμερινός**
χειράμαξα, η: wheelbarrow
χειραφετώ: emancipate
χειραψία, η: handshake
χειρίζομαι: handle, manipulate
χειριστήριο, το: (γεν.) controls ‖ (τηλεγρ.) transmitter ‖ (αεροπλ.) control stick
χειριστής, ο *(θηλ* **χειρίστρια**): operator
χειροβομβίδα, η: hand grenade
χειρόγραφο, το: manuscript
χειροδύναμος, -η, -ο: strong-handed
χειροκίνητος, -η, -ο: hand-operated, operated manually
χειροκρότημα, το: applause, clapping
χειροκροτώ: applaud, clap, cheer
χειρολαβή, η: handle, hand hold, handgrip
χειρονομία, η: gesture, gesticulation
χειρονομώ: gesture, gesticulate
χειροπέδες, οι: handcuffs, manacles
χειροπιαστός, -ή, -ό: palpable, tangible
χειροποίητος, -η, -ο: handmade
χειροτερεύω: *(μτβ)* worsen, make worse, aggravate ‖ *(αμτβ)* become worse, degenerate, deteriorate
χειρότερος, -η, -ο: worse

χειροτέχνημα, το: handiwork, handicraft, artifact
χειροτεχνία, η: handiwork, handicraft
χειροτονώ: ordain
χειρουργείο, το: surgery, operating room
χειρουργική, η: surgery
χειρούργος, ο: surgeon
χειρουργώ: operate, perform surgery
χειρωνακτικός, -ή, -ό: manual
χέλι, το: eel
χελιδόνι, το: swallow
χελώνα, η: (γεν.) tortoise, turtle
χέρι, το: hand ‖ (μπράτσο και πήχη) arm
χερούλι, το: βλ. **λαβή** ‖ βλ. **χειρολαβή**
χερσόνησος, η: peninsula
χέρσος, -α, -ο: wasteland, wild, uncultivated land
χημεία, η: chemistry
χημείο, το: laboratory, chemical lab
χημικός, -ή, -ό: chemical
χημικός, ο: (πτυχιούχος χημείας) chemist
χήνα, η: *(θηλ)* goose, *(αρσ)* gander
χήρα, η: widow
χηρεία, η: widowhood
χήρος, ο: widower
χθες: *(επίρ)* yesterday
χθεσινός, -ή, -ό: yesterday's, of yesterday
χίλια: βλ. **χίλιοι**
χιλιάρικο, το: a one thousand drachmas bill
χιλιόγραμμο, το: kilogram
χίλιοι, -ες, -α: thousand
χιλιόμετρο, το: kilometer (km)
χιλιοστό, το: millimeter (mm)
χιλιοστόμετρο, το: βλ. **χιλιοστό**
χιλιοστός, -ή, -ό: thousandth
χιμπαντζής, ο: chimpanzee ‖ *(μτφ)* ape
χιονάνθρωπος, ο: snowman
χιόνι, το: snow
χιονιάς, ο: blizzard
χιονίζει: (γ΄ προσ.): it snows, it is snowing
χιονίστρα, η: chilblain
χιονοδρομία, η: skiing
χιονοδρόμος, ο: skier
χιονοθύελλα, η: snowstorm, blizzard
χιονόνερο, το: sleet
χιονονιφάδα, η: snowflake
χιονοπέδιλο, το: snowshoe
χιούμορ, το: humor
χιουμοριστικός, -ή, -ό: humoristic, humorous
χιτώνιο, το: *(στρ)* tunic, field-jacket, coat
χλαίνη, η: *(στρ)* belted trench type overcoat, military overcoat
χλιαρός, -ή, -ό: lukewarm, tepid
χλιμιντρίζω: neigh ‖ (χαμηλόφωνα) whinny
χλόη, η: grass
χλωμιάζω: pale, turn pale, blanch
χλωμός, -ή, -ό: pale, pasty, pallid
χλώριο, το: chlorine
χλωρός, -ή, -ό: green
χλωροφόρμιο, το: chloroform
χνούδι, το: down, fluff
χόβολη, η: embers
χοιρινό, το: pork
χοιρομέρι, το: ham
χοίρος, ο: βλ. **γουρούνι**
χοιροστάσιο, το: pigsty
χολή, η: bile, gall
χονδροειδής, -ές: rough, coarse, awkward, gross
χόνδρος, ο: cartilage
χοντραίνω: βλ. **παχαίνω**
χοντρέμπορος, ο: wholesaler, wholesale dealer
χοντρικός, -ή, -ό: wholesale
χοντρομπαλάς, -ού, -άδικο: βλ. **παχύς** ‖ (κοντός και χοντρός) pudgy, chubby
χοντρός, -ή, -ό: thick ‖ (άνθρωπος) βλ. **παχύς** ‖ (φωνή) deep, husky
χορδή, η: (μουσ. όργανο) string ‖ (κύκλου) chord
χορευτής, ο *(θηλ* **χορεύτρια**): dancer
χορεύτρια, η: βλ. **χορευτής**
χορεύω: dance
χορήγηση, η: (δόσιμο) donation
χορηγός, ο *(θηλ* **χορηγός**): donor, grantor
χορηγώ: grant, donate, allocate
χοροδιδασκαλείο, το: dancing school
χοροδιδάσκαλος, ο: dancing-master, teacher of dancing
χοροεσπερίδα, η: ball, evening party
χοροπηδώ: leap, caper, gambol ‖ (άλογο) prance
χορός, ο: (πράξη) dance, dancing ‖ (συγκέντρωση, πάρτυ) dance, ball
χορταίνω: *(μτβ)* satiate, sate ‖ *(αμτβ)* be full, have one's fill
χορτάρι, το: βλ. **χόρτο**
χορταριάζω: grass, become covered with grass

χορταρικά, τα: vegetables, greens
χορταστικός, -ή, -ό: filling, substantial
χορτάτος, -η, -ο: full, satiated, satisfied
χόρτο, το: grass
χορτόπιτα, η: spinach pie
χορτόσουπα, η: vegetable soup, borscht
χορτοφάγος, -α, -ο: vegetarian || βλ. **φυτοφάγος**
χορωδία, η: (*εκκλ, μαθ,* κλπ.) choir
χουρμαδιά, η: βλ. **φοίνικας** (δέντρο)
χουρμάς, ο: date
χούφτα, η: hollow of the hand || (όσο χωρά η φούχτα) fistful, handful
χουφτώνω: cup, clutch in one's fist
χράμι, το: (σκέπασμα) woolen coverlet || βλ. **χαλί**
χρειάζομαι: *(μτβ)* need || *(αμτβ)* be useful, be necessary, be needed
χρεμετίζω: snort
χρεμέτισμα, το: snort
χρεοκοπία, η: bankruptcy
χρεοκοπώ: *(μτβ)* bankrupt || *(αμτβ)* go bankrupt
χρέος, το: debt *(και μτφ)* || (υποχρέωση) obligation, duty
χρεοφειλέτης, ο: debtor
χρεώνομαι: get into debt, run into debt
χρεώνω: debit, charge with a debt
χρέωση, η: debit
χρήμα, το: money
χρηματιστήριο, το: stock exchange
χρηματιστής, ο: stockbroker
χρηματοδότης, ο: backer, financial supporter
χρηματοδοτώ: finance, back
χρηματοκιβώτιο, το: strongbox, safe
χρηματομεσίτης, ο: stockbroker
χρήση, η: use, usage
χρησιμεύω: serve, be good for, be of service
χρησιμοποίηση, : use, utilization
χρησιμοποιώ: utilize, make use of, employ, use
χρήσιμος, -η, -ο: useful
χρησμός, ο: oracle
χρίζω: (αλείφω) daub, smear, paint || (μυρώνω) anoint
χριστιανισμός, ο: (χριστ. θρησκεία και χριστιανοί ως σύνολο) christianity || (ο χριστιαν. κόσμος) christendom
χριστιανός, ο: christian
Χριστός, ο: Christ
Χριστούγεννα, τα: Christmas, Yule, Yuletide, Noel || **καλά** ~: merry Christmas
χροιά, η: (δέρματος) complexion
χρόνια, τα: (μόνο *πληθ*) years || ~ **πολλά:** many happy returns of the day
χρονιά, η: year
χρονιάτικο, το: annual salary
χρονικά, τα: annals, chronicles
χρονικό, το: chronicle
χρονογράφημα, το: special feature, column
χρονογράφος, ο: columnist, feature writer
χρονολογία, η: chronology
χρονολογούμαι: date from
χρονολογώ: record the chronology || date
χρονομέτρης, ο: time keeper, timer
χρονόμετρο, το: chronometer, timepiece
χρονομετρώ: time
χρόνος, ο: (γεν.) time || βλ. **έτος** || *(γραμ)* tense
χρονοτριβή, η: lag, delay
χρονοτριβώ: lag, delay, linger
χρυσάνθεμο, το: chrysanthemum
χρυσάφι, το: βλ. **χρυσός**
χρυσαφικά, τα: jewels, jewelry
χρυσοθήρας, ο: prospector, gold digger
χρυσοποίκιλτος, -η, -ο: inlaid with gold, trimmed with gold
χρυσός, ο: gold || (σαν χρυσάφι) golden
χρυσός, -ή, -ό: (από χρυσό) gold || (σαν χρυσό) golden
χρυσοχοείο, το: (κατάστημα) jeweler's store || (εργαστήριο) goldsmith's shop
χρυσοχόος, ο: (που πουλά) jeweler || (που κατασκευάζει) goldsmith
χρυσόψαρο, το: goldfish
χρυσωρυχείο, το: gold mine
χρώμα, το: color, colour || (βαφή) paint, dye, color, colour || (πόκερ) flush
χρωματίζω: color, dye, paint
χρωματιστός, -ή, -ό: colored
χρώμιο, το: chrome, chromium
χρωστήρας, ο: paintbrush
χρωστώ: owe, be in debt || *(μτφ)* be indebted, owe
χταπόδι, το: octopus
χτένα, η: comb

χτενίζω: comb
χτες: *(επίρ)* βλ. **χθες**
χτίζω: build
χτίστης, ο: mason, builder, bricklayer
χτύπημα, το: blow, stroke, knock || (γροθιάς) punch
χτυποκάρδι, το: βλ. **καρδιοχτύπι**
χτύπος, ο: (καρδιάς) throb, throbbing, beat, beating (βλ. και **καρδιοχτύπι**)
χτυπώ: hit, knock, strike || (τα χέρια) clap || (τα πόδια) stamp || (αυγά, σάλτσα κλπ.) whip, beat || (κουδούνι) ring || (καρδιά) throb, beat || (σε πόρτα) knock || *(αμτβ* - μολωπίζομαι) hurt oneself || *(αμτβ* - κουδουνίζω) ring, peal
χυδαιολογία, η: vulgarity, vulgarism
χυδαίος, -α, -ο: vulgar
χύμα: in bulk, unpackaged
χυμός, ο: sap, juice
χύνομαι: pour ||(από δοχείο) spill || (ποταμός) empty into
χύνω: pour || (αίμα) shed, spill || (δάκρυα ή φως) shed || (από δοχείο) spill || (σε χυτήριο ή καλούπι) cast, found
χυτήριο, το: foundry
χυτός, -ή, -ό: (σε καλούπι) cast, molded || *(μτφ)* shapely, well-shaped
χυτοσίδηρος, ο: cast iron
χύτρα, η: pot
χωλ, το: hall
χωλαίνω: βλ. **κουτσαίνω** || *(μτφ)* limp, go at a snail's pace, not progress
χώμα, το: soil, dirt, ground, earth
χωματένιος, -α, -ο: earthen
χωματόδρομος, ο: dirt road, unpaved road
χωνευτήριο, το: crucible, melting-pot
χωνευτικός, -ή, -ό: digestive
χωνευτός, -ή, -ό: built-in
χωνεύω: digest
χώνεψη, η: digestion
χωνί, το: funnel || (χάρτινο χωνάκι) cornet || (παγωτού) cone
χώνω: drive in, stick in, put in || (με δύναμη) thrust in, force into
χώρα, η: country, land || **λαβαίνω** ~: take place, happen, occur
χωρατεύω: joke, kid
χωρατό, το: joke, jest
χωράφι, το: field, land
χωρητικότητα, η: capacity || (όγκος) volume
χώρια: *(επίρ)* βλ. **ξεχωριστά**
χωριάτης, ο *(θηλ* **χωριάτισσα**): βλ. **χωρικός** || *(μτφ)* backwoodsman, yokel, boor, boorish
χωριάτικος, -η, -: village, peasant, country || (είδος ή ρυθμός) rustic
χωρίζω: separate, disunite, part || (αποσυνδέω) disjoin, disconnect || (απομακρύνω τον ένα από τον άλλο) put asunder, separate || (δρόμος, γραμμή, κλπ) branch off || (από σύζυγο) separate || (παίρνω διαζύγιο) divorce, get a divorce
χωρικός, ο *(θηλ* **χωρική**): villager, peasant, rustic || βλ. **χωριάτης**
χωριό, το: village || (μικρό) βλ. **χωριουδάκι**
χωριουδάκι, το: hamlet, small village
χωρίς: *(πρόθ)* without || (χωρίς να υπολογίζουμε κάτι άλλο, ξέχωρα) apart from, besides
χώρισμα, το: (πράγμα που χωρίζει) partition || (χωρισμένο μέρος) compartment, division
χωρισμένος, -η, -ο: separate, divided || (αντρόγυνο) estranged, separated
χωρισμός, ο: βλ. **αποχωρισμός** || βλ. **μοιρασιά** || (αντρόγυνου) estrangement, separation || βλ. **διαζύγιο**
χωριστός, -ή, -ό: separate
χωρίστρα, η: (μαλλιών) part
χώρος, ο: space, area, room
χωροφύλακας, ο: gendarme, constable
χωροφυλακή, η: gendarmerie, constabulary
χωρώ: *(μτβ)* contain, hold || (αίθουσα) seat, contain || *(αμτβ)* get into, go into, fit into

Ψ

ψάθα, η: straw, rush || (από κλαδιά ή χόρτα) thatch || (καπέλο) strawhat
ψαθάκι, το: boater, chip hat, straw hat
ψαθόχορτο, το: thatch
ψαλίδα, η: (εργαλείο) shears
ψαλίδι, το: scissors, pair of scissors
ψαλιδίζω: cut, clip, trim, shear
ψάλλω: chant, sing
ψαλμός, ο: psalm
ψάλτης, ο: chanter
ψαράδικα, τα: fish market
ψαράς, ο: fisher, fisherman
ψάρεμα, το: fishing
ψαρεύω: fish
ψάρι, το: fish
ψαρόβαρκα, η: fishing boat
ψαρομάλλης, -α, -ικο: gray-haired, grizzled
ψαρόσουπα, η: fish soup
ψαχνό, το: (κρέας) lean, lean meat || (κότας) white meat
ψάχνω: βλ. **αναζητώ** || (σε λεξικό ή εγκυκλοπαίδεια) look up || (κάνω σωματική έρευνα) frisk, search
ψεγάδι, το: defect, flaw, fault
ψέγω: criticize, blame, reprove
ψείρα, η: louse
ψειριάρης, -α, -ικο: lousy
ψεκάζω: spray
ψεκαστήρας, ο: spray, sprayer, spray gun
ψελλίζω: (χάνω τα λόγια μου) hem, falter, stumble, speak falteringly || (μιλώ μασώντας τα λόγια μου) mumble
ψέλνω: βλ. **ψάλλω**
ψέμα, το: lie, falsehood, untruth, mendacity
ψες: *(επίρ)* last night, last evening || βλ. **χθες**
ψευδαίσθηση, η: illusion, hallucination
ψευδίζω: lisp, speak with a lisp
ψευδολογώ: lie, tell lies, speak untruthfully
ψεύδομαι: βλ. **ψευδολογώ**
ψευδομάρτυρας, ο: false witness
ψευδομαρτυρώ: give false witness, commit perjury
ψευδορκία, η: perjury
ψεύδορκος, -η, -ο: perjurer, perjurious
ψευδός, -ή, -ό: lisper
ψευδώνυμο, το: alias, assumed name, pseudonym
ψεύτης, ο *(θηλ* **ψεύτρα**): liar, mendacious
ψευτιά, η: βλ. **ψέμα**
ψεύτικος, -η, -ο: false, mendacious, untrue || (όχι αληθινός, πλαστός) phony, phoney
ψηλαφώ: feel, touch, finger
ψηλός, -ή, -ό: tall, high, lofty || (άνθρωπος) tall || (βουνό κλπ.) high, lofty || (ήχος, φωνή, κλπ.) high, high-pitched
ψήνω: (σε φούρνο) bake || (σε φωτιά ή φούρνο) roast || (σε σχάρα) grill, broil
ψησταριά, η: (συσκευή) roaster || (υπαίθρια συσκευή με κάρβουνα) barbecue || (σχάρα) grill, gridiron || (ταβέρνα) grill, grillroom
ψητό, το: roast, roast meat
ψητός, -ή, -ό: roast, roasted, baked || (στη σχάρα) broiled
ψηφιδωτό, το: mosaic
ψηφίζω: *(μτβ και αμτβ)* vote
ψηφίο, το: (γράμμα) letter, character || (αριθμός) digit, figure
ψηφοδέλτιο, το: ballot
ψηφοθήρας, ο: vote canvasser
ψηφοθηρώ: electioneer
ψήφος, η: vote
ψηφοφορία, η: vote, voting, ballot, poll
ψηφοφόρος, ο: voter, ballotter
ψηφώ: heed || regard
ψίδι, το: vamp
ψιθυρίζω: whisper
ψιθύρισμα, το: whisper, whispering (βλ. και **μουρμούρισμα**)
ψίθυρος, ο: whisper, whispering
ψιλά, τα: small change
ψιλή, η: *(γραμ)* smooth breathing mark
ψιλικά, τα: notions || (Αγγλ) haberdashery
ψιλικατζής, ο: notions dealer || (Αγγλ) haberdasher
ψιλικατζίδικο, το: notions store || haberdashery
ψιλοκουβεντιάζω: chat, chitchat
ψίχα, η: (ψωμιού, κέικ, κλπ.) crumb
ψιχάλα, η: drizzle
ψιχαλίζει: *(απρόσ)* it drizzles, it is drizzling
ψίχουλο, το: small crumb
ψοφίμι, το: carcass, carrion
ψόφιος, -α, -ο: dead
ψοφώ: (ζώο) die *(και ειρ)*
ψυγείο, το: (ηλεκτρικό) refrigerator,

fridge || (παγωνιέρα) icebox
ψύλλος, ο: flea
ψυχαγωγία, η: recreation
ψυχαγωγώ: entertain, recreate
ψυχαναλυτής, ο: psychoanalyst
ψυχή, η: soul
ψυχιατρείο, το: mental institution, mental home, mental hospital
ψυχιατρική, η: psychiatry
ψυχίατρος, ο: psychiatrist
ψυχολογία, η: psychology
ψυχολογικός, -ή, -ό: psychologic, psychological
ψυχολόγος, ο: psychologist
ψυχοπάθεια, η: psychopathy, mental disorder
ψυχοπαθής, -ές: psychopath
ψύχος, το: βλ. **κρύο** || (κρύος καιρός) cold weather
ψυχοσάββατο, το: All Souls' Day
ψύχρα, η: βλ. **ψύχος**
ψυχραιμία, η: sang-froid, equanimity, head, levelheadedness
ψύχραιμος, η, -ο: cool-headed, levelheaded, cool
ψυχραίνω: cool, chill
ψυχρός, -ή, -ό: βλ. **κρύος**
ψυχρότητα, η: coldness, chill
ψύχω: cool, chill
ψωμάδικο, το: bakery
ψωμάς, ο: baker
ψωμί, το: bread *(και μτφ)*
ψώνια, τα: shopping, purchases
ψωνίζω: buy, purchase
ψώρα, η: (ανθρώπων) scabies, mange || (ζώων) scab, mange

Ω

ω!: *(επιφ)* Oh! Oh!
ωδείο, το: school of music, conservatory
ωδική, η: (μάθημα) singing lessons
ωκεανός, ο: ocean
ωμοπλάτη, η: shoulderblade
ώμος, ο: shoulder
ωμός, -ή, -ό: raw, uncooked
ωμότητα, η: *(μτφ)* atrocity
ώρα, η: (χρον. διάστημα) hour || (κατάλληλη ή ορισμένη στιγμή) time || *(μτφ)* time, leisure, free time || **τί ~ είναι?:** what time is it? what's the time? || **για την ~:** for the time being
ωραίος, -α, -ο: βλ. **όμορφος**
ωραιότητα, η: βλ. **ομορφιά**
ωράριο, το:working hours, workday
ωριμάζω: ripen
ώριμος, -η, -ο: ripe
ωριμότητα, η: ripeness, maturity
ωροδείκτης, ο: hour hand
ωρολόγιο, το: βλ. **ρολόϊ**
ωρολογοποιός, ο: watchmaker, horologer, clockmaker
ωροσκόπιο, το: horoscope
ώστε: *(σύνδ)* therefore, hence, thus || *(επίρ)* that, as
ωστόσο: *(σύνδ)* nevertheless, however, none the less
ωτακουστής, ο: eavesdropper
ωτακουστώ: eavesdrop
ωτορινολαρυγγολόγος, ο: otolaryngologist, ear, nose and throat specialist
ωφέλεια, η: βλ. **όφελος** και **κέρδος**
ωφέλημα, το: βλ. **όφελος** και **κέρδος**
ωφέλιμος, -η, -ο: advantageous, useful, beneficial
ωφελούμαι: gain, profit, benefit
ωφελώ: benefit, be useful, be profitable, do good, avail
ωχ!: *(επιφ)* ouch!
ωχρός, -ή, -ό: βλ. **χλωμός**

Conversion factors

Length

miles: kilometres	1.609
yards: metres	0.914
feet: metres	0.305
inches: millimetres	25.4
inches: centimetres	2.54

Area

square miles: square kilometres	2.59
square miles: hectares	258.999
acres: square metres	4046.86
acres: hectares	0.405
square yards: square metres	0.836
square feet: square metres	0.093
square feet: square centimetres	929.03
square inches: square millimetres	645.16
square inches: square centimetres	6.452

Volume

cubic yards: cubic metres	0.764
cubic feet: cubic metres	0.028
cubic feet: cubic decimetres	28.317
cubic inches: cubic centimetres	16.387

Capacity

gallons: cubic decimetres	4.546
gallons: litres	4.546
US barrels: cubic metres (for petroleum)	0.159
US gallons: litres	3.785
US gallons: cubic decimetres	3.785
quarts: cubic decimetres	1.136
quarts: litres	1.137
pints: cubic decimetres	0.568
pints: litres	0.568
gills: cubic decimetres	0.142
gills: litres	0.142
fluid ounces: millilitres	28.413
fluid ounces: cubic centimetres	28.413

Παράγοντες μετατροπής

Μήκος

μίλια: χιλιόμετρα	1.609
γυάρδες: μέτρα	0.914
πόδια: μέτρα	0.305
ίντσες: χιλιοστά	25.4
ίντσες: εκατοστά	2.54

Επιφάνεια

μίλια^2: χιλιόμετρα^2	2.59
μίλια^2: εκτάρια	258.999
άκρ: μέτρα^2	4046.86
άκρ: εκτάρια^2	0.405
γυάρδες^2: μέτρα^2	0.836
πόδια^2: μέτρα^2	0.093
πόδια^2: εκατοστά^2	929.03
ίντσες^2: χιλιοστά^2	645.16
ίντσες^2: εκατοστά^2	6.452

Όγκος

γυάρδες^3: μέτρα^3	0.764
πόδια^3: μέτρα^3	0.028
πόδια^3: παλάμες^3	28.317
ίντσες^3: εκατοστά^3	16.387

Χωρητικότητα

γαλλόνια: παλάμες^3	4.546
γαλλόνια: λίτρα	4.546
βαρέλι US: μέτρα^3 (για πετρέλαιο)	0.159
γαλλόνια US: λίτρα	3.785
γαλλόνια US: παλάμες^3	3.785
κουώρτς: παλάμες^3	1.136
κουώρτς: λίτρα	1.137
πίντς: παλάμες^3	0.568
πίντς: λίτρα	0.568
τζίλλς: παλάμες^3	0.142
τζίλλς: λίτρα	0.142
ουγγιά υγρών: παλάμες^3	28.413

Ω

Conversion factors

Mass

tons: kilogrammes	1016.05
hundredweights: kilogrammes	50.802
centals: kilogrammes	45.359
quarters: kilogrammes	12.701
stones: kilogrammes	6.350
pounds: kilogrammes	0.453
ounces: grammes	28.350

Mass per unit length

tons per mile: kilogrammes per metre	0.631
pounds per foot: kilogrammes per metre	1.488
pounds per inch: kilogrammes per metre	17.858
ounces per inch: grammes per millimetre	1.116

Mass per unit area

tons per square mile: kilogrammes per hectare	3.923
pounds per square foot: kilogrammes per square metre	4.882
pounds per square inch: grammes per square centimetre	70.307
ounces per square yard: grammes per square metre	33.906
ounces per square foot: grammes per square metre	305.152

Fuel consumption

gallons per mile: litres per kilometre	2.825
US gallons per mile: litres per kilometre	2.352
miles per gallon: kilometres per litre	0.354

Power

horsepower: kilowatts	0.746

Παράγοντες μετατροπής

Μάζα

τόννοι: κιλά	1016.05
εκατόβαρο: κιλά	50.802
τσένταλς: κιλά	45.359
κουώρτερς: κιλά	12.70
στόουνς: κιλά	6.35
πάουντς: κιλά	0.45
ουγγιές: γραμμάρια	28.35

Μάζα ανά μονάδα μήκους

τόννοι ανά μίλι: κιλά ανά μέτρο	0.63
πάουντς ανά πόδι: κιλά ανά μέτρο	1.48
πάουντς ανά ίντσα: κιλά ανά μέτρο	17.85
ουγγιές ανά ίντσα: γραμμάρια ανά χιλιοστό	1.11

Μάζα ανά μονάδα επιφανείας

τόννοι ανά μίλι^2: κιλά ανά εκτάριο	3.92
πάουντς ανά πόδι^2: κιλά ανά μέτρο^2	4.88
πάουντς ανά ίντσα^2: γραμμ. ανά εκατοστό^2	70.30
ουγγιές ανά γυάρδα^2: γραμμ. ανά εκατοστό^2	33.90
ουγγιές ανά πόδι^2: γραμμ. ανά μέτρο^2	305.15

Κατανάλωση καυσίμων

γαλλόνια ανά μίλι: λίτρα ανά χλμ.	2.82
US γαλλόνι ανά μίλι: λίτρα ανά χλμ.	2.35
μίλια το γαλλόνι: χλμ. το λίτρο	0.35

Ισχύς

Ιπποδύναμη: κιλοβάτ	0.74

CARDINAL NUMBERS		ΑΠΟΛΥΤΟΙ ΑΡΙΘΜΟΙ
zero	0	μηδέν
one	1	ένας, μία, ένα
two	2	δύο
three	3	τρείς, τρία
four	4	τέσσερα
five	5	πέντε
six	6	έξι
seven	7	επτά
eight	8	οκτώ (οχτώ)
nine	9	εννέα (εννιά)
ten	10	δέκα
eleven	11	έντεκα
twelve	12	δώδεκα
thirteen	13	δεκατρία
fourteen	14	δεκατέσσερα
fifteen	15	δεκαπέντε
sixteen	16	δεκαέξι
seventeen	17	δεκαεπτά
eighteen	18	δεκαοκτώ (δεκαοχτώ)
nineteen	19	δεκαεννέα (δεκαεννιά)
twenty	20	είκοσι
twenty-one	21	είκοσι ένας, μία, ένα
twenty-two	22	είκοσι δύο
thirty	30	τριάντα
forty	40	σαράντα
fifty	50	πενήντα
sixty	60	εξήντα
seventy	70	εβδομήντα
eighty	80	ογδόντα
ninety	90	ενενήντα
one hundred	100	εκατό
two hundred	200	διακόσιοι, ες, α
three hundred	300	τριακόσιοι, ες, α
four hundred	400	τετρακόσιοι, ες, α
five hundred	500	πεντακόσιοι, ες, α
six hundred	600	εξακόσιοι, ες, α
seven hundred	700	επτακόσιοι, ες, α
eight hundred	800	οκτακόσιοι, ες, α
nine hundred	900	εννιακόσιοι, ες, α
one thousand	1,000	χίλιοι, χίλιες, χίλια
two thousand	2,000	δύο χιλιάδες
three thousand	3,000	τρεις χιλιάδες
one million	1,000,000	ένα εκατομμύριο
one billion	2,000,000	ένα δισεκατομμύριο

Months

Months	**Μήνες**
January	Ιανουάριος
February	Φεβρουάριος
March	Μάρτιος
April	Απρίλιος
May	Μάϊος
June	Ιούνιος
July	Ιούλιος
August	Αύγουστος
September	Σεπτέμβριος
October	Οκτώβριος
November	Νοέμβριος
December	Δεκέμβριος

Days

Days	**Ημέρες**
Sunday	Κυριακή
Monday	Δευτέρα
Tuesday	Τρίτη
Wednesday	Τετάρτη
Thursday	Πέμπτη
Friday	Παρασκευή
Saturday	Σάββατο

Infinitive	*past simple*	*past participle*	*Infinitive*	*past simple*	*past participe*
arise	arose	arisen	hear	heard	heard
awake	awoke	awaked	hide	hid	hidden
be	was/were	been	hit	hit	hit
beat	beat	beaten	hold	held	held
become	became	become	hurt	hurt	hurt
begin	began	begun	keep	kept	kept
bend	bent	bent	know	knew	known
bet	bet	bet	lay	laid	laid
bite	bit	bitten	lead	led	led
blow	blew	blown	lean	leant	leant
break	broke	broken		leaned	leaned
build	built	built	leave	left	left
burst	burst	burst	lend	lent	lent
buy	bought	bought	let	let	let
catch	caught	caught	lie	lay	lain
choose	chose	chosen	light	lit	lit
come	came	come	lose	lost	lost
cost	cost	cost	make	made	made
cut	cut	cut	mean	meant	meant
deal	dealt	dealt	meet	met	met
dig	dug	dug	mistake	mistook	mistaken
do	did	done	pay	paid	paid
draw	drew	drawn	put	put	put
drink	drank	drunk	quit	quit	quit
drive	drove	driven		quitted	quitted
eat	ate	eaten	read/**ri:d**/	read/**red**/	read/**red**/
fall	fell	fallen	ride	rode	ridden
feed	fed	fed	ring	rang	rung
feel	felt	felt	rise	rose	risen
fight	fought	fought	run	ran	run
find	found	found	say	said	said
fly	flew	flown	see	saw	seen
forbid	forbade	forbidden	seek	sought	sought
forget	forgot	forgotten	sell	sold	sold
forgive	forgave	forgotten	send	sent	sent
freeze	froze	frozen	set	set	set
get	got	got	sew	sewed	sewn/sewed
give	gave	given	shake	shook	shaken
go	went	gone	shall	should	-----
grow	grew	grown	shine	shone	shone
hang	hung	hung	shoot	shot	shot
have	had	had	show	showed	shown

Infinitive	*past simple*	*past participle*
shrink	shrank	shrunk
shut	shut	shut
sing	sang	sung
sink	sank	sunk
sit	sat	sat
sleep	slept	slept
speak	spoke	spoken
spend	spent	spent
spit	spat	spat
split	split	split
spread	spread	spread
spring	sprang	sprung
stand	stood	stood
steal	stole	stolen
stick	stuck	stuck
sting	stung	stung
stink	stank	stunk
strike	struck	struck
strive	strove	striven
swear	swore	sworn
sweep	swept	swept
swim	swam	swum
swing	swung	swung
take	took	taken
teach	taught	taught
tear	tore	torn
tell	told	told
think	thought	thought
throw	threw	thrown
understand	understood	understood
wake	woke	woken
wear	wore	worn
weave	wove	woven
	weaved	weaved
wed	wedded	wedded
	wed	wed
weep	wept	wept
win	won	won
wind	wound	wound
wring	wrung	wrung
write	wrote	written